P8-AUW-997

윌리스턴 워커

기독교회사

A HISTORY OF THE CHRISTIAN CHURCH

by
Williston Walker

and
Richard A. Norris
David W. Lotz
Robert T. Handy

FOURTH EDITION

T. & T. CLARK LTD., EDINBURGH

기독교회사

A HISTORY OF THE CHRISTIAN CHURCH

월리스턴 워커

송인설 옮김

크리스챤 다이제스트

• 본서의 대본
A HISTORY OF THE CHRISTIAN CHURCH
by Williston Walker and Richard A. Norris, David W. Lotz, Robert T. Handy(Edinburgh : T. & T. Clark Ltd., 1986)

차 례

제4기 중세 — 서임권 논쟁 종결까지

제5기 후기 중세 시대

일러두기

1. 외래어 표기는 1987년 11월 문교부에서 발행한 외래어 표기 용례를 따랐다.
2. 인명, 지명과 일반 용어는 교회사의 경우에 「기독교대백과사전」(기독교문사 발행)의 용례에 따르고, 서양사의 경우에 「서양사 총론」(차하순, 탐구당, 1992)의 용례를 따랐다.
   예) 프란체스코회 ○, 프란시스 걸식 승단 ×
   도미니쿠스회 ○, 도미니크 걸식 승단 ×
   슈말칼덴 동맹 ○, 슈말칼트 동맹 ×
3. 가능한 한 원음대로 표기했다.
   예) 밀라노 ○, 밀란 ×
   베네치아 ○, 베니스 ×
   샤를마뉴 ○, 찰스 대제 ×
   Henry는, 영국인은 헨리, 프랑스인은 앙리, 독일인은 하인리히로 표기한다. Peter는, 영국인은 피터, 프랑스인은 피에르, 독일인은 페터, 라틴인은 페트루스로 표기한다. William은, 영국인은 윌리엄, 프랑스인은 기욤, 독일인은 빌헬름으로 표기한다.
4. ─ 주의는 정확한 원어대로 표기했다.
   예) Arminianism → 아르미니우스주의
   Socinianism → 소지니주의
5. 단, 교회사에서 이미 익숙하게 통용되는 용어는 그대로 사용했다.
   예) Augustine → 어거스틴
   Calvin → 칼빈
   Peter Lombard → 피터 롬바르드
   Jerome → 제롬(히에로니무스 ×)
6. 원음이 너무 길 때에는 짧게 원음에 가깝게 하였다.
   예) 테르툴리아누스 → 터툴리안
   키프리아누스 → 키프리안

제4판 서문

1918년에 출판된 윌리스턴 워커(Williston Walker)의「기독 교회사」(*A History of Christian Church)* 초판은 나오자마자 아주 유익한 표준 교과서가 되었다. 예일 대학의 교회사 교수인 워커는 이 책에서 솔직함과 유능함과 균형 감각을 보기 드물게 잘 보여주었다. 그래서 이 책은 1세기에서 20세기까지 이르는 교회 역사를 한 권으로 다룬 기초적인 연구서로서 비할 데 없는 역작이 되었다. 40년이 지난 후에도 이 책이 교회사의 요점들을 간단명료하게 전달하는 데 유익하다는 점은 여전히 널리 인정받았다.

그래서 이 책의 2판(1959)을 간행할 때 개정자들인 뉴욕 유니온 신학교의 시릴 리처드슨(Cyril Richardson), 빌헬름 파우크(Wilhelm Pauck) 그리고 로버트 핸디(Robert T. Handy)는 잘못된 사실로 드러났거나 해석이 지나치게 시대에 뒤처져 있는 몇몇 부분들을 개정하고, 워커의 시대 이래로 많이들 연구해 왔던 현대 기독교에 대한 부분을 좀더 철저히 개정하려는 것을 주목적으로 삼았다.

3판(1970)은 제2바티칸 공의회와 에큐메니칼 운동의 확산에 대하여 특별히 언급한 것과 아울러 1960년대의 중요한 발진을 설명하는 내용을 추가한 것을 제외하고는 거의 변한 것이 없다.

그 이후로 계속되는 역사적 연구와 방법론적 변화로 인해 중요한 사실들을 새로 발견하였고 좀더 이전 시기에 대한 신선한 해석이 생겼다. 그래서 훨씬 더 철저한 개정이 필요하게 되었다. 이 4판에서 개정 작업을 하였다.

워커 저작의 원 내용이 갖고 있는 기본적인 개요는 최근 시대에 대해서만 지난번에 수정되었을 뿐 (전체적으로) 건전한 것으로 입증되었다. 그리고 몇 가지 수정을 했지만 전반적으로 이 책을 그대로 따랐다. 그러나 이 분야(교회사)에 대한 최근 연구의 결과를 통합하면서 많은 부분의 내용을 광범위하게 다시 구상하고 다시 조명하고 다시 기록했다. 이 책은 다음과 같이 나누어 집필하였다. 노리스(Norris) 교수는 처음부터 중세 초기까지의 부분들을 다시 썼다(1-4기). 로츠(Lotz) 교수는 중세 후기와 종교개혁을 다루는 부분을 다시 조명하고 광범위하게 다시 기록했다(5-6기). 핸디 교수는 청교도주의부터 최근까지 해당하는 부분들을 편집했다(7기). 본문에 있는 이중 인용 부호들은 괄호 속에 있는 해당 시기와 장의 인용을 표시한다. 예를 들어 "(Ⅰ:2)"은 1기 2장을 언급한다. 독자들의 편의를 위하여 시기와 장의 숫자는 책의 오른쪽 윗편에 적어 둔다. 참고문헌은 다시 만든 것이다. 정선한 일반 작품들을 따라서 본문의 중요한 일곱 시기에 초점을 두고 있다.

우리의 노력이 개정하고 상당히 손질한 이 책에서 워커의 업적을 계속 살리고 그 업적에 보탬이 되기를 바란다.

리처드 노리스
데이비드 로츠
로버트 핸디
뉴욕 유니온 신학교
1984년 9월

제3판 서문

1960년대에는 교회사에 중요한 사건들이 많이 일어났다. 그러므로 1959년의 완전 개정판이 나온 직후에 이 유용한 책을 개정하는 일이 아주 바람직한 일은 아니었지만, 이 책 후반부를 몇 군데 바꾸고 한 장을 추가로 덧붙이고 참고 문헌에 최근 작품을 집어넣기로 결정했다. 오랫동안 표준적인 저서 역할을 해온 이 책에 자세히 기록된 역사의 많은 부분에서 제2차 바티칸 공의회와 3, 4차 세계교회협의회의 획기적인 심의와 행동을 통하여 다시금 고찰된 사실을 살펴보는 일은 유익하다.

로버트 핸디
유니온 신학교
1969년 9월

제2판 서문

근 반세기 동안 워커의 「기독 교회사」는 표준 교과서가 되어 왔다. 완숙한 학문을 이룩한 학자가 이 책을 기록했기 때문이다. 그는 19세기 후반과 20세기 초반에 있었던 독일 역사학의 풍부한 열매로부터 특별히 유익을 얻었다. 이 책은 명확함과 꼼꼼함과 균형을 보기드물게 겸비하여 비할 데 없는 성공작이 되었다. 게다가 역사학의 진보에도 불구하고, 워커의 중요한 본문 내용은 주목할 만큼 잘 유지되어 왔다. 그럼에도 불구하고 몇몇 부분들은 어쩔 수 없이 시대에 뒤처져 버렸고, 특별히 후반부는 필연적으로 광범위하게 다시 기록해야 했다.

개정자들은 원 저서의 중요한 구조를 유지하면서 잘못된 사실이나 해석이 심각하게 의심스러운 부분만 개정하려고 했다. 그러자니 좀더 균형있게 하거나 오늘날에 와서 발견한 사실들을 지적하기 위하여 몇몇 부분을 덧붙이게 되었다. 현대 부분에서는 이 책을 최근 시대에 맞도록 하기 위하여 자료들을 좀더 근본적으로 다시 다루는 일이 필요했다.

개정자들은 다음과 같이 일을 나누었다. 리처드슨 교수는 초기 중세 연구를 책임졌고(pp. 1-215), 파우크 교수는 종교개혁까지(pp. 219-401), 핸디 교수는 청교도주의부터 현대까지(pp. 402-545)를 책임졌다. 뉴 헤이븐 버클리 신학교의 에드워드 하디(Edward R. Hardy) 박사는 그리스 정교를 다루는 부분에 학문적인 도움을 주셨는데, 감사를 드린다. 우리는 최근의 사실까지 실음으로써 이 책이 더욱 유익하게 되며, 가치있고 일반적인 이 책이 좀더 오랫동안 사용될 수 있게 되기를 바란다.

시릴 리처드슨
빌헬름 파우크
로버트 핸디
유니온 신학교
1958년 9월

제1기
교회의 시작부터 영지주의의 위기까지

1. 일반적인 상황

그리스도께서 탄생하셨을 때, 지중해를 둘러싸고 있는 땅들은 정치적으로 로마가 다스리던 지역이었다. 이 로마 제국은 해안 지역뿐만 아니라 내륙지역까지 지배했다. 지중해와 라인 강과 다뉴브 강을 경계로 하여 지중해 북부까지 이른 로마 제국은 북 아프리카와 이집트를 포괄했고, 동으로는 아르메니아와 페르시아 제국의 국경까지 뻗어 있었다.

기독교가 나타나기 전 1세기 반 쯤에, 로마의 원로원과 백성들이 발휘한 지배력은 이탈리아로부터 확대되어 서쪽으로는 갈리아, 스페인, 북부 아프리카를, 또한 동쪽으로는 알렉산더 대제의 제국을 승계했던 헬레니즘 왕국들까지 미쳤다. 이러한 확장의 시대는 로마 공화정의 사회 생활과 정치 생활에서 알력과 불안이 커지고 있던 시대였다. 율리우스 케사르가 전통적인 공화정을 전복할 것을 두려워 했던 일당들이 율리우스 케사르를 암살(B.C. 44)하고 난 다음 내전이 벌어져서 로마가 다스리고 있던 모든 지역에 영향을 주었다. 그러므로 일반적으로 백성들은 케사르의 조카이자 양자였던 옥타비아누스의 궁극적인 승리를 안도와 희망으로 환영했다. 옥타비아누스가 할 일은 로마를 재건하고 그 속주의 행정을 개혁하는 것이 되었다. (B.C. 27년 원로원이 존경의 뜻을 담아 공식적으로 옥타비아누스에게 붙였던 이름이던) 아우구스투스는 공화정 제도의 형식을 보존하면서 결국 모든 실제적 권력을 장악했고, '제일 시민' (프린켑스)이란 칭호를 가지고서 백성의 호민관으로 그 다음에는 집정관(consul)으로 일평생 지위를 누렸다. 그는 이런 권세로 활동하면서 속주 정치의 질서를 잡고 전체 지중해 세계에 어느 정도 평화를 가져다 주었다.

그러므로 아우구스투스가 수립한 제국 체제에는 언어와 문화가 다른 민족들이 섞여 있었다. 제국 대부분의 지역에서 기본적인 정치적 사회적 단위는 폴리스였다(혹은 폴리스가 되었다). 폴리스는 일반적으로 영어에서 'city'로 잘못 번역되는 말이다. 이 폴리스는 적당한 지역의 일을 돌보는 시민들의 자치 단체였다. 지역보다 크거나 작은 도시의 중심지가 그 지역의 중심지였다. 로마의 보호를 받으면서 (대부분과두제로 통치되었던) 그런 시민 자치 단체들은 제국의 생활과 군대를 유지했던 세금뿐만 아니라 자기 지역의 일을 책임졌다. 그러므로 도시마다 그 수호신의 경배, 치안 집행, 시민과 거주민의 복지를 법으로 규정했다. 도시들은 각각 그 지역 자존심의 중심이었으며, 경제적으로는 주변 시골에 의존했다.

많은 종족, 문화, 종교의 집단으로 결합된 제국은 공동의 정치적 충성으로, 경제적 상업적 상호 의존으로, 그리고 공유한 고급 문화로 결속되었다. 내부 질서의 유지와 지중해 문명의 외부 변경의 보호를 위하여 정치적으로 모든 것은 로마와 그 황제와 군대에 의존했다. 이 지중해 문명을 둘러싸고 있는 외부 국경에 대부분의 군대들이 배치되었다. 제국 안에서 재물의 중요한 원천은 토지와 그 소산이었으며, 농업이 중요한 산업이었다. 지중해와 그 지류에서 떨어진 공동체들은 대부분이 지역의 산물에 의지해서 생활했다.

그러나 해안 도시들 — 그리고 특별히 로마와 같이 커다란 국제적인 중심지들 — 은 중요한 생활 필수품 즉 밀, 포도주, 올리브를 활발하게 교역하는 데 의존했다. 북부 아프리카의 밀은 로마 주민을 먹여 살렸다. 이는 좀더 이후의 시기에 알렉산드리아 항구에서 수송한 이집트의 밀이 콘스탄티노플의 주민들에게 양식으로 공급된 것과 마찬가지이다. 이탈리아는 포도 재배의 중심지였고 그 포도주를 널리 수출했다. 그래서 제국의 핵심 지역이었던 지중해 도시들은 상업 관계를 통해서 점점 서로 결합되었다.

하지만 제국의 통일과 연대는 공동의 고급 문화가 있으므로 가능했다. 즉 '헬레니즘' 문화인 이 문화는 알렉산더 대제(B.C. 356-323)의 정복이 낳은 결과로 그리스의 언어와 교육과 시민 제도가 동부 지중해 세계에 널리 확산되면서 자랐다. 그리스도께서 태어나시기 전 150년 경에 로마도 그리스 전통에 속하는 문화적 지적 지류가 되었다.

그리스어가 동방에서 도시 거주민의 일상 언어가 되었을 때, 이 언어는 서방에서 교육 받은 자들의 일상적인 제2언어가 되었다. 서방에서는 라틴어가 일상 언어였다. 아람어, 콥트어, 카르타고어와 같은 다른 언어들은 사라지지 않았지만, 점점 이 언어들은 배우지 못한 사람들과 시골 사람들의 언어가 되는 경향이 있었다. 이런 식으로 그리스의 학문, 그리스의 종교 철학, 그리스의 예술과 문학이 다른 전통들을 부요하게 하고 또 이 전통들에 의하여 부요하게 되어 지중해의 도시 문명이 갖고 있던 문화적 종교적 가치를 함께 나누는 세계가 있을 수 있었다.

이처럼 복잡하고 다양하며 아주 세련된 세계에서는 종교적 관심사, 신념, 관행들이 개인과 공동체 생활의 중심이었다. 하지만 동시에 그 시대의 종교적 경향은 다양했다. 일반적으로 말해서, 종교적 신념과 의식을 세 가지 범주로 넓게 나눌 수 있다. 첫째, 가족과 공동체의 신들을 섬기는 전통적인 종교가 있었다. 이를 로마 헬레니즘 세계의 '시민 종교'라고 할 수 있을 것이다.

둘째, 소위 '신비주의 종파'(mystery cults)가 있었다. 이것들은 대부분 지방의 풍요 제의에 신화적 뿌리를 두고 있었던 동방 종교였다. 그러나 이 풍요 제의들은 그리스어를 사용하는 국제적인 제국 세계에서 변화되어, 운명의 신과 행운의 여신의 속박으로부터 벗어나는 초보적인 구원을 제시하는 자발적인 단체가 되었다.

마지막으로, 철학적 지혜를 추구하고 실천함으로써 인간의 성취와 복된 상태를 바라는 생활 방식이 있었다. 이 지혜는 그리스 판테온의 전통적인 신들을 비판함으로써 얻은 것이며, 시간이 감으로써 전통적인 종교를 '비신화화한' 형태로 제공할 수 있는 지혜였다. 실제로 이렇게 서로 다른 형태의 종교들이 평화롭게 공존했고, 개인들은 정도가 다르게 이 세 종교에 모두 개입할 수 있었다. 하지만 이 종교들은 서로 다른 필요에 응답했고, 어느 정도 인간 상황에 대한 서로 다른 인식을 전제로 삼았다.

하지만 다양한 형태의 종교들이 한 가지 문제에서는 일치했다. 로마 세계에 살던 사람들은 우주에 대한 새로운 모습을 얻고 있었고 사실상 대부분 이미 얻은 상태였다. 고대 신화에 나오는 평평한 지구와 그 위를 덮고 있는 하늘의 모습은 사라졌다. 교육 받은 사람이나 교육을 덜 받은 사람이나 똑같이 지구가 사물들의 중심에서 있으면서 움직이지 않고 고정되어 있는 구체라고 보았다. 지구 주위에 일곱 개의 행성 구체가 궤도를 따라 돌고 있고, 항성들의 영역인 '하늘'이 이 전체 체계의 주위를 돌고 있다.

하지만 고대인들에게 이 우주는 단순한 기계가 아니었다. 반대로 그들은 우주가 영혼을 갖고 있다고 즉 살아있는 사물이라고 인식했다. 이 우주 속에서 신적인 지성이 질서있는 변화와 운동을 유지한다고 보았다. 이 세계는 생명으로 가득 차 있었고, 하늘과 행성 구체에 사는 신들은 만물에 뻗어 있고 심지어는 신적인 영역에서 가장 멀리 떨어져 있는 우주 즉 지구에서 일어나는 일에도 관계하고 있는, 궁극적인 신적 능력의 현현이나 대표자들이었다.

로마와 헬레니즘 세계의 전통적인 종교는 공적이며 사회적인 일이고 가족과 공동체의 일이었다. 인간의 복지가 매순간 신들, 곧 우주의 세력들의 선의(善意)에 달려 있으므로, 종교는 곡식의 자람, 사업 활동, 전쟁과 외교와 같은 생활의 공동적인 관심사에 대하여 신들의 도움을 구했다. 이 종교의 의식은 오래 되고 전통적이며 별로 합리적이지 못했다. 그리고 공동체의 일반 지도자들이 이 종교를 시노했다. 이들은 가족의 우두머리거나 도시의 선출된 행정관이었다. 이 종교는 신들의 뜻을 찾기 위하여 점, 꿈, 신탁을 사용했다. 이 종교는 신들의 도움을 얻기 위하여 기도와 희생 제사를 사용했다.

우리는 로마 제국에서 자라났던 황제 숭배나 국가 숭배의 현상을 이런 전통적 종교의 상황에서 이해해야 한다. 로마 군대의 승리와 제국 질서가 지중해 세계에 주었던 유익들은 로마인들과 그 신민 백성 대부분이 로마의 권세는 신들의 힘이 나타난 것으로, 즉 로마는 신적인 사명을 갖고 있는 것으로 확신하게 했다. 아우구스투스는 제국 도시가 신들과 맺은 언약을 잘 유지할 때에만 그 운이 이루어질 수 있다고 생각하고서 전통 종교를 부활시켰다. 게다가 그가 로마 원로원에 제단을 세워 평화의 여신에게 바쳤을 때에 그는 여신 로마(Roma)의 숭배를 권장함으로써 더 이전의 동방 종교를 따랐다.

이 여신 로마는 로마 나라의 정복하는 일과 질서를 세우는 일에 나타난 신적 능력이다. 신과 같은 황제에 대한 숭배가 만들어져서 널리 퍼지게 된 배후에도 비슷한 모습이 있다. 이 황제 숭배의 실제적인 기원은 동방에 있었지 로마에 있었던 것은 아니다. 이탈리아에서 이 숭배를 처음으로 인정했을 때, 이 숭배는 황제의 '수호신'(즉 인간 통치자의 신적인 분신)에, 혹은 죽은 후 황제의 '신격화'에 대한 존경을 표현하는 비교적 온건한 형태를 취했다.

로마의 감수성이 강한 사람들은 원래 어떤 일반 사람이 신이라고 선언하는 것을 허용하지 않았다. 칼리굴라(A.D. 37-41)같이 다 인정하는 미친 사람만이 그런 태도를 취할 수 있었다. 하지만 속주와 특별히 동방에서는 그런 제한이 일반적이지 못했다. 거기서는 오래된 관습을 따라서 바로 황제를 신적인 존재의 살아있는 현현으로 보고 그에게 경배를 드렸다. 이 숭배는 깊은 인격적인 신앙을 일으키지 않았지만 결국 널리 퍼지고 세세하게 조직되었다. 이 숭배는 공식적인 시민 종교의 영역에 속해 있었고, 사람들이 일반적으로 인정하듯이 그 종교의 역할은 정치적인 것이었다. 하지만 이 황제 숭배는 실제적인 한 가지 확신 즉 정치적 질서의 기초는 신의 영역에 있다는 확신을 나타냈다.

하지만 이 전통적인 종교는 대부분의 경우는 아니지만 많은 경우에 개인적인 필요와 갈망에 적합하지 못했다. 그 예식이 정성껏 지켜지기는 했지만 비인격적인 것이었고, 그 관심사는 공적인 질서와 공적인 복지에 있었다. 그래서 도시의 일반 백성들은 개인적인 안정과 번영, 그리고 혼동스럽고 비인격적인 세계에서 한 자리를 차지하고 긍정적인 운명을 갖게 되었다는 느낌을 얻기 위하여 종교적 제의로 돌아섰다.

이들 백성이 경험했던 것처럼 우주는 완전히 질서있고 조화로운 전체가 아니었다. 그들의 경험 세계는 신들의 복된 영역으로부터 훨씬 떨어져 있었다. 그 세계는 우연과 필연의 영역이며, 땅과 달 사이의 좀더 낮은 영역을 다스리는 악마적인 신들이 자기들의 예측할 수 없는 뜻을 행사하는 곳이었다. 그러므로 아주 인기있는 종교는 (종종 변덕스럽게) 인간 생활을 지배했던 비인간적인 신들을 이해하고 통제하는 것과 관계있었다. 마술의 관행이 — 부적, 주문, 호부(護符)의 사용이 — 성행했다. 헬레니즘 시대에 바빌론으로부터 수입되고 지중해 세계에 널리 퍼진 점성술이 또한 크게 유행했다. 별들을 보는 것은 사람의 운명에 대한 어떤 통찰력을 얻는 것이었다. 또한 한 사람의 운명이 바깥 세력의 손에 있다는 것을 고백하는 것이었다.

우리는 바로 이런 상황에서 신비주의 종파가 유행한 것을 이해할 수 있겠다. 이미 살펴본 바와 같이 이 종파(cult)들은 동방의 '자연 종교'들로서 헬레니즘 시대에 구원의 종교로 지중해 세계에 널리 퍼졌다. 이 종파들 가운데 가장 유명한 것은 소아시아에서 생긴 위대한 어머니(Great Mother) 숭배, 이집트에서 나온 이시스와 세라피스 숭배, 후에 페르시아에서 퍼진 미드라스 숭배였다.

로마는 원래 이런 종교들을 의혹의 눈으로 보았다. 이 종교들은 열정적이고 심지어 광란적인 의식을 포함했다. 그리고 이 의식들은 공적인 단정함과 도덕에 맞지 않은 것으로 보였다. 그럼에도 불구하고 카르타고 전쟁의 위기 때에 (적당하게 과도한 것은 제거한) 위대한 어머니 숭배를 로마 신들의 거룩한 경내로 이끌어들인 것은 로마 당국이었다(B.C. 204). 이시스 종파가 오랫동안 정부의 반대를 받았지만 B.C. 80년 경 로마 근처에서 실시되었다. 때가 되자 서방에서도 이 종파들을 일반 백성과 통치자 모두의 종교 생활에 일상적인 요소로 받아들였다.

그러면 이 종파들은 무엇을 주었는가? 예를 들어 이 종파는 입교식과 예배에서 두려움과 놀라움과 감사의 심오한 감정을 불러 일으키는 신적인 존재에 대한 체험을 주었다. 이 비밀스러운 의식의 입교자들은 신들을 '보았고' 자신들을 돌보기 위하여 찾아온 신적인 존재와 교제를 갖게 되었다. 동시에 이 종파들은 신들과 교제를 나누는 가운데 복된 불멸의 선물을 주었다. 이 종파들은 일반적으로 죽고 다시 살아나는 한 신의 신화에 뿌리를 두고 있으므로 새로운 생활로 다시 태어나는 경험을 준다. 입교자들은 신의 생활에 참여하는 자가 되었으므로, 숙명과 우연이 지배하는 이 땅의 영역 위로 들리운다. 그래서 신적인 존재와 교제를 나누는 자들에게 적합한 불멸성을 향하여 그들은 해방되었다. 그러므로 신비주의 종파는 초월자에 대한 느낌을 일으키며, 이 느낌 때문에 생존하는 구원 종교였다.

백성들이 성취된 행복한 생활를 추구하면서 따를 수 있었던 세번째 방법은 철학적 지혜의 방법이었다. 로마와 헬레니즘 시대에 '철학'은 추상적인 문제의 특수한 영역과 관련있는 학구적인 학과에 붙는 이름이 아니었다.

오히려 철학은 우주와 우주 속에서 차지하는 인간의 위상에 대한 이해를 추구하는 탐구였다. 이 이해는 어떤 생활 방식에 참여함으로써만 얻는 것이었고 행복이나 복락에 이르는 것이었다. 그러므로 철학자들의 일은 모든 사람이 할 수 있는 것이 아니었다. 이 일은 소수만이 추구할 수 있는 지적이고 도덕적인 훈련 생활을 담고 있었다. 반대로 철학이 발전시켰던 세계와 인간 상황의 모습들은 일상적인 종교와 도덕이라는 평범한 것으로 돌아가는 길을 갖고 있었다. 결국 철학은 종교의 신화와 제의를 의미있게 만들었던 이해의 틀을 제공했다.

로마와 헬레니즘의 철학 학파는 기원전 4세기 아테네에서 소크라테스의 가르침에 자극을 받은 탐구와 사유의 운동에서 생긴다. 이 운동에는 먼저 **플라톤**이라는 위대한 지도자가 나타난다(B.C. 347에 사망함). 그의 사상은 잇달은 그의 대화록에 기록된 일반적인 형식으로 전달되었다. 그가 세웠고 결국 529년 기독교 황제 유스티니아누스가 문을 닫았던 아카데미는 헬레니즘 철학의 맨 처음 위대한 학파였다.

플라톤의 제자 **아리스토텔레스**(B.C. 384-322)는 플라톤이 죽은 후에 아카데미에서 나와서 소요학파의 창시자가 되었다. 그러나 아리스토텔레스의 가르침은 그의 과학적 철학적 작품들이 B.C. 1세기에 다시 간행된 후 기독교 시대에 아주 강하게 영향을 주었다.

그 후에 **에피쿠로스**(B.C. 342-270) **학파**와 **스토아 학파**가 나타났다. 스토아 학파라는 이름은 횃불(스토아)이라고 하는 아테네의 공회당에서 유래했는데, 이 학파의 창시자인 **제논**(B.C. 약 264년에 사망함)이 이곳에서 원래 가르쳤던 것이다. 사실상 이 학파는 각각 그 창시자의 가르침을 설명하고 발전시킨 지속적인 단체가 되었다. 이 학파들의 차이점은 윤리학뿐만 아니라 인식론, 우주론, 신학 등 넓은 문제 영역을 포함했다. 하지만 헬레니즘 시대에 논쟁했던 핵심적인 문제는 '행복한' 혹은 성취한 인간 생활의 본질에 대한 것이었다.

에피쿠로스 학파는 쾌락(정신적 혼란이 없다는 부정적인 의미임〔아타락시아〕)이 인간의 최고선이었다. 좋은 생활은 필요없는 욕망과 번민에 따르는 고통을 최소화함으로써 쾌락을 최대화하는 생활이다.

그래서 역설적이게도 가장 커다란 쾌락은 고요하고 은거하고 절제하는 생활에서 얻어진다. 이 생활의 본질적인 특징은 자기 억제이다. 에피쿠로스와 그를 따르는 사람들은 종교(신들에 대한 두려움과 사후 세계에 대한 걱정)를 혼란과 고통의 중요한 원인 중 하나로 보았다. 하지만 이들은 그 모든 종교적 두려움은 근거가 없는 것이라고 믿었다. 신들은 자기들의 최고천(最高天 empyrean) 세계에 살고 있고 인간사에 아무런 책임이 없거나 관심을 갖지 않는다고 그들은 가르쳤다. 게다가 죽음은 인간 실존에 대한 단순한 종결을 표시한다. 따라서 죽음은 악한 것이 아니니, 죽음과 더불어 쾌락과 고통의 의식이 사라지기 때문이다.

전에 **데모크리투스**(B.C. 약 380년에 사망함)가 가르친 대로 우주는 진공 속에 영원히 실존하는 원자들의 예기치 않고 언제나 변화하는 결합에 의하여 형성되었다고 하는 에피쿠로스 학파의 확신에 이 교리는 감탄할 정도로 들어맞았다. 이 철학은 B.C. 5세기에 로마의 귀족 계급에서 짧은 시간 동안 유행했다. 그리고 이 철학의 가장 위대한 문필 작품은 로마의 루크레티우스(B.C. 55년에 사망함)의 「사물의 본성에 대하여」(*De rerum natura*)라고 하는 탁월한 시이다. 기독교 시대에 에피쿠로스의 교리는 영향을 발휘하거나 확산되지 않았지만, 이 교리들은 그리스도인들과 다른 사람들에 의해 논쟁적인 목적으로 종종 불공평하게 웃음거리가 되곤 했다.

특별히 라틴의 서방에서 좀더 영향력을 미쳤던 것은 스토아 학파의 철학이었는데, 이 학파의 가르침은 인간의 유일한 선은 덕 혹은 '자연을 따라 사는 생활'이라는 것이었다. 후계자 클레안테스(Cleanthes, B.C. 약 232년에 사망함)와 크리시푸스(Chrysippus, B.C. 약 207년에 사망함)가 확대시키고 발전시킨 제논의 교설들은 루키우스 안나이우스 세네카(A.D. 65년에 사망함), 전에 노예였던 에픽테투스(A.D. 약 135년에 사망함), 황제 마르쿠스 아우렐리우스(A.D. 121-180)와 같은 탁월한 서방 지지자들이 있었다.

에피쿠로스 학파처럼 스토아 학파는 유물론자들이었다. 개략적으로 말하면, 그들은 우주가 두 종류의 '재료' 혹은 '실체'로 구성되어 있다고 파악했다. 즉 수동적인 질료와 능동적인 불과 같은 '정신' 혹은 '호흡'(프뉴마)이다.

이 능동적인 정신은 질료를 옮기고(transfuse) 질료를 형성하고 그것이 응집하도록 한다. 영혼이 인간 몸에서 그러는 것처럼 이 호흡(프뉴마)은 우주 속에서 작용한다. 즉 이 호흡은 생명과 조화의 원천이다. 이 '정신'은 '신' 혹은 '숙명' 혹은 '이성'(로고스)이라고 한다. 이 정신은 내주하는 신성이며, 그것이 밖으로 발출하는 능력들은 일반적인 종교의 신들이다. 인간 영혼은 이성적이며, 이 신적인 이성의 불꽃 혹은 일부이다.

그러므로 인간에게서 선(善)은 충분히 인간의 본래 모습으로 되는 것에 있다. 즉 인간의 내적인 본질과 정체(즉 로고스)에 따라 생활하고 활동하는 것에 있다. 그런 생활만이 탁월한 (혹은 다른 말로 하면 덕스러운) 인간 실존이다. 게다가 덕스러운 생활만이 자유로우니, 이 생활만이 인간의 능력을 달성할 수 있는 것이며, 이 생활만이 사람들을 참으로 자기다워지도록 인도하기 때문이다. 그러므로 무엇이든지 외부 상황 — 예를 들면 건강 혹은 세상적인 성공 혹은 성적인 쾌락 — 에 의존하는 것은 무엇이든지 인간의 선을 이루는 본질적인 부분이 아니다.

사실상 외부 환경에 의존하는 것은 사람을 자기 자신으로부터 소외시키는 것이다. 그것은 스토아 학파가 '격정'(파토스)이라고 하는 영혼의 질병이다. 왜냐하면 이 격정에 종속되는 사람은 외부로부터 오는 영향에 관계해서 그리고 부자유스럽고 성취되지 못한 정도로 수동적인 존재가 되기 때문이다. 스토아 학파는 이런 전망을 가지고 지위와 계급의 차이는 부차적인 것이라고 보게 되었다. 모든 사람은 궁극적으로 평등하고 우주라는 도시에 신과 더불어 다른 시민과 함께 있는 동료 시민들이다.

헬레니즘 시대에 가장 널리 퍼졌던 것은 에피쿠로스 학파와 스토아 학파의 가르침이었다. 하지만 미래는 플라톤주의에게 속하게 될 것이었다. 이 플라톤주의는 상당히 변화된 형태이지만 주전 1세기에 부활했다. 플라톤의 가르침은 궁극적으로 있는 것(존재)과 되어 가는 것(생성)을 나누는 그의 구분에 달려 있다. 플라톤은 도덕, 정치, 자연의 영역에서 질서의 참된 기초를 찾으면서, 이데아 혹은 형상의 체계 속에서 그 기초를 찾아 내었다. 이 형상이란 경험적 실재의 모델 혹은 원상(原狀)이다. 이 형상들은 두 개의 본질적인 성질로 특징지어진다. 첫째, 형상들은 단순히 있는 것이다. 변화할 수 없고 자기동일적이고 따라서 영원히 있는 것이다. 둘째로, 이 형상들은 예지적인(intelligible) 것이다. 즉 지성에 의하여 파악할 수 있는 것이다. 플라톤은 이러한 존재와 예지의 영역과 반대로 직접적 경험의 보이는 세계를 끊임없는 생성의 영역으로 보았다. 이 세계에 대해서는 확고한 지식을 가질 수 없었는데, 이 세계는 언제나 사람의 정신에서 빠져나가고 있기 때문이었다.

하지만 존재와 생성의 이 두 영역은 플라톤의 견해에서 나누어지지 않았다. 경험세계는 존재의 영원한 세계의 상을 비추어 주고 그 세계에 참여한다. 게다가 경험세계가 영원한 세계를 흉내내고 그 세계에 참여하는 것은 살아있고 스스로 움직이는 영혼의 활동 때문이다. 이 영혼은 두 영역의 거주민이다. 영혼이 존재의 진리에 따라 살면서 지적 존재에 대하여 명상하고 이 존재를 내면화하는 것처럼, 영혼은 생성의 세계에 질서를 주고 이 세계를 조화롭게 한다. 그래서 시간내적인 질서는 '영원을 표현하는 움직이는 하나의 상(像)'이 된다. 그래서 우주적 질서는 세계 영혼의 명상과 활동이 낳은 결과이다. 이성적인 영혼인 인간의 소명은 그 명상과 행동을 흉내내는 것이다. 즉 형상에 대한 있는 것에 대한 지식을 얻고 이 지식으로 도덕적 정치적 질서를 인간사에 주는 것이다.

아카데미에 속해 있던 플라톤의 직계 제자들은 이데아나 형상이 원형적인 '수(數)'라는 플라톤의 이론에서 나온 플라톤의 사상 전통과 수학적 탐구를 수행했다. 하지만 아르케실라우스(Arcesilaus, B.C. 315-241)와 카르네아데스(Carneades, B.C. 213-128)와 더불어 아카데미는 새로운 방향을 택했다. 이들 사상가들은 소크라테스와 플라톤이 적극적이고 '교리적인' 체계를 주창한 일이 결코 없이 언제나 확고하거나 최종적인 결론에 도달하지 않고서 모든 측면에서 문제들을 탐구하기만 했다고 확신하고서, '판단 중지'(에포케)의 교리를 가르쳤다. 그들은 이 정신으로 지혜로운 자들은 확실성이 아니라 개연성 속에서 유일한 '생활의 지침'을 발견한다고 가르치면서 신을 믿는 신념과 다른 철학 학파의 교의들을 넘어섰다.

'아카데미의 의심'(Academic doubt)이라는 이 정신은 로마의 철학자 키케로(B.C. 106-43)와 그를 통하여 젊은 시절 히포의 어거스틴에게 크게 영향을 주었다.

하지만 결국 플라톤주의의 아카데미에서는 회의론이 지배하지는 않았다. 기원전 1세기에 — 그리고 아리스토텔레스의 철학적 과학적 작품들이 다시 발견되어 회람되기 시작한 거의 비슷한 시기에 — '중기 플라톤주의'라고 일반적으로 알고 있는 운동이 나타났다. 이 운동은 플라톤의 적극적인 가르침으로, 특별히 그의 대화록「티마이우스」(*Timaeus*)에서 설명했던 가르침으로 되돌아 가려고 했다. 하지만 1세기와 2 세기의 기독교 세기가 지나는 동안 사실상 두드러진 이 운동에서 전형적인 것은, 플라톤에 대한 이 운동의 이해가 스토아주의로부터 그리고 점점 아리스토텔레스로부터 생겨난 주제들과 플라톤의 사상을 혼합시켰다는 사실이다.

그래서 중기 플라톤주의는 초월적인 하나님을 정신(Mind, 누스)으로 보는 개념뿐만 아니라 형상 없는 질료를 모든 보이는 사물들의 궁극적인 기체(基體)로 보는 사상을 아리스토텔레스로부터 넘겨 받았다. 이 하나님은 플라톤의 형상을 자신의 사유 내용으로 갖고 있고, 이는 플라톤의 존재 영역과 똑같았다. 하나님에 대한 사유로 형성되고 생명을 얻게 된 영원한 세계 혼(World-Soul)이 반대로 형상 없는 질료에 형상과 조화를 줄 때 가시적 우주가 형성된다.

자신 존재 방식을 궁극적인 실재에 따르게 함으로써 자기 성취를 추구하는 철학자들은 우주와 그 질서를 자기 추구의 출발점으로 택해야 한다는 사실은 사물에 대한 이런 설명으로부터 나온다. 왜냐하면 우주는 영원한 진리의 상(像)이며 반영이기 때문이다. 하지만 결국 철학자는 보이는 세계를 초월해야 한다. 그는 자기의 사유 속에서 자기 사유의 원형인 영원한 선을 얻어야 한다. 거기서 시공간의 복잡한 세계는 궁극적인 통일로 조화되며, 거기서 이성적인 영혼은 자신의 고유한 동반자와 자기의 사랑을 쏟을 충분히 가치있는 대상을 발견한다. 왜냐하면 영혼은 영원하고 불멸적이며, 그것의 자연적인 친화 관계는 지나가는 시공간의 세계에 맞지 아니하고 존재에 맞다. 그래서 철학자의 탐구가 노리는 목적은 '하나님을 닮는 것'이다. 즉 신적인 존재 방식에 참여하는 데 이르는 하나님에 대한 지식이다.

이미 언급한 바와 같이, 이런 철학적 탐구는 모든 사람을 위한 것이 아니었다. 자기 성취에 이르는 철학자의 길은 오랜 교육과 연구뿐만 아니라 (영혼이 참된 자아가 되는 것을 방해하는) 격정을 영혼에서 깨끗이 없애는 도덕적 훈련(아스케시스)를 포함했다. 하지만 초기 제국 시대가 이해했던 것처럼 철학적 탐구는 일반 종교의 분위기와 공통적으로 갖고 있는 것이 별로 없었다. 일반 종교가 신비주의 종파의 유행으로 표현되었을 때에는 특히 그랬다. 둘은 이 땅에서 꾸려가는 생활의 변화와 우연으로부터 구원을 구했다.

둘은 이 구원을 해방으로 나타내었다. 그것이 사람들을 시공간 세계에 얽매이게 하는 격정으로부터이든지 무심하고 적대적인 우주적 신들로부터이든지 상관없다. 마지막으로 둘은 인간이 신적인 존재와 교제하면서 초월적인 운명을 가질 수 있다고 보았다. 그러므로 카이로네아의 플루타크(A.D. 약 120년에 사망함)와 같은 플라톤주의 철학자가 이시스와 오시리스의 신화를 철학적으로 이해할 수 있었고 그렇게 이해하려고 한 것은 놀라운 일이 전혀 아니다. 그는 이 신화를 인간 상황과 운명에 대한 풍유로 보려고 했다.

더욱이 다른 동방의 구원 종교 즉 기독교가 헬레니즘화된 로마 제국의 도시가 처한 사회적 문화적 상황에 길을 닦기 시작했을 때, 기독교는 그 시대의 철학과 종교에서 동정적인 동조를 발견했는데 그것도 역시 놀라운 것이 전혀 아니다.

2. 유대의 배경

기원전 6세기 동안 유대인들은 시리아와 팔레스타인을 잇따라 다스렸던 제국들의 통치를 받았다. 느부갓네살(B.C. 586)이 이스라엘을 강제로 추방시킨 후에 일부 사람들은 새로운 아케메네스(페르시아) 왕국의 축복을 받고서 에스라의 지도를 받으며 유다로 돌아왔다. 그리고 지방 총독의 권위에 복종하며 조용한 가운데 자기네 종교적 관습을 행하고 자기네 율법의 규칙을 지킬 수 있게 되었다. 페르시아 사람들의 이런 관대한 정책은 유대의 헬레니즘 통치자, 이집트의 프톨레마이오스, 그 다음에는 B.C. 200년 이후 시리아와 메소포타미아에 권력 기반을 둔 셀류쿠스 왕조(Seleucids)들에 의하여 계속되었다. 그러므로 헬레니즘 시대에 유다는 사실상 '민족 통치'의 정치적 위상을 갖고 있었다. 국내 일에 대해서는 세습 대제사장과 그의 조언자들이 유다를 다스렸다. 유다는 해안을 따라 있고 북부에 있는 점점 헬레니즘화하던 지역으로부터 지리적으로나 문화적으로 고립된 작은 나라였다. 그리고 유다는 처음에 이웃 나라의 번영에도 거의 참여하지 못했다.

같은 시기에 — 특별히 프톨레마이오스와 셀류쿠스 왕조의 통치 시기에 — 소위 디아스포라로 유다 바깥에 살던 유대인들이 주목할 만큼 수가 늘어났다. 느부갓네살이 예루살렘을 정복한 이래 바빌론에는 실질적인 유대인 공동체가 있었다. 그리고 그 시기 이전에도 이집트에는 작은 정착지들이 있었다. 하지만 헬레니즘 시대 동안 프톨레마이오스와 셀류쿠스 왕조들은 유대인들이 유용한 신민들이며 유능한 군인들임을 발견하고 지나치게 인구가 많은 그들의 고향 밖에 그들을 흔쾌히 정착시키거나 그들이 정착하도록 했다.

그래서 이집트, 소아시아, 시리아에는 유대인들이 많이 살게 되었다. 기독교 1세기까지 알렉산드리아 인구의 $\frac{1}{3}$정도가 유대인이었다. 그리고 동방에서뿐만 아니라 로마와 다른 서방 도시에서도 정착지가 있었다. 디아스포라 유대인들은 보통 정착해 살던 도시의 시민이 되지 못했는데, 시민이 되려면 그들은 일반적으로 도시의 신들을 섬기는 일에 참여해야 할 것이기 때문이었다.

이들은 민족적 종교적 정체성을 유지하고 특별히 설립 허가를 받은 '거주 이방인'(메토이코이, metoikoi)의 공동체를, 그렇지 않으면 알렉산드리아 같은 곳에서처럼 폴리듀마 (politeuma)속 좀더 큰 공동체 속의 시민 단체를 형성했다. 그들은 상대적으로 다른 사람들과 떨어져 지냈으므로 그들이 정착했던 도시의 다른 거주민들에게 흥미 거리가 되거나 때로는 부러움과 혐오의 대상이 되곤 했다.

유대인 정체성의 초점은 예루살렘 성전과 모세의 율법이었다. 율법은 종교적인 법전으로뿐만 아니라 시민 법전으로도 작용했다. 디아스포라의 유대인들은 예루살렘 성전이 파멸되기(A.D. 70) 전까지 매년 성전에 세금을 물었다. 그리고 성전 예배는 민족 생활의 공식적인 중심이었다. 하지만 디아스포라에서뿐만 아니라 유다에서 이스라엘의 정체성을 보호해 주는 방호물 노릇을 해주며, 이스라엘이 거룩한 주님께 헌신된 구별된 민족이 된다는 의미를 주는 것은 율법이었다. 율법을 연구하고 이해하고 지키는 것은 진지한 유대인들의 소명이며 기쁨이었다.

이와 같이 율법의 실제적인 지혜를 이해하고 지키려는 우선적인 관심사가 외부적으로는 두 제도로 표현되었다. 아마 바빌론 유수 때에 생겼을 회당은 한 지역에 살고 있는 모든 유대인들의 전형적인 모임이었다. 이 모임은 '장로'의 집단이 다스렸다. 그리고 이 집단은 종종 그 집단의 우두머리인 '치리자'(아르콘)를 두고 있었다. 이 모임은 기도하고 하나님의 이름을 찬양하려고 모였으며, 또한 율법과 선지자의 글을 읽고 해석하려고 모였다.

회당의 직분자들은 율법을 집행하고 따라서 범죄자들의 처벌이나 출교에 대한 책임을 맡았다. 하지만 더 나아가 율법을 해석하고 공동체 생활의 모든 측면을 율법의 통치를 받게 함으로써 공동체 생활을 거룩하게 해야 하는 필요 때문에 '서기관'이라고 부르는 종교 관리 계층이 생겼다. 사람들은 에스라를 최초의 서기관으로 보았다. 유다와 다른 곳에서 백성들의 실제적인 종교적 지도자였던 이 사람들은 율법의 적용 범위를 확대하고 가능한 한 가장 조심스럽고 엄격하게 율법을 해석함으로써 율법을 범하지 못하도록 하려고 했다("율법 주위에 담장을 세웠다"). 따라서 이들은 해석의 구두 전승을 발전시켰다(이것은 아주 뒤에 탈무드에 통합됨). 그 내용은 실제적인 목적을 위해 율법의 일부로서 다루어졌다. 이런 서기관 집단에서 하시딤 운동과 바리새 운동이 그 뒤에 나타났다.

B.C. 2세기 중반에 유대인 공동체 안에서 생긴 갈등으로부터 헬레니즘 시대의 유

대인 생활의 큰 위기가 발생하였다. 이 갈등은 경제적 종교적 원인이 있었다. 예루살렘에서 땅을 소유하고 있는 귀족들로부터 나온 이 공동체의 한 당파가 예루살렘을 그리스 풍의 도시로 만들고 '안디옥'이라는 새 이름을 붙임으로써 유대인 생활의 헌법적 기초를 바꿀 수 있도록 셀류쿠스 군주인 안티오쿠스 4세 에피파네스로부터 허락을 받아냈다. 이 정책에 따라 그리스 교육 기관이 — 김나시온(gymnasion)과 에페베이온(ephebeion) — 새로운 시민들을 훈련하기 위하여 세워졌다. 그러나 무엇보다도 이런 제도 아래서 모세의 율법이 공동체의 헌법으로서 그 지위를 잃어 버렸다. 입법 능력이 이제 새로 만들어진 (그리고 확실히 아주 제한된) 신민 단체에 있게 되었기 때문이다.

이스라엘로 최신 문화에 따르게 하려는 부유층 계급의 시도는 예루살렘이나 시골의 일반 민중들에게 지지를 전혀 받지 못했다. 그리고 서기관이나 율법에 헌신한 사람들로부터도 확실히 지지를 받지 못했다. 이 시도는 비극적인 결과와 더불어 실패할 운명이었다. 개혁을 주도하는 당파가 대제사장을 바꾸려는 실수를 범했을 때 백성들이 들고 일어났다. 하지만 성공을 거둔 백성들의 반란은 안티오쿠스 4세의 개입을 끌어들였다. 안티오쿠스 4세는 자기 영토의 안정을 확고하게 하려고 처벌의 방식으로 할 수 있는 가장 강력한 조치를 취했다. 그는 유대교의 관행을 없애버리고 예루살렘 성전에 올림피아의 제우스 숭배를 시작했다.

이런 식으로 유대에 살고 있던 유대인들 사이에서 일어난 헬레니즘화에 대한 종교적 전쟁은 연약해지고 있던 셀류쿠스 제국의 좀더 큰 정치적 문제와 얽히게 되었다. 안티오쿠스가 유대교의 예배를 폐지한 것은 마카비의 반란(B.C. 167)을 불러일으켰다. 마카비의 게릴라 전술은 결국, 전쟁과 왕조 싸움으로 산란했던 안티오쿠스와 그 후계자들로 하여금 유대인 지도자들과 타협을 맺게 만들었다. 이 모든 일로 인하여 생긴 최종적인 결과는 세 가지였다. 하나님에 대한 경배가 깨끗하게 다시 봉헌한 성전에서 회복되었고, 이 경배와 더불어 유대인 종족 통치의 전통적인 정체(政體)가 회복되었다. 유다의 형제 요나단이 셀류쿠스 왕조의 도움을 받아 대제사장이 되었던 (B.C. 152) 하스모네(Hasmonean)가(家)가 — 즉 마카비 유다의 가계 — B.C. 140년 이후 유다의 세습 통치자가 되었다. 동시에 B.C. 142년에 사실상 독립을 했던 유다 나라는 존 힐카누스(John Hyrcanus, B.C. 135-105) 통치 아래서 전(全)팔레스타인을 장악하기까지 군사적으로 성장했다. 하지만 이런 과정에서 원래 반란의 목적들은 좌절되었다. 대제사장 제도가 헬레니즘 군주제로 변해버렸고, 안티오쿠스에 대한 반란을 이끌고 지지했던 종교적인 세력들은 하스모네 왕조를 점차 반대하게 되었다.

마카비 반란과 하스모네 가 통치의 시대는 예수님 당시의 팔레스타인의 유대교를 지배했던 종교 당파들과 종교적 사상들의 모체였다. B.C. 63년 대(大) 폼페이우스의 통치 아래 로마가 〔유다에〕 등장한 것은 내부 갈등을 좀더 심화시킴으로써 상황을 바꾸어 놓은 것뿐이었다. 로마는 우선 하스모네 왕조에서 벌어진 후계를 둘러싼 싸움을 가라앉히기 위하여 개입하는 일부터 시작했다. 로마는 유대 왕국 대부분을 시리아에 있는 자기네 총독의 지배권 아래 둠으로써 그 문제를 풀었다. 그러나 예루살렘은 성전 국가로 형성되어 있었고, 그 내부 문제는 하스모네 가의 대제사장이 관장했다.

이런 체계가 잘 유지될 수 있었지만, 로마는 마음을 바꾸지 않았고 헤롯 대왕을 하스모네 왕조의 이전 영토를 관할하는 분봉왕(B.C. 37-4)으로 세움으로써 유대의 감정을 상하게 했다. 하스모네 통치 시대에 강제로 유대인이 되어야 했던 이두매 족속의 사람인 헤롯은 예루살렘 성전을 화려하게 재건하고 유대의 물질적인 번영에 기여하고 유대의 이해를 보호하기 위하여 가끔 로마에 가서 개입하기도 했지만 거의 모든 사람에게 미움을 받았다. 그가 왕으로 있다는 사실 자체가 유대 백성의 전통적인 신정정치적 정체(政體)를 침범했던 것이다. 게다가 그는 외국인이었을 뿐만 아니라 때로는 조심스러운 태도를 보이긴 했지만 명백한 헬레니즘의 지지자이기도 했다. 하지만 무엇보다도 그의 과세로 인해 농부들이 궁핍하게 되고 대지주는 땅을 좀더 많이 소유하였고 많은 일반 민중들이 거지나 도적들이 되었다. 로마는 유대를 로마 총독이 다스리는 속주로 만들어서 그 잘못을 고치려 했다(A.D. 6). 그러나 이미 손해를 입은 뒤였다. 안티오쿠스 4세 치하에서 일어났고 하스모네 왕조 치하에 계속되었던 종교적 정치적 경제적 분쟁은 로마의 정책에 의하여 더 악화되었을 뿐이었다. A.D. 6년 로마의 인구조사에 대한 첫번째 반응으로 열심당의 창시자 갈릴리의 유다가 지역적으로 반란을 일으켰다는 것은 놀라운 일이 전혀 아니다.

우리는 하스모네 왕조 시대에 귀족주의적 제사장 당파와 일반적이고 경건하고 종교적으로 좀더 배타적인 당파, 즉 사두개파와 바리새파 사이에 일어났던 분열을 바로 이런 일반적인 배경에서 이해해야 한다. **사두개파**는 하스모네 왕조가 점점 친하게 지냈던 집단이었다. 이 집단은 본질적으로 세속적인 당파였다. 이들은 종교적 확신보다는 정치적 상업적 확장에 대한 관심에 따라 태도를 결정했다. 이들이 대표했던 종교적인 원칙들 대부분은 단순히 보수적인 것이었다. 예를 들어 사두개인들은 율법에 충실했다.

그러나 서기관의 구두 전승은 받아들이지 않으려 했다. 이들은 최근에 일반 사람들에게 퍼진 부활이나 불멸의 교리를 부인했고, 선한 영과 악한 영의 개념을 거부했다. 정치적으로 아주 영향력이 있었지만, 이들은 대중들과는 친하지 않았다. 왜냐하면 대중들은 이들을 경제적 압제의 대표자로, 이방의 영향을 받아들이는 자로, 율법에 대하여 해이한 태도를 가진 자로 보았기 때문이다.

이 집단에 반대하여 **바리새인**들이 있다. 즉 '구별된 자들'이 있다. 이 당파는 고대 서기관과 하시딤의 전승에 서 있었다. 이 서기관과 하시딤은 원래 마카비 반란을 지지하기 위하여 모인 것이었다. 이들의 일차적인 관심사는 율법을 엄밀하고 즐겁게 지킴함으로써 생활을 거룩하게 하는 데 있었다.

바리새파는 정치적 행동에 대하여 별로 관심을 보이지 않았다(로마 권력에 반대하여 반란을 옹호했던 열심당이 바리새 운동으로부터 나왔던 것으로 보이긴 하지만 말이다). 하지만 이 파는 정치 생활에 영향을 주는 문제에 대하여 분명한 태도를 취했다. 바리새파는 하스모네 왕조가 내세운 민족의 확장 정책에 대하여 그 왕조와 갈라섰을 뿐만 아니라 왕국 권력의 기초인 대제사장 제도에 대한 그들의 권리도 의심했다. 바리새인들은 영향력있고 널리 존경을 받아, 결국 하스모네 왕조는 대제사장의 조언자들로 구성된 공의회인 산헤드린에 바리새인들이 대표단을 보낼 수 있도록 해야 했다.

그럼에도 불구하고 바리새인들은 수가 많지 않았으니, 대부분의 사람들이 율법에 전적으로 헌신할 수 있을 정도로 교육이나 여가를 갖추지 못했기 때문이다. 이들은 바빌론 유수 시대 이래로 유대인의 종교적 체험으로부터 자연스럽게 자라나온 어떤 일반적 신념을 대표했다. 그들은 선한 영과 악한 영이 존재한다는 것과 (부분적으로 페르시아의 영향을 받은) 천사와 사탄에 대한 교리를 강하게 주장했다. 같은 이유로 그들은 몸의 부활과 미래의 상과 벌에 대한 신념을 가르쳤다. 즉 메시야 대망과 더불어 그리스도께서 나시기 전 2세기 동안의 격렬하고 혼란한 시대에 번성했던 종말론적 신념을 가르쳤다.

하스모네 왕조의 종교적(그와 더불어 정치적) 문제 해결에 반대하는 바리새파와 관련해서 에세네파가 있었다. 이 분파의 가르침은 주로 사해 북서 해안에 있는 쿰란에서 발견된 일련의 두루마리들을 통하여 우리에게 알려졌다. 사해 북서안에서 이 분파의 한 공동체가 이스라엘 나머지 사람들과 떨어져서 반(半)금욕적인 생활을 하고 있었다. 이 운동이 이디서 생겼는지는 확실하지 않다. 전에 이 운동은 A.D. 1세기의 저술가들인 필로, 요세푸스, 장로 플리니의 기록을 통해서만 알 수 있었다.

하지만 쿰란 공동체의 건물은 필시 B.C. 135년에 지어진 것으로 추정되는데, 이 공동체는 대제사장 제도를 둘러싸고 일어난 갈등의 결과로 모였던 것으로 보인다. 이 구성원들은 자기네 창시자를 '의로운 스승'으로 회상하고 '악한 제사장'과 그 스승을 대립시켜 놓았다. 아마도 이 악한 제사장은 불법적인 대제사장으로, 이 제사장이 직분을 취한 것은 적어도 경건한 작은 집단에게는 이스라엘의 종교적 존재 근거를 부정하는 사실을 뜻했다.

몇몇 역사가들은 시므온 마카비가 세습 대제사장으로 인정받은 사실(B.C. 140)을 이 분파를 생기게 했던 원인으로 파악하려고 했다. 어쨌든 이 운동은 바리새파의 운동과는 달리 유대인 생활의 본류에서 물러나 성전 예배와 관련된 것을 거부하고,

자기들만 이스라엘의 참된 모임이며 신실한 남은 자라고 믿었다. 이 구성원들은 율법을 존경했고, 의로운 스승을 따라 율법의 바른 의미가 당대의 시류에 의하여 왜곡되지 않도록 보존할 것을 주장했다. 이들은 주기적으로 정결 예식을 준수했다.

이 예식은 매년 언약을 시작하고 언약을 새롭게 하는 의식이며 떡과 포도주의 거룩한 식사였다. 이들은 엄격한 훈련을 받으며 살았다. 이 훈련은 오늘날 「수련 지침서」(*The Manual of Discipline*)에 〔기록으로〕 보존되어 있다.

이 책은 이 공동체의 세세한 조직을 또한 보여준다. 감독자, 사독의 제사장들, 장로들 등이 있었다. 하지만 무엇보다도 이들은 장차 있을 이스라엘의 구속을 열렬히 기대했다. 그들은 이스라엘의 흩어진 무리를 다시 모으고 이스라엘의 적들을 패배시키고 하나님의 통치 시대를 시작하려고 일어나실 메시야적 인물 혹은 인물들이 나타나기를 기대했다.

그런 소망은 사해 종파(Dead Sea sect)만 가진 것은 아니었다. 팔레스타인에 있던 유대교의 종교적 정치적 경제적 좌절은 절망과 소망이 뒤섞인 분위기를 자아냈다. 그것은 현재에 대한 절망과 장차 사물들을 바로 놓으실 하나님의 결정적인 개입에 대한 소망이었다. 이 분위기는 무엇보다도 B.C. 1세기와 2세기(그리고 그 이후)의 풍부한 '묵시적' 혹은 '계시' 문학에 반영되어 있었다.

그런 저술은 이상(異像)을 기록했는데, 이 이상들에서 천상 세계와 인간 역사 과정과 악을 뒤엎으시는 하나님의 계획에 대한 비밀이 계시되었다. 이 비밀이 고대 지혜자들에게 거의 예외없이 계시되었다. 이 문학 가운데 가장 유명한 것은 안티오쿠스 4세 에피파네스에 대적하는 전쟁 상황에서 작성된 정경의 다니엘서이다. 이 책과 나란히 「에녹서」, 「모세의 승천기」, 그리고 후대의 요한계시록과 같이 그 장르에 속하는 다른 예들을 열거할 수 있겠다. 이 묵시문학은 악이 우주와 이 세상에 대하여 갖고 있는 권세를 좌절시키고 하나님의 의로운 나라를 주장하시기 위해 하나님께서 '그 백성을 돌아보사 속량하실'[1] 것임을 확신하고 있다. 물론 어떻게 이 일이 일어날 수 있는가에 대해서는 여러 가지로 설명이 되었다. 어떤 자료를 보면, 하나님께서 친히 개입하실 것을 기대했다. 다른 자료들을 보면, 하나님께서 천사나 초자연적 존재를 통해서 활동하실 것이었다. 이미 살펴본 바와 같이 어떤 내용들에는 주의 '메시야' 즉 자기 아버지의 나라를 회복하실 것으로 기대되는 다윗 계의 인간 왕이 언급된다. 하지만 그 기대가 어떤 형태를 취했든지 간에 이 묵시문학은 하나님께서 활동하신다는 확신뿐만 아니라 하나님의 행동만이 충분히 악을 정복할 것이라는 확신을 반영했다.

바빌론 유수 이후의 유대인 생활에서 그와 같이 두드러진 것은 지혜 주제와 관련된 사상과 문학 양식이었다. 지혜는 전통적으로 일상 생활의 성공적인 행동을 위하여 필요한 실제적인 통찰을 뜻했으며, 지혜로운 사람들은 사물의 구조와 의미를 꿰

뚫어 보는 사람들이었다.[2]

후대 유대교에서 지혜는 특별히 하나님의 법에 대한 이해를 뜻했다. 이때 하나님의 법은 지혜와 동일한 것이었고, 따라서 도덕적 법적인 문제뿐만 아니라 우주론적 인간론적 문제에 대한 탐구의 기초가 되었다. 하지만 그런 인간적인 지혜는 신적인 지혜의 영감에 열려 있는 결과 생긴 것으로 생각했다. 이 신적인 지혜는 창조에 대한 하나님의 계획이며 하나님의 대리인이었다.

「솔로몬의 지혜서」에서 이 지혜는 "전능하신 분의 영광으로부터 나온 순수한 발출이며 … 하나님의 능동적인 능력을 비추는 흠없는 거울이며 하나님의 선하심에 대한 상(像)"[3]이다. (스토아 학파의 로고스나 플라톤주의의 세계 영혼과 다르지 않은) 지혜는 창조계에 질서를 주지만, 또한 사람들을 찾아 모아 이해하게 하고 그들을 하나님의 친구가 되게도 한다. 그래서 묵시적 기대의 구원하는 인물과는 다른 사상 구조 속에서 파악된 것이긴 하지만 지혜는 구원을 베푸는 대리자이다.

이 문학은 유대와 팔레스타인뿐만 아니라 디아스포라에서도 알고 깊이 생각하던 것이다. 대다수의 유대인들은 오히려 디아스포라였다. 로마 사람들 아래서 유대교는 팔레스타인뿐만 아니라 그리스와 로마의 도시에서도 '공인 종교'(렐리기오 리키타)였다. 그리고 로마법은 제국 안에 두루 퍼져 있던 유대인 농부들, 기술자들, 무역 거래자의 공동체를 보호했다. 이 보호는 필연적인 것이었으니, 유대인들의 종교적 배타성과 그들의 법적인 특권과 그들이 시민 생활에 참여하지 않으려는 태도는 때때로 그들로 하여금 인기가 없게 만들었기 때문이다.

사실상 디아스포라의 유대인들은 아주 두드러지게는 언어 문제에서 헬레니즘 세계에 많이 적응했다. 그들은 회당에서도 그리스어를 거의 보편적으로 말했다. 그리고 아우구스투스 시대까지 칠십인역(LXX)이라고 알려진 그리스어 성경이 완성되고 모든 장소에서 사용되었다. 더 나아가 디아스포라 유대인 공동체는 이교 종교와 대화를 시작했다. 그 결과 그들은 회심자(개종자)를 만들어냈을 뿐만 아니라 그 공동체 주위에 부분적으로 유대교화된 구도자('하나님을 경외하는 자')들이 많이 모였다. 이 구도자들은 초기의 많은 기독교 선교 활동을 받고서 그리스도인들을 배출하는 집단 노릇을 하게 되었다.

이와 같은 의견 교환은 이집트 알렉산드리아에 있는 유대인 공동체에서 아주 주목할 만한 열매를 맺었다. 이곳에서 유대교 성경에 나온 주제들이 필로(A.D. 약 42년에 사망함)의 작품 속에서 스토아 학파와 플라톤주의의 철학 사상과 결합되어 주목할 만한 혼합주의를 이루었다. 신실한 유대인인 필로는 율법 즉 오경이 철학 전통의 가르침에 있는 가장 훌륭한 내용과 동일한 지혜를 넌지시 보여줌을 알리려고 했다. 이 일을 하기 위하여 그는 헬레니즘의 호머 주석가들이 잘 알고 있던 풍유적 해석 방법을 사용했다. 그리고 이 방법으로 모세의 책 속에 하나님과 창조에 대한 윤리적인 교리뿐만 아니라 철학적 교리도 발견해 내었다.

필로에 따르면 우주는 하나님으로부터 흘러나온 선이 만든 것이다. 하나님은 초월하셔서 파악할 수 없는 분이므로 신적인 능력으로 세상과 관계를 맺으신다. 이 신적인 능력 가운데 가장 높은 능력은 하나님의 존재로부터 흘러나온 로고스이다. 이 로고스는 하나님께서 세상을 창조하실 때 사용하신 대리자일 뿐만 아니라 다른 모든 능력들의 원천이며, 영적이고, 볼 수 있는 피조물의 궁극적인 모델이다.

그러므로 필로의 로고스 상은 많은 자료로부터, 즉 유대 지혜서의 사유로부터, 형상의 예지계에 대한 플라톤주의의 사상으로부터, 하나님께서 말씀(로고스)으로 창조하셨다는 성경의 개념으로부터 나온 요소들을 한데 결합한 것이다. 하나님의 말씀과 하나님의 지혜에 대한 신약의 사상에서 덜 세련된 비슷한 내용을 가지고 있는 이런 유의 사상은 후대 기독교 신학의 발전에 풍요한 모델을 제시할 수 있었다.

3. 예수와 제자들

세례 요한이 이끌었던 묵시적 메시야적 운동은 예수를 위하여 길을 예비했다. 이 세례 요한은 초기 그리스도인들의 사상에서 메시야를 앞서 가는 사람이었다. 금욕적인 생활을 한 요한은 요단 지경에서 이스라엘에게 심판의 날이 가까왔고 메시야가 곧 나타나실 것이라고 전했다. 고대 선지자의 정신을 따라 그는 "회개하고 의를 행하라"는 메시지를 진했다. 그는 죄를 씻는 표로 제자들에게 세례를 주었고 그들에게 특별한 기도를 가르쳤다.

우리가 들은 바와 같이 예수께서는 그를 마지막 선지자이며 선지자 중에 가장 큰 자라고 하셨다. 요한의 제자 가운데 더러는 예수를 따르는 자가 되었지만, 요한의 운동은 독립적인 생명을 계속 유지했다.[1] 예수의 직절한 전기에 대해서는 자료가 부족하다. 복음서 기록들은 일차적으로 그리스도이신 예수의 신적인 사건을 증거한다. 그러므로 그 기록들의 세세한 내용들은 초기 기독교 공동체가 갖고 있던 다양한 체험과 상황과 기억으로 윤색되었을 것이 틀림없었다. 그래서 학자들은 복음서에서 기록하는 많은 사건들의 정확성에 대하여 의견을 달리했다. 그럼에도 불구하고 예수의 경력과 가르침이 갖고 있는 본질적인 윤곽은 복음서에서 두드러지게 나타나 있다.

예수께서는 갈릴리 나사렛에서 자라셨다. 이 땅의 백성들은 혼합된 인종들로 구성되어 있어서 (혈통이) 좀더 순수한 유대 거주민들에게 경멸을 당했지만, 이 땅은 유대교와 전승에 충실했고, 굳고 자존심이 있는 주민들의 고향이며 특히 메시야적 소망이 퍼져 있던 곳이었다. 여기서 예수께서는 기록되지 않은 체험의 시기 동안 자라 성인(成人)이 되셨다. 이때부터 예수께서는 세례 요한의 설교에 이끌렸던 것 같다. 그는 요한에게 가서 요단 강에서 그 선지자에게서 세례를 받으셨다. 세례를 받고서 그는 하늘의 인자가 곧 시작할 나라를 선포하는 특별한 역할을 성취하게 하려고 하나님께서 자신을 임명하셨다는 확신이 생겼다. 예수께서 자신을 메시야로 실제로 보았는지 아닌지는 아주 논쟁되는 문제이다. 어쨌든 예수께서는 메시야의 직분에 대한 일반적인 개념을 거부하고 정치적인 승리가 아닌 고난을 자기 몫으로 예상하셨던 것으로 보인다. 반면에 자신의 사역에서 도래할 나라의 능력이 이미 역사하고 있는 것을 확신했다.

세례를 받으신 후 — 혹은 마태가 기록하려고 했듯이,[2] 세례 요한이 잡힌 후에 — 예수께서는 복음을 전하고 병을 고치시는 순회 사역을 시작하셨다. 이 전하고 가르치는 사역의 메시지는 하나님 나라가 임박했고 따라서 회개하고 믿어야 한다는 것이었다. 예수께서는 일군의 동행자들을 모으셨다(열둘을 모으셨는데, 이 열둘은 이스라엘 지파의 충만을 상징한다). 그리고 좀 덜 가까운 많은 제자들 무리를 이끄셨다. 그의 사역은 짧은 것이었다. 이 사역은 길어야 삼 년에 걸친 것이며 아마도 1년 남짓이었을 것이다. 이 사역은 종교 당국으로부터 반대를 받았고, 그밖에 다른 사람들로부터도 역시 반대를 받았는데, 예수의 행동과 가르치심이 율법과 전통적인 율법 해석을 참람하게 비판하는 것으로 보였기 때문이었다. 예수께서는 북으로 두로와 시돈을 향하여 여행하셨고 그 다음에는 가이사랴 빌립보로 가셨다. 여기서 복음서는 그의 제자들이 그의 메시야적 사명을 인정했다고 기록한다. 하지만 그는 어떤 위험을 무릅쓰고라도 예루살렘에서 증거해야 할 것이라고 판단하였다.

커져만 가는 적대감을 마주 보고서 예수께서는 예루살렘으로 나아가셨다. 그리고 거기서 잡혀서 확실히 총독 본디오 빌라도(A.D. 26-36)의 집행에 따라 필시 A.D. 29년에 십자가에 달리셨을 것이다.

예수의 가르침에서 하나님 나라는 하나님의 의로우신 사랑의 통치에 대한 명백한 확증을 뜻했다. 그래서 그 나라가 가까움을 분별하는 사람에게 이 나라는 하나님의 주권과 아버지 되심을 실제로 인정할 것을 요구한다.

그리고 이러한 인정은 오직 가치와 태도가 완전히 다시 방향을 잡음으로써만(회개와 믿음으로써만) 일어난다. 이런 태도는 하나님과 이웃 사랑에 이르고 하나님의 죄 사하심에 의하여 성취되고 능력을 받게 된다. 예수께서 하나님 나라를 묘사하시는 것처럼, 도래하는 나라를 바라보며 사는 것은 희생을 하는 일이며 힘든 일이다. 이런 생활은 좋은 모든 것을 기꺼이 포기하고 율법의 일상적인 도덕적 요구를 넘어서고 다른 사람을 끝없이 용서하는 것을 포함한다. 이런 생활을 하는 것은 하나님과 하나님의 거룩한 자들과 더불어 영원히 교제를 나누는 것이다. 반면에 예수의 사역에서 동터오고 있는 하나님 나라를 분별하고 이해하지 못하는 자들에게는 오직 멸망뿐이다.

예수의 가르침은 대부분 그 시대 종교 사상과 비슷하지만, 그 가르침의 전체 결과는 혼란을 일으키는 혁명적인 것이었다. 이는 그가 가르치신 방식 때문에 더욱 그랬던 것이 틀림없었다. "그 가르치시는 것이 권세 있는 자와 같고 서기관들과 같지 아니함일러라."[3] 예수께서는, 자기 제자들 가운데 가장 작은 자라도 세례 요한보다 더 크고 하늘과 땅이 자신의 말씀 앞에서라면 사라질 것이라고 말씀하실 수 있었다. 예수께서는 무거운 짐진 자들더러 자기에게 오라고 하시고 그들에게 안식을 주셨다. 그는 사람들 앞에서 자신을 시인하는 자들에게 자기가 아버지 앞에서 그들을 시인할 것이라고 약속하셨다. 그는 또 아들과 및 아들이 아버지를 계시해 주시는 자들 외에는 아버지를 아는 자가 없다고 선언하셨다.

예수께서는 자신이 안식일의 주인이라고 하시는데, 일반적인 평가로는 하나님이 주신 유대교의 율법 중에서 이 안식일보다 더 거룩한 부분은 없었다. 예수께서는 자신이 죄 사함을 선포할 능력을 갖고 있다고 확언하셨다. 반면에 이 권세 있는 선생은 인간 조건의 모든 한계를 다 체험하셨다. 그는 기도하셨고 제자들에게 기도하라고 가르치셨다. 그는 자기는 이 세대가 끝날 날과 시를 모르고 오직 성부께서만 아신다고 선언하셨다. 하나님 나라에서 자기 우편과 좌편에 앉아야 할 자를 결정하는 것은 그의 몫이 아니었다. 그는 자신의 뜻이 아니라 성부의 뜻이 이루어지기를 기도하셨다. 십자가에서 그는 "내 아버지, 내 아버지여 어찌하여 나를 버리셨나이까?"[4] 하고 부르짖으셨다. 이 모든 말씀을 보고하면서 복음서는 사실상 그의 인격에 대한 신비감을 고백한다. 이는 한편으로는 보통 사람이면서 다른 한편으로는 하나님의 권위와 능동적인 임재를 담지하고 있는 자이다.

예수께서 가르치시고 행하셨던 것은 예수께서 죽으신 후에 살아나셔서 전에 선포했던 하나님 나라의 생명을 갖게 되심으로써 그 정당성이 입증되는 것을 제자들은 경험했다. '어떻게' 이 확신을 갖게 되었느냐는 것은 가장 혼란스러운 역사적 문제들 가운데 하나이지만 확신을 가졌냐는 사실은 의심할 수 없는 것이다. 이는 먼저 베드로에게 나타났던 것으로 보인다.[5] 그는 적어도 그런 의미에서 교회의 터인 '반석' 노릇을 하는 지도자였다. 초기의 모든 제자들이 이 확신을 가졌다. 이것은 바울의 회심에서 전환점이었다.

이 확신은 흩어져 있던 제자들에게 용기를 주었고 그들을 다시 한데 모았고 그들을 증인으로 만들었다. 그후에 그들은 부활하신 주님을 갖게 되었다. 이 주님 안에서 하나님 나라의 실재가 이미 성취되었고, 그들은 그 나라의 보편적인 현현을 기다리는 동안이지만 예비적인 방식으로 그 나라의 현재 영광을 공유할 수 있었다.

이 확신들은 성령의 종말론적 선물에 대한 체험으로 깊어졌다. 사도행전은 오순절 사건과 이 체험을 연관짓는다. 그와 똑같은 오순절의 현현을 다시 경험할 수는 없을 것이다. 확실히 많은 외국어로 복음을 선포한다는 개념은 우리가 신약성경 다른 곳에서 '방언으로 말함'에 대하여 알고 있는 것과 일치하지 않는다.[6] 이는 말하는 자들이 '새 술에 취하여'[7] 있었다는 인상을 옆에서 보던 사람들이 받았던 것과 같다.

하지만 중요한 요점은 이 현상들이 그리스도의 은사와 능력에 대한 명백한 증거로 나타났다는 것이었다. 이 현상들은 예수의 사역이 약속했던 새 시대의 시작을 예증했다. 만일 제자들이 믿음, 회개, 세례를 통하여 명백하게 충성을 시인한다면, 이번에는 높아지신 그리스도께서 성령을 주심으로 그 제자를 시인하실 것이라고 믿었다. 그리고 이 은사는 선지자를 통한 하나님의 말씀에서 약속한 장차 도래할 '만물을 회복하실' 때에 제자들이 참여한 것을 입증했다.[8]

4. 초기 기독교 공동체

기독교 운동은 가장 초기 국면에 그 본부를 예루살렘에 두었다. 이 운동은 이곳에서 새로운 종교로서가 아니라 유대교라는 부모의 몸 안에 있는 한 분파 혹은 모임으로서 모양을 갖추었다. 틀림없이 처음부터 유대와 갈릴리의 도시와 마을에는 예수를 따르는 자들이 있었다. 그러나 이들에 대해서는 알려진 바가 거의 없다. 실로 예루살렘 공동체에 대한 우리의 지식도 제한되고 분명하지 않으니, 우리의 유일한 정보 출처인 사도행전을 조심스러운 역사가가 읽어야 하기 때문이다. 사도행전은 초기의 참된 전승을 구현한다. 그러나 동시에 이 책은 헬레니즘 역사에 일반적인 '창조적인' 양식으로 기록되었고 기독교 제2세대의 관점에서 그 자료들을 다루었다.

이 세대는 자기 시대 이전 4,50년전의 사건들을 교회의 황금 시대를 형성하는 것으로 보려는 경향이 있었다.

분명한 것은 원래 공동체들은 예수의 부활에 근거를 두고서 예수께서 하나님 나라의 완성자로 곧 돌아오실 것을 선포하고 그 사건을 기대하며 살았던 팔레스타인의 유대인들로 구성되었다는 점이다. 이들은 스스로를 '가난한 자'[1] '성도'[2] 그리고 역시 초기 때부터 '에클레시아' 즉 '모임' 혹은 '교회'라고 불렀던 것이 분명하다. 이 모든 형식이나 이름들이 뜻하는 바는 아주 똑같았다. 초기 공동체는 예수께 대한 충성 때문에 스스로를 이스라엘의 참된 '모임' 즉 주께서 영광 중에 오실 때 시인하실 종말의 공동체로 보았다. 그들이 스스로를 단순하게 유대인으로, 새롭게 된 이스라엘로 본 것은 그들이 성선에 잠석하고 율법을 지키는 데 충실했다는 사실에서 분명하게 나타난다.

그리고 이런 식으로 행했을 때에는 그들은 예루살렘에서 종교 당국과 평화를 유지하고 살았다. 이 공동체가 자신의 특별한 정체성을 표현했던 나름대로의 특별한 제도를 갖고 있었던 것은 말할 필요도 없다. 이 공동체는 성령의 종말론적 은사와 관련되었던 세례를 베풀었다. 이 공동체는 기도하고 서로 권면하고 '떡을 떼기'[3] 위하여 정기적으로 모였다. 그리고 역사가들은 이 떡을 떼기에서 공동체의 교제를 위한 식사뿐만 아니라 성찬식이 생겨났다고 옳게 보았다. 이 공동체는 "예수는 메시야시라"[4] "하나님께서 그를 죽은 자 가운데서 살리셨다"[5]와 같은 표현으로 자기의 정체성을 정의했던 신앙을 나타내었다.

이 공동체를 세운 구성원들은 열한 제자(사도행전을 보면, 맛디아를 뽑아서 다시 열둘이 되었다)였던 것이 틀림없었다. 사도행전을 기록했던 시기까지 이 사람들은 '사도'라 불리고 있었다. 이 칭호는 원래 바울과 같이 여행하는 선교사에게 사용되던 것이었다. 하지만 베드로와 필시 요한의 경우를 제외하고는 열두 제자의 경력이나 활동에 대하여 알려져 있는 내용은 전혀 없다. 이들은 사도행전에 나타나 있는 역사에서 거의 곧바로 사라지기 시작했고, 따라서 후대의 전설에 적합한 주제가 된다. 바울이 예루살렘을 방문했을 때 지도권은 두 명 혹은 세 명의 '기둥' 같은 인물들인 주의 형제 야고보와 베드로와 요한에게 있었던 것으로 보인다.[6]

예루살렘에 거주하고 있던, 그리스어를 사용하는 디아스포라 유대인들의 생활과 통합된 결과, 예루살렘에 있는 믿는 자들의 공동체에 어려움이 닥쳤다. 아는 바와 같이, 그리스어를 사용하는 유대인 신자들이 그 지방의 아람어를 사용하는 예루살렘 그리스도인들에 대하여 불평을 했다. 사도행전 6장에 따르면 이 불평의 유일한 이유는 "헬라파 유대인들이" "자기의 과부들이 그 매일 구제에 빠지므로"[7] 감정이 상했기 때문이었다. 공동체의 공동 재산을 관리하기 위하여[8] 일곱 명의 헬라파 사람들을 임명함으로써 이 짧은 다툼은 해결되었다. 이 사실은 이 일곱 사람이 최초의 집사였다는 전승을 분명히 설명해 준다.

하지만 이 상황에는 단순한 행정적인 문제를 넘어서는 일이 발생했다. 그 대부분은 사도행전의 계속되는 이야기에서 명백하게 나타난다. 헬라파의 분명한 지도자인 스데반이 그리스어를 사용하는 다른 회당 구성원들과 격렬한 논쟁을 벌였다. 이 회당 구성원들은 그를 "모세와 및 하나님을 모독하는 말"[9]하는 사람으로 고소했다. 그 결과 스데반은 산헤드린 앞에 끌려 가고 결국 재판을 받아 돌에 맞아 죽었다.

그러므로 스데반과 그리스어를 사용했던 그의 동료 신자들은 팔레스타인 그리스도인들이 습관적으로 표시했던 성전과 율법에 대한 존경심이 없었던 것이 분명하다. 그리고 그들은 예수를 메시야로 믿는 믿음 때문에 핍박을 받은 것이 아니다. 그들은 유대인이지만 새로운 신앙에 비추어 율법의 어떤 요구를 기꺼이 버릴 것처럼 말했기 때문에 핍박을 받았다. 그 문제에 대한 이런 관점은 사도행전에 들어 있는 두 가지 좀더 자세한 보고 내용에 의하여 확증된다. 첫째로, 스데반의 죽음은 "예루살렘에 있는 교회에 큰 핍박이 나는"[10] 첫 장면이었음을 우리는 알게 된다. 하지만 동시에 '사도'들은 이 핍박에 영향을 받지 않았다는 것이 분명하다.[11] 다른 말로 하면 이 핍박은 선택적인 것으로 "이 거룩한 곳과 율법을 거스려 말"[12]하는 그리스도인들 즉 헬라파 그리스도인들만 당했던 것이다.

사도행전에 계속되는 이야기가 분명하게 전제하는 것처럼 아람어를 말하는 공동체는 비교적 혼란없이 남아있었다. 그러나 둘째로, 핍박으로 말미암아 헬라파 지도자들이 흩어진 것은 교회의 생활과 선교의 새로운 국면을 시작하는 것으로 드러났다. 왜냐하면 그들이 사마리아로[13] 그 후에는 베니게와 구브로와 안디옥으로 복음을 가지고 다니면서 "흩어진 사람들이 두루 다니며 복음을 전했기"[14] 때문이었다. 이곳에서 이방인과 유대인들이 함께 모인 최초의 기독교 에클레시아가 생겨났던 것으로 보인다.[15]

그 후에 헬라파 유대인들은 부활하신 그리스도에 대한 메시지를 먼저 디아스포라에게 전했다. 더욱이 이들의 행동은, 이들이 예루살렘 당국에게 율법을 향한 자기들의 태도에 대하여 보여 주었던 인상을 확증해 주었다. 이들은 정통신앙의 관행을 깨뜨리며 이방인인 '하나님을 경외하는 자'들이 자기들의 교제에 들어오는 것을 허용했다.

하지만 예루살렘 공동체는 명백하게 성전과 율법에 충성을 계속 나타내며, 적어도 잠시 동안 새로운 선교에 곧바로 개입하거나 안디옥과 다메섹 같은 곳의 새로운 기독교 생활 중심지에 직접 관계를 맺지 않고서 비교적 평화롭게 지냈다. 이 평화는 얼마되지 않아 헤롯 아그립바 1 세(41-44 A.D.)의 치하에서 무너졌다. 글라우디오 황제는 헤롯 대왕의 왕국 일부를 그 손자 헤롯 아그립바 1세에게 다시 주었다.

아마도 아그립바는 열정주의적 정통 신앙에 대한 명망을 떨치기 위하여 야고보

('요한의 형제')를 핍박하고 베드로를 옥에 가두었다.[16] 베드로가 예루살렘을 떠나고 그후 선교하는 사도로서 활동하게 된 것은 바로 이 짧은 기간의 핍박 때문이었을 수 있다. 좌우간 예루살렘 공동체의 지도권은 주의 형제 야고보가 쥐게 되었다. 사도행전을 보면, 야고보는 63년 경에 순교할 때까지 장로단과 함께 지도권을 행사했다.[17]

5. 바울과 이방 기독교

스데반을 순교로 몰아간 핍박으로 말미암아 유대인 디아스포라의 도시에 기독교를 심는 운동이 시작되었다. 하지만 이것보다 더 중요한 것은 이 핍박으로 말미암아 사실상 그리스도인의 제2 생활 중심지에 해당하는 곳이 안디옥에서 만들어졌다는 것이다. 시리아 속주의 수도이며 전에 셀류쿠스 왕국의 왕좌였던 안디옥은 일류 도시로 중요한 유대인 공동체를 포함하여 국제인들이 많이 살았다. 거기서 예수에 대한 메시지가 '하나님을 경외하는' 이방인들에게 전파되었다. 그리고 이 사람들은 먼저 유대교 개종자가 되지 않고서 기독교의 모임에 들어갈 수 있었다.

이 발전으로 인한 한 가지 결과는 안디옥에 있는 사람들이, 예수를 따르는 자들을 이교뿐만 아니라 일반 유대교와 뚜렷하게 구별되는 단체로 인식하기 시작했다는 점이다. 그래서 그곳에서 교회의 지체들이 처음으로 그리스도인이라는 칭호를 얻었다. 그 주민들은 틀림없이 반쯤 경멸하는 투로 그들을 '그리스도인'이라 불렀을 것이다. 이 용어를 2세기가 되기까지는 교회가 자체적으로 거의 사용하지 않았다.

이 발전으로 인한 또 다른 결과는 회당의 구성원이 될 수 없었던 자들이 에클레시아 즉 하나님의 종말론적 백성의 지체가 될 수 있는지의 문제를 불러일으켰다. 만일 율법의 규칙이 그리스도께로 회심한 이방인들에게 부과된 것이라면, 교회는 계속 이스라엘 안에 있는 한 집단이 될 것이다. 만일 그 회심자들이 율법으로부터 자유로우면, 교회는 스스로 보편적인 사명을 갖고 있는 것으로 이해할 수 있다. 이 논쟁 — 유대교 안에서 선례가 있는 논쟁 — 의 결정적인 역할은 사도 바울이 담당하게 될 것이었다.

히브리 이름으로는 자신의 베냐민 지파가 배출한 고대 영웅을 생각나게 하는 사울인 바울은 길리기아의 다소라는 도시에서 태어났다. 그의 아버지는 바리새 전통의 유대인이면서 또한 로마의 시민이었던 것이 분명했다. 바울이 태어날 때 다소는 상당히 유명한 지적이고 문화적인 중심지이며 스토아 학파 가르침의 중심지였다. 하지만 엄격하게 유대인 가정에서 자란 바울이 그리스 풍의 교육을 받았다고 믿을 이유는 전혀 없다. 확실히 그리스어는 그의 어릴 때 쓰던 일상 용어였으며, 청년 시절 그는 언제나 헬레니즘의 도덕적 종교적 사상의 일반적인 평범한 일들을 잘 알게 되었을 것이다. 그럼에도 그는 랍비 전승 속에서 자랐다.

사실상 사도행전을 보면 바울은 예루살렘에서 율법의 유명한 선생인 "가브리엘 문하에서"[1] '자랐다'고 주장한다. 이 점은 그의 가족이 다소에서 이사한 것을 전제하고 있고, 그가 회심 후까지 예루살렘과 거의 관계하지 않았다는 인상을 주는 서신들에서 그 점을 뒷받침하는 증거를 볼 수는 없지만 사실이었을 것이다. 반면에 사도행전에 있는 내용을 보면 우리가 바울의 원래 확신과 헌신에 대하여 알고 있는 것과 일치한다. 그는 하나님의 율법을 엄격하게 지킴으로써 민족을 거룩하게 한다는 바리새파의 이상을 실현하는 데 전렴했다. 그리고 그는 그런 기준으로 판단할 때 자신의 행동은 흠이 없었다고 주장한다. 바울이 교회를 핍박하게끔 동기를 부여했던 것은 바로 그 이상이었던 것이 틀림없다. 사도행전이 주장하는 것처럼 그가 예루살렘에서 스데반을 쳐죽이는 곳에 있었든지 없었든지 상관없이, 율법과 성전을 반대하는 말을 해서 유대교 전승에 "더욱 열심이었던"[2] 바울을 화나게 만들었을 초기 기독교 내부의 그런 갈등을 대표적으로 보여 주는 인물이 헬라파 유대인인 스데반이었다.

그러므로 바울이 예루살렘에 있는 팔레스타인의 기독교 공동체를 핍박하는 어떤 행동이라도 취했다는 얘기를 전혀 듣지 못하지만, 그가 디아스포라의 도시인 다메섹으로 가서 그곳에 있는 그리스도인들을 (틀림없이 회당과 어느 정도 관련을 맺고 있었을 것이다) 핍박하려고 하는 것을 보더라도 놀랄 일이 결코 아니다. 그의 반대는 그런 신자들에 대한 것이 아니라, 함께 율법의 요구를 따르지 않으려는 경향이 있는 신앙을 가진 자들에 대한 것이었다.

바울의 역사 연대가 다소 확실하지 않지만, 그의 생애에 그 큰 변화가 일어났던 것은 35년 무렵이었던 것 같다. 징계의 임무를 받아 다메섹으로 가는 중에 그는 부활하신 그리스도를 만나게 되었다. 그리고 그리스도께서는 그에게 특별한 사명을 맡기셨다. 바울의 체험이 갖고 있는 본질은 추측할 수 있을 따름이지만 그 체험이 그의 생애에 영향을 미쳤다는 것은 의심할 수 없는 사실이다. 그는, 징계함으로써 유대교로 다시 돌아오게 하려고 했던 그 무리에 참여했다. 더욱이 그는 이상 중에 나타난 부활하신 그리스도께서 자신의 정체를 결정하는 분임을 발견했다. "이제는 내가 산 것이 아니요, 그리스도께서 내 안에 사신 것이라."[3] 무엇보다도 중요한 사실은, 율법의 순종이 아니라 십자가에 달리시고 부활하신 예수와 나누는 교제가 하나님이 약속하신 새로운 창조에 백성이 참여할 수 있는 필요 조건임을 그가 확신했다는 점이다.

바울의 경우에 회심은 즉시로 행동으로 나타났다. 그는 자신이 무엇보다 먼저 아라비아 즉 다메섹의 남부에 있고 페트라에 수도를 두고 있는 나바테야 지경으로 갔다고 말한다. 거기서 상당히 효과있게 복음을 전했을 것으로 보인다. 왜냐하면 나바테야의 당국이 다메섹에까지 그를 쫓아왔기 때문이다.[4] 회심 후 삼 년이 지나 그는 '게바(베드로)를 심방하려고'[5] 2주 동안 예루살렘을 방문했다. 그리고 거기서 주의 형제 야고보도 만났다. 거의 십 년 동안 (여기에 대해서는 사도행전이 우리에게 아무 것도 알려주지 않는다) 그는 틀림없이 시리아와 길리기아(그의 고향 다소는 이곳의 수도였다)에서 일하며 교회를 세웠을 것이다. 하지만 결국 그는 바나바에 의하여 안디옥으로 오게 되었다.[6] 바나바는 스데반의 순교 이후에 예루살렘으로부터 흩어진 사람들 가운데 한 사람이었다.

하지만 이 시점에서 불가피한 위기가 일어났다. 몇몇 방문객이 예루살렘에서 안디옥에 왔다. 이들은 예루살렘 교회의 전승에 따라서 이렇게 주장했다. "너희가 모세의 법대로 할례를 받지 아니하면 능히 구원을 얻지 못하리라."[7] 이렇게 해서 생긴 논쟁 때문에 바울과 바나바 그리고 할례받지 않은 이방인 회심자인 디도는 예루살렘에 있는 교회 지도자들과 회의하러 그곳으로 갔다. 바울은 이 모임을 갈라디아서 2:1-10에 서술하고 있고, 같은 모임으로 보이는 것에 대한 다른 설명이 사도행전 15장에 있다. 이 모임의 일반적인 결과에 비추어 볼 때 두 설명은 일치한다. 예루살렘 교회의 지도자들과 새로운 이방인 선교의 지도자들은 놀라운 합의에 도달했다. 바울과 바나바와 같은 인물들의 소명이 합법적인 것으로 인정되었고, 그들은 복음이 유대인뿐만 아니라 이방인에게도 속한다고 시인했다.

그래서 교회의 선교 사업에는 두 개의 흐름이 있게 될 것이었다. 그러나 새로운 이방인 교회와 그 지도자들은 '가난한 자들을 생각해야' 했다. 즉 그들은 예루살렘 교회의 물질적인 필요를 채움으로써 예루살렘 교회와 맺은 자신들의 교제를 표시해야 했다.[8] 사도행전 15장은 사도적인 공의회가 이방인 그리스도인들에게 "우상의 더러운 것과 음행과 목매어 죽인 것과 피를 멀리 할 것"[9]을 요구했다고 기록한다.

다른 말로 하면 이 공의회는 유대인 그리스도인들과 이방인 그리스도인들 사이에 식사 교제의 조건을 규제하는 법령을 통과시켰다. 하지만 바울은 식사 교제의 문제가 사도의 회의 후에만 일어났던 것을 지적한다.[10] 좌우간 그의 서신은 그런 법령에 대하여 아무런 언급도 하지 않는다. 사도행전의 저자가 자기 시대에 전승적인 것이 되었던 행정이 공의회에서 생긴 것이라고 말하고 있다고 보는 것이 타당하다.

바울과 바나바가 성령의 인도에 따라서 구브로와 그 다음에 버가, 비시디아 안디옥, 이고니온, 루스드라 그리고 더베로 여행했던 것은 이런 시점에서였던 것이 — 즉 사도 공의회의 전이 아닌 후였던 것 — 거의 확실하다. 이것은 사도행전 13장과 14장에 기술된 소위 '첫번째 선교 여행'이다.

그들이 이 여행에서 돌아올 때 안디옥에서 이방인 그리스도인들과 함께 먹는 문제를 두고 베드로와 바울 사이에 논쟁이 일어났다.[11] 이러한 의견 불일치는 이방인이 할례와 율법의 다른 의식적 규정을 따르지 않고서 하나님 백성에 속할 수 있는지의 기본 문제와 상관이 없었다. 이 문제는 이미 해결된 것이었다. 하지만 바울은 식탁 교제의 부차적인 문제에서도 타협하려고 하지 않았다. 그가 보기에 문제가 되는 것은 "사람이 의롭게 되는 것은 율법의 행위에서 난 것이 아니요, 오직 예수 그리스도를 믿는 믿음으로 말미암는 것"[12]이었기 때문이다.

이 논쟁에서 바울의 친구이며 동료인 바나바는 베드로의 편을 들었다. 그 결과, 다시 한번 바울이 선교 여행을 떠날 때 바울은 자기 동행자로 '실라를 택했고' "바나바는 마가를 데리고 배 타고 구브로로 갔다."[13] 이제 로마 제국의 서극단에까지 이르는 문명화된 세계의 모든 지역에 복음을 전함으로써[14] "이방인들을 순종케 하기 위한"[15] 바울의 위대한 선교 활동의 짧은 시기가 찾아왔다.

그의 여행은 이미 남부 소아시아에서 세웠던 공동체들을 다시 방문함으로써 시작했다. 그는 병으로 갈라디아에서 잠시 유하면서 그곳에서 새로운 교회를 세울 기회를 가졌다.[16] 하지만 동행자들과 함께 바울은 소아시아를 떠나라는 인도를 받았다. 드로아에서 그는 마게도냐로 가로질러 갔고, 대(大) 비아 에그나티아를 따라 길을 갔다. 빌립보와 데살로니가(로마의 마게도냐 식민지 총독의 권좌가 있는 곳)에서 공동체를 세운 다음 바울은 데살로니가에서 생긴 소요로 '밤중에' 떠나 조금 남쪽에 있는 중부 그리스로 방향을 돌려야 했을 때 여행로를 이탈했다.

하지만 핍박이 뒤쫓아 오자 그는 계속 남쪽으로 가 아테네(아덴)를 거쳐 고린도의 항구에 이르렀다. 고린도에서 그는 하나님을 공경하는 이방인 디도 유스도의 집에서 18개월 동안을 전도하고 가르치며 보냈다. 거기서부터 바울은 새로운 두 친구이자 동료인 로마에 살던 유대인 아굴라와 브리스길라와 함께 에베소까지 여행을 한다. 그러나 곧 에베소에서 그들을 떠나 팔레스타인과 안디옥으로 돌아와 브리기아와 갈라디아에 있는 교회들을 또 다시 방문한 후에 에베소에 다시 나타났다. 에베소로 돌아와서 그는 여러 해 동안 거기서 사역을 했다(53?-56?).[17] 여기서 일하면서 고린도서를 기록했고 또한 필시 갈라디아서, 빌립보서, 빌레몬서도 기록했을 것이다.

바울은 에베소를 떠난 후 고린도로 돌아가 삼 개월 동안 지냈다. 거기서 그는 로마서를 기록했다. 우리는 이 서신으로부터 이제 그의 행동을 지배했던 두 가지 위대한 계획을 안다. 그 중 하나는 감사와 연대를 나타내는 표시로서 자신의 새로운 이방인 교회에서 모은 헌물을 예루살렘 교회에 가져가는 것이었다. 그는 팔레스타인에 있는 유대인과 유대인 그리스도인이 자신을 받아줄지 확신하지 못했지만 이 일을 하기로 결심했다.

두번째 계획은 '헬라인이나 야만에게 모두 진 빚'[18]을 갚기 위하여 제국의 서쪽 영역에 복음을 가지고 가려는 원래 계획을 수행하는 것이었다. 드러난 바와 같이 이것은 예루살렘 여행이었다. 결국 그는 예루살렘에서 로마 정부에게 체포되어, 2년 동안 가이사랴에서 구금되어 있다가 기소 중인 사람으로서 겨우 로마에 이르게 되었다. 바울의 말년에 대해서는 알 수 있는 것이 거의 없다. 어떤 학자들은 그가 감옥에서 풀려나 좀더 멀리 여행을 했다고 주장했지만, 증거를 보면 이런 가설은 지지할 수 없는 것이다. A.D. 64년 전에 바울은 로마에서 죽었던 것으로 보인다.

바울이 세운 교회들이 회람하고 틀림없이 수집했던 그의 서신들은 기독교 문헌의 가장 초창기 것들이다. 이 서신들이 획득했던 권위의 범위와 내용은 후 세대가 그 서신을 '대사도'(the Apostle)의 말씀을 담고 있는 것으로 인용했던 사실에 반영되어 있다. 사복음서 다음으로 이 서신들은 모든 시대에 다른 서신들 모음보다 기독교 사상과 경건에 더 영향력을 끼쳤다.

이같이 영향력을 미쳤던 이유는 바울의 사고 방식이 갖고 있는 명확함이나 체계적인 특성에 있지 않다. 요즘 뜻으로 바울은 '조직' 신학자가 아니었다. 그리고 그의 저술들(세심하게 계획하고 논증하는 로마서까지)은 사실상 우발적이고 개인적인 것이다. 오히려 이 서신들의 영향력은 바울 사상의 풍부하고 시사하는 바가 많은 사실에 있고 때로는 완성되지 않고 모호하기까지 하는 그 특성에 있다.

하지만 그의 가르침과 전파가 근거로 삼고 있는 기초는 확실하다. 이 기초는 그가 단지 '복음' 혹은 '나의 복음'이라고 부르는 것에 있다(왜냐하면 이 복음의 내용은 전승의 문제이기도 하지만[19] 이는 계시로 그가 받은 것이었기 때문이다[20]). 이것은 예수 그리스도 안에서 하나님께서 믿는 모든 사람에게 구원을 주시기 위하여 행동하셨다고 하는 복된 소식이다. 그리고 이 구원의 완전한 실현은 미래에 있겠지만, 그 구원의 시작은 현재에도 체험할 수 있는 것이었다. 이 구원은 예수의 죽으심과 부활에 뿌리를 두고 있다. 이 두 사건은 바울의 사상에서 초월적인 중요성을 갖는 일로 나타난다.

히브리 성경의 예언을 따라 "그리스도께서 우리 죄를 위하여 죽으셨다."[21] 즉 그 분은 "이 악한 세대에서 우리를 건지시려고 우리 죄를 위하여 자기 몸을 드리셨다."[22] 그보다도 그와 같이 신자들로 하여금 "새 생명 가운데 행하게 하려고" 〔하나님께서〕 "아버지의 영광으로 말미암아 그리스도를 죽은 자 가운데서 살리셨다."[23] 그러므로 믿음으로 그리스도와 연합되고 하나님의 성령이 주시는 선물을 기뻐하는 그리스도인들은 주께서 다시 오셔서 구원의 일을 이루실 때, 곧 "우리가 하늘에 속한 자의 형상을 입을"[24] 때를 기다린다.

이 복음에 대한 바울의 이해의 핵심에 신자들은 실로 성령 안에서 그리스도께 연합되었다는 그의 확신이 있다. 주님이 죄에 대하여 죽으시고 새 생명에 대하여 부활하신 이 사건들은 단순히 우주적인 사태에 영향을 주는 '객관적인' 사건이 아니다. "그러므로 우리가 그의 죽으심과 합하여 세례를 받음으로 그와 함께 장사되었다."[25] "우리 옛 사람이 예수와 함께 십자가에 못박힌 것은 … 우리가 죄에게 종 노릇하지 아니하려 함이다."[26] 따라서 그는 편지를 받는 자들에게 "우리가 그와 함께 살 줄을 믿는다"[27]고 말한다. "너희도 너희 자신을 죄에 대하여는 죽은 자요 … 하나님을 대하여는 산 자로 여길지어다."[28]

바울이 보기에 이런 연합의 사상, 그리스도와 하나됨의 사상은 두 방향으로 작용한다. 한편으로 이 사상은 교회 — '성도' —를 그리스도의 몸으로 보는 교회 상(敎會像)에 이른다. 이 몸은 부활하신 주로부터 오신 하나님의 성령이 생명을 주시고 만드신 것이다. 다른 한편으로 이 사상은 그리스도인에게 놓여 있는 윤리적 명령에 대한 바울의 이해가 생겨나는 원천이 된다. 그리스도인들은 "주 예수 그리스도의 이름과 우리 하나님의 성령 안에서 씻음과 거룩함과 의롭다 함을"[29] 얻었다. 그러므로 이들은 "주와 합한"[30] 자이다. 그리고 이것은 부도덕한 생활과 전적으로 다른 상태이다. 신자들은 "그리스도의 몸이며 개인적으로는 그 몸의 지체"로서 성령께서 신자들에게 베푸신 은혜를 계발하고, 무엇보다도 가장 큰 은사 즉 사랑을 자가들의 목적으로 삼아야 한다.[31] 하지만 그리스도이신 예수 안에서 하나님의 구원을 발견할 수 있다고 하는 이 확신은 바울에게 불가피하게 한 가지 문제를 일으켰다.

이 문제는 '옛' 언약의 기초인 유대인의 율법에 대하여 무엇이라고 말해야 하는가이다. 이 문제는 구체적인 상황에서 그에게 생겨났던 것이다. 즉 이방인 신자들도 하나님의 은혜 언약에 속하기 위해서는 율법을 지켜야 한다는 어떤 그리스도인들의 주장 때문에 생겨났다. 바울에게 이 문제는 혼란스러운 것이었고, 결국 견딜 수 없는 요구였다. 바울이 그리스도께로부터 이방인들에 대한 사명을 맡은 자로서 자신의 역할 속에서 그 문제를 보았듯이, 십자가에 달리시고 부활하신 그리스도께서는 유대인이나 헬라인이나 "모든 믿는 자"[32]들을 위하여 새 생명을 실현하셨다. 그러므로 믿음으로 그리스도와 연합하는 것보다 더 많은 것을 요구하는 것은 하나님께서 사람들을 위하여 하신 일의 충분함을 의심하는 것이었다. 사실상 이런 요구는 그리스도 안에 있는 하나님의 은혜로운 행동을 신뢰하지 않는 것이었다.

"율법 안에서 의롭다 함을 얻으려 하는 너희는 그리스도에게서 끊어지고 은혜에서 떨어진 자로다."[33] 그러므로 바울은 "사람이 의롭게 되는 것은 율법의 행위에서 난 것이 아니요, 오직 예수 그리스도를 믿음으로 말미암는 줄 안다"[34]고 주장했다. 그리고 자신의 요점을 입증하기 위하여 바울은 하나님 백성의 아버지인 아브라함의 예를 들었다. 그가 "하나님을 믿으매, 이것을 그에게 의로 정하셨다."[35] 처음부터 하나님의 의도는 그리스도를 통하여 '거저 주는 은혜'[36]로 모든 사람들에게 구속을 주시려는 것이었다. 이 때 이 은혜는 오직 믿음으로 받을 것만 요구했다. 그러므로 "하나님이 모든 사람을 순종치 아니하는 가운데 가두어 두심은 모든 사람에게 긍휼을 베풀려 하심이로다."[37] 그리스도 안에 있는 하나님의 은혜 외에는 쓸모있거나 궁극적으로 중요한 것은 아무것도 없다.

이 말은 바울에게 율법이 악이라는 뜻은 아니다. 율법의 가르침에 대하여 "율법은 신령하다"[38]고 바울은 말한다. 바울은 율법이 가르치는 것이 잘못되었다거나 하나님의 뜻과 일치하지 않는다고 결코 말하지 않는다.

하지만 이 말은 율법이 예비적인 것이라는 뜻이다. "율법은 우리들을 그리스도에게로 인도하는 몽학 선생이다."[39] 그것은 죄에 대한 하나님의 반응이시며, 동시에 죄의 실재와 능력을 계시하는 것이다.[40] 그럼에도 불구하고 구원은 "율법 외의"[41] 것이니, 이는 "의롭게 되는 것이 율법으로 말미암으면 그리스도께서 헛되이 죽으셨기"[42] 때문이다. 그래서 우리는 바울의 근본 확신으로 되돌아간다. 아브라함의 경우처럼 믿음은 "예수 우리 주를 죽은 자 가운데서 살리신 이를 믿는 우리를 위한 것이다. 예수는 우리 범죄함을 위하여 내어줌이 되고 또한 우리를 의롭다 하심을 위하여 살아나셨느니라."[43]

6. 사도 시대의 마감

신약에서 바울의 서신이 두드러지고 사도행전의 저자가 바울의 전도 경력을 집중적으로 다루는 것은 신약의 일반 독자들에게 초기 기독교와 바울의 기독교가 사실상 공존했다는 인상을 준다. 사실은 그렇지 않다. 바울은 다른 선교사들이 세운 교회들에 대하여 알고 있다.[1] 로마 교회는 바울이 유명한 로마서를 기록하기 전에 세워져 있었다. 소위 베드로의 첫번째 서신은 (다른 사람들 중에서도) 본도, 갑바도기아, 비두니아에 있는 그리스도인들에게 보내는 것이다. 이 속주(屬州)들은 바울의 선교 지역이 아니었다. 마태복음과 요한복음은 시리아와 필시 소아시아에 기독교 공동체와 (바울의 활동과 전혀 무관하게 뿌리를 내리고 있던) 전승이 있는 것을 증명하고 있다. 예루살렘과 유대와 갈릴리의 원래 교회들은 바울의 선교에 빚진 것이 아무 것도 없었다.

그러므로 우리들은, 초대 기독교는 신약을 피상적으로 읽을 때 나타나는 것보다 사상에서나 조직에서나 좀더 다양했음을 가정해야 한다. 그러므로 역사가의 관점에서 볼 때 바울과 베드로가 죽은 후에 교회의 발전을 다시 구성할 수 있는 자료가 드물고, 있어도 확신있게 해석하기가 어렵다는 것은 불행한 일이다. 하지만 1세기의 마지막 시기에 해당하는 기독교 저술들을 타당한 확신을 가지고 확인하는 것은 가능하다. 물론 저술들의 연대를 추정하거나 그 저술들이 어디에서 나왔는지 정확하게 기술하는 것이 언제나 쉬운 일은 아니지만 말이다. 동시에 이 시기에 비기독교 저술들에서 교회 역사를 조명해 주는 언급 구절들이 있다. 이 다양한 증거들을 종합함으로써 1세기의 마지막 시기에 있었던 기독교 공동체의 생활에 대하여 아주 일반적인 몇 가지 결론에 도달할 수 있다.

그래서 우리는 로마의 역사가 타키투스로부터 A.D. 64년 로마 시를 괴롭혔던 그 어느 것보다도 '더 심하고 두려운'[2] 불이 일 주일 이상 타올랐고, 그 도시의 열네 구역 가운데 열 구역을 잿더미로 만들었던 사실을 배운다. 네로의 구조 노력과 복구를 위해 쏟은 개인적인 지출에도 불구하고 많은 사람들은 그가 로마를 좀더 화려한 형식으로 재건할 기회를 갖기 위하여 불을 지르기 시작한 것이 아닌가 의심했다. 이 풍문에 대한 네로의 반응은 희생양을 찾는 것이었다. 그 희생양은 "주민들이 그리스도인이라고 불렀던 자들, 수치스러운 행동 때문에 혐오의 대상이었던 자들"이었다.

그리스도인들은 체포되고 심문을 받았다. 이는 방화(放火) 때문이라기보다 '사람들의 혐오' 때문이었다. 그리고 그들은 공중을 위하여 무시무시한 오락을 제공하려고 고안된 방식으로 죽임을 당했다.[3] 그러므로 네로 시대에 그리스도인들은 다른 사람들과 섞이지 않고 자기네 끼리만 지냈기 때문에 로마에서 유대인 공동체와 구별되는 집단이며 인기가 없었던 것이 분명했다. 당국은 — 그리고 그 문제에 대하여 주민들은 — 그들을 공공 질서에 위험스러운 불법적인 비밀 단체로 보았다.

로마 교회에 대한 이러한 지역적인 공격은 다가올 일의 전조였지만, 로마에서나 다른 곳에서나 기독교 운동에는 실제적으로 거의 영향을 주지 못했다. 교회의 미래를 기다리고 있던 훨씬 더 중요한 일로는 A.D. 66-70년의 유대인 반란이 있었다. 이 반란은 디아스포라의 유대인들을 포함하지 않았지만, 유대와 갈릴리를 황폐하게 만들었고 그 결과 성전이 불타고 예루살렘이 거의 파멸되었다. 이 반란이 시작되던 때 예루살렘에 있던 그리스도인들은 지도자인 주의 형제 야고보를 잃었다. 그는 유대 당국에게 죽임을 당했다.

이 대재난에 처한 교회의 운명에 대하여 우리가 알고 있는 유일한 보고 내용은 가

이사랴의 유세비우스에게서 나온 것이다. 그는 4세기에 기록한 자신의 「교회사」(*Ecclesiastical History*)에서 심각한 전쟁이 일어나기 전에 특별한 계시가 있어서 신사들이 예루살렘에서 요단 서편의 펠라로 옮겨갔나고 말한나.[1] 이 설명을 받아들이든지 않든지 간에 팔레스타인의 그리스도인들은 유대 전쟁 동안에 중립적인 위치를 취했다는 것과, 이 사실이 회당과 교회 사이의 갈등을 가속화시키고 신자들이 유대인과 회당 지체로서 활동하면서 사는 것을 점점 불가능하게 만들었다는 것은 간접적인 증거를 살펴볼 때 그럴 듯하게 보인다.

성전이 파멸된 후에 1세기의 마지막 십년까지 유대교를 다시 조직하고 다시 소생시키려고 했던 랍비들은 '나사렛 사람들'이 예배에 공식적으로 참여하지 못하게 만드는 저주를 회당 기도에 삽입시켰다. 그러므로 유대교의 역사에 나타난 이 큰 위기의 한 가지 결과로 심지어는 유대인 혈통과 관행을 지키는 그리스도인들까지도 교회를 그 모체로부터 분리시키는 일을 하였다. 그러므로 이 사실은, 팔레스타인에 있던 많은 사람들이 명백하게 그랬던 것처럼 계속해서 율법을 지키고 유대교 절기를 기념하던 그리스도인들이 점차 중요하지 않고 시대착오적인 집단이 되어, 유대교와 동시에 점점 커가는 이방인 교회와 알력을 일으켰다는 것을 뜻했다.

그러므로 1세기의 마지막 30년은 유대교뿐만 아니라 새로운 기독교 운동에도 위기의 때였다. 초기 시대의 위대한 지도자들인 바울과 베드로와 야고보가 죽었다. 게다가 교회는 이따금씩 그리고 지역적으로만 당국의 눈에 띄기 시작했다. 그리고 교회는 유대교 사상과 전승과 문학에 계속해서 의존하기는 했지만, 이제 회당과 좀더 분명하게 떨어져서 지냈다. 더욱이 이 고난과 변화의 시기가 기독교 공동체 안에 심각한 논쟁과 의견 차이를 가져왔다는 것은 놀랄 것도 없다. 부활하신 그리스도에 대한 자기들의 메시지가 갖고 있는 의미와 실제적인 함축의미에 대하여 의문이 생겼다. 그러므로 이 시대에 기독교 문헌이 상당히 쏟아져 나왔다. 그리고 이 문헌은 거의 하나같이 생활과 증거를 견고하게 하려는 교회의 필요, 즉 자기들의 전승을 규정하고 따라서 독립적인 정체성을 수립하려는 교회의 필요를 반영한다.

기독교의 미래라는 관점에서 볼 때 이 문헌에 대한 가장 중요한 공헌은 사복음서이다. 복음서마다 독특한 방식으로 예수의 죽으심과 부활에 대한 사도적 메시지와 예수의 가르침에 대한 전승들을 한 책에 모으려는 시도를 나타내 보인다. 복음서마다 특정한 기독교 공동체나 공동체 집단의 관점과 편집자나 저자의 관점으로부터 이 작업을 수행하고 있다. 이 편집자나 저자는 공동체의 생활과 복음의 의미에 대한 나름대로의 파악을 동시에 반영하는 방식으로 이야기를 결합한다. 그럼에도 불구하고 사복음서 가운데는 문학적 전승적 관계가 있다. 마태복음과 누가복음은 다같이 마가복음을 따르고 개정하고 보충한다는 것이 학자들의 일치된 견해이다(물론 어떤 사람들은 의문을 제기한다). 그래서 이 마가복음은 연대가 A.D. 65-75년으로 추정되는 복음서 형식에 대한 원래의 대표적 내용이었던 것으로 보인다.

여러 가지 의미에서 구별되는 책인 요한복음은 다른 셋과 문학적으로 아무런 관계가 없는 것이 거의 확실하다. 하지만 요한복음은 다른 복음서와 마찬가지로 같은 전승들을 자기 나름대로의 방식으로 다루고 해석하고 있다는 것은 의심할 여지가 없다. 적어도 부분적으로 후대의 유사영지주의적인 「도마복음」(*Gospel of Thomas*)이 하던 것과 비슷하다. 「도마복음」은 예수의 말씀과 가르침에 대한 전승의 다른 형식을 보여 준다. 이 책들의 목표는 기독교 전도자와 교사들이 전통적으로 전달했던 것처럼 예수를 이야기함으로써 기독교 메시지의 근거와 본질을 분명하게 하고 규정하는 것이었다. 그리고 이 책들은 사실상 1세기의 마지막 몇십 년 동안에 남아있던, 예수의 가르침과 사역에 대한 회상들은 무엇이든지 통합하려고 했던 것으로 보인다.

하지만 우리가 1세기 후반의 그리스도인들이 생활을 정돈하고 메시지를 규정하려고 하는 노력을 복음서에서만 볼 수 있는 것은 아니다. 다양한 저술들이 기독교 운동의 문제들과 그 운동의 생활과 메시지에 대한 해석을 다루고 있다. 그런 저술들 가운데 많은 것이 사도적 권위를 주장하고, 교회의 원래 지도자들 가운데 한 사람의 전승에서 제자들이나 '학파들'의 사고 방식을 나타내는 것도 당연하다. 예를 들어 이런 범주 속에 목회서신과 에베소서와 같은 바울의 서신뿐만 아니라 베드로와 야고보가 썼다고 하는 서신들이 포함된다. 누가복음과 짝을 이루는 작품인 사도행전은 특별한 위치를 갖고 있다. 사도행전은 나름대로의 신학적 관점을 갖고 있을 뿐만 아니라, 여러 전승의 기본적인 일관성과 일치점을 강조하려고 기독교의 초기 역사에 대한 한 가지 해석을 전달하기도 한다. 이 모든 저술들은 교회의 생활에 나타난 필요에 상응하는 것이다. 그리고 그 모든 저술들은 한결같이 정착되고 권위적인 '사도적' 전승이 교회의 자기 이해에 기초를 제공해야 한다는 필요성을 사람들이 점점 더 느끼고 있었던 사실을 입증한다. 기독교 운동은, 자신들의 운동이 예수의 생애와 가르침에 근거를 두고 있으며 가장 초창기 공동체의 지도자들과 기초를 놓은 사람들의 증거에 의하여 선포된, 예수에 대한 메시지에 의하여 존속되고 있음을 느끼기 시작하고 있었다.

7. 예수에 대한 해석

1세기 후반 교회에 핵심적으로 중요한 문제는 예수의 사역과 죽음과 부활 사건들에 나타난 그리고 그 사건들을 통한 예수에 대한 이해의 문제였다. 그의 인격과 활동의 의의(意義)는 무엇인가? 이런 기독론적 문제는 원래 초대 공동체의 가르침과 믿음에 영감을 불어넣었던 그 자료로부터 시작했다는 것은 말할 필요도 없는 사실이다. 즉 부활하신 예수에 대한 체험이라는 자료로부터 시작했다. '그 도'를 따르던 처음 사람들에게 있어서 성령의 선물에 뒤따르는[1] 이 체험은 예수로 인해 그리고 예수 안에서 '영생'[2]이, 즉 하나님의 성취된 통치를 받는 생활이 시작되었다는 것을 뜻하였다. 부활하신 분은 하나님의 새로운 창조가 맺은 '첫 열매'[3]이셨다. 즉 우주의 재형성(re-formation)이 맺은 첫열매이셨다. 그는 또한 하나님 나라의 전달자이셨다. 그 안에서 그리고 그를 통하여 하나님 나라가 왔고 들어갈 수 있는 것이 되었다.

그러므로 먼저 예수의 의의를 메시야적 범주로 표현해야 했다는 것은 자연스러운 일이었다. 그의 부활은 그가 하나님께서 만물을 회복하라고 보내셨던 자이심을 보여주었다.[4] 그래서 바울은 틀림없이 전승적인 표현이었을 말을 사용하면서, 복음은 아들에 관한 것인데 "이 아들로 말하면 육신으로는 다윗의 혈통에서 나셨고, 성결의 영으로는 죽은 가운데서 부활하여 능력으로 하나님의 아들로 인정되셨다"[5]고 로마 그리스도인들에게 말한다. 그리고 다른 서신에서 이 사도는 그리스도인의 소명은 "죽은 자 가운데서 다시 살리신 그의 아들이 하늘로부터 강림하심을 기다리는 것"[6]이라고 설명한다.

바울은 자신의 기본적이고 개괄적인 선포에서, 사도행전에서 베드로가 했다고 하는 설교와 마찬가지로 부활과 에스카톤, 즉 주님의 마지막 날에 대하여 관심을 집중시킨다. 예수의 의의는 이미 참된 생명으로 부활한 사람이신 예수께서 마지막 날에 하나님께서 인정하신 대표(하나님의 '그리스도'이자 '아들')가 되실 것이라는 사실에서 나타난다. 그런 자격을 지니신 분으로서 예수께서는 구원의 전달자이시다.

그런 메시야적 기독론은 초대 교회가 '인자'와 '주'라는 칭호를 사용하는 방식의 배후에도 있다. 이 칭호 가운데 첫번째 것의 기원과 역사와 의미에 대하여 학문적인 논쟁이 아주 심했고 지금도 마찬가지이다.

하지만 우리가 이제 갖고 있는 공관복음에서 예수께 사용된 칭호인 '인자'는 우선 첫번째로 '하늘 구름을 타고' 오실[7] '지극히 높으신 자의 성도'[8]들의 대표로서 그의 종말론적 역할을 서술하기 위하여 사용된 것이다. 물론 이 칭호는 복음서에서 인자의 부활과 그리고 사실상 고난 당하는 자로서 그의 역할과 관련을 맺게 된다. 마찬가지로 '주'라는 칭호가 원래는 부활 때문에[9] 이제는 높아져서 하나님의 능력을 대표하는 분인 장차 오실 자[10]로 예수를 가리키는 데 사용되었던 것으로 보인다.

하지만 초기 그리스도인에게 예수의 부활은, 다가올 하나님 나라를 실현하고 전달하는 일로서 그의 메시야적 직무에 대한 진술로써 전달할 수 있는 것보다 훨씬 더 많은 의미를 지녔다. 하나님께서 살리셔서 새 생명을 주신 자로서 예수께서 나타내시는 미래는 결국 예수만의 것이 아니었다. 그것은 모든 믿는 자들의 미래이며 사실상 하나님께서 모든 인류를 부르셔서 이르게 하신 운명이었다.

또한 부활하신 그리스도 안에 실현된 새로운 생명은 신자들이 지금도 성령의 선물을 통하여 미리 맛볼 수 있는 선물이다. 그래서 그리스도께서는 초기 기독교 사상에서 하나님 나라의 전달자로서 나타난다. 또한 그는, 믿는 자들이 그리스도의 생명에 참여하고 그 안에서 변화된 자신들의 생활을 발견하므로 자신들의 참된 정체를 그 안에서 발견하는 분으로도 나타난다. 이런 맥락에서 요한의 서신들은 '아들 안에'[11] 거함, '참되신 그 분 안에, 그의 아들 예수 그리스도 안에'[12] 있음에 대한 그리스도인들의 의식을 입증한다. 그와 같이 히브리서 기자는 이제 '영광과 존귀로 관 쓰신' '인자'[13]께서 그럼에도 불구하고 거룩하게 하시는 자들과 같은 '기원'에서 나신 분이며, "그들을 형제라 부르시기를 부끄러워 아니하신다"[14]고 주장한다.

하지만 그리스도와 하나되고 그의 생명에 참여한다는 이런 인식이 바울의 서신들에서보다 더 명확하게 표현된 곳은 없다. 거기서는 신자들이 '그리스도 안에' 있다고, 즉 '그리스도 예수 안으로' 세례를 받아 죄에 대하여 죽으심에 참여하며 그의 부활에 참여하게 될 수 있다고 말한다.[15] 바울은 자기 안에 사는 것이 더 이상 자신이 아니라 그리스도라고 말할 수 있으며[16], 똑같은 이유로 그는 신자의 '생명'이 '하나님 안에 감취었다'[17]고 이해한다. 그래서 그리스도를 따르는 자들은 전체로 '그리스도 안에서 한 몸'[18]이며, 간단하게 '그리스도'[19]라고 부를 수도 있다. 이러한 주제는 그리스도를 '마지막 아담'[20], '하늘에 속한 자'이며 믿는 자들이 그 형상을 닮아야 할[21] '둘째 사람'으로 보는 바울의 사상에서도 나타난다. 이 역할에서 그리스도께서는 첫째 아담과 대조를 이룬다. 이 첫째 아담은 죄가 가지고 온 사망의 상태에 사로잡힌 인류를 대표하고 포괄한다. 예수로 말미암아 죄의 세력이 정복되고, '은혜'가 '영생에 이르기까지' 다스린다.

그래서 그리스도께서는 새 인류를 구현하며, 믿는 자들은 믿음을 통하여 그의 이러한 정체 안으로 들어간다. 믿는 자들은 이 믿음으로 그에게 연합되어 그의 지체가 된다.

하지만 예수를 한편으로 메시야와 하나님의 아들과 주로, 다른 한편으로 인류의 정체를 실현하는 둘째 아담으로 이렇게 묘사하는 것은 분명히 예수의 전 생애가 하나님의 일이라는 가정에서만 의미가 있을 수 있다.

그리고 이 하나님의 일은 하나님께서 그 안에서 또 그것을 통하여 인류에 대한 자신의 목적들을 실현하시는, 그래서 우리는 부활뿐만 아니라 예수의 사역과 죽음을 하나님의 주도권으로부터 나온 사건으로 해석하는 경향이 바울에게서 시작되는 것을 발견한다. 사도행전에서 베드로는 예수께서 죽으신 것은 '하나님의 정하신 뜻과 미리 아신 대로' 된 것이라고 선언한 것으로 되어 있다.[22] 하지만 이 진술은 하나님께서 그 아들을 '보내셨고'[23] '(그를) 화목 제물로 세우셨다'[24]는 바울의 확신이 그대로 되풀이 되는 것일 뿐이다.

그러므로 예수께서 그리스도이신 것은 그의 부활과 만물을 회복하러 다시 오시는 것에서뿐만 아니다. 예수께서는 그의 전(全)사역과 죽음에서 하나님의 구속하시는 활동의 전달자이시다. 바울은 이렇게 기록한다. "내가 받은 것을 먼저 전하였노니, 성경대로 그리스도께서 우리 죄를 위해 죽으시고."[25] 그러므로 우리가 복음서로 돌아가 보면, 예수의 부활에 비추어서 예수께 먼저 돌려진 역할과 의의가 이제 그의 생애와 사역에도 역시 속해 있음을 발견하는 것은 놀라운 것이 아니다. 마가복음에서 하나님의 아들로서 예수의 위치는 요한의 손에 세례를 받으시는 것으로 거슬러 간다. 즉 그의 공적인 활동 시초로 거슬러 간다. 하지만 누가복음과 마태복음은 이런 논리를 좀더 멀리 연장한다.

예수의 탄생에 대한 이 복음서들의 이야기는 그가 인간 역사에 있다는 것 자체를 하나님의 일로 이해해야 한다는 사실을 분명하게 나타낸다. 마리아의 태에 잉태된 것도 하나님의 성령께서 하신 일로, 이 일은 이사야의 예언에 따라 한 천사가 고지(告知)했다. 예수께서는 사역하시는 중에 마귀들에 의하여 하나님의 아들로 인정되신다. 그는 자신을 '인자'로 나타내시는데, 이 인자는 이사야서의 고난 당하는 종의 역할을 죽음으로써 성취하라고 부르심을 입었다. 세례를 받은 후 만난 시험에서 그는 최초의 인간처럼 '사탄에게' 시험을 받으며 '들짐승과 함께' 사는 새 아담의 역할로 나타난다.[26] 그러나 옛 아담은 굴복했던 시험에서 그는 승리를 거둔다. 그래서 예수의 메시야로서의 역할과 아담으로서의 역할은 그의 이야기 시초부터 예수 자신의 것이다.

그러므로 예수께서는 전생애에 걸쳐 하나님의 목적을 구현하시는 분이시며, 그 목적들을 성취하시는 분이시다. 이 확신 즉 하나님께서 인류에 대하여 가지신 목적과 인간이 하나님께 대하여 갖는 목적이 둘 다 실현되고 예수 안에서 구체화되었다는 확신은 초대 기독론에서 또 다른 아주 중요한 경향을 불러일으켰다.

이 경향의 기원들은 바울에게서도 발견할 수 있다. 고린도서에서 사도는 창조에 대한 하나님의 신비로운 방식을 이해하는 좀더 높은 분별력을 갖고 있다고 주장하는 신자들 집단을 다루어야 한다는 사실을 발견한다. 그들은 인류의 구원에서 이루어지는 하나님의 초월적인 지혜에 대하여 특별한 통찰력을 갖고 있다, 혹은 자신들이 갖고 있다고 주장한다. 따라서 이 회심자들은 바울이 십자가에 달리신 인간에 대한 전도를 '어리석은 것'임을 발견한다. 그리고 그는 바울이 교회에 좀더 심오한 가르침을 주지 못한다고 비난한다.

바울은 그 비난에 대하여 '하나님의 능력이요 하나님의 지혜'[27]는 인간의 지식이나 업적에서 발견할 수 있는 것이 아니라 오직 '십자가에 달리신 그리스도'[28]에서 발견할 수 있을 뿐이라고 대꾸한다. 그리스도께서는 하나님께서 피조물들을 위하여 '의로움과 거룩함과 구속함'이 되게 하시고 또한 '지혜'[29]가 되게 하신 분이다. 다른 말로 하면 십자가에 달리시고 죽은 자 가운데서 살아나신 예수께서는, 〔하나님께서 세상을〕 창조하실 때 하나님의 마음과 목적이며 동시에 하나님께서 그 목적을 성취하는 데 쓰시는 '능력'이신 하나님의 지혜를 구현하고 표현하신다는 것이다.[30]

물론 바울은 논쟁을 벌이는 상황에서 이 진술을 말한다. 그는 오직 회심자로 하여금 그 지혜를 다른 곳에서 찾는 것을 멈추게 하려고 십자가에 달리신 예수를 하나님의 지혜로 본다. 그럼에도 불구하고 그가 일단 이 사상을 표현했을 때 그는 이 사상을 아주 사실로 받아들인다. 사실상 이 사상은 고린도전서 8:6에서 거듭 나타난다. 바울은 이 구절에서 "한 하나님 곧 아버지가 계시니 만물이 그에게서 났고 우리도 그를 위하며 또한 한 주 예수 그리스도께서 계시니 만물이 그로 말미암고 우리도 그로 말미암았느니라"고 말한다. 여기서 하나님의 지혜에 대하여 전통적으로 사용한 언어가 부활하신 주께 명시적으로 사용된다. 그리고 예수께서 교회뿐만 아니라 전 우주에 대해서도 하나님의 활동적인 능력과 목적이 지향하는 초점이심이 분명히 나타난다.

그러나 이 주제를 바울만 말한 것은 아니다. 마태복음은 예수의 지상 사역에서 예수를 하나님의 지혜의 현존과 동일시한다.[31] 히브리서는 하나님의 '아들'로 말미암아 하나님께서 세상을 지으셨다는 구절로 시작한다. 이 아들은 하나님의 지혜처럼 "하나님의 영광의 광채시요, 그 본체의 형상이시다."[32] 게다가 골로새서에서는 하나님의 아들을 '보이지 아니하시는 하나님의 형상'이요, "만물이 그 안에 함께 섰다"고 묘사하고 있다.[33] 죽은 자 가운데서 살아나사 하나님의 나라를 전달하고 있는 메시야적 아들은 창조의 시작부터 하나님의 보편적인 통치를 전달하는 자였던 그 지혜의 구현자로 이제 나타난다.

그래서 이 주제의 논리는 제4 복음서에서 표현했던 그런 유의 기독론에 거의 필연적으로 이른다. 또한 거기서 하나님의 지혜라는 사상 형태는 예수에 대한 이해에 결정적으로 중요한 요소이다. 지혜는 이제 로고스로 하나님의 '말씀'으로 나타나신다. 로고스는 "태초에 … 하나님과 함께"[34] 계심으로 창조보다 선재하신다. 하나님의 자기 표현으로서 로고스는 신적이면서 동시에 창조적이다. "만물이 그로 말미암아 지은 바 되었으니 지은 것이 하나도 그가 없이는 된 것이 없느니라."[35] 하지만 하나님의 창조 능력이신 이 로고스는 또한 신적인 생명을 날라다 주는 분이며 '참 빛'이시기도 하다.[36] 한 마디로 말해서 그 분은 구속을 위한 하나님의 능력이시다. 그러므로 예수의 구원하시는 능력, 즉 예수 안에서 하나님의 '은혜와 진리'[37]가 실현되고 그를 사랑하고 그 말씀을 지키는 자들이 얻을 수 있게 되었다는 사실은, 예수께서 인간으로 사시고 죽으신 것이 그들의 내적인 의미와 실재로서 하나님의 영원하고 생명을 주시는 지혜를 갖고 있다는 것을 뜻한다.

"말씀이 육신이 되어 우리 가운데 거하시매."[38] 그래서 제4 복음서에서 예수께서는 "아브라함이 나기 전부터 내가 있느니라"[39]고 말씀하실 수 있다.

하나님의 로고스와 지혜의 성육신에 대한 기독론은 그것이 예수께 대하여 말한 것과 그것이 기독교 신앙의 형성에 대하여 미치는 영향에 대하여 지극히 중요했다. 한편 이 기독론은 예수를 메시야와 주와 둘째 아담으로 표시하는 데서 언제나 암시적으로 있었던 주장을 설명하는 데 이바지했다.

말하자면 이 주장은 그의 생애는 인간에 대한 하나님의 영원한 목적을 이루는 성취였다는 것이다. 이 기독론은 예수께서 인간으로 사신 생활을 창조와 구속에서 역사했던 그 하나님의 성육한 능력이며 목적이셨던 "아버지의 독생자"[40] 즉 말씀의 구현으로 봄으로써 이 주장을 명확하게 나타내었다. 반면에 이 기독론은 예수의 사역과 죽음과 부활의 보편적인 의미를 강하게 주장하는 것이었다. 이 사건들이 가져 온 것은 하나님께서 지혜로 언제나 그리고 모든 곳에서 관계하신 일에 대한 성취였다고 이 기독론은 주장했다. 이 사건들은 우주와 인간의 창조에서 은연중에 들어 있던 의미를 구체적으로 나타내었다. 그 사건들의 궁극적인 주체와 원인은 만물이 그로 말미암아 존재하게 된 하나님의 말씀이었기 때문이다.

구체적인 형식은 다양하였지만, 성육신의 기독론은 1세기 말과 2세기 초의 문헌에 두드러지던 것이었다.[41] 예를 들어 시리아 안디옥의 주교 이그나티우스의 서신에 이 기독론이 나타난다. 이그나티우스는 그리스도이신 예수 — '우리가 분리할 수 없는 생명'[42] — 를 '우리 하나님'으로 이해해야 한다고 본다. 하지만 이 말은 이그나티우스가 예수의 일상적인 인간성을 무시하거나 낮게 본다는 뜻은 아니다. 반대로 그는 가현설(예수의 육체적 신체적 측면은 단순한 '현상'에 불과하다는 견해)에 반대하여 논생을 벌이며 그리스도께서 참으로 태어나셨고, 참으로 고난을 당하셨고, 참으로 십자가에 달리셨다고 주장한다.[43] 그래서 이그나티우스가 보기에 그리스도의 인격에는 두 차원이 있다. 예수 안에는 영과 육신, 신적인 것과 인간적인 것이 하나이다.

"육신에 속하지만 영적이며, 태어났지만 태어나지 않은 유일한 한 분 구원자가 있다. 육신을 입으신 하나님, 죽음 가운데서 있는 참된 생명이 하나님으로부터 뿐만 아니라 마리아로부터 나오셨다."[44] 이 성육신 형태의 기독론들은 확실히 교회의 다른 분야에서도 있었다.

로마 교회가 고린도에 있는 교회에게 보내는 편지인 「클레멘트 1서」(*1 Clement*)라고 하는 문서는 이그나티우스의 사상을 형성한 것과 아주 다른 유대-기독교적 관용어구로 말한다. 그럼에도 불구하고 이 문서는 예수를 하나님의 광채의 반영이며 '하나님의 … 초월적인 얼굴'에 대한 '거울'[45]과 '하나님의 위엄의 홀'[46]로 묘사하기 위하여 히브리어를 사용한다. 다른 말로 하면 고난을 당하기 위하여 세상에 왔지만 동시에 '육신을 따라'[47] 야곱의 자손이신 하나님의 지혜이자 능력으로 묘사하기 위하여 히브리어를 사용한다. 로마에서 나온 좀대 후대의 저술인 「헤르마스의 목자」(*The Shepherd of Hermas*)는 '전창조계를 창조하신 거룩하고 선재하신 영'[48]이라는 개념과 고난당하고 높아지신 종으로 표현된 예수의 상을 결합한다.

하지만 이런 기독론적 경향이나 주제는 보편적으로 선호하던 것은 아니다. 교회 안에 있는 몇몇 진영에서는 육신과 영, 세속적인 것과 신적인 것의 통일이라는 개념은 둘 다 믿을 수 없고 귀에 거슬리는 것으로 보였다.

그리고 앞으로 살펴보게 되듯이 영지주의적 기독론들은 하나님의 말씀이 참으로 '육신을 입은 것'을 부인하거나 약하게 하는 경향이 있었다. 동시에 유대 기독교에는 바울의 전승과 요한의 전승을 거부하게 되고, 예수의 상을 하나님의 율법을 완전히 성취하신 인간으로 주장하는 일관성있는 경향이 있었다.

세례를 받으실 때 하나님의 아들과 메시야로 세움을 받으신 예수께서는 하늘의 인자로 영광 중에 다시 오실 것이다. (에비오님은 '가난한 자'를 뜻한다는 사실을 잊어버린) 후대 기독교 저술가들이 '에비온주의자들'(Ebionites)이라고 부른 집단은 이 '양자론적' 견해를 주장했는데, 이 집단은 의심없이 초기 유대 교회의 신앙을 물려받은 자들이었다. 이 유대인 교회들은 A.D. 70년의 유대인 전쟁 후에 수가 줄어들면서 그 영향도 줄어들었다.

그러므로 초기 교회 안에는 다양한 기독론적 사상이 있었고 계속 있어 왔다. 하지만 1세기 말과 2세기 초에는 한 가지 두드러진 사상 경향이 나타났다. 이그나티우스와 요한 서신의 형태를 따라서 우리들은 본질적으로 신적인 새롭고 불멸의 생명을 가진 분으로 그리스도를 볼 수 있다. 그리고 믿는 자들은 이 생명에 참여하도록 부르심을 입었다.

대안으로 우리들은 무엇보다도 「클레멘트 1서」의 형식에서 그 분을 하나님의 의(義)의 스승과 모델과 계시자로 볼 수 있다. 믿는 자들은 이 하나님의 의를 생활에서 본받고 구현하라고 부르심을 입는다. 하지만 어떤 경우이든지 예수의 인성(人性)은 선재하신 아들, 말씀, 혹은 하나님의 지혜의 신적인 생명을 표현하고 구체화하는 것으로 이해되었다. 하나님께서 은혜롭게 보내심으로 예수의 인성과 신적인 생명은 하나였다.

8. 2세기의 이방 기독교

100년이 되었을 때는 기독교가 소아시아, 시리아, 마케도니아, 그리스, 로마시에 등장하였다. 이집트에서는 어떻게 생겨났는지 전혀 알 수가 없지만 그곳에도 기독교가 — 약 130년쯤에는 틀림없이 있었지만 — 있었다고 볼 수 있다. 제국의 서쪽에는 기독교가 거의 전파되지 못했다. 제국에서 가장 폭넓게 기독교화한 지역은 소아시아가 틀림없었다. 111-113년 경에 비두니아의 총독이었던 플리니우스 2세(Pliny the Younger)는 "그 미신〔즉 기독교〕의 나쁜 영향력이 도시들뿐만 아니라 마을과 농촌 지역에도 퍼졌다"고 트라얀 황제에게 보고했다. 그리고 그는 자신이 기독교가 전파되는 것을 막기 위해 조처를 취할 만큼 이교 사원들이 '황폐화했다'고 넌지시 비추었다. 이 말에 수사학적인 과장이 어느 정도 있을 수 있지만(플리니우스는 기독교 현상으로 아주 괴로움을 당하고 있는 것이 분명하다), 그 증거는 좌우간 흑해 연안의 지역들에서 기독교 운동이 활발했음을 믿을 만하게 입증해 주고 있다.

기독교 운동이 활발했음을 보여 주는 똑같이 믿을 만한 증거는 1세기 말이나 2세기 전반에 씌어진 것으로 볼 수 있는 기독교 저술이 다양하고 방대하다는 사실이다. 물론 후대에 신약 정경에 포함된 몇몇 저술들도 이 시기에 속한다. 예를 들면 요한의 서신들, 요한계시록, 베드로가 썼다고 하는 두 서신을 들 수 있고 그리고 필시 목회 서신도 여기에 포함될 것이다.

이 책들 외에도 전통적으로 '사도 교부들' (Apostolic Fathers)의 것이라고 언급하는 문헌 모음이 있다(이 문헌 모음은 비교적 현대에 들어와 잇달아 발견된 것에 의하여 점점 늘어나고 있다). '사도 교부'라는 이 표현은 학자들이 이 책들이 교회의 설립자들의 직계 제자들이 '사도 시대에' 기록한 것으로 생각한 때인 17세기에 사용되기 시작했다.

이 책들 가운데서 항상 존귀한 자리를 차지했던 것은 「클레멘트 1서」이다. 이 서신은 95년경 로마 교회의 이름으로 고린도의 그리스도인들에게 쓴 편지이다. 가장 일찍이 알려진 기독교 저술이지만 결국 신약 정경에 포함되지 못한 이 편지는 일반적으로 로마 교회의 유명한 장로(혹은 주교)인 클레멘트가 썼다고 한다. 이 문서는 고린도에서 교회 장로들의 권위에 대하여 생긴 반역을 놓고서 교회 질서 문제를 다루고 있다.

「클레멘트 1서」와 나란히 안디옥의 주교인 이그나티우스가 신앙을 위하여 로마에서 재판 받기 위해 삼엄한 군대의 감호 속에 여행할 때 자신을 영접한 교회에게(혹은 로마 교회의 경우에서처럼 그를 영접하기로 되어 있었음) 쓴 일곱 서신(약 113년)이 있다. 이그나티우스도 역시 교회 질서의 문제에 관심을 둔다. 물론 그의 경우에는 신학적인 문제로 자극을 받아 관심이 생긴 것이긴 하다. 그는 독자들에게 그리스도 안에서 통일을 이루라고 촉구한다. 이 통일은 지역 교회의 감독, 장로, 집사와 교제를 나누며 그들에게 순종함으로써 실제로 실현되는 것이다. 이런 과정에서 그는 가현론적이고 유대교화하는 교리들을 반박한다. 그가 보기에 이 이 교리들은 공동체를 분열시키고 있다.

「클레멘트 1서」와 이그나티우스의 서신들에 밀접하게 관련되어 있는 것이 서머나의 주교인 폴리캅의 편지 그리고 「바나바의 서신」(*Epistle of Barnabas*)이라고 하는 문서이다. 후자는 130년경 알렉산드리아에서 기록된 것으로 사실상 서신이 아니라 풍유적 방식으로 유대교 율법의 '참된'(즉 기독교적) 의미를 설명하는 논문이다. 이 논문에는 초대 기독교의 윤리적 교훈이 덧붙어 있다.

마지막으로 '사도 교부' 저작의 전통적인 목록에는 초기 기독교 설교가 한편 들어있다. 이 설교는 알렉산드리아에서 기록된 듯한데 「클레멘트 2서」(*Second Epistle of Clement*)라고 잘못 일컫는 것이다.

하지만 후 시대들은 '사도 교부' 저작의 목록에 다른 내용을 덧붙였다. 가장 두드러지는 것으로는 2세기 초두에 헤르마스라고 하는 로마의 기독교 예언자가 쓴 「목자」(*The Shepherd*)라고 하는 묵시서 혹은 계시록이 있었다. 헤르마스는 자기 공동체의 도덕적 상태와 세례 후에 범한 심각한 죄에 대하여 '두번째 회개'가 있을 수 있는지의 문제로 어려움을 겪었다.

이 책들 가운데 속하는 것으로는 소위 「디오그네투스에게 보내는 편지」(*Letter to Diognetus*)가 있다. 후대 학자들은 이 작품이 2세기 후반에 쓰어진 것이며 기독교 변증학자의 작품이라고 보았다. 좀더 최근에 — 1883년에 콘스탄티노플에서 발견된 사실의 결과로 — 이 목록에 책 하나가 더 포함되었다. 이 책의 전체 제목은 「열두 사도를 통하여 이방인들에게 주는 주님의 가르침」(*The Teaching of the Lord through the Twelve Apostles to the Gentiles*)이다. 일반적으로 「디다케」(*Didache*)라고 하는 이 책은 「바나바의 서신」과 마찬가지로 여러 가지가 복합된 것이다. 이 책은 「바나바 서신」에 붙어있는 그런 초대 교회의 윤리적 교훈 내용을 담고 있다. 그리고 이 책은 계속해서 단순한 교회 질서(세례, 성찬, 교회 정치에 대한 교훈들)를 보여 준다. 일반적으로 이 책은 시리아에서 기록된 것으로 보이며 2세기 초로 연대가 추정된다.

하지만 이 책들도 2세기 초 기독교 운동의 문헌들 목록의 전부는 아니다. 그 첫째 이유로는 이 시기를 기독교 영지주의 문학이 시작되는 때로 보아야 할 것 같기 때문이다. 우리가 알고 있는 영지주의 자료들은 그 연대를 비슷하게 추정하기도 어렵다. 하지만 바실리데스(Basilides)와 발렌티누스(Valentinus)와 같은 위대한 영지주의 교사들은 발렌티누스가 로마에 나타났던 140년 경 이전에 알렉산드리아에서 활동하고 있었던 것이 분명하다. 그러므로 알렉산드리아의 클레멘트가 우리를 위하여 보존해 준 발렌티누스의 서신과 설교의 단편들은 이 시기의 것으로 연대를 추정해도 상관없을 것이다.

이 문제에 대하여 바실리데스가 기록했다고 하는 복음서와 이 복음서에 대한 그의 주석 즉 「주석」(*Exegetica*)[1]이 이 시기의 것으로 연대를 추정해야 하는 것과 마찬가지이다. 그리고 영지주의 문학과 아주 별개로 이 시기에 속한 수많은 다른 책이 남아 있다. 예를 들어 「베드로의 설교」(*The Preaching of Peter*), 2세기 말경 느즈막하게 로마 교회가 알고 사용했던 영향력있는 「베드로 계시록」(*Revelation of Peter*), 그리고 교회 안에서 영지주의자들과 비영지주의자들 사이의 싸움을 증언하려고 쓴 반(反)가현론적 저술인 「사도 서신」(*Epistula Apostolorum*)이 있다.

이 문헌을 개괄적으로 살펴보면 적어도 한 가지 요점이 아주 분명하게 나타난다. 2세기 초 수십 년 간의 기독교는 논쟁과 갈등에 휩싸여 있었다는 것이다. 기독교는 여전히 후기 유대교의 사상 세계가 드리운 그늘 속에서 움직이고 있었다. 하지만 그 사상 세계는, 이 시기의 기독교 저술에 반영되어 있는 강조점과 이해와 교리의 다양성이 보여주는 것과 같이 완전히 통일된 구조가 전혀 아니고 느슨하고 다양한 상태였다.

이 사실은, 초대 교회의 선포가 생각하지도 않았고 대답해 주지도 않았던 문제들이 사방에서 제기됐다는 뜻으로 보인다. 사방에서 제기된 문제들이란, 이 시기에 단순히 유대교의 전승적인 성경인 교회의 성경이 갖고 있는 의미와 가치에 대한 것, '예수와 그 부활'에 대한 선포를 이해할 수 있는 신앙과 가치의 틀에 대한 것, 그리스도인들이 부르심을 받아 실천해야 했던 공동체의 질서와 생활 양식에 대한 것들이었다. 게다가 시간이 흐르면서 이 문제들은 점점 더 심각해질 것이었다.

하지만 동시에 이 문헌들 이 문제들에 대하여 교회들이 공동의 해결을 보도록 압력을 가하고 있는 세력들이 활동하고 있었다는 사실을 분명하게 보여 준다. 이 세력들은 사실상 교회들이 지지하는 것에 대하여 집단적으로 결정하기를 요구했다. 이들 세력 가운데서 한 가지는 — 그리고 아마도 이것이 가장 중요한 것일 것이다 — 기독교 운동의 스스로에 대한 가장 기본적인 확신이었다. 그 확신은 이 운동의 지체들과 따르는 자들이 '택하신 족속이요 … 거룩한 나라요, 하나님의 소유된 백성'[2]에 속했다고 하는 것이다.

믿는 자들의 공동체가 아무리 흩어져 있고 다양하다고 해도, 이들은 한 백성이 되었다는 의식을 갖고 있었다. 이 백성은 로마가 아니라 하늘의 예루살렘에 시민권을 갖고 있었다.[3] 이 사실은 — 예를 들어 이그나티우스가 '예수 그리스도께서 계시는 곳은 어디나'[4] '가톨릭' (즉 보편의) 교회가 있다고 하는 언급과 같이 — 그들이 한 말뿐만 아니라, 그들의 습관에 의해서도 입증된다. 고대에는 서로에게 책망과 충고와 권면의 편지를 쓰는 이와 같은 습관이 기독교 외에는 전혀 없었다. 이런 통일에 대한 의식, 하나의 선민에 속했다는 의식은, 이 집단들이 의견의 불일치에 대하여 얼마나 심각하게 생각했는지를 이해하는 데 도움을 준다. 또한 통일에 대한 이런 의식은 그들이 함께 문제를 풀고 해결하려는 추진력을 설명해 준다.

통일에 대한 이런 의식은, 이들이 만장일치로 공동의 생활과 가르침에 대한 어떤 규범이나 권위를 받아들임으로써 그리고 어떤 공동의 제도를 유지하고 발전시킴으로써 더욱 커졌다. 모든 공동체는 문제를 해결할 때 유대인 성경에 의존하였고(물론 후에 드러났듯이 이 성경들은 공통의 자료뿐만 아니라 공통의 문제가 되기도 했다), 또한 주의 말씀과 초기 공동체의 지도자들의 증거, 이그나티우스의 말을 빌리면, '사도들의 규례' (the ordinances of apostles)에도 의거했다.[5] 간단하게 말하면, 교회의 가르침과 관습이 그리스도와 그의 첫 세대 제자들이 한 일에서 생겨난 것들과 일치해야 한다는 신념에 일반적으로 의견을 같이 했다는 것이다. 이 확신을 주장할 때 가졌던 진지함은, 「디다케」나 「사도 서신」이라는 명칭에서 볼 수 있듯이 초기 기독교 저술을 열두 제자 가운데 이 사람 혹은 저 사람이 썼다고, 또는 교회 설립자 전체가 썼다고 지루할 정도로 규칙적으로 표현한 것에 의하여 가장 잘 예증된다.

게다가 교회들의 공동 생활은 통일과 연속성의 매개체 구실을 했던 공통의 제도에 의하여 형성되었다. 믿는 자는 세례 예식을 통하여 교회에 들어올 수 있었다. 이 세례 예식은 물로 씻음 뿐만 아니라 전통적인 신앙 고백을 포함했다. 그리고 이 예식은 그 신앙의 의미와 그 신앙이 요구하는 생활 양식에 대해 먼저 가르치는 것을 전제했다. 예수의 부활을 기념하여 주일(主日, 일요일)에 가진 공동체의 규칙적인 모임에는 기도, 찬양, 성경 봉독뿐만 아니라, 설교, 예언, 주의 만찬 혹은 성찬식이 있었다. 이런 규칙적인 공통된 행위들은 공동체의 생활과 정체를 형성하고 해석하는 기회들이었다. 그리고 이 행동들은 공동의 상징적 언어들을 보존하고 발전시키는 기반을 마련해 주었다.

2세기 교회 생활에서 또한 중요한 것은 공동체의 권징이었다. 교회는, 그 지체들이 어떤 양식으로 생활을 꾸려가야 하는 '구별된' 몸이었다. 금식과 기도의 권징이 있었다.[6] 그리스도인들은 재혼을 하지 않고 원치 않는 아이를 버려서 죽이거나 낙태를 시행하지 않는 것으로 사람들은 이해했다.

그리스도인들은 이교 절기나, 이교 신들로 이해하는 '마귀' 들을 섬기는 직업에 참여하지 않아야 했다. 물론 이렇게 한다는 것은 그들이 거주하고 있던 도시의 공공생활에 거의 참여할 수 없었다는 사실을 뜻한다. 왜냐하면 이 이교 종교는 그 도시 공공 생활의 불가피한 일부 구조였기 때문이었다. 하지만 무엇보다도 그리스도인들은 형제를 사랑하고 자비와 자선를 행해야 했다.

"금식은 기도보다 낫지만 자선은 둘 다보다 낫다." [7] 이단자들에 대한 이그나티우스의 아주 유창한 저주가 "그들은 사랑에 전혀 관심이 없으며, 과부와 고아와 비탄에 빠진 자와 고통당하는 자들과 감옥에 갇힌 자나 혹은 감옥에서 풀려난 자와 배고픈 자나 목마른 자를 전혀 돌보지 않는다" [8]는 그의 주장에 나타난다. 「클레멘트 1서」에는 자신을 팔아 노예가 되어 궁핍한 자를 돕는 신자가 나타난다.[9] 기독교 공동체는 권징으로 유지되었을 뿐만 아니라, 체계적인 상호 부조를 조직하고 시행하는 긴밀한 조합의 역할도 하였다. 이 사실이 결속을 더욱 높였고, 따라서 근본적인 불일치나 갈등을 잘 참지 못하게 만들었던 데도 기여했던 것이 분명하다.

9. 기독교의 조직

교회 역사에서 교회의 공적 직분들이 어디에서 생겼는지에 대한 문제만큼 논쟁에 의하여 더 모르게 된 것은 없다. 남아있는 증거가 드물기 때문에 거의 모든 문제가 자세히 대답하기 어려운 것들이다. 틀림없이 제도 발전의 과정은 지역에 따라 약간씩 달랐을 것이다. 다른 말로 하면 1세기 모든 기독교 공동체가 동시에 같은 구조를 갖고 있었던 것은 아니라는 뜻이다. 하지만 2세기 중반에는 지역 교회의 사역의 실질적으로 통일된 유형이 기독교 세계에 두루 퍼지기 시작했다. 도시마다 그리스도인들은 중요한 지도자이자 목사를 두는 경향이 있었다. 이 사람들을 일러 **에피스코포스** 즉 '감독' (bishop) 혹은 좀더 문자적으로는 '감독자' (overseer) 혹은 '감독' (superintendent)이라고 한다. 이 에피스코포스는 한편으로는 **프레스부테로이**('장로')라는 직분자들과 함께 일했고, 다른 한편으로 행정 활동과 목회 활동에서 그를 '돕는' 보조자들과 함께 일했다. 이들이 디아코노이 즉 '집사'이다. 물론 고대 후기와 중세 시대 이후로 대부분의 지역의 기독교 사역에서 그랬던 것과는 달리 이 직분자들은 다소 훈련 받은 전문가 집단으로부터 임명되거나 선출되지 않았다. 이들은 특정한 도시에 있는 교회 구성원들로 개인적인 은사와 자질에 비추어서 선출되었다. 그러한 형태의 사역과 관리조직이 생긴 이유들은 일반적으로 분명하다. 알고 있는 바와 같이, 특정한 도시에 있는 기독교 공동체는 긴밀하게 얽혀 있는 몸이었다. 이 공동체는 자신들의 독특한 의식을 수행하기 위해 규칙적으로 모였다. 또한 이 공동체는 구성원들의 상호 부조를 위한 조합의 역할도 했다. 그리고 이 공동체는 가난한 자, 과부, 부모 없는 아이에게 필요한 것을 공급해 주었다. 게다가 이들이 원래 자라나왔던 유대인 공동체와 달리 이 교회들은 대개 로마의 법정에 호소하지 않고서 나름대로의 행동 기준을 시행하고 분쟁을 해결하면서[1] 지체들 사이의 용무와 관계들을 규제하였던 것으로 보인다.

마지막으로 이 공동체들은, 하나님께서 성령 안에서 그들에게 주셨고, 첫 제자들과 사도들의 선포와 가르침 속에 명확하게 표현된 부활하신 그리스도의 새 생명에서 자신들의 존재 이유를 발견했다. 그러므로 이 공동체들은 이 복음을 믿을 만한 진정한 형태로 보존하고 전달하는 것이 자기네 생활에 본질적인 일로 확신했다. 이런 상황에서 예배의 인도자로, 공동체 생활의 감독자로, 공동체 일의 행정가로, 공동체가 의지하여 사는 진리의 선생으로 이바지하기 위하여 공동체 직분자들이 나타나는 것은 당연한 일이다.

반면에 교회의 정착된 조직을 장려하거나 요구하는 이런 상황들에 의하여 점차 교회의 조직이 나타났다. 한 가지 예를 들면, 교회들이 자라서 점차 한 집에서 얼굴을 맞대고 만날 수 없게 될 때에만 이 직무들을 수행하는 데에 직분자의 사역이 필요하였다. 또 한 가지는, 직분자의 사역이 형성되고 그 권위가 세워지려면 먼저 공동체의 생활과 질서와 신념에 대한 문제들이 나타나야 했던 것이 틀림없었다. 그럼에도 불구하고 직분자의 사역이 나타난 '이유'에 대해서나, 나타났을 때 그 직분의 성격이나 역할에 대해서는 혼란스러운 것이 전혀 없다.

그와는 대조적으로 직분 발전의 '경위'에 대해서는 혼란이 있으며, 이 혼란은 틀림없이 앞으로도 계속될 것이다. 사도행전은 결국 주의 형제 야고보가 '장로'단(長老團)과 함께 예루살렘 교회를 다스렸던 것을 우리에게 알려 준다. 어떤 학자들은, 유대 전쟁 이후 예루살렘 교회를 주재한 야고보의 후계자가 또한 예수의 친척('구주의 조카'[2])이었으므로, 예루살렘 교회의 원래 구조는 예수의 방계(傍系) 후손들이 공동체를 다스리게 되어 있는 '칼리프 제도'의 구조였다고 주장했다. 다른 학자들은 이런 가정을 무시하지만 그럼에도 사도행전에 나타난 '야고보와 장로들'의 모습이 후대에 (아마 원래는 안디옥에서) 장로 회의와 더불어 있던 감독제도로 모방했던 모델을 제공했다고 생각했다.

하지만 앞으로 살펴보게 되듯이 사실상 그런 구조가 존재했다는 최초의 암시는 2세기 처음 십년부터 나타난다. 사도행전에서 바울과 바나바가 '각 교회에서 장로를 택했다'[3]는 진술이 있지만 바울의 서신들은 확립된 교회 직분자와 장로에 대해서 전혀 언급하지 않는다. 데살로니가전서 5:12은 '주 안에서 너희를 다스리는' 사람들을 언급하며 빌립보서 1:1은 '예수 그리스도 안에서 빌립보에 사는 모든 성도' 가운데 '감독들과 집사'를 포함시킨다. 반면에 바울의 고린도 서신은 그런 점을 전혀 언급하지 않으며 그가 쓴 것이 확실한 서신들 가운데 다른 어느 것에도 이런 언급이 전혀 없다. 바울이 세운 몇몇 교회들에서 사역과 관리 조직이 초보적인 형태로 시작되었을 수 있다. 그러나 바울이 직접 그 제도를 세운 사람이라거나 그 제도가 이미 세워져 공식화되었다는 표시는 전혀 없다. 그러므로 이것은 다소간 사람들이 그랬을 것이라고 기대하는 형식일 뿐이다.

물론 이것은 바울이 자기가 세운 교회들에서 '여러 가지 직임'[4]의 활동에 관심이 없었다는 말은 아니다. 게다가 그가 고린도서에서 이것을 논의한 것은 고린도에서 누구의 직임 혹은 어떤 종류의 직임이 가장 중요하냐의 문제를 두고 갈등이 이미 상당히 있었음을 넌지시 보여 준다. 이 상황에 대해 바울은, 모든 직임은 하나님과 성령의 선물이며 분명하지 않거나 존귀하게 보이지 않는 것을 포함하여 모든 직임은 '그〔그리스도의〕 몸'을 위하여 꼭 필요한 것임을 강조하였다. 그러므로 그가 '직임'이라는 말로 뜻했던 바는 병 고치는 일로부터 다스리는 일까지 공동체에 건설적으로 이바지함으로써 스스로를 나타내는 모든 은사이다. 그리고 한 성령의 이처럼 서로 다른 은사들은 그 몸의 모든 지체에게 주신 것이다. 바울은, 이 은사들 가운데 몇몇은 우선적으로 중요한 것이라고 믿었다. 즉 그 순서에서 사람들을 '사도 … 선지자 … 선생'으로 세우는 은사들이 중요하다고 보았다.[5]

다른 말로 하면 교회에 반드시 있어야 하는 것은 '그리스도 예수 안에 있는' 새 생명에 대한 신포와 해석과 설명과 관련된 은사와 소명들이다. 하지만 심지어 이런 경우에서도 그는 직분을 언급하지 아니하고 활동 형태들을 언급하고 있다는 것이다. 바울이 '하나님의 뜻을 따라 사도로 부르심을 입었던'[6] 것처럼 성령께서는 이런 형태의 활동을 하라고 사람들을 부르신다. 바울은 자신이 세운 교회들을 감독하고 다스리는 아주 적극적인 사역을 수행했다. 그리고 그는 이 활동에서 돕는 자들을 활용했다.[7] 그러나 그는 자신을 어떤 의미로든지 교회의 직분자로 결코 보지 않았다.

하지만 1세기 말경에 직분자들이 바울의 교회뿐만 아니라 로마의 교회에도 그리고 시리아와 팔레스타인의 교회에도 분명히 나타났다. 게다가 이 직분의 구조와 전문용어가 이 모든 지역에서 거의 같았던 것으로 보인다.

그래서 「클레멘트 1서」는 '감독과 집사'[8]를 말하며, 이 직분들이 사도적 기초를 갖고 있는 것으로 본다. 이 서신은 그 직분자들이 로마뿐만 아니라 고린도에도 있음을 전제한다. 이 직분자들은 '전교회의 동의를 받아' 임명받은 자들이다.[9] 이 사실과, 그들이 사도로부터 직분을 이어받고 있다는 사실[10]은 그리스도인들이 그들의 권위에 반역하는 것을 하나님의 질서에 대한 불경건하고 파괴적인 태도로 만든다. 「클레멘트 1서」는 또한 장로를 교회 안에 있는 직분자로 언급한다. 하지만 이 서신에 있는 모든 것이 계속 이 서신이 '장로'와 '감독'을 같은 직분에 대해 바꾸어 쓸 수 있는 말로 사용함을 넌지시 보여 준다.

똑같은 이중 구조가 목회 서신과 「디다케」에 나타난다. 「디다케」는 변화하는 상황을 반영하고 있음이 거의 확실하다. 이 변화하는 상황에서 지방 교회 직분자들의 권위는 여행하는 '사도'와 '선지자'들의 카리스마적인 호소에도 불구하고 천거받아야 했다. 사도와 선지자들은 때때로 과장해서 말하는 경향이 있었다. 따라서 「디다케」는 거짓 선지자와 참 선지자를 구별하는 규칙을 주며(거짓 선지자는 돈을 구하고 자신이 전하는 것을 행하지 않는다[11]), 독자들에게 스스로 '주께 신실한 감독과 집사'를 '선출'하라고 권한다. " … 왜냐하면 너희들에 대하여 그들의 직분은 선지자와 선생의 직분과 똑같기 때문이다."[12]

「디다케」와 달리 목회 서신은 집사와 감독뿐만 아니라 장로도 언급한다. 그러나 디도서에 있는 한 구절[13]은 「클레멘트 1서」처럼 '장로'와 '감독'이 동일한 사람임을 넌지시 보여주는 것 같다. 또한 「클레멘트 1서」와 같은 맥락에서도 목회 서신들은 이 직분자들이 사도의 승인을 받고 사도의 지도에 의하여 권위를 행사하는 것으로 말한다. 장로-감독의 일을 서술하면서 목회 서신들은 세 가지 문제에 강조점을 둔다. 첫째, 감독은 모범적인 그리스도인의 생활을 해야 한다. "술을 즐기지 아니하며 구타하지 아니하며 오직 관용하며 다투지 아니하며 돈을 사랑하지 아니하며."[14] 둘째, 그는 일을 잘 처리하는 자 즉 행정가여야 한다. 하지만 무엇보다도 그는 '선생'[15]이 되어야 한다. 즉 사도의 교훈을 구현하는 '바른 말을 본받아 지키고'[16] '미쁜 말씀의 가르침을 그대도 지켜야 하리니 이는 능히 바른 교훈으로 권면하려 함이다.'[17] 진실에서 벗어난 거짓 선생들이 있다. 그리고 지역 교회의 지도자들은 일 세대 기독교 전도자들이 가르쳤던 교리와 생활 양식을 증거하는 데 일차적인 책임을 진다. 사실상 이들은 사도가 '맡긴 것' (파라데케)을 지키는 자들이다.[18]

믿을 만한 (즉 원래의) 기독교 증거를 유지하려는 이런 관심은 이그나티우스의 서신에도 역시 반영되어 있다. 그는 에베소 교회 지체들에게 '언제나 사도와 같이 한마음이 되라'[19]고 권한다. 하지만 사실상 이그나티우스는 사도들과 같은 생각을 하는 것보다 그리스도와 함께 그리고 그리스도를 통하여 하나님과 함께 생활하는 신자의 통일을 더 강조한다. 공적인 사역을 논의할 때 그는 이 통일의 실제적인 상징으로 이 직분의 특성을 강조한다. 그는 이렇게 말한다. "감독은 … 그리스도의 마음을 반영한다."[20] 그리고 신자들은 계속 감독과 통일을 이루고 그들에게 순종하면, 이 통일과 순종의 사실 때문에 그들은 하나님과 함께 하는 그리스도의 통일 속에 들어 간다.[21]

하지만 이그나티우스의 편지에서 두드러지는 것은 (로마 교회를 제외하고) 그가 말한 모든 교회에서 그는 장로-감독과 집사의 이중 사역을 전제하는 것이 아니라 삼중 구조를 전제한다는 점이다. 이 삼중 구조에서 감독 직분은 장로의 직분과 분명히 구별된다. 이 교회들마다 감독이 한 사람 있으며, 이 감독은 장로회와 함께 다스리며 집사들을 자기의 '사역자'로 삼는다. 그래서 역사가는 바로 이 이그나티우스의 편지에서 먼저 2세기를 지나면서 모든 교회에 퍼지게 된 사역 구조를 본다.

이 발전이 어떻게 즉 어떤 과정에 의하여 일어났는지의 문제는 논쟁이 아주 많은 주제였다. 한 가지 가설은, 각 교회에 있는 특수한 자리와 책임을 이그나티우스가 말하는 바와 같이 '장로회'(the presbytery)의 모임을 정기적으로 주재한 한 장로에게 맡기게 되었던 것처럼, 이 발전은 거의 자연스럽고 확실히 비공식적으로 일어났다는 것이다. 이 가설은, 군주제적 감독 제도의 발전 이후에도 감독들이 종종 '장로'로 언급되었던 것으로 보이는 사실에서 상당히 확증을 발견한다.

「사도들의 가르침」(*Didascalia Apostolorum*)으로 알려진 3세기의 교회 훈령은 지역 교회의 수석 목사를 '장로회 가운데 감독이요 머리'로 본다.[22] 그리고 오랫동안 장로들은 감독의 대표자나 파견자가 아니라 그 동료로 보아왔던 것이 분명하다. 이 가설은 적어도 잠시 동안 두 가지 서로 다른 구조가 동시에 존재했음이 틀림없고, (이그나티우스를 포함하여) 이 사실을 공격했던 것으로 보이는 사람이 전혀 없다는 사실에서 간접적이지만 좀더 확고한 확증을 발견한다. 만일 대부분의 지역 그리스도인 모임이 적어도 비공식적으로 자기들 장로 가운데 한 사람을 수석 지도자와 선생으로 대하곤 했다고 가정한다면 2세기 초두에, 장로-감독과 집사를 인정하던 체제와 감독과 장로와 집사를 말했던 체제는 사실상 실제로 아주 비슷하게 보였다고 해도 상관없다.

이런 유형의 교회 질서가 세워지면서 '사도적 계승' 혹은 '사도로부터 내려오는 계승'이라는 개념이 막 나타나기 시작한다. 이 발전이 가장 분명하게 나타나는 곳은 「클레멘트 1서」이다. 거기서 감독과 집사의 권위를 적어도 부분적으로는 그들의 직분이 사도에 의하여 세워졌다는 사실에 근거를 둔다.[23] 그리고 이 편지에 있는 한 문장은 — 불행하게도 아주 모호한 문장 — 로마 교회가 자기네 장로-감독들을 사도를 '계승하는 자'로 보았다는 뜻을 가질 수 있다.[24] 하지만 이 개념은 로마 교회의 생각을 표현하지만 2세기 초에 널리 퍼져 있지는 않았다. 목회 서신들은 감독 직분과 집사 직분이 제정된 것에 대하여 바울의 권위를 주장한다. 하지만 이 목회 서신들은 지역 교회의 직분자들이 사도의 권위를 '계승한다'고 넌지시 보여 주는 것은 아니다. 그리고 안디옥의 이그나티우스는 비록 자신은 감독과 장로회의 권위를 강화해야 한다고 확신하지만, 이 직분을 위하여 사도적 근거를 주장하려고 하지는 않는다. 사도적 계승이라는 개념은 2세기 후반에 영지주의에 대한 논쟁 이후에 만개한다.

하지만 2세기 초반에도 정규적인 유형의 사역과 관리 조직은 세워지고 있었다. (로마 세계의 사회적 정치적 조직을 생각한다면 예상할 수 있는 것처럼) 교회의 단위는 특정한 폴리스에 있는 그리스도인들의 몸이었다. 이 교회마다 감독이라고 하는 한 사람의 수석 목사를 두려는 경향이 있었다. 이 목사는 예배 모임을 인도할 뿐만 아니라 그 공동체의 행정과 권징의 업무를 관장했다. 그리고 무엇보다도 이 목사는 교회에서 윤리적 교리적 전승의 공식 교사이며 보호자이며 해석자였다.

감독과 더불어 이 일에는 감독도 속한다고 보는 장로회와 감독이 수행하는 예배와 행정과 권징의 일을 도왔던 듯한 '일꾼들' 혹은 집사들이 관계했다. 그런 집단은 그 직분자들과 함께 특정한 장소에 있는 전체적인 그리고 완전한 **에클레시아**라고 볼 수 있었다. 지역 교회마다 다른 교회들과 의견을 나누고 권면을 주고 받은 사실이 분명히 있지만, 폴리스의 범위를 넘어서는 교회의 조직은 아무 것도 없었다.

10. 기독교와 로마 정부

종교의 문제에서 로마는 좀더 이전 동방의 헬레니즘 왕국들이 취한 정책을 따라서 대체적으로 관용적이었다. 로마 당국은 원로원과 로마의 백성이 자기네 신과 예식과 종교적 관행들을 갖고 있는 것과 똑같이 자기네 지배를 받고 있는 도시와 나라마다 소중하게 간직하고 있는 신과 예식과 종교적 관행들을 갖고 있다고 이해했다. 로마의 통치 아래서 지방이나 민속 종교들은 로마와 그 신들에게 마땅한 명예를 돌리는 한 허용되고 보호받았다. 그래서 유대교는 **렐리기오 리키타**(religio licita: '공인받은 종교')였다. 그리고 로마인들이 유대인의 개종권유를 싫어하는 경향이 있었고 로마에서 유대교가 잘 보이지 않도록 여러 번 시도했지만, 그럼에도 그들은 유대인들에게 제국의 종교의식에 참여하는 일을 면제해 주는 데 이르게 되었다.

하지만 다원주의의 이런 종교적 사유는 어떤 한계를 갖고 있었다. 이 한계는 로마의 이해나 로마 시민의 복지와 관련된 곳에서 명백하게 나타나게 되었다. 몇몇 종교적 관행들은 로마인들에게 부도덕하고 그래서 그 신들에 무례한 것으로 보였다. 이 도시(그리고 제국)는 궁극적으로 이 신들의 선의에 달려 있었던 것이다. 로마에서나 속주에서나 할 것 없이 그런 관행은 쉽게 억누를 수 있는 것이었다. 그래서 우리는 "아우구스투스가 갈리아에 사는 모든 로마 시민으로 하여금 (인간 희생 제사를 드리는) 야만적이고 두려운 드루이드 숭배에 참여하지 못하도록 금하는 것으로 만족했던" 반면 "글라우디오는 이를 완전히 폐지하여 버렸다"[1]는 것을 안다.

동시에 로마인들은 개인적으로 자기네 예식을 행하는 자발적인 종교적 집단들(*collegia*)을 전통적으로 경계했다. 이 집단의 구성원들은 범죄와 소요를 일으킬 것을 맹세했던 피의 맹세를 하는 자로 의심 받기 십상이었다. 간단하게 말해 로마 나라와 공공 질서를 위협하는 것으로 보였던 종파들을 — 로마 신을 공격함으로써든지 혹은 음모를 조장하는 것으로 보임으로써든지 상관없이 — (사실상 그 종교들을 억누르려는 조처가 거의 혹은 전혀 취해지지 않을지라도) 자동적으로 불법적인 것으로 보았다.

공인받지 못하고 잠재적으로 위험을 줄 수 있는 단체로서 기독교 운동이 억압을 받게 된 것은 당연한 귀결이었다. 기독교 운동은 어느 민족이나 도시의 전통적인 종교가 아니었다. 따라서 이 운동은 로마가 유대교나 이집트 종교에게 혹은 시리아의 바알 종교와 같은 지방 종교에게 주었던 그런 승인을 거의 주장할 수 없었다. 게다가 그리스도인들은 개인적으로 모였고, 배타적인 유일신론을 믿었으므로 이교 종교의식에 전혀 참여할 수 없었다. 이것은, 그리스도인들이 음란하고 사악한 일에 관련을 맺고 있다고 사람들이 의심하는 경향이 있었다는 것뿐만 아니라, 그들이 거주하던 어떤 폴리스에서도 그들은 공동체 생활의 기초부터 고의적으로 반대하는 작은 집단으로 눈에 띄었음을 뜻했다. 바울은 "우리의 시민권은 하늘에 있다"[2]고 말함으로써 그리스도인의 태도를 전달한다. 로마의 역사가 타키투스에게 이 태도는 '인간을 혐오하는 것'과 아주 비슷하게 보였다. 그래서 플리니우스가 비두니아의 총독으로 있는 동안에 트라얀 황제에게 그리스도인의 문제에 대하여 편지를 썼을 때, 그가 한 말은 믿는 자들이 동시대 사람에게 어떤 반발을 받았는지를 보여주었다.

그들은 "새벽이 되기 전에 모이고, 신으로 모시는 그리스도에게 어떤 형식의 말들을 차례로 암송한다"고 그는 말한다. 게다가 그들은 '어떤 맹세'를 할 것을 다짐한다. 그리고 그들은 이 맹세가 범죄하지 말고 선한 행동을 하게 한다고 주장하지만, 분명히 플리니우스는 그러한 사실들은 믿기가 어려웠을 것이다. 따라서 그는 진리를 발견하려고 기독교 여집사였던 두 노예 소녀를 고문했지만, 이렇게 보고한다. "저는 사악하고 과장된 미신 외에 발견한 것이 없었습니다."[3]

그는 그리스도인들이 '비밀스런 죄'를 범하고 있음을 한 순간도 의심치 않는다. 그러나 그는 그들이 이 범죄로 기소되어야 하는 것인지 혹은 '단순히 그 이름' 때문에 (즉 그리스도인이라는 것 때문에) 기소를 받아야 하는지 확신이 서지 않는다.[4] 황제 트라얀의 답변은 플리니우스의 보고만큼 교훈을 준다. 황제는 마음 속으로 그리스도인들이 공인받지 못하고 원칙적으로 위험스러운 단체라는 데 전혀 의심하지 않는다. 그럼에도 불구하고 그는 그들이 실제로 어떤 문제를 많이 일으킨다고는 분명히 믿지 않는다. 그러므로 그는 그리스도인들을 체포하면 그들을 처벌해야 할 것이지만(만일 신앙을 버리면 용서할 수 있지만) 그들을 적극적으로 찾지는 말라고 지시한다. 그러므로 이 통치자는 이 분파를 근절하려고 조직적으로 시도하는 데는 개입하지 않았다. 트라얀의 승계자인 하드리안 황제도 그와 아주 비슷한 태도를 취했던 것으로 보인다.

아시아의 지방총독에게 보내는 칙령에 집어넣은 이 주제에 대한 선언(약 125년)은 기독교가 공인받지 못했으며 따라서 처벌할 수 있다고 주장한다. 하지만 그의 일차적인 관심은 적절한 사법적 절차를 따르고 군중 소요나 거짓되고 익명의 고소의 결과로 사람이 기독교를 믿는다고 처벌하지는 말 것을 확언하는 것이다.[5]

이와 같이 얼마 안 되는 자료를 살펴보더라도 2세기와 그 후대의 로마 치하에서 기독교가 처한 상황에 대하여 배울 수 있는 것이 많다. 한 가지 예를 들면, 이 시기의 황제들은 기독교 현상에 대하여 별로 관심이 없고 별로 동요하지 않았다는 것이 분명해 보인다. 그럼에도 그들은 기독교가 바람직한 것이 아니며 처벌할 수 있는 것이라고 주장했고, 이런 판단에 따라 그들은 그리스도인들을 적대적인 지역 주민들에게 떠넘겨 버리고 제국 통치자들로부터 기소와 처벌을 받게 했다.

더 나아가 하드리안의 칙령에는 그리스도인들이 직접적으로 제국에 가한 위협보다도 지역에 무질서와 소요를 일으키는 빌미를 제공함으로써 제국 당국에 훨씬 더 곤란을 일으켰음을 보여 준다. 이런 실마리는 초기 기독교 순교자 열전에 나타난 증거로 확증된다. 이 문서들은, 초기 핍박을 부추긴 것은 제국의 정책이 아니라 주민들의 적대심이었음을 보여 준다. 갈리아에 있는 리용과 비엔나에서 '자기네가 추측으로 만든 적들과 반대자들에 대하여 분노한 주민들'[6]이 흥분하여 177년에 핍박을 일으키기 시작했다. 그리고 로마에서는 기독교 변증가 저스틴이 당국에 의하여 수배를 받은 것이 아니라 동료 지성인인 견유학파 철학자 그레스게에게 배반당해 당국에 끌려갔다. 핍박은 주로 지역의 시민들이 그리스도인에게 대하여 가진 태도와 감정에 의하여 일어났고, 어느 정도 속주의 총독들은 이 일에 협력함으로써 주민들의 감정을 누그러뜨리려고 했다고 우리들은 결론을 내려야 하겠다. 게다가 이 결론은 초기 핍박의 갑작스러운 성격에 의하여 지지를 받는다. (사실상 '그리스도인의 문제'에 별로 생각하지 않았던 것으로 보이는) 황제들의 조심스러운 정책보다 더 중요한 것은 그리스도인에 대한 주민들의 두려움과 불신이었나. 즉 많은 사람들은 그리스도인들이 (이교신들을 경배하지 않으려 하므로) 무신론자이며, 선동자들이며 말로 표현할 수 없는 범죄에 습관적으로 빠져 있는 자라고 믿었다.

이런 상황에 대한 그리스도인들의 반응은 무엇이었나? 핍박, 투옥, 죽음에도 불구하고 믿는 자들은 자신들이 주님에 대한 흔들리지 않는 신앙고백으로 고난에 참여하기 위하여 부르심을 받고 있다고 이해했다. 그리스도께서는 이 고난을 통하여 세상에서 거짓된 악의 세력을 정복하셨다.

그러므로 순교자('증인')의 죽음은 영생에 이르는 분투의 영광스러운 절정이었다. 노예 소녀 블란디나(Blandina)가 리용에 있는 투기장에서 목매여 죽임을 당했을 때, 믿는 자들은 "그들 가운데서 십자가에 달리신 이를 자기들 자매의 모습에서 보았고" "그리스도의 영광을 위하여 고난을 당하는 모든 자들은 살아계신 하나님과 영원한 교제를 나눔을"[7] 알았다. 하지만 이 싸움은 로마와 그 황제에 대한 전쟁으로 보이지 않았다. 그것은 세상을 속박하는 사탄과 그 무리들과의 싸움이었다.

그리고 로마 제국은 신성모독적인 주장에도 불구하고 하나님께서 악을 상대적으로 억제하시기 위하여 쓰시는 도구였다.[8] 그래서 베드로전서는 핍박의 '불시험'에 직면한 그리스도인에게 다음과 같이 권면할 수 있다. "인간이 세운 모든 제도를 주를 위하여 순복하고, 혹은 위에 있는 왕이나 악을 행하는 자를 징벌하고 선행하는 자를 포장하기 위하여 그의 보낸 방백에게 하라."[9] 그리스도인들은 제국 체제인 로마를 그리스도인들을 핍박했던 악의 진짜 원천이 아니라 하나님의 섭리로 세상이 더욱 더 악하게 되지 않도록 막는 권세로 이해했다. 그리고 이것은 아주 대체적으로 실제 사태를 반영했던 판단이었다.

11. 변증가들

교회를 공인받지 못한 단체로 다룬 공식적인 정책은 말할 것도 없고 그리스도인들에게 향한 비난들은 믿는 자들로 하여금 고난 가운데 증거하도록 할 뿐만 아니라 자기네 신앙을 설명하고 변호하지 않으면 안되게끔 했다. 그러므로 2세기가 지나면서 새로운 장르의 기독교 문학 즉 '변증'이 생겨났다. 이 문학을 이렇게 부른 것은 '변호를 위한 말'이라는 뜻을 가진 그리스어 아폴로기아로부터 나왔기 때문이다. 이 책들의 저자들은 전체로 변증가로 알려져 있다. 그리고 이런 유형의 저술들은 2세기 말엽 이후에 오랫동안 기록되었지만, 약 130년부터 180년까지 기간은 변증가의 시대라고 흔히 언급한다.

이 저술가 가운데 맨 처음 사람은 필시 아테네 사람이었을 콰드라투스(Quadratus)이다. 그는 약 125년경에 하드리안 황제에게 보내는 변증서를 썼다. 이 책은 이제 단편적으로만 보존되어 있다.

좀더 잘 알려진 것은 아리스티데스(Aristides)의 그와 비슷한 상소이다. 그도 아테네 사람이며 평범한 철학자였다 그는 약 140년에 안토니우스 피우스에게 자신의 주장을 써 보냈다. 이 변증 가운데 가장 유명한 것은 순교자 저스틴(Justin Martyr)의 「변증」(*Apology*)이다. 그는 2세기 중반 즈음에 로마에서 한 학파를 이끌고 글을 썼던 것이 분명한 기독교 철학자였다.

저스틴의 제자로서, 유명한 「디아테사론」(*Diatessaron*)에서 역시 사복음서를 조화시켰던 타티안은 「그리스인에게 보내는 연설」(*Discourse to the Greeks*)을 썼다. 이 책은 아마도 기독교 변호라기보다는 이교 문화와 종교에 대한 직접적인 공격이다.

또한 이 집단의 저술가에 넣을 수 있는 사람은 169년과 180년 사이에 글을 썼던 사르디스의 멜리토, 「그리스도인을 위한 탄원」(*Supplication for the Christians*) (약 177년)의 저자라는 것 외에는 아무것도 알려져 있지 않은 아테나고라스, 「아우톨리쿠스에게」(*To Autolycus*)라는 긴 변증을 기록한 안디옥의 테오필루스 감독이 있다.

이 책들 가운데 어느 것도 모두 이교도의 견해에 크게 영향을 끼쳤다거나(이 책들 가운데 저스틴의 「변증」이 철학자 켈수스의 「참된 말씀」(*True Word*)에 나타난 반대공격을 결국 자극하기는 했다) 이 책들을 형식적으로 보낸 황제들이 이 책들을 읽었다는 증거는 전혀 없다. 하지만 이 책들은 교회 교리에 대해 처음으로 상세한 이유가 붙은 설명을 제시했기 때문에 기독교 진영에서는 가치 있는 것이었는데, 이 책들을 쓴 저자들은 상당히 문학적이고 철학적인 교양을 쌓은 사람들이었다. 이들은 교양있는 고전의 언어를 말하려고 애썼다.

동시에 이들이 한 일은 그들이 전승적인 기독교 전파 내용과 신조뿐만 아니라 좀 더 이전 헬레니즘적 유대교 변증가들의 몇몇 주도적인 사상과 주제들도 잘 알고 있었음을 보여준다. 이들은 자기들의 목적을 위하여 이 사상과 주제들을 끌어 와 썼다.

그들 가운데 가장 탁월한 사람인 순교자 저스틴은 고대 세겜 근처에 있는 플라비아 네아폴리스라는 로마 식민지에서 태어났다. 「유대인 트리포와의 대화」(*Dialogue with Trypho the Jew*)의 처음 장들에 있는 그의 생애와 회심에 대한 이야기는 그가 플라톤주의 전통에 속했던 철학도였음을 보여 준다. 이 학파의 가르침은 "나의 지성에 날개를 달아 주었다"[1]고 그는 말한다. 그리고 그는 "하나님을 바로 바라볼 수 있기를 바랐는데, 이것이 플라톤 철학의 목적이었기 대문이다."[2] 하지만 저스틴은 '어떤 노인'[3]과 나눈 긴 대화에서 플라톤주의의 몇몇 교리가 의심스러운 것임을 확신했다고 말한다. 무엇보다도 그는 하나님에 대한 참된 지식은 계시로만 나타날 수 있으며, 이런 계시는 "하나님의 영으로 말했던"[4] 선지자들을 통하여 주어졌다. 이 선지자들은 "조물주이신 하나님이시며 우주의 아버지께 영광을 돌렸고 그의 아들, 하나님이 보내신 그리스도를 선포했다."[5]

그래서 저스틴은, 철학적 목표는 하나님께서 그 아들 안에 스스로를 나타내신 그 계시를 통해서만 이룰 수 있고 이 계시의 진리는 히브리 선지자들의 영감받은 증거에 의하여 증명되고 보장된다고 확신했다. "철학이 할 일은 신적인 것을 탐구하는 것"[6]이 맞을지 모른다. 그러나 "떨어질 수 없는(엔 아파테이아이) 상태로 하나님과 함께 있게 되기"[7]를 원하는 사람이라면 하나님을 그리스도 안에 계시되신 분으로 알아야 한다. 그러므로 저스틴이 보기에 기독교는 철학 중에 가장 오래되고 가장 참되고 가장 신적인 철학이었다. 왜냐하면 기독교는 하나님이 무엇보다도 선지자들을 통하여 그러나 그 다음에는 자기 아들 안에서 계시하신 지혜이기 때문이었다.

저스틴의 「변증」은 그가 153년경 로마에 거주한 후에 기록한 것이다. 이 책은 입증된 범죄 행위 때문이 아니라 단순히 '그리스도인'이라는 이름 때문에 믿는 자들을 처벌하는 일이 부당하고 비합리적임을 주장함으로써 시작한다. 더 나아가 이 책은 그리스도인들은 일반적으로 사람들이 그들에게 퍼붓는 비난들을 범하지 않는다고 주장한다. 그리스도인들은 스스로를 신이라고 속이는 마귀보다 참되신 하나님을 섬기긴 하지만 무신론자는 아니다. 이들은 분명히 선동주의자들이나 무정부주의자들도 아니다.

그들이 구하는 '나라'는 하나님의 나라지 가이사의 나라와 맞서는 인간 나라가 아니기 때문이다. 그들은 범죄자들이 아니라 예수의 가르침에 따라 엄격한 도덕을 가르치고 평화와 고상함을 장려하려고 한다. 저스틴은 이런 요점들을 말하고 난 다음 기독교 신앙이 이교보다 월등함을 보이고 어떻게 히브리 선지자들이 기독교 시대를 예언했는지를 보임으로써 기독교의 믿을 만한 내용들을 말한다.

저스틴은 자신의 변증론 중심에서 하나님의 로고스라는 개념을 사용한다. 그리스어로 이 말은 '말' 혹은 '언어'라는 뜻뿐만 아니라 '이성'이라는 뜻도 가지고 있다. 저스틴이 사용하고 있듯이, 이 말은 물론 인간 이성을 가리킬 수 있다. 이 능력으로 인간은 실재를 이해하고 선택의 자유를 행사한다. 하지만 일차적으로 그가 보기에 로고스는 '하나님의 처음 난 자'[8], '하나님으로부터 나온 영이자 능력'[9]이다. 그리고 저스틴은 이 로고스를 플라톤의 대화록 「티마이우스」(*Timaeus*)에 나오는 창조적인 세계 혼과 같은 것으로 보는 것 같다.[10] 이 로고스는 하나님의 계시자로서 인간 역사에서 처음부터 줄곧 활동해 오셨다. 그리고 모든 사람은 이성적인 한 하나님의 로고스/아들에 참여한다.

그러므로 저스틴은 이렇게 말할 수 있다. "그리스인 중에 소크라테스와 헤라클리투스와 그와 같은 사람과, 야만인 중에 아브라함과 … 엘리야처럼, 로고스의 도움을 받고 살았던 사람들은 무신론자라고 생각될지라도 그리스도인들이다."[11] 하지만 기독교 신앙이 뚜렷하게 알고 선언하는 것은 이 하나님의 로고스가 "동정녀에게서 사람으로 태어났으며, 예수라는 이름을 받았으며, 십자가에 달려 죽으시고 살아나시고 하늘에 오르셨다"[12]는 것이다. 그래서 그리스도께서 오직 '150년 전에' 태어나셨다고 말하는 것은 옳지 않다. 그는 언제나 인간의 동행이셨으나, 언제나 그리스도인들이 그를 예수라는 이름을 가진 인간으로 아는 방식으로는 아니었다.

그러므로 한 가지 관점에서 보자면, 저스틴의 로고스 교리는 기독교의 — 그리고 헬레니즘적 유대교의 — 전승에서 이미 발견할 수 있는 주제를 반복한 것에 지나지 않는다. 이 교리는 우리가 이미 좀더 이전의 기독교 저술가들에게서 지적했던 지혜 기독론(Wisdom Christology)과 또한 틀림없이 필로 유다이우스(I:2 참조)의 사유에 직접적으로나 간접적으로 의존한다.

또한 우주 속에 내재한 신을 가리키는 고대 스토아 학파의 로고스 사용법이 그 배경에 좀더 깊숙이 자리잡고 있다. 하지만 저스틴은 이 사상들을 중기 플라톤주의적 세계관에 맞게 고쳤다. 그리고 그는 로고스를 중보자적 인물로 본다. 그는 창조와 계시에서 태어나시지 않고 이름 붙일 수 없는 하나님의 대리자가 되기 위하여 '모든 피조물 이전에'[13] 태어나신 자이다. 모든 변증가들이 참여한 이런 사상 노선은 후대 기독교 신학에 많은 논쟁과 어려운 점이 생기게 하였다.

반면에 로고스 교리에 대한 저스틴의 관심은 일차적으로 하나님과 창조 교리에 대한 그 교리의 타당성에 중심을 두지 않았다. 그의 변증 활동에 좀더 중요한 것은 기독교 신앙의 보편적인 주장을 표현할 수 있는 그 활동의 능력이었다. 그는 이 활동을 통하여 그리스도인들이 예수 그리스도 안에서 알았던 진리는 모든 인류를 위한 진리 그리고 모든 역사적 전통들이 증거하고 있는 진리라고 말할 수 있었다.

그리스도인들이 알고 있는 진리가 이런 진리인 것은 예수께서 하나님의 보편적이고 창조적인 이성(Reason) 즉 세계 질서의 원리가 구체적으로 인간으로 나타나신자이기 때문이다. 그러므로 저스틴의 신학은 기독교 신앙과 이방 종교 철학의 전통 사이에 열린 대화를 가능하게 하는 기초를 놓는다. 그리고 이런 점에서 이 신학은 '학문적' 신학의 시작을 표시한다.

제2기
영지주의적 위기로부터 콘스탄티누스까지

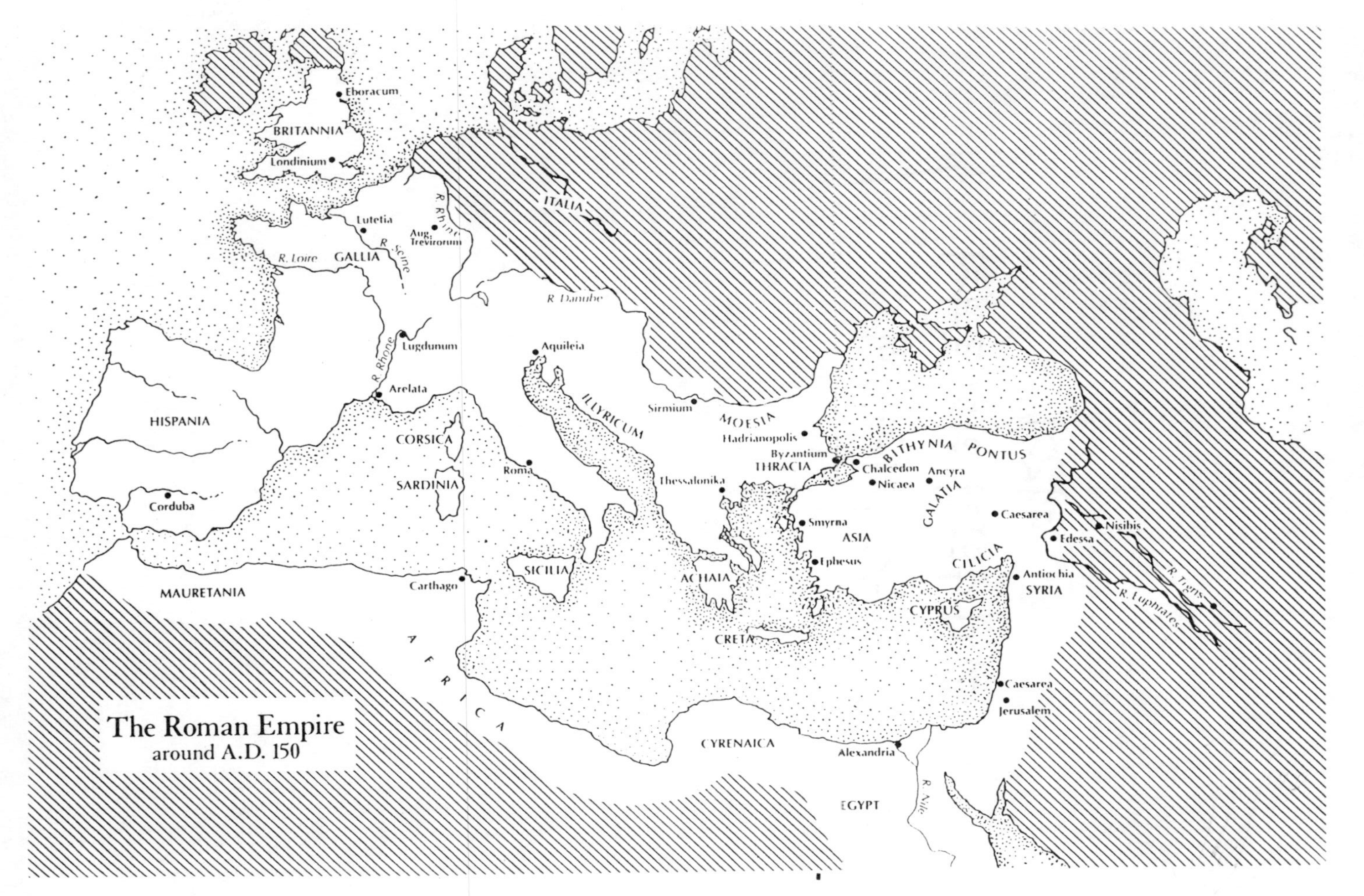
Eboracum
BRITANNIA
Londinium
Lutetia
R. Rhine
Aug. Treverorum
R. Loire
GALLIA
R. Seine
ITALIA
R. Danube
Lugdunum
R. Rhone
Arelata
Aquileia
HISPANIA
CORSICA
SARDINIA
Corduba
Roma
ILLYRICUM
Sirmium
MOESIA
Hadrianopolis
Byzantium
THRACIA
Chalcedon
BITHYNIA
PONTUS
Ancyra
Nicaea
GALATIA
Thessalonika
Caesarea
Smyrna
ASIA
Nisibis
Edessa
Ephesus
CILICIA
Antiochia
SYRIA
R. Tigris
R. Euphrates
SICILIA
ACHAIA
MAURETANIA
Carthago
CYPRUS
CRETA
AFRICA
Caesarea
Jerusalem
CYRENAICA
Alexandria
R. Nile
EGYPT
The Roman Empire
around A.D. 150

1. 영지주의(Gnosticism)

순교자 저스틴의 생애 동안 즉 약 A.D. 130년과 160년대 사이의 시기에 기독교 공동체 안에는 한 가지 논쟁이 나타났다. 이 논쟁의 뿌리는 1세기로 거슬러 가는 것이었다. 이것은 '영지주의자' 라고 부르게 되었던 집단과, 교회 교리의 전승에 대한 상식적인 해석이라고 할 수 있는 것을 옹호하는 자들 사이에 벌어진 논쟁이었다. 이 논쟁은 예를 들어 악의 본질과 '하나님' 의 의미와 구속의 성격과 같은 특정한 문제들뿐만 아니라 교회의 교리 교육의 용어를 해석하는 방법에 대한 어렵고 근본적인 문제들도 일으켰다. 그 결과 이 논쟁으로 기독교 신학 전통의 범위와 깊이와 정확성에서 그리고 이 신학 전통을 형성하고 전달한 제도에서도 의미심장한 발전이 생기지 않을 수 없었다.

이 논쟁의 역사적 중요성에도 불구하고 이 논쟁은, 학자들이 영지주의 현상에 분명히 초점을 맞추거나, 심지어 이 영지주의의 특색을 알아내고 이 영지주의를 정의하는 통일된 방식을 결정하는 것도 쉬운 문제가 아님을 입증했다. 이처럼 불명확한 한 가지 이유는 틀림없이 영지주의가 특수한 가르침들이라기보다 지성의 공상적인 습성이라고 해야 가장 좋을 내용과 결합된 '세상 거부' 라는 종교적 분위기였다는 사실이다. 영지주의의 문화적 사회적 정황은, 유대의 종교적 본문들과 상징들이 헬레니즘적 종교로부터 이끌어낸 일반화된 철학적 개념과 주제와 더불어 혼합주의로 빠져들어 가고 있었던 도시 세계였던 것으로 보인다. 복음을 '이방인들' 에게 전했을 때 기독교가 들어섰던 곳은 바로 이런 세계였으므로, 우리가 잘 알고 있는 영지주의의 저술과 가르침은 대부분 부분적으로나 혹은 철저히 기독교화된 것임은 놀랄 일이 전혀 아니다. 그럼에도 불구하고 역사가들은 사실을 분명히 하기 위하여 영지주의의 일반적인 현상과, 이 영지주의가 기독교와의 관련을 통하여 취한 분명한 특정 형식을 구별해야 한다.

이처럼 분명하지 못한 또 다른 이유는 역사가들이 최근까지 자신들이 알고 있는 영지주의에 대한 지식을 뒷받침하기 위하여 이끌어 쓴 출전들의 성격에 있다. 영지주의 저자들이 쓴 것 가운데 현대 학자들이 사용할 수 있는 완벽한 작품은 거의 없는 것이 사실이다. 기독교 영지주의자인 프톨레미의 「플로라에게 보내는 편지」(*Letter to Flora*)는 4세기 이단 연구가 에피파니우스(Epiphanius)에 의하여 그리스어 원문으로 보존되었다가 18세기에 이집트 방언인 콥트어로 된 중요한 몇몇 사본들이 이집트 사막에서 발견되엇다. 이 본문 가운데 「피스티스 소피아」(*Pistis-Sophia*)가 있는데 이것은 부활하신 예수와 그 제자가 나눈 대화이다. 소위 브루스 사본에는 두 책이 들어 있었는데, 한 책은 제목이 없고 다른 책은 「위대한 로고스의 신비」(*Mystery of the Great Logos*)라고 한다. 그리고 1955년에 처음으로 출간된 상당히 중요한 「요한의 비밀스러운 가르침」(*Secret Teaching of John*)이 있다.

그럼에도 불구하고 영지주의의 지식에 대한 중요한 자료는 2세기와 3세기 초반 영지주의에 반대하는 그리스도인들과 비판자들의 책들이었다. 예를 들면 리용의 이레내우스, 알렉산드리아의 클레멘트, 오리겐, 터툴리안, 로마의 히폴리투스가 있다. 이 저자들로부터 우리는 영지주의 가르침에 대한 요약된 내용과 자주 영지주의적 저술들에서 이끌어 쓴 인용 내용을 알게 된다.(그래서 오리겐은 영지주의자 헤라클레온〔Heracleon〕이 쓴 제4복음서에 대한 가장 초기의 것으로 알려진 주석에서 이끌어 쓴 방대한 인용을 우리에게 준다.)

하지만 이 저자들이 사용한 자료들이 믿을 만하고 그들의 보고가 정확하다고(자주 정확하지만 언제나 정확한 것은 아니다) 생각할 만한 충분한 이유가 있는 경우에도, 그들의 증거는 어느 정도의 가치를 지니고 있을 뿐이다. 한 가지 예를 든다면, 영지주의의 기원과 원천에 대한 이들의 이론들(이들은 영지주의의 선생들의 계보를 따라 사도행전 8:9-24의 이야기가 묘사하는 바와 같이 그들의 기원을 시몬 마구스〔Simon Magus〕로 거슬러 올라가는 것으로 보기를 좋아했다)은 대개 그들이 제기한 논쟁의 필요에 이바지하도록 만든 것이었다. 또 다른 예를 들면, 그들의 보고가 충실한 것일 때에라도 영지주의 사상에 대한 그들의 이해와 처리는 편견에 사로잡히고 동정적이지 못할 수 있었다.

그러므로 1945년 13개의 사본이 있는 작은 서고가 4세기 체노보스키온(Chenoboskion) 수도원 자리에서 그다지 멀리 떨어져 있지 않은 이집트 나그 하마디(Nag Hammadi)에서 발견된 것은 학계에 아주 중요한 사건이었다. 이 사본들은 콥트어 번역으로 된 48개의 짧은 논문들을 담고 있다.

그 가운데 대부분이 영지주의 작품들이다. 이 책들은 오랜 세월의 논쟁과 협상을 거친 후 이제와 같이 편집되고 번역되었고 지금 체계적으로 연구되고 있다.[1] 바로 이 발견으로 우리는 「진리의 복음」, 「도마복음」, 소위 「트리파르티트 트락타테」

(*Tripartite Tractate*), 종종「레기노스에게 보내는 서신」(*Epistle to Rheginos*)이라고 언급되는「부활에 대한 논문」(*Treatise on the Resurrection*)과 같은 책들을 볼 수 있게 되었다. 모든 책들은 기독교 영지주의의 특색을 비추어 준다. 하지만 이 서고에는 기독교에 관심을 거의 보이지 않거나 관련을 거의 나타내지 않은, 영지주의에서 나온 책들도 있다.

영지주의 자료들을 연구하면 좌우간 두 가지 일이 분명해진다. 첫번째 것은 영지주의가 통일된 현상이 결코 아니었다는 점이다. 초기 기독교 비판가들의 보고와 나그 하마디 모음에서 나온 자료들은 고대 종교에서 이런 흐름에 속하는 그 모든 저술들이나 그 모든 선생들에 공통되는 단일한 가르침 모음이 전혀 없었다는 사실을 보여 준다. 하지만 이 점을 넘어서서 그리고 2세기 기독교의 이해에 역시 중요한 것일지라도, 영지주의라고 해서 모두 기독교적인 것은 아니었고, 영지주의가 기독교보다 아주 연대상으로 아주 앞서지는 않아도 영지주의가 나타내는 운동이나 종교적 경향은 교회와 독립적으로 존재했다는 것이 이제 분명하다. 2세기 기독교 저술가들과 사상들의 관점에서 보면 영지주의는 교회 안에서 자란 하이레시스(hairesis) 즉 '분파'나 '이단'처럼 종종 보였을 수 있다. 그러나 영지주의가 교회 안에서 자란 이단이더라도 그 이유에 대한 설명은, 명백히 아주 이른 시기부터 기독교 회심자가 되었거나 기독교 가르침에 매력을 느끼고 습관적인 신념과 일치하는 방식으로 이 새로운 신앙의 의미를 해석하였던 영지주의적 관습에 젖은 사람들이 있었다는 사실에 놓여 있다.

그러나 고대 종교에서 이 흐름 혹은 운동의 현저한 특성들은 무엇이었나? 처음으로 이 자료에 접근하는 학생은 먼저 영지주의 저술의 분위기와 양식에 충격을 받을 것이 틀림없다. 한 가지 예를 들어 영지주의 저술들이 제공하는 것은 언제나 비밀스러운 가르침이며, 이 가르침은 소수에게 계시되고 본질적으로 신비스러운 것이다. 모든 사람이 영지주의자들이 소유하는 지식(영지)을 가질 수 있는 것은 아니다. 그리고 이 지식을 영지주의자들만 소유할 수 있는 (유일한 이유가 아니라면) 한 가지 이유는 이 지식이 겉으로 드러나지 않는 사물들과 관계 있기 때문이다. 이것은 일상적인 사고와 경험을 넘어설 뿐만 아니라 일상적인 사고와 경험에 적극적으로 이질적인 것인 원초적인 실재에 대한 진리이다.

그러므로 대부분의 영지주의적 강화(講話)에 대해서는 의도적인 수수께끼 같은 성질이 있다. 그것은 모호한 것과 복잡한 것과 신비스럽게 만드는 것 속에 있는 빛이다. 또 대부분의 영지주의적 가르침은 — 실로 그 가르침의 핵심은 — 신화적으로 감추어져 있다. 즉 '잘 알고 있는' 자들에게 계시로서 나타나는 이 영지는 초월적이고 원초적인 실재에 대하여 이야기(뮈토스) 형식을 취한다. 하지만 영지주의적 신화는 성질상 뚜렷하게 구별된다. 이 신화 속에 나타나는 배우들은 그리스 철학이 비신화화하려고 했던 원시 전승의 신들과 여신들이 아니다. 이들은 흔히 추상적인 철학적 혹은 신학적 개념 혹은 일반적인 상징들이다. 이 상징들은 상징으로 사용되지 아니하고 이름으로 사용된다. 말하자면 이 상징들은 '재신화화' 하고 이야기의 주체가 된다. 마지막으로 이미 보여 준 바와 같이, 이 자료들을 살피는 사람이라면 오랫동안 영지주의적 사고 방식의 혼합주의적 특성을 놓칠 수 없다.

유대교 성경에 들어 있는 어떤 요소들은 — 예를 들어 창조 이야기 — 대개 영지주의적 저술에서 중요한 자리를 차지한다. 그러나 중기 플라톤주의와 신피타고라스주의와 헬레니즘적 유대교에 나타난 것과 비슷한 철학적 개념들은 물론 이교 신화로부터, 일반 점성술로부터, 그리고 마술로부터 나온 주제들도 역시 중요한 자리를 차지한다. 그러므로 영지주의 문학에 대해서는 공상적인 성질이 어느 정도 있다.

하지만 이 말은 영지주의의 가르침이 사소하다는 뜻은 아니다. 그리고 영지주의적 신화와 체계들이 다양하지만, 이것들은 공통적으로 일반적인 주제와 관심사를 가지고 있는 것으로 보인다. 만일 할 수 있는 대로 선민에게 계시된 영지의 내용을 간략하게 요약할 수 있다면, 그들이 사물의 체계 속에 있는 '유민들' (displaced persons)이라는 확신이 드러날 것이다. 이들은 빛과 지식의 숨겨진 세상으로부터 나온 영-자아들이다. 이들은 흑암과 무지의 가시적인 물질적 우주 속에서 상실되고 잔인하게 갇힌 자들이다. 그러나 이들은 필연적으로 자기들의 참된 고향으로 회복될 운명을 갖고 있다.

그래서 기독교 영지주의자인 테오도투스(Theodotus)는, 세례에서 이렇게 설명한다. "자유롭게 하는 것은 물로 씻음 뿐만 아니다. 우리가 누구이며, 무엇이 되었으며, 어떤 상황에 내던져져 있으며, 어떤 방향으로 질주하고 있으며, 무엇으로부터 건짐을 받았으며, 존재하게 되는 것이 무엇이며, 새롭게 되는 것이 무엇인지를 말해주는 영지이기도 하다."[2] 영지주의적 신화가 해결하려고 하는 것이 이런 (정체성, 타락, 영-자아들의 구속에 대한) 문제이다.

그러므로 이 신화들의 기본적인 장치는 세상의 이중성 혹은 복제라는 개념으로 보인다. 몇몇 설명을 보면 두 영역 — 빛의 영역과 흑암의 영역 — 사이의 이런 구분은 본래적이고 원초적인 것으로 인식된다. 그런 신화에서 장차 영지주의자가 될 영-자아들의 추방은 두 질서의 불행한 만남과 혼합으로 생겨난 것으로 묘사된다. 다른 설명들에서는 — 그리고 2세기 바실리데스 학파와 발렌티누스 학파라는 두드러진 기독교 영지주의 가운데 퍼졌던 것은 이 두번째 유형의 신화이다 — 흑암의 세계 즉 '우주'는 본래적인 것이 아니라 부차적이고 다른 것에서 파생한 것이다. 그것은 '태초에' 있지 않았다.

오히려 그것은 좀더 높은 영역 속에서 나타난 비극적인 타락이나 실수, 혼란의 결과로 만들어진 것이었다. 이 신화의 일반적인 형태에 따르면 빛의 세상에서 가장 낮고 연약한 구성원 즉 소피아 혹은 지혜라고 하는 '에온' (Eon)은 알 수 없는 성부를 알려는 욕망 때문에 실수와 격정으로 떨어졌다. 하지만 에온이 구속과 질서로 돌아가는 회복은 좀더 높은 세계로부터 이 실수와 격정을 추방하는 일을 포함하고 있다. 그리고 이처럼 악을 밀어낸 결과, 어떤 과정이 시작됐는데, 이런 과정에 의하여 좀더 낮은 우주가 — 추방된 영이라는 요소들이 빠져들어갔던 우주 — 나타났다.

그래서 두 개의 세상이 나란히 있음이 드러난다. 즉 '충만' (플레로마, *pleroma*)이라고 하는 영-재료의 본래적이며 신적인 세계와 때때로 '공허' (케노마, *kenoma*)라고 하는 열등하고 물질적인 세계이다. 이 두 질서 사이의 대립을 강조하는 것이 기독교 영지주의적 사고 방식이 지닌 특성이다. 무엇이든지 실재하고 중요한 것은 충만 속에서 발출한다. 하지만 이것은 가시적 우주의 좀더 낮은 수준에서 전위(轉位)된 양식으로 모방된다. 그래서 예를 들면 그리스도인들이 이해하는 구속의 드라마는 영의 세계에서 발출한 참된 구속의 드라마를 흉내낸 그림자나 상(像)이다.

하지만 이 비교는 두 질서의 연합이 아닌 구분을 강조하려고 의도되어 있는 방식으로 발전된다. 한 가지 예를 들면, 이 질서들을 구성하는 '재료'는 서로 다르며, 그 차이는 화해할 수 없는 정도에 이른다. 빛의 세계는 영(프뉴마)으로 이루어져 있고, 반면에 좀더 낮은 세계는 혼(프쉬케)과 물질(휠레)로 이루어져 있다. 같은 이유로 두 세계는 두 가지 서로 다른 신이 이끌고 있다. 물질적 우주의 '조성자' (데미우르고스, Demiurge)인 하나의 신이 있다. 사실상 이 신은 유대교 성경이 말하는 '주'이며 '하나님'이다.

하지만 그는 스스로 유일한 하나님이라고 어리석게 주장하지만 영의 세계에 속한 구성원이 결코 아니며, 그저 혼의 재료로 이루져 있고 사물의 참된 원천과 근거를 알지 못한다. 간단히 말해 '주이신 하나님'은 영의 세계와 그 거주민이 나오는 지성(Mind)의 복제물이다.

그래서 영지주의자들의 상황은 분명하다. 그들은 자기들의 내면적이고 참된 자아에서 영이며, 그들의 고유한 고향은 충만에 있다. 하지만 그들은 이질적인 우주에서 길을 잃어 자기들의 참된 본성과 운명을 모르도록 저주를 받았다. 오직 그들로 하여금 스스로를 의식하게 하는 계시의 은혜를 통해서만 그들은 자기들의 고유한 상태로 회복되도록 '형성된다.' 하지만 일단 그들이 이러한 '지식 속에서 이루어지는 형성'을 받아들이면, 이들은 자신이 선민임을 이해한다. 즉 유대교 성경의 창조주 하나님보다 월등하며, 이 창조주 하나님이 다스리려고 하는 압제적인 세계 질서의 속박으로부터 해방된 질서에 속하는 존재임을 이해한다.

그러면 불가피하게 영지를 받는 자인 그들의 상황은 그들로 하여금 다른 사람과 나누어지게 한다. 2세기 기독교 영지주의자들은 사실상 세 등급의 인간을 인정하게 되었다. 이 인간 등급들은 세 가지 종류의 우주적 '재료'에 상응한다. 희망없이 육

혹은 물질의 세계에 잡혀 있어서 궁극적으로 멸망할 운명을 가진 사람들 — 아마도 이교도들 — 이 있었다. 그 다음에는 혼의 차원에서 유대교 성경의 하나님을 좋아하므로 그 하나님에게 고유하게 속했던 자들 — 명백히 일반적인 기독교 신자들 — 이 있었다. 이들 '혼들'(psychics)은 자기들이 섬기는 하나님과 나란히 멸망이 아니라 일종의 제2 등급의 구원을 얻게 될 것이었다.

물론 마지막으로 '영들'(spirituals)이 있었다. 이들은 영지주의자들이며 신적인 세계의 충만에 속하게 될 것이다. 구원을 보장받았고 우주 속에 있는 생활의 단순히 외적인 내용들과 관련있는 관심사를 넘어서 한 자리를 차지하는 선민이 되었다는 느낌 때문에 영지주의자들이 교회 생활에서 다른 이웃들을 괴롭혔던 것은 말할 필요 없다. 이들은 '신앙과 공로'의 생활에 그리고 순교하여 증거할 필요에 관심이 없음을 자주 고백했다. 그들은 교회의 공동체적 제도적 생활에 거의 헌신하지 않았다. 혹은 헌신하지 않았던 것으로 보인다. 적어도 그들은 다른 사람들에게 비치는 인상에서 말 그대로 그 모든 것을 초월했던 것이 분명하다.

구속과 다양한 인간의 운명에 대한 이런 묘사에 상응했던 것은 구속주에 대한 가르침이다. 기독교 영지주의자들은 스스로를 그리스도 혹은 예수와 더불어 구원의 계시를 가진 자로 느꼈다는 사실에 의하여 다른 사람들과 구별되었다. 하지만 두 세계와 두 수준의 구원에 대한 그들의 교리가 있으므로 그들의 자연스러운 경향은 두 명의 그리스도를 나란히 나타내 보였다.

이들 가운데 한 그리스도는 단순히 '혼의' 그리스도, 즉 유대교 신앙의 창조주 하나님이 약속한 메시야였다. 일반적인 신자들이 갖고 있는 공로와 메시지는 그의 것이었다. 하지만 참된 구원주는 충만으로부터 나오고 혼의 그리스도가 세례를 받을 때 그에게 내려왔다. 이런 형태의 성육신 주제에서 '일반적인' 그리스도의 행동과 말씀은 세계들에 대한 비교의 원칙에 따라서 충만으로부터 나온 말씀이 갖고 있는 좀더 높은 계시에 대한 암시로 보인다. 그리고 이 좀더 고상한 계시는 영지주의자들만 파악할 수 있었다. 하지만 구원의 지식은 육적인 것, 즉 물질적 질서에 전혀 영향을 줄 수 없었다. 따라서 영지주의적 사상은 가현설에 빠지기 쉬웠다. 즉 구원주께서 육신의 영역에서 전혀 활동하지 않으시고 오직 몸이라는 현상을 가지고 있었다는 확신에 빠지기 쉬웠다.

초기 기독교를 연구하는 현대의 학생들은 영지주의 메시지가 얼마나 진지한 의도를 갖고 있었는지를 무시하고 그래서 종종 보는 바와 같이 교회 신앙의 진짜 골칫거리는 이것(영지주의)이라고 선언하기가 아주 쉬울 것이다. 또한 어떤 영지주의 개념들이 기독교화한 결과로 수정되거나 한계를 갖게 되었던 정도를 대수롭지 않게 보는 것은 더욱 쉽다. 2세기 초에 위대한 기독교 영지주의 교사들이 있는 것으로 보아, 그들은 초기 기독교 문학과 전승에 진지하고 중요한 해석가였음이 드러난다. 확실히 그들은 자기 나름대로의 특별하고 비밀스러운 전승 즉 "계승에 의하여 우리가 받았던 사도적 전승"[3]에 호소했다. 그들은 부활 이후 제자들에게 부활하신 그리스도께서 주신 계시로 이 전승의 기원을 거슬러 올라갔다. 그리고 대부분의 영지주의 문학은 그런 계시에 전념한다.

하지만 동시에 영지주의 사상가인 발렌티누스(fl. 130-160)를 따르는 사람들은 바울서신에서 자기들의 영감을 대부분 발견했다. 예를 들어 인간과 우주 속에 있는 존재 수준에 모두 적용되었던 '영적인 것' '혼적인 것' '육적인 것'을 나누는 이들의 구분은 대부분 바울의 용어에 빚을 지고 있다. 그리고 발렌티누스의 제자인 테오도투스는 '충만'에 대한 자신의 표현 방식을 정당화하기 위하여 골로새서를 끌어댄다.[4] 역시 발렌티누스를 추종하는 사람인 헤라클레온은 요한복음에 대한 최초의 것으로 알려진 주석을 기록했음은 위에서 지적했다.

그리고 리용의 이레내우스는 발렌티누스의 교사들이 공관복음서의 부지런한 풍유적 해석가들이었다는 충분한 증거를 준다. 기독교 영지주의자들은 옛 언약의 성경들을 무시하지 않았다. 역시 발렌티누스를 추종하던 사람인 프톨레미는 「플로라에게 보내는 서신」의 대부분을 유대교 율법의 '원천'에 대한 통찰력있고 공을 들인 분석에 할애한다. 그러므로 그는 이 책은 영, 혼('중앙'), 물질 — 이 세 가지 존재 수준의 비밀을 발표하기 위하여 이 율법에 의존한다.

하지만 기독교 신앙의 원천들에 대한 이런 영지주의의 호소에도 불구하고 (스스로를 영지주의자라고 부르기를 좋아했던 알렉산드리아의 클레멘트를 포함하여) 모든 교회의 지도자들은 대부분 기독교 영지주의에서 가르침과 전승의 의미에 대한 체계적인 왜곡을 보았다. 그들은 궁극적인 하나님은 이 우주의 창조주와 다르다는 주장에 놀라고 화가 났다. 그들은 영지주의적 계시를 거부하는 데서 자신들이 제2 등급의 '혼'인 것이 입증된다고 하는 주장에 분노했다.

유대교 성경에 대한 영지주의의 비판에서 그들은 역사 속에 나타난 하나님의 연속적인 자기 계시에 대한 부인을 보았다. 그리고 그들은 복음서와 바울 서신에 대한 영지주의적 해석에서 말의 분명한 의미를 고의적으로 피하는 것을 보았다. 그들은 그리스도를 둘로 만들고 그리스도께서 '육신으로' 오셨다는 진술을 부인하거나 제한하려고 하는 영지주의적 경향을 한탄했다. 그들은 '영'으로서 영지주의자들이 창조주 하나님과 그 계명보다 월등하다고 하는 주장을 의심했다. 그리고 그들은 이 주장이 자유 사상(libertinism)에 대한 탐닉을 숨긴 것에 지나지 않았다고 의심의 눈길을 종종 던졌다. 무엇보다도 그들은 선과 악이 존재의 실체 혹은 종류라고 하는 영지주의적 주장을 거부했다.

이 주장은 '영'은 자동적으로 선하고 '육'은 그 자체로 악하고 구속받을 수 없는 것이라는 것이다. 그들이 보기에 그런 견해는 운명론이나 결정론의 냄새를 풍겼다.

그들은 악이 '사물'이나 사물의 종류가 아니라 선택 방식이라고 주장하기를 좋아했던 것이다. 간단하게 말해서 그들은 두 세계라는 영지주의 교의가 발전되어 갖는 함축의미에 의하여 체계적으로 공격을 받았고, 이 문제에 대하여 싸움이 일어났다.

2. 마르키온(Marcion)

영지주의와 기독교 신앙의 결합에 반대했던 사람들에게 이단자 마르키온이라는 인물은 바실리데스와 발렌티누스를 따르던 사람들이 제기했던 것과 동등하고 아주 비슷한 위험 인물이었다. 하지만 마르키온은 영지주의 이념들에 대한 자신의 가르침에도 불구하고 적어도 우선은 영지주의적 세계관을 형성했던 기본적 전제와 선입견을 공유하고 있었던 것은 아니다. 그리고 그가 시작하고 조직했던 운동은 사실상 영지주의와는 근본적으로 다른 모습을 취했다.

소아시아 시노페(Sinope)에서 태어난 그는 부유한 그리스도인으로 배를 소유한 사람이었다. 이미 고향의 교회에서 폭풍의 중심부였던 마르키온은 139년경에 로마에 왔다. 거기서 그는 로마 교회에 자선 활동을 위하여 20만 세스테르티우스(옛 로마 화폐 단위)라는 실질적인 선물을 하면서 그 교회에 가입했다. 그리고 그는 복음에 대한 자신의 이해를 가르치기 시작했다. 이 가르침은 바울 서신에 대한 한 가지 해석에 근거를 둔 것이었다. 그의 견해는, 그를 출교시키고 (교회가) 144년 그의 돈을 되돌려 줄 정도로 소요와 추문과 반대를 일으켰다. 이런 거부에 대하여 마르키온은 자기를 따르는 자들을 모아 따로 구별된 한 교회를 세웠다. 이 교회는 분명히 조심스럽게 세워졌다. 이 교회를 위하여 그는 공식적인 성경을 마련했다. 그것은 바울의 열 서신(그는 목회서신을 몰랐거나 자기의 성경에 포함시키지 않기로 결정했다)과 어떤 형태의 누가복음이었다. 그가 세운 공동체는 넓은 지역에 재빨리 퍼졌고, 5세기에 이르러서는 정통신앙파의 교회와 겨룰 수 있게 되었다. 이 공동체는 특별히 시리아에서 우세해졌다.

마르키온의 가르침이 일으켰던 문제는 기독교 복음이 유대교와 유대교 성경의 종교적 가르침과 맺은 관계에 대한 문제였다. 그가 동시대의 많은 사람보다 더욱 신선한 마음으로 읽었던 것으로 보이는 바울의 서신으로부터 그는 기독교의 시대는 사랑하시고 은혜로우신 하나님의 그리스도 안에 있는 계시 위에 세워져 있음을 배웠다. 그는 또한 바울의 서신을 읽으면서 사랑하시는 하나님의 이러한 복음과 유대교의 율법 종교 사이에는 대립과 모순이 있다고 추론했다. 마르키온의 견해에서 이 확신은 유대교 성경의 내용에 의하여 강화되고 확증되었다. 그는 기독교 진영에서 새로운 형식으로 유대교 성경들을 읽었다. 그는 율법과 선지서를 기독교 시대의 상징과 전조로 보기보다는 문자적으로 읽을 것을 주장했다. 이런 작업을 통하여 나타난 그의 결론은 모세 언약의 하나님과 예수와 바울의 하나님은 전혀 다른 존재라는 것이었다.

후자의 하나님은 사랑과 자비의 하나님이셨고, 전자의 하나님은 혹독한 정의의 하나님으로 자의적이고 일관성이 없고 심지어 독재적이었다. 그는 자신이 유일하게 쓴 책에서 체계적으로 이 대조를 설명했다. 지금은 이 책은 단편적으로만 남아 있다. 「대조」(*Antithesis*)라고 하는 이 책은 마르키온이 유대교 성경과 기독교 신앙 사이의 모순이라고 보았던 것을 드러냄으로써 기독교 신앙에 대한 마르키온의 이해를 발전시켰다.

그가 이런 기본 개념을 발전시키고 명확하게 말한 데서 어떤 영지주의 주제들이 마르키온의 사상에 나타난다. 그는 기독교 시대의 절대적인 독창성을 아주 일관성있게 주장하여, 유대교(혹은 다른 어떤) 역사에서 기독교 시대에 대한 어떤 선례를 보기를 거부했다. 예수 그리스도의 하나님이며 아버지께서는 예수께서 나타나시기 전까지는 알려지지 않으셨다. 따라서 유대교 성경의 하나님께서는 부차적이고 열등한 신으로, 참된 신과 구별되고 적대적인 신으로 보아야 한다. 이런 식으로 — 그리고 아마도 로마에서 영지주의 교사인 케르도(Cerdo)의 영향을 받아 — 마르키온은 엄격한 이원론을 채택했다. 이스라엘의 하나님의 피조물인 보이는 우주와 그 때 일어난 물질로부터의 창조는 파멸될 운명에 처한 악한 활동이었다. ("이 땅으로부터 나온 몸은 필시 구원에 참여할 수 없으므로" [1]) 영혼을 구출하기 위하여 알려지지 않은 사랑의 하나님을 대신하는 자로 나타나신 그리스도께서는 인간처럼 탄생하지 아니하시고 인간의 실제 몸을 가지지 않고서 단순히 갈릴리에 나타나셨다. 마르키온주의 신자들은 물질과 몸에 대한 이 견해와 일치하게, 심지어 혼인에서 이루어지는 성생활까지 포함하여 결코 성생활을 하지 않을 것을 요구받았다. 마르키온의 엄격주의는 그를 따르는 자들이 고기를 먹는 것을 금했던 요구 조건에도 나타나 있다.

마르키온의 가르침은 교회에게 대립 기관으로서 위협이 되는 것으로 그치지 않았다. 이 가르침으로 인해 또한 교회들은 기독교와 유대교 유산과의 연속성에 대한 문제 그리고 그 문제의 한 측면으로서 하나님이 다스리는 구원 역사의 통일성에 대한 문제를 살펴보지 않을 수 없었다. 게다가 마르키온이 권위있는 기독교 저술의 정경을 제정한 것(그는 유대교 성경에서 권위를 빌어온 것으로 보이는 모든 구절을 이 정경에서 조심스럽게 제거했다)은 교회가 후대에 점차 27권의 정경을 택하도록 길을 안내해 주는 모델과 자극제 노릇을 했던 것이 틀림없었다.

3. 몬타누스주의(Montanism)

마르키온의 가르침은 기독교 신앙과 영지주의의 혼합에 대한 그 시대의 논쟁과 결합하여 함께 자기 이해의 위기를 교회 안에 일으켰다. 이 위기는 2세기 마지막 수십 년 동안에 일어나 퍼진 제삼의 운동에 의하여 좀더 심각하게 되었다. 그 추종자들이 '새로운 예언'이라고 한 이 운동은 그 창시자를 따라 '몬타누스주의'로 역사에 알려져 있다. 창시자 몬타누스(Montanus)는 로마의 속주 브리기아와 미시아(Mysia)의 변경이 만나는 소아시아 지역에 살다가 기독교로 개종한 사람이다.

170년경 그는 동료 신자들에게 자신이 선지자라고, 즉 사실상 자기는 주께서 "모든 것을 가르치시고" "너희를 모든 진리 가운데로 인도하실"[1] 자로 교회에게 약속하신 성령의 대언자라고 선포했다.

몬타누스는 곧 두 여자 브리스길라와 막시밀라와 연합했다. 이 여인들은 그의 영감을 함께 가지고, 자신의 인격으로가 아니라 성령의 인격으로 말하면서 그와 같이 광란의 상태에서 앞으로 일어날 가끔씩 모호한 신탁을 전달했다. 그들은 곧 자신들과 자신들의 메시지를 받아들이는 지역 교회를 얻었다. 그리고 그들의 운동이 널리 퍼지면서 이 운동은 기독교 공동체의 지도자들로부터 거의 끊임없이 반대를 받았다. 이 지도자들은 자신들의 공식 권위와, 교회의 질서있는 생활 그리고 (새 예언〔New Prophecy〕이 실제로 대신할 것이라고 주장했던) 가르침의 확립된 전승에 대한 위협으로 이 운동을 올바로 파악했다.

문제는 몬타누스가 예언자라는 것이 아니다. 왜냐하면 예언은 처음부터 교회 안에 있었으므로 예언이 2세기 마지막 시기에 사라졌다고 생각할 이유가 전혀 없기 때문이다. 문제는 이것이 새로운 예언이었다는 것이다.

이 예언은 그 형식에서 친숙한 것이 아니었다(몬타누스는 "보라 사람은 수금과 같도다. 그리고 나는 날으는 채〔plectrum〕처럼 그 위에 날라가도다"[2]는 말을 했다. 그리고 여기서 '나'는 성령을 가리킬 수밖에 없다). 이 예언은 그 전달하는 실질 내용에서 새로운 것이었다. 몬타누스와 그의 추종자들은 묵시적 영의 부활을 상징했고, 세계의 다가올 종말을 선언했다. 주께서 곧 다시 오실 것이며 새 예루살렘이 브리기아에 있는 페푸자(Pepuza)라는 도시 근처에 세워질 것이라 했다.

몬타누스와 그를 따르는 자들은 이런 묵시적 전망과 정신이 일치하여, 세상과 완전히 고립된 관계 속에서 스스로를 보았다. 그들의 소명은 순교였고, 그들의 의무는 순교를 소망하고 결코 핍박으로부터 달아나지 않는 것이었다. 만물의 종말을 예비하는 일로 그들은 스스로를 정결케 했고 사회에 속한 것들로부터 스스로를 단절했다. 흔히들 말하는 것처럼 이 브리기아 사람들은 다른 그리스도인들보다 오랫동안 그리고 좀더 공을 들여서 금식했고 (마르키온처럼 혼인을 금지하지는 않았어도) 혼인은 찬성하지 않았다. 브리스길라와 막시밀라는 이런 정신을 따라 남편을 떠났다.

처음 선지자들 가운데 마지막 사람인 막시밀라가 179년에 죽고 "내 이후로는 더 이상 여선지자가 없을 것이고 종말이 있을 것이라"[3]는 말로 기억 속에 남아 있을 뿐이었지만 이 운동은 급속히 번져갔다. 이 운동은 소아시아를 거쳐 시리아와 안디옥에 퍼졌고, 수십 년만에 로마와 서방에도 알려졌다. 몬타누스주의는 북 아프리카 기독교 저술가인 터툴리안이라는 가장 뛰어난 회심자를 두었다. 그는 몬타누스주의의 묵시론보다는 이 운동이 기독교 신자들에게 요구했던 진지함과 도덕적 엄격함에 매료되었다. 그가 보기에 몬타누스주의는 세상과 타협하여 타락하지 않고 성경의 살아 있는 임재와 권세로 힘입은 순수한 교회를 상징했다.

소아시아의 감독들은 '브리기아의 문제'를 다루기 위하여 한 차례 혹은 그 이상 종교 회의를 열었고(첫번째 종교 회의에 대해서는 기록이 있다), 결국 이 새로운 예언을 정죄했다. 서방에서는 이 운동을 받아들이는 것이 좀더 복잡했다. 로마의 감독 제피리누스(Zephyrinus, 199-217)가 먼저 이 운동을 관대하게 받아들였으나, 나중에 터툴리안의 말에 따르면, "그 보혜사를 패주시켰다."[4] 북아프리카에서 이 운동은 교회 안의 운동이었던 것으로 보인다. 그러나 조금 지나서 이 운동은 다른 그리스도인들로부터 스스로 분리되어 히포의 어거스틴 때까지 그곳에서 활동했다.

4. 공교회(公敎會, The Catholic Church)

영지주의와 몬타누스주의는 2세기의 종교적 분위기에 설득력을 갖고 관심을 끌었지만, 대다수의 그리스도인들은 둘 다 받아들이지 않았다. 하지만 2세기 중반과 후반의 논쟁으로부터 한 교회가 나타났다. 이 교회는 선택을 내리고, 선택을 하는 중에 교회의 도덕적 교리적 가르침을 규정했을 뿐만 아니라 — 그리고 필시 좀 더 중요한 것으로 — 어떤 제도들을 이 전승의 명확한 전달자로 시인하고 세웠다. 이 제도들은 결코 세운 것이 아니었다. 새로운 것은 그 제도의 권위를 받아들일 때 보여준 분명함과 일치성 그리고 동시에 그 제도의 의미가 마르키온이나 발렌티누스주의적 영지주의자들과 같은 사람들의 가르침과 일치하지 않았다는 주장 혹은 인식이었다. 다른 말로 하면 이러한 논쟁의 시기에 표준적인 기독교로 나타난 '초기 가톨릭교'는 교회 전승 발전에서 새로운 단계를, 즉 이는 동시에 기독교 전승의 의미와 함축의미를 좀더 자세하고 세심하게 정의한 기독교 메시지에 대한 전유(專有)를 나타낸다는 것이다.

이 발전을 보여 주는 한 가지 표시와 형식은 신조문 혹은 고백문이 점점 두드러지고 이 신조문이나 고백문에 점점 권위를 부여한다는 것이다. 이런 신조문과 고백문들은 언제나 교회 생활에 이미 나타났었다. 때때로 이것들은 가르침 혹은 요약된 전파 내용의 형식을 취하곤 했다. 예를 들어 바울이 고린도 회심자들에게 자신이 그들에게 '전한' 것을 생각하게 하려고 인용하는 전승적인 신조문[1]이나 "우리 시대에 오셔서 십자가에 달리시고 죽으시고 다시 살아나신 예수 그리스도께서는 하늘로 올라가셨고 그후로 다스리시고 계신다"[2]는 순교자 저스틴의 요약적인 언급이 있다.

다른 경우에는 고백문들이 논쟁적인 목적에 사용되고, 전승적인 신앙의 의미를 좀더 좁게 자세히 설명하려고 했다. 이런 한 가지 예가 "예수 그리스도께서 육체로 오셨다"[3]는 요한의 고백문이다. 하지만 그보다 더 중요하지 않다면 적어도 비슷하게 중요한 것이 예배식 전승의 표준적인 부분으로 보존되고 내려온 용어 형식이다. 그래서 성찬식 기도처럼 어떤 찬송들은 고백문적인 성격을 띠고 있다.[4] 이 찬송에서 하나님의 구원 사역은 감사의 형식으로 표현되었다.

하지만 입교식 순간의 심리적이고 예식적인 엄숙함이라는 이유 때문에 가장 중요한 것은 세례 고백문을 형성하는 신앙 고백이었다. 1세기 공동체에서 이 신앙 고백은 "예수는 주시다"와 같은 기독론적 확인들이었을 것이다.

하지만 2세기 중반에 세례 고백문은 세 가지 요소로 구성되었다. 세례 지원자들은 물 앞에 서서 세 가지 질문을 받았다. 그들은 질문마다 "나는 믿습니다"를 반복했다. 그리고 이 세 가지 확언과 그 후에 있게 되는 물로 씻음과 더불어 이 세례 지원자는 "성부와 성자와 성령의 이름으로"[5] 세례를 받은 것으로 된다. 그러므로 세례 고백문은 개인이 공동체의 지체가 되는 기초였으며, 따라서 공동체의 자기 이해에 대한 가장 근본적인 표현이었다. 우리는 그런 '문답식' 세례 고백문의 한 가지 표본을 잘 알려진 히폴리투스의 고백문에서 보게 된다. 이 고백문은 2세기 마지막 수십 년 동안 시행된 로마 교회의 관행을 보여 준다.

> "당신은 전능하신 아버지 하나님을 믿습니까"
> "믿습니다."
> "당신은 성령과 동정녀 마리아에게 나시고, 본디오 빌라도 치하에서 십자가에 달려 돌아가시고 삼 일만에 죽은 자 가운데서 다시 살아나사 하늘에 오르시고 아버지 우편에 앉아 계시다가 산 자와 죽은 자를 심판 하러 오실 하나님의 아들 예수 그리스도를믿습니까?"
> "믿습니다."
> "당신은 성령과 거룩한 교회와 육신의 부활을 믿습니까?"
> "믿습니다."

하지만 어떤 형식의 말을 보편적으로 사용했다거나 이런 유의 고백문을 공식적으로 작성하여 '시행했다'고 생각한다면 잘못일 것이다. 이 고백문들은 — 혹은 후에 사람들이 부르던 것처럼 '신소'(symbol)는 — 본질적으로 구두(口頭) 형식이었다. 이 고백문들은 회의와 결정에 의해서 발전했던 것이 아니라 비공식적인 전승적 절차에 의하여 발전했다. 교회마다 자기네 세례 고백문을 갖고 있었다. 이 고백문의 표현은 다른 교회의 표현과 정확하게 일치하는 것이 아닐 수 있었다. 일치되었던 것은 고백문의 구조였다. 즉 모든 사람들이 확신했던 것은 지역 교회의 고백이 하나의 신앙을 구현하고 표현했다는 것이다.

그러므로 2세기에 일어난 기독교 신앙의 의미에 대한 논쟁들에서 세례 고백문의 용어에 호소했던 것은 놀라운 일이 아니다. 장차 이 고백문에 의하여 교회가 서기도 하고 무너지기도 할 것이었다. 이 호소는 '진리의 기준', '신앙의 기준', '교회의 기준', '전승' 또한 '케리그마'라고 다양하게 부른 '기준'(rule, 카논)에 대한 주장의 형식을 취했다. 이 용어들이 가리켰던 것은 말의 형식이 아니라 가르침의 유형과 내용이었다. 이 '기준'은 본질적으로 교리문답적 교훈의 요목이었다. 초신자는 이 요목으로 교회의 세례의 신앙이 갖고 있는 의미를 배웠다. 이 기준은 요약될 때, 예상할 수 있듯이 세 가지 요소로 구성된 세례 고백문과 같은 구조를 갖는 경향이 있었다.

3세기가 지나면서, 이 '기준'은 짧은 형태의 '선언' 신조(declaratory symbols)로 몇몇 교회에 의하여 분명하게 정해졌다. 즉 신앙의 확증으로 대답할 수 있는 문제로 형성된 신조가 아니라 신자 편에서 하는 직접적인 선언으로 된 신조로 정해졌다. 그런 신조문은 세례 받기 전 교훈을 위한 기초와 대요로서 사용되었고, '니케아 신조문'이라고 일반적으로 언급하는 신조문과 소위 사도신경의 직접적인 선례들이다.

하지만 전승적 신앙 고백문이 제공한 카논(kanon) 혹은 기준과 나란히 2세기 교회들은 영지주의와 마르키온주의와 논쟁을 하면서 또 다른 기준 혹은 표준(norm)의 핵심적인 내용을 세웠다. 그것은 신약의 '정경'이라는 핵심 내용이었다. 만일 이 말이 적당한 말이라면 이 성경 모음을 형성하는 과정은 비공식적이며 탈중앙중심적이었다. 점점 커져 가다가 4세기에 이르러서야 비로소 완성된 지루한 합의의 문제였다. 이 발전에는 세 가지 동시적인 과정이 들어 있었다.

첫번째 것은 고정되고 기록된 전승에 대한 필요를 점점 인식하는 과정이었다. 이것은 특별히 예수의 가르침에 대한 것이었다. 둘째는 복음서와 사도의 서신들과 같은 기독교 문서들이 유대교 성경과 마찬가지로 교회 생활에 역시 본질적인 위치를 차지한다고 인정받고 따라서 같은 방식으로 인용하고 취급하게 되었던(예를 들면 하나님의 신에 의하여 영감을 받은 것으로 취급함) 과정이었다. 세번째 것은 어떤 기독교 문서가 이런 지위를 차지할 자격이 있는지를 결정하는 복잡한 일이었다. 이 마지막 문제에 관하여, 두 가지 동등한 기준이 있었던 것으로 보인다.

책들은 교회의 예배 모임에서 정기적으로 읽고, '사도적인 것' 즉 교회를 세우는 세대에서 사도나 사도의 증거와 동일한 증거를 하는 사람이 기록한 것이라고 합당하게 생각할 수 있는 것이라면 '정경'이 된다. 이 두 기준은 언제나 일치하는 것은 아니었다. 그리고 (로마 교회가 바울의 진짜 서신이 아니라고 아주 정당하게 의심했던) 히브리서나 분명히 사도적인 것은 아니지만 예배식 사용에 이용되었던 헤르마스의 「목자」와 같은 문서들에 대해서는 논쟁이 있었다(때로는 논쟁이 길어졌다). 세번째이며 좀더 비공식적인 기준이 나타나게 되었는데, 그것은 교리의 기준이다. 제4복음서는, 영지주의자들과 새로운 예언의 추종자들이 이 복음서를 보며 아주 즐거워했기 때문에 잠시 의심스러운 것이 되었다. 이 책을 정경으로 세운 것은 틀림없이 이 책이 널리 사용되었던 것과 사도의 이름이 이 책과 연결되어 있다는 사실 때문이었을 것이다.

이렇게 발전하는 정경의 핵심은 사도행전과 함께 바울의 서신들과 제4복음서였다. 2세기 아주 초기에 바울 서신의 전집이 분명히 사용되고 있었다. 그리고 이 서신들은 (적어도 몇몇 지역에서는) 이미 '경전'으로 '알기 어려운'[6] 것으로 생각되고 있었다. 복음서는 사정이 조금 다르다. 「클레멘트 1서」와 같은 문서가 증거하는 것처럼, 사복음서들이 작성된 후에도 사람들은 상당 기간 예수의 가르침에 대한 기록된 문서보다 구두 전승에 더 호소했던 것으로 보인다. 하지만 순교자 저스틴의 시대까지 로마에서는 적어도 세 개의 공관복음서들이 예배식에서 사용되었다.

그리고 2세기의 마지막 30년이 시작할 때 사복음서가 모두 널리 사용되었던 것이 분명해 보인다. 하지만 복음서는 네 개 있었고 이 복음서들이 그 증거에서 완벽하게 통일을 이루지 못했다는 사실에 대하여 문제가 하나 있었다. 즉 이 문제는 저스틴의 제자인 타티안(Tatian)이 사복음서를 조화시키려고 유명한 「디아테사론」(*Diatessaron*)을 기록하면서 다룬 문제였다. 그리고 리용의 이레내우스는 사복음서들이 서로를 보완하고 따라서 단일한 총체적 증거를 나타낸다고 주장함으로써 그 문제를 해결하려고 했다.

하지만 (어떤 유대인 그리스도인들은 마태복음의 권위만 인정했다는 말을 우리가 듣지만) 대부분의 교회들이 마태, 마가, 누가, 요한복음의 권위를 인정했던 반면에, 알렉산드리아가 두드러지는 예가 되겠는데, 몇몇 교회들에서는 다른 복음서들도 역시 읽었다는 사실 때문에 다른 문제가 생겼다. 하지만 3세기가 되면서 이런 기본적인 정경이 확고하게 세워졌고 사실상 교회들도 정경에 결국 포함될 다른 책들도 알고 사용했다는 것이 그 때 정황으로 보인다. 결국 신약은 명백하게 영지주의적인 책들은 배제했지만, 초대 기독교에 나타난 중요한 전승들 가운데 가장 중요한 전승을 대표했던 책들을 포함했다.

신조적 신앙고백적 전승과 신약 정경의 등장을 분명하게 나타내면서 교회들은 진정하고 사도적인 기독교가 무슨 의미인지를 정했다. 그들의 마음 속에서 이 두 가지 '신앙의 기준'은 전혀 상충되지 않았다. 신조적 전승은 선지자적 사도적 성경의 기본적이고 명확한 메시지를 요약한 것에 불과했기 때문이었다. 게다가 이런 식으로 신조적 전승은 성경의 좀더 분명한 부분들을 해석하는 데 필요한 열쇠를 교회에 주었다. 이 열쇠는 당연히 영지주의적인 해석을 배제했다.

발렌티누스 학파의 영지주의자들은 자신들 나름대로 사도적 전승을 갖고 있다고 주장했는데 그것은 사실이다. 이 전승은 그들이 '온전한 자들 가운데서 지혜'[7]를 말할 때 부활하신 그리스도와 사도들이 가르쳤던 것을 담고 있었던 비밀스러운 (즉 비공개적인) 전승이었다. 하지만 이 명제는 리용의 이레내우스와 그의 반영지주의적 논쟁 경향을 따르던 자들이 단호하게 부인했던 것이었다. 이들 사상가들이 사도들은

'완전한 지식'을 가졌다고 확신하는 것처럼, 그들은 사도들이 그리스도로부터 받은 것은 무엇이든지 사도들이 교회를 다스릴 자신들의 공식적인 후계자들로 임명했던 자들에게 위임되었다고 확신했다.

그러므로 영지주의자이던 프톨레미가 주장했던 것처럼, '사도적 계승'이 있었다. 그러나 그 계승은 교회의 공식적 교사들인 감독들의 질서 있는 계승으로 이루어졌고, 이 계승이 사도적인 것으로 전달했던 것은 다름 아닌 교회들의 신조적 신앙고백적 전승이었다. 그러므로 그들은 사도적 기초에 선 교회로 가라고 주장했다. 이 교회들은 서머나, 에베소, 로마 교회와 같은 교회들로서, 이 교회들은 자기네 감독들의 계열을 따라 사도적 설립자로 거슬러 갈 수 있다. 참된 가르침을 대표했던 것은 이들 교회의 공식적 전승이다. 그리고 이 전승은 사도적 성경의 명백한 증거에 일치한다는 사실에 의하여 확증될 수 있다. 그래서 교회는 기독교 가르침의 유일한 보관소이니, "은행업을 하는 부자처럼 사도들은 진리와 관련있는 모든 것을 가장 풍부하게 손에 갖고 있었다."[8] 이 진리 즉 복음의 메시지를 보존하고 전달하는 것은 감독들의 책임이며 특권이었다.

이런 식으로 2세기의 논쟁들을 거치면서 교회들은 신조와 성경과 공식적인 가르치는 직분의 삼중 끈으로 1세기의 뿌리에 스스로를 얽어 매면서 힘있게 되었다. 동시에 교회들은 자기네 생활과 가르침이 근거를 두고 있는 원천들을 이처럼 제도적으로 규정함으로써 기독교 운동의 역사에서 새로운 국면을 시작했다. 즉 교회들은 기독교 운동을 전유하는 행위로 자기들의 과거로부터 스스로를 구별하면서 새로운 국면을 시작했다.

5. 로마 교회의 커져가는 중요성

초기 교회의 자료들을 찾아 보는 사람이라면 누구나 로마의 기독교 공동체가 교회 생활에 두드러지게 활동한 것에 인상을 받지 않을 수 없다. 이 공동체가 어떻게 생겨났는지는 분명하지 않다. 이 공동체는 가장 일찍 있었던 예루살렘 교회의 선교로 (아마도 전체 회당의) 헬라화한 많은 유대인들이 회심한 것으로부터 시작했을 것이다. 그렇다 하더라도 이 교회는 1세기 말엽에 교회의 일반적인 일에 비중있는 목소리로 발언하기 시작하고 있었다.

이 현상을 설명하기 위해서 몇몇 요소를 언급할 수 있다. 베드로와 바울이 둘 다 로마에서 죽었고, 이들은 실제로 이 교회를 세운 자는 아니었지만, 초기부터 그들의 이름은 이 교회와 관련을 맺고 있었다. 게다가 이 교회는 제국의 수도에 있다는 것과 2세기가 시작할 때 이 교회가 가장 사람이 많은 단일 교회였다는 사실 때문에 세력을 갖고 있었다. 시간이 지나감에 따라 로마의 영향력은 그곳 교회의 유명한 관대함으로 커져갔다.

안디옥의 이그나티우스는 '솔선 수범하는 사랑을 갖고 있다'[1]고 이 교회를 칭송했다. 그리고 그 후 수십 년이 지나서 고린도의 디오니시우스는 "모든 도시의 많은 교회들에게 헌금을" 보내고 " … 궁핍한 자의 가난을 덜어주고 광산에서 일하는 그리스도인들을 도왔다"[2]고 로마 교회를 칭찬했다. 상황이 이렇다면 우리는 로마 교회가 「클레멘트 1서」를 고린도 교회에 보냈을 때 어떤 권위감을 갖고 있었는지 이해할 수 있다. 이 편지는 분명히 주의해서 읽을 것으로 생각했고, 형제애를 가지고 이야기했지만 권위있는 어조였다.

하지만 이외에도 할 이야기가 있다. 2세기와 3세기 초 로마 교회의 영향력을 이해하기 위하여 우리들은 그 교회의 특수한 문제와 그 문제에 대한 이 교회의 대응을 고려해야 한다. 이 교회는 제국의 중요한 교차로에 있었기 때문에 기독교 운동의 활동에서 일찌감치 교차로 노릇을 했던 것으로 보인다. 3세기까지 이 교회는 그리스어를 말하는 교회였고, 따라서 이주민들의 교회였다. 그리고 이 교회는 성장하면서 제국의 많은 지역에서 온 신자들을 포함하게 되었다.

리용의 이레내우스의 글과 다른 자료로부터 우리는 로마에 북아프리카 그리스도인들의 큰 집단이 또한 있었음을 추측한다. 순교자 저스틴이 소아시아에서 로마로 왔고, 발렌티누스가 알렉산드리아에서, 마르키온이 본도에서 로마로 왔다. 브리기아에서 시작한 지 얼마되지 않아 새로운 예언이 로마에 이르러 거기서 지지자를 얻었다. 그러므로 드러난 바와 같이 교회에서 진행된 일은 무엇이든지 로마 교회에 내부적인 관심사가 되는 경향이 있었다. 만일 로마 교회가 모든 일에 관여하는 것으로 보인다면, 그것은 로마교회가 자기 식탁에 모든 사람들이 갖고 있는 파이의 일부를 갖고 있기 때문이다.

어떻게 로마 교회의 감독들은 이런 상황에 대처했는가? 우리가 말할 수 있는 바대로 단일감독제(monepiscopacy)가 다른 교회에서보다 로마교회에서 조금 더 느리고 조금 더 어렵게 세워졌다. 이는 아마도 그 공동체가 크고 다양했기 때문일 것이다.

그러므로 중앙 권위가 발전함에 따라 그 권위는 단일 감독의 역할과 그 감독이 순종할 것을 주장할 수 있는 기초에 대한 의식적인 이해가 함께 있었다. 그 감독은 로마 교회가 터로 삼고 있었던 전승의 발언자요 대표자였다. 이 전승은 사람들이 이레내우스 때까지 교회의 설립자로 이해했던 베드로와 바울로부터 나온 것이었다. 이 말은 특별히 서방에서 로마가 탁월한 사도적 교회로(135년 유대교 폭동 이후에 로마의 속주로 다시 건설된 예루살렘은 그런 주장을 할 수 없었다), 그 감독이 사도적 전승의 핵심적인 증인으로 나타났다는 뜻이다.

이 말은 또한 로마 감독이 자신의 영역 안에서 어떤 문제를 해결하거나 어떤 논쟁을 결말지으려고 활동했을 때, 그의 말이 종종 다른 교회에도 영향을 주었고, 또한 상당한 무게를 싣고 있었다는 뜻이었다. 왜냐하면 이미 살펴본 바와 같이 로마의 문제는 자주 기독교 세계의 다른 지역에 그 뿌리를 갖고 있었기 때문이다.

이런 상황에 대한 두드러진 예를 '콰르토데키만'(Quartodeciman) 논쟁이라고 일반적으로 알고 있는, 부활절 축하의 적절한 날짜를 두고 벌어진 길고 긴 싸움에서 볼 수 있다. 기독교 역사에서 일찌감치 부활절을 지켜 왔다고 생각할 만한 이유가 있다. 반면에 그 예식에 대한 최초의 명시적인 기록은 154년이나 155년에 서머나의 감독인 폴리캅이 로마의 감독 아니케투스(Anicetus)를 찾아 방문한 이야기에 나온다. 이 방문은 틀림없이 로마 교회에 소아시아 출신 신자들이 두드러진 것과 관계있었다. 그때 소아시아의 관행은 니산월 14일 밤 내내 부활절을 밤새며 지내는 것이었으며, 이것은 성찬식에서 절정에 이르렀다. 여기서 이 예식은 유대교 유월절이 들어있는 주간의 그날과 상관없이 유월절 시작 날짜와 일치했다.

반대로 동방의 몇몇 지역에서도 지켰던 로마의 관습은 언제나 이 절기를 유대교 유월절 다음 주일에 지키는 것이었다. 폴리캅과 아니케투스는 이런 관행의 차이점을 해결할 수 없었지만, 선의의 표현을 나누며 헤어졌다.[3] 하지만 다르게 지내자는 그들의 합의는 로마 교회가 아시아의 관습을 지키는 사람들과 그 지방의 방식을 따르는 사람으로 나누어진다는 것을 뜻했다.

로마의 감독 빅토르(189-198)가 로마의 관행을 지지하여 결정을 내린 로마에서, 팔레스타인에서 그리고 다른 곳에서 종교 회의들을 꾀했던 시기 동안 로마의 지역 상황은 아주 심각하게 불화가 생겼다. 하지만 에베소의 감독 폴리캅이 이끌던 소아시아의 교회들은 따르기를 거절했다. 이것을 바탕으로 빅토르는 저항하는 교회들을 출교시켰다. 이와 같은 고자세를 취한 행동은 많은 반대에 부딪혔고, 소아시아에서는 효과를 보지 못했던 것으로 보인다. 그러나 이 일로 하여 빅토르는 자기네 교회에서 통일성있는 관행을 시행할 수 있었다. 이것은 로마 교회와 그 감독이 자기네의 직접적인 영역을 넘어서 권위와 영향력을 얻고 있었다는 표시이기도 했다. 이 권위와 영향력에 견줄 만한 교회는 없었다.

6. 리용의 이레내우스

로마 감독들의 커져 가는 영향력이 근거로 삼은 기초가 무엇이었든지간에, 그 기초는 사상가들이나 신학자로서 그들이 내놓은 공헌에 있지 않았다. 마르키온과 영지주의자들과 논쟁에서 두드러진 가장 초창기 신학의 지도자는 사실상 갈리아에 있는 비교적 새롭고 눈에 띄지 않는 한 교회의 감독인 리용의 이레내우스(Irenaeus)였다. 그는 소아시아에서 서방으로 이주한 사람이었다. 135년경에 태어난 그는 먼저 리용 교회의 장로로 알려져 있다. 177년 리용에서 일어났던 큰 핍박 기간 동안 그는 공식적인 선교차 로마에 가고 없었다. 돌아왔을 때 그는 순교한 포티누스(Pothinus)를 이어 감독으로 뽑혔다.

우리가 지금 가지고 있는 두 권의 책을 그는 리용에서 기록했다. 그 책들은 20세기 초에 처음으로 출간된 「사도적 전파의 예증」(*Demonstration of the Apostolic Preaching*)과 그가 「거짓되게 이름이 붙은 '지식'에 대한 고발과 논박」(*An Indictment and Overthrow of the Falsely Named 'Knowledge'*)이라고 한 다섯 권으로 된 훨씬 더 긴 책이다. 하지만 이 책은 전통적으로 「이단 논박」(*Against Heresies*)이라고 좀더 간편하게 불려 왔다. 전통에 따르면 이레내우스는 200년 경에 순교했다.

이레내우스는, 교회가 원래 주장한 가르침의 전승은 기독교 신앙의 진정한 형태를 대표했다고 믿고 주장했다. 따라서 영지주의적 그리고 마르키온주의적 반대자들을 대적하기 위하여 전승('진리의 기준')과 그 전승을 전달한 감독과 장로들의 계승에 대한 호소를 처음으로 사용했던 것은 바로 이레내우스였다. 하지만 선지자적 그리고 사도적 성경에 대한 호소는 그의 논증에서 큰 비중을 갖고 있었다. 우리가 성경의 명백한 의미에 관심을 기울이고 성경의 모호한 구절들을 의미가 명백한 구절에 비추어 이해한다면 이 성경이 이단의 가르침을 바로 논박할 것으로 그는 확신했다.

이레내우스의 견해에 따르면, 마르키온과 영지주의자들이 제기한 '최초이자 가장 큰'[1] 문제는 그들이 참되신 하나님과 세계를 지으신 분이 하나이심을 부인한 데서 나왔다. 그는 그들에게 대답하면서, 신앙의 기준과 성경은, 스스로 어느 것에도 포함되지 않고 어느 것에도 제한되지 않으시면서 '모든 것을 담고 계시는' 한 분 하나님, 창조주만을 한결같이 말한다고 주장했다.[2] 창조주는 세상이 존재하기 전에 ('무로부터') 세상이 존재하게 하셨고, 그래서 그가 만드신 세계는 거리를 두고 있는 영적인 어떤 '충만'이 아니라 우리의 보이는 우주였다. 게다가 세계를 직접 지으신 분으로서 하나님께서는 세상에서 멀리 계시지 않고 세상에 아주 가까이 계신다.

하나님께서는 자신의 '두 손'인 로고스와 지혜, 아들과 영을 쓰셔서 인간을 사랑스럽게 지으셨다. 그리고 몸과 영혼을 가진 이 피조물로 하여금 '아버지의 영을 받고'[3] 따라서 하나님이 보시기에 불멸에 이름으로써 완성되고 성숙하도록 변화시키신다. 다른 말로 하면 한 분 하나님께서는 모든 것의 유일하신 창조주이시므로 자기가 창조하신 어떤 것과도 떨어져 계시지 않으신다.

이레내우스는 하나님을 독특하신 창조주로 이해하는 것을 근거로 삼을 때, 마르키온과 영지주의자들이 그에 대하여 제기한 두번째 문제를 다룰 수 있다. 이레내우스는, 영지주의가 영, 혼, 육신을 서로 모순되는 '실체' 혹은 '본질'로 구분하고 그에 상응하게 육신은 구원을 얻을 수 없다고 믿는 것을 거부하면서, 구원은 창조의 교정이 아니라 창조의 완성이라고 주장한다. 하나님이 흙으로 만들어 생명을 불어넣어 주신 원래 인간은 결국 하나님의 형상으로 이루어진 그 '아담'이다. 그는 실로 '장차 오실 자의 표상'[4]이다.

이 땅에 사는 인간의 죄와 불순종도 인간을 하나님으로부터 궁극적으로 끊어내지 못했다. 왜냐하면 하나님께서 그 로고스와 지혜 안에서 둘째 — 그리고 참된 — 아담이 나타날 가장 위대한 시점을 향하여 역사 내내 인간을 교육하시고 인간을 이끄시면서 인간의 한결같은 동행자가 되셨기 때문이다. 이 둘째 아담은 그리스도이다. 그리고 그 안에서 영혼이면서 육신인 인간이 하나님의 로고스에 연합된다. 그러므로 이레내우스는 에베소서 1:10을 사용하면서, 그리스도 안에서 하나님과 인간의 전체 역사적 관계가 모든 차원에서 '요약되고' 혹은 바로 두고 완성하기 위하여 '반복되는' 것으로 본다.

그러므로 이레내우스가 보기에 그리스도께서는 하나님께서 원래 지으신 아담의 운명과 참된 정체를 나타내신다. 그리스도인들은 "유일하게 참되시고 확고하신 교사이며 하나님의 로고스이신 우리 주 예수 그리스도"를 따른다고 그는 쓴다. "그리스도는 우리를 자신과 같이 되게 하시려고 초월적인 사랑으로 우리의 모습이 되셨다."[5] 그리스도께서 인간을 위하여 구현하시고 가능하게 만드시는 이 운명은 결국 만물이 놀랍게 회복되는 마지막 날에 믿는 자들에 대하여 실현될 것이다.

이레내우스는 자신을 무엇보다도 전승을 보존하고 해석하는 자로 보았다. 그리고 그는 바울과 요한의 사상에서, 자기의 고향 소아시아 전승에서, 그리고 순교자 저스틴과 안디옥의 테오필루스와 같은 저술가들의 변증론에서 자신의 반(反)영지주의적 종합이라는 주제를 한데 엮어서 전승을 보존하고 해석하는 일을 했다. 동시에 그는 많은 '전승주의자'(傳承主義者)들처럼 혁신적인 사상가였다. 그는 영지주의자들과 마르키온주의자들의 이원론에 대면하여, 한 가지 통찰력을 포착했다. 즉 하나님의 아들과 성령 안에서 한 분 하나님의 활동으로서 특징을 갖고 있는 인간 본성의 통일성과 구속사의 연속성에 대한 통찰력을 포착했다.

7. 터툴리안과 키프리안

이레내우스가 리용의 감독으로 선출된 지 3년 후, 180년 7월에 한 사건이 일어났다. 우리는 이 사건의 기록으로 북부 아프리카의 속주에 있었던 기독교에 대한 첫번째 지식을 얻는다. 즉 그 속주의 수도인 카르타고에서 스킬리움(Scillium)이라는 마을의 신자 열두 명이 순교를 당한 사건이다. 그 역사가가 보기에 이 사건의 핵심은 이 사건이 전조 노릇을 한다는 것이었다.

왜냐하면 2세기부터 5세기까지 북부 아프리카 교회가 스스로를 무엇보다도 순교자의 교회로 이해했기 때문이다. 이 교회는 스스로의 특징을 이 세상을 다스리는 권세들에 반대하는 교회로 보았다. 즉 자신들을 성령으로 충만한 선민으로 보았고, 하나님을 부인하는 사회 속에서 하나님께 충성을 다했던 백성을 하나님께서 장차 변호하실 것에 소망을 두었다. 이런 전망은 스킬리움 순교자들의 증거에 대한 이야기에서뿐만 아니라 「영원과 지복의 순교」(*The Martyrdom of Perpetua and Felicity*)에서도 명백히 나타난다. 이 책은 셉티미우스 세베루스황제(193-211)가 일으킨 핍박에서 일군의 카르타고 순교자들이 겪은 체험들을 기록하고 있다. 하지만 무엇보다도 이 책은 라틴어를 사용하는 최초의 저명한 기독교 저술가인 터툴리안의 수많은 소책자를, 그리고 터툴리안이 라틴 신학에 용어와 기본 의제를 제공했던 인물임을 우리에게 알려준다.

터툴리안(Tertullian)의 생애에 대해서는 연대가 확실치 않는 그의 저술들로부터 알 수 있는 것을 제외하고는 거의 알려진 바가 없다. 그는 기독교로 회심한 사람이며, 필시 고향에서 결코 벗어난 적이 없는 카르타고 사람이고, 수사학에 전문적인 교육을 갖춘 사람이었다. 성 제롬은 2세기 이후에 글을 쓰면서, 터툴리안은 장로였다고 주장하지만, 이것은 거의 신빙성이 없는 주장이다. 그는 197년 「변증」을 출판하면서 북부 아프리카의 기독교계에 갑자기 나타났다. 이 책은 저스틴의 「변증」을 좀 지나치게 흉내낸 것이다. 그는 225년경에 죽었던 것 같다. 그 중간에 그는 교리와 도덕에 대한 유창하고 재치있고 논증적인 소책자를 많이 출판했다. 이 소책자들을 보면 그가 급진적이고 타협하지 않는 정신을 가진 그리스도인일 뿐만 아니라 능숙하고 목적있는 논쟁가였음을 알게 된다.

터툴리안의 신학 한 가운데에는 교회의 순결과 거룩함에 대한 그의 관심이 있다. 이 순결과 거룩함은 교회의 생활과 가르침이 참되다는 것을 실제로 보여 주는 것이다. 교회는 하나님의 계시에 의존하여 산다. "우리는 하나님의 책들을 읽기 위하여 모인다."[1] 그리고 예수 그리스도와 그의 복음에 초점을 두고 있는 그 계시는 교회의 생활을 다스리는 율법이다. 행동과 믿음으로 이 율법을 지킴으로써 교회와 그 지체들은 복음의 약속들을 제것으로 삼으며 확신을 가지고 '다가올 심판'[2]을 기다린다. 그 날에 하나님께 대적하는 마귀들을 섬기고 경배했던 세상과 그 통치자들은 슬프게도 자신들이 거부했던 진리를 하나님께서 옹호하시고 하나님의 말씀을 지킨 신자들을 하나님께서 보상하시는 것을 보게 될 것이다.

하지만 터툴리안이 보기에 하나님의 말씀을 지키는 것은 세상과 분리되어 지내는 것을 뜻했다. 왜냐하면 이 세상은 그 생활의 구조에 마귀에 대한 우상 숭배적인 봉사를 갖추고 있었기 때문이다. 그리스도인들은 황제와 제국의 평화와 복지를 위하여 기도했다. 그러나 그들은 또한 "열방들이 즐거워하는 때에, 우리(그리스도인들)는 슬퍼하고 있다"[3]는 사실을 이해했다.

그러므로 터툴리안 이전에 살던 많은 그리스도인들의 견해처럼 그의 견해에서도 신자는 군대, 정부, 교육 기관 혹은 직접적으로나 간접적으로 이방 종교를 지지하는 사업에 봉사하는 일과 아무 관계가 없었다. 그들은 어떤 종류의 공적 오락과 전혀 관계를 맺을 수 없었다. 왜냐하면, 이 공적 오락은 부도덕한 내용은 아예 제쳐두고서라도 이교 세계의 '신들'에 경의를 표하는 예식이었기 때문이다.

이러한 엄격주의적 정신은 역시 다른 문제들에까지 뻗어나갔다. 세례를 받은 그리스도인들은 회개와 물로 씻음과 성령으로 과거의 죄를 사함 받은 자들이다. 그러므로 자유롭게 되어 하나님의 뜻을 행함으로, 세례를 받은 후 그들의 남은 생활은 "하나님의 은총을 얻고서 구원을 위하여 경쟁하는 사람들"[4]의 노력하는 생활이었다. 그러므로 많은 신약 기자들처럼,[5] 터툴리안은 세례 후에 심각한 죄에 떨어졌던 신자들을 아주 싫어했다. 「회개에 대하여」(*On Penitence*)라는 논문에서 그는 한 번의 — 그리고 오직 한 번의 — 그런 타락은 '둘째 회개'에 의해서 상쇄될 수 있다고 주장했다.

하지만 후에 상부의 반대도 있었고 그리스도인의 실패에 대하여도 생각한 다음, 그는 몬타누스주의의 좀더 엄격한 입장을 가지게 되었다. 그리고 그는 몬타누스주의자 시절에 세례 후의 회개와 회복을 완전히 부인했다. 심각하고 의도적인 타락을 겪은 교회나 그리스도인의 생활에서 복음의 교훈에 의지하여 살 수 있는 여지는 전혀 없었다. 이는 핍박을 받는 동안 유일하게 진정한 '둘째 회개'인 순교의 특권을 도무지 피하려고 시도할 수 없는 것과 마찬가지였다.

그리스도인의 생활과 도덕에 대한 터툴리안의 입장은 교리 문제에 대한 그의 입장과 비슷했다. 그는 당대의 철학에 아주 정통한 사람이었지만, 기독교 신앙은 아테네에서 나온 철학 학파의 전통과 아무 상관이 없는 것이라고 주장했다. 기독교 신앙의 전통은 예루살렘으로부터 ― 그리스도와 사도들로부터 ― 나왔다. 그리고 이 전통은 이레내우스가 주장한 것처럼 사도적 교회들에 있는 감독의 계승자들이 유지했던 것이다. 교회가 할 일은 이 전통을 유지하는 것뿐이었다. 즉 성경의 유일한 열쇠인 '신앙의 표준'을 분명하게 고수하는 것이었다.

따라서 터툴리안은 자신의 문필 재능을 사용하여 당대 이단을 비판하였다. 그는 「마르키온에 반대하여」(*Against Marcion*)라고 제목이 붙은 다섯 권의 책과 「발렌티누스주의자들에 반대하여」(*Aganist the Valentinians*)라는 또 다른 논문을 썼다. 그는 창조와 로고스의 성육신과 육신의 부활에 대한 교리를 변호했다. 하지만 그가 신학에 대하여 한 가장 주목할 만한 공헌은 「프락세아스에 반대하여」(*Against Praxeas*)라는 소책자에서 한 것이었다. 이 소책자에서 그는 로고스를 성부와 구별되는 자로 보고 로고스의 본체적 실재를 부인했던 '단일신론적' 교사들에 대하여 공격했다(II.8 참조).

이 책에서 터툴리안은 아버지, 로고스/아들, 영이라는 서로 구분되지만 연속적인 세 '위격'으로 분명하게 표현되고 '운영되는'(administer) 하나의 신적인 '본질'이 있다고 주장하면서, 삼위일체 교리에 대한 가장 초창기의 체계적 형식을 발전시켰다. 동시에 그는, 그리스도의 위격은 한 '위격' 속에 있는, 뚜렷하게 구분되지만 혼동되지 아니하는 두 '본성' 즉 신적인 본성과 인간적인 본성의 연합이라고 설명하면서 성육신에 대한 반성적인 설명을 주었다. 터툴리안의 라틴 용어가 갖고 있는 의미와 그 용어로부터 나온 현대 영어 파생어가 갖고 있는 의미가 서로 차이가 나므로 해석하기 어려운 이 전문 용어는 삼위일체와 기독론에 대한 후대 라틴과 서방이 내놓은 모든 논문의 기초가 되었다.

그러므로 터툴리안은 교회를, 마귀가 다스리는 세상에서 하나님의 통치를 받으며 살고 있는 사람들의 사회로 그러므로 하나님의 영을 유일하게 받고 구원을 얻은 사회로 보았다. 신약의 저자들처럼 그는 교회를 종말의 공동체로 보았다. 이 공동체는 성령의 가정이 되기 위하여 그 정체와 순결을 유지하고 결국 '빛 가운데서 성도의 기업'[6]에 들어간다.

터툴리안의 시대와 그 후의 기독교는 북부 아프리카와 누미디아에서 놀라운 속도로 퍼졌다. 그러나 그가 죽은 후 세대에서 기독교는 살벌한 시험을 겪는다. 그 때 데키우스 황제와 발레리우스 황제가 맨먼저 보편적으로 교회를 핍박했다(II:10 참조). 그때 카르타고의 감독은 키프리안(Cyprian)이었다. 그는 전에 수사학 교사였으며 터툴리안의 주의깊은 학생이었다. 그는 246년경에 회심하는데, 이 회심으로 그는 교회에서 거의 바로 유명하게 되었다. 핍박의 바로 전날에 감독으로 선출된 키프리안은 아프리카 교회들을, 제국이 그리스도인들을 배도하게 하려는 노력으로 생긴 고통과 환멸과 분열 가운데 인도하는 것을 자신의 몫으로 알았다. 결국 258년 그도 목이 베여 역시 순교를 했다. 그러나 순교하기 전에 그는 자신이 이어받은 교회관을 핍박에 대한 교회의 반응에 비추어 다시 고찰하고 다시 해석했다.

키프리안은 한 가지 기본 전제를 결코 의심치 않았다. 터툴리안처럼 그가 보기에 "교회 밖에는 구원이 없었다."[7] 왜냐하면 "교회를 어머니로 갖고 있지 않는 자는 하나님을 아버지로 더 이상 가질 수 없기"[8] 때문이다. 그가 보기에 교회는 또한 구원의 유일한 방주이다. 하지만 핍박의 사건들은 어떻게 이 전제를 이해해야 하는가에 대한 문제를 제기했다.

한 가지 예를 들면, 수많은 그리스도인들이 투옥이나 죽음을 피하려고 조치를 취했다. 그들은 희생을 당하거나 자신들이 희생을 당했다는 사실을 로마 당국에 확신시키기 위하여 거짓 확인서(리벨리)를 샀다. 터툴리안의 기준에 따르면 그런 사람들은 자신을 구원의 영역 바깥에 두었을 뿐이었다. 하지만 아프리카의 감독들은 배교자들을 용서하고 회복시켜 줄 수 있는 권위를 주장했던 고백자들(confessor)로부터 뿐만 아니라 자신의 목회 양심으로부터 압박을 받아, '오랫동안의'[9] 회개를 조건으로, 거짓된 확인서를 손에 넣은 자들을 교회에 다시 허용할 것을 동의했다. 하지만 이 행동으로 그들은 교회의 정체와 거룩함이 더 이상 개별 지체의 순결함과 신실함에 근거를 둘 수 없다는 사실을 넌지시 비쳤다. 순교자들의 거룩함도 수많은 형제자매의 타락을 상쇄할 수 없었다.

그러면 교회의 거룩함은 어디에 근거를 두었는가? 게다가 카르타고와 로마에 있는 집단들이 감독들이 타락한 자들을 처리하는 데 있어서 너무 태만하거나 너무 엄격하다고 생각하므로 서로 다른 교회를 형성하였을 때, 핍박은 분열을 낳았다(II:10 참조). 그래서 교회의 통일성 문제는 심각한 형태로 생겨났다.

교회의 통일성은 어디에 근거를 두었는가? 분열된 — 그러나 확실히 이단은 아닌 — 교회들도 교회였는가? 키프리안은 그렇게 생각하지 않았다. 그가 보았던 것처럼 교회는 궁극적으로 그리스도께서 사명을 주신 사도들 위에 근거를 두었다. 그러므로 교회의 기초이며 교회의 정체와 거룩함과 통일을 떠받치는 기초는 나누어지지 않은 오직 하나의 권위를 각자 행사하는 오직 하나의 집단(콜레기움: '동료들'의 몸)을 이룬 사도들이었다. 하지만 키프리안의 견해에 따르면(그리고 이것은 그만 주장하는 견해가 아니다) 사도의 직분은 사도들의 계승자인 감독들에 근거를 두고 발전했다.

이 감독들은 오직 하나의 집단적 사역에 따른 권위를 각자 행사했다. "하나님도 하나요, 그리스도도 하나요, 주의 말씀으로 반석에 세워진 자리(감독제)도 하나이다."[10] 그러므로 정해진 지위에 있는 감독과의 교제로부터 떠나는 것은, 아주 간단히 말해서 교회, 즉 구원의 방주를 떠나는 것이었다. 키프리안이 보았던 것처럼, 똑같은 이유로 "감독은 교회 안에 있고 교회는 감독 안에 있다"[11]는 원칙에서 하나님의 성령이 거하시는 가정이며 성도들의 어머니로서 갖는 교회의 특성은 또한 감독의 합법성과 고결함과 거룩함에 달려 있었다. 만일 복음을 가르치는 교회의 지도자이자 의장이 세례의 성례전을 집전하고 성찬으로 하나님께 교회의 희생제사를 드리는데, 그가 자격이 없거나 거룩하지 못하다면, 그 공동체는 더 이상 '교회'가 아니다.

(사실상 교회의 통일성과 거룩함을 감독의 인격에 의존하게 만든) 이 견해들은 논리적인 결과와 역사적인 결과를 모두 갖고 있었다. 한 가지 예를 들면, 이 견해들은 감독이 다스리는 종교 회의 정치 체제에 곧장 이르렀다. 이 체제는 키프리안이 권하던 것이며, 그가 제안하던 것이었다. 감독마다 자신의 지위에서 사도의 권위를 계승하고 그 권위를 행사했다. 그러므로 감독마다 전체 교회의 공통된 관심사에 발언할 권리를 갖고 있었다.

엄밀하게 말해서 이 전체 교회는 어떤 개인이 다스리지 아니하고 감독단이 다스렸다. (확실히 사도 베드로의 후계자로 특수한 위엄과 특수한 지도권을 누렸던) 로마의 감독까지도 본질적으로 그 형제들의 동료이며 따라서 동료들과 동등한 사람이었다. 동시에 감독의 인격에서 교회의 거룩함을, 그리고 그런 식으로 교회의 통일성에 관심을 두는 키프리안의 방법은 4세기와 5세기에 도나투스파의 교회가 취한 신학적 입장에 거의 필연적으로 이르렀다(III:1 참조).

8. 로고스 신학과 단일신론

빅토르(189-198), 제피리누스(198-217), 칼리스투스(217-222)가 감독으로 있던 로마는 순교자 저스틴과 다른 변증가들이 발전시켰던 로고스 신학의 함축의미를 둘러싼 한 가지 논쟁이 벌어지던 중요한 장소였다. 이 논쟁의 중요성은, 이 논쟁이 다루게 되었던 어떤 유용한 문제에 있었다기보다(이 논쟁은 대개 과도한 열정과 그보다도 더 심한 혼란으로 진행되었던 것으로 보인다), 이 논쟁이 교회로 하여금 4세기의 위대한 삼위일체 논쟁에 관여하게 할 문제들과 처음으로 만났다는 것을 뜻한다는 사실에 있다. 이 문제들은 먼저 하나님에 대한 기독교적 이해에 대한 것이었다.

의심할 여지없이 로고스 신학은 심각한 문제들을 많이 제기했다. 1세기의 지혜 기독교에 뿌리를 둔(I:7 참조) 로고스 신학은 저스틴의 표현대로 '유일하게 나시지 않으신 분'[1] 즉 성부와 나란히 '다른 하나님'[2]인 한 중보자 인물을 표시하기 위하여 '하나님의 아들'과 '그리스도'라는 표현을 사용했다. 성부와 성자의 구별은 단순히 '수'(數)의 구별이지 '의지'(意志)[3]의 구별이 아니라고 저스틴은 주장했다. 로고스는 또 다른 빛으로부터 비친 하나의 빛과 같으며,[4] 그 창시자가 하나님이시듯이 그도 하나님이시라는 것이었다. 그럼에도 불구하고 후대의 터툴리안처럼 저스틴이 묘사하는 것에 따르면, 로고스의 발생은 오직 세상 창조를 위해서 일어난다. 그러므로 성자는 하나님과 함께 영원하신 분은 아니다.

게다가 고린도전서 8:6은 말할 것도 없고 요한복음 1:3과 1:18이 넌지시 보여주는 것처럼 성자께서는 창조와 계시에서 하나님과 우주 사이의 중보자를 마련하시기 위하여 존재하신다. 그래서 로고스 신학은 '두번째 하나님'을 이끌어들이는 것으로 보였으며, 이는 단일신론과 일치하지 않는 것이었다. 게다가 이 신학은 로고스가 제2등급 혹은 제2 종류의 신성을 나타냄을 암시했다. 이 신학은 성자를 성부에게 '종속시켰다.' (대충) '독특한 제일 원리'라는 뜻을 가진 그리스어 모나르키아(*monarchia*)를 표어로 삼은 작은 한 운동이 바로 로고스 교리의 함축의미 가운데 첫번째 즉 신적 존재들의 이중성 (혹은 삼중성)이라는 의미에 반대해서 일어났다.

이 '단일신론'(monarchianism)은 소아시아로부터 로마에 이르렀는데, 상당히 서로 다른 견해를 표현하는 두 경향으로 연이어 나타났다. 이 두 경향들이 취한 엄격한 일신론이 사람들로 하여금 예수의 인격을 이해하도록 이끄는 방식 때문에 이 두 경향은 모두 배격되었다.

이런 경향 가운데 첫번째 것은 비잔티움의 무두장이인 테오도투스(Theodotus)라는 한 사람과 함께 약 190년 로마에 이르렀다. 이 사람은 빅토르에게 출교를 당했지만 어떤 아스클레피오도투스(Asclepiodotus)와 '은행가'라고 하는 또 다른 테오도투스라는 활동적인 제자들을 얻었다. 이 또 다른 테오도투스는 짧은 기간에 분열 교회를 하나 세웠다. 이들의 진영은 로마의 일반 그리스도인들 사이에서 인기가 없었으니, 이 진영의 구성원들이 수학자 유클리드와 의학 저술가 갈렌(Galen)은 말할 것도 없고 아리스토텔레스와 그의 주석가 테오프라스투스(Theophrastus)를 연구하는 것에 심취하고 변증법적 추론을 사용했기 때문이다(이는 의심할 여지없이 반대자들을 논박하기 위한 것이었다).

하지만 참으로 교회를 괴롭혔던 것은 "그리스도께서는" 동정녀 마리아와 성령으로부터 나신 "단순히 사람이시며"[5], 세례를 받으실 때 그에게 하나님의 뒤나미스('능력')가 내려왔고 부활로 '양자가 되어' 신의 영역으로 올라가신 분이라고 하는 그들의 가르침이었다. 이런 식으로 '동력적'(dynamic) 혹은 '양자론적'(adoptionist) 단일신론자들은 로고스 교리를 필요없게 만들 수 있었다. 물론 이렇게 함으로써 그리스도 안에서 이루어지는 하나님과 인간의 하나됨 혹은 연합을 부인하는 손실을 치르기만 했을 뿐이다.

두번째이며 역사적으로 좀더 중요한 단일신론의 경향은 제피리누스가 감독으로 있었을 때인 약 200년경 노에투스(Noëtus)라는 서머나 사람과 더불어 로마에 이르렀다. 이 노에투스는 "그리스도께서 성부이시며 성부께서 태어나시고 고난당하시고 죽으셨다"[6]고 하는 가르침 때문에 서머나 교회로부터 추방되었던 자이다. 그러므로 테오도투스와 달리 그는 성육신 교리를 부인하지 않았다. 그러나 그는 독특하신 아들 혹은 로고스라는 인물을 필요없게 만들면서 하나님을 성육신의 주체로 만들었다. 이러한 동일한 경향을 터툴리안의 반대자 프락세아스(II:7 참조)가 분명히 뒤따랐다.

이 프락세아스는 (그의 반[反]몬타누스주의적 활동과 아울러) 그리스도와 성부 사이의 차이점을 완전히 부인하고, '성부'라는 말을 인간 예수라는 뜻으로 사용했다. 그래서 그의 견해에 따르면, 태어나시고 예수의 인성과 연합하여 고난을 당하신 것은 역시 성부이셨다. 이 주장은 후대에 이 견해를 '성부수난설'(Patripassianism)이라고 이름 붙이는 비판가들이 생기게 했다.

좀더 설득력있고 오래 지속되는 형태의 단일신론적 입장은 사벨리우스에 의해 발선되었다. 이 사람의 인품이나 활동에 대하여 거의 남아 있는 것이 없다. 하지만 결국 이 사람의 이름이 전체 그 운동의 이름이 되었다.

'사벨리우스주의'(Sabellianism)는 교회의 세례 신앙이 갖고 있는 삼중 구조를 진지하게 설명하려고 했다. 사벨리우스주의는 신격 안에 구별되는 실재를 가리키기 위해서 '아버지' '아들' '성령'이라는 용어를 사용한 것이 아니라 한 분 하나님이 세상과 인간에 대하여 스스로를 차례로 보이시는 세 가지 기능 혹은 '양태' 즉 창조주, 구속주, 거룩하게 하시는 분을 가리키기 위하여 그 용어들을 사용함으로써 그 삼중 구조를 설명하려고 했다.

그러므로 현대 학자들은 사벨리우스주의를 '양태론적 단일신론'(modalistic monarchianism)이라고 부른다. 혹은 문제의 기능들이 하나님의 본질을 가리키는 것이 아니라 단순히 하나님께서 자신의 외부 관계를 '운영하시는' 방식을 가리키므로, '경륜적'(economic) 삼위일체론이라고 부른다(문자적으로 '가정 관리'를 뜻하는 그리스어 오이코노미아에서 나온 말). 로마에서 양태론적 단일신론에 대한 중요한 반대자는 히폴리투스(약 235년에 사망함)였다. 이 장로 — 오늘날 이 시기 로마 교회의 역사와 예배의식에 대하여 대부분의 지식을 얻게 되는 책들을 쓴 저자가 거의 확실함 — 는 로마의 감독 칼리스투스와 더불어 동시대의 논쟁에 휩쓸렸다. 그는 이 칼리스투스가 단일신론에 속아 로마 그리스도인들에게 요구되는 엄격한 도덕 기준을 완화했다고 비난했다.

히폴리투스는 사벨리우스에 반대하여 로고스는 아버지와 구별되는 프로소폰(터툴리안의 말을 빌리면 '위격')이지만 하나님께서 자신의 뜻을 실행하시기 위하여 창조하신 자라는 견해를 유창하게 거듭 말했다. 결국 히폴리투스는 로마에서 분리 교회를 하나 세웠다. 그래서 그는 그 어떤 경우에도 도덕적으로나 지적으로 감독의 직분에 적합하지 않다고 본 칼리스투스의 출세와 가르침으로부터 아주 거리를 두었다. 아마도 아이러니칼한 것은 칼리스투스가 하나님의 통일성을 확고하게 확신했을지라도 "죽으신 것은 아버지가 아니라 아들이시라"[7]고 확신했기 때문에 사벨리우스를 로마 교회에서 추방했다는 사실일 것이다. 분명하지 않고 모호한 이 심판과 아울러 잠시 그 문제는 그쳤다.

말할 필요도 없이, 이 3세기에 다른 시기와 다른 장소에서 똑같은 혹은 비슷한 문제들이 일어났다. 시리아에서 사모사타의 바울(Paul of Samosata)이 한 종류의 양태론적 단일신론을 가르쳤다. 이 사람은 268년 안디옥 종교 회의에서 정죄당한 자였다. 사벨리우스주의는 리비아와 펜타폴리스에서 고개를 들다가 알렉산드리아의 감독 디오니시우스에게 공격을 받았다. 말 그대로 그는 너무 극단적으로 공격했으므로, 자기 이름과 같은 로마의 디오니시우스(259-268)로부터 의미심장한 서신에서 질책을 당했다. 칼리스투스가 로고스 신학의 다원주의와 성자종속설(subordinationism)로 곤란을 겪은 것처럼 이 로마의 디오니시우스도 어려움을 당했다. 로고스 신학이 일신론의 원칙과 화해를 이룰 수 있게 하는 방식을 가장 가깝게 지적한 것은 터툴리안이었다. 그리고 아마도 좀더 분명하게 그 일을 한 것은 그의 로마인 제자 노바티안(Novatian) (fl. 약 250)이었을 것이다. 이 노바티안에게서 우리는 중요한 한 논문 「삼위일체론」(*On the Trinity*)를 얻고 있다. 하지만 이 문제의 해결은 4세기 교회의 논쟁과 탐구와 결정을 기다려야 했다.

9. 알렉산드리아 학파

터툴리안의 카르타고와 히폴리투스의 로마는 역사나 정서나 문화에서 이집트의 알렉산드리아라는 헬레니즘의 대도시와는 아주 다른 도시였다. B.C. 332년에 알렉산더 대제가 세운 알렉산드리아는 연이어 프톨레마이오스의 관료제 제국의 수도와 이집트의 로마 행정 본부가 되었다. 동시에 알렉산드리아는 지중해의 중요한 무역 중심지 가운데 하나였다. 나일 강의 산물들은 이 지중해로부터 로마 세계의 다른 지역으로 흘러들어갔다. 무엇보다도 알렉산드리아는 지적 중심지였다. 이곳의 큰 도서관은 프톨레마이오스 1세 통치 시기 이래로 알렉산드리아를 문학과 과학과 철학의 문화 중심지로 만들었다. 모든 철학 학파의 대표자들이 그곳에 있었다. 사상이 이 도시의 혈관 속에 흐르고 있었다. 이 사실로 말미암은 한 가지 결과는 알렉산드리아가 다양한 곳에서 생긴 종교적 사상과 운동들이 만나게 하고 서로에게 영향을 주고 그 모든 사상과 운동들이 철학적 비판과 해석을 받게 하는 장소를 한 군데 마련했다는 것이다.

알렉산드리아에서 어떻게 기독교가 생겨났는지는 거의 알려져 있지 않다. 하지만 우리가 처음으로 듣게 되는 시기 즉 2세기 말경에 이 운동이 견고하게 뿌리를 내렸으므로, 이 운동은 비교적 초창기에 그곳에 나타났음에 틀림없다. 하지만 사용할 수 있는 증거들을 보면, 일찌감치 알렉산드리아의 기독교는 학식있고 지성적인 기독교 영지주의(영지주의자 바실리데스는 약 130년에 하드리안 황제의 통치 시기에 알렉산드리아에서 가르치고 있었다)와, 이 복잡한 영지주의가 나타내었던 이교 종교와 철학과 타협하는 것을 아주 싫어했던 전통적인 '단순한' 신자들로 구성된 또 다른 공동체로 나누어져 있었던 사실이 드러난다.

알렉산드리아의 최초로 위대한 기독교 선생인 **클레멘트**(?-약 215)의 작품을 이해하려면 바로 이런 배경에서 이해해야 한다. 순교자 저스틴과 같이 기독교로 회심한 사람이며 또한 저스틴과 같이 전문 지성인이던 클레멘트는 다른 곳에서 여러 기독교 교사들에게 잇달아 배우고 연구한 후에, 이름을 대지 아니하는 사람의 지혜를 들으려고 알렉산드리아에 왔다. 교회의 역사가인 유세비우스는 이 사람을 판타이누스(Pantaenus)라고 보는데, 이 판타이누스라는 사람은 알렉산드리아에서 신실한 자들의 학파를 이끌고 있었다.[1]

클레멘트는 알렉산드리아에 정착하고 결국 로마에서 저스틴처럼 자기의 '학파'를 갖게 되었다. 클레멘트에 대하여 재미있고 특징적인 것은, 한편으로 그는 '교회의 규칙을 결코 범해서는 안 된다'는 책임을 갖고 스스로를 일반 기독교의 옹호자이며 해석가로 보았고,[2] 다른 한편으로 그는 대부분의 일반 그리스도인들이 철저하게 싫어했던 '세속적' 학문과 문화에 동정적인 태도를 보였다는 것이다. 그러므로 그는 아주 중도적인 사람이었다. 그는 자신이 배격했던 영지주의를 진지하게 대하고, 헬레니즘 철학이 그것의 적인 동시에 그만큼 동맹자도 되는 것 아니냐는 인상을 주는 전승의 가르침을 변호했다.

클레멘트의 남아 있는 작품 중에서 가장 중요한 것들은 셋이다. 무엇보다도 「이방인에 대한 권면」(*Exhortation to the Heathen*)이 있다. 이 책은 하나님의 로고스를 따르라고 요청하는 결론을 내리는, 이교 종교에 대한 비판서이다. 그 다음으로 「교훈자」(*Instructor*)가 있다. 이 책은 기독교적 생활 방식의 논리를 파악하려고 하는 것이다(그런데 이는 클레멘트 시대의 사회적 관습에 대한 출처가 된다). 마지막으로 그는 「스트로마타」(*Stromata*) 혹은 「잡문집」(*Miscellanies*)이라는 책을 썼다. 이 책은 당대의 종교 문제와 신학 문제에 대한 자신의 사상을 모은 것이다.

「스트로마타」는 일곱 권으로 되어 있으며(약속한 여덟번째 책은 결코 완성되지 못했다), 형식에서는 의도적으로 체계를 세우지 않았고 양식에서는 암시적인 것이다. 이 책은 육신과 혼인에 대한 경시, 그리스 철학적 전승과 계시의 관계, 그리스도인의 생활이 갖고 있는 목표와 성격과 같은 문제에서 클레멘트의 입장을 아주 분명하게 발전시키고 있다. 하지만 이 책은 신학적 입장을 진술한다기보다 그 입장을 공표하는 것이다.

저스틴과 같이 클레멘트가 보기에 신적인 로고스는 언제나 모든 곳에서 인간의 스승이 되었다. "우리의 교훈자는 거룩하신 하나님이신 예수이며, 모든 인간의 인도자가 되시는 로고스이시다."[3] 그러므로 이런 저런 방식으로 그리스의 철학적 전통 뒤에 있는 것은 다름 아닌 이 교훈자의 영감이다. "하나님께서 모든 선한 일의 원인이시다. 그러나 일차적으로 구약과 신약 같은 것의 원인이시며 따라서 철학과 같은 것의 원인이시다."

다른 말로 하면 클레멘트는 철학자들은 원래 모세의 글로부터 자신들의 가장 좋은 사상을 얻었다고 하는 헬레니즘적 유대교의 신념을 따르기를 원했다. 그러나 그는 좀더 급진적인 가설을 받아들일 수 있다. 즉 "또한 주께서 그리스인을 부르시기까지 철학은 우연히 그리스인들에게 직접적이며 일차적으로 주어졌다. 왜냐하면 율법이 히브리인들을 그리스도께로 이끌어가는 몽학선생이듯이 철학은 헬라주의자들을 그리스도께로 이끌어가는 몽학선생이기 때문이었다."[4] 그래서 클레멘트는 하나님께서 인간과 함께 하시는 역사를 하나의 교육 과정으로 즉 파이데이아(교양)의 경우로 보는 점에서 저스틴과 이레내우스를 따랐다.

하지만 클레멘트는 개인 신자의 기독교적 생활을 설명하기 위하여 자신의 선배들보다 좀더 분명하게 이런 동일한 모델을 사용했다는 것이다. 그가 보기에 이 모델은 하나님을 아는 지식의 학습, 훈련(아스케시스), 성장과 관련된 일이었다. 북부 아프리카의 터툴리안이 기독교적 생활을 일차적으로 도덕적인 용어로서 하나님의 계명에 순종하는 것으로 보았고, 영지주의자들은 그 생활이 단번의 각성에 있는 것으로 보았는데, 클레멘트는 기독교적 생활을 하나님을 닮는 데 이르는 점진적인 도덕적 지적 변모 과정으로 파악했다. 이 일은 '하나님의 형상을 따라' 지음 받은 아담의 창조 속에 암시되어 있던 운명이었다.

클레멘트가 보기에 그렇게 하나님을 닮는 것은 자기 이전의 이레내우스처럼, 하나님을 아는 지식과 일치하는 것이다. 왜냐하면 무엇을 안다는 것은 그것의 존재 방식에 참여하는 것이기 때문이다. 그래서 기독교적 이상은, 신앙에 지식을, "지식에 사랑을, 사랑에 유업을"[5] 더하는 '참된 영지주의자'의 이상이었다. 클레멘트는 이렇게 쓴다.

"내가 보기에 이교에서 신앙으로 이르는 첫번째 종류의 구원의 변화가 있고, 신앙에서 지식으로 이르는 두번째 변화가 있다. 그리고 이 후자는 사랑으로 나아갈 때 즉시로 인식자와 인식 대상 사이에 서로 친밀한 관계를 수립하기 시작한다." 이는 자아가 계속 진보하면서 "실로 주께서 거하시는 데로 계속 나아가" 거기서 "모든 변천으로부터 절대적으로 안전하고 영원히 있으며 거하는 빛"[6]으로 남는다.

클레멘트는 202년에 셉티미우스 세베루스 황제의 통치 시기에 그곳에 일어났던 핍박을 앞에 두고 알렉산드리아를 떠났다. 그 이후 그의 생애에 대해서는 알 수 있는 것이 전혀 없다. 하지만 알렉산드리아에서 그가 해 놓은 일은 아주 다른 양식과 정신으로지만 제자 오리겐(Origen)에 의하여 계속되었다.

오리겐은 당대의 가장 위대하고 영향력이 큰 기독교 사상가로서 그가 쓴 책은 신플라톤주의자인 포르피리(Porphyry)라는 급진적인 반(反)기독교적 철학자까지도 마음에 내키지는 않으나 오리겐을 존경하게 만들었다.

182년과 185년 사이에 알렉산드리아의 어느 기독교 가정에서 태어난 오리겐은 클레멘트가 떠나고 자기 아버지 레오니다스(Leonidas)가 죽은 후, 핍박 중에 일단의 탐구자들을 모아 학교를 세웠다. 이 학파는 유세비우스가 말하는 교리문답식 학교(catechetical school)를 이은 것일 수도 있고 아닐 수도 있다. 좌우간 오리겐은 거기서 카라칼라 황제가 알렉산드리아에서 모든 철학 교사들을 몰아낼 때인 215년까지 데메트리우스 감독의 인정을 받으며 자신의 일을 계속할 수 있었다. 오리겐은 이미 여행을 한 적이 있다. 로마로 여행해서는(약 211-212) 히폴리투스를 만나고, 아라비아로 여행해서는(약 213-214) 단일신론적 가르침으로 인하여 생겨난 문제를 다루면서 사역을 해달라는 부탁을 받았다. 하지만 이때 그는 팔레스타인에 있는 가이사랴로 가서, 거기서 영원히 가치있는 친구들을 만났다.

그는 216년 알렉산드리아에서 가르치는 일을 다시 했고, 230년이나 231년까지 그곳에서 계속 가르쳤다. 이때 그는 그리스로 여행을 떠났다. 가이사랴에 머물러 있는 동안 그는 그곳 친구들의 부탁으로 장로로 임명을 받았는데, 이는 필시 그가 자유롭게 전파할 수 있기 위함이었을 것이다. 하지만 (좌우간 오리겐의 특이한 사상을 의심스럽게 생각하게 되고 거의 틀림없이 그의 성공을 질투하여 그에 대한 적대적인 험담을 들으려고 했던) 데메트리우스 감독은 가이사랴 교회의 이런 행동을 자기 권리에 대한 침해로 보았다. 따라서 그는 오리겐을 알렉산드리아 교회의 교제로부터 끊어내 버릴 수 있는 기회를 잡았다.

오리겐은 남은 활동기간을 가이사랴에서 저술과 가르침과 설교를 위하여 사용했다. 아울러 그에게 '아다만티우스'(Adamantius)라는 별명을 얻게한 수련과 헌신을 위하여 사용했다. 그는 250년 데키우스(Decius)의 핍박으로 옥에 갇히고 고문을 받고서 아마 251년(254년 ?)에 가이사랴나 두로에서 고통으로 말미암아 죽었을 것이다.

오리겐은 다방면으로 박식한 사람이었다. 그는 몇몇 사상 학파의 사상을 정확하고 사려깊게 파악하는 당대 철학에 정통한 자였다. 게다가 그의 전반적인 시각은 알렉산드리아와 동방에 널리 퍼졌던 절충학파의 중기 플라톤주의에 의하여 형성되었다. 그는 이 학파의 일반적인 문구들을 아주 당연한 것으로 받아들였다. 그럼에도 불구하고 그는 클레멘트나 저스틴보다 헬레니즘 전통의 철학과 문화에 대하여 훨씬 더 거리를 두고 덜 열정적인 관점을 갖고 있었다.

그는 「켈수스에 반대하여」(*Against Celsus*)라는 박식한 변증서가 예증하는 것처럼, 시인과 철학자들을 아주 잘 알고 있었지만, 진심으로 동조하여 이들로부터 인용하거나 필요없이 인용하는 일을 하지 않았다. 그리고 중기 플라톤주의의 일반적인 내용을 다루는 그의 방식이 포르피리와 같은 이교 사상가에게는 '그리스 사상'과 '외국의 신화'를 섞는 것으로 보였다.[7] 이런 복잡한 태도를 설명하자면 오리겐은 분명한 확신을 가지고 성경에 있는 하나님의 계시를 기도하며 힘쓰며 연구하여 지혜에 이를 수 있다고 믿었다는 것이다. 그가 바로 이런 작업에 전생애를 바쳤다.

그의 저술 거의 대부분은 성경에 대한 주석의 형식을 취했다. 그리고 가끔씩 그의 '체계적인' 저술들도 거의 주해적인 방식으로 진행되었다. 만일 그가 성경에서 분별한 지혜가 사실상 그 자신이 성경 해석에 사용한 철학적 전제에 의하여 정보를 얻은 것이라 해도, 그 결과로 생긴 이해는 그가 보기에 성경적인 것이다. 필시 오리겐이 교회에게 준 가장 중요한 선물은 솔라 스크립투라(*sola scriptura*, 오직 성경)라는 원칙들일 것이다. 그는 몸소 이 원칙으로 살았다.

오리겐의 성경 연구는 체계적인 사본 작업을 그 기초로 삼았다. (교회에서 정기적으로 사용하던 역본인) 히브리 성경의 칠십인역본에 대하여 정확한 사본을 확보하기 위한 노력으로 그는 수년에 걸쳐 기념비적인 「헥사플라」(*Hexapla*)를 편집했다. 이 책은 히브리어 성경과 히브리어의 그리스어 번역, 칠십인역, 그리고 다른 그리스 역본을 나란히 나열했다. 그는 주해에서 랍비와 마르키온의 문자주의를 배격했다. 한 가지 예를 들면, 그는 나무들이 말하는 요담의 우화[8]에서처럼 많은 부분에서 문자적 의미가 불합리하다고 확신했다. 혹은 하나님께서 화를 내시는 것으로 묘사하는 부분처럼 그 주제에 가치가 없거나, 많은 복음서 인용구처럼 다른 구절들과 일치하지 않는다고 확신했다. 다른 예를 들면, 그는 하나님의 신에 의하여 영감을 받은 기록들은 그 의미가 아주 많아야 한다고 확신했다. 그래서 문자적인 의미가 중요한 곳에서도 직접 말한 것보다 훨씬 더 많은 뜻을 담고 있다는 것이다.

그러므로 주해의 작업은 문자적인 것을 풀 뿐만 아니라 바울의 권면이나 관행[9]에 따라서 좀더 높고 혹은 깊은 '영적' 의미도 풀어야 한다. 이처럼 성경을 파악하고 다루는 방식은 좀더 이전의 선례에 많이 의존하였다. 즉 그 선례라는 것은 호머의 시에 대한 스토아 학파의 풍유화와 무엇보다도 오경에 대한 필로의 풍유적 주해이다. 동시에 오리겐은 초기 기독교 모형론에 빚을 졌다. 이 모형론은 그리스도에게서 그리고 기독교 시대에서 히브리 성경의 실마리와 '깊은' 의미를 발견하면서 그 성경을 회고적으로 해석했다.

따라서 오리겐이 보기에 성경의 영적 의미와 근본적으로 관계를 맺고 있는 것은 그리스도 안에서 인간 자아가 하나님과 맺고 있는 관계에 대한, 새로운 시대의 공동체인 교회의 생활에 대한, 그리고 '만물의 회복'에서 이루어지는 그 생활의 성취(우리가 들은 것처럼, 왜냐하면 율법은 '장차 올 것의 그림자'[10]이기 때문이다)에 대한 이해이다. 「제일원리에 대하여」(*Peri archon*)라는 논문의 세번째 책에서 오리겐은 자신의 주해 과정을 정당화하고 체계화하려고 노력한다. 그러나 그의 실제는 이론보다 유연하므로, 해석학에 대한 이 최초의 기독교 논문은 오리겐이 실제로 한 것에 대하여 아주 부정확한 개념을 전달해 줄 뿐이다.

하지만 오리겐은 주해 작업 가운데서도 알렉산드리아 교회의 당면한 문제들을 무시할 수 없었다. 클레멘트처럼 그는 거리낌없이 말하는 영지주의 공동체 때문에 생긴 문제에 대하여 자신의 견해를 말해야 하고 정통신앙의 편에서 철학적인 학식을 열거하는 방식으로 말해야 했다. 그의 전형적인 특징은, 그가 긴긴 논쟁에 개입함으로써가 아니라 영지주의자들이 내놓은 질문과 사상들을 이들과 다른 의미로 다룬 입장을 조직적으로 발전시킴으로써 이 과제를 수행한 것이었다. 즉 교회의 가르침 전승에 일치하게 발전시킴으로써 개입했다는 것이다. 오리겐은 (터툴리안이 주장했던 것처럼) 이 전승이 진리의 충분한 형식이라고 이해하지 않고 신학 탐구의 기초이며 출발점이라고 이해했다. 그 결과 나타난 것이 신학적 우주론이다. 플라톤주의적 그리고 심지어 영지주의적 주제들이 이 우주론에서 울려 퍼졌지만, 알렉산드리아의 가르침 전승의 원칙에 의하여 정해진 어조로 바뀐 상태로 울려 퍼졌다.

초기 논문 「제일 원리에 대하여」에서 자세히 말한 이 신학적 우주론은 세 가지 중요한 개념들을 중심 주제로 삼았다. 이 가운데 첫번째 것은 이레내우스에게도 역시 중심적인 것이었다. 이것은, 한 분 하나님이 계시고 이 분은 물질적인 존재든지 비물질적 존재든지 상관없이 모든 존재의 유일한 근거이며 원천이시라는 일신론적 공리일 뿐이다. 두번째 것도 역시 이레내우스에게 핵심적인 것이다. 이것은, 악은 (물질이나 육신과 같은) 실체적인 것 혹은 어떤 사물이 아니라 창조된 자아들의 자유로운 행위(agency)에 의하여 생긴 무질서라는 반(反)영지주의적 원리이다. 만일 세상에 악이 있다면, 그것은 궁극적으로 인간의 외부적 재난이 아니라 인간이 내린 선택의 결과이다. 마지막으로 오리겐은 오래된 해석 전통을 받아들였다. 이 해석 전통은 필로가 이미 탐구한 것으로서 창세기 처음 장들에 나타나는 창조의 두 이야기가 사실상 하나님의 창조의 두 단계를 반영한다는 것이었다.

그 첫째는 비물질적 예지적 질서의 등장과 관련된 것이고 둘째는 가시적 우주의 형성과 관련된 것이었다. 따라서 오리겐은 하나님의 원래 창조는 비물질적 '영들'의 사회인데, 이 영들은 창조되었으므로 유한하고, 합리적이므로 자기 결정력이 있다고 확신했다. 하나님의 형상인 로고스에 대한 상(像)들 혹은 반영체인 이 영들은 말 그대로 자기들 본질을 성취한 것인 하나님의 지식으로 즐거워하면서 완전한 평등의 조화 가운데서 살고 있었다. 이 영들이 하나님에 대한 통찰로 만족하게 되면서 자신의 행복 즉 하나님으로부터 멀리 떨어져서 분리되고 다양하고 복잡한 완고(頑固)의 상태에 이르기로 결정했을 때, 악이 끼어들었다.

어떤 영들은 마귀가 되고 어떤 영들은 천사가 되고 또 어떤 영들은 인간의 영혼이 되었다. 그러나 모든 영들은 이런 저런 정도로 원래의 중심 잡힌 정체로부터 왜곡되고 소외되어 떨어졌다. 이들의 변화된 상태가 낳은 결과로 그리고 그 상징으로 하나님께서는 물리적 가시적 우주를 만드셔서, 이들 피조물에 대하여 차선의 세계가 되게 하셨다. 이 세계에서 무질서에 조화가 있게 되고 타락한 영들은 '견책'을 받아 원래의 영광으로 되돌아 갈 수 있었다.

이런 설명으로부터 오리겐에게서 구속의 의미가 무엇인지 분명해진다. 구속은 원래의 통일과 조화로 돌아가는 '만물의 회복'을 뜻했다. 바울이 말한 것처럼 이 회복에서 "하나님께서는 만유 가운데 모든 것이 되실 것이다." 클레멘트처럼 오리겐이 보기에 이런 마지막 회복이 일어나는 과정은 본질적으로 교육과 훈련의 과정이다. 왜냐하면 하나님께서는 피조물의 자유를 존중하시고 그들을 무시하고 그들을 구하시지 않으실 것이기(실로 구하실 수 없기) 때문이다. 이런 하나님의 교육에서 핵심이 되는 계기는 하나님의 영원한 로고스의 성육신이다. 이 로고스 안에서 지혜로서 하나님의 마음과 존재가 피조물을 위하여 분명하게 표현된다. 로고스는 타락하지 않은 하나의 이성적 피조물 즉 예수라고 하는 인간 자아의 중재를 통하여 타락한 인간을 가까이 이끌어들인다.

오리겐은 이 타락하지 않은 영은 하나님께 대한 강렬한 사랑으로 로고스와 긴밀하게 연합되어 사실상 로고스와 구별할 수 없게 되었다고 이해했다. 같은 방식으로 그는 철을 빨갛게 바꾸는 불과 그 철이 구분될 수 없는 것과 같다고 말한다. 반대로 예수의 영혼이 육신과 맺은 연합은 하나님의 아들/로고스의 성육신이 있게 했다. 하나님 아들의 이 육신적 존재는 사람으로 하여금 믿음을 통하여 그리스도의 역사적 삶이 구현하는 영원한 진리에 대한 지식을 얻도록 할 수 있다. 이 진리는 언제나 같은 것이나 받아들이는 자들의 다양한 능력과 필요에 언제나 적응한다. 오리겐은 사실상 성경을 파악하는 방식과 비슷하게 그리스도를 파악한다. 즉 성경의 문자 속에 더 깊은 의미가 있듯이, 그리스도의 육신 속에 그의 로고스라는 본성이 있다. 이것은 생명인 진리의 예시이다. 그리고 인간 예수께서 로고스를 통하여 신적인 생명에 참여하는 것처럼 개별 사람의 운명은 인간 예수의 정체를 함께 가지는 것이다.

모든 위대한 신학적 창조물처럼 오리겐이 제시한 이런 구조는 해답을 제공한 만큼 많은 문제를 제기했다. 예를 들어 이 구조는 육체의 부활 문제에서는 영지주의의 편을 드는 것처럼 보인다. 왜냐하면 명백하게 오리겐의 견해에서는 육신이 악이 아니지만 이레내우스가 주장한 것처럼 육신은 인간 본성의 본질적인 혹은 원래 구성 요소도 아니기 때문이다. 또한 이성적 피조물의 변화 가능성과 자유에 대한 오리겐의 강조점은 그의 비판가와 추종자에게처럼 그 자신에게 대하여 구속이 참으로 궁극적인 것이 될 수 있는지의 문제를 제기했다. 즉 사실상 타락과 회복의 순환은 영원히 반복되는지 아닌지의 문제를 제기했다.

같은 이유로 그는 궁극적인 회복은 '만물'을 포함할 것이 틀림없다고 확신했으므로, 사탄과 마귀도 하나님의 사랑의 범위에서 떨어져 나가지 않는다는 만인구원론적 결론을 내렸다. 이 견해는 가장 초창기의 종말론과 일치하지 않았는데, 이 종말론은 천국에 대하여 분명한 위치를 두고 있듯이 지옥에 대해서도 분명하게 위치를 두고 있었기 때문이다.

하지만 오리겐의 체계가 난점을 일으킨 것은 종말론 영역뿐만이 아니다. 창조와 하나님께서 세상과 맺으시는 관계에 대한 전체 문제 영역에서도 일으켰다. 회의론자들은 하나님께서 세상을 만드시기 전에 무엇을 하고 계셨는지에 대한 날카로운 질문을 종종 제기하곤 했다. 이 질문 속에 들어 있는 도전에 대한 오리겐의 답변은 간단히 하나님 안에서 '이전'과 '이후'가 있음을 부인하는 것이었다. 하지만 만일 하나님의 존재와 행하심이 무시간적인 것이라면 그러므로 하나님께서 변함없이 창조주이시라면, 하나님이 창조하신 세상은 시간에서 시작이 없는 혹은 끝이 없는 것이어야 할 것으로 보인다. 그리고 오리겐은 이 결론에 대하여 확신하지는 않았지만 이 결론을 진지하게 고찰했던 것으로 보인다.

하지만 그는 창세기와 제4복음서가 말하는 '태초'는 세상의 시간적 출발이 아니라 세상의 영원한 근거라고 주장했다. 하지만 이것이 참되다면, 하나님의 지혜 — 하나님의 아들이자 로고스 —도 역시 영원하거나 무시간적이며, 하나님의 최초의 자기 표현이며 완전한 형상으로서 하나님과 함께 존재한다. 하지만 로고스와 세상이 다른 방식으로 하나님과 함께 존재해 왔기 때문에 로고스와 세상은 하나님과 동등하게 원초적인 것이라는 뜻이었는가? 그리고 그런 결론은 일신론과 일치하는 것인가? 오리겐은 이 질문에 훌륭하게 대답했다.

그가 보기에 로고스의 '영원한 발생'은 로고스는 하나님과 동등하다는 뜻을 담고 있는 것이 아니었다는 것이다. '발생함' 혹은 '태어남'은 부차적임을 함축하고 있다. 즉 종속적임을 함축하고 있다. 반면에 원천에 대한 광채로서 로고스가 하나님께 이처럼 종속하는 것은 성자를 피조물 가운데 두는 것은 아니다. 왜냐하면 로고스는 피조물들과 같이 변화할 수 없고 또한 시간 내적인 존재로서 '무로부터' 발생하지 않았기 때문이다. 하지만 그 차이점은 하나님께서 존재하시며 그러므로 하나님께서는 '시간 속에서' 발생하게 하시거나 창조하신다고 하는 오리겐의 부정에 전적으로 달려 있었다.

그리고 널리 퍼지게 될 창조와 로고스 신학의 문제들에 대한 오리겐의 해답에 대하여 이런 점에서 그를 이해한 사람은 아주 많았던 것이 아니었다. 이 사실은 아리우스 논쟁에서 아주 분명하게 되었다. 이 논쟁에서 한편은 오리겐의 성자종속설을 주장하고 다른 한편은 로고스의 영원한 발생이라는 개념을 주장했다. 반면에 이 개념들이 오리겐의 체계에서 뜻했던 바가 무엇이었는지 이해했던 것으로 보이는 진영은 아무데도 없었다.

10. 180년부터 260년까지의 교회와 로마 사회

3세기의 처음과 중간 수십 년은 — 터툴리안과 히폴리투스와 오리겐와 키프리안의 시대 — 로마 제국과 그 안에 있는 기독교 공동체 모두에 대하여 위기와 변화의 시기였다. 제국에 대하여 이 위기는 많은 원인이 있었다. 그 가운데 가장 명백한 것이며 통치자와 백성의 의식을 점점 지배했던 위기는 본질상 군사적인 것이었다. 마르쿠스 아우렐리우스(180년에 죽음)의 통치 시기가 시작되면서, 제국의 라인 강과 다뉴브 강 변경 너머에 살고 있던 야만족들이 이제 좀더 크고 좀더 두려운 집단으로 조직을 갖추고 제국의 속주들을 자주 침략하고 노략했다. 235년 이후 이런 압박에 페르시아의 새로운 삿사니드(Sassanid) 왕조의 압박이 있었다. 이 왕조는 한때 다리우스와 크세르크세스의 제국에 속했던 영토를 다시 정복하는 일에 열중했다. 그러므로 로마는 생존 투쟁에 휩쓸리게 되었고, 3세기 후반에는 로마의 생존 전망이 실로 흐리게 보였던 때가 있었다.

게다가 이런 군사적 압박들은 단독으로 로마 세계를 괴롭혔던 것은 아니었다. 이 압박들은 로마 생활의 다른 취약점들을 드러내고 그 취약점들을 두드러지게 했다. 군대는 필연적으로 규모나 힘에서 커져 갔다. 이 군대의 필요는 일상 시민들의 재산을 점점 빼앗았다. 세금은 무거워지고, 이로 하여 과중한 부담을 지고 있는 농부들은 토지를 버리고 도망치지 않으면 안 되었다. 그처럼 이 과세는 속주 도시들의 상류 계급을 점점 가난하게 만들었다. 황제들은 돈을 더 얻기 위하여 화폐 제도를 바꾸도록 허용했다. 그 결과 3세기가 지나감에 따라 급속히 높아 가는 인플레이션은 제국을 뒤덮었다. 이런 경제적 사회적 문제들 다음으로 헌정 위기에 이르는 일이 뒤따랐다.

마르쿠스 아우렐리우스는 제국의 직무를 수행할 수 있는 후계자를 황제마다 선택하고 '지명' 하던 관행을 버렸다. 아우렐리우스와 그 후계자들이 원위치로 돌려보낸 이 세습적인 원칙은 궁극적으로 위기의 시기에 제국을 이끌어갈 수 있는 사람을 배출하지 못했던 것이다. 결과적으로 235년 이후 황제들은 군대의 뜻에 따라 (놀라울 정도로 빨리) 나타났다가 사라졌다. 군사적 성공과 그 군대들의 충성을 구가할 수 있는 능력에 그들의 생존이 달려 있었다.

커져 가는 위기와 불안정한 상황(제국은 디오클레티아누스와 콘스탄티누스 치하에서 유례없는 군사적 행사를 통하여 그리고 재건을 통하여 결국 이 상황에서 살아 남았다)은 종교적인 차원을 역시 갖고 있었다. 신들의 선한 뜻과 도움은 로마와 개별 신민들에게 결코 좀더 필요한 것으로 보이지 않았다. 제국의 직무는 그 권위를 가지기 위하여 종교적인 재가를 좀더 받아야 할 필요에 처했던 것도 결코 아니었다. 3세기 초에 제국의 숭배 의식이 부흥하고 후대의 세베루스(Severan) 조(朝) 황제들(218-235)과 더불어 '정복되지 않은 태양' (솔 인빅투스)의 후원으로 종교적 통일을 바라는 노력이 있었던 것은 이 사실들의 전조가 된다. 황제들은 이 태양의 통치를 상징했다.

이런 상황에서 3세기의 기독교 공동체는 모호하고 불확실한 입장에 처해 있었다. 물론 이 상황에는 이 공동체들의 계속되는 확장과 통합이라는 요소가 있었다. 이 시기까지 기독교는 이집트, 소아시아, 시리아, 북부 아프리카, 이탈리아로 널리 퍼졌다. 기독교는 두드러지게 도시적이며 아주 눈에 띄게 나타났다. 게다가 어떤 곳에서는 기독교의 추종자들이 상당히 수가 많아서 터툴리안과 오리겐이 기독교가 근절될 수 있는지 질문을 던질 만큼 되었다.

더 나아가 기독교 운동은 어떤 경향의 견해나 신념일 뿐만 아니라 '사상 학파'였다. 기독교 운동에 가입한다는 것은 따로 조직되고 중심을 갖춘 공동체의 일부가 되는 것이었다. 이 공동체는 나름대로 지도자와 직분자들, 세례와 성찬과 같은 나름대로의 특징적인 제의, 나름대로의 의식과 기념식의 행사 일람표, 나름대로의 재산과 재정을 갖고 있었을 뿐만 아니라, 로마 사회의 종교적 기초에 대하여 계속 적대심을 보이기도 했다. 모든 그리스도인들이 몬타누스주의나 로마의 히폴리투스와 같은 사상가의 엄격한 전망을 함께 갖고 있었던 것은 아니었다. 히폴리투스는 로마 나라를 적그리스도와 같은 것으로 보았다. 오리겐은 순교자의 소명에 헌신한 사람이지만 자신의 세계관에서 로마 제국의 일에 대하여 여지를 남겨 두었다. 그리고 그와 클레멘트의 지적인 작업들은 후기 고대 세계의 문화적 유산에서 기독교를 위하여 권리를 주장했다.

그럼에도 불구하고 그와 그의 동료 그리스도인들은 자기들의 공동 생활이 근거로 삼고 있는 현실이 — 그리스도 안에서 하나님의 선물인 현실 — 이방 종교의 주장과 일치하지 않는다고 분명하게 생각했다. 그들은 이교의 주장을 계속 마귀와 거래하는 것으로 보았다. 그러므로 좀더 '자유로운' 때에도 교회는 로마 세계의 도시들에서 정치적 혹은 문화적 질서를 이루는 데 가장 풀기 어려운 문제로 보이는 경향이 있었다. 즉 교회는 양자택일의 사회로 보였다.

그러므로 3세기 기독교는 자신들의 입장이 바뀐 것을 발견했다. 전에 기독교는 정치 지도자들이나 지적 지도자들이 기독교를 진지하게 대할 만한 가치가 거의 없는 것이지만, 이제는 높은 계층의 주목을 끌었다. 게다가 3세기는 위기의 시기였으므로 더욱 그랬다. 철학자 켈수스는 이미 이레내우스 시대에 「참된 말씀」(*True Word*)에서 그리스도인들을 공격했다. 이 책은 결국 오리겐에게 답변을 요구했다.

3세기에 포르피리(232-305)와 신플라톤주의 철학자이자 해석가인 플로티누스(205-270)는 좀더 나아가 그리스도인들을 반대하여 15권의 학술적인 책을 기록했다. 반면에 황제들 가운데서 더러는 기독교에 관용을 베풀었고, 더러는 기독교에 긍정적으로 관심을 보였다.

카라칼라(211-217)는 신자들이 마음대로 하게 내버려 두었다. 아프리카의 지방총독인 스카풀라(211-212)는 짧은 재임 기간 동안 그곳에서 그리스도인들을 반대하여 나아갔지만, 이것은 명백히 그의 주도권에 따라 한 것이다(즉 황제의 뜻과는 무관했다). 알렉산더 세베루스(222-235)는 (한때 오리겐을 안디옥으로 불러 종교적인 문제로 대화를 나누었던) 그의 어머니 율리아 마마이아(Julia Mamaea)의 지배적인 영향을 받아 분명히 관용을 베풀었고 심지어 기독교 학자인 율리우스 아프리카누스를 고용하여 로마에 있는 판테온 근방 도서관 건축을 감독하게 했다. 셉티미우스 세베루스 황제(192-211)가 유대교나 기독교로 회심하는 것을 금하는 칙령을 발포했고, 이 칙령이 202년 알렉산드리아와 카르타고의 두 지역에서 핍박이 일어나게 했던 것은 사실이다. 하지만 일반적으로 3세기의 초반기는 교회에게 평화와 확대의 시기이며, 신뢰감을 더했던 시기였다.

247년 기독교인에 대하여 동정적인 것으로 알려진 아랍인 황제 필립은 로마의 개국 1,000년을 기념하기 위한 엄숙한 제의에 참여했다. 이 의식들이 군사적으로 위험하고 시민적 무질서의 조짐이 보이던 시기에 거행되기는 했지만 그리스도인들은 이 의식에 참여하기를 거부했다. 왜냐하면 이 예식이 영광을 돌리는 것은 바로 로마의 고대 신들이었기 때문이다. 그러므로 오리겐이 248년에 일반 백성들 가운데서 그리스도인들에 대하여 미움이 커져가는 것을 목격했던 것은 필시 놀랄 일은 아니다. 그래서 그리스도인들은 비협조적인 방관자로서 사람들의 이목의 대상이 되었다.

같은 해에 고트족의 로마에 대한 침략이 잇달아 시작되었다. 이에 대처할 수 없었던 아랍인 필립은 데키우스(Decius, 249-251)라고 하는 보수주의적 일리리아 출신의 황제에게 전복당했다. 데키우스의 목적은 과거에 로마를 위대하게 만든 덕과 신들에게 돌아감으로써 로마의 영광을 회복하는 것이었다. 데키우스가 계승하던 바로 그날에 알렉산드리아에서 그리스도인들을 반대한 일반 민중들의 폭동이 있었다. 그러자 데키우스는 실제로 교회에 대한 최초의 핍박이었던 일을 일으켰다.

250년 1월 그는 교회의 지도자들을 체포하는 일부터 시작했다. 로마의 감독 파비안(Fabian)을 처형했다. 카르타고의 키프리안과 알렉산드리아의 디오니시우스는 숨었다. 6월에 데키우스는, 제국의 모든 거주민들은 신들에게 제사를 드림으로써 신들에게 도움을 청해야 하며 더 나아가 그런 취지로 공식 확인서(리벨리, *libellatici*)를 받음으로써 제사를 드렸음을 증명해야 할 것을 명령했다. 이를 거부하면 그 결과로 오리겐이 당했던 것처럼 투옥과 고문을 받았다. 그 핍박은 짧았다.

데키우스는 다뉴브 속주들에 전쟁하러 가서 251년에 죽었다. 그러나 이 핍박이 교회에 끼친 영향은 대재난이나 다를 바 없었다. 오리겐과 키프리안은 똑같이 수많은 그리스도인들이 제사를 드리러 가거나 우호적인 관리들로부터 핍박을 피하는 데 요구된 리벨리를 사러 갔다는 것을 기록한다. 순교한 폴리캅의 계승자인 서머나의 감독은 (키프리안이 그렇게 실망했듯이) 북부 아프리카의 감독들처럼 배교했다.

데키우스의 계승자 발레리우스(253-260)의 말년에 핍박은 새로 시작되었다. 이때 칙령은 교회의 지도자들을 목표로 했다. 처음에는 성직자들을, 그 다음에는 유명한 평신도들을 겨냥했다. 유명한 평신도들은 재산과 특권을 빼앗겠다는 위협을 당했다. 키프리안과 로마의 식스투스 2세의 생명을 빼앗던 것은 바로 핍박의 이런 장면에서였다.

이 핍박들은 교회에 충격을 안겨 주었고 이 충격은 틀림없이 교회의 생활과 자기 이해에 영구적인 영향을 주었을 것이다. 우리는 어떻게 이 핍박들이 전통적인 북부 아프리카의 교회관에 대한 키프리안의 재해석을 이끌어갔는지를 살펴 보았다. 하지만 이 핍박들은 그리스도인들의 수를 현격하게 줄이지 못했다. 제사를 드린 사람들(사크리피카티)과 확인서를 산 사람들(리벨라티키)은 일반적으로 교회에 다시 들어가려고 길을 모색했던 것으로 보인다. 그들의 신념은 분명했지만 용기는 약해졌다.

그러나 그들은 고백자들(신앙 때문에 감옥에 갇힌 자들)로 인하여 용기를 얻어 소망을 갖게 되었다. 이 고백자들은 자기들이 (진리를) 증거했으므로 타락했던 자들을 용서하고 회복시킬 권리가 있다고 주장했으며, 적어도 북부 아프리카에서는 이 특권을 무차별적으로 사용할 것을 제안했다. 이 고백자들에게 요구를 받은 당국자인 감독들은 대체로 타락한 자들을 다시 받아들이려는 경향이 있었지만, 다시 받아들이되 오직 교회의 권징을 유지하게 될 조건에서만 받아들이려고 했다. 그래서 북부 아프리카의 감독들은 리벨라티키(*libellatici*)에게 오랜 동안의 회개를 규정했다. 그리고 비록 죽는 순간이긴 하지만 사크리피카티(*sacrificati*)의 회복도 허용했다.

본질적으로 로마에서도 따랐던 이와 같은 중도 정책은 양편에서 반발을 낳았다. 로마에서 장로이자 「삼위일체론」(*On the Trinity*)이라는 중요한 논문의 저자인 노바티안(Novatian)은 배교자들을 회복시킨 교회는 그 본질과 소명에 배반한 것이라는 확신을 가지고 엄격한 분리를 주도했다. 반면에 카르타고에서 또 다른 장로인 노바투스(Novatus)는 고백자들과 그들의 '나태한' 정책이 갖고 있는 권위를 지지하여 분리 교회를 만들었다. 그러므로 이 핍박들이 그리스도인들의 수를 크게 줄인 것은 아니라 해도, 핍박들은 철저하게 교회를 괴롭히고 오랫동안 논쟁의 빌미가 되는 권징과 속죄의 문제를 두드러지게 했다(II:15 참조).

게다가 핍박이 그치므로 기독교 공동체에 평화의 시기가 찾아왔지만, 로마 세계에서 교회의 위치가 안정되었던 것은 결코 아니었다. 결국 그런 안정은 교회의 생활과 제국의 생활에 똑같이 중요한 변화가 있고서만 생길 수 있었다.

11. 교회의 제도적 발전

3세기 기독교의 존재가 아무리 불확실하고 위기에 처해 있었다 해도, 그 시기의 상당한 기간 동안 교회가 비교적 평화를 누렸던 것은 사실이다. 그러므로 이 시기는 로마 세계의 대부분 지역에서 교회가 확대되는 때였다. 그리고 이 확대와 아울러 2세기에 이미 놓였던 기초 위에 교회가 발달하고 통합되었다. 이 발달은 공식적인 사역의 지위와 형성, 개별 교회의 내부 조직, 교회 간의 관계에 영향을 주었다.

'교회'라는 낱말은 일차적으로 특정한 지역, 즉 실제로 도시를 중심으로 하고 변두리 배후지를 포함하는 특정한 폴리스에 있는 그리스도인들의 모임을 계속 가리켰다. 하지만 그런 '도시'들은 규모에서 아주 다양하여 로마, 알렉산드리아 혹은 안디옥과 같은 국제적 중심지로부터 오늘날 기준으로 볼 때 작은 읍 정도에 지나지 않는 도시까지 있었다. 교회의 규모와 복잡도도 거기에 따라서 달랐다. 어떤 장소에서는 모든 그리스도인들이 정기적인 성찬 모임을 위하여 함께 모일 수 있었다.

로마와 알렉산드리아가 같은 곳에서는 주변 도시들이 발달하여 결국 후대 '교구'(파로이키아)와 비슷한 특성을 갖게 되었다. 하지만 교회의 규모와 복잡도가 어떠하든지, 교회의 통일 혹은 (키프리안의 말을 빌리면) 콘센시오(*consensio*)는 지역 감독이 전체 교회의 지도자이며 목사라는 사실에 나타나 있었다. 교회에 의해 선출된 감독은 이웃 감독들의 안수에 의하여 임명되었다. 이 안수는 감독이 목회하면서 자기가 속한 그 지역 교회의 대표일 뿐만 아니라 공(公) 교회의 대표이기도 하다는 사실을 가리킨다. 일단 선출되어 임명된 감독은 교회에서 치리자였다.

감독은 공동체의 재정적인 문제를 관할했고, 교회의 중요한 선생이었고, 다른 직분자들(장로, 집사 등)을 선출하고 임명했고, 권징을 시행했고, 세례와 성찬 모임을 집전했다. 감독은 (「클레멘트1서」가 1세기 말엽에 표현했던 것처럼)[1] 성찬 예배에서 "희생제사를 드렸다"는 사실 때문에 사케르도스(*sacerdos*) 혹은 히에레우스(hiereus)('사제')라고 불리게 되었다. 이 칭호는 그의 동료 즉 장로들에게도 사용할 수 있었다.

하지만 감독은 행정과 목회와 예배에서 지도력을 혼자 행사하는 것은 아니었다. 3세기에는 교회를 섬기는 직분(헬라어 클레로이, 이 말에서 영어 'clerk', 'cleric' 'clergy'가 나옴)이나 성직위계(라틴어 오르디네스, 이 말로부터 영어 'ordination'

이 나옴)가 많아졌다. 이 직분과 성직을 가진 사람들은 라이코이 혹은 플렙스(plebs)('평신도', '백성')라고 했던 비직분자들과 점점 구분되면서 감독과 집사와 장로뿐만 아니라 때때로 성경낭독자, 과부들, 부집사, 동정녀들, 여집사들, 문답 교수자, 복사, 구마사, 문지기 등도 포함했다. 말할 필요도 없이, 이런 발전은 작은 공동체에서는 좌우간 느리고 비공식적이고 순탄하지 않은 모습으로 나타났고 큰 공동체에서는 좀더 자세했다.

이들 직분을 가진 자들 가운데 가장 두드러지는 사람은 의심할 여지없이 집사들이다. 이들은 감독의 개인적인 보조자로 예배식에서 중요한 역할을 맡았을 뿐만 아니라 직접 공동체의 구제 활동을 실행하는 책임도 맡았다. (로마에서처럼) 이들의 수는 사도행전 6:3에 따라 보통 일곱 명으로 제한되었다. 데키우스의 핍박에서 순교했던 로마의 감독 파비안(236-250)은 교회 행정을 위하여 도시를 일곱 지역으로 나누었다. 각 지역에는 그 감독자로 집사가 있었다. 그러므로 감독이 죽었을 때 이 감독의 집사들 가운데서 한 사람이 그 자리에 선출되었던 것이 거의 분명했다.

하지만 장로의 성직은 이 시기 동안에 중요해지고 있었는데, 특별히 그리스도인들의 수나 지리적 분포로 인하여 감독의 지도에 따라 단일한 지역 교회로 모이는 것이 어렵거나 불가능하게 되었던 교회에서 그러했다. 원래 감독의 공동 지도자이며 충고자이며, 동료이던 장로들은 위엄은 있지만 드러나지 않는 활동을 담당했다. 하지만 새로운 상황에서 그들은 지역 교회에서 교훈과 궁극적으로는 성찬 기념을 위하여 감독의 대표자나 파견자가 되었다.

그래서 장로는 감독의 책임 안에서 변두리나 시골 지역으로 여행하거나 거기서 거주할 수 있게 되었다. 혹은 그들은 큰 도시 안에서 이웃 교회를 관할할 수 있었다. 감독이 한 도시 이상을 책임지게 되었던 몇몇 곳에서는 적어도 잠시 동안 장로가 새로 만들어진 교회의 중심 목회자가 되었다. 하지만 그리스도인들 모임마다 자기네 감독을 중심으로 삼아야 한다고 믿는 경향이었다. 3세기 말경에 아프리카 속주에는 약 200개의 도시와 읍에 감독들이 있었다.

집사들과 장로들과 나란히 소위 소성직계(小聖職階)(minor orders)의 구성원들이 교회 생활에서 중심 역할을 했다. 예를 들어, 여집사직은 적어도 시리아의 교회들에서 소성직계보다 더 많았던 것으로 보인다. 이 교회들의 관행은 3세기 「사도법령」(*Didascalia Apostolorum*)의 명령에서 나타내던 바였다. 이 책에서 여집사들을 간단히 '집사들'이라고 언급하고 있고, "우리 주님이시며 구세주께서도 여성 사역자들의 도움을 받으셨다"[2]는 근거에서 여성들에게 특별한 사역을 위임했다. 로마뿐만 아니라 카르타고에서 알게 되는 부집사들은 예배와 행정 일에서 집사들을 돕는 자들이었다. 과부라는 성직의 구성원 되는 일과 규정은 일찍이 1세기 말엽부터 문제였다. 이 과부들은 기도와 병든 자와 궁핍한 자들의 심방에 전념했다.

가장 자주 언급되는 성직 가운데 하나는 낭독자이다. 이들은 예배에서 공적인 성경 낭독을 맡았고, 당연히 읽는 책들을 간수하는 자였다. 일반적인 또 다른 성직 가운데는 교리 교사가 있었다. 그리고 3세기에 교리문답제도가 좀더 자세하게 형성되는 것과 아울러(II:13 참조), 이 교리 교사는 큰 위엄과 책임을 맡는 직위가 될 것이었다.

교회에서 직분과 성직이 자세하게 된 것과 별도로 3세기에는 기독교 공동체 생활에 특별히 중요한 다른 발전이 있었다. 교회들은 법의 영역 바깥에 있지만 의심할 나위 없이 모든 장소는 아니더라도 많은 장소에서 사실상 존재하는 것으로 인정받았으므로, 감독을 통하여 재산의 소유자가 되었다. 물론 교회들은 처음부터 신실한 자들이 낸 헌금으로 모인 돈을 처리했다. 하지만 교회들은 건물이나 다른 부동산을 소유하지는 못했다. 그들의 모임 장소는 개별 신자들이 사용할 수 있는 개인 집이었다. 하지만 (동부 시리아에 있는) 두라 유로파스와 아퀼레이아 발굴지가 드러내는 것처럼, 3세기 동안 교회들은 나름대로의 모임 장소를 건축하지는 않았지만 얻기 시작했다.

로마 교회는 제피리누스의 시대에 로마의 묘지를 얻기 시작했던 것으로 보인다. 이 증거는 거의 없지만 일반적이며 보편적인 경향을 대표할 것이다. 왜냐하면 교회 재산의 반환 소송이 4세기 초기에 제국의 관용 칙령에서 갑자기 나타나기 때문이다. 그런 재산을 보통 구입하여 획득했든지 아니면 유증(遺贈)과 기부에 의하여 획득했는지는 모르는 일이다. 좌우간 교회의 재산 취득은 감독과 그의 집사들에게 자선 활동과 교회의 활동과 직분자들을 돕는 일에 정기적인 수입원이 되기도 하지만 행정적인 부담이 되는 것이었다(또한 시험도 되기도 했다).

마지막으로, 3세기에 우리는 말 그대로 시작에 불과하지만 지역 교회 수준에서 조직의 시작을 본다. 이미 2세기에 소아시아에서 생긴 몬타누스주의의 위기와 부활절 날짜에 대한 논쟁으로 인한 결과로서 감독 공의회가 일반적인 문제들을 논의하고 해결하려고 지역에 근거를 두고 모였다. 기독교 세계의 많은 영역에서 이 관행은 보편적인 것이 되었다. 교회의 대표자이며 지도자인 감독들은(단일신론자인 사마사타의 바울의 사건을 살피기 위하여 동방에서 모인 잇달은 공의회처럼) 격렬한 문제를 다루기 위하여 혹은 간단히 일반적인 문제를 논의하기 위하여 모이게 될 것이었다. 어떤 지역에서 그런 공의회나 종교 회의는 정기적으로 모이게 되었다. 아프리카 속주에서 ― 감독의 직분의 본질에 대한 키프리안의 가르침과 타락한 자들의 문제를 해결하기 위하여 공의회 차원의 행동에 호소하는 데 나타난 그의 모범과 일치하여 ― 공의회가 매년 모이게 되었다.

공의회 제도의 발달과 아울러 체계가 나타나기 시작했다. 교회들과 그 감독들은 이 체계에서 특정한 속주나 지역에서 특별한 지위와 권위를 가진 자로 인정을 받았다. 이 교회들은 보통 속주 수도에 있는 것들이다. 그리고 이 교회들은 바로 그런 이유로 기독교가 그 지역에서 처음에 전파될 때 중심지였다. 그러므로 카르타고는 아프리카 속주의 '어머니 교회' 자리였다. 그리고 그 감독은 적어도 키프리안 시대로부터 그 속주의 감독 공의회를 소환하고 주재했다. 그와 마찬가지로 로마 교회와 그 감독은 자연스럽게 이탈리아의 교회들을 대부분 감독했다. 마치 알렉산드리아가 이집트의 교회들을 감독했던 것과 마찬가지였다.

결국 — 그러나 4세기에 이르러서 — 이처럼 막 생기려고 하는 조직 체계는 좀더 높은 사법권에서 한 수준이 아니라 두 수준이 생기게 했다. 동방에서 그리고 서방에서 훨씬 더 점진적으로 속주마다 '대도시' 교회와 감독을 가지게 되었다. 그러나 어떤 교회들은 — 두드러지게는 로마, 알렉산드리아, 안디옥, 카르타고 — 단일한 속주의 영역보다 훨씬 더 넓은 지역으로 확산된 권위를 가지고 있다고 인정받았다. 그런 교회들은 조금 이후 시대에 '총대주교구'라고 부르게 되었고, 서방에서는 동방의 알렉산드리아에서처럼, '교황'(파파스)이라는 표현을 주교관구의 감독들에게 정기적으로 사용하게 되었다. 하지만 처음에는 절대적으로 그랬던 것은 아니다.

12. 공적 예배와 거룩한 절기

아주 초기부터 그리스도인들은 매주 첫날에 규칙적으로 모임을 가졌는데[1] 유대의 전통적인 방식으로 그 전날의 해질 무렵을 새 날의 시작으로 계산하였다. 이 날을 지키는 것은 그들의 생활 패턴에서 핵심적인 일이었다. 이 날을 가리키는 일반적인 이교적 명칭인 '일요일'(*dies solis*, Sun-day)이라는 이름에 그리스도인들도 익숙해 있었지만, 그러나 그들 나름의 이름을 붙였다. 그리스도인들은 이 날을 '주일'(the Lord's Day)[2]이라고 불렀는데, 아마도 그것은 전통에 따르면 주님이 그 날에 부활하셨기 때문이었다. 또한 그들은 이 날을 '여덟번째 날'[3]이라고 불렀는데, 이 날에 "하나님께서 새로운 세상을 시작하였으므로"[4] 마치 하나님의 나라가 일반적인 세상을 초월하는 것처럼, 이 날도 그와 같은 방식으로 일반적인 한 주간의 범주를 '넘어서는'(beyond) 날이라고 생각하였기 때문이었다. 그러므로 이 날은 우울하거나 슬픈 날이 아니라 축일(祝日)이었다.

그 전통이 발전하여 이 날에는 아무도 금식하거나 무릎을 꿇는 것이 허락되지 않았다. 매주 첫날에 갖는 집회에서 신자들은 자신들이 부활하신 그리스도 안에서 공유하는 새로운 생명과 소망을 축하하였다. 따라서 그 날의 특징적인 행사 가운데 한 가지는 주님께서 최후의 만찬에서 제자들과 함께 하신 성만찬의 의미를 담고 있으며 또한 그것을 반복하는 제식(祭式)의 음식을 함께 나누는 것이었다.

고린도전서 11:23-25에 기록된 가장 초기 형태의 성찬식에 관한 전승에 따르자면, 최후의 만찬 때에 예수님은 (음식을 나눌 때에) 빵에 대한 관례적인 감사를 드렸으며 (음식을 다 나누신 후에) '축복의 잔'(cup of blessing)에 대하여서도 감사를 하시고, 그 두 요소를 따로 놓으셨다. 그 두 요소는 승리의 죽음을 당하시는 예수님 자신을 상징하는 것이었고, 또한 그 죽음의 열매인 하나님과 인류 사이의 '새 언약'을 상징하는 것이었다.

그러므로 교회가 반복하여 지키는 그 성찬은 '재림하실 때까지 주님께서 죽으심'을 선포하는 것으로 이해되었으며 동시에 교회가 지금 여기에서 부활하신 그리스도의 새로운 생명, 즉 '다가올 세대의 생명'[5]에 참여하는 한 방법으로 이해되었다. 아주 초기 시대에 이 제식적 음식은 바로 다음과 같은 의미를 갖고 있었다. 즉 그것은 교회 공동체가 함께 나누는 식사로서, 그 식사에서 빵과 잔에 대한 감사라는 핵심적인 요소와 그것을 함께 나눈다는 의미가 어느 시점엔가 통합된 것이었다.

그러나 시간이 지남에 따라 그 공동의 식사에서 감사와 교제가 분리되어 독립적인 제식이 되었는데, 그것은 아마도 바울이 고린도교회의 회중들 속에서 발견하였던 문제들 때문이었을 것이다.[6] 그 변화는 순교자 저스틴(Justin Martyr)의 때에 이르러 이미 완성되었다. 그리스도인들이 주일에 드리는 예배에 관하여 저스틴이 서술한 글[7]에는 '감사'(eucharist)가 가장 두드러지게 나타나 있다. 그러나 최후의 만찬의 행위들은 일상적인 식사의 맥락에서는 더 이상 나타나지 않는다. 그 결과 앞서 말한 빵과 잔에 대한 다음과 같은 감사의 말이 드려지게 되었다.

"형제들의 지도자(president)는 … 아들의 이름과 성령의 이름으로 우주의 성부 하나님께 찬양과 영광을 올려 드리며, 우리가 그에게서 이것들을 받을 가치가 있는 사람으로 구속하신 사실에 대하여 자세히 감사를 드린다." 그 후에 "집사들이 참석한 각 사람에게 '축사를 받은'(thanksgivinged) 빵과 포도주와 물을 나누어 주었고, 또한 참석하지 못한 사람들에게 가져다 주었다."[8] 그러나 감사의 축제만이 초대교회의 주일 준수의 특징이었던 것은 아니다. 그리스도인들의 제 1 세대부터 신자들은 찬양을 드리거나 교훈을 베풀거나 혹은 기도를 위하여 — 매주 첫날뿐 아니라 다른 날에도 — 모임을 가졌는데, 그 예배의 형태는 유대인의 회당에서 드리는 예배를 모방하였거나 (많은 경우에는 의심할 여지없이 회당의 예배와 완전히 일치하는 것이었다), 저스틴의 시대에 이르면, 그런 집회에 성경 읽기에 대한 강조가 덧붙여져서 매주 '첫날'의 예배를 시작하는 일반적인 집회가 되었다.

"일요일이라고 불리는 날에는 모임이 있는데 … 시간이 허락하는 한도 내에서 사도들의 기록이나 선지자들의 글을 읽었다. 낭독자가 읽기를 끝마치면 회중의 지도자가 강설을 통하여 이런 고귀한 것들을 닮아가도록 촉구하고 권유하였다. 그 다음에 회중이 모두 일어나 기도를 드렸다."[9]

그런 집회들을 짧고 활기찬 모임으로 계획되지도 않았고 실제로 그렇지도 않았다. 저스틴이 제시하고 있듯이, 성경 낭독은 길었다. 그리고 다른 사료들을 보면, 아마도 성경 낭독 전에 시편 찬송이 있었던 것 같으며 낭독 중간에도 때때로 시편 찬송을 드렸다. 3세기에 일부 지역에서는 주교의 '강설'(discourse)이 있은 뒤에 장로 가운데 이야기하기를 원하는 사람이 그것과 비슷한 설교를 하였는데, 이런 순서는 의심할 여지없이 일차적으로 예언자들이 말씀을 전하기 위하여 마련된 것이었다.

가르침이 있은 후에 드리는 기도는 공동체의 중보기도였다. 따라서 기도를 시작하기 전에 세례를 받지 않은 자들은 물러났고 (왜냐하면 "주의 이름으로 세례를 받은 자 외에는 성찬식에서 먹고 마시지 못하게 할지니라"[10]는 규정이 있었기 때문이다), 기도가 끝난 후에는 성찬식이 베풀어졌다. 그리하여 '말씀'을 베풀고 감사함으로 빵과 포도주의 '희생'을 바침으로써, 터툴리안(Tertullian)이 표현하였듯이[11], 그 주일의 주기(週期)가 성취되었다.

이런 한 주간 단위의 주기에 덧붙여 일찍부터 일 년 단위의 두번째 주기가 있었는데, 그 두번째 주기는 그리스도인들의 파스카(Pascha) 준수, 즉 유월절 혹은 부활절 준수에 중점을 둔 것이었다. 초기의 그리스도인들이 — 이방인 출신의 그리스도인들까지도 — 유월절이 상징하는 바를 이해하고 그것에 대단한 중요성을 부여하였다는 사실은 바울이 유월절을 그리스도 중심적으로 해석하기를 강조한 데에서도 뚜렷하게 드러난다("우리의 유월절 양 곧 그리스도께서 희생이 되셨느니라."[12]) 예수님께서 유월절의 희생 양이 도살당하는 날인 "유월절 예비일에"[13] 돌아가셨다는 사실을 요한복음이 특별히 강조하고 있다는 사실을 말할 것도 없다(이 점에서 요한복음은 다른 복음서들과 다르다).

한편 부활절은 그리스도인들에게 새로운 출애굽, 즉 이스라엘 사람들이 애굽에서 해방되었던 사건에서 예시되었던 것처럼 그리스도께서 죽음에서 생명으로 옮겨진 것을 기념하는 축제가 되었다. 소아시아의 교회들은 히브리 달력을 따라 니산월 14일 즉 전통적인 유월절에 그 절기를 지키는 본래의 관습을 오랫동안 유지하였던 것 같다. 그러나 결국에는 유월절 절기를 기독교 주간의 유형에 맞추어 지키는 팔레스타인과 알렉산드리아 그리고 로마 교회의 관습이 우세하게 되었고, 부활절은 '첫날'(first day)의 축제가 되었다. 그러나 그날에는 특별한 의식이 지켜졌으며(주일 새벽이 동트기 전에 어두운 시간 동안에 대대적으로 철야(徹夜)하였던 것이 주목할 만하다), 엄숙한 금식 기간이 뒤따랐는데, 로마에서는 히폴리투스(Hippolytus) 시대에 이르면 그 금식 기간에 금요일까지 계속되었다.

3세기에 동방 교회에서는 그 금식 기간이 나중에 '거룩한 주간'(Holy Week)이 된 주일 전체로 확대되었다. 따라서 기독교력(Christian year)에서 부활절이 가장 핵심적인 절기가 되었으며, 3세기에 이르면 단지 하루만 절기로 지키지 않고 사실상 40일 동안 — 유월절에서 오순절(유대인의 절기)에 이르는 전 기간 — 절기로 지켰는데, 그 절기는 그리스도인이 그리스도의 승리와 그리스도께서 은사로 주신 성령 속에 포함되어 있는 구원의 '신비' 전체를 기념하였다.

13. 세 례

기독교의 유월절과 그 용례와 의미에서 밀접하게 연결되어 있는 세례 의식은 아주 초기 시대부터 그리스도 안에 있는 하나님의 백성이라는 종말론적 공동체에 공식적으로 가입하는 양식이었다. 참회와 정화를 상징하는 물로 씻는 용례는 (이교의 전례는 말할 것도 없고) 유대교 전통에서도 풍부한 전례를 발견할 수 있다. 레위기에 기록되어 있는 여러가지 규정들이나 쿰란 공동체에서 의식으로 채택하였던 규정들은 별도로 하더라도, 유대교로 개종하는 사람들에게도 물로 씻는 규례를 이용하였던 것 같다.

그러나 기독교 세례의 직접적인 선례(先例)는 세례 요한이 행한 세례였다. 그 세례는 회개를 상징하는 것이었고, 따라서 마가복음 1:4에도 "죄 사함을 받게하는 회개의 세례"로 설명하고 있다. 요한의 세례는 명백하게 메시야 시대와 그 시대가 가져올 성령으로 말미암은 새롭게 됨을 고대하는 의식이었다.[1] 요한의 세례는 메시야를 영접하도록 백성들을 준비시키기 위한 목적으로 베풀어진 것이었다.

기독교적 세례는 부활의 체험이 있은 후에야 비로소 베풀어지기 시작했다고 말할 수밖에 없다. 그러므로 기독교의 세례는 요한의 세례와 다른 것이었다. 왜냐하면 기독교의 세례는 메시아이신 예수의 죽음과 부활에서 실현된, 하나님과의 새로운 관계 속으로 들어가는 것을 상징하였기 때문이다. 또한 그렇기 때문에 기독교의 세례는 종말론적인 성령의 은사를 수여하는 것이었다. 기독교의 세례가 이런 성격을 가졌다는 사실은 아주 초기의 증인인 바울에게서 상당히 분명하게 나타난다.

자신의 소명은 가르치는 것이지 세례를 베푸는 것이 아니라[2]고 주장하였음에도 불구하고, 바울은 자신이 개종시킨 모든 사람들이 "주 예수 그리스도의 이름과 우리 하나님의 성령 안에서 씻음과 거룩함과 의롭다 하심을"[3] 얻을 것이라고 알고 있었고 당연히 그렇게 되리라고 생각하였다. 바울에게 기독교의 세례는, 신자들이 세례의 씻음과 그것에 수반된 신앙의 고백으로[4] 말미암아 "그리스도를 옷입게"[5] 된다는 의미였다. 신자들은 "그리스도와 합하여 세례를 받음으로 그와 함께 장사되었다."[6] 따라서 신자들은 더 이상 죄에 노예로 얽매이지 않으며, 세례를 받음으로써 결정적으로 새로운 존재 질서로 옮겨졌다. "너희도 죄에 대하여는 죽은 자요 그리스도 예수 안에서 하나님에 대하여는 산 자로 여길지어다."[7] 신자들이 그리스도의 죽음과 새로운 생명에 참여하는 것은 성령의 은사에 의하여 효력을 발생한다. "우리가 … 다 한 성령으로 세례를 받아 한 몸이 되었고 또 다 한 성령을 마시게 하였느니라."[8]

그 결과 신자들의 공동체는 하나님의 성령이 거하시는 '하나님의 성전'이 되었다[9]고 바울은 말한다. 바울이 세례를 이렇게 이해하였다는 점을 염두에 두면, 후대의 작가들 역시 세례를 심각하게 취급하였다고 해서 그다지 놀랄 일이 아니다.

요한복음의 저자는 세례를 "물과 성령으로 새롭게 태어나는 것"이라고 생각하였고 세례를 받지 않고서는 아무도 "하나님 나라에 들어가지"[10] 못한다고 하였다. 베드로전서에서는 물세례를 노아와 그 가족을 구원한 홍수에 비유하고 있다.[11] 헤르마스(Hermas)는 「목자」(*Shepherd*)에서 교회를 "물 위에 세워진 탑"으로 보는 선지자적 환상을 기록하였는데, 그 이유는 "교회의 생명이 물에 의하여 구원되었으며 앞으로도 구원받을 것이기 때문이었다."[12]

순교자 저스틴도 세례를 새로운 삶의 양식으로 '다시 태어나는 것'(*anagennesis*)이라고 생각하였는데, 그는 독자들에게 "무지와 불가피한 숙명 속에 있는 어린이"의 상태와 죄 용서함을 받은 "지식과 선택의 가능성 속에 있는 어린이"의 상태를 대조하여서 중생을 설명하였다.[13] 저스틴에게 세례는 사람들을 죄에서 해방시켜주는 것이었고, '조명'(照明, *photismos*)[14] 하심을 통하여 사람들이 하나님의 뜻을 행할 수 있도록 해 주는 것이었다. 바울에서부터 순교자 저스틴에 이르는 이런 모든 증언들을 볼 때, 그들은 세례가 옛 신분과 새 신분 사이의, 죽음과 생명 사이의 결정적인 전환점을 대표한다고 확신하였다는 사실이 드러난다. 초대 기독교에서 세례는 이런 의미로 보편적으로 이해되었던 것이다.

대체로 드문드문 발견되는 1세기와 2세기 초반의 문헌에서 세례식의 형식이나 구성요소들을 알려주는 증거는 예상하는 바대로 거의 없다. 그럼에도 불구하고 그 문헌들은 교회에 가입하는 과정의 핵심적인 순간들을 지적하고 있다. 물론 세례식의 핵심은 물로 씻는 것 그 자체이다. 「디다케」에 따르자면, 가능한 한 물로 씻는 것은 "살아 있는(즉, 흐르는) 물에서" 베풀어져야 하며, 아마도 물에 잠기도록 하였던 것 같다. 그러나 흐르는 물이 없을 경우에는 고여 있는 물을 이용하는 것도 허용되었으며 심지어는 "머리에 물을 부어"[15] 세례를 주는 것도 받아들여졌다. 이렇게 씻는 의식에는 항상 신앙고백이 함께 행하여졌음이 분명한데, 그 신앙고백은 바로 초대 교회에 '세례식의 신앙고백'(baptismal formula)으로 알려져 있던 것이었다.

바울은 "주의 이름을 불러(의지하여)"[16] 세례를 받았다. 간다게 여왕의 국고를 맡은 내시는 사도행전의 초기 교정본에 덧붙여진 기록에 따르자면 "나는 예수 그리스도께서 하나님의 아들이심을 믿는다"는 고백을 드리고 세례를 받았다.[17] 앞에서 살펴본 것처럼(II:4 참조), 이 신앙고백은 일찍부터 마태복음 28:19의 기록과 일관되게 삼위일체적 형식을 취하기 시작하였다. 신자들은 새로운 생명의 삼중적인 원천, 즉 주님이신 예수님과 그를 보내신 성부, 그리고 신자들을 그리스도의 몸에 연합시키시는 성령을 인정하고 확인함으로써 그 새로운 생명에 들어갔다.

그러나 적어도 일부 지역에서는 단순히 신앙고백을 동반한 물로 씻음 이외의 다른 요소들도 교회에 가입하는 의식에 포함되고 있었다. 사도행전은 이 과정이 다음의 세 가지 요소로 이루어진 것으로 이해하고 있다: 회개와, "예수 그리스도의 이름으로 죄사함을 위한" 세례와, "성령을 선물로"[18] 받는 것.

이 세 요소 가운데 첫번째 요소는 어떤 의미로는 분명히 예비적인 것이다. 회개는 기독교에 가입하는데 필수적인 전제조건이었으며, 결국 세례식 그 자체뿐 아니라 세례문답 제도에서도 특정한 의식으로 모습을 갖추게 되었다. 두번째 요소는 신앙고백과 함께 물로 씻는 의식이었는데, 사도행전은 이 의식을 특별히 죄의 용서에 결부시키고 있다(이 의식을 이렇게 이해하는 것은 아마도 바울의 견해보다도 협소한 관점을 취하는 것이다).

사도행전의 저자는 세번째 요소 즉 성령을 받는다는 것을 그리스도인의 삶으로 들어가는 본질적인 구별(*differentia*)로 본다.[19] 또한 그는 성령을 받는 것을 (백부장 고넬료의 경우에는 그렇지 않지만[20]) 안수하는 의식과 관련짓고 있는데, 언제나 그런 것은 아니지만 일반적으로 안수 의식은 세례를 받은 직후에 베풀어지는 것이 적절한 것으로 여겨진다.[21] 사도행전에서 다소 혼동스런 증언을 통하여 보여주는 내용은, 서로 다른 계기로 기독교에 들어온 여러 사건들이 세례식 자체에서 유지되는 지속적인 요소들과 연결되는 과정의 시초이다.

기독교로 가입하는 것에 대하여 비교적 충분하게 설명한 최초의 기록은 3세기가 시작할 즈음에 나타났는데, 주로 로마의 히폴리투스(Hippolytus of Rome)의 「사도적 전통」(*Apostolic Tradition*)에서 찾아볼 수 있고 또한 터툴리안의 「세례에 관하여」(*On Baptism*)라는 논문에 포함되어 있는 여러 보고서들에서도 발견할 수 있다. 이 두 책 모두가 세례식의 뚜렷한 모습을 증거할 뿐 아니라 세례식의 엄숙함과 세례식이 점진적으로 다듬어진 사실, 그리고 세례식이 교회의 생활과 의식(意識)에서 중추적인 위치를 차지하고 있었다는 사실을 증거한다.

주일마다 가졌던 성찬식과는 달리 세례식은 일반적으로 일년에 단 한 번 (많아야 두 번) 거행되었다. 다른 말로 하자면 세례식은 한 주를 단위로 거행된 전례가 아니라 일 년 단위로 거행된 의식이었다. 그리고 세례식은 기독교의 유월절, 즉 부활절이나 오순절을 지키는 것과 연관되어 거행되었다. 히폴리투스의 설명에 따르면[22], 세례식을 위한 준비는 예식이 있는 주일 전 목요일부터 시작되었는데, 그 날에 세례지망자들은 목욕하도록 지시를 받았다. 금요일과 토요일에는 회개의 표시로 금식하였다.

세례식은 주일 날 "닭이 울 때" 시작되었다. 물 위에서 기도가 드려지고 세례 지망자들은 의복과 장식물을 벗었다. 벌거벗은 채로 그들은 엄숙하게 사탄과 그의 종들과 사탄의 행위들을 포기하였고, 그들에게 "마귀를 쫓는 기름"(the oil of exorcism)이 부어졌다. 그 다음에 그들은 집사의 인도를 받아 물에 들어갔는데, 아기들과 어린이들이 먼저 들어갔고 (부모들이 그 아기들을 위하여 대답하였다) 그 다음에 남자와 여자의 순서로 들어갔다. 물 속에서 장로가 그들 각 사람을 세 번씩 씻어주었는데, 장로의 질문(II:4 참조)에 대답하여 각자 세번씩 신앙고백을 하는 것에 맞추어 씻어주었다.

물에서 나온 다음에 그들에게 두번째로 기름이 부어졌는데 그것은 "감사의 기름"(oil of thanksgiving)이었다. 그 후에 몸을 말리고 옷을 입고 교회로 모인 회중에 참여하였다. 회중 가운데서 감독이 그들 각자에게 손을 얹고 기도하였고, 그들의 이마에 기름을 바르고 십자가 표시를 하였다. 세례식에 이어서 성찬식이 계속 진행되었는데, 이 때 새로이 세례를 받은 사람들이 처음으로 성찬식에 참여하였다.

이런 세례식의 구조에서 (세부적인 내용은 교회마다 달랐다) 회개, 세례, 안수의 순서로 기록한 누가의 특징을 쉽게 찾아볼 수 있다(비록 누가와는 달리 터툴리안이나 히폴리투스 두 사람 모두가 성령 은사를 세례 자체와 분리하려는 시도는 어느 곳에서도 하지 않았지만). 또한 그 의식이 한 생명의 질서와 맥락에서 다른 생명의 질서와 맥락으로 전환하는 것을 얼마나 극적으로 상징하였는지도 쉽게 평가할 수 있다.

기독교에 가입하는 것이 사망으로부터 생명으로 근본적으로 '전환'하는 것을 나타낸다는 생각은 3세기를 거치면서 교리문답 제도가 도입되고 체계적으로 발전하면서 더욱 강화되었는데, 그 제도는 가입을 위한 예비적인 단계를 아주 길게 확대하였다. 이미 히폴리투스에게서 이런 발전의 시초가 뚜렷하게 나타났다. 터툴리안은 사람들이 기도와 금식과 죄를 고백함으로 세례를 받기 위한 준비를 하여야 한다고 주장하였다[23]. 그러나 히폴리투스는 권면하는 것으로 만족하지 않고 세례를 받으려는 사람들에 대한 질서있는 훈련을 규정하였다.

사람들이 세례를 받으려고 신청하면, 그들의 생활 태도와 직업에 대하여 정밀하게 조사를 하였고, 마침내 세례 지망자로 받아들여진다고 하더라도 실제로 세례를 받기까지 3년 동안을 세례 지망자로 있으면서 교육을 받고(katechoumenoi) 테스트를 받았다. 이런 식의 절차가 일반화되자 교회는 세례 지원자들의 성장을 체계화하여 그들이 단계적으로 그리스도인의 신앙과 생활의 신비를 이해하도록 엄숙하게 이끌었다. 히폴리투스가 주장하였듯이[24] 불신자들은 그런 신비를 알 수 없었다. 나중에 사도신경과 같은 형태로 발전한 선언적 신조들이 세례 지망자들이 암기하여야 할 기초적인 교훈으로 또한 기독교 신앙의 요약으로 역할하게 된 것은 바로 이런 체계화된 세례 지원자 교육 제도 속에서 생겨난 것이었다.

이런 전반적인 발전의 한 가지 결과는 많은 사람들이 자신의 생애에서 상당한 시간을 세례 지망자로서 보내게 된 것이었다. 터툴리안조차도 사람들이 세례가 요구하는 경건한 삶을 살아가기 위하여 충분히 진실되게 준비를 갖출 때까지 세례 받는 것을 미루는 것이 신중하다고 생각하였다. 그의 시대에는 이미 아기와 어린이들에게 세례를 베푸는 것이 확립되어 있었는데도 말이다. “만일 세례의 중요성을 이해하는 사람이라면, 세례 받기를 연기하는 것보다 세례 받는 것에 대하여 더 조심할 것이다”[25]라고 그는 말하였는데, 세례 지원자 교육제도는 세례의 ‘중요성’에 대한 이러한 확신을 보여주는 지속적인 증거였다.

초기 기독교 공동체에서 세례식은 문자 그대로 삶과 죽음의 문제로 여겨졌다. 세례의 중요성에 관한 한 강조의 차이는 있었지만 논란은 거의 없었다. 세례는 성령의 은사를 통한 사죄와 그리스도 안에서의 새로운 탄생을 의미하였다. 그러므로 세례는 엄격한 의미에서 교회의 본질적인 구성요소였다.

그러나 바로 이런 사실 때문에 세례식의 중요성에 관한 토론보다는 세례가 “참답게 베풀어지기” 위하여 필요한 조건들에 관한 토론이 불가피하게 제기되었다. 세례를 받은 사람이라면 원칙적으로 누구든지 세례를 집행할 수 있다[26]는 터툴리안의 주장에 모든 사람들이 의심없이 동의하였을 것이다. 그러나 이단적인 공동체나 분파로 갈라져 나간 공동체에서도 사죄와 성령 안에서의 생명을 전하는 세례를 참답게 베풀 수 있는가? 분파로 갈라져 나간 공동체에서 세례를 받은 사람이 다시 가톨릭 교회로 복귀하기를 요청하였을 때 그들을 어떻게 대하여야 하는가의 문제를 놓고 카르타고의 키프리안(Cyprian)과 로마의 스테파누스(Stephen, 254-257) 사이에 논쟁이 벌어졌다. 스테파누스는 안수함으로써 그들을 다시 가톨릭 개종자로 받아들일 수 있다고 생각하였는데, 그런 정책은 그 사람들을 올바르게 세례를 받은 사람들로 간주하는 것이기 때문에, 분파적 집단을 '교회'로 인정하거나 아니면 교회 밖에서도 세례가 주어질 수 있다고 인정하는 결과가 되었다.

그러나 키프리안은 그와 같은 두 가지 전제를 모두 배격하였다. 성령은 오직 하나님의 성령의 전인 교회에만 주어졌기 때문에 분파적 집단에서 세례를 받은 사람들은 전혀 세례를 받지 못한 것이며 따라서 다시 세례를 받아야만 가톨릭 교회 속으로 받아들여질 수 있다는 것이 키프리안의 견해였다. 스테파누스가 257년에 죽고 키프리안도 그 이듬해에 순교함으로써 논쟁은 중단되었다. 북 아프리카의 교회들은 계속하여 키프리안의 견해를 따랐는데, 그것이 나중에 도나투스파 논쟁(Donatist controversy)에서 문제가 되었다.

14. 성찬식

초대 교회에서 성찬식을 어떻게 이해하였는가에 대하여는 이미 어느 정도 설명을 하였다. '성찬식'(eucharist)이라는 용어는 적어도 1세기 말엽에 생겨났으며, 아마도 본래는 "빵을 떼는 것"[1]을 지칭하였던 그 의식을 가리키는 말로 일반적으로 널리 사용되게 되었다. 그 용어는 일차적으로 그리고 아주 고유한 의미로 교회의 제식(祭式)의 음식으로 사용되는 빵과 포도주에 대하여 하나님께 드리는 감사를 의미하였다. 그러나 의미가 확대되어서 그 용어는 주일의 전례 전체를 가리키게 되었는데, 그 속에는 말씀의 사역(II:12 참조)도 포함되었고 또한 제식의 식사의 절정에서 신실한 사람들이 서로 나누는 '축사를 받은'(thanksgivinged) 포도주와 빵도 포함되었다.

우리가 앞에서 살펴보았듯이, 이런 행위 전체가 상징하는 것은 죽으셨다가 다시 새로운 생명으로 승리하신 그리스도였으며 (세례가 신자들을 부활의 '신비' 속으로 들어가게 하는 것과 동일한 것이다), 그 의식을 수행하는 의도는 교회로 모인 회중이 십자기에 달리셨다가 부활하신 주님의 종말론적이고 초시간적인 생명에 참여하는 것이었다. 이런 참여는 예수님께서 자신의 몸과 피라는 의미를 부여하신 빵과 포도주를 서로 나누는 의식에서 완성되었다.

2, 3세기의 사료들에는 성찬식에 관하여 언급하였거나 혹은 초기 그리스도인들이 성찬식을 어떻게 이해하였는지를 제시해 주는 자료가 많이 있다. 그러나 중세 시대와 종교개혁 시대를 특징지었던, 성찬식을 체계적으로 이해하고 합리화하려는 논의나 사색은 초대 교회에서는 거의 찾아볼 수가 없다. 세례에 관한 설교나 가르침처럼 성찬식에 관한 초대 기독교의 설교와 가르침은 '문자적인' 설명이나 해설의 영역이 아니라 생생한 은유의 영역이었다. 실제로 초기의 그리스도인들은 성찬식 자체를 행동으로 나타난 은유로 생각하였다. 틀림없이 그들은 성찬식을 단순히 설교의 형태가 아니라 어떤 실체 안에서 그리고 그 실체를 통하여 다른 실체를 파악하는 것으로 (혹은 파악되는 것으로) 이해하였다.

초기 그리스도인들이 성찬식을 어떻게 이해하였는지를 살펴보는 실마리는 아마도 감사하는 행위와 생각 그 자체일 것이다. 하나님께서 창조와 구속 사역에서 은사로 주신 축복이었던 빵과 포도주에 대하여 감사하였던 유대인의 '찬송' (benedictions)에 근거를 둔 성찬식의 '큰 감사' (great thanksgiving)는 그리스도 안에서 하나님께서 행하신 구속 사역을 그분 앞에서 고백하고 기념하여서 (*anamnesis*) 하나님께 찬양을 드리는 것이었다. 그러나 감사를 드림으로써 기념하는 것은 단순히 기억한다는 정신적인 행위에 불과한 것이 아니었다.

유월절 음식을 먹으면서 출애굽을 '기념한' 유대인들은 그 행위 속에서 출애굽한 백성 속에 포함되었다. 즉 기념을 통하여 옛날의 사건에 참여하였던 것이다. 그것과 마찬가지의 상징으로서, 하나님께 드리는 감사를 통하여 그리스도의 구속적 죽음과 부활을 회상한 그리스도인들은 그 기념 행위 속에서 그리스도에 참여한 자가 되었다. 즉 그리스도께서 행하신 모든 일과 존재와 뜻하신 바에 참여하게 되었다.

더구나 그리스도인들은 단순히 말로 그것을 기념하였을 뿐만 아니라 빵과 포도주를 취하고 축복하고 나누는 행동으로도 기념하였다. 이런 행동 자체가 기념이었다. 그것은 예수님이 그의 피로 세우신 새 언약을 상징하기 위하여 행하셨던 일을 다시 재현하는 것이었다. 그러므로 감사를 드리는 모든 전례(典禮)는 하나님께 찬양을 드리는 것이었고, 그것을 통하여 교회로 모인 회중이 그리스도 안에 있는 새 생명에 붙잡힌 바 되는 것이었다. 그러므로 이그나티우스(Ignatius)가 성찬식을 '불멸의 약' (medicine of immortality)[2]이라고 묘사한 것도 의외가 아니다.

왜냐하면 그는 '불멸'을 새로운 생명을 가리키는 말로 사용하였기 때문이다. 또한 터툴리안과 같은 작가들이 어떤 곳에서는 단순히 '주님의 몸'을 '성찬식'[3]과 동일하게 여기다가 다른 곳에서는 성찬식의 빵이 그리스도의 몸을 '상징하는 것'[4] 혹은 "그리스도의 몸을 나타내는 것"(*repraesentat*)[5]으로 주장하는 것도 이해할 수 있는 것이다. 터툴리안이 말하고자 하는 목적에 따라, 그 말의 두 가지 형태는 각각의 의미를 서로서로 해석하였으며, 하나님께서 그 속에서 단번에 구속을 이루신 그리스도와, 그리스도를 '의미하는' 빵과 포도주가 서로 부합한다는 것을 서로 다른 방식으로 주장하였던 것이다.

성찬식에서 교회가 하는 행위가 그리스도의 약속과 하나님의 은혜로우심에 의하여 그것이 회상하고 기념하는 실체와 동일시된다는 이 신념은 키프리안의 가르침에서 나타나듯이 더욱 발전하였다. 아주 초기부터[6] 성찬식의 행위를 '희생' 또는 '제사'로 지칭하는 것이 일반적이었다. 그러한 말은 성찬식이 하나님께 찬양과 경배와 기도를 바치는 것이라는 사실을 표현한 것이었고, 또한 성찬식을 통하여 사람들의 '헌상'(gifts)이 하나님께 바쳐진다는 사실을 표현한 것이었다.

그러므로 히폴리투스가 「사도적 전통」에서 제시하고 있는 성찬식 기도의 모범에서는 주교가 어느 시점에서 "우리가 이 빵과 이 컵을 당신에게 바칩니다"[7]라고 말하도록 되어 있다. 피조 세계의 물질들을 하나님께서 사용하시도록 바치는 일은 이미 이레내우스(Irenaeus)가 영지주의를 논박하면서[8] 강조하였던 것이었다. 성찬식을 희생으로 보는 사상은 초기의 일부 작가들에게서는 기껏해야 어렴풋하게 표현되었지만, 그러나 키프리안에 이르러서는 그 사상이 궁극적으로 그리스도를 "자신을 바치심으로"[9] 구원을 이루신 '대제사장'으로 보는 시각에 근거하여 설명되었다.

그리스도의 구속 사역을 기념하고 거기에 참여하기 위하여 교회는 인간 제사장을 통하여 최후의 만찬 시에 "그리스도께서 하신 일을 모방함으로써" 사실상 그 자신의 찬양의 희생을 드리며, 그리스도께서 단번에 자신을 바치신 희생에 참여하는 것이라는 사상은 키프리안에게서 나온 것이었다.

왜냐하면 그는 "그리스도께서는 우리 모두를 대신하시며 우리의 죄도 대신 담당하신다"고 기록하였고 성찬식에서 "신자들의 회중은 교회가 믿는 그리스도와 연합하며 그에게 참여한다"[10]라고 주장하였기 때문이다.

이 마지막 구절에서 표현된 사상이 성찬식에 대한 초기 그리스도인들의 생각을 가장 근본적으로 표현해 주는 것으로 보인다. 바울은 고린도의 신자들에게 "우리가 축복하는 바 축복의 잔은 … 그리스도의 몸에 참예함이 아니냐"[11]라고 말하였다. 키프리안은 바울의 사상을 따라 전통적인 표상을 발전시켜서, "많은 곡식들이 한데 모여져서 제분되고 한 덩어리로 뒤섞여서 빵이 되듯이, 우리들도 성찬식에서 하늘의 빵이신 그리스도 안에서 하나로 나타나며, 우리가 연합하고 하나가 될 오직 한 몸이 있음을 알게 된다"[12]고 주장하였다.

15. 사죄

초대 기독교는 일반적으로 세례가 과거의 죄에 대한 하나님의 용서를 수반한다고 이해하였다. 또한 세례식에서 사죄의 은사를 받기 위한 하나의 계기 혹은 조건은 신자의 회개(conversion) 혹은 참회(*metanoia*)라고 이해하였는데, 그 회개의 증거는 죄의 인정과 금식과 기도에서 구하였을 뿐만 아니라 생활의 변화에서도 찾았으며 필요하다면 직업을 바꾸는 것도 포함되었다. 새로이 그리스도인이 된 사람은 그리스도를 고백하고 우상숭배를 피하며 모든 사람에게 자비를 베풀고 성적인 순결을 엄격하게 지키고 재산의 축적과 세상적인 일에 연루되는 것을 회피하는 새로운 삶을 살도록 요구되었다.

그 당시에 기독교의 '권징' (*disciplina*)의 표준은 높고 엄격하였다. 불가피하게 신자들은 그 표준에 미치지 못하게 되었다. 때로는 사소하고 평범한 방식으로 그런 표준에 미치지 못하는 경우도 있었으나 다른 경우에는 아주 극적이고 물의를 일으키는 방식으로 그 표준에서 벗어나서 결국 기독교 신앙 고백과 모순되는 경우도 생기게 되었다.

헤르마스는 「목자」에서 "고아와 과부의 생계를 탐하는 … 집사들"[1]과 "서로 다투는 사람들"[2], 그리고 "입술로는 주님을 섬긴다고 하면서 마음으로는 주님을 모시지 않는 사람들"[3] 또한 "부유한 사람들과 대규모 사업에 종사하는 사람들"[4]에 충격을 받고 그들에게 진노하였다. 따라서 세례를 받은 후에 범죄한 사람들을 어떻게 다룰 것인가 하는 문제가 교회에 심각하게 제기되었다.

세례 후에 죄를 저지른 사람들은 하나님의 선택된 백성인 기독교 공동체에서 배제되었는가? 그들은 용서를 받을 수 있었는가? 헤르마스가 환상을 통하여 전달받은 메시지를 전달해야 할 부담을 선언하였을 때, 그는 2세기 초에 로마의 교회가 가지고 있었던 태도를 상당히 밝혀 주었다. 즉 그의 말에 주목하여 회개하는 사람들에게는 사죄가 뒤따를 것이지만, "(회개의) 날이 정해진 후에도 여전히 범죄하는 사람들은 구원을 얻지 못할 것이다."[5] 그러나 하나님께서 그의 백성 즉 교회에게 회개의 기회를 역사 속에서 오직 한 번만 허락하셨다는 헤르마스의 사상은 일반적인 견해를 표현한 것은 아니었다고 보인다.

(로마에서 씌어진 것으로 보이는) 히브리서도 사실상 "우리가 진리를 아는 지식을 받은 후 짐짓 죄를 범한즉 다시 속죄하는 제사가 없고"[6]라고 강조하고 있다. 그러나

요한 서신에서 나오는 교회들은 "만일 우리가 우리 죄를 자백하면 저(하나님)는 미쁘시고 의로우사 우리 죄를 사하시며"[7]라고 가르침을 받았다. 그러나 요한 서신의 저자도 "사망에 이르는 죄"[8]가 있다는 사실을 인정하였다. 그렇다면 어떤 죄 혹은 어떤 종류의 범죄는 그 자체로서 죽음을 불러오는 것이며, 그런 죄를 지은 사람들에게는 사죄가 베풀어질 수 없다. 그러나 좀더 평범한 범죄의 경우에는 회개하는 사람들에게 하나님의 사죄가 언제나 베풀어질 수 있다.

3세기가 시작될 무렵에는 요한서신의 견해가 이미 우세하게 되었으나, 상당히 발전된 형태로 나타났다. 한편으로는 특정한 범죄들은 용서를 받을 수 없다고 일반적으로 믿어졌다. 요한일서의 "사망에 이르는 죄"에 관한 구절을 주석하면서 오리겐(Origen)은 우상숭배와 간음 등이 하나님께서 용서하시지 않는 범죄라고 명확하게 밝혔고, 그런 죄를 용서하려는 주교들('사제들')을 꾸짖었다.[9]

터툴리안 역시 '사함받을 수 있는' 죄와 '사함받을 수 없는' 죄[10]를 구분하였고, 우상숭배와 간음뿐 아니라 신성모독과 배교와 같은 죄를 사함받을 수 없는 죄 속에 포함시켰다.[11] 다른 한편으로는 오리겐과 터툴리안 두 사람 모두 대부분의 평범한 범죄는 상호간의 용서와 기도에 의하여 또한 금식과 자선을 통한 보속(satisfaction)을 함으로써 용서받을 수 있다는 데 동의하였다.

그러나 '사함받지 못하는' 범죄의 목록에는 올라가 있지 않으나 중대한 범죄의 경우에는 공적인 참회의 권징이 행하여졌는데, 그것은 3세기가 시작될 무렵까지는 이집트와 북 아프리카와 로마에서 이미 시행되고 있었다.

이런 권징 제도의 뿌리는 의심할 여지없이 교회사의 아주 초기에까지 거슬러 올라간다. 바울은 고린도 교인들에게 "아비의 아내를 취한 자"[12]를 회중에서 쫓아내도록 권고하였는데, 그것은 교회로 모인 회중이 죄인들을 판단하고 출교할 권위를 가지고 있음을 함축한 말이었다. 그리고 마태복음에서도 기독교 공동체와 그 지도자들이 '매고'(bind) '풀'(loose)[13] 권한을 허용하였다.

바로 이런 권위가 발휘되었던 후대의 참회를 위한 권징에서 참회하는 사람이 구하고 교회가 그에게 허용하였던 것은 '두번째 회개'를 위한 기회였는데, 그것은 헤르마스의 환상에서 한번 밖에 없는 기회로 선언되었던 것이었다. 참회의 과정은 길고 공식적이었다. 공동고백(*exomologesis*; (죄의) 인정)이라고 불렸던 그 과정에는 교회 회중 앞에서 공개적으로 고백하는 일과 회개의 기간과 성찬식에 참여하지 못하는 기간이 포함되어 있었고, 최종적으로 교회 속에서 완전한 교제 관계가 다시 공적으로 회복되었는데 그것은 주교가 참회자에게 안수하는 것으로 상징되었다. 참회 기간의 길이는 개별적인 범죄의 경중(輕重)에 따라 달라졌다. 터툴리안이 전하는 바에 따르면 참회자들은 자신들이 저지른 범죄를 "엄격한 고행과 바꾸었다." 그들은 상복(喪服)을 입고 가장 간소한 음식을 먹었으며 "금식기도를 드렸다."[14] 더구나 공동고백은 어떤 그리스도인이든지 간에 일생에 단 한번 밖에 허용되지 않았다.

그러나 오리겐과 터툴리안의 시대에는 '사죄받을 수 없는' 죄의 문제를 둘러싸고 격렬한 논쟁이 있었다. 앞서 살펴본 것처럼, 오리겐은 자신이 생각하기에 우상숭배자들과 간음자들의 회개를 허용하고 교회 속으로 다시 받아들임으로써 권한을 넘어선 주교들을 알고 있었다.

터툴리안은 간음한 자의 참회를 허락한 한 주교(아마도 카르타고의 주교였던 것 같다)의 정책에 반대하였고, 그 주교를 '대사제'(pontifex maximus, 교황) 또는 '주교들의 주교'라고 통렬하게 야유하였다.[15] 히폴리투스는 자기가 좋아하였던 적수인 로마의 주교 칼리스투스(Callistus, 217-222)가 (틀림없이 참회한 후에) 지은 육신의 죄뿐만 아니라 명백하게 사망에 이르는 죄까지도 사해줄 권한을 가지고 있다고 주장하였다고 전한다. 칼리스투스는 곡식과 가라지를 "둘 다 추수할 때까지 함께 자라게 두어라"[16]라는 주님의 명령이 교회는 죄인들을 받아들일 자리도 가지고 있다는 의미라고 주장하였는데[17], 그런 견해는 교회의 모습 자체를 근본적으로 바꾸어 놓을 전조였다.

터툴리안과 히폴리투스의 교회관은 한 세기 전의 헤르마스의 교회관과 동일하였다. 즉 교회는 구속받은 자의 공동체로서, 그곳에서는 심각한 죄가 허용될 수 없다는 것이었다. 칼리스투스의 주장은, 교회는 다소 '혼합된' 공동체이며, 교회의 목적은 바로 죄인들을 구원으로 이끄는 것이라는 견해를 제시한 것이었다.

데키우스(Decius) 황제와 발레리우스(Valerius) 황제의 기독교 박해의 여파가 보여주었던 것처럼, 결국 칼리스투스의 견해가 받아들여지게 되었다. 북 아프리카의 주교들이 키프리안의 최종적인 동의와 함께 박해 중에 굴복한 사람들에게도 공동고백의 권징을 적용하는데 동의하였을 때, 사함받을 수 없는 죄라는 고대 교회의 교리 자체가 무효가 되었다(II:10 참조). 고백과 참회와 회복의 권징은 모든 죄에 적용될 수 있게 되었다.

16. 그리스도인의 삶의 유형

헤르마스에서 오리겐과 터툴리안에 이르는 기독교 작가들이 주장하였던 도덕적 요구와 이상들에서는 말할 것도 없고, 세례와 참회에 연관된 권징에서 우리는 2, 3세기의 교회가 자신을 여전히 어느 정도 "구별된" 사회, 즉 일반적으로 세상을 지배하는 영들이 아니라 성령의 지배를 받는 사회로 보았다는 사실을 명백하게 알 수 있다. 의심할 여지없이 이런 태도는 유대의 묵시문학의 세계관에서 그 기원을 찾을 수 있다. 묵시문학의 작가들은 죄악의 그물에 사로잡힌 이 세상의 정치적 도덕적 종교적 타락을 거부하였고, 그런 세상이 미래에 전복되어 하나님께서 악을 벌하시고 고난받는 의인들에게 보상하시며 피조물을 올바르게 고치실 새로운 시대를 고대하였다.

그러나 예수의 부활의 메시지를 믿고 세례를 받음으로 그의 새 생명에 들어간 사람들은 자신들이 앞으로 올 시대의 좋은 것들에 현재에도 참여한다는 사실을 알고 있었기 때문에, "세상에 대하여는 … 십자가에 못박힌"[1] 사람으로 살아가는 것이 자신들이 해야할 일이라고 알고 있었다.

물론 이런 헌신은 지켜진 만큼 또한 자주 깨뜨려지기도 하였지만, 그럼에도 불구하고 존중되었다. 이런 사실을 보여주는 중요한 증거 한 가지는 초기 그리스도인들이 순교자들과 순교의 이상에 대하여 가지고 있었던 존경과 헌신이다. 그들이 보기에 순교자들은 단순히 자신들의 신념을 고수하였던 용기 있는 사람에 불과한 존재가 아니었다. 순교자들은 선과 악의 투쟁에 참여하여 싸운 사람들이었고, 그리스도의 승리의 수난에 참여한 사람들이었으며 또한 — 바로 그 때문에 — 앞으로 올 시대에서 그리스도의 충만한 생명을 얻은 사람들이었다. 사실상 순교자들은 그리스도를 완벽하게 본받은 사람들로서 주님과 함께 실제로 "세상에 대하여 … 십자가에 못박힌" 사람들이었고, 그렇기 때문에 모든 그리스도인들의 모범이었다.

모든 신자들이 말 그대로 순교자가 되거나 혹은 되기를 바라지는 않았지만, 그러나 그리스도인 각자가 자기 나름대로의 방식으로 이 세대에 대하여 죽으신 그리스도의 죽음에 참여할 수 있었고, 하나님을 위하여, 하나님과 더불어 사는 그리스도의 새로운 생명에 참여할 수 있었다. 초대 교회가 장려하였을 뿐 아니라 권징을 통하여 제도화하려고 하였던 것이 바로 그러한 생활이었다.

이런 생활은 두 가지 측면을 가지고 있었는데, 그것은 각각 세례의 핵심적인 두 순간, 즉 과거의 생활에서 돌아서는, 회개와 성령을 통하여 그리스도와 한 몸이 되는 연합에 상응하는 것이었다. 그러므로 신자들은 한편으로는 세상의 관심사와 이해관계, 즉 권력과 부와 쾌락의 추구에 대한 관심을 끊어야 할 뿐 아니라 심지어는 그것들을 적대시하여야 했고, 다른 한편으로는 '사랑'으로 메꾸어지는 '형제애'를 중심 동기로 삼고 있는 새로운 공동체 생활에 참여하여야 하였다.[2]

비록 그리스도인 공동체들이 "모든 것들을 공유"[3]하려고 하지는 않았지만, 그들은 관습적인 사회적 장벽을 초월하는 것에 여전히 높은 가치를 부여하였고, 물건들을 서로 나누어 썼으며, 교인들 간에 서로 도왔는데, 실제로 이런 목적을 위하여 조직을 만들기도 하였다.

더구나 이런 이상을 추구하였던 교회는 그들이 비판하였던 바로 그 세상으로부터 격려와 지도를 받았다. 현재의 세상은 결코 인간에게 알맞는 장소가 아니며 세상의 방식과 생활은 초월되어야 한다고 생각한 유대-기독교적 묵시문학의 분위기는 그 당시 이교의 종교와 철학에서도 그와 유사하게 나타났다. 얼마 지나지 않아서 그리스도인들은 잘 알려져 있는 이교도 도덕교사들과 철학자들의 지혜를 이용하여 그들 자신의 이상을 표현하게 되었다.

바울은 자신의 '자족'(self-sufficiency) 사상을 천거하면서 견유학파(Cynic)와 스토아주의 철학의 용어(*autarkeia*)[4]를 사용하였는데, 그것은 외면적인 것들에 대한 무관심 혹은 그것들로부터의 독립을 말하는 것으로, 내적인 자유와 연관된 것이었다. 사도행전에서도 마찬가지로, 바울이 "그리스도에 대한 믿음"의 의미를 설명하는 가운데 "의와 절제"(*enkrateia*)[5]에 대하여 강론할 때에 이교 철학의 용어를 사용하였다. 비슷한 방식으로 베드로후서에서 그리스도인의 삶의 모습과 목적을 특징짓는데 플라톤적 스토아주의의 용어를 사용하였다. 묵시록적인 정신을 가지고 있는 이 서신은 "하나님의 날이 임하기를"[6] 촉진하기 위하여 "거룩한 행실과 경건함"을 요구하고 있는데, 이런 요구를 당시에 인기 있는 철학의 용어로 표현하였다.

그리스도인들은 "정욕(pathos)을 인하여 세상에서 썩어질 것을 피하여 신의 성품에 참예하는 자가 되어야"[7] 하였다. 알렉산드리아의 클레멘트(Clement of Alexandria)와 오리겐 같은 사상가들에 의하여 그런 이교의 철학 사상들과 이념들이 기독교의 도덕적 강론에서 일반적으로 사용되게 되었으며 그 이후의 여러 세기 동안에 회개와 중생에 대한 이해를 도왔다.

그러나 세상으로부터 돌아서는 것과 동시에 하나님 나라의 새 생명에 참여할 것을 요구하는 이 요구 때문에 교회에서 심각한 문제들이 야기되었다. 그리스도인의 삶에서 결혼이 차지하는 위치를 둘러싸고 벌어진 2세기의 논쟁으로 이런 문제들의 본질을 설명할 수 있다. 그 당시의 분위기는 말할 것도 없고, 신약성경에도 한편으로는 성적인 관계가 사람을 세상과 그 가치들에 얽어매는 확실한 방법이라고 주장하며 다른 한편으로는 새로운 하나님의 나라의 삶에서는 성적인 관계들이 존재하지 않는다고 제시하는 구절들이 상당히 많이 있다.

바울은 "결혼하는 사람들은 육신의 고난(worldly troubles)이 있을 것이라"고 주장하였고[8] 예수님도 "부활 때에는 장가도 아니가고 시집도 아니가고 하늘에 있는 천사들과 같으니라"[9] 고 지적하셨다. 이러한 교훈들은 초기 기독교에서 순결이나 금욕(다시 enkrateia라는 단어가 사용된다)을 일반적으로 높이 평가한 사실을 설명해

준다. 금욕은 세상에서 자신을 분리하는 것이며 또한 다가올 시대의 삶을 살아가는 것이었다. 3세기에 이르면 많은 — 아마도 대부분의 — 기독교 공동체들 속에 총각과 처녀들이 있었으며 그리스도인들은 그들을 존중하였다. 일부 지역에서는 금욕 생활에 대한 칭찬이 곧바로 결혼에 대한 공공연한 정죄와 연결되었다.

마르키온(Marcion)과 그의 제자들 그리고 많은 영지주의 집단들이 그러하였고, 저스틴의 제자인 타티안(Tatian)과 그가 시리아에서 이끌었던 '엥크라테이아파'(encratite) 운동도 그런 입장을 취하였다. 또한 「도마행전」(*Acts of Thomas*)과 「바울행전」(*Acts of Paul*)[10]과 같은 문서들도 마찬가지 견해를 보이고 있다. 그러나 대부분의 신자들은 그러한 비타협적인 급진주의를 지나친 견해라고 생각하였고, 디모데전서의 저자처럼 결혼을 옹호하였다.[11] 후대에 알렉산드리아의 클레멘트처럼 대부분의 그리스도인들은 한편으로는 결혼을 존중하면서 동시에 다른 한편으로는 동정(童貞)을 지키는 것이 그리스도인에게 진정한 — 혹은 더 높은 — 소명이라고 주장하는 것 사이에서 모순을 깨닫지 못하였다.

결혼과 마찬가지로 까다로운 문제인 부(富)에 대하여도 그와 유사한 중용적인 태도가 나타났다. 복음서들에서는 예수님께서 "재산을 많이 소유하는 것"[12]이 하나님 나라에 들어가는데 장애가 된다고 여기셨음을 명확하게 밝히고 있다. 또한 부와 부자들에 대한 그런 불신은, 예를 들어, 부자들에 대한 야고보서의 비난[13]에서도 뚜렷하게 나타날 뿐 아니라 "돈을 사랑함이 일만 악의 뿌리"[14]라는 디모데전서의 유명한 격언에서도 명백하게 나타난다.

전설적이지만 교훈적인 한 이야기에 따르면, 사도 도마는 어떤 왕의 궁전을 건설하기 위하여 상당한 양의 황금을 받았으나 궁전을 짓는 대신에 그것을 가난한 사람들을 돌보는 일에 사용하였는데, 그렇게 함으로써 하늘나라에서 그 왕을 위한 훨씬 훌륭한 궁전을 확보하였다고 말했다는 것이다.[15]

그러므로 초기의 그리스도인들은 개인적인 재산을 소유하거나 획득하는 것이 세상을 멀리하라는 복음서의 요구와 모순되는 것으로 여기는 경향이 있었다. 그들은 필수적인 것들[16]에 만족하고 "세속에 물들지 않은 채로"[17] 지내면서 물건이 필요한 사람들에게 서로 나누어 주는 것을 칭송하였다. 그러나 팔레스타인의 농촌 사회로부터 헬레니즘 세계의 도시 사회로 일찍 사회적 변화를 겪은 교회는 비교적 부요한 사람들을 좀더 많이 받아들였을 뿐만 아니라, 로마 사회의 변두리 '하류층'과의 일차적인 동질감을 상실하였다.

이런 상황에서 알렉산드리아의 클레멘트는 다시금 「구원받을 부자는 누구인가?」(*Who Is the Rich Man Who Will Be Saved?*)라는 짧은 논문에서 대부분의 신자들의 생각과 기대를 가장 잘 표현하였다. 재산의 소유 그 자체가 잘못된 것이 아니었다. 그러나 그 재산은 자선사업에 사용될 때에만 정당화될 수 있었다.

그러나 이것은 그리스도 안에 있는 새로운 생명을 위하여 세상을 포기하고 심지어는 세상과 싸웠던 순교자들의 급진적인 이상이 교회에서 사라졌다는 의미는 아니었다. 클레멘트와 그 동시대의 사람들이 금욕 혹은 독신 생활을 결혼 생활보다는 더 높은 상태라고 주장하였던 것과 마찬가지로, 부의 문제에서도 그들은 재산을 곧바로 포기하는 것이 다른 사람의 이익을 위하여 재산을 사용하는 것보다도 더 고귀하다고 주장하였을 것이다. 더구나 3세기에 기독교가 헬레니즘의 영향을 받지 않은 나일 계곡의 시골 농민들과 시리아의 시골 지역으로 확산되자, 급진적이고 반동적인 순교자 정신이 다시 일어나게 되었다. 이 새로운 금욕주의는 다시 금욕과 청빈을 강조하였고, 결국 4세기와 5세기의 수도원 운동을 일으켰다.

17. 휴식기와 성장

260년에 발레리안(Valerian, 253-260) 황제는 페르시아와의 전쟁에서 패하여 사포르 1세(Sapor I, 234-270)에게 포로로 잡혔다. 그 후에 발레리안의 아들이자, 동료이자 계승자였던 갈리에누스(Gallienus, 253-268) 황제는 그의 아버지가 내렸던 기독교 박해의 칙령을 폐지하였다. 그리하여 그 이후로 44년 동안 기독교회는 공식적인 박해로부터 벗어나 숨을 돌리게 되었다. 그러나 그런 휴식기는 로마 제국의 당국자들의 태도가 근본적으로 변화된 결과라기보다는 그들이 종교적인 문제에 직접적으로 관여할 여유가 없었기 때문에 주어진 것이었다. 교회가 성장하고 결속을 굳히고 평화를 누렸던 이 시기는 로마 제국의 존립 자체가 의문시될 정도로 심각한 위기에 빠져 있었던 시대였다.

라인 강과 다뉴브 강의 국경선과 동쪽의 변경에서는 끊임없이 동시다발적으로 압력과 침입이 있었다. 더구나 거듭되는 제위 찬탈과 그로 말미암아 불가피하게 발생한 혼란스런 내전 때문에 이러한 외부적인 위협들에 대처할 황제와 그 군대의 능력이 약화되었다. 페르시아인들은 세차례나 동쪽의 로마 속주들을 침공하였는데, 한 번은 시리아를 휩쓸고 안디옥을 포위하기도 하였다.

고트족들은 다뉴브 강을 건너 발칸 지역과 그리스를 약탈하였을 뿐만 아니라 소아시아에도 두 차례나 쳐들어왔다. 한 때는 프랑크족이라고 불리던 게르만의 동맹 부족들이 라인 강을 넘어 침략해 들어와서 스페인에까지 이르렀으며, 심지어는 북 아프리카를 약탈하기도 하였다. 이런 압력들에 직면하였던 로마의 황제들은 얼마 동안 제국의 통합을 유지할 수 없었다. 14년 동안(259-273) 갈리아 지방에는 아우구스타 트레비로룸(Augusta Trevirorum, 지금의 트리에르〈Trier〉)에 수도를 둔 독립적인 '제국'이 성립되었다.

동부에서는 제노비아(Zenobia, 267-273) 여왕이 다스리는 팔미라(Palmyra)라는 로마의 속국이 시리아와 메소포타미아, 이집트, 그리고 소아시아의 일부 지역을 합병하여 독립국가처럼 통치하였다. 고티쿠스(Claudis Gothicus, 268-270) 황제와 위대한 아우렐리우스(Aurelius, 270-275) 황제의 시대가 되어서야 그런 흐름이 역전되었고, 로마는 적대자들을 물리치고 제국을 다시 통일하였다. 그리고 디오클레티아누스(Diocletian, 284-305) 황제의 시대가 되어서야 비로소 로마의 황제들이 다시 제국의 내부적인 개혁과 와해된 로마의 조직을 재건하는 일에 본격적으로 마음을 쏟을 수 있게 되었다.

그때까지는 그리스도인과 그들의 지위에 관한 문제— 즉, 종교적 입장과 제국에 대한 충성의 문제 —는 보류된 상태로 있었다.

이 시기가 끝날 무렵에 기독교는 제국의 모든 지역으로 퍼져 나갔고 약 5백만명에 달하는 신자를 보유하게 되었다. 따라서 기독교는 규모가 큰 소수파에는 미치지 못하였지만 상당한 세력이 되었다. 그리스도인들이 가장 많이 모였던 곳은 소아시아와 이집트, 시리아, 북 아프리카, 그리고 이탈리아 중부였다. 특히 이집트와 북 아프리카에서 기독교는 시골의 농민들의 신앙을 얻는데 크게 성공하였는데, 그것은 그 지역의 장래 역사에서 중요한 사실이었다. 동시에 사회적으로 높은 신분 출신의 사람들이 교회의 구성원으로 들어오게 되었다.

디오클레티아누스의 시대가 되었을 때, 제국의 관리들 속에도 그리스도인들이 있었고, 속주의 도시들에서는 행정관으로 공직에 임명될 수 있는 신분에 속한 그리스도인들이 있었다. (그 때문에 4세기가 시작될 무렵 스페인에서 열린 엘비라 공의회〈Council of Elvira〉는 행정관직을 맡고 있는 그리스도인이, 실제로 제사를 드리거나 제사에 참여하지는 않았으나 이교의 제사장의 의복을 입어야 하였을 경우에, 2년 동안의 참회 기간을 거친 후에 다시 그를 공동체 안에 받아들이도록 규정하였다.) 더구나 디오클레티아누스 황제 시절에는 — 아마도 징집되어서 — 군복무를 하는 그리스도인들이 있었는데, 그들은 이교의 신들에게 경배하는 일에 대한 양심의 가책 때문에 때때로 소동을 일으키곤 하였다. 그러므로 교회는 지리적으로 확산되었을 뿐만 아니라 신분적으로도 확대되었고, 일반 주민들의 모든 신분을 대표하게 되었다.

그러나 3세기의 후반기는 독창적인 신학 사상을 거의 내놓지 못하였다.

3세기가 끝날 무렵에 가이사랴의 유세비우스(Eusebius of Caesarea, 약 260- 340)는 — 그는 오리겐의 제자였던 팜필루스(Pamphilus) 장로의 제자였다 — 기념비적인 작품인 「교회사」(*Ecclesiastical History*)를 집필하기 시작하여 323년에 그것을 완성하였다. 오리겐적 전통과 밀접하게 연결되었던 유세비우스는 확실히 그 당시의 많은 위대한 그리스도인 교사들의 전형이었다.

알렉산드리아의 여러 주교들, 특히 디오니시우스(Dionysius, ?-264경)는 대중적인 오리겐주의의 대표자였으며 그 사상을 장려하였다. 그리고 오리겐이 말년에 가르쳤던 곳이며 그의 도서관이 보존되어 있었던 팔레스타인의 가이사랴는 그의 사상을 전파하는 중심지가 되었다. 그러나 다른 한편으로 이런 전통에 반대하는 사람들도 적지 않았다. 특히 안디옥은 두 사람의 주목할만한 교사를 배출하였는데, 그들의 사상은 디오니시우스와 유세비우스와 같은 사람들의 사상과 근본적으로 대조되었다.

그 첫번째 인물은 악명이 높은 **사모사타의 바울**(Paul of Samosata)이었는데, 그는 260년경에 안디옥의 주교가 되었고 팔미라 왕국의 체노비아 여왕의 통치 아래에서 영향력을 떨쳤다. 바울은 그보다 앞선 세대에 로마에서 나타났던 동력적 단일신론자들(dynamic monarchians)과 유사한 견해를 주장하였다. 바울은 오리겐주의자들의 삼위일체론적 복수주의에 반대하여 하나님이 단일성을 강조하였고 성육신을 한 인간 속에 하나님의 로고스가 내주한 사건으로 설명하였다. 바울은 268년에 오리겐의 전통을 대표하는 주교들의 교회회의에서 정죄되고 주교직에서 쫓겨났다.

안디옥에서 나온 두번째 인물은 유명한 주석가인 **루키안**(Lucian, ?-312) 장로였는데 그는 오리겐과 마찬가지로 70인경(Septuagint)과 복음서의 본문에 관한 연구를 하였으나, 오리겐의 알레고리적 방법론을 거부하고 성경 본문을 좀더 문자적으로 해석하기를 주장하였다. 루키안의 신학적 견해에 대하여는 거의 아무 것도 알려진 것이 없다. 단지 아리우스(Arius)와 그의 보호자였던 니코메디아의 유세비우스(Eusebius of Nicomedia)가 모두 이 안디옥의 교사에게서 배운 제자였다는 사실에서 유추해볼 수 있을 뿐이다. 루키안는 마지막 대 박해 때에 순교하였다.

루키안와 동시대에 살았던 올림푸스의 메토디우스(Methodius of Olympus, ?-311경) 역시 오리겐의 견해에 대하여 강력히 반발하였다. 생애에 관하여 알려진 바가 거의 없고 저작들은 단편적으로만 전해지는, 베일에 가린 인물인 메토디우스는 오리겐의 육체의 부활에 관한 교리와 영혼의 '선재(先在)' 교리를 공격하였을 뿐만 아니라 '시간 속에서의'(in time) 창조라는 오리겐의 견해에 대해서도 비판을 가하였다. 메토디우스의 저작 가운데 가장 유명한 것은 소위 「심포지움」(*Symposium*) 혹은 「열 처녀들의 연회」(*Banquet of the Ten Virgins*)라는 작품인데, 그것은 플라톤이 처녀성을 찬양하여 저술한 「심포지움」(*Symposium*)을 모방한 작품이었다.

18. 경쟁적인 종교 세력들

3세기는 교회의 확장과 강화의 시대였으며 또한 로마 세계 전체에 종교적인 변화가 있었던 시대이기도 하였다. 이교주의 자체가 종교적 분위기의 변화를 겪었다. 고전적인 종교의 많은 세계 내적인 신들에 대한 관심은 점차 적어진 반면에 초월적이고 거룩하며 생명을 부여하는 신(God)에 대한 관심이 집중되었는데, 고전적인 종교의 많은 신들은 그 신의 능력을 단지 부분적인 방식으로만 나타내었다. 이런 발전은 황제숭배의 의식이 발전한 것에서 특히 뚜렷하게 나타난다. 황제는 인간이었지만 더 이상 신들 가운데 하나가 아니었다. 오히려 황제들은 그 직책 덕분으로 "신들의 아들"로 여겨졌다. 즉 황제들은 살아있는 동안 신의 거룩함을 함께 누리며 신의 보호를 받는 존재가 되었다.

예를 들어 디오클레티아누스 황제가 자신을 '요비우스'(Jovius)라고 칭하였던 것은 바로 이런 정신에 따른 것이었는데, 그것은 스스로 (로마의 판테온에서 최고의 신인) 주피터와 동일시되는 것이 아니라 주피터를 대신하며 그의 '가족' 속에 포함된다는 의미였다.

황제숭배가 이런 의미로 변화하게 된 배후에는 3세기의 일신론적 태양신 숭배의 발전이 있었다. 그것은 만물의 근원인 궁극적인 신의 상징물이며 흔히 아폴로 신과 동일시되었던, 생명을 주는 태양에 대한 숭배였다.

3세기가 시작될 무렵에 세베루스(Severus) 왕조의 황제들이 장려하였던 이 의식은 시간이 갈수록 더욱 인기를 얻었다. 아우렐리우스 황제는 '정복되지 않은 태양'에게 바치는 거대한 신전을 건축하였는데, 그는 그 신전을 제국의 종교 생활의 중심지로 만들려는 의도를 가지고 있었다. 4세기의 그리스도인들은 이 인기 있는 신에게 맞서는 방법으로 그 신의 탄생일인 12월 25일(동지)을 의의 태양이신 그리스도의 탄생을 축하하는 날로 이용하는 것 이외에는 더 나은 방법을 찾을 수 없었다. 좀더 대중적인 차원에서는 태양에 대한 숭배와 그것이 상징하는 초월적인 생명에 대한 숭배가 아침의 빛을 상징하는 이란의 신 미드라스(Mithras)에 대한 폭넓은 숭배로 나타났다.

동방보다는 서방에서 더욱 인기가 있었고 특히 로마 군대에서 영향력을 발휘하였던 미드라스 신비종교는 그 종교에 가입한 사람들에게 불멸성을 제공하였을 뿐만 아니라 충성과 선행과 자기 통제와 같은 엄격한 윤리를 가르쳤다.

이런 종교적인 발전과 연관되어 신플라톤주의가 등장하였는데, 이 철학 학파는 3세기와 4세기에 이교가 부흥하는 밑거름이 되었고 지식인들 사이에서 기독교의 주장을 반대하는 근거가 되었다. 신플라톤주의 운동의 원천과 영감은 플로티누스(Plotinus, 205-270)의 가르침이었는데, 그가 로마에서 단순히 제자들을 위하여 저술하였던 에세이들을 그의 제자인 포르피리(Porphyry, 233-304)가 결집하여서 「엔네아드」(*Enneads*)라고 불리는 모음집으로 만들었다.

플라톤의 저작들뿐만 아니라 그리스 철학의 전반적인 전통에 대한 주의깊고 창조적인 해설가였던 플로티누스는 하나의 초월적인 통일(Unity) 속에서 자신의 태양(Sun), 모든 실재의 제일 원리(First Principle)를 식별하였다. (그는 그것을 '유일자'〈the One〉, 혹은 '선'〈the Good〉이라고 불렀다.)

이 원리는 '존재를 넘어서' 있기 때문에 마음으로 파악하거나 설명할 능력 밖에 있다. 그러나 다른 한편으로 그 원리는 모든 존재를 생산해 내는 원천이다 — 플로티누스가 언젠가 설명하였듯이, 그것은 생명으로 끓어 넘쳐서 스스로를 널리 퍼뜨린다. 이 중심 원천에서 만물이 흘러 나오며 단계를 이루는 일련의 '실재들'(*hypostases*)을 이루는데, 그것들은 존재와 지식의 단계를 나타내는 동시에 가치의 단계를 나타낸다. 이 실재들 가운데 가장 높은 것은 지성(Intellect)인데, 그 속에서는 존재와 지식이 거의 하나라고 할 수 있다.

두번째로 높은 단계는 혼(Soul)이다. 이 단계에서는 시간이 나타나며 인식은 처음으로 순차적인 이해와 추론의 형식을 취한다. 마지막 단계가 자연(Nature)이라는 실재인데, 여기서는 존재와 인식이 서로 간에 외형적이 되며 몸이 나타난다. 그러나 이 각각의 단계는 나름대로의 방식으로 그 원천(Source)의 실재를 상상하며, 자기 집중의 과정을 통하여 다시 통일(Unity)로 올라가기 위하여 각기 노력한다.

그러므로 신플라톤주의는, 플로티누스가 표현하였던 것처럼, 존재의 통일과 유일자에 대한 지식을 향한 내면적인 길에 이르는 금욕 생활을 하도록 인간에게 명한다. 플로티누스 바로 다음의 계승자들인 포르피리와 이암블리쿠스(Iamblichus, 약 250-325)는 플로티누스의 사상을 체계화하였을 뿐만 아니라 그것을 대중 종교 예식에 맞추었다. 그 과정에서 신플라톤주의는 초월적인 낙관주의의 분위기를 상당히 잃어버렸다. 그러나 신플라톤주의가 이교적인 종교 의식의 대의와 공공연히 연합하였음에도 불구하고 바로 그것이 매력을 끌고 세력을 떨치는 원인이 되었고, 또한 4세기의 많은 기독교 교사들의 사상의 원천이 되었고 또한 대화 상대자가 되었다. 아마도 그 교사들 가운데 주목할 만한 사람들은 카파도키아 교부들(Cappadocian Fathers)과 히포의 어거스틴(Augustine of Hippo)이었다.

3세기(그리고 4세기)에 기독교와 경쟁하게된 또 하나의 유력한 종교 운동이었던 마니교(Manichaeanism)는 신플라톤주의와는 사정이 달랐다. 마니교는 페르시아에서 로마 제국으로 전래된 종교였으며 그리스도인들뿐만 아니라 이교도들에게도 적대감을 불러 일으켰다. 일련의 환상을 통하여 새롭고 보편적인 종교의 창시자가 되라는 소명을 받은 마니(Mani, 216-277)라는 페르시아인 교사가 창건한 마니교는 이원론적인 신앙으로서 영지주의와 유사한 점이 많았다. 마니의 근본적인 주제는, 서로 화해할 수 없으나 똑같이 근본적인 존재 영역에 속한, 그리고 각자의 왕에 의하여 지배되고 있는 광명(Light)과 흑암(Darkness)간의 투쟁이었다. 마니는 이 두 왕국 간의 투쟁의 결과로 현존하는 세상의 질서가 창조되었다고 생각하였다. 그 투쟁에서 흑암의 왕국은 광명의 왕국을 삼키려고 하였으며 적어도 부분적으로는 성공하였다.

그러므로 인간의 소명은 세상의 본질이 광명과 흑암의 혼합이라는 사실을 깨닫고, 광명의 왕국의 사자들 — 부처, 조로아스터(Zoroaster), 예수, 그리고 마니 자신 — 의 도움을 받아 흑암을 일소하는 것이다. 개인을 물질적인 것에 얽어매는 모든 것으로부터 절제를 통해 정화(淨化)를 얻을 수 있다. 그러므로 마니교 신앙을 완전히 가지는 것은 곧 세상을 전적으로 포기하는 것이다. 마니교 신자들은 일하지도 않고 결혼하지도 않았으며, 아무 것도 소유하지 않고 모든 '불결한 것'을 거부하였다. 간단히 말하자면, 그들은 자기 부인을 통하여 세상의 정화(淨化) 즉 흑암으로부터 광명의 분리를 촉진하였다. '듣는 자들'(hearers)이라고 불렸던 두번째 등급의 신자들이 '선택된 자들'(the elect)이라고 불린 이런 완전한 신자들을 섬기고 뒤따랐다. 마니교는 로마 제국에서 급속하게 멀리까지 퍼져 나갔는데, 특히 북 아프리카와 시리아에서 널리 유포되었다. 또한 마니교의 간접적인 영향력은 중세 시대에까지 미쳐서 프랑스 남부에서는 마니교와 유사한 알비파 운동(Albigensianism)이 일어났다.

19. 최후의 투쟁

284년에 디오클레티아누스 황제는 로마 제국의 황제에 즉위하였다. 달마티아 지방의 비천한 집안 출신인 그는 군대에서 두각을 드러내었고 그 당시의 관습대로 그의 병사들에 의하여 황제로 추대되었다. 비록 로마 제국은 여전히 국경에서 방어를 위한 전쟁을 수행하여야 했지만, 디오클레티아누스는 3세기의 군사적 위기들을 상당히 통제하였으며 제국 내부의 재건 문제로 — 왕조 문제, 군사문제, 경제 문제 — 관심을 돌릴 수 있었다. 점진적으로 추진되었던 그의 재건 프로그램의 첫번째 조치는 285년에 공동황제를 임명하여 자신의 권위를 나누어주고 제국의 서반부에서 일어나는 일을 감독하도록 한 것이었다. 틀림없이 디오클레티아누스는 이 조치로써 제국의 두 부분에서 행정 기구를 좀더 효과적으로 감독할 수 있을 것이며 또한 한 명의 황제가 동시에 두 곳의 국경에서 군사 행동을 수행하는 일은 결코 없을 것이라고 기대하였다. 몇 년 후에 그가 그 다음으로 취한 조치는 두 명의 '아우구스투스' (Augustus) 즉 자신과 공동황제인 막시미안(Maximian)에게 각각 '가이사' (Caesars)라고 불리는 부황제를 임명한 일이었는데, 그 부황제들은 제국의 한 지역을 맡아 통치하고 방어하였으며 또한 두 명의 공동황제의 계승자로 명백하게 지명되었다.

디오클레티아누스는 자신의 부황제로 갈레리우스(Galerius)를 지명하였는데, 그 역시 달마티아 출신의 군인이었다. 그리고 막시미안 황제는 콘스탄티우스 1세(Constantius I)를 부황제로 지명하였는데, 그는 콘스탄티누스 대제(Constantine the Great)의 아버지였다.

물론 이것이 네 개의 독립적인 제국이 수립되었다는 의미는 아니었다. 비록 아우구스투스와 가이사가 각각 자신의 수도를 가지고 있고 집정관을 우두머리로 하는 독자적인 행정 각료들을 거느리며 또한 자신이 동원하는 군대도 보유하였지만, 모든 법률과 칙령들은 공동으로 공포되었다. 그러므로 지배자들은 네 사람이었지만 로마 제국은 하나였다.

디오클레티아누스의 개혁은 그것으로 끝나지 않았다. 그는 경계선을 변경하여서 속주의 수를 두 배로 늘렸고, 이런 새로운 속주들을 묶어서 '관구' (dioceses)라고 불리는 좀더 큰 행정구역으로 만들어 '총독' (vicar)으로 하여금 그 관구를 다스리게 하였다. 디오클레티아누스는 군대를 재조직하기 시작하였고 행정 권력과 군사적 명령권을 분리하였다. 황제의 전제정치를 쉽게 만들기 위하여 그는 옛 로마의 정치적 권위의 마지막 흔적이었던 원로원을 폐지하였다. 제국의 경제적인 문제에 대처하기 위한 노력으로 그는 물가의 동결을 시도하였으나 성공을 거두지 못하였다. 아들이 아버지가 맡았던 책임을 지도록 법적으로 규정함으로써 일부 필수적인 직업을 고정시킨 정책은 좀더 성공적이었다. 그의 계승자들도 그 정책을 계속 유지하였다. 요약하자면, 디오클레티아누스는 비잔티움을 수도로 하여 1453년까지 계속 존속하게 될 로마 제국의 형태를 창조하였던 것이다.

그러나 효율적인 군대와 행정에 관한 문제만큼이나 종교 문제도 로마 제국의 큰 문제였다. 디오클레티아누스와 그의 동료들은 그들의 전임자나 후계자들과 마찬가지로 로마의 운명이 궁극적으로 신들과의 연합에 달려 있다고 이해하였다. 디오클레티아누스와 그의 가이사(부황제)인 갈레리우스에게 '신들'이란 로마의 옛 수호자들을 의미하였는데, 그것은 디오클레티아누스가 의도적으로 자신을 주피터의 권력과 연관시킨 데에서도 알 수 있다. 그러나 그는 원칙적으로 다른 종교들을 폐지하려는 의도를 가졌던 것은 아니었다.

재위 기간의 대부분 동안 그는 (궁전 내부의 다른 사람들은 말할 것도 없고) 갈레리우스가 기독교에 대하여 공공연히 적대적인 입장을 취하였음에도 불구하고, 전임자들의 정책에서 뚜렷하게 나타났었던 것과 마찬가지로 기독교에 대하여 관용적인 입장을 보였다. 그러나 재임 말엽의 상황으로 말미암아 그는 기독교가 로마와 로마의 신들 간의 언약을 깨뜨리고 있다고 확신하게 되었다. 군복무 중인 그리스도인들이 로마의 신들을 인정하기를 거부함으로써 신들을 모욕하였을 뿐만 아니라, 사제들은 디오클레티아누스에게 궁전 내부의 '불경스런 사람들' (아마도 그리스도인들을 지칭하는 말이었던 것 같다) 때문에 황제들에게 신들의 뜻을 가르쳐 주는 전통적인 복점관들이 효력을 발휘하지 못한다고 말하였다. 신들이 대답을 하지 않았던 것이다.

이런 상황에 직면한 디오클레티아누스는 자신이 어떤 길을 취하여야 할 것인가에 대하여 밀레투스에 있는 아폴로 신전에 신탁을 구하였는데, 그에 대한 대답은 그리스도인들에게 호의적이지 못한 것이었다. 그리하여 디오클레티아누스는 갈레리우스가 선호하였던 노선을 따르도록 유혹되었고, 기독교를 박해하는 일련의 조처들을 취하기 시작하였는데, 처음에는 궁전과 군대에서 그리스도인들을 제거하였고 그후에는 제국 전역에서 그리스도인들을 없애는 조치를 취하였다.

303년 2월부터 기독교 박해를 명하는 세 번의 칙령이 잇달아 발표되었다. 교회 건물은 파괴되었고 거룩한 문서들은 몰수되었으며, 결국 성직자들은 투옥되었고 이교의 신전에 제사를 드리도록 강요되었다. 304년에 발표된 칙령은 모든 그리스도인에게 제사하도록 명령하였다. 박해가 심하였던 지역에서 — 동로마 전역과 북 아프리카와 이탈리아 — 이런 칙령들의 결과는 이전에 데키우스(Decius)와 발레리우스

(Valerian)의 박해의 결과와 다르지 않았다. 일부 신자들은 순교하였고 많은 사람들이 고난을 당하였으며, 또한 많은 사람들이 신앙을 버렸다.

305년에 디오클레티아누스는 건강 악화로 아우구스두스(황세) 자리에서 은퇴하였으며, 그와 동시에 공동황제인 막시미아누스도 함께 퇴위하도록 강요하였다. 그러나 이 전례없는 조치에도 불구하고 박해는 멈추지 않았다. 서로마 지역의 교회에 평화가 찾아온 것은 사실이었다. 왜냐하면 서로마 제국의 새로운 아우구스투스로 즉위한 콘스탄티우스 1세는 기독교 박해 정책이 잘못된 것이라고 믿었던 사람들 가운데 하나였기 때문이다. 그러나 동로마에서는 더 높은 아우구스투스였던 갈레리우스와 그의 새로운 가이사인 막시미누스 다이아(Maximinus Daia)는 박해 정책을 완화하지 않고 계속 시행하였다.

동로마에서 박해의 강도가 점차 높아지고 있던 동안에 서로마에서는 새로운 인물이 출현하였다. 디오클레티아누스의 은퇴로 말미암아 황제의 자리를 계승하는 새로운 체계를 유지할 권위를 가지고 있었던 인물이 권력을 상실하게 되는 일이 발생하였다. 그의 부재로 말미암아 황제들을 옹립하고 폐위시키는 군대의 권력이 다시 주장되었다.

306년에 서로마 제국의 새로운 아우구스투스가 된 콘스탄티우스 1세는 브라타니아의 요크에서 갑자기 죽었다. 오랫동안 디오클레티아누스의 궁전에서 살다가 얼마 전에 서로마로 돌아왔던 그의 아들 콘스탄티누스는 아버지의 부대에 의하여 즉각 황제로 선언되었다. 군대로부터의 이런 지지를 힘입어 콘스탄티누스는 갈레리우스가 자신을 '가이사'로 인정하도록 강요하였고 브리타니아와 갈리아 그리고 스페인을 자신의 영지로 얻었다. 이론적으로 콘스탄티누스는 콘스탄티우스를 계승하여 서로마의 아우구스투스가 된 세베루스의 아랫 사람이었으며 그의 법정 상속자였다.

그러나 세베루스는 디오클레티아누스와 함께 공동황제로 있었던 막시미아누스의 아들인 막센티우스(Maxentius)에게 패배하여 황제 자리를 찬탈당하였다. 그리하여 막센티우스가 이탈리아와 북 아프리카의 지배자가 되었다. 4세기의 첫 10년이 끝날 무렵에 서로마 제국은 콘스탄티누스와 막센티우스 사이에서 양분되어 있었는데, 그 두 사람은 휴전협정을 맺고 있었으나, 그 협정은 점점 더 불안해졌다.

서로마 제국에서 결정적인 경쟁이 발생하기 전에 동로마 제국의 황제 갈레리우스는 임종 시에 그리스도인들에게 관용을 베푸는 칙령을 발표하였다. 311년에 공포된 이 칙령은 박해의 목적들이 달성되지 못하였음을 인정하였다. 그리스도인들은 "로마의 조상들의 신앙"으로 되돌아가지 않았으며 "스스로 자신의 계율을 준수하기를" 그치지도 않았다. 더구나, 그리스도인들은 로마의 신들에게 경배하지 않았을 뿐만 아니라 박해 때문에 그들의 신에게도 예배를 드리지 못하였다. 이런 사정을 고려하여, 그리고 의심할 여지없이 자신의 병이 그리스도인들이 섬기는 신의 저주 때문일 것이라는 생각으로 갈레리우스는 "그리스도인들의 존재를 다시 허용하며" 또한 "그리스도인들은 로마의 평안을 위하여 자신들의 신에게 의무적으로 기도하여야 한다"[1]고 선언하였다. 그러나 이러한 관용적인 조처는 갈레리우스에게 거의 도움이 되지 못하였다. 그는 관용을 선포한 후에 거의 곧바로 사망하였다.

갈레리우스의 사망으로 로마 제국을 놓고 네 사람의 경쟁자가 다투게 되었다. 동로마 제국에서는 헬레스폰트의 북쪽 영토들을 관할하였던 리키니우스(Licinius)가 소아시아와 시리아, 팔레스타인, 그리고 이집트를 차지하고 있었던 막시미누스 다이아와 대결하였다. 다이아는 갈레리우스가 죽은 지 얼마 지나지 않아서 기독교에 대한 박해를 재개하였고, 기존의 콘스탄티누스와 리키니우스 간의 협정에 맞서 서로마의 막센티우스와 동맹을 맺었다.

313년에 리키니우스는 헤라클레아 폰티카 부근에서 막시미누스를 무찌르고 제국의 동쪽 지역을 장악하였다. 서로마에서도 거의 정확하게 1년 전에 사태가 해결되었었다. 콘스탄티누스는 작전에 비해서는 아주 소규모로 여겨지는 군대를 이끌고 알프스 산맥을 넘는 탁월한 행진을 감행하였으며 이탈리아 북부에서 벌어진 여러 번의 전투에서 막센티우스의 부대에게 승리를 거두었다. 콘스탄티누스는 모든 위험을 감수하면서 막센티우스와 대결하기 위하여 계속 남쪽으로 행군하였으나, 막센티우스는 우세한 병력을 보유하고도 로마 시의 성벽 뒤로 물러섰다. 막센티우스는 그 지방 주민들에게 인기가 없었기 때문에 로마에서 소요가 발생하였고, 막센티우스는 부대를 로마 시 밖으로 이끌어 내어 티베르 강을 가로지르고 있는 물비안 다리(Mulvian Bridge)를 사이에 두고 콘스탄티누스의 군대와 대결하게 되었다.

교회와 로마 제국의 역사의 진로를 바꾸게 된 사건이 일어난 곳이 바로 이곳이었다. 콘스탄티누스는 그의 아버지와 마찬가지로 기독교 박해를 확고하게 반대하였던 인물이었다. 그러나 역시 그의 아버지와 마찬가지로 그는 아우렐리우스 황제가 널리 퍼트렸던 모호한 태양 유일신을 섬기고 있었다.

그 종교는 이교적인 감수성에 아주 잘 어울리는 제식이었다. 그러나 물비안 다리의 전투가 벌어지기 전날에 콘스탄티누스는 꿈에서 "이 표시에 의하여 승리하리라"는 말과 함께 그리스도의 이름의 머릿 글자들을 보았다[2]. 이것을 징조로 받아들인 그는 자신의 대의를 그리스도인들의 하나님에게 맡기기로 결심하였고 키(Chi)와 로(Rho)라는 문자 도안을 병사들의 방패에 그리게 하였다. 뒤이은 전투에서 막센티우스는 싸움에서 패배하고 전사하였다.

콘스탄티누스는 서로마 제국을 장악하게 되었다. 로마로 개선하여 들어갔을 때 그는 누구의 도움으로 승리하였는지를 기억하였다. 로마의 신들에게 바쳐졌던 관례적인 감사가 생략되었다. 황제는 자신의 운명을 소수파인 그리스도인들의 대의에 걸었으며 그 이후로 기독교의 하나님을 제국의 수호자이자 자신의 개혁과 재건 사업의 후원자로 여겼다. 로마는 디오클레티아누스의 과업을 계속 수행할 사람을 가지게 되었으나, 그 과업이 이제는 디오클레티아누스가 박해하였던 사람들이 믿었던 바로 그 하나님을 후원자로 삼고 진행되었다.

콘스탄티누스가 자신의 새로운 동맹을 알리는 방법에 신경을 썼다는 것은 거의 말할 필요도 없을 것이다. 그는 이교적인 직책이었던 대사제(Pontifex Maximus)라는 명칭을 받아들였고 동전에는 여전히 태양신(Sun-God)의 표상을 새겼다. 313년 밀라노의 회동에서 콘스탄티누스와 리키니우스는 그리스도인들의 처리 문제에 대하여 협정을 맺었는데, 그것은 단순한 관용을 넘어서는 것이었지만 그러나 교회의 설립과 같은 것은 전혀 아니었다. 그 협정은 양심의 자유를 선포하였고 다른 종교들과 동등한 충분한 법적 지위를 기독교에 부여하였으며 박해 시에 몰수되었던 모든 교회 재산을 다시 돌려줄 것을 명령하였다.

그러나 리키니우스는 어느 정도는 내키지 않은 태도로 이 협정을 시행하였다. 그는 박해자는 아니었으나, 여전히 이교주의를 충실하게 따랐던 인물이었으므로 교회에 특권을 기꺼이 부여하려고도 하지 않았다. 313년의 회합 이래로 10년 동안 그와 콘스탄티누스 사이에 긴장이 점차 고조됨에 따라, 그는 교회의 공적인 생활에 심한 제한을 가하였다. 그러므로 콘스탄티누스는 단순히 정치적 원정이라는 의미뿐 아니라 기독교 신앙의 보호자로서 324년에 리키니우스의 영토를 침공할 구실을 찾게 되었던 것이다. 두 차례의 전투에서 패배한 리키니우스는 데살로니가로 은퇴하였고 결국 사형에 처해졌다. 콘스탄티누스는 제국의 유일한 지배자가 되었고 교회는 로마의 대의와 교회의 대의가 하나가 되었다는 사실을 깨닫게 되었다.

제3기
제국 국교회

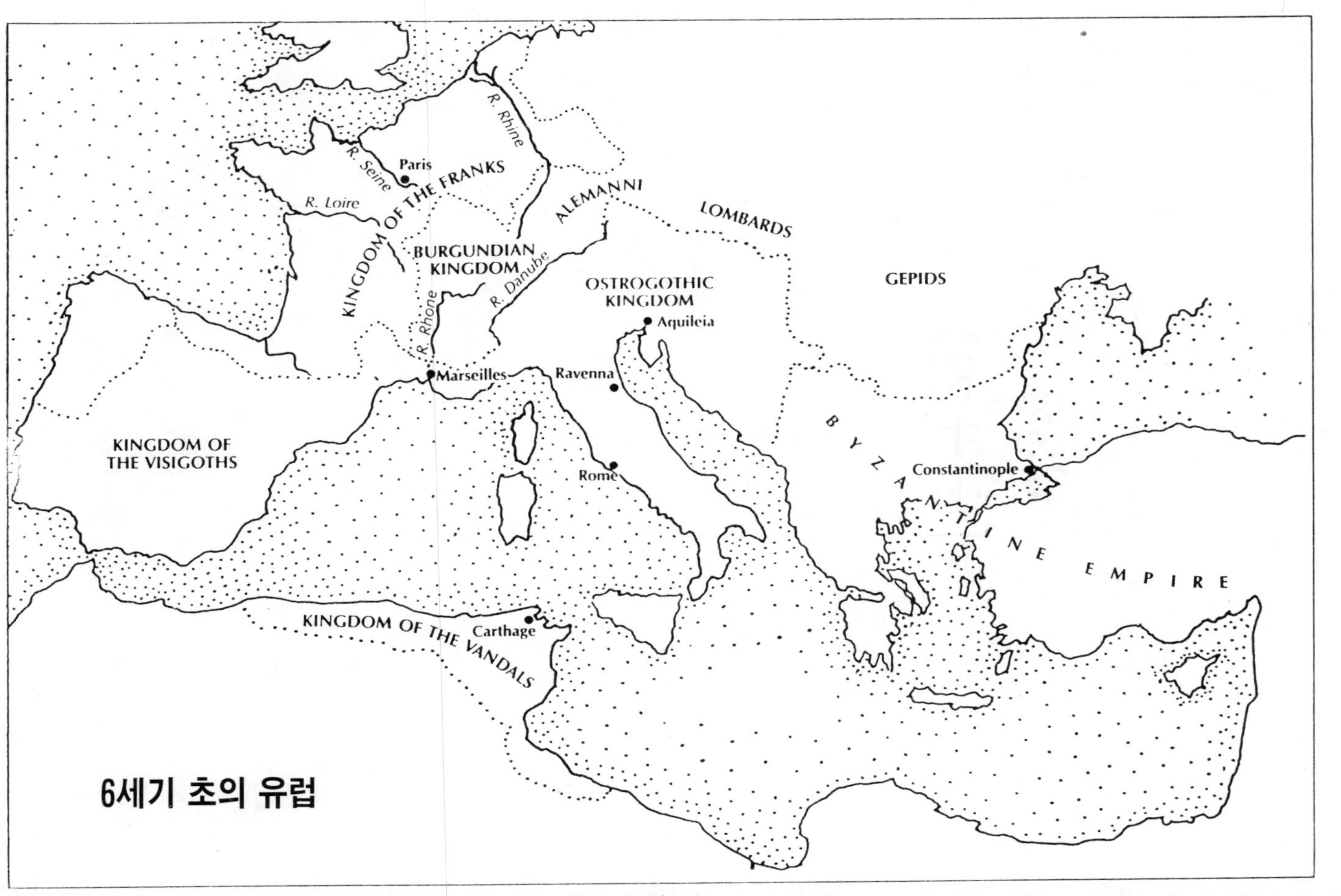
R. Rhine
Paris
R. Seine
KINGDOM OF THE FRANKS
R. Loire
ALEMANNI
LOMBARDS
BURGUNDIAN KINGDOM
R. Danube
R. Rhone
GEPIDS
OSTROGOTHIC KINGDOM
Aquileia
Marseilles
Ravenna
KINGDOM OF THE VISIGOTHS
Rome
BYZANTINE EMPIRE
Constantinople
KINGDOM OF THE VANDALS
Carthage

6세기 초의 유럽

1. 변화된 상황

콘스탄티누스(Constantine)는 적어도 초기에는 기독교의 유일신론과, 일찍이 아우렐리우스(Aurelian)가 장려하였고 콘스탄티누스 자신도 310년 이후 의식적으로 신봉한 태양교의 유일신론 간에 별다른 차이를 느끼지 못하였을 것이다. 이 두 종교는 각각 우주의 종속된 '세력들'을 통치하는 유일한 초월신의 지상권(至上權)을 주장하였다. 따라서 양 종교가 내놓은 세계-질서 상(像)은 콘스탄티누스가 황제로서 지닌 사명감, 즉 지상의 인간 사회를 통합 및 통일할 보편 군주권을 회복해야 한다는 사명감과 일치하였다.

하지만 로마의 성벽 앞에서 콘스탄티누스에게 승리를 안겨준 것은 기독교의 하나님이었으며, 콘스탄티누스가 승리를 거둔 이후 제국의 안녕과 성공적인 통치를 유일하게 보장해 줄 수 있는 예배를 한 분 하나님께 드리기 위해서 의존한 것은 기독교 교회들이었다. 그가 아프리카 속주 총독 아눌리누스(Anulinus)에게 '가톨릭 교회'의 성직자들로 하여금 충분한 시간을 내어 하나님을 섬기게 하고 그로써 "국사(國事)에 무한한 은덕을 끼칠 수 있도록"[1] 그들에게 시민의 의무들을 면제시켜 주라고 지시한 것은 바로 이러한 — 고진적인 로미의 — 정신에서였다. 콘스탄티누스는 교회들이 예배를 통해서 제국 백성들의 안녕을 보장할 수 있도록 교회들의 복지를 보장해 주는 것을 자신의 의무로 간주하게 되었다.

콘스탄티누스가 313년 이후에 취한 행위들은 이러한 의무감을 뚜렷하게 예증해 준다. 그 정도로 이른 시기에조차 그는 스페인 코르도바의 주교 호시우스(Hosius 〈Osius〉)를 통해서 교회에 대해 자문하였고, 개교회들에게 자선에 쓰도록 기부를 하였으며, 자신의 경비를 들여 기독교의 예배처로 사용할 바실리카(교회당)들을 건축하였다.

321년 교회들에게 유산을 물려받을 수 있도록 허락하였고, 그로써 합법적인 법인 자격을 부여하였다. 태양의 날(일요일)이자 기독교의 '첫날'을 주간 휴일로 정하고 그 날은 노동을 금하는 법령을 제정하였다. 소송 당사자들이 자발적으로 합의할 경우 소송건을 지역 기독교 주교 법정으로 가져갈 수 있도록 허용하였고, 주교의 판결이 법률적 효력을 가질 수 있게 하였다. 콘스탄티누스가 고도(古都) 비잔티움 — 그는 자신의 통치 정신과 업적들을 상징하기 위해서 이 도시를 '새 로마'라 불렀고, 후세인들은 그것을 황제의 이름을 따서 '콘스탄티노플'이라 불렀다 — 에 새 수도를 건설하였을 때 이곳에는 기독교 성소들이 자유롭게 들어섰지만 이교 숭배가 들어설 자리는 없었다.

콘스탄티누스는 이러한 정책을 추진하는 가운데 중대한 모험을 하고 있었다. 우선 기독교인들은 제국 내에서 소수 세력이었고 한동안은 소수로 남아 있었다. 황제의 지원과 관심으로 많은 사람들이 즉각 기독교로 개종한 것도 아니고, 이교신앙은 그대로 존속하였을 뿐만 아니라 심지어 상당한 활기를 띠고 있다는 징후까지도 나타냈으며, 부유층과 식자층은 황제의 종교정책 변화를 지지하지 않았다. 그러나 그보다 더욱 큰 문제는 콘스탄티누스도 곧 발견하고는 좌절하게 되었듯이, 강렬하고 때로는 잔혹했던 박해기를 넘어온 교회들이 내부 문제로 고통을 겪고 어떤 지역들에서는 심각한 분열상을 드러내고 있었다는 점이었다. 그러므로 콘스탄티누스로서는 기독교에 기여한다는 것이 교회들로 하여금 하나님을 섬기도록 지원하고 격려하는 것을 뜻할 뿐 아니라, 그들의 분쟁에 대해 단호한 조치를 취하는 것을 뜻하기도 하였다. 그는 막센티우스(Maxentius)를 제압한 지 몇년이 못되어 아프리카와 누미디아 교회들에서 일어난 분쟁에 자신이 휘말려 있다는 것을 발견했을 때, 그것이 얼마나 어렵고 생색나지 않는 일인지를 아주 일찍부터 깨달았다.

도나투스파(派) 분쟁은 키프리안(Cyprian) 때 로마와 카르타고 간의 분쟁처럼 순교 이념을 놓고 벌인 갈등에 그 뿌리를 두었다. 북아프리카의 기성 기독교는 터툴리안(Tertullian)과 키프리안의 전승을 따라 순교자 소명과 그것이 구현하는 세상에 대한 배척 정신을 계속해서 드높였다. 그 지지자들은 배교(背敎)나 그외의 대죄 때문에 직무를 수행할 자격이 없는 주교를 둔 교회에는 성령이 임할 수 없다는 키프리안의 가르침을 진리로 확신하였다. 그러므로 디오클레티아누스(Diocletian)의 박해 때 카르타고의 주교 멘수리우스(Mensurius)와 그의 대부제(archdeacon) 카이킬리아누스(Caecillian)가 순교자 숭배를 공식적으로 비판하고 악의 세력에 대한 저항에 전력을 기울이지 않는다는 인상을 주었을 때 그들에 대한 큰 반발이 일어났다. 따라서 멘수리우스가 죽고 그 대신에 카이킬리아누스가 후임 주교로 선출 및 임명되었을 때 아프리카 지방의 많은 기독교인들 — 그리고 관례와는 달리 주교 선출에 아무런 자문도 의뢰받지 못한 누미디아의 주교들 — 은 소외감을 느꼈다. 이런 소외감은 카이킬리아누스를 임명한 주교들 가운데 한 사람이 배교하였다는(성경을 세속 권력자들에게 넘겨줌으로써) 주장이 호소력 있게 대두되었을 때 분열로 발전하였는데, 이는 그 주교의 배교가 곧 카이킬리아누스의 임명이 유효할 수 없다는 것과, 카이킬리아누스가 사실상 주교가 아님을 뜻하였기 때문이다.

이로써 콘스탄티누스가 무대에 등장할 무렵에 아프리카 교회는 분열되어 있었다. 로마 세계에서 다른 지역 교회들과 사귐을 갖고 있다는 뜻에서 '가톨릭'이라 불리던 집단은 카이킬리아누스가 이끌었고, 그의 경쟁자는 "순교자들의 교회"를 이끈 도나투스(Donatus the Great)라는 카리스마적인 인물이었다. 콘스탄티누스가 사실상 카이킬리아누스 집단을 아프리카 기독교 교회로 인정하였을 때, 도나투스주의자들은 자신들이 그리고 자신들만이 합법적인 교회라고 주장하면서 정식 재판을 요청하였다. 이로써 황제는 교회의 내부 문제에 휘말려 들게 되었다.

이 시점에서 콘스탄티누스는 훗날 교회문제에 관한 제국의 정책이 될 절차를 마련하였다. 그는 도나투스주의 건을 두 차례에 걸친 주교들의 공의회에 넘겼다. 첫번째 공의회에서 로마의 주교 밀티아데스(Miltiades)는 이 문제를 넘겨받아 세 명의 갈리아 주교들과 함께 법정을 구성하였다. 도나투스주의자들이 밀티아데스의 판결에 불만을 품고서 항소하자 갈리아 아를(Arles)에서 더욱 규모가 큰 공의회가 열렸다(314).

이 공의회에서도 카이킬리아누스의 임명자들 가운데 한 사람이 배교자이므로 그의 임명은 무효라는 도나투스주의자들의 고소를 사실에 입각하여 다시금 배격하였다. 도덕적으로 무자격한 성직자는 유효한 교회적인 행위를 이룰 수 없다는 도나투스주의의 원칙도 배격하였다. 그러나 분쟁을 극복하려는 이러한 노력은 아무런 성과도 거두지 못하였다. 콘스탄티누스는 잠시 무력으로 도나투스주의를 진압해 보려고 하다가 곧 포기하였다. 분쟁은 지속되었고, "도나투스주의 진영"(pars Donati)은 스스로 유일하고 참된 교회라고 주장하고 실제로 권위있는 아프리카 기독교의 전통적인 정신을 상당히 구현하면서 아프리카에서 번성하여 갔다.

2. 아리우스 논쟁: 콘스탄티누스의 죽음까지

324년 콘스탄티누스는 리키니우스(Licinius)를 물리치고 제국의 동쪽 절반을 장악하게 되었을 때 한 논쟁이 단일 지방이 아니라 리키니우스의 옛 영토 전역을 분열시키며 맹렬히 번지는 것을 발견하였다. 이번의 쟁점은 신학적인 것이었고, 그 초점은 로고스(Logos) 신학에 관련된 해묵은 문제, 즉 말씀(하나님의 아들)의 본성(nature) 또는 지위(status)와, 그가 성부(聖父) 및 피조물들과 맺고 있는 관계에 대한 문제에 맞춰져 있었다. 그것은 거의 60년 동안 공식적으로 해결할 수 없었던 논쟁이었고, 기독교인들에게 신관(神觀)을 표현하는 방식을 재고하도록 요구한 논쟁이었다.

아리우스 논쟁은 아마 318년에 알렉산드리아에서 시작하였다. 바우칼리스라는 농촌 '교구'를 감독하고 알렉산드리아 교회에서 중요하고도 유명한 인물이었던 장로 아리우스(Arius)는 로고스가 '무존재로부터' 하나님에 의해 존재하게 된 피조물이라는 견해를 제기하였다. 피조물인 로고스는 인간들과 마찬가지로 적어도 원칙상으로는 변화에 종속되고, 선하게 될 가능성과 악하게 될 가능성을 동시에 지닌다고 하였다. 더욱이 아리우스는 아들(로고스)이 존재하지 않던 '시간' — '때' — 이 있었다고 가르쳤다.

알렉산드리아의 주교 알렉산더(Alexander, 312?-328 재위)는 아리우스와 다른 교사 간의 논쟁에서 제기된 이 견해를 듣고서, 아리우스의 견해가 그릇되며 그는 더 이상 그 견해를 제기해서는 안 된다는 판결을 내렸다. 그러나 아리우스도 성직자들뿐만 아니라 평신도들 가운데서 지지자들이 없지 않았다. 그는 자기 견해를 계속해서 보급하겠다는 뜻을 천명하였다.

논쟁 범위는 확대되었다. 결국 320년경 알렉산더는 약 100명의 이집트 주교들로 구성된 공의회에서 아리우스와 그의 동료 성직자들을 파면하였다. 그러나 이 무렵 아리우스는 팔레스타인으로 도피해 있었으며, 이곳에서 자기 견해에 공감하고 지지하는 사람들을 찾아나서 실제로 목적한 바를 성취하였다. 그 중에서 제국의 동방 수도의 주교인 유세비우스(Eusebius of Nicomedia, ?-342경)라는 유력한 인물을 지지자로 만들었는데, 그는 아리우스와 마찬가지로 순교자 루키아누스(Lucian of Antioch)의 제자였다.

아리우스는 한동안 니코메디아의 유세비우스와 함께 지냈으며, 이곳에서 자신의 견해를 다소 체계적으로 정리한 「탈리아」(*Thalia*)(단편으로만 현존함)를 썼을 가능성이 매우 높다. 아리우스와 유세비우스는 편지 공세를 통해서 알렉산더에게 아리우스를 복권시키도록 압력을 가하였다. 알렉산더도 이에 못지 않은 편지 공세를 통해서 아리우스가 로고스(성자)의 신성을 부인한 것은 신성모독이라고 주장하였다. 주교 알렉산더는 성자가 시간과는 무관하게 영원히 발생하며, '무존재로부터'라기보다는 '하나님께로부터 직접' 오며, 불변하고 완전하다고 주장하였다. 그러나 이 견해는 오리겐(Origen)의 종속설(subordinationism)을 뚜렷이 재현하지 않은 채 그의 주장을 단순히 반복한 것으로서, 이에 대해 아리우스주의자들은 알렉산더가 두 명의 동등한 하나님 ― 두 명의 '독생자'(獨生者, unbegottens) ― 을 가르치고 있다고 비판하였다.

당시 이 논쟁이 시작되면서 중심 쟁점으로 떠오른 것은 로고스 문제였다. 그리고 이 쟁점은 성자에게 적용된 '게네토스'(gennetos)라는 헬라어를 어떻게 해석하느냐는 문제로 귀결되었다. 그리스 철학용어에서 전통적으로 '낳음을 입은'(begotten)으로 해석된 이 단어는 포괄적이고 따라서 모호한 뜻을 갖고 있었다. 이것은 어떤 방법으로든 '존재하게 된' 것을 가리켰고, 따라서 '파생된' 또는 '발생된' 것을 가리켰다.

기독교 사상은 일찍이 하나님이 유일한 '아게네토스'(agennetos, '파생되지 않은', '발생하지 않은'), 즉 독특하고 절대적인 제1원리라는 주장으로 본래의 유일신론관을 표현하도록 배웠다. 하나님과 대조할 때 존재하는 다른 모든 것들 ― 로고스, 즉 하나님의 아들을 포함한 ― 은 발생된 것으로 묘사되었다. 물론 이것은 로고스가 하나님께 종속되었다는 뜻일 뿐 아니라(어떠한 '형상'도, 심지어 주체의 상〈像〉 자체도 그것이 상징하는 실재에 대해 부차적이므로), 로고스가 하나님과는 상관이 없는 어떤 것 ― '발생됨'에 따른 몇몇 특징 ― 을 피조물들과 공유한다는 뜻이기도 하였다.

물론 '공유하는 어떤 것'이 반드시 지위(status)를 함축하는 것은 아니고, 또한 그리스 신학의 전승도 대개 로고스(성자)가 발생한 방법을 피조물들 ― 인간 영혼이나 육체 같은 ― 이 발생한 방법과 구분하였다. 후자는 '무존재'로부터 존재하게 된 반면에, 전자는 하나님께로부터 '태어났고' 따라서 2차적이되 사실상의 신(神)이었다. 그러므로 그리스 신학의 전승이 직시한 것은 신적 위격(位格)이 위계질서 안에서 복수(複數)로 존재한다는 것이었다. 그 전승에 따르면, 먼저 영원하고 불변하는 제1원리인 하나님이 계셨고, 그분은 아들이자 형상인 로고스를 존재케 하였으며, 자신의 이 형상을 통해서 '무존재로부터' 피조물의 세계를 불러내신다고 한다.

아리우스는 이 전승을 긍정한 동시에 반박하였다. 그는 로고스가 하나님과 세계 사이에서 중재한다는 위계 사상을 유지하였으나, 동시에 발생하지 않은 존재와 발생한 존재들, 즉 하나님과 피조물 사이에는 중간 존재에 해당하는 용어가 있을 수 없다고 주장하였다. 중재자는 반드시 신이 아니면 피조물이며, 하나님이 두 분 계실 수가 없는 까닭에 성자는 피조물이라고 하였다(잠 8:22이 이 점을 뚜렷이 말한다고 보았다).

물론 성자는 피조물들 가운데 가장 영광스러운 존재이고, 창조와 구속에서 하나님의 도구이며, 따라서 다른 피조물들과는 다른 차원에 있는 피조물이라고 하였다. 그럼에도 불구하고 그는 변할 수 있는 피조물이며, 바로 그 이유에서 "하나님의 형상을 따라", 즉 로고스의 전형에 따라 창조된 인성(人性)에 더욱 적절한 형태일 것이라고 하였다. 그와는 대조적으로, 로고스의 신성(神性)과 하나님과의 동일함을 강조하고 싶어하던 사람들의 입장은 두 가지 불가능한 추정들 가운데 한 가지를 포함하는 듯하였다.

그 두 가지 추정은 두 명의 동일한 하나님이 존재하거나, 아니면 단일신론자(Monarchian)들이 가르치듯이 성부와 성자 간에는 실제적인 차이가 없다는 것이었다. 간단히 말해서, 사실상 아리우스와 알렉산더는 로고스를 중간지점으로 삼음으로써 불변하는 신과 변하는 피조물 간의 간격에 다리를 놓아주는 전통적인 위계 체제가 존속될 수 있는지에 의문을 제기하였다. 이 드라마의 제1막에서 혼란과 망설임 속에 있던 동방 교회 주교들은 두 입장 모두를 배척하고, 아리우스와 그의 주교가 각기 다른 방식으로 위태롭게 해온 전승을 재확인하는 것으로 태도를 결정하였다.

그러나 콘스탄티누스가 324년 동방에서 발견한 것은 단순한 혼동이 아니었다. 많은 교회 지도자들이 이미 어느 한 진영을 선택해 놓고 있었고, 매우 당혹스럽고 매서운 전쟁이 벌어져 있었는데, 이 전쟁에서는 신학 쟁점들이 인격과 명예의 문제와 얼기설기 얽혀 있었다. 처음에 황제는 이 사실을 파악하지 못한 듯하다. 그가 처음에 취한 조치는 자문인 호시우스(Hosius of Cordova)를 알렉산드리아로 보내 편지를 전달한 것이었는데, 이 편지에서 그는 화해를 요청하고 당시 논란 중인 쟁점이 '무익' — 지엽적인 문제에 대한 사소한 불일치 — 한 것임을 넌지시 말하였다.

비록 의도는 좋았으나 어설프기 짝이 없는 이 노력은 아무런 효과도 발휘하지 못하였고, 호시우스는 이 사실을 재빨리 발견하였다. 그러나 그는 황제에게 돌아가자마자 안디옥의 새 주교를 선출하기 위해 안디옥에 와 있던 주교들을 소집하여 회의를 주재하였다. 주교들은 확고한 반(反)아리우스주의자인 유스타티우스(Eustathius)라는 사람을 주교로 선출한 뒤 신앙고백서를 발행하였다. 이 신앙고백서는 아리우스에 반대하여 로고스(성자)가 "무존재가 아닌 성부에게서 나되, 피조되지 않고 정당한 아들로 났다"고 주장하였고, 로고스가 "영원히 존재"하며 "불변하다"[1]고 주장하였다.

이렇게 아리우스의 가르침이 동방 신학 전승에 낯익은 용어들로 배척당하자, 황제는 자신의(그리고 교회의) 문제를 과거에 서방에서 도나투스파 문제에 시도하였던 것과 같은 방법으로 — 즉, 주교회의에 의해 — 해결해야겠다는 생각을 당연히 갖게 되었다. 그러므로 서둘러 제국의 모든 주교들을 소아시아 니케아에 소집하였는데, 이 모임이 최초의 세계교회회의(the Ecumenical Council, 에큐메니칼 공의회)가 되었다.

325년 5월에 열린 이 공의회는 그 신앙고백으로 정통신앙의 기초를 규정한 공의회로서 기독교 전승에 살아남아 왔다. 주교들은 대부분 얼마 전에 이런저런 방법으로 박해를 당했던 사람들로서, 이제는 제국이 부담하는 비용으로 여행할 수 있다는 사실에 틀림없이 놀라움과 감사를 금치 못하였을 것이다. 그들 중 대다수가 동방에서 왔다. 참석한 2백-3백명의 주교들 가운데 서방 출신은 6명밖에 되지 않았다. 이들은 세 학파를 대표하였다.

니코메디아의 유세비우스가 이끈 소수는 철저한 아리우스주의자들이었다. 안디옥의 유스타티우스와 앙키라의 마르켈루스(Marcellus of Ancyra)가 포함된 또다른 소수 집단은 열렬한 알렉산더 지지자들이었다. 다수 — 그중 가장 현저한 인물은 교회사가인 가이사랴의 유세비우스(Eusebius of Caesarea)이었을 것이다 — 는 비록 모두가 논쟁 내용을 깊이 이해하지는 못하였을지라도 동방 전승의 복수주의(pluralism)와 종속설(subordinationism)을 대표하였다. 황제도 공의회에 참석하여 진행을 주재하였다.

이 공의회가 공포한 신조 및 교회법 본문들뿐만 아니라 그 활동내용들도 오직 비공식적인 — 그것도 때로는 훨씬 후대의 — 보고들에 의해서만 알려진다. 이 공의회는 개회하자마자 아리우스주의자들이 제출한 신앙고백서를 부결시킴으로써 앞으로 어떤 방향을 취할 것인지를 보여 주었다. 그러나 일관되게 아리우스 진영에 공감을 표시하였던 가이사랴의 유세비우스(물론 그는 엄격한 의미에서 아리우스주의자가 아니었다)는 아리우스주의자라는 혐의를 벗기 위해서 고향 도시의 세례 신조를 낭독하였으며, 황제의 뜻에 따라 움직이던 주교들은 이 신조가 아리우스의 해석을 구체적으로 배제하지 않는 것이었는데도 그것이 손색없는 정통이라는 데 동의하였다.

추측컨대, 황제와 주교들이 똑같이 추구하고 있던 것은 전통적인 동방교회의 입장을 명확히 배제하지 않고서 아리우스의 사상을 배척하는 방법이었던 것 같다. 따라서 그들은 예배의식이 아닌 새로운 형태의 신앙고백서를 작성하는 과정에서 유세비우스가 낭독한 것과 매우 비슷한 또다른 세례 신조를 채택하고 그 본문을 자기들의 뜻에 부합하게 수정하였다. 이 신조 말미에는 아리우스주의자들이 주장한 기본 명제들을 직접 정죄하는 짧은 아나테마(저주) 문구들을 덧붙였다.

주교들은 본문에 “참되신 하나님께로서 온 참되신 하나님”, “피조되지 않고 낳음을 입은”, “성부의 본질(*ousia*, substance)로부터”, 그리고 — 훗날 가장 중요한 것으로 판명된 — “성부와 동일 본질(*homoousios*, one substance)을 지닌” 등 의미심장한 표현들을 삽입하였다. 이런 표현들이 지닌 일반적인 효력은 분명한 것이었다. 이 표현들은 로고스가 피조물이라는 사상을 철저히 배제하였고, 로고스가 참으로 영원 전에 독생하신 하나님의 ‘아들’임을 역설하였으며, 그가 하나님과 동일한 존재 질서에 속한다고 주장하였다.

그러나 처음부터 가이사랴의 유세비우스 같은 사람들은 그 신조에 대해 의문을 품었고, 그 의문은 '호모우시오스'(*homoousios*)라는 단어에 초점을 맞췄다. 물론 이 용어는 모호하고 비전문적인 것으로서 매우 다양한 뜻을 지닐 수 있었다. 원리상 존재의 엄격한 동일을 뜻할 수도 있었으나, 성부와 성자 간의 상당히 비슷한 정도를 뜻할 수도 있었다. 물론 모든 사람들이 좋아한 것은 후자였다. 반면에 이 용어는 성경에 없는 것으로서, 매우 모호한 신학 역사를 갖고 있었으며, 유세비우스의 관점에서 볼 때는 위험스럽게 잘못 해석될 소지가 있었다.

예를 들어 유세비우스는, "동일 본질을 지닌"이라는 구절은 일반 용례상 로고스가 신(神)의 '성분' 중 일종의 '범위'나 '단편'임을 암시할 수 있고, 따라서 하나님도 물질적이고, 나눌 수 있고, 변할 수 있음을 암시할 수 있다고 하였다. 아울러 성부와 성자 간의 구분을 부정하는 쪽으로, 따라서 복수주의 전승을 지닌 동방교회가 가장 꺼리던 단일신론(monarchianism)에 문을 열어놓는 쪽으로 해석될 가능성은 얼마든지 있다고 하였다.

그러나 유세비우스는 그 용어의 본래 의도가 오직 "성자는 발생된 피조물들과는 아무런 유사성도 갖지 않고, 모든 점에서 그를 낳으신 성부와만 유사성을 지니며, 성부와 다른 어떤 실재와 본질에서 나오지 않고 성부에게서 나온다"[2]는 데 있다고 확신하였다. 그는 이런 설명을 기초하여 니코메디아의 유세비우스와 다른 모든 주교들(2명을 제외한)과 함께 그 신조에 서명하였다. 물론 이렇게 함으로써 황제의 의도에 보조를 맞추고자 함이었다.

그러나 그와 다른 많은 주교들은 계속해서 그 용어를 의심하였고, 그것에 최소의 해석을 부여하였으며, 될 수 있는 대로 그 용어를 언급하지 않았다. 이 신조는 아리우스주의를 배제하고 동방교회에 모두가 동의할 수 있는 신조를 제공한다는 원래의 목표를 달성하였다. 그러나 이 신조가 기독교 신관(神觀)을 위해 내놓으려고 한 분명한 내용들은 이 신조가 일으킨 질문들을 놓고 훗날에 벌어진 논쟁을 통해서야 비로소 확립되었다.

니케아 공의회는 핵심 의안인 아리우스주의 외에 다른 문제들도 다루었다. 그중 한 가지는 최초로 지역 수준을 넘어서는 공적인 교회 조직을 규정하는 내용의 교회법들을 통과시킨 일이다. 서방보다는 동방에서 더욱 쉽게 구체화하였던 이 조직은 로마제국의 속주(屬州, province) 조직을 토대로 삼았다. 니케아 공의회는 속주 주교들의 정규 교회회의들을 신설하고, 속주 대도시의 주교에게 관할 지역의 주교 선출 및 임명에 대한 거부권을 부여하고, 속주의 주교들 중 적어도 주교 3명이 참석하지 않을 경우 새 주교를 선출할 수 없게 함으로써 사실상 속주 교회들과 그 주교들의 권한을 제한하였다. 그외에도 니케아 공의회는 알렉산드리아, 로마, 안디옥의 각 주교에 대해서 각 속주의 영역보다 더욱 광범위한 예외적인 관할권을 인정하였는데, 이것은 총대주교구들을 인정하는 데로 향한 첫걸음이었다.

니케아 공의회가 소집된 이유 가운데 또 한 가지는 디오클레티아누스의 박해로 거슬러 올라가는 이집트 교회 내의 분열에 대한 치유책을 마련하는 것이었다. 그 박해 때 알렉산드리아의 주교 페트루스(Peter)는 도피하여 숨어지냈다. 그가 없는 동안 리코폴리스의 주교 멜리티우스(Melitius)가 그를 대신하여 알렉산드리아의 성직자들을 임명하였다. 이 행위를 자기 권위에 대한 탈취로 간주한 페트루스는 멜리티우스를 파문함으로써 맞선 다음 분리 교회들을 조직하였다. 심지어 페트루스가 순교한 뒤에도 후임 주교 알렉산더의 재위기간까지 지속된 이 분열에 대해 니케아 공의회는 당연히 콘스탄티누스의 지시에 따라 타협에 의한 치유책을 모색하였다.

타협안은 멜리티우스파 성직자들에 대해 그 직위를 계속 인정하되 알렉산더의 권위 아래 있게 하는 것이었다. 멜리티우스파 주교들은 만일 그 목적을 위해 공정히 투표를 하였다면 멜리티우스가 죽은 뒤 공교회의 주교직을 그대로 이을 수 있었을 것이다.

니케아 공의회의 법령들에는 평화와 화해를 바라던 콘스탄티누스의 열망이 잘 담겨 있었으며, 이러한 열망은 공의회가 끝난 뒤에도 시들지 않았다. 그러나 그가 그것을 얻기 위해 사용한 방법은 오직 분쟁만 가중시킬 뿐이었다. 328년 알렉산더의 부제(deacon) 아타나시우스(Athanasius)가 알렉산드리아 주교직을 계승한 바로 그 해에 황제는 니코메디아의 유세비우스(황제는 니케아 공의회 직후 아리우스와 내통한 죄로 그를 추방한 바 있다)를 제국 수도의 주교로 다시 불러들였다. 아리우스주의자에다가 탁월하고 결단력 있는 정치가였던 유세비우스는 곧 콘스탄티누스의 중요한 교회문제 고문이 되었다.

황제를 설득하고 그의 신임을 얻은 그는 즉시 동방교회의 종속설 신학 전승에 맞선 대적들의 교회를 제거하기 위한 공세를 시작하였다. 결국 그는 목표를 달성했을 뿐만 아니라, 공세의 진정한 쟁점이 콘스탄티누스가 아끼던 니케아 신조 — 유세비우스가 정확히 본 대로 단일신론의 도구였던 — 라는 점을 조금도 내비치지 않은 채 목표를 달성했다.

유세비우스가 벌인 공세에 최초로 희생당한 사람은 안디옥의 유스타티우스(Eustatius)였다. 그는 오리겐을 공개적으로 비판한 것으로 악명높던 인물로서, 가이사랴의 유세비우스에게 단일신론자로 공식적인 고소를 당했었다. 유스타티우스가 교회 평화의 파괴자이고, 윤리적으로 의심스러운 사람이며, 황제의 어머니 헬레나(Helena)에게 가혹한 비판을 가한 사람이란 이야기를 고문들로부터 전해들은 콘스탄티누스는 330년경 안디옥에서 오리겐주의자들이 주축이 되어 열린 교회회의가 그를 폐위하도록 묵인하였고, 그를 트라케로 귀양보냄으로써 그 조치를 더욱 강화하였다.

유세비우스의 그 다음 희생자는 알렉산드리아의 새 주교(328-373 재위)이자 더욱 까다로웠던 아타나시우스였다. 결연하고 요지부동한 니케아 신조 옹호자이자, 전임 주교 알렉산더의 대변자로 자임한 아타나시우스는 과거에 멜리티우스파들을 다룰 때, 그리고 이집트 교회에 대해 자신의 권위를 강화할 때 사용한 강압적인 방법들을 가지고 비판의 포문을 열었다.

335년 아타나시우스는 철저히 신학적인 정적들로 구성된 두로(Tyre) 교회회의에 소환당하였다. 그리고 다른 여러가지 죄목들 중에서 아르세니우스(Arsenius)라는 멜리티우스파 주교에 대해 살해를 음모했다는 죄목으로 고소당하였다. 이 고소 내용은 거짓이었지만(아타나시우스는 아르세니우스를 폐위하였을 뿐이다), 알렉산더의 후임자로서는 그러한 교회회의에서 정의를 기대할 수 없었다. 그러므로 아타나시우스는 콘스탄티노플로 가서 직접 황제를 만나 호소하기 위해 두로를 몰래 빠져나왔다. 그러나 결국 황제에 대한 호소도 아무런 성과를 얻어내지 못하였다.

니코메디아의 유세비우스와 그의 동료들은 아타나시우스가 수도에 대한 이집트의 곡물 공급을 중단하겠다고 위협했다는 말로 황제를 설득하였다. 이것은 반역죄에 해당했으며, 그 말을 조사해 보지도 않은 채 확인된 사실로 받아들인 콘스탄티누스는 아타나시우스를 독일의 트리어로 귀양보냈다. 유세비우스가 거둔 마지막 승리는 또 다른 반(反)오리겐주의자인 앙키라의 마르켈루스를 폐위하고 귀양보낸 일이었다.

이렇게 하여 콘스탄티누스가 니코메디아의 유세비우스에게 임종석상에서 세례를 받은 뒤 337년 5월에 숨을 거둘 때까지는 니케아의 대적들과 종속설 옹호자들이 승리를 거두었다. 아리우스주의는 어떠한 공식적 형태든 니케아 공의회에 의해 배제되었으나, 그뒤 아리우스주의의 반대자들은 줄곧 패배를 겪었으며, 동방교회의 전통 신학이 우세한 지위를 차지하였다. 동방교회 주교들 대다수가 받아들인 것은 바로 이 전통 신학의 이런저런 형태였으며, 이 입장이 테오도시우스 1세(Theodosius I)가 즉위할 때까지 동방에서 황제의 지지를 누렸다.

3. 콘스탄티누스의 아들들 치하에서 벌어진 논쟁

콘스탄티누스가 죽은 뒤 제국은 그의 세 아들에 의해 분할되었다. 맏아들 콘스탄티누스 2세(Constantine II)는 브리타니아(영국), 갈리아, 스페인을 물려받았다. 콘스탄티우스 2세(Constantius II)는 동방, 즉 소아시아, 시리아, 이집트를 물려받았다. 막내아들 콘스탄스(Constans)에게는 북아프리카를 포함한 제국의 중앙부가 돌아갔다. 콘스탄티누스 2세는 막내동생에 대한 주권을 확보하려고 노력하는 과정에서 340년 아퀼라에서 기습을 당하여 전사하였다. 그러므로 그 이후로는 로마 제국 영토의 큰 부분을 콘스탄스가 다스리게 되었는데, 이 사실이 니케아 신조를 둘러싼 논쟁사에 적지 않은 중요한 의미를 갖게 되었다.

그 논쟁의 첫번째 초점 — 그리스교회뿐만 아니라 라틴교회까지 포함한 전체 교회가 곧 이 논쟁에 휘말렸다 — 은 니케아 신조 자체가 아니라 아타나시우스와 특히 앙키라의 마르켈루스 등이, 동방교회 지도자들이 폐위한 바 있는 주교들의 지위에 있었다. 새 황제들은 연합 통치 초기에는 유배되었던 이 주교들의 귀환을 허락하였고, 아타나시우스는 337년 말 이전에 알렉산드리아로 돌아갔다. 그러나 니코메디아를 떠나 콘스탄티노플의 주교가 된, 그리고 여전히 동방 주교들의 유력한 지도자로 활동하고 있던 유세비우스의 영향력 때문에 아타나시우스는 그곳에 남아 있을 수 없었다. 339년 봄 알렉산드리아에서 추방당하고 주교 자리를 아리우스주의자인 카파도키아의 그레고리(Gregory of Cappadocia. 그는 군대의 호위를 받아 알렉산드리아로 왔다)에게 내준 아타나시우스는 로마로 도피하여 그곳에서 앙키라의 마르켈루스와 곧 합류하였다. 이곳에서 이 두 유배자는 로마의 주교 율리우스(Julius)에게 지지와 동정을 얻었는데, 율리우스는 이전에 세력이 약할 당시에 유세비우스파 주교들로부터 아타나시우스 건을 재조사해 달라는 요청을 받은 바 있었다.

이제는 황제 콘스탄스의 지지를 누리게 된 율리우스는 340년 교회회의를 소집하였고, 이 교회회의는 아타나시우스와 마르켈루스에 대한 폐위 조치들이 부당하였다고 공포하였다. 자기들이 요청한 교회회의에 참석을 거부당한 동방교회 지도자들은 율리우스가 자기들의 문제에 이런 식으로 개입한 데에 분노를 터뜨렸다. 만일 그들이 교회회의에 참석하였다면 아타나시우스와 마르켈루스는 합법적으로 폐위를 당하였을 것이고, 복권 문제도 합법적으로 제기할 수 없었을 것이다.

더욱이 그들이 이런 태도를 보인 것은 신학적인 관심도 한몫을 했다. 그들은 아타나시우스와 마르켈루스가 — 후자는 선한 이유에서 — 니케아 공의회 신조를 단일신론의 입장에서 성부, 성자, 성령이 세 분의 구분된 실재들(hypostases, realities)임을 부정하기 위한 구실로 사용한다고 생각하였다. 따라서 그들 중 97명은 341년 콘스탄티누스의 '황금 바실리카'(Golden Basilica)를 봉헌하기 위해서 안디옥에 회집하였을 때 자신들이 아리우스주의자들이라는 주장을 일축하였고, 동방교회들에 관련된 소송건에 대해 로마가 항소법원 역할을 할 권리가 없다고 못박아 말했으며,

세 가지 신조를 공포함으로써 자신들의 신학 입장을 명확히 밝혔다.

이 신조들은 일반적인 단일신론과 특히 마르켈루스의 견해들을 체계적으로 배제함으로써 니케아 신조를 보충 및 수정하려는 데 뜻을 두었다. 황제 콘스탄스가 트리어에서 동방 주교들의 입장을 설명하라고 요청하자 그들은 제4신앙고백서 — 이 고백서는 명백히 아리우스주의를 의도한 것은 아니었으나, 역시 명백하게 동방교회의 복수주의와 종속설 전승을 대변하였다 — 를 황제에게 제출하였다.

이러한 라틴교회와 그리스교회 간의 불길한 분열은 큰 노력에 의해서야 비로소 치유될 수 있었다. 교황 율리우스의 제안에 따라 행동한 콘스탄스는 콘스탄티우스를 설득하여 사르디카(오늘날의 소피아)에 교회들의 총공의회를 소집하였다. 343년 가을에 모인 이 공의회는 결국 문제를 더욱 악화시켰을 뿐이다. 서방교회측은 아타나시우스와 마르켈루스를 공의회에 참석시킬 것을 요구하였으나, 숫적으로 우세하던 동방교회측은 이 요구를 쉽게 묵살하였다.

라틴교회는 따로 공의회를 열어 로마의 상소권을 승인하는 교회법들을 통과시키고, 아타나시우스의 조언을 무시하고서 동방교회의 입장에서 볼 때 단일신론을 지지하는 것으로밖에 볼 수 없는 용어로 신학 진술서를 공포하였다. 서방 주교들은 많은 단어들을 사용하여 성부, 성자, 성령께는 하나의 휘포스타시스(hypostasis)만 있을 뿐이라고 주장하였다. 그들도 세 위격(位格)간의 실제적 구분을 부인하지 않는다고 주장하긴 했지만, 이 용어(휘포스타시스 — 그 안에는 라틴어로 '하나의 본질'이라는 구절을 그리스어로 번역하려는 의도가 분명히 담겨 있다; 참조. II:7)는 동방의 오리겐 전승 전체에 대한 공격으로 받아들여질 수밖에 없었다.

이런 교착상태를 맞이하여 두 황제는 그것을 타개하기 위해서는 반드시 양측으로부터 양보를 얻어내야 한다고 결정하였다. 347년 아타나시우스는 정적 카파도키아의 그레고리가 죽자 대중의 열렬한 환영을 받으며 알렉산드리아의 주교좌를 되찾았다. 서방에서는 앙키라의 마르켈루스를 복권시키려는 모든 노력이 조용히 수그러들었다. 그러나 이로써 얻은 평화는 그리 오래 가지 않았다.

350년 황제 콘스탄스가 왕위 찬탈자 마그넨티우스(Magnentius)의 지지자들에 의해 살해당하는 사건이 벌어졌다. 3년간 지속된 투쟁 끝에 마그넨티우스는 콘스탄티우스 2세에게 패배하였고, 이로써 콘스탄티우스 2세는 353년 제국의 유일한 군주가 되었다. 이러한 중대한 정세 변화에 이어 신학 논쟁이 새롭고 더욱 명확한 형태로 재개되었다. 주교좌를 되찾은 아타나시우스는 「니케아 교회회의의 법령들에 관하여」(*On the Decrees of the Nicene Synod*, 350-351)라는 논문을 펴냄으로써 니케아 신조와 '호모우시오스'(*homoousios*)라는 용어(이전까지는 이 용어가 언급되는 일이 거의 없었다)를 솔직 대담하게 변호하기 시작하였다.

당시 알렉산드리아에 살던 다음 세대 아리우스주의 교사 아이티우스(Aetius, ?-

370경)는 아타나시우스의 주장에 대해서 당시 새로 고개를 든 급진적 아리우스주의의 상표가 된 답변을 하였는데, 그 내용은 로고스(성자)가 성부와 '같지 않다'는 것이었다. 이로써 니케아 신조에 관한 논쟁은 새로운 국면에 접어들게 되었다.

이러한 신학적 전개들은 처음에는 황제 콘스탄티우스가 본질상 모호하고 중도적인 제국의 정통신앙을 강요하는 방식으로 합의를 이끌어내기 위해 기울인 혁혁한 노력 때문에 크게 부각되지 않았다. 콘스탄티우스가 취한 첫번째 조치는 아타나시우스를 제거하는 것이었다. 아를(353)과 밀라노(355)에서 열린 교회회의들에서 그는 서방 주교들에게 아타나시우스를 포기하고 동방 교회들과 충분한 교제를 재개하도록 강요하였다.

반발자들 — 로마의 리베리우스(Liberius, 352-366 재위), 연로한 코르도바의 호시우스(Hosius), 포아티에의 힐라리우스(Hilary, 367 죽음) — 은 즉시 추방하였다. 356년 아타나시우스는 알렉산드리아에서 쫓겨나 그뒤 6년 동안 이집트 오지의 수사(修士)들 틈에 피신해 있었다. 황제는 반대자들을 처리한 뒤 아리우스파 고문들의 조언에 따라 교리 문제에 손을 댔다. 357년 시르미움의 황궁에서 열린 교회회의는 '실재'(*substantia*), '본질'(*ousia*), '동일본질'(*homousios*) 같은 성경에 없는 용어들과, 또는 성자가 "성부께 종속된다"고 암시하는 구절들을 "언급해서는 안 된다"고 못박은 신조를 선언하였다.[1]

이 신조는 니케아 신조를 배척하고 사실상 아리우스주의에 여지를 남겨 준 것으로서, 갈리아의 주교 포이바디우스(Poebadius of Agennum)가 붙인 명칭대로 역사 대대로 "시르미움의 신성모독"(the blasphemy of Sirmium)으로 전해 내려왔다. 이에 대한 반발이 있었으나, 콘스탄티우스는 조금도 입장을 완화하지 않았다.

그는 359년 여러 차례에 걸친 교회회의들과 공의회들을 통해서 동방 주교들과 서방 주교들 모두에게 그 신조에 대한 동의를 강요하였고, 360년 콘스탄티노플에서 열린 교회회의에 의해 그것을 제국을 대표하는 정통신앙으로 최종적으로 확정하였다. 사실상 공식적으로 아리우스 진영의 손을 들어준, 알맹이 없는 타협안인 이 신조는 '우시아'와 '휘포스타시스'라는 용어들에 대해 사용을 금지하고, "성자는 성부와 비슷하다"라는 진술로 만족하였다.

이 '호모이오스'(Homoean. '비슷한'이란 뜻의 그리스어 *homoios*에서 유래) 신조는 성자가 성부와 "비슷하지 않다"(*anomoios*)고 주장한 아이티우스와 그의 추종자들의 '아노모이오스'(Anomoean) 교리를 배척하였으나, 애당초 아리우스가 제시한 교리는 배제하지 않았다. 그러나 일종의 아리우스주의가 거둔 정치적 승리는 덜 분명한 다른 상황 전개들로 이어지지 않았으며, 당시 전개되던 상황은 신학 사조에 변화를 예고하고 있었다. 앙키라의 주교 바질(Basil, 336-360 재위)이 이끄는,

오리겐의 전승 가운데 있던 많은 수의 동방교회 주교들은 아이티우스의 아노모이오스주의에 대해서 뿐만 아니라 콘스탄티우스의 황실 주교들의 새로운 정통신앙에 대해서까지도 강력히 반발하였다.

이들은 로고스가 성부와 "비슷하다"는 신조를 최소화한 데 반발하여, 로고스는 성부와 "비슷"할 뿐만 아니라 "본질에서도 비슷하다"(호모이우시오스〈*homoiousios*〉, 유사본질)고 주장하였다. 당시까지 단일신론에 대한 두려움 때문에 아리우스가 사용한 용어에 함축된 의미들을 맹목적으로 받아들여온 이들은 이제는 성자의 신성(神性)이 무시될 수도 있다는 두려움을 갖게 되었다. 이들은 여전히 '호모우시오스'(*homoousios*, 동일본질)라는 용어를 사용하기를 주저하였으나(이들은 이 용어에 하나님, 로고스, 성령이 독특한 '휘포스타시스'들임을 부정하는 뜻이 함축되어 있다고 보았다), 이제 이들의 입장은 니케아 신조가 정의한 내용에 근접해 있었다.

한편 이집트 사막에서 유배생활을 마치고 돌아온 아타나시우스는 니케아 신조가 사용한 그 용어(호모우시오스)를 변호함으로써 콘스탄티우스의 신학적 해결책을 배척하고 있었다. 아타나시우스의 입장에서는 그가 흔쾌히 말한 대로 '호모우시오스'란 성자가 "성부와 동일하다"는 것을 뜻하지 않았다. 오히려 그것은 로고스가 "무엇이든 성부께 속한 것을 충분히 소유하고" 있다는 것과, 비록 로고스가 "무엇이든 성부께서 소유하고 계신 것을 성부로부터 받아 가지고" 있긴 하지만 두 분 사이에는 "속성(quality)상의 불변의 유사성" — 동일성이 아닌 — 이 있다는 것을 뜻하였다.[2]

아타나시우스는 일찍이(339 ?) 작성한 「성육신에 관하여」(*On the Incarnation*)라는 변증 논문에서 위의 논쟁점을 분명히 밝힌 바 있다. 그는 아리우스와 마찬가지로 창조주와 피조물 간에는 중간지점이 있을 수 없다는 견해를 받아들였다. 그러나 아리우스와는 달리 창조와 구속은 모두 피조되지 않은 하나님이 친히 피조물들 안에 그리고 그들을 위해 임재하신다는 것 — 초월자의 내재 — 을 필연적으로 함축한다고 확신하였다. 그러므로 창조와 구속을 아리우스가 정의한 로고스처럼 영화롭게 된 피조물에게 돌리는 것과, 그로써 하나님을 하나님의 세계와 격리하는 것은 부당하다고 보았다. 인간이 신적 존재방식을 공유하는 것 — '신화'(神化)한다는 것 — 은 진정한 하나님이신 분의 임재를 통하지 않고는 불가능하다고 보았다. 그러므로 하나님이 그 안에서 그리고 그를 통하여 창조하시고 구속하시는 로고스는 모든 점에서 하나님이심에 틀림없다고 보았다. 아타나시우스로서는 바로 이것이 니케아 신조의 메시지였다. 그의 이해는 앙키라의 바질 학파가 주장한 '호모이우시오스' 교리와 아주 멀리 떨어진 것이 아니었으므로, 두 사람의 만남은 필연적인 것이었다. 모든 것은 동방교회의 세 '휘포스타시스'에 대한 주장과 니케아신조의 '하나의 본질'(우시아)이란 용어를 결합하는 방법을 발견하는 데 달려 있었다.

4. 니케아 이후의 투쟁

콘스탄티우스 1세는 361년에 죽었고, 기독교 전승에서 '배교자'(the Apostate)라 불리우는 그의 사촌 율리아누스(Julian, 332-363)가 유일한 군주로 그 뒤를 계승하였다. 콘스탄티누스의 이복형제 콘스탄티우스(Julius Constantius)의 아들인 그는 5살에 형제 한 사람만 빼놓고는 아버지와 모든 형제들이 콘스탄티우스 2세의 군인들에게 살해당하는 것을 지켜보았다.

기독교 교육을 받고 자라났으나 황제로 있던 사촌에 대한 불신감을 늘 마음에 품고 살아온 그는 355년 부황제(Caesar)에 임명되었는데, 이 무렵 그는 신플라톤주의 교사들의 영향으로 비록 신중하긴 했으나 확고한 이교도가 되어 있었다. 유능하고 상상력이 풍부한 갈리아 군사령관이자 행정관이었던 그는 콘스탄티우스 2세가 죽을 당시 그의 군대를 타도하기 위해 군대를 끌고 진군해오고 있었다.

그는 일단 권력을 잡게 되자 평소 꿈꿔 오던 이교(異敎)의 개혁과 부흥을 추진하였으며, 이교의 부흥에 단지 공상 차원에 머무르지 않는 중대한 공헌을 하였다. 그 과정에서 기독교인들의 영향력을 제한하고 기독교 관습들을 중단시키기 위한 다양한 조치들을 취하였다. 특히 기독교인들에 대해 제국 정부가 재정지원하는 학교들에서 가르치지 못하게 하고(그로써 사회 진출의 열쇠였던 수사학 교육에서 기독교 교사를 배제하였다), 고위 관직을 맡지 못하게 하였다.

더욱이 재위 초반부터 콘스탄티우스에 의해 유배되었던 다양한 주교들 — 호모우시오스파와 호모이우시오스파 모두 — 을 본래 교회들로 되돌아가도록 허용하였는데, "이러한 자유가 그들의 분열을 촉진함으로써 차후에 결집된 민중에 대한 두려움을 미리 제거하기 위한 목적에서였다."[1] 적어도 알렉산드리아에서는 이 정책이 실패하였다.

아타나시우스는 362년 이집트 수사들 사이에서 해온 은둔 생활을 청산하고서 돌아와 민중으로부터 한결같이 열광적인 환영을 받았는데, 그 이유로 그 해가 다 가기 전에 율리아누스에 의해 네번째 유배길에 오르게 되었다.

율리아누스의 짧은 재위기간 — 363년 그가 페르시아 원정 중에 전사함으로써 끝남 — 에는 콘스탄티우스로부터 지원을 받던 아리우스파의 약화가 두드러졌다. 우선 아타나시우스가 362년 알렉산드리아에서 열린 교회회의에서 호모이우시오스파에게 화해를 제의하였기 때문이었다.

그가 제시한 화해안은, 먼저 동방 보수주의자들의 구호인 '세 휘포스타시스'가 '삼신'(三神) 또는 '서로 따로 떨어져 존재하는 실체들'을 뜻할 의도를 갖고 있지 않다는 점을 인정한다는 것이고, 그 다음에 '호모우시오스'가 '본질의 동등'을 뜻하되 성부, 로고스, 성령이 구분된다는 진리를 부정할 의도를 갖고 있지 않다는 점을 인정한다는 것이었다.[2] 이 교회회의는 아울러 — 일찍이 아타나시우스가 주교 세라피온(*Serapion of Thmuis*)에게 보낸 편지에서 주장한 바대로 — 성령도 하나님과 '동일 본질'을 갖고 계신 사실을 인정해야 한다고 명시하였다.

이로써 이 교회회의는 아타나시우스의 주도 아래 공포하기를, 분파들의 화해 조건으로는 아리우스주의를 배척하고, "니케아의 거룩한 교부들이 고백했던 신앙을 고백하고", "성령이 피조물이라고 말하는 자들에게 저주를 선언하는 것"으로 충분하다고 하였다.[3] 이것은 아타나시우스같은 외곬의 투사에게서 — 화해를 시도하고 있던 바로 그 집단으로부터 많은 박해를 당해온 사람에게서 — 나온 것 치고는 관대한 타협안이었다.

호모이우시오스파와 마찬가지로 그도 이제는 기독교 신앙에 대한 진정한 위협이 콘스탄티우스 2세의 제국 정통신앙임을 확신하였고, 이러한 확신에서 화해를 위한 길을 열었으며, 이러한 태도에 힘입어 373년 그가 죽은 뒤 카파도키아 교부들은 화해를 성취할 수 있었다.

율리아누스가 죽은 뒤 요비아누스(Jovian, 363-364 재위)가 잠시 재위하였는데, 그는 니케아파 기독교인이었지만 교회 문제에 간섭할 기회도 성향도 갖지 못하였다. 요비아누스 — 그의 즉위로 아타나시우스는 네번째 유배지에서 돌아왔다 — 를 계승한 사람은 발렌티니아누스 1세(Valentinianus I, 364-375 재위)로서, 그는 전운이 감돌던 로마 국경지대들에 대한 수비에 전념하기 위해서 동방에 대한 주권을 형제 발렌스(Valens, 374-378 재위)에게 넘겨 주었다.

발렌티니아누스는 될 수 있는 대로 종교 문제들에 간섭하지 않으려고 했고, 공평한 관용 정책을 시행하였다. 그러나 그의 형제(발렌스)는 콘스탄티노플의 아리우스파 성직자에게 강한 영향을 받아 콘스탄티우스 2세의 정책들을 적극적으로 뒤따랐다. 365년 그는 아타나시우스를 단죄하여 다섯번째 유배길에 오르게 하였지만, 호모우시오스파와 호모이우시오스파를 가리지 않고 박해함으로써 아타나시우스가 362년에 시작해 놓은 화해를 더욱 진척시켰다.

373년 아타나시우스가 죽을 무렵에는 아리우스주의에 맞선 투쟁에서 지적-정치적 지도권이 이른바 '신 니케아'(new Nicene)라는 새로운 집단에게로 넘어갔다. 카파도키아 가이사랴의 수도 대주교(metropolitan bishop) **대(大) 바질**(Basilius the Great, 370-379 재위)과 안디옥의 주교 멜레티우스(Meletius, 381 죽음)가 이끈 이 세력은 아타나시우스의 영향으로 니케아 신조 지지를 위해 규합하였던 동방의 오리겐주의자들과 이전의 호모이우시오스파로 구성되었다. 그들의 과제는 과거에 아리우스주의에 맞섰으나 적대감과 오해로 분열되어 있던 다양한 집단들과 학파들을 화해시키는 것과, 동시에 로고스와 성령의 완전한 신성(神性)을 고백할 수 있는 신학적 틀을 작성하고 변호하는 것이었다.

바질은 이 새로운 집단의 심장이자 영혼이었다. 그는 330년경 카파도키아의 유력한 가문에서 태어나 콘스탄티노플과 아테네에서 공부하였다. 아테네에서는 나지안주스의 그레고리(Gregory of Nazianzus)와 평생의 우정을 나누기 시작하였는데, 그레고리는 웅변과 학식으로 결국 제국 수도의 민중을 니케아 신조 진영으로 끌어들이는 데 성공하였다. 바질은 공부를 마친 뒤 잠시 웅변술 교사로 일하다가 그만두었는데, 그렇지 않았다면 아마 그는 웅변술 교사로 남았을 것이다. 1년 동안 이집트와 팔레스타인을 여행하면서 고행자들을 찾아다녔다. 고향으로 돌아온 직후 폰투스에 있는 가문 영지에 수사들의 공동체를 세웠다. 비록 얼마 안 되어 좀더 적극적인 삶을 살게 되긴 했지만, 죽을 때까지 고향에서 열정적으로 수도원 운동을 보급하고 이끌었다. 일단 가이사랴 주교로 선출되자 아리우스주의와의 투쟁에서 서방과 동방, '옛' 니케아파와 '새' 니케아파의 화해를 위해 일하였다. 그는 동시에 두 가지 새로운 신학 문제들에 직면하게 되었다. 과거에 호모이우시오스파였다가 이제는 성자의 완전한 신성을 고백하게 된 사람들 가운데는 성령의 신성을 고집스럽게 부정하는 사람들이 있었다.

이른바 '성령이단론자'(Pneumatomachi, '성령-투쟁자들') 또는 '마케도니우스주의'(Macedonians)라고 하는 이들에 맞서서 바질은 「성령에 관하여」(*On the Holy Spirit*)라는 고전적인 논문을 썼다. 그러나 이 논쟁보다 훨씬 더 중요했던 것은 아이티우스(Aetius)의 제자이자 '아노모이오스'(Anomoean)파 교사 유노미우스(Eunomius)와의 논쟁이었다. 유노미우스는 주장하기를, 정의에 따르면 성부는 태어나시지 않았고 성자는 태어났으므로 두 분은 본질상 비슷하지 않다고 하였다.

이러한 신학 논쟁들에서 바질은 다른 두 사람의 지원을 받았는데, 훗날 바질을 포함한 이들의 가르침은 히포의 어거스틴(Augustine of Hipo)이 서방 신학에 씨앗 역할을 한 것과 동일한 역할을 동방 기독교 사상에 하게 된다. 두 사람 가운데 첫번째 사람은 바질의 친구 **나지안주스의 그레고리**(329?-389?)였다. 그는 바질처럼 명상생활에 몰입하였으나, 바질과는 달리 정치에는 취향도 능력도 없었다.

뛰어난 웅변가이자 상상력과 통찰력이 풍부한 신학자였던 그레고리는 다른 사람들이 떠맡기는 사회적 지위들에서 벗어나려고 하는 경향을 지닌, 감수성이 대단히 예민한 사람이기도 했다. 그가 남긴 불후의 업적은 설교집으로서, 그의 설교들은 당대 사람들이 왜 그의 은퇴를 거듭해서 막으려 했는지를 넉넉히 보여 줄 만큼 깊은 사색과 웅변을 지니고 있다.

바질의 두번째 동료는 그의 동생 니사의 그레고리(Gregory of Nyssa)였다. 그도 바질만큼의 지도력과 행정력을 갖고 있지 못하였으나 신학의 깊이와 통찰력에서는 바질과 나지안주스의 그레고리를 능가하였다. 그의 방대한 저서들은 대부분 형 바질이 죽은 뒤 그의 사상을 변호하고 발전시키기 위해 펜을 든 다음에 저술된 것들로서, 설교들, 논문들, 소책자들, 주석들로 이루어져 있었다. 그는 아리우스 논쟁에 관한 쟁점들을 언급하였을 뿐만 아니라(특히 유노미우스〈Eunomius〉를 비판한 저서들에서) 신학적 인간학과 영적 생활에 관한 문제들도 언급하였다. 그 과정에서 동방 신학에 있던 오리겐주의와 플라톤주의 전승에 대해 비판적인 시각에서 개정한 주요 업적을 남겼다. 그가 죽은 시기는 알려지지 않지만, 394년 이후까지 살았다.

카파도키아 교부들이 '옛' 니케아파와 호모이우시오스파로 대표되는 동방 전승에 대해 이루어놓은 화해의 열쇠는 '우시아'(*ousia*)와 '휘포스타시스'(*hypostasis*)라는 단어의 뜻을 조심스럽게 구분한 데 있었다.

성부, 말씀, 성령이 세 분의 독특한 '휘포스타시스'들(구체적이고 실재하는 실체들)이라는 전제에서 시작한 카파도키아 교부들은 각 휘포스타시스가 신성(Deity)의 유일하고 동일한 존재 또는 본질(우시아: 라틴어, '본질')을 예시(例示)하며, 이런 이유에서 '호모우시오이'(동일본질들)라 불린다고 주장하였다. 그러므로 신적인 '휘포스타시스'들(라틴어 관용어로는 '위격'〈位格, person〉들)은 동일체가 존재하는 세 가지 독특한 방식들이라고 보았다.

더 나아가 카파도키아 교부들은 신 존재 또는 본질의 통일성은 신의 행위 또는 작용의 통일성을 함축한다고 주장하였다. 달리 말해서, 세 '위격'이 서로 다른 활동에 참여하고 있기 때문에 서로간에 구분되는 것은 아니다. 비록 독특한 방법들을 통해서이긴 하지만, 모든 신적인 행위에 모두가 포함된다고 하였다. 위격들을 서로 구분하게 하는 유일한 것은 그들이 서로간에 관계를 맺고 있는 — 각각 한 신성의 원천(Source), 탄생(Offspring), 발출(發出, Procession)로서 — 방식이라고 하였다.

카파도키아 교부들은 이 교리를 전개하는 과정에서 하나님과 그의 말씀이 "동일본질"이라는 니케아 신조의 논리를 유지하였을 뿐만 아니라, 헬레니즘 시대 기독교가 전통적으로 지녀온 하나님에 대한 상(像), 그리고 하나님과 피조물의 관계에 대한 상을 철저히 수정하였다. 만일 말씀과 성령이 완전한 하나님이시고 '중재' 세력들이 아니라 한다면, 아타나시우스가 항변한 대로, 하나님은 중재를 통하지 않고 직접 피조물들과 관계를 맺고 계신 것이라는 것이 그들의 주장이었다.

더 나아가, 만일 이것이 사실이라면 하나님의 초월성은 전통적인 로고스 신학이 설명해온 것과는 전혀 다른 방법으로 이해해야 한다고 주장하였다. 카파도키아 교부들은 하나님의 본질 또는 존재를 피조물들과 '반대쪽에 있는', 따라서 '상반된' 것으로 파악하지 않았다.

오히려 — 하나님의 존재를 피조물들의 '발생성'(generatedness)이 아닌 '비발생성'(ungeneratedness)으로 정의한 유노미우스(Eunomius)와는 달리 — 신의 존재 또는 본질은 무한하고 규명 불가능하기 때문에 엄격한 의미에서 모든 것을 포괄한다고 주장하였다.

카파도키아 교부들의 정치 및 신학 작업은 황제 발렌스가 서고트족에게 패배하여 전사한 뒤에야 비로소 그 열매를 거두었다. 378년 아드리아노플(에디르네) 근처에서 발생한 이 사건으로 발렌스의 조카이자 공동 황제이던 그라티아누스(Gratian, 367-383)는 동로마에 새 황제를 임명하게 되었다.

그는 이 임무를 유력한 스페인 군인이자 행정관인 테오도시우스(Theodosius, 379-395 재위)에게 맡겼는데, 그는 바질이 죽던 해에 황제로 즉위하였다. 서방인이었던 테오도시우스 1세(그에게도 바질과 마찬가지로 '대'〈the Great〉라는 칭호가 붙는다)는 니케아 진영에 호의적이었다. 그의 초청으로 콘스탄티노플로 간 나지안주스의 그레고리는 아나스타시아 기념예배당에서 유명한 '신학 강연들'을 하였는데, 이 강연에서 니케아 진영의 고전적인 입장을 변호하였다.

380년 테오도시우스와 그라티아누스는 로마제국의 모든 백성에게 "교황 다마수스(Damasus, 로마의)와 알렉산드리아 주교 페트루스(Peter)가 믿는 종교를 의무적으로 믿어야 한다"는 칙령을 공포하였다. 그들이 말한 종교란 "성부, 성자, 성령의 단일 신성"[4]을 고백하는 정통 기독교였다. 아리우스파에 대한 니케아파의 승리를 확정지은 이 칙령은 교회가 로마제국과 맺어온 관계의 역사에 새로운 획을 긋는 것이기도 하였다. 그라티아누스와 테오도시우스의 의도는 기독교를 제국의 공식 종교로 삼고, 기독교의 다양한 지류들을 포함하여 다른 모든 종교들을 금지하려는 것이었음이 분명하다.

381년 테오도시우스는 동방교회 주교들을 대상으로 콘스탄티노플에서 공의회를 소집하였다. 훗날 제2차 세계교회회의로 인정을 받은 이 공의회는 마케도니우스파의 주장을 일축하고 성령의 완전한 신성을 확증하는 것을 주 임무로 삼았다. 이 공의회는 자연스럽게 니케아 공의회의 신앙고백(symbol. 즉, 'creed' 또는 'confession')을 확증하였다.

이 공의회는 또다른 신조를 검토한 듯하다. 그것은 선언적인 세례 신조로서, 그 안에는 니케아 신조의 핵심 단어들과 구절들이 삽입되었고, 성령이 "성부와 성자와 함께 예배와 영광을 받으신다"는 반(反)마케도니우스주의 선언이 담겨 있었다. 이 신앙고백서는 381년 공의회에서는 공식적으로 채택되지 않았지만, 그 공의회의 명칭과 꾸준히 관련되다가 훗날 451년에 칼케돈 공의회에서 '테오도시우스 아래 회집한 주교들 150명의 '신앙'으로 공포되었다. 이 신앙고백서는 전례(典禮) 및 세례 신조로 점차 많이 사용된 데 힘입어 점진적으로 보편적인 승인을 얻었다. 그리고 니케아 신조의 반(反)아리우스주의 구절들을 삽입하고 니케아 신앙을 진술하였기 때문에 '니케아' 신조라 불렸고 지금도 그렇게 불린다.

그러나 신학은 이 공의회가 떠맡은 과제 중 일부분에 지나지 않았다. 아리우스주의 논쟁 말기에 매우 어려웠던 문제들 가운데 하나는 안디옥 지방의 교회를 재통합하는 문제였다. 이곳에서는 니케아 신조를 놓고 오랫동안 벌여온 논쟁 때문에 내부적으로 분열되어 있었다. 단지 아리우스파와 정통파로 분열되어 있었을 뿐 아니라, 파울리누스(Paulinus)라는 사람이 로마와 알렉산드리아 주교들의 지지를 등에 업고서 이끈 소수 집단 '옛 니케아파' (old Nicene)와 주교 멜레티우스(Meletius)가 이끈 다수 집단 '새 니케아파' (new Nicene)로도 분열되어 있었다.

황제 테오도시우스는 멜레티우스를 공의회 의장으로 임명함으로써 이 문제에 대한 자신의 판단을 내비쳤다(그리고 이렇게 함으로써 자신이 과거에 내렸던 판단, 즉 정통교회가 단지 로마와 알렉산드리아 주교들의 합의로만 구성된다고 한 판단을 동방교회의 존재를 고려하여 수정하였다). 그러나 멜레티우스는 공의회 도중에 죽었다.

반면에 공의회 초두에 아리우스주의자 데모필루스(Demophilus)를 대신하여 콘스탄티노플의 주교로 선출된 나지안주스의 그레고리는 동방교회 주교들이 파울리누스를 인정함으로써 로마(그리고 서방 전체)와 화해하기를 바라지 않자 크게 좌절하였다. 따라서 불만의 표시로 콘스탄티노플 주교직을 사임하고서 고향으로 돌아갔고, 공의회는 멜레티우스뿐만 아니라 그레고리의 후임자들을 선출하는 상황을 맞게 되었다. 공의회는 '새 니케아파' 지지자 두 명을 그들의 후임자들로 선출하였다.

안디옥 주교로는 플라비아누스(Flavian)가 선출되었고, 콘스탄티노플 주교로는 황궁의 평신도 관료 넥타리우스(Nectarius)가 선출되었다. 이런 행동 과정은 로마의 다마수스의 견해를 전혀 고려하지 않은 것으로서(알렉산드리아의 신임 주교 티모테우스〈Timotheus〉의 견해는 말할 것도 없고), 서방교회가 이 공의회를 적대시하였다는 것은 분명한 일이었다. 더욱이 이 공의회는 제3교회법(Third Canon)을 공포하여 콘스탄티노플이 '새 로마'라는 근거로 콘스탄티노플 주교가 로마 주교 다음가는 '명예 수위권'을 갖는다고 진술함으로써 서방교회의 반감은 더욱 고조되었다.

이 행위는 로마와 알렉산드리아를 '손위' 교회로 보아온 관습을 깨뜨렸고, 또한 교회의 '명예'가 그 도시의 정치적 위상에 근거하지 않고 사도 베드로와 맺어온 관계에 근거한다는 로마 교회의 일관된 견해를 무시하였다. 그러므로 콘스탄티노플 공의회는 한편으로는 니케아 신학의 승리라는 결과를 얻었지만, 다른 한편으로는 서방과 동방 간의 분열의 불씨를 남겼고, 동방 자체에서도 유서 깊은 알렉산드리아 교구와 새 제국의 수도 곧 콘스탄티노플 교구 — 공의회는 제2교회법으로 이곳을 총대주교구로 제정하였다 — 간의 긴장의 불씨를 남겼다.

5. 게르만족의 침략

아드리아노플 전투(378)에서 황제 발렌스는 서고트족에게 전사하고 군대마저 잃었다. 이 사건은 라인 강과 다뉴브 강으로 형성된 국경선 너머에 포진해 있던 게르만족들과 로마 제국 사이에 새로운 긴장 관계를 이루어 놓았다. 이 전투를 계기로 제국의 절반에 해당하는 서방이 침략을 받아 정복되고 고트족, 프랑크족, 반달족, 롬바르드족으로 갈갈이 찢기는 과정 — 이 과정이 완수되는 데는 에누리 없이 2세기가 걸렸다 — 이 시작되었다. 이 침략에는 단지 군대만이 아닌 백성 전체가 참여하였던 바, 그것이 가능했던 이유는 씨족들과 부족들이 통일된 지도권 아래 동맹들과 민족들로 결합하였기 때문이었다. 그들의 침략을 거의 불가피하게 만든 원인은 아시아 평원 지대에 자리잡고 있던 훈족이 서쪽으로 이동해온 사건이었는데, 로마 국경선 근처에 살던 게르만족은 그들의 이동으로 압박을 받게 되었고, 결국 안전을 찾아 로마 국경선 안으로 밀고 들어가지 않을 수 없었던 것이다.

4세기까지 프랑크족은 라인 강 저지(低地)의 오른쪽 둑을 차지하였고, 제국의 국경선 안쪽에서 사실상 '동화된' 사람들과 다름없이 살았다. '서고트족'(Visigoths)으로 알려진 동맹은 트라케 북부 다뉴브강 연안을 차지하였고, 그들 뒤에는 그들의 동족 '동고트족'(Ostrogoths)이 훈족의 직접적인 압박을 받는 가운데 흑해 북부를 중심으로 자리잡고 있었다. 남쪽의 두 고트족들과 북쪽의 프랑크족 사이에는 반달족(Vandals), 알란족(Alans), 부르군트족(Burgundians) 등 다양한 집단들이 자리잡고 있었다.

이 무렵에는 로마인들과 국경선 너머의 게르만족 간에 교류가 빈번하게 이루어지고 있었다. 게르만족은 갈수록 많은 수가 용병(傭兵)으로 로마군에 입대하였다. 로마 상인들은 게르만족 영토로 들어가 물건을 팔았다.

게르만족의 많은 사람들이 접경 지대에 정착하였고, 그곳에서 로마의 풍습에 익숙해졌다. 이러한 상황에서 게르만 부족들과 기독교의 접촉은 피할 수 없는 일이었다. 카파도키아에서 풀려난 전쟁 포로들 — 아마 264년 고트족이 소아시아를 침략했을 때 붙잡힌 듯하다 — 은 3세기가 끝나기 전에 서고트족들 사이에 기독교의 씨앗을 심어 놓았다.

그러나 정식으로 복음을 전한 사람은 울필라스(Ulfilas)였다. 311년경 카파도키아 포로의 후손으로 태어난 울필라스는 고트족이었다. 그는 청년 시절에 기독교 성경을 고트어로 번역하기 시작하였는데, 아마 교회에서 독서자(lector)로 있었기 때문이었던 것 같다. 고트족 대사의 수행원으로 콘스탄티노플로 간 뒤 341년 니코메디아의 유세비우스(당시 콘스탄티노플 주교)에게 고트족 주교로 임명받았다. 아리우스주의자였던 울필라스는 결국 콘스탄티우스 2세 때 제국의 정통신앙이었던 호모이오스(Homoean)파의 견해를 지지하였다. 그는 7년 동안 동족들을 상대로 사역하다가 박해가 일어나자 동료 기독교인들을 이끌고 로마 영토로 피신하였다.

서고트족의 최종적인 개종은 376년 그들의 왕 프리티게른(Fritigern)이 훈족에게 쫓겨 민족 전체를 이끌고 로마 영토로 들어온 뒤 백성 전체를 교회에 가입하게 함으로써 비로소 이루어졌다. 이렇게 하여 로마 권력자들과의 분쟁에서 비롯된 378년 아드리아노플 전투에서 발렌스를 물리친 고트족은 발렌스가 갖고 있던 신앙, 즉 아리우스주의를 받아들인 민족이었었다. 그러나 서고트족뿐만 아니라 그들과 이웃해 있던 동고트족, 반달족의 일부, 부르군트족도 제국을 침공하기 전에 이미 아리우스주의 형태의 기독교를 받아들이고 있었다. 다만 서고트족에게서 멀리 떨어져 있던 북쪽의 프랑크족과 색슨족만이 게르만족의 침공 당시에 현저한 이교도로 남아 있었다.

당시 게르만족들은 대체로 기독교에 적대적이지 않았다. 실제로 그들은 로마에 적대적이지 않았다. 만일 그들이 기독교를 받아들였다면 그것은 기독교가 로마제국의 종교였기 때문이었다. 그들이 추구한 것은 로마 문화로부터 유익을 얻는 것이었다.

아드리아노플의 참극이 있은 뒤 테오도시우스 1세는 처음에는 각종 양보 조치들과 금전 지급으로 서고트족을 묶어두려고 하였다. 그러나 395년 그가 죽자 제국은 두 아들에 의해 분할되었는데, 동방은 아르카디우스(Arcadius, 393-408)가, 서방은 호노리우스(Honorius, 393-423)가 다스렸다. 이로써 정책과 관심사가 분열된 제국은 고트족의 진격을 막아낼 능력이 없음을 드러냈다.

서고트족은 새 왕 알라릭(Alaric)의 지휘하에 콘스탄티노플로 진격하였고, 스파르타에 이르는 지역까지 그리스를 약탈하였다. 401년경 서방쪽으로 진격 방향을 바꾼 이들은 이탈리아 북부를 압박해 들어갔으나, 처음에는 테오도시우스에 의해 어린 호노리우스의 경호 책임을 맡은 바 있는 유능한 반달족 장군 스틸리코(Stilicho)에 의해 저지되었다. 그러나 408년 호노리우스는 스틸리코를 암살당하게 만들었다. 이 행위로 말미암아 로마로 향하는 길이 뚫리게 되었으며, 410년 알라릭과 그의 전사들은 로마 시를 함락하였던 바, 이 사건은 로마 세계에 커다란 충격을 주었다.

알라릭은 이탈리아의 곡상시내인 북아프리카를 자기 왕국으로 확보하고 싶어서 계속해서 남진하였으나, 시칠리아로 건너가기 직전에 죽었다. 그의 후계자 아타울프(Athaulf)는 서고트족을 이끌고 북쪽으로 되돌아갔다. 그는 412년에 갈리아 남부를 침공하였고, 419년 무렵 이 지역에는 고트족이 정착해 있었다. 5세기 중엽에 이들은 갈리아 남부뿐만 아니라 스페인까지도 장악하게 되었고, 로마 주민들을 신민(臣民)으로 만들고 그들의 영토 중 상당 부분을 가로챘다.

서고트족이 다뉴브 지방에서 갈리아까지 먼 길을 이동해 오는 동안, 라인 강 건너편에 살던 게르만 부족들은 기회를 파악하고 붙잡았다. 406년 말 아리우스파 반달족은 이교도들인 알란족과 수에비족(Suevi)과 함께 라인 강을 건너 갈리아를 지나 스페인으로 밀고 내려왔는데, 이곳에는 이들이 서고트족보다 먼저 도착하였다. 거의 비슷한 시기에 프랑크족은 갈리아 북부로 밀고 들어온 반면, 부르군트족은 스트라스부르크 근처 지역을 차지하였다.

410년 로마군이 최종적으로 철수한 브리타니아는 색슨족, 앵글(Angles), 유트족(Jutes)으로부터 갈수록 잦은 공격을 받게 되었고, 로마화한 켈트족(Celts)은 콘웰, 웨일즈, 스트래스클라이드 등 서쪽 지역으로 밀려났다. 스페인을 차지한 반달족은 서고트족의 압력을 받고서 429년 부족 전체가 아프리카로 건너갔다. 그들의 왕 가이세릭(Gaiseric)은 곧 그곳에 강력한 게르만 국가를 세웠고, 그들의 전함들은 빠른 속도로 지중해 서부를 점령하였다. 반달족은 455년 한 차례 로마 시를 약탈하였다.

당시 약 50년 동안 로마의 세력 — 비록 로마라는 이름이 지닌 영향력과 그것이 상징하는 질서는 아니더라도 — 은 브리타니아, 갈리아, 스페인, 북아프리카에서 무너져내렸다. 사실상 새로운 야만 민족들의 왕들은 법적으로는 로마제국의 신하들이었고, 그들도 로마라는 권위를 지니는 것을 자랑스럽게 여겼다. 그들은 때때로 이탈리아에서 제국의 권력자들과 흔쾌히 협력하였다. 서고트족이 스페인의 반달족을 공격한 것은 로마의 명령에 따른 일이었다. 451년 샬롱 근처에서 벌어진 전투에서 아틸라(Attila) 휘하의 훈족 침략군과 맞서서 휴전을 이끌어낸 것은 로마와 게르만의 연합군이었다. 아틸라는 계속해서 이탈리아로 진군하긴 했지만, 결국 자기 제국의 본거지 — 오늘날의 헝가리 — 로 되돌아갔고, 그곳에서 점령지들에 대한 통치를 강화하기 전에 죽었다.

그러나 심지어 이탈리아에서도 서로마 황제들의 세력은 기울었고, 갈수록 장군들의 꼭두각시들이 되어갔다. 호노리우스가 죽자 제국은 발렌티니아누스 3세(Valentinian III, 423-455)의 손에 넘어갔다. 그의 긴 재위는 아프리카의 총독(count) 보니파키우스(Boniface)와 이탈리아의 총독 아이티우스(Aetius) 간의 투쟁으로 얼룩졌다. 이 투쟁은 북아프리카가 반달족의 손에 넘어가도록 방치하는 데

일조하였다. 로마제국에 마지막으로 군사적인 승리를 안겨준 사람은 451년 아틸라에 맞선 로마군 사령관 아이티우스였다. 발렌티니아누스가 죽은 뒤부터 476년까지 사이의 기간에 서방에서는 9명 이상의 황제들이 옹립되었다가 폐위되었지만, 그러는 동안 이탈리아는 여러 명의 군사 지도자들에 의해 효과적으로 통치되었다.

로물루스 아우구스툴루스(Romulus Augustulus)라고 부르는 로마제국의 마지막 황제는 게르만족의 장군 오도아케르(Odovakar)에 의해 제거되었는데, 이 사건은 일반적으로 서로마제국의 '종말'로 알려진다. 사실상 그 사건은 큰 의미가 없었다. 오도아케르도 당대 사람들도 로마의 통치가 끝났다는 생각을 하지 않았는데, 이는 오도아케르가 갈리아와 스페인의 서고트족과 마찬가지로 콘스탄티노플 황제의 대리인으로 다스렸기 때문이었다. 물론 콘스탄티노플에 있던 황제도 정세에 별다른 영향력을 발휘하지는 못하였지만 말이다.

오도아케르가 이탈리아에서 발휘하던 주권은 게르만족의 새로운 침공으로 인해 493년에 막을 내렸다. 이 게르만족은 왕 테오도릭(Theodoric)이 이끄는 동고트족이었다. 이 유력한 정복자 아래서 로마와 게르만의 제도들을 혼합하려는 시도가 있었는데, 이 시도는 고트족과 로마 사이의 사회 및 종교적 장벽들이 엄격히 남아 있었기 때문에 실패로 끝났다. 테오도릭은 죽을 때(526)까지 라벤나에서 다스렸다.

황제 유스티니아누스(527-565)가 야만족의 손에서 서로마제국을 재정복하기 위한 작업을 착수한 것은 그 직후의 일이다. 533년 그의 장군 벨리사리우스(Belisarius)는 북아프리카를 침공하여 그곳에 제국 정부를 재수립하였다. 535년 이탈리아 재정복 작업이 시작되어 수년 동안 전투와 약탈이 있은 뒤 20년 뒤에 완수되었다. 하지만 유스티니아누스의 승리는 오래 가지 못하였다. 그가 죽은 지 3년이 지나서 또다른 게르만족인 롬바르드족이 이탈리아 반도로 쳐들어왔다. 이들은 572년까지 이탈리아 북부 대부분을 장악하였다. 로마, 라벤나(제국 총독부 소재지), 그리고 남부는 콘스탄티노플의 통치 아래 남아 있었다.

그러는 동안 갈리아에서는 미래의 관점에서 중대한 의미를 지닌 사건들이 벌어졌다. 프랑크국은 오랫동안 고대 로마 속주들의 북부 지역에 압박을 가한 바 있다. 481년경 클로비스(Clovis)가 프랑크족의 살리 지족(支族) 왕이 되었을 때 이러한 압박은 정복으로 바뀌었다. 클로비스는 곧 자신의 판도를 남쪽으로 르와르 강까지 확대하였다. 그는 493년 부르군트족 공주 클로틸다(Clotilda)와 결혼하였는데, 그녀는 대부분의 백성들과는 달리 아리우스주의자가 아닌 가톨릭 교도였다. 그는 성탄절에 랭스(Reims)에서 3천명의 추종자들과 함께 세례를 받았는데, 좀더 중요한 것은 가톨릭 교도로 세례를 받았다는 점이다.

이로써 프랑크족은 게르만 부족들 가운데 제국의 정통 기독교를 지지한 최초의 부족이 되었다. 이 일로 클로비스와 프랑크족은 콘스탄티노플에서만 아니라 갈리아에 살던 로마인들과 성직자들에게 호의를 얻게 되었다. 클로비스가 죽을 무렵 프랑크 왕국의 판노는 남쪽으로는 피레네 산맥까지, 동쪽으로는 라인 강 너머까지 확대되어 있었다(참조. IV:2). 이로써 서방에서는 다시 한번 강력한 잠재성을 지닌 가톨릭 국가가 있게 되었다. 이 사건은 훗날 로마 주교들이 지원을 요청하기 위해 콘스탄티노플로 가지 않고 프랑크로 갈 정도로 심원한 영향을 끼쳤다.

프랑크족의 개종은 다른 게르만족 군주들와 백성들에게도 영향을 주었다. 물론 그들이 정착한 지역의 원주민들의 관습에 훨씬 더 강한 영향을 받긴 했지만 말이다. 부르군트족은 517년 아리우스주의를 포기하고 532년 프랑크 왕국의 일부가 되었다. 유스티니아누스의 정복은 반달족과 동고트족 같은 아리우스파 왕국들을 무너뜨렸다.

스페인에서는 서고트족 왕 레카레드(Reccared)가 587년 아리우스주의를 포기하였는데, 이 행위는 589년 제3차 톨레도 공의회에서 승인을 받았다. 590년경 롬바르드족이 가톨릭 세계로 점차 동화되기 시작하였다. 물론 이 일은 660년경 이후에야 비로소 완수되었다. 이런 방식으로 아리우스주의는 최종적으로 사라졌다.

6. 교황권의 성장

4세기와 야만족의 침략 시대는 로마 주교들의 실질적인 영향력과 그들을 위한 주장들에 중대한 발전이 있었다. 로마 주교가 지닌 권위는 원래 그 뿌리를 초기에 로마 교회가 사도 베드로와 바울과 맺은 관계뿐만 아니라, 지정학적 위치, 부(富), 그리고 조직에도 두었다. 하지만 세월이 흐르면서 로마 교구의 탁월성에 대한 주장은 점차 — 그리고 종국에는 독점적으로 — 그 주교들이 베드로의 계승자들이라는 공인된 사실에 토대를 두었다. 그러나 이것은 단순한 과거에 대한 주장이 아니었고, 그렇게 이해되지도 않았다. 로마 교회는 사실상 순교한 사도 베드로와 그의 동료 바울의 무덤들을 지켜 왔다.

일찍이 황제 콘스탄티누스는 그 사실을 높이 평가하였고, 성 베드로 성당과 성 바울 성당을 바티칸 언덕에 건축함으로써 두 사도를 기념하였다. 그러므로 이 사도들의 정신과 임재가 로마 교회를 감싸고 있었고, 특별한 방식으로 그 교회를 보호하였다. 그렇다면 이 교회가 합법적인 관할권을 인정받던 남부 이탈리아 교회들 사이에서뿐만 아니라 서방교회 전체, 그리고 심지어 동방교회에서도 특별한 권위를 갖고 있다고 평가받았다는 것은 조금도 이상한 일이 아니다.

교황 다마수스(Damasus, 366-384 재위)는 로마 교회를 단순히 '사도 교구'로 묘사하는 관습을 시작할 때 구체적인 의도를 가지고 혁신적인 주장을 내세우고 있었던 것이 분명하다. 그는 한편으로는 총대주교구들 가운데서도 로마의 상위권을 내세우기를 원했고, 다른 한편으로는 이렇다할 사도적 기초를 갖고 있지 못하던 콘스탄티노플이 사도적 기초를 갖고 있던 알렉산드리아와 안디옥보다 우위에 서려는 것에 불복하였다. 선례상 그의 주장은 일리가 없지 않았다. 일찍이 콘스탄티누스는 교황 밀티아데스(Miltiades)에게 아프리카의 도나투스파 문제에 대해 판결을 부탁함으로써 로마 주교의 지위를 인정한 바 있다. 또한 율리우스 시대(337-352)에는 동방교회 주교들이 로마 주교에게 아타나시우스와 앙키라의 마르켈루스에 대한 폐위를 요청함으로써 그 지위를 넌지시 인정했다.

다마수스의 계승자 교황 시리키우스(Siricius, 384-399 재위)는 비록 동시대의 위인 밀라노의 암브로시우스의 그늘에 가리긴 했으나 이탈리아 교회들에 대해서뿐 아니라 갈리아와 스페인 교회들에 대해서까지도 치리권을 행사하였다. 4세기 말엽 로마는 전체 교회에 대해서 특별한 역할과 권위를 단지 주장만 하지 않고 실제로 소유하고 있었다. 로마는 상급 총대주교구였다. 그 교회의 말은 심지어 동방에서조차 무게가 있었다. 서방에서 로마교회는 성격상 거의 법률적인 권위를 행사하기 시작하고 있었다.

5세기 교황들은 이 권위를 확대하였다. 이노센트 1세(Innocent I, 402-417 재위)는 비록 크리소스톰(John Chrysostom)을 변호하는 가운데 동방교회 문제에 개입하려던 시도(참조. III:8)가 성과를 거두지는 못하였으나, 서방에서는 로마 주교의 명성과 권위를 널리 떨쳤다. 그는 로마 주교를 "주교들의 머리이자 정점"[1]이라고 언급했고, 사르디카 공의회 — 그는 이 공의회를 니케아 공의회와 같은 맥락으로 보았다 — 의 교회법들에 기초하여 전세계에 대한 관할권을 주장하였다.[2]

교황 레오 1세(Leo I the Great, 440-461)도 같은 사상을 가졌다. 그는 사도들 가운데 베드로의 수위권을 주장하였고, 법률상 베드로의 후계자들인 교황들은 베드로가 그들 안에서, 그들을 통해서 말할 수 있도록 최고 지도자이자 교사인 그의 지위를 계승한다고 가르쳤다. 유티키우스 논쟁이 벌어졌을 때 그는 이런 의도를 갖고서 콘스탄티노플 주교 플라비아누스(Flavian)에게 「공한」(*Tome*)을 보내어 그 논쟁에 간섭하였다(참조. III:9).

이 문서는 결국 칼케돈 공의회(451)에서 "베드로가 레오를 통해 말했다"라는 선언과 함께 정통신앙에 대한 규명으로 채택되었다. 레오는 동방에서 로마의 권위를 주장하려다가 부분적인 좌절을 겪긴 했으나(칼케돈 공의회의 법령 제28조는 콘스탄티노플 교구에 대해 로마 교구와 동등한 명예와 권위를 인정하였다), 서방에서는 확고한 입지를 얻었다.

그는 북아프리카, 스페인, 갈리아에서 교회 질서 문제에 관한 최고 재판관 권위를 확립하였다. 그리고 이 권위는 "갈리아와 그외 지방의 주교들은 존경할 만한 영원한 도성의 교황의 권위 없이는 어떤 일도 합법적으로 할 수 없다는 영원한 칙령"[3]을 공포한 황제 발렌티니아누스 3세(Valentinian III)에 의해 확증되었다.

레오와 그의 직무에 대한 민간과 관가의 견해는 훈족 아틸라(Attila)가 군대를 이끌고 로마로 진격해 오고 있을 때 그가 맡은 외교 임무에 대한 옛 기록에 더욱 잘 드러나 있다. 그 기록에 따르면, "왕(아틸라)은 기독교의 최고 성직자를 만난 데 크게 만족하여 전쟁을 중단하라고 명령하였다"[4]고 한다. 로마 주교는 서방교회 기독교인들의 교사뿐만 아니라 지도자와 수호자가 되어가고 있었다.

훗날 단성론(Monophysitism) 논쟁(참조. III:10)이 벌어졌을 때 그리스도에게 '두 본성'이 있다는 칼케돈 교리를 수정하는 방식으로 시리아와 이집트 단성론자들을 유화하려던 동방 황제들에 맞서 로마 주교들은 일관되게 자기들의 권위를 주장하였다. 이러한 정책은 교황 펠릭스 3세(Felix III, 483-492 재위) 때 콘스탄티노플 총대주교 아카키우스(Acacius)가 로마 교회에 의해 파문당하는 사건으로 이어졌다.

그 결과로 발생한 분열 — 이른바 '아카키우스 분열' — 은 519년 교황에게 유리한 방향으로 회복되었다. 그러나 이 승리는 비록 교회 문제에 관해서 심지어 동로마제국에서조차 로마 교구의 중요성을 과시하긴 했으나, 서방교회와 동방교회 간에 점차 틈이 벌어지게 만드는 계기가 되었다.

그뒤 일마 안되이서 교황 비길리우스(Vigilius, 537-555)가 황제 유스티니아누스에게 콘스탄티노플로 끌려와 사실상 감금된 상태에서, 서방인들의 입장에서는 단성론자들과 타협하려는 제국의 또다른 시도로 볼 수밖에 없는 내용에 동의를 강요받음으로써 두 교회 사이에는 틈이 더욱 크게 벌어지게 되었다. 동방은 로마 주교의 총대주교 지위(그리고 정치적인 비중)를 인정하였으나, 레오 1세와 그의 계승자들이 주장한 것과 같은 보편적인 권위를 인정하지 않았다.

반면에 점차 야만족이 세력을 잡아가던 서방에서는 교황들이 실권을 크게 제한당할 때조차 사도권과 로마 전승의 상징들로 남아 있었다.

7. 수도원주의(Monasticism)

3세기 말에 시작하여 4세기가 지나면서 싹이 튼 이 운동 — 역사는 이 운동에 '수도원적'(monastic. '은둔'이라는 뜻의 그리스어 *monachos*에서 유래)이라는 이름을 붙여주었다 — 은 교회의 삶에 제도적으로뿐만 아니라 영적으로도 새로운 차원을 열어주었다. 이 운동은 여러 면에서 이미 기독교 공동체들 안에 뿌리를 내리고 있던 경향들의 연장이었다. 앞에서 본 대로, 기독교 교회는 전통적으로 세례를 현세적 사물의 체계를 포기하고 그리스도의 부활로 명시되는 새로운 체계에 전념하는 것을 표지로 삼는 삶으로 들어가는 것으로 이해하여 왔다. 더 나아가 이 새 생활의 전형을 순교자들의 증거에서 찾아 왔다. 순교자들은 그리스도와 마찬가지로 악의 세력에 맞서 싸워 죽음으로 승리를 얻은 사람들로서, 세상과 그 안의 가치있는 것들을 하나님 나라를 위해 초개와 같이 버릴 것으로 간주하였다.

그러므로 교회에는 초기부터 금욕주의자들이 등장하였는데, 그들은 개인 단위로든 가정 단위로든 그리스도와 순교자들을 본받아 세상에 붙은 모든 것을 체계적으로 포기함으로써 온전한 신앙 생활을 하려고 하였다. 돈을 벌고 소유하려는 태도를 버리고, 성생활을 자제하고, 기도, 금식, 성경공부에 전념한 이들은 현세를 내세의 시민들로 살려고 하였다. 더욱이 그들은 그 과정에서 헬레니즘의 '철학적 삶'이라는 이상으로부터 큰 힘을 얻었는데, 그것은 외부적인 것들에 종속되어 있는 상태에서 돌아서고, 덕(德)을 실천함으로써 궁극적 실재에 대한 명상적 지식과 합일을 추구하는 삶이었다.

수도원 운동은 초기 기독교 금욕주의에 그 뿌리를 두긴 했지만, 그것과 다른 면도 있었다. 그중 한 가지는 수도원주의가 원래 농민 계층에서 발생했다는 점이다. 기독교는 본질상 도시를 중심으로 일어난 운동으로서, 수도원 운동이 일어날 당시 농민 계층 사람들에 대한 기독교의 접촉은 시작 단계에 불과했었다. 수도원 운동은 헬레니즘 문화에 덜 물들은 이집트와 시리아 내륙지방 사람들의 개종과 함께 성장하였다. 동시에 수도원주의는 은둔 운동이었다. 그것은 본능적으로 사막을 지향하였다. 즉 도시, 읍, 촌락으로부터 물리적이고 사회적인 이탈을 추구하였고, 그로써 정상적인 교회 생활로부터의 이탈까지도 추구하였다.

이러한 은둔(그리스어, *anachroresis*. 이 단어에서 은수자〈隱修者, anchorite〉라는 단어가 나왔다)은 적지 않은, 그리고 간단하지 않은 의미를 지니고 있었다. 그것은 한편으로는 홀로 있고 싶은 욕구를 반영하였고, 다른 한편으로는 세속에 대한 배척과 심지어 문명과 문화에 대한 경멸을 극대화한 몸짓이었다. 그러나 적어도 어떤 지역들에서는 지주와 세리의 강압에 찌든 농민들의 끊임없는 도피의 표현이기도 했다. 이 은둔 운동은 평신도와 평민들의 정서를 반영한 것인 동시에 거스를 수 없던 종교적 광신의 확산을 구현한 것이기 때문에, 수도원주의는 교회들과 그들의 지도자들인 주교들에게 문제를 안겨주었다. 그것은 사실상 기존 기독교와 병립하는 독자적인 기독교의 삶을 일으키려고 했다. 이 문제는 교회 지도자들이 솔선하여 이 운동의 후원자와 조직자가 되고, 결국에는 그 산물이 됨으로써 비로소 해결되었다.

초기 수도원주의의 정신은 초기의 유력한 지도자들 가운데 한 사람인 이집트의 안토니우스(Anthony)에게서 배울 수 있다. 알렉산드리아의 아타나시우스(Athanasius)가 쓴 「안토니우스의 생애」(*Life of Anthony*)는 이 운동에 대한 뛰어난 선전 책자로서, 동방과 서방에서 널리 읽혔다. 안토니우스는 250년경 이집트(콥트)인의 후손으로 태어났다. 20살 무렵에 그리스도가 부자 청년에게 하신 말씀[1]에 큰 도전을 받은 그는 부모에게 받은 유산을 처분한 뒤 고향의 변두리에서 연로한 금욕주의자에게 배우며 은둔 생활을 시작하였다.

은둔 생활을 해나가는 동안 점차 사막으로 나가다가 결국 홍해 연안 근처에 폐허가 된 성채에서 20년간 은둔 생활을 하였다. 은둔 생활 기간 마치 순교자들과 같은 태도로 마귀의 세력에 맞서 영웅적인 투쟁을 벌였다. 마귀들의 본거지인 사막지대에 들어가 그들에게 도전한 것이다. 그는 쉴새없는 노동, 금식, 철야를 하고, 끊임없이 기도와 성경낭독을 함으로써 그리스도의 이름으로 마귀의 세력을 극복하였다.

4세기에 접어들면서 안토니우스는 이러한 은둔 생활로 명성을 얻기 시작하였고, 다른 사람들의 눈에 영웅이자 성스러움이 깃든 사람으로 비쳤을 뿐만 아니라, 본래의 영광을 되찾은 인성(人性)을 보여주는 사람으로까지 비쳤다. 그는 병자들을 고쳤고, 원한을 품은 사람들을 서로 화해케 했으며, 모범적인 생활과 가르침으로 자기가 터득한 지혜를 가르쳤다. 다른 사람들이 그 주위에 모여들어 느슨한 은수자 공동체들이 등장하였으며, 이들은 안토니우스의 지도 아래 자기들의 영혼 구원을 위해 심신을 연마하였다.

4세기로 접어든 같은 시기에 유사한 지도자들과 공동체들이 등장하였다. 처음에는 알렉산드리아 남서부의 니트리아 사막에, 다음에는 나일 삼각주에 등장한 이들은 점차 그 수가 불어나 스케테 사막과 '암자들'(the Cells)로 알려진 지역으로 확대되어 갔다. 안토니우스가 죽은 때인 356년에는 아마 사막에 수천명의 금욕주의자들이 그리스도를 본받기 위한 훈련을 하고 있었던 것으로 보인다.

그러나 이들 가운데 상당한 수가 공동생활이라는 새로운 형태의 수도 생활을 시행하고 있었다. 이들은 이집트 고지대(남부)에서 등장한 사람들로서, **파코미우스**

(Pachomius, 290경-346)의 지도와 가르침을 받았다. 체노보스키온 마을에서 태어난 파코미우스는 로마군에 징집되어 잠시 복무한 뒤 세례를 받고 팔라몬(Palamon)이라는 연로한 금욕주의자에게 지도를 받으며 은수자 생활에 들어갔다. 320년경 또는 그 직후에 신적인 소명을 받은 파코미우스는 타베니시 마을에 수도원 공동체를 조직하였다.

이 공동체 구성원들은 엄격한 공동생활(*koinos bios*. 이 단어에서 영어 coenobite 또는 cenobite〈공주수사, 共住修士〉가 유래하였다)을 하였다. 즉 그들은 노동, 기도, 명상(성경 구절들을 암송하는 훈련)으로 이루어진 공동 일과표를 따라 생활하였고, 함께 식사하고 모든 재산을 공유하였다. 원장들에게 엄격히 순종하는 것이 관습이었고, 원장들은 파코미우스가 점진적으로 발전시킨 「수도회칙」(*Rule*)에 따라 전반적인 수도생활과 소속 수도원들을 다스렸다. 세월이 흐르면서 파코미우스의 '코이노니아'(실제로 그렇게 불렀다)는 수많은 수도원들(여자들의 공동체들을 포함한)을 포괄하게 되었고, 그로써 최초의 '수도회'를 구성하였다. 이 공동체들은 직접 노동하여(예를 들면, 농업과 베짜기) 생계를 유지하였고, 구원의 도(道)를 훈련하는 일에 서로 돕고 격려하였다.

안토니우스의 은둔 수도 방식과 파코미우스의 공동 수도 방식은 원칙상 서로간에 어떤 긴장 관계에 있었든간에 수도원 운동이 확산되는 동안 존속하였다. 기독교적 삶의 금욕적 이상이 깊은 역사적 뿌리를 갖고 있던 시리아에서는 운둔 수도에 대한 충동이 이집트에서와 마찬가지로 자생적으로 일어난 듯하다. 하지만 이곳의 수도원 운동은 극단적인 자기 부정과 기괴한 고행 방식이라는 독특한 경향을 띠었다.

예를 들어 기괴한 방식의 고행으로 가장 유명했던 **시므온**(Simeon the Elder, 390경-459)은 30년 동안 기둥 꼭대기에서 살면서 기도에 몰두하고 자기를 만나러 온 순례자들에게 설교하였기 때문에 '주상고행자'(Stylites)로 불렸다. 시리아에서는 이러한 성인(聖人)들이 대중에게 큰 존경을 얻었으며, 시므온은 제국의 권력자들에게 에베소 공의회와 칼케돈 공의회를 둘러싼 논쟁들(III:9)을 가라앉히도록 도와달라는 부탁을 받았다. 동시에 4세기에는 시리아와 팔레스타인에서 공동수도생활의 초기 형태가 발전하였다. 시므온도 사실은 안디옥 북쪽 텔레다에 있는 수도원에서 수사(修士) 경력을 시작하였다.

카파도키아와 폰투스, 그리고 훗날 소아시아 전역에서는 공주수사 제도가 관습이 되었다. 4세기 중엽 유스타티우스(Eustathius of Sebaste, 300경-377경)에 의해 도입된 이 지역의 수도 생활은 그 보급과 조직에서 '철학적 삶'을 홍보하고 육성하기 위한 바질(Basil of Caesarea, 참조. III:4)의 노력에 큰 힘을 입었다. 바질은 온전한 기독교인의 생활을 하려면 하나님 사랑과 이웃 사랑이 필요하다고 확신하였다. 그러므로 자기를 따르던 수사들에게 "믿는 사람이 다 함께 있어 서로 물건을 통용"[2]한 예루살렘의 사도 공동체의 생활을 본받게 하였다.

일부 은수자들에게서 목격한 극단적인 고행에 반대한 그는 파코미우스와 마찬가지로 수도 규칙의 목록에 순종을 덧붙였다. 수사는 공동생활을 하면서 이웃들에게 자선을 해야 할 뿐만 아니라, 스스로를 대수도원장의 인품에 드러나는 공동체의 규율에 복종시켜 자기 의지를 버려야 한다고 가르쳤다. 그외에도 바질은 대중에게 모범적인 생활을 하고 가르치며, 나그네들을 환대하고 병자와 가난한 사람들을 보호하는 등의 대중 사역에 불편이 없도록 수도원들에게 도시 변두리에 자리잡도록 권장하였다.

바질은 고행자 집단들을 찾아가 그들의 문제를 논의하고 그들의 요청에 따라 조언하는 가운데 이런 원칙들과 그외 교훈들을 내놓았다. 그의 가르침들은 심지어 그의 생시에 집필 및 편집되었으며, 결국 그의 「긴 수도회칙」(*Longer Rules*)과 「짧은 수도회칙」(*Shorter Rules*) — 이 책들은 오늘날까지 그리스와 러시아의 수도원주의에 기초가 되어 왔다 — 으로 회람되었다. 그러나 바질과 그의 학파(나지안주스의 그레고리와 니사의 그레고리를 포함한)가 수도원주의의 장래에 영향을 준 것은 단지 제도적인 면에서만이 아니었다.

알렉산드리아의 클레멘트와 오리겐에게서 유래한 플라톤주의 신학 전승에 대한 전문가들인 동시에 비판자들이었던 그들은 금욕주의 운동에 이론적인 틀을 제공하였다. 이 틀은 영혼이 세례를 받아 그리스도 안에서 살기 시작한 때부터 하나님께 대한 사색적인 지식으로 삶의 결실을 거둘 때까지 어느 정도 진보했나 짚어보는 데 사용할 수 있는 신학적이고 인간학적인 토대였다.

헬레니즘과 주지주의(主知主義)에 영향을 받은 이런 형태의 금욕주의는 에바그리우스 폰티쿠스(Evagrius Ponticus, 346-399)에 의해 이집트로 전달되었는데, 그는 콘스탄티노플에서 나지안주스의 그레고리에게 부제로 임명되어 활동하다가 382년 니트리아 사막으로 왔다. 그곳에서 몇몇 제자들을 얻었으나, 콥트교회 수사들에게 반감을 샀다. 그 수사들은 그의 헬레니즘을 명백히 불신하였고, 그가 오리겐의 견해에 위험스러울 만큼 탐닉해 있다고 의심하였다(그럴 만한 이유가 없지 않았다). 그가 죽으면서 시작된 '오리겐주의 논쟁'은 결국 크리소스톰(John Chrysostom)을 유배와 죽음으로 이끈 알렉산드리아 교구와 콘스탄티노플 교구 간의 투쟁으로 발전하였다(참조. III:8). 이 논쟁으로 에바그리우스는 대대로 악평을 받게 되었으나(그는 553년 세계교회회의에서 오리겐주의자라는 죄목으로 정죄를 당하였다), 그의 제자들은 뿔뿔이 흩어져 그의 사상을 전파하였으며, 그 결과 금욕 생활과 그 목적인 사색적 신지식(神知識)에 대한 그의 사상은 서방과 동방의 수도원주의에 중대한 영향을 끼쳤다.

서방에 수도원주의가 최초로 보급된 것은 아타나시우스 자신과 그의 저서 「안토니우스의 생애」(*Life of Anthony*)로서, 이 책은 즉시 라틴어로 번역되었다(360경). 서방에서 수도원 조직들에 대한 최초의 암시는 투르의 마르틴(Martin of Tours, 335경-397)이라는 이름과 연관된다. 그는 리에주에서 은수자 공동체를 이끌던 수사로서, 투르의 주교가 되었을 때 스스로 그런 방식에 따라 살았다.

대체로 같은 시기에 베르첼리의 주교 유세비우스(Eusebius, 340-371)는 금욕적인 규율 아래 자기 교구의 성직자들을 조직하여 새로운 형태의 수도 공동체를 도입하였으며, 훗날 어거스틴(Augustine of Hippo)은 이 방식을 따랐다. 380년대에 밀라노에는 도시 바로 외곽에 남자 수도원이 있었는데, 이 공동체는 그 도시의 주교 암브로시우스(Ambrose)가 후원 및 감독하였다.

비록 로마에는 그러한 수도원 조직들은 아닐지라도 금욕적인 삶은 381-384년 제롬(Jerome)이 그곳에 머물러 있을 때 매우 보편화되어 있었다. 4세기 후반 이탈리아에서는 수도 공동체들이 크게 증가하고 있었던 것으로 보인다. 갈리아의 경우 410년 이후에는 칸 해안에서 떨어진 레랭 섬의 공동체가 점차 성장하면서 수도원 운동을 촉진하였고, 415년 이후에는 에바그리우스 폰티쿠스의 제자 카시아누스(John Cassian, 360경-435)가 마르세유에 설립한 또다른 공동체가 그 운동을 촉진하였다.

카시아누스가 서방의 금욕주의자들에게 이집트의 수도원 전승을 소개할 목적으로 쓴 「조직들」(*Institutes*)과 「회의들」(*Conferences*)은 서방 수도원주의의 기초 문서가 되었다. 이탈리아, 갈리아, 스페인에 수도원들이 꾸준히 신설되고, 그에 따라 내부 규율에 대한 관심이 높아짐에 따라 5-6세기에는 개별 수도원들을 위한 정규 수도회칙들이 크게 증가하였다. 의심할 여지없이 이러한 현상에는 파코미우스의 「수도회칙」(*the Rule*)에 대한 제롬의 라틴어 번역본이 큰 힘이 되었다. 이 수도회칙들 가운데 하나인 베네딕트(Benedict)의 「수도회칙」은 결국 서방 수도원주의의 표준이 되었다. 이 수도회칙은 베네딕트(Benedict of Nursia, 480경-550경)가 작성한 것이 거의 틀림없는데, 그의 대략적인 전기는 교황 그레고리(Gregory the Great)의 「대화」(*Dialogues*)로 알려진다.

그는 원래 수비아코 근처의 동굴에서 살던 은수자로서, 제자들을 모아 작은 공동체들을 조직하였다. 훗날 그는 로마와 나폴리 중간에 있는 몬테 카시노로 옮겨 공동 수도원을 만들고 이 수도원을 위해 「수도회칙」을 작성하였다. 그가 간결 명쾌한 점에서 매우 뛰어난 이 수도회칙을 작성하면서 직접 체험한 바에 의존했으리라는 것은 의심할 여지가 없다. 그러나 그는 가이사랴의 바질과 파코미우스의 수도회칙들에 대한 라틴어 번역본을 알고 있었고, 「주님의 수도회칙」(*The Rule of the Master*)으로 알려진 동시대 문서를 사용하였다.

베네딕트의 수도원 개념은 그리스도를 따르기로 헌신한 사람들의 안정되고 자급자족적인 공동체였다. 그는 그 구성원들에게 사유재산을 포기하고, 금욕을 실천하며 공동체 안에 남아서 살 것을 요구하였다. 그 공동체의 우두머리는 수도원장으로서, 그는 구성원들의 명백한 순종을 받을 자격이 있지만 중요한 공동 관심사들에 대해서는 모든 형제들에게 자문을 구해야 했다.

수사들의 주요 일과는 다음과 같이 세 부분으로 구성되었다: 하루 7번 행하는 성무일도(聖務日禱)로 함께 하나님을 찬송함; 밭에 나가 노동함; '렉티오 디비나'(*lectio divina*) — 사색적인 성경 연구.

이전 시대 인물인 가이사랴의 바질처럼 베네딕트는 극단적인 금욕주의의 가치를 인정하지 않았고, 은수자 전통을 지닌 개인주의와 사회를 등지는 태도는 더욱 인정하지 않았다. 그의 「수도회칙」은 엄격하되 혹독하지는 않았고, 상호 사랑의 원칙이 지배하는 수도원의 공동생활적인, 심지어 가정적인 성격을 강조하였다. 수사들이 성무일도를 지키고 성경을 연구할 수 있으려면 글을 깨우쳐야 했기 때문에, 베네딕트의 수도원은 파코미우스 시대의 수도원들처럼 수사들에게 글을 가르치는 것을 주된 목적으로 하는 학교를 운영하였다.

중세가 가까워지면서 이러한 학교 제도는 ('렉티오 디비나' 관습에 필요했던 도서관과 함께) 결국 수도원들을 유럽의 주요 교육시설로 만들었다. 베네딕트와 동시대인으로서 한동안 동고트족 왕 테오도릭(Theodoric)의 신하였던 카시오도루스(Cassiodorus, 485경-580경)는 이탈리아 남부에 있는 자기 영지로 은퇴한 뒤 비바리움 수도원을 금욕생활의 중심지이자 성경 및 인문주의 교육의 중심지로 만들 계획을 세웠다. 그의 계획은 실현되지 않았지만, 전형적인 로마인이자 귀족의 시각에서 '은둔' 생활과 문화 육성을 연관지음으로써 훗날 서방의 수도원들이 수행하게 될 기능을 예고해 주었다.

베네딕트의 「수도회칙」은 매우 더디게 보급되었지만, 점차 수사들을 선교사, 주교, 대사들로 기용한 교황 그레고리(Gregory the Great)의 후원을 받았다. 7세기 초 클로비스(Clovis)의 후계자들이 다스리던 갈리아에서는 아일랜드 수사 콜룸바누스(Columbanus)의 수도원들이 수도원주의 발전에 중요한 역할을 하였다. 그는 얼마 전에 고향 뱅거(얼스터 주 소재)에 세운 수도원의 생활상을 담아 「수사들을 위한 수도회칙」(*Rule for Monks*)을 작성하였는데, 이 수도회칙은 앙레그레, 퐁텐, 그리고 무엇보다도 뤽세일 수도원들에 의해 채택되었다.

아일랜드 수도원주의는 카시아누스(John Cassian)가 프로방스에 소개한 뒤 영국으로 전달된 동방 전승에 그 뿌리를 두었다. 그러나 아일랜드에서는 이 전승을 크게 수정하였던 바, 본질상 부족 사회를 이루고 있던 이곳에서는 수도원과 대수도원장이 오히려 도시 교회와 주교보다 목회의 중심이 되었고, 주교는 대수도원장 혹은 일부 경우에는 수사들 중 하나가 맡는 경우가 많았다. 이 수도원들은 금욕생활에 대한 관심을 유지하면서도 선교, 구제, 종교 및 세속 교육의 중심지가 되었고, 7-8세기 아일랜드 수도원주의는 그것으로 유명하였다.

콜룸바누스의 사역에 힘입어 이 전승은 갈리아와 이탈리아에 번성하였다(그는 이 지역들에 보비오〈Bobbio〉 수도원을 세웠다). 그러나 콜룸바누스의 「수도회칙」은 베네딕트의 「수도회칙」과 접촉하면서 점차 수정되었고, 샤를마뉴(Charlemagne)와 앙리앙의 대수도원장 베네딕트(Benedictus of Aniane, 750경-821) — 그는 베네딕트의 수도회칙을 체계화하고 수도원에 대한 심대한 개혁의 기초로 삼았다 — 시대에는 베네딕트의 형태가 유럽의 모든 수도원들에게 표준이 되었다(참조. IV:6).

8. 암브로시우스와 크리소스톰

4세기 말엽 서방과 동방 교회들이 직면한 상반된 정세들과 문제들은 거의 동시대에 이루어진 밀라노의 암브로시우스(Ambrose)와 크리소스톰(John Chrysostom)의 활동에 반영되어 있다. 두 사람 모두 죽은 뒤에도 오랫동안 교회에 사상적인 영향을 끼친 설교자이자 사상가였다. 두 사람 모두 중대한 시기에 각 제국 수도의 주교로 부름을 받았다. 두 사람 모두 각기 다른 방식으로 점증하던 금욕주의 운동의 이상을 대변하였다. 그렇지만 그들의 전기를 형성한 쟁점들과 정세들은 크게 달랐다.

암브로시우스는 아마 339년에 트리어에서 갈리아 행정관(praetorian prefect)의 아들로 태어나 제국의 고위 관료가 되기 위해 로마의 수사학 학교들에서 교육을 받았다. 한동안 로마 법정들에서 활동을 하였으나, 결국에는(370경) 밀라노에 수도를 둔 아이밀리아 리구리아 속주의 총독이 되었다. 이곳에서는 374년 아리우스파 주교 아욱센티우스(Auxentius)가 죽자마자 후임 주교 문제를 놓고 아리우스파 기독교인들과 니케아파 기독교인들 간에 치열한 논쟁이 벌어졌다. 암브로시우스는 평화를 유지하기 위해 이 논쟁에 어쩔 수 없이 개입했다가 니케아파 평신도들로부터 주교 후보자로 강력한 지지를 받았다. 처음에는 주저하다가 결국 이 비공식적인 선출을 마지못해서 받아들였다. 당시에는 세례 예비자(cathecumen)에 지나지 않았기 때문에 먼저 세례를 받은 다음 즉시 주교로 임명되었다. 그는 이러한 삶의 변화를 맞이하여 재산을 포기하고, 고행자의 규율에 따라 생활하고, 과거의 개인교수 심플리키아누스(Simplicianus. 훗날 그를 계승하여 밀라노 주교가 됨)와 함께 신학 공부를 시작하였다.

이 첫번째 시기의 암브로시우스는 양떼를 돌보는 일뿐 아니라 교회 전반의 안녕을 위해 전념한 일종의 행정가로 보아야 한다. 설득력이 강하고 실제적이며 권위 있는 인품을 지닌 그는 그라티아누스(Gratian, 367-383 재위), 그라티아누스의 동생이자 부황제, 그리고 계승자인 발렌티니아누스 2세(Valentinian II, 375-392 재위), 그라티아누스가 발렌스의 후계자로 선택한 테오도시우스 1세(Theodosius I, 379-395) 등 여러 명의 서로마 황제들의 자문과 길잡이가 되어주었다. 그가 추구한 목표는 분명하였다. 그것은 로마 제국을 아리우스주의, 이교(異教), 유대교에 맞서 정통 기독교로 묶어두는 것이었다. 382년 그라티아누스가 로마 원로원에 있던 승리의 여신의 제단(여신상은 제외됨)을 제거한 것은 분명히 암브로시우스의 영향 때문이었다. 또한 그라티아누스가 죽자 이교도 원로원 위원들이 심마쿠스(Symmachus)의 주동으로 발렌티니아누스 2세에게 제단의 복원을 간청했다가 거절당한 것도 당시에 강력했던 암브로시우스의 영향력 때문이었음은 두말할 나위가 없다.

발렌티니아누스의 어머니 유스티나(Justina)가 황제의 고트족 군인들 ― 따라서 아리우스주의자들 ― 이 쓰도록 밀라노의 교회당들을 확보하려고 나섰을 때 그 시도를 뿌리친 이도 암브로시우스였다. 무엇보다도 테오도시우스 1세가 391년 이후 이교 예배를 금지하도록 공포하면서 내린 칙령들에 담겨 있던 것은 암브로시우스의 견해였다. 그러나 만일 암브로시우스가 로마 제국과 서방의 기독교 교회를 밀접히 연결시킨 장본인이라 한다면, 그 관계에 동등성이 아닌 협력이라는 성격을 부여한 장본인도 그였다.

암브로시우스의 견해에 따르면, 황제는 교회의 후원자이자 충실한 자녀이되 군주는 절대로 아니었다. 그는 교회 내부 문제들 ― 가르침과 규율 ― 에 관계해서는 황제의 간섭을 달가워하지 않았다. "황제는 교회 안에 있으며, 교회 위에 있지는 않다"[1]는 것이 그의 주장이었다. 그러므로 데살로니가에서 제국 관료가 살해당한 이유로 테오도시우스 1세의 군대가 그곳 시민들에 대해 학살을 자행하였을 때 암브로시우스는 황제에 대해 헷 족속 우리아 사건[2]에 다윗 왕이 보인 태도를 답습했다고 하면서 밀라노 거리들에서 공개 참회를 할 것을 요구하였다. 이처럼 교회와 국가는 분리된 영역의 권위를 지닌 분리된 권세들이었다.

그러나 암브로시우스가 기억되는 것은 행정가로만이 아니다. 그는 그 시대 그 지역에서 그리스 사상과 관용어들을 라틴 기독교 사상에 도입했다는 점에서 뿐만 아니라 독창적인 사상으로도 중요한 신학자였다. 그는 자신의 설교와 저서 수준을 뛰어넘는 그리스의 철학, 신학, 해석학 저서를 부끄러워하지 않고 인용하였다. 히포의 어거스틴을 매료시키고 자신의 유치한 신앙을 재고하게 만든 것은 웅변뿐만 아니라 이처럼 지적인 면도 갖춘 그의 설교였다. 암브로시우스의 가장 위대하고 가장 유력한 저서는 윤리학 논문 「사역자들의 의무들에 관하여」(*On the Duties of Ministers*)로서, 이 책에서 그는 키케로(Cicero)의 저서를 본따 새로운 기독교 금욕주의 정신을 역설하였다.

이와 같은 암브로시우스의 생애와 좋은 대조를 이룬 것은 후세대들이 '황금입을 가진'이라는 뜻의 '크리소스톰'이라는 이름을 붙여준 요한(John)의 생애였다. 귀족 가문(그의 아버지는 제국의 '군사령관'이었다)에서 태어난 그는 안디옥에서 수사학자 리바니우스(Libanius)에게 배웠고, 후에는 디오도루스(Diodore of Tarsus)에게 신학을 배웠다. 세례를 받고서는(370경) 당시 많은 사람들이 그랬듯이 금욕 생활을 시작하였고, 심지어 여러 해 동안 은수자로 지냈다. 그러나 지나친 고행으로 건강을 잃게 된 그는 어쩔 수 없이 안디옥으로 돌아가 그곳에서 부제(381)와 장로(386) 임명을 받은 뒤 정규 설교자로 활동하면서 명성을 얻었다. 탁월한 웅변가였던 그는 청중들의 필요와 문제들에 맞춰 설교하는 충실한 해석가이기도 했다. 동시에 그는 금욕 정신을 가지고 당시의 사회 및 경제 상황을 신랄히 비판하였다.

또한 가난한 사람들의 딱한 처지를 외면하는 부자들을 신랄히 풍자하였다. 그는 사유 재산이란 아담의 죄 때문에 생긴 결과일 뿐이라고 주장하였다. 사치스런 복장과 성 윤리를 남편과 아내로 구분하여 적용하는 '이중 표준'을 비판하였다. 덕을 쌓는 설교를 하였을 뿐 아니라 많은 경우에는 예언적이고 심지어 매정할 정도로 강직한 설교를 하기도 했다.

398년 점잖은 관료로서 콘스탄티노플 주교가 된 넥타리우스(Nectarius)가 죽자 크리소스톰은 다소 강제로 떠밀려 안디옥을 떠나 콘스탄티노플의 후임 주교가 되었다. 그는 콘스탄티노플에서도 안디옥에서처럼 청중들에게 큰 인기를 얻었다. 그럼에도 고위층 인사들 중에는 그의 대적들이 있었다. 내시 유트로피우스(Eutropius)가 실질적 통치자 역할을 하던 황제 아르카디우스(Arcadius)의 황궁은 비판을 수용하거나 황궁 전속 성직자처럼 행동하지 않는 주교를 용납할 분위기를 갖추고 있지 못하였다. 넥타리우스 시절에 느슨해진 콘스탄티노플의 성직자들은 크리소스톰의 엄격한 규율에 곧 불만을 터뜨렸다. 더욱이 그 도시 바깥에서는 고위 성직자들 사이에 콘스탄티노플의 강력한 주교가 제2차 세계교회회의에서 크리소스톰의 교구에 부여한 총대주교 권위를 내세우고 나올지 모른다는 두려움이 팽배해 있었다.

그 대표적인 예가 알렉산드리아의 주교 테오필루스(Theophilus)의 경우였는데,

그는 콘스탄티노플이 로마 다음의 서열을 갖는다는 그 교회회의의 결정 때문에 자신과 자기 교회가 당한 체면 손상에 분노하였다. 테오필루스와 같은 분노는 소아시아 교회들도 갖고 있었다. 왜냐하면 그들의 교구들은 콘스탄티노플 주교가 자연스럽게 관할권 확대를 노릴 만한 지역이기 때문이었다. 그리고 실제로 크리소스톰은 이 교회들의 문제에 간섭하였고, 돈을 주고(에베소의 수도대주교에게) 성직자가 된 주교들을 몇차례에 걸쳐 폐위하였다.

그뒤 동방 교회들의 관할권 분쟁들에 휘말려들고, 경건한 삶에 대한 자신의 일관된 신념을 평가해 주지 않던 황궁과 갈등을 겪게 된 크리소스톰의 운명은 당시 오리겐의 가르침을 놓고 격렬하게 벌어지고 있던 논쟁에 개입하였을 때 낙인이 찍혔다. 이 논쟁은 팔레스타인에서 살라미스의 주교 에피파니우스(Epiphanius, 315경-403)가 예루살렘 교회와 근처 수도원들에서 오리겐주의를 뿌리뽑으려고 함으로써 시작되었다.

이 논쟁은 제롬(Jerome)과 루피누스(Rufinus of Aquileia. 참조. III:15) — 두 사람 모두 오리겐의 저서들을 라틴어로 번역하였다 — 가 각기 다른 진영에 속하여 이 논쟁에 개입한 결과 일찌감치 서방에 널리 번졌다. 알렉산드리아의 주교 테오필루스(Theophilus)는 원래 오리겐파에 찬성하였다가 나중에는 니트리안 사막 출신 수사들의 압력에 굴복하고서 오리겐의 가르침을 불법으로 규정하고 그 지지자들을 이집트에서 추방하였다. 추방당한 사람들 중에서 '허풍장이 형제들' (the tall brothers)로 알려진 네 명은 콘스탄티노플로 도망하여 크리소스톰에게 따뜻한 영접을 받았다. 그 소식을 들은 테오필루스는 거의 즉시 소아시아로 출발하여 콘스탄티노플 근처 황제의 영지에서 '떡갈나무 공의회' (the Oak Council)로 알려진 교회회의를 소집함으로써 크리소스톰을 응징하였다.

사실상 크리소스톰의 대적들로 구성된 이 교회회의는 그를 폐위하였다. 황궁은 그가 쓸모없었고, 황후 유독시아(Eudoxia)도 자신의 탐욕과 불의를 지적한 그의 비판에 분노하고 있었기 때문에 황궁은 교회회의의 판결을 승인하였다. 그러나 그 직후에 발생한 지진과 민심의 동요에 놀란 황후는 그 판결을 완화하였고, 크리소스톰은 곧 복권되었다. 그러나 그는 역경 속에서 신중하게 처신하는 법을 배우지 못했다. 그는 한번 더 황궁의 처신을 강력히 비판하면서 황후를 이세벨뿐만 아니라 심지어 헤로디아에 비교하였다.

결국 그는 아르메니아로 유배당하였다. 교황 이노센트 1세(Innocent I, 402-417)가 개입하였으나 로마와 알렉산드리아 간의 분쟁을 해결한 것 외에는 아무 성과도 얻지 못하였다. 크리소스톰은 407년 훨씬 더 먼 유배지로 가는 동안에 죽었다. 그는 부패한 황실의 희생자였을 뿐만 아니라 동방 교회들을 괴롭히던 신학적 분쟁과 관할권 분쟁의 희생자이기도 했다.

9. 기독론 논쟁들

아리우스(Arius)의 가르침과 니케아 공의회의 대응에 자극을 받은 삼위일체 논쟁은 초기에는 신적인 로고스(성자)의 지위 — 하나님과의 관계, 하나님과 피조 세계에서 그가 맡은 역할 — 에 초점이 맞춰져 있었다. 그러나 이 논쟁은 불가피하게 그리스도의 위격(位格, person)에 관한 질문들을 일으켰다. 이는 최초의 고대 기독론 원칙이 예수 그리스도가 '육신이 된' — 즉 인간의 방식으로 존재하는, 또는 인성(人性)과 결합한 — 신적 로고스라는 신앙이었기 때문이다. 이 원칙은 아리우스 논쟁에 참여한 어느 측에서도 문제를 삼지 않았다. 그럼에도 아리우스파는 로고스의 본성(nature) 또는 지위에 대한 문제를 제기하는 가운데 교회들에게 '로고스가 육신이 되었다'는 구절의 뜻을 좀더 명확하게 숙고하라고 촉구하였다.

이 문제에 대한 연구는 결국 그리스도의 신성과 인성, 그리고 두 본성이 관계를 맺고 있는 양태에 관한 논쟁을 낳았으며, 논쟁 과정에서 두 개의 기독론 학파 — 이른바 알렉산드리아 학파와 안디옥 학파 — 가 등장하였다. 두 학파가 벌인 신학적이고도 정치적인 분쟁은 해결을 위한 세계교회회의(에큐메니칼 공의회)를 세 번 열리게 한 뒤에도 기독교 안에 항구적인 두 개의 분열을 낳았다. 이 기독론 논쟁은 처음에는 초기 아리우스주의자들이 로고스가 피조물이라는 그들의 명제를 뒷받침하기 위해 사용한 주장으로 떠올랐다.

복음서들에 호소한 그들은 복음서들에 등장하는 예수가 배고파하고, 목말라하고, 울고, 무지를 드러내고, 고통을 당하는 일개의 사람임을 지적하였다. 그들은 이러한 자료들에 근거하여 로고스는 보통 사람이 지니는 모든 제약들에 종속된 본성을 지닌다는, 간단히 말해서 유한한 피조물이라는 결론을 내렸다.

아타나시우스(Athanasius)는 이 결론을 비판하고 나섰다. 이 결론이 근본적인 문제를 건드린다고 믿었기 때문이다. 그는 아리우스주의자들을 반박하며 주장하기를, 인간 본성이 신격화할 수 있는 — 창조주와 사귐을 갖고 그를 닮는 데로 격상될 수 있는 — 것은 친히 하나님이신 분의 자비로운 임재를 통해서만 가능하다는 논리를 토대로 하여 로고스가 참되고 온전한 하나님이라고 하였다.

간단히 말해서, 아타나시우스는 인류가 구속(救贖)을 받으려면 하나님께서 중재자를 통하지 않고 직접 인류와 함께 인류를 위해 임재하셔야만 하며, 그 임재를 통해서 피조물들은 하나님의 생명에 참여할 수 있게 된다고 주장하였다. 그에게는 로고스의 '성육신'이 참된 인간과 온전한 신의 연합이 발생한 '순간'이었다.

아타나시우스는 이 원칙을 진술하면서 알렉산드리아의 기독론 전승 전체의 핵심 주제를 말하였다. 그러나 동시에 자신의 원칙을 변호하면서 그와 그의 대적들이 그리스도의 위격에 관한 적어도 두 가지 추정을 공유하고 있음을 보여주었다. 무엇보다도, 양측은 로고스가 그리스도의 모든 행위와 고통의 실질적이고 궁극적인 주체라는 데 동의하였다. 실제로 아타나시우스는 이러한 확신을 조심스럽게 진술하였다. 그는 주장하기를, 만일 로고스가 목말라하고 고통당하는 것이 사실이라면 그것은 그가 인간의 존재 방식을 취한 한도에서만 사실이라고 하였다. 로고스가 그러한 특성들을 받아들이는 것은 본래의 신성으로는 불가능하고 오직 인성으로만 가능하다고 하였다. 그럼에도 불구하고 아타나시우스는 그러한 속성들의 주체는 다른 존재가 아닌 하나님의 아들이라고 확신하였다.

그러나 그 다음 두번째 단계에서 양측은 하나님의 로고스가 성육신을 통해 갖게 된 이 인성(人性)을 습관적으로 '육신'이라고 언급하였다. 아타나시우스는 그리스도 — 즉, 육신이 된 로고스 — 가 무지해서 고통을 당할 수 있었다는 주장을 반박하려 할 때조차 그러한 무지를 그리스도의 인간 정신 또는 영혼에 적용할 생각을 조금도 한 것 같지가 않다. 그렇게 적용하는 것이 자연스런 논리처럼 보일 수 있었는데도 말이다. 추측컨대 그에게 중요했던 것은 인간 본성의 육체적 차원 — 가장 구속을 필요로 하는 인간 본성의 측면 — 과 로고스의 연합이었던 듯하다.

아타나시우스는 분명히 그리스도 안에서 인성이 의식의 중심이었다는 점을 부인하지 않았지만, 그 점에 대해 많은 관심을 보이지도 않았다. 그러나 아타나시우스의 사고에 단지 함축되어 있던 내용이 체계적인 기독론을 발전시킨 그 시대 최초의 사상가이자 시리아 라오디게아의 주교 아폴리나리우스(Apollinaris, ?-390경)에 의해 겉으로 표출되었다. 니케아 신앙의 강한 지지자이자 아타나시우스의 친구로서 가이사랴의 바질(Basil)을 호모우시오스파로 끌어들이는 데 크게 기여한 아폴리나리우스는 당대 사람들에게 해석학의 재능과 금욕 생활로 명성을 얻었다. 아타나시우스의 기독론과 마찬가지로 그의 기독론은, 그리스도 안에서 하나님의 아들이 직접 임재하여 죄와 죽을 운명을 지닌 인간을 변화시키고 신화(神化)한다고 주장하고 싶은 마음에서 솟아나왔다.

그러나 그는 로고스가 그리스도 안에서 즉시 인성과 결합하였다는 이러한 확신에 예수 안의 참된 '자아', 즉 삶의 원칙 자체가 단순히 로고스 자체였다는 신앙이 수반되어야 한다고 보았다. 그로서는 하나님의 아들과 철저히 평범한 인간 존재와의 결합이라는 문제를 성립 불가능한 것으로 보았다. 왜냐하면 — 그의 주장에 따르면 — 그런 상황에서는 서로 상충하는 두 개의 의지, 두 개의 정신, 두 개의 자아, 따라서 두 명의 아들들이 있게 되기 때문이다. 만일 그렇다면 그리스도의 통일성은 무너지게 될 것이고, 뿐만 아니라 그가 단순히 그리고 참되게 '임마누엘'(하나님이 우리와 함께 계심)이라는 본질적인 진리도 무너지게 될 것이라고 하였다.

아폴리나리우스는 생각하기를, 그리스도의 통일성을 이해하고 확증하기 위한 방법은 보통 인간이 영, 혼, 몸[1] — 또는 아폴리나리우스가 동의어로 간주한 것을 사용하자면 지성, 동물의 영혼, 몸 — 으로 구성되어 있는 것과 똑같이 그리스도도 동일한 구조상의 요소들을 갖고 있되, 양자간에는 한 가지 중요한 차이가 있다고 말하는 것이라고 보았다. "하나님을 자신의 영 — 즉, 그의 지성 — 으로 지니시고 혼과 몸을 지니신 그리스도는 올바로 말하자면 하늘에서 오신 인간이시다."[2]

달리 표현하자면, 아폴리나리우스가 이해한 그리스도는 "지상의 육체와 신성이 결합되어 있고"[3] "로고스가 특별한 원동력을 전체에게 부여하는"[4] 단일 유기체 — "하나로 합성된 본성"[5] — 이다. 왜냐하면 그리스도는 이러한 신인(神人) 유기체로서 생명의 유일한 원천이시기 때문이다. 이러한 생명의 통일성은 — 아폴리나리우스가 자주 지적한 대로 — "육체적인 것과 신적인 것이 모두 그리스도의 속성"[6]임을 뜻한다.

이 가르침에 딸린 취약점은 인간의 영 또는 지성이 신적인 로고스로 대체된다고 주장하는 가운데 그리스도의 인성을 불완전한 것으로 표현한다는 점이었다. 아폴리나리우스로서는 이 점을 반박할 수 없었을 것이다. 왜냐하면 그가 성육신에 의해 성취된 본질적인 것으로 간주한 것은 육체의 '생동화'와 '성화'였기 때문이다.

그는 주장하기를, 유한한 지성의 지배를 받음으로써 죄를 짓는 인간의 몸이 일단 그리스도 안에서 신적인 지성(로고스)에 의해 통제되고 생기를 얻게 되면, 그리고 우리의 몸이 일단 그리스도의 몸과 연합함으로써 거룩하게 되면, "우리 안에 자리잡고 있는 자아 중심의 지성"은 그리스도와 동화됨으로써 죄를 멸하는 데 동참할 수 있다고 하였다.[7] 그러나 일단 명확하게 진술된 이 견해는 널리 공유할 만한 것이 못된다고 판명되었고, 아폴리나리우스의 견해는 여러 진영으로부터 비판을 받았다.

니사의 그레고리는 「아폴리나리우스를 반박함」(*Against Apollinaris*)이라는 논문을 썼다. 나지안주스의 그레고리는 주장하기를, 육체만 죄를 짓는 게 아니라 혼과 정신도 죄를 지으므로 신적인 로고스는 완전한 인간 본성, 즉 혼이 딸린 몸뿐만 아니라 지성(intellect)까지도 취할 필요가 있었다고 하였다: "왜냐하면 그는 그가 취하지 않은 것은 치유하지 않았으나, 그의 신성에 연합된 것은 역시 구원되었기 때문이다."[8]

제자 비탈리스(Vitalis)에 의해 대변된 아폴리나리우스의 가르침은 377년 교황 다마수스가 주재한 로마 교회회의에서 정죄 받았고, 2년 뒤에는 멜레티우스가 주재한 안디옥 교회회의 — 이 교회회의는 하나님의 아들이 완전한 인간으로 태어났다는 로마교회의 명제에 동의하였다 — 에서 정죄 받았다. 381년 콘스탄티노플 공의회는 정죄받을 그릇된 사상들의 긴 목록에 아폴리나리우스주의를 포함시켰다(법령 제1조).

그러나 아폴리나리우스의 주된 대적들은 이른바 안디옥 학파의 대표들이었다. 이 학파가 물려받은 전승의 요소들은 그 기원을 멀게는 단일신론자인 사모사타의 바울(Paul of Samosata. 참조. II:8)부터 시작하여 안디옥의 유스타티우스(Eustathius of Antioch. 참조. III:2)에게로 거슬러 올라가 찾을 수 있다.

성경 해석 방법에서 오리겐 추종자들과 알렉산드리아 전승보다 더욱 엄격한 문자적 해석을 선호한 이들 안디옥 학파는 그리스도의 역할을 일관되게 '두번째 아담' — 인간으로서의 순종으로 구원 사역의 중심을 차지하는 분 — 으로 강조해 온 전승에 서 있었다. 더욱 중요한 것은, 로고스의 완전한 신성을 정의한 니케아 교리의 옹호자들이었던 이들이 인간의 속성들이나 제한들을 하나님의 아들에게 돌리는 용어 때문에 곤란을 겪었다는 사실이다. 따라서 그리스도 전체가 신의 속성들과 인간의 속성들의 주체라는 아폴리나리우스의 견해는 그들의 눈에 신성모독으로 비쳤다.

하나님의 말씀이 참되신 하나님이실진대, 어떻게 감히 그가 목말라했고 고통스러워했고 죽었다고 말할 수 있겠느냐는 것이 그들의 견해였다.

훗날 타르수스(다소)의 주교가 된 안디옥의 장로 **디오도루스**(Diodore, 378-394 재위)를 괴롭힌 것은 무엇보다도 그 문제였다. 콘스탄티노플 공의회 참석자였던 디오도루스는 크리소스톰(John Chrysostom)을 포함한 안디옥 사상가들의 한 세대 전체의 스승이었다. 그는 아리우스주의자들, 아타나시우스, 아폴리나리우스가 사용한 것과 동일한 기독론 용어를 사용하였다. 즉 습관적으로 그리스도를 로고스와 육체의 결합으로 말하였고, 적어도 초기에는 예수 안에 임재해 있는 인간 영혼 또는 자아에 관해서 언급하지 않았다.

그럼에도 그는 — 단지 아폴리나리우스에 대한 반박으로서가 아니라 — 한편으로 '육체'와 다른 한편으로 '로고스' 간의 뚜렷한 구분이나 구별이 있어야 한다고 주장하였다. 아폴리나리우스노 그렇게 주장했듯이, 육체와 로고스가 한 본성(nature, 휘포스타시스 또는 우시아)을 구성한 것으로 생각될 수 없었다.

디오도루스는 육체와 로고스가 단일 '실체'(thing)를 구성하지 않는다고 하였다. 누가복음 2:52의 "예수는 그 지혜와 그 키가 자라가며 하나님과 사람에게 더 사랑스러워 가시더라" 같은 진술들에는 로고스를 적용할 수 없고 육체만 적용할 수 있다고 하였다. 어쨌든 그리스도 안에는 긴밀히 연합되어 있으면서도 뒤섞이거나 동화되지 않는 두 개의 구별된 요인들이 있음에 틀림없다고 하였다. 디오도루스는 주장하기를, 만일 그렇지 않다면 로고스는 더이상 참된 로고스가 아니고, 육체도 더이상 참된 육체가 아닐 것이라고 했다.

그러나 안디옥 학파의 신학에 명쾌한 논리를 부여한 사람은 안디옥의 수사이자 뛰어난 해석학자로서 훗날 실리키아 몹수에스티아의 주교(392-428 재위)가 된 디오도루스의 제자 테오도루스(Theodore)였다. 제5차 세계교회회의(553)에서 결국 '네스토리우스주의' 창시자로 정죄를 당한 그는 그리스도가 '합성된 하나의 본질'이라는 아폴리나리우스주의를 반대하였다. 이 때 그가 내세운 견해는, 그리스도 안에 (자신이 이해하기에) 신적인 로고스와 완전한 '인간'(the Man)이라는 행위와 선포의 두 주체 ― 두 '본성'과 두 '휘포스타시스' ― 가 있다는 것이었다. 그렇다면 문제는 하나님의 아들이 어떻게 인성과 연합할 수 있었는지를 납득할 만하게 설명하는 것이었다.

그는 이것을 설명하기 위해서 '내주'(內住, indwelling)라는 오래된 이미지를 사용하였다. 그는 가르치기를, 로고스는 '기뻐하심'(eudokia, 참조. 시 147:11) 또는 은혜로서 '인간'(the Man)이 잉태된 바로 그 순간부터, 그리고 하나님의 아들로서 지니신 지위, 정체, 위엄을 '인간'과 함께 공유할 정도로 특별하고도 친밀한 방법으로 '인간' 안에 내주하셨다고 했다. 이런 방식으로 두 본성으로 합성된 하나의 '프로소폰'(prosopon) ― 하나의 공적이고 기능적인 정체라는 뜻에서의 하나의 '위격'(person) ― 이 있었다.

테오도루스는 이러한 이른바 위격적 결합(prosopic union)에 근거하여 그리스도의 인성이 완전하다고 주장할 수 있었을 뿐만 아니라, 그의 인간적인 순종과 고통이 나머지 인류의 구속을 위해 띠고 있던 중요성을 강조할 수 있었다. 동시에 그는 그 교리에 근거하여 타르수스의 디오도루스를 괴롭혔던 문제를 명쾌하게 다룰 수 있었다. 로고스와 인성은 두 개의 본성, 주체, 또는 휘포스타시스이므로 전자의 특성을 후자에게 적용하는것은 전혀 불가능하였다.

오히려 테오도루스는 "말씀들을 구분해야" 한다고 주장하였다. 즉, 성경에서 그리스도가 하신 말씀들이나 그리스도에 관한 말씀들의 경우 신성에 적합한 말씀은 로고스에게로, 인성에 적합한 말씀은 '인간'(the Man)에게로 돌려야 한다고 주장하였다. 그는 이 주장에 근거하여 동정녀 마리아를 '하나님의 어머니'(*theotokos*)라고 부르는 것이 적합한지에 관해 의문을 제기하였다(이 호칭은 적어도 4세기 초반 이래 동방교회에서 널리 사용했다.).

그는 주장하기를, 인간으로 태어난다는 것은 로고스 자신에게 해당하는 속성이 아니라 로고스가 내주한 인간에게만 해당하는 속성이라고 하였다. 만일 '테오토코스'라는 호칭이 사용된다면 그 호칭은 비문자적인 뜻으로 이해되어야 한다고 하였다. 이처럼 테오도루스는, 아타나시우스에게서 유래하고 아폴리나리우스의 가르침에서 극단적이고도 엉뚱한 표현을 찾은 전승의 기독론적 일원론에 대해서 동일하게 엄격한 기독론적 이원론을 대비시켰다.

428년 안디옥의 수사 네스토리우스(Nestorius)가 콘스탄티노플 총대주교에 즉위함에 따라 이 두 가지 기독론 전승들간의 논쟁은 새로운 국면에 접어들었다. 이 논쟁은 알렉산드리아 교구와 콘스탄티노플 교구 간의 정치적 분쟁에서 또다른 국면의 초점이 되었다. 네스토리우스가 테오도루스(Theodoro of Mopsuestia)의 학생이었든 그렇지 않았든 간에, 그는 테오도루스를 존경하였고 본질적으로 그의 가르침을 재현하였다.

이 점은 심지어 최근에 발견된 「다마스쿠스 헤라클레이데스의 저서」(*Book of Heracleides of Damascus*) — 이 책은 네스토리우스가 기독론 논쟁을 가장 철저하게 다룬 책이지만, 431년 그가 폐위 및 유배된 지 오랜 세월이 흐른 뒤에 쓴 것이다 — 에서도 분명히 나타나 있다. 이 책에서 그는 테오도루스가 실질상 동의어로 사용했던 '본성'과 '휘포스타시스'라는 용어들의 의미를 세분하되, 테오도루스가 가르친 대로 위격적 결합 교리를 확고하게 유지하였다. 어쨌든 그가 크리소스톰의 선례를 따라 안디옥에서 콘스탄티노플로 자리를 옮길 때 지니고 있던 것은 분명히 테오도루스의 기독론이었다.

네스토리우스는 제국 수도에 도착하자마자 동정녀 마리아에게 적용되던 '테오토코스'라는 호칭 사용 문제를 놓고 점차 격렬한 논쟁이 벌어지고 있는 것을 발견하였다. 양측으로부터 설명을 들은 그는 설교를 통해서 그 호칭은, "태(胎)에서 조성된 것은 하나님이 아닌" 까닭에 부적합하다는 판결을 내렸다. 그는 덧붙여 말하기를, "하나님은 하나님을 지닌 자(즉, 인성) 안에 계셨다"라고 하였고, "하나님을 지닌 자는 그를 지닌 분 때문에 하나님이라 일컬음을 받는다"라고 하였다[9] — 이것은 테오도루스의 용어를 써서 테오도루스의 위격적 결합 교리를 반복한 것이다.

네스토리우스는 '크리스토코스'(Christokos, 그리스도의 어머니)란 용어를 선호한다고 하였다. 이런 견해는 인성에 관한 언급이 궁극적으로 하나님의 아들을 주어로 삼을 정도로 로고스와 그의 인성이 참으로 하나라고 주장한 사람들을 크게 자극하였다.

따라서 네스토리우스의 진술은 '테오토코스'와 아디나시우스의 기독론 전승의 강력한 옹호자였던 알렉산드리아의 총대주교 키릴(Cyril)에게 보고되었다. 공교롭게도 키릴은 일부 이집트 수사들이 자신의 판결에 불복하여 네스토리우스에게 상소한 일로 콘스탄티노플의 그 동료와 이미 사이가 나빠져 있었다. 그러나 그는 숙고 끝에 그 교리 문제를 놓고 네스토리우스와 투쟁을 벌여야겠다고 결심하였다. 왜냐하면 그 문제는 기독교 신앙의 핵심 문제에 관한 것이었고, 동시에 콘스탄티노플 교구의 권위에 치명적인 공격을 가할 입지를 제공해 주었기 때문이다.

크리소스톰을 유배시킨 테오필루스(Theophilus)의 조카 키릴은 412년 삼촌의 뒤를 이어 알렉산드리아 주교가 되었다. 그는 테오필루스와 마찬가지로 콘스탄티노플 교회를 질시했을 뿐만 아니라, 권력 추구에서도 아타나시우스 이래 역대 알렉산드리아 총대주교들에 뒤지지 않았다. 동시에 키릴은 예리한 신학 지성을 지녔고, 알렉산드리아 기독론 전승으로 대표되던 신앙 이념에 투철하였다. 그는 알렉산드리아 기독론 전승사에서 몹수에스티아의 테오도루스가 안디옥 관점의 형성에 했던 것과 똑같은 역할을 하였고, 그것에 완성된 그리고 거의 결정적인 형태를 부여하였다.

키릴은 다른 문제들에서와 마찬가지로 기독론에서도 '거룩한 교부들 318명의 (영감된) 신앙고백' — 니케아 공의회의 신조 — 을 정통신앙의 시금석으로 보았다. 그 신조의 두번째 문단 — 키릴이 본 바로는 요한복음 1:14과 빌립보서 2:6-11을 따른 — 에는 "한 분 주 예수 그리스도"가 "하나님의 독생자"와 동일한 분이시고, 이 하나님의 아들이 "육신을 입으시고 … 인간이 되었다"고 적혀 있었다.

키릴은 이 용어의 본의를 "성육신한 신적 로고스의 하나의 본성"이라는 표현으로 잘 요약할 수 있다고 생각하였다(그는 이 표현을 아타나시우스의 것으로 인정되던 책에서 발견하였지만, 실제로 그 책은 아폴리나리우스의 것이었고, 그는 이 사실을 알지 못하였다). 그러나 키릴이 이 표현으로 의도한 바는 그리스도 안에 인간 영혼이나 지성이 없다고 부정한 아폴리나리우스의 입장과는 아무런 관계가 없었다.

키릴은 이 구절 — 니케아 신조는 말할 것도 없이 — 의 의미를 이렇게 이해하였다. 즉, 그것은 그리스도 안에 하나의 '주체' 곧 신적 로고스의 하나의 본성 또는 '휘포스타시스'가 있다는 것과, 그리스도의 인성 곧 육체와 혼이 로고스가 여자에게서 태어나면서 지니게 된 존재 양태라는 것이었다. 달리 표현하자면, 키릴은 인성을 로고스와 분리할 수 있는 '다른 것'으로 보지 않았다. 엄밀한 의미에서 그것은 로고스의 인성이며, 그가 인간으로 존재하는 방식이라고 보았다.

키릴은 이러한 관점을 '휘포타시스의 연합' 또는 '본성의 연합' 같은 표현들로 요약하였다. 아마도 이해 할 만한 것이긴 하지만, 네스토리우스와 그의 지지자들은 그러한 표현들이, 인성과 신성이 그리스도 안에서 다소 혼합되어 더 이상 신도 인간도 아닌 어떤 존재로 되는 것을 주장 또는 의미하는 것으로 해석했다.

그러나 키릴에게는 그런 의도가 없었다. 그의 어휘에서는 '하나의 본성'과 '하나의 휘포스타시스'가 아폴리나리우스의 '합성물'을 가리키지 않았다. 그 용어들은 신적인 로고스를 가리키되, 스스로 '인간의 분량들(measures)'을 취한 로고스를 가리켰다. 이러한 관점에서는 마리아를 '하나님의 어머니'(테오토코스)라고 말하고, 하나님을 예수의 인성의 '아버지'라고 생각하는 것이 충분히 일리있는 것이었다.

키릴은 이집트 수사들에게 '테오토코스'라는 단어를 변호하는 글을 써서 보냄으로써 네스토리우스에 대한 공격을 시작하였다. 그러나 그는 지역적인 충성을 엮는 데 만족하지 않고서, 황제 테오도시우스 2세(Theodosius II, 408-450)와 황후 유도키아(Eudocia, 401경-460경), 그리고 경건하고 유능하고 유력했던 황제의 누이 풀케리아(Pulcheria, 399-453)에게 호소하였다. 동시에 로마 교황 켈레스틴 1세(Celestine I, 422-432)의 지원을 얻으려는 노력에 착수하였다. 네스토리우스도 로마에 편지를 보냈으나 켈레스틴을 분개하게 만든 것 외에는 아무런 성과도 거두지 못했다. 켈레스틴이 분개한 이유는 다른 무엇보다도 네스토리우스가 당시 유배 중이던 펠라기우스파의 일부 지도자들에게 호의를 베풀었던 사실 때문이었다(참조. III: 17).

한편 키릴과 네스토리우스는 편지 두 통을 서로 교환했는데, 그 편지들에서 키릴은 네스토리우스가 "우리와 한편이 되어 생각하고 가르칠 것"[10]을 요구한 반면, 네스토리우스는 키릴이 니케아 신조를 오해했다고 주장하였다. 430년 로마 교회회의에서 켈레스틴 1세는 네스토리우스에 대해 제재 조치를 취했다. 그것은 콘스탄티노플 총대주교가 자기 견해를 철회하든지 아니면 파문을 당하든지 택일해야 한다는 법령을 공포한 것이었다. 이 조치에 힘입어 키릴은 네스토리우스에게 세번째 편지를 보내 자신의 가장 극단적인 입장을 진술한 일련의 아나테마(저주)들에 동의하라고 요구하였다. 이에 대해 네스토리우스는 자신의 아나테마들을 공포함으로써 대응하였다.

이 무렵 황제들 — 서방의 발렌티니아누스 3세(Valentinian III)와 동방의 테오도시우스 2세 — 은 문제 해결을 위해 제국의 총공의회 소집이 불가피하다는 것을 분명히 알게 되었다. 따라서 이들은 총공의회를 431년 에베소에서 열리도록 소집하였다. 키릴과 그의 동료들은 일찌감치 그곳에 도착하였고, 네스토리우스도 그러하였다. 그러나 네스토리우스의 지지자들인 안디옥의 요한(John of Antioch)과 동방 주교들은 공의회 개회일에 맞춰 도착하지 못하였다.

키릴은 자기 측 주교들과 소아시아 출신 주교들(콘스탄티노플 교구의 관할권 주장에 여전히 분을 삭이고 있던 것이 분명한)의 지지를 확신하고서 공의회 개회를 선언하였다. 공의회가 반대파 일색으로 구성되자 네스토리우스는 비록 강력한 참석 명령을 받긴 했으나 참석을 거부하였다. 공의회는 단 하루의 회기에 니케아 신조의 유일한 권위를 추인하고 그 신조에 대한 키릴의 해석을 인정한 다음 네스토리우스를 정죄하고 폐위하였다. 며칠 뒤 네스토리우스의 지지자들이 도착하여 회의를 열었고, 이번에는 그들 편에서 키릴과 에베소 주교 멤논(Memnon)을 정죄하였다.

마지막으로 교황 켈레스틴의 사절들이 도착하였다. 이들은 교황으로부터 받은 훈령에 따라 키릴의 회의에 가입하였다. 그 회의는 폐위자 목록에 안디옥의 요한을 포함시키고 펠라기우스주의를 정죄하였다(이것은 서방인들에 대한 우호의 표시였다). 상황이 이렇게 혼란스럽게 되자 황제 테오도시우스는 잠시 갈피를 잡지 못하였다. 그는 양측 대표들을 억류함으로써 절충을 얻어내려 하였으나, 자신도 키릴 쪽으로 기울어 있었고, 게다가 키릴 및 그의 동료들의 적극적인 교섭에 설득되어 결국 키릴에게 알렉산드리아 총대주교직을 회복시켜 주었다. 반면에 네스토리우스는 폐위되어 안디옥 근처에 있던 그의 수도원에 유배되었다.

그러나 알렉산드리아 교구와 안디옥 교구 간의 교제를 회복하는 것이 여전히 필요하였다. 황제의 압력이 없지 않은 가운데 타협이 이루어졌다. 동방인들은 네스토리우스에 대한 정죄와 폐위에 대해 뚜렷한 동의의 뜻을 표시하였고, 키릴은 신앙 진술 타협안에 동의의 뜻을 표시하였다(이 타협안은 키루스의 주교이자 안디옥의 신학자 테오도레투스〈Theodoret〉가 작성한 듯하다). 433년 안디옥의 요한은 그 문서(「재결합 신조」〈*Formular of Reunion*〉라 부름)를 키릴에게 보냈다.

이 문서는 '테오토코스'라는 용어를 승인하되, 동시에 그리스도를 "완전한 하나님이자 완전한 인간"이라고 설명할 뿐만 아니라, "두 본성의 연합이 이루어졌고, 그 결과 우리는 한 분 아들을 고백한다"[11]고 설명하는 내용이었다. 키릴은 「라이텐투르 카일리」(*Laetentur caeli*)라는 유명한 편지에서 이 신앙고백과 그것이 상징하는 재통일을 열렬히 환영하였으나, 추종자들 가운데 일부는 키릴의 과거의 입장과 모순되는 듯한 '두 본성의 연합' 개념에 난처해 했다.

네스토리우스의 입장은 이제 아무런 효력도 갖고 있지 않았다(이 타협 문서도 대부분 그런 유의 문서들과 마찬가지로 모호한 점들이 없지는 않았지만, 네스토리우스의 입장에서도 그 문서에 동의할 수 있었으리라는 데에는 조금도 의심의 여지가 없다). 네스토리우스는 결국 이집트 고지대로 추방당하였고, 450년 그곳에서 죽음을 맞이하기 직전에 키릴에 맞서 자신의 견해를 변호하는 내용의 「다마스쿠스 헤라클레이데스의 저서」(*Book of Heracleides of Damascus*)를 완성하였다.

433년의 화해는 단지 휴전이었음이 곧 판명되었다. 안디옥 측의 이중성을 의심해오던 키릴은 438년 그들에 대해 비판의 포문을 열었는데, 이번에는 「재결합 신조」(*Formular of Reunion*)에 서명한 안디옥 성직자들 사이에서 여전히 존중되던 타르수스의 디오도루스와 몹수에스티아의 테오도루스의 사상을 비판하는 저서를 아울러 펴냈다. 그는 그들의 사상을 뿌리뽑기로 결심했다. 사실상 타협안에 동의했던 각 진영이 상대방이 계약 조건들을 어겼다는 느낌을 갖고 있었다. 이로써 해묵은 논쟁이 재개되었지만, 이번에는 알렉산드리아 진영에 세력이 집중되어 있었다.

444년 키릴이 죽자 디오스코루스(Dioscorus, ?-454)가 총대주교직을 계승하였다. 그는 거만하고 부도덕한 사람으로서 433년의 재통합을 무시하고 신학 및 정치적인 대적들에 대한 알렉산드리아의 완전한 승리를 추구하였다. 거의 비슷한 시기에 네스토리우스의 후임자이자 키릴에 대한 온건한 지지자였던 프로클루스(Proclus, 434-447 재위)의 후임으로 플라비아누스(Flavian, 447-449 재위)가 콘스탄티노플 총대주교가 되었는데, 그는 안디옥 교회의 견해에 기울어 있었다. 이로써 분쟁은 새로운 국면으로 접어들게 되었다.

분쟁을 위한 빌미가 곧 생겼다. 콘스탄티노플에서 안디옥 교회에 대한 디오스코루스의 공세를 지지한 주요 인물은 대수도원장 유티케스(Eutyches)였다. 이 유명한 인물은 콘스탄티노플 시에 자리잡은 수도원의 수장으로서 황궁에 큰 영향력을 행사하였는데, 황제의 총리대신이었던 내시 크리사피우스(Chrysaphius)가 그의 대자(代子, godson)였다.

플라비아누스의 주재로 열린 콘스탄티노플의 '교구 교회회의' 중 한 회의에서 도리라이움의 주교 유세비우스는 알렉산드리아 진영에 대해 맞공격의 포문을 열었다. 그는 그리스도의 인성이 신성에 의해 변경되었거나 흡수되었다고 가르친 혐의로 유티케스를 고소하였다. 교회회의에 소환된 유티케스는 그리스도의 인성이 우리의 인성과 '동일본질'(homoousios)이라고 주장하기를 거절하고, 그리스도가 "결합(즉, 성육신) 전에는 두 본성을 지녔으나 결합 후에는 한 본성을 지녔다"고 주장하였다.

이 모호한 진술은 그가 실제로 인성이 신성에 흡수되었다고 가르쳤다는 뜻으로 받아들여졌다. 따라서 이 교회회의는 그를 폐위하고 이단으로 공포하였다. 유티케스는 즉시 황궁에 상소하였다. 황궁이 내린 답변은 ― 불길하게도 ― 유티케스가 아닌 플라비아누스에 대해 신앙고백을 요구하는 것이었고, 알렉산드리아의 디오스코루스는 황제에게 총공의회 소집을 요구하여 그의 수락을 받아냈다.

이렇게 된 상황에 유티케스와 플라비아누스가 모두 로마의 주교 레오 1세(Leo I, 440-461 재위)에게 상소함으로써 ― 플라비아누스는 유티케스를 단죄한 교회회의의 의사록을 전달하였다 ― 또 다른 요인이 끼어들었다. 레오는 그 문제를 조사한 뒤 플라비아누스에게 논리정연한 장문의 편지를 보냈는데, 이 편지가 「레오의 공한」(*Tome of Leo*)으로 알려지게 되었다.

유티케스를 "매우 어리석고 무식한 사람"[12]으로 평가한 레오는 로마 교회의 세례신조에 근거하여 터툴리안(참조. Ⅱ:7)으로부터 전해내려온 전통적인 서방교회의 견해, 즉 그리스도가 두 본질 또는 두 본성을 지니시며, "두 본성과 본질의 독특한 특성들이 손상됨 없이 한 위격 안에 함께 존재한다"[13]는 견해를 구체적으로 설명하였다. 더 나아가 그는 두 본성이 각각 "서로간의 사귐 안에서 본연의 활동을 하고, 따라서 말씀은 말씀에 속한 것을, 육체는 육체에 속한 것을 이행한다"[14]고 하였다.

레오는 이러한 설명으로써 로마와 서방의 전승에 맞춰 기독론 논쟁을 최종적으로 해결할 의도였음이 분명하다. 그러나 두 본성이 별개의 행위 원리들이라는 내용으로 이루어진 그의 강력한 두 본성 교리는 이번 경우에는 대체로 협력 관계를 유지해 온 알렉산드리아로 하여금 로마에 맞서게끔 만들었다. 결국 키릴의 견해에 대한 보수적인 지지자들은 「레오의 공한」을 순수한 네스토리우스주의보다 나을 게 없는 교리를 가르치는 것으로 보게 되었다.

한편 디오스코루스는 유티케스를 복권시키기 위한 조치들을 취하고 있었다. 테오도시우스 2세는 449년 8월 에베소에서 모이도록 총공의회를 소집하였다. 공의회가 열렸을 때 디오스코루스는 거침없이 자기 뜻을 반영시켜 나갔다. 이는 콘스탄티노플에서 파견된 군인들과 수사들의 집단을 지휘할 수 있는 권한을 갖고 있었기 때문이었다. 이 공의회는 콘스탄티노플의 플라비아누스와 도릴라이움의 유세비우스를 정죄하고, 유티케스를 옹호하였으며, 「레오의 공한」에 대해서는 낭독을 거부하였다. 이전의 에베소 공의회(431)가 공포한 제7법령에 진술된 원칙, 즉 니케아 신조에는 어떤 내용도 덧붙여서는 안된다는 원칙을 재확인하였다.

플라비아누스는 유배지로 가던 중 의혹스러운 상황 속에서 죽었다. 디오스코루스는 대승리를 거두었지만, 그 승리는 알렉산드리아와 로마 간의 전통적인 우호관계 단절이라는 대가를 치르고서 얻은 것이었다. 레오 1세는 공의회 결과를 듣자마자 그 공의회를 '도둑들의 교회회의'(*latrocinium*)이라고 비판하였다. 교황은 황제에게 이탈리아에서 새로운 공의회를 열 것을 요구하였으나, 테오도시우스 2세는 알렉산드리아 진영의 확고한 지지자였다.

450년 7월 테오도시우스가 우발적인 사고로 죽고 그의 누이 풀케리아와 그녀가 남편으로 맞이한 평범한 군인 마르키아누스(Marcian)가 권좌에 오르면서 상황은 바뀌었다. 새 군주들은 이탈리아에서 새로운 공의회를 열라는 레오의 요구를 거부하였다. 그럼에도 공의회를 소집하긴 하였는데, 이 공의회는 451년 가을 콘스탄티노플 바로 맞은 편에 있는 칼케돈이라는 도시에서 열렸다.

이 공의회 — 제4차 세계교회회의로 인정됨 — 는 신속히 디오스코루스를 폐위하고 안디옥의 「재결합 신조」(*Fomular of Reunion*) 지지자들을 복권시켰다. 복권된 사람들은 알렉산드리아의 키릴을 가장 강력히 비판했던 키루스의 테오도레투스와 에뎃사의 이바스(Ibas of Edessa) 두 사람이었다. 공의회에 참석한 주교들은 니케아 공의회의 신조와 거기서 파생된 — 그들이 콘스탄티노플 공의회(381)의 것으로 돌린 — 신조가 정상적인 상황에서는 신앙 정의에 적합한 것이었다는 데 동의하였다. 그들은 그들의 시대에 새로운 이단설들이 대두했었음을 인정하였다.

이런 이유에서 그들은 「알렉산드리아의 키릴이 네스토리우스에게 보낸 두번째 편지」(*the Second Letter of Cyril of Alexandria to Nestorius*)와 키릴이 「재결합 신조」에 동의한다는 내용을 담은 편지 「라이텐투르 카일리」(*Laetentur caeli*)를 네스토리우스의 오류들에 맞서 니케아 신앙의 뜻을 적절히 해설해 놓은 것으로 받아들이고, 사실상 교회법으로 공포하였다. 그들은 「레오의 공한」에 대해서도 키릴의 교리에 따라 유티케스에 맞서 정통 신앙을 설명한 문서로 받아들였다.

주교들은 이러한 결정들에 만족스러워했다. 그들은 니케아 신앙에 다른 어떤 대안이나 공적인 첨가를 제시하기를 바라지 않았다. 그러나 황궁은 한 걸음 더 나아가 기독론 논쟁을 효과적으로 해결할 신조를 작성할 것을 요구하였다. 이러한 압력하에서 주교들은 위원회를 설정하였는데, 이 위원회는 한 차례 잘못된 출발을 한 다음에 대부분 기존의 문서들 — 키릴의 편지들, 「레오의 공한」, 「재결합 신조」, 그리고 총대주교 플라비아누스가 유티케스를 정죄한 뒤 황궁에 제출한 신앙고백서 — 에서 이끌어온 구절들과 개념들로 구성된 신조를 작성하였다.

대개 칼케돈 공의회[15]의 '정의'(Definition)로 언급하는 이 신조는 키릴의 맥을 따라서 그리스도의 통일성을 주장하였다. 그는 "완전한 신성과 완전한 인성을 지닌 한 분이자 동일한 아들"이시다. 그러므로 그리스도는 "하나의 위격(*prosopon*)이자 하나의 휘포스타시스"이다. 그러나 그는 "두 본성"으로 존재하는데, 이 두 본성은 한편으로는 혼동되지도 변화하지도 않고(유티케스에 반박하여), 다른 한편으로는 분열되지도 않고 분리할 수도 없다(네스토리우스에 반박하여).

이런 표현은 레오 1세가 그의 「공한」에서 취한 입장을 가장 밀접히 반영한다. 그것은 '본성'과 '휘포스타시스'라는 용어들 간의 의미 구분을 전제한다(사실상 그 이전까지의 논쟁은 그런 표현을 사실 그대로 파악하지 못하였다. 물론 그 개념은 「재결합 신조」에서 어느 정도 윤곽이 잡혔고, 381년의 삼위일체 문제의 해결에 기초가 되긴 했지만 말이다). 칼케돈 공의회는 키릴의 핵심적인 확신, 즉 그리스도의 궁극적인 주체 또는 실재는 신적인 로고스라는 확신을 재확증하였지만, 동시에 성육신에서 이 하나의 주체는 두 가지 독특한 존재 방식을 갖는다고 주장하였다.

그리스도는 참으로 "우리와 함께 계시는 하나님"이시지만, 그러나 그분 안에서 하나님은 완전한 인간으로서 "우리와 함께" 계신다.

로마는 교리 분쟁에서 승리를 거두었지만, 그 승리는 정치 분야의 승리로 이어지지는 않았다. 칼케돈 공의회는 법령 제28조로써 콘스탄티노플 교구에게 로마 교구와 동일한 특권들을 부여하였다(콘스탄티노플이 '새로운 로마'라는 근거에서). 더 나아가 칼케돈 정의에 대한 이집트 교회들의 계속되는 불만에 의해 뚜렷하게 드러난 알렉산드리아 교구의 몰락은 로마 교회가 동방에서 가장 지속적이었던 협력자를 잃게 되었음을 의미한 뿐만 아니라, 알렉산드리아와 콘스탄티노플 중간에서 벌여온 '세력균형' 조정자로서의 능력을 잃었음을 의미하였다.

또한 로마(그리고 콘스탄티노플)의 승리는 사실상 교회의 통일을 보증하지도 않았다. 칼케돈 공의회의 두번째이자 첫번째에 못지 않게 중요한 결과는 페르시아 제국이라는 범위 안에서 네스토리우스 교회라는 분파가 생긴 사실이다. 많은 동방 — 시리아의 서부와 동부 — 의 주교들은 「재결합 신조」가 공포될 때조차도 네스토리우스를 정죄하기를 주저하였고, 이들 중 일부는 433년 이후 로마 국경선을 넘어 페르시아로 들어가 정착하였는데, 이미 그곳에는 기독교 공동체들이 있었다. 그러나 새 분파의 진정한 뿌리는 에뎃사 학교(School of Edessa)에 있었다. 이곳에서는 몹수에스티아의 테오도루스의 정신 안에서 해석학 및 신학 연구가 지적인 전승을 이루며 진행되었다.

435년 이전에 에뎃사의 이바스(Ibas of Edessa)가 이 학교 교장이었다. 그는 칼케돈 공의회에서 돌아와 공식적으로 주교직을 되찾은 뒤에 계속해서 그 학교의 사역과 새로운 교장 나르세스(Narses)의 사역을 지원하였다. 457년 이바스가 죽고 엄격한 칼케돈 신조 지지자가 그 뒤를 계승하자, 나르세스는 많은 학생들을 이끌고 학교를 페르시아의 니시비스로 옮겼다. 그곳에서 이 학교는 점차 네스토리우스 교회라는 새로운 기독교의 중심지가 되었다.

이 교회는 '가톨리코스' (catholikos)를 수장으로 삼았고, 그는 '동방의 총대주교'로 알려지게 되었으며, 원래 총대주교좌를 셀류키아-크테시폰에 두었다(775년 이후에는 바그다드로 옮겼다). 네스토리우스 교회 선교사들은 기독교를 아라비아, 인디아, 그리고 심지어 투르케스탄에까지 전하였다. 그 교회는 그뒤에도 살아남아 대체로 이슬람교 치하에서도 번성을 누렸지만, 결국 중세 후반에 몽고족의 침입으로 와해되었다.

10. 분리된 동방 교회

칼케돈 신조는 이제 제국의 공식적인 교리적 규범이 되었다. 교황 레오 1세(Leo I)가 「레오의 공한」(*Tome*)에서 말하였듯이 로마와 서방 교회들에서 이 신조는 의심할 여지없는 정통을 대표하였다. 그러나 동방 교회의 상황은 크게 달랐다. 네스토리우스파 그리스도인들의 집단이 에뎃사와 페르시아 제국에서 형성되기 시작하였을 뿐만 아니라 알렉산드리아의 키릴(Cyril of Alexandria)의 가르침을 지지하는 보수적인 그리스도인들은 그리스도를 '두 본성을 가지신' (in two natures) 한 주체 혹은 위격이라고 가르치는 교리를 거의 이해할 수 없었다.

그들은 그리스도를 '두 본성으로부터 나온' (out of two natures) 한 위격이라고 선언한 「재결합 신조」(*Formulation of Reunion*)의 표현은 용납할 수 있었으나, 레오 1세의 기독론은 네스토리우스주의와 다를 바 없다고 생각하였다. 그들에게는 '두 본성'이라는 말이 두 주체, 두 실재, '두 아들'을 말하는 것처럼 보였고 따라서 그리스도 안에서 하나님의 로고스와 인간 본성의 연합을 — 구원의 기초가 되는 연합을 — 부인하는 것으로 여겨졌다.

또한 단성론자들(Monophysites, '한 본성'이라는 공식을 지지하는 사람들)이 야기한 분열도 가볍게 다루어질 수 있는 문제가 아니었다. 동방 교회의 대다수의 주교들은 키릴의 가르침을 따랐으나, 유티케스(Eutyches)나 혹은 잘 알려지지 않았던 디오스코루스(Dioscorus)에 대하여는 거의 고려하지 않았다. 심지어는 칼케돈 신조에 동의한 사람들도 "레오가 키릴에게 동의하였다"는 근거에서 동의하였으며, 실제로 그들은 공의회 석상에서 그렇게 외쳤었다.

단성론자들이 주장하였듯이, 키릴 자신도 규칙적으로 그리스도의 한 본성과 한 위격을 이야기하였기 때문에, 키릴의 참된 가르침이 — 그가 사용한 용어가 아니라 그의 의도가 — 칼케돈 공의회에서 지켜졌는가 하는 것은 결코 쉬운 문제가 아니다. 더구나 단성론 운동은 확고한 대중적 뿌리를 갖고 있었다. 단성론 운동은 개별적인 주교들의 권위에만 의존하고 있던 것이 아니었다. 아무리 그 주교들의 수가 많았다고 하더라도 말이다.

단성론은 이집트와 시리아 북부의 수도원 공동체들로부터 진심에서 우러나오는 열광적인 지지를 누렸으며, 바로 그 때문에 일반 신자들로부터도 역시 지지를 얻었다. 그러므로 콘스탄티노플의 황제들이 단성론자들을 제국의 교회와 화해시키는데 실패함으로써 단순히 교회의 분열을 일으켰을 뿐만 아니라 이집트와 시리아의 주민들 속에서 정치적인 반대자들을 만들어 내었던 것이다.

알렉산드리아에서는 단지 칼케돈 신조를 승인하였던 네 사람의 이집트 장로들에 의하여 디오스코루스의 계승자로 임명되었다는 이유로 프로테리우스(Proterius)라는 인물을 받아들이기를 거부하였던 폭도들을 통제하기 위하여 제국의 군대가 필요하였다는데, 바로 이런 사실에서 단성론자들의 반발이 얼마나 깊고 심각하였는지를 알 수 있다. 예루살렘 총대주교였던 유베날리스(Juvenal)는 자기 교구민들에 의하여 그 교구에서 쫓겨나서 임시적으로 콘스탄티노플로 은퇴할 수밖에 없었다.

마르키아누스(Marcian) 황제가 죽자(457) 프로테리우스는 폭행을 당하였고, 단성론자 지도자들은 디모데(Timothy)를 — 그의 반대자들은 그를 '고양이'(the Cat)라고 불렀다 — 새로운 총대주교로 세웠다. 디모데 역시 새로운 황제가 된 레오(Leo, 457-474)에 의하여 곧 유배되었다(459). 그러나 그 후에 레오는 일련의 지역 공의회들을 통하여 동로마의 주교들이 칼케돈 신조와 디모데에 대한 권징을 지지한다는 사실을 확신하였다. 주교들은 키릴의 개념에 따라 칼케돈 신조의 입장을 이해한다는 점을 명확하게 밝히는 한편 황제에게 그와 같은 지지를 충성스럽게 보장하였다.

시리아에서는 469년에 안디옥의 총대주교 마르티리우스(Martyrius)가 잠시동안 자리에 없는 동안에 페트루스(Peter the Fuller)라는 단성론자가 총대주교 자리에 임명됨으로써 단성론 운동의 영향력을 과시하였다. 페트루스는 471년에 그 자리에서 쫓겨나 유배당하였는데, 그 일이 일어나기 전에 안디옥의 전례에 단성론자들의 슬로건이 된 표현을 삽입하였다. 페트루스는 삼성송(三聖頌, *Trisagion*)의 영광송(doxolgoy; "거룩하신 하나님, 거룩하시고 전능하시며, 거룩하시며 영원하신 한 분")에 "우리를 위하여 십자가에 달리신 분"이라는 문구를 첨가하였는데, 그것은 사실상 그리스도 안에는 두 주체가 존재하지 않았다는 신념을 명백하게 표현한 것이었다.

황제 레오가 죽은 후에 그의 계승자로 즉위한 제노(Zeno)는 일시적으로 바실리스쿠스(Basiliscus)에게 자리를 빼앗겼는데(475-476), 바실리스쿠스는 즉각 단성론자 편을 들었다. 그는 디모데를 알렉산드리아의 총대주교로 다시 임명하였을 뿐만 아니라 회람 서신을 발표하여 「레오의 공한」과 칼케돈 공의회의 결정들을 정죄하였다. 이 회칙은 동방 교회의 대다수 주교들의 승인을 얻었고 대중의 폭넓은 지지를 받았다.

그러나 콘스탄티노플 총대주교인 아카키우스(Acacius, 471-489)는 그 회칙에 동의하지 않았다. 그는 그 회칙이 알렉산드리아의 주장을 옹호하고 있으며 따라서 자신의 교구에 대한 위협이 된다는 사실을 재빨리 알아차렸던 것이다. 심지어 그는 존경을 받고 있었던 콘스탄티노플의 주상(柱上)성자 다니엘 스틸리테스(Daniel Stylites)뿐만 아니라 교황인 심플리키우스(Simplicius, 468-483)에게도 자신을 지지하도록 요청하였다. 기가 꺾인 바실리스쿠스는 그 기세에 눌려 황제의 자리를 포기하였고 476년에 제노(491년에 사망)가 다시 황제로 복귀하였다.

그러나 바실리스쿠스는 자신의 정책을 통하여 동로마에서 단성론자 집단의 세력을 드러내었다. 총대주교 아카키우스의 권고를 받아들인 제노는 종교적 타협과 화해의 과정을 추진하기로 결심하였다. 482년에 그는 유명한 「헤노티콘」(*Henotikon*)을 공포하였는데, 그것은 알렉산드리아의 키릴의 추종자들에게 인기가 있었던, 그리고 콘스탄티노플 공의회(381)와 에베소 공의회(431)에서 거듭 공포되었던 니케아 신조가 신앙에 대하여 충분한 정의를 제공하였다는 입장을 취하였다.

「헤노티콘」은 유티케스를 정죄하였으나, 칼케돈 공의회의 가르침의 공식적인 지위를 박탈함으로써 칼케돈의 규정에 관하여 사실상 의견의 차이를 허용하였다. 그리하여 제노는 키릴의 기독론을 정통으로 삼았으나 「레오의 공한」에서 나타난 '두 본성' 교리나 칼케돈 공의회의 규정들이 그것과 일치하는가의 여부에 대한 의문을 남겨두었는데, 그는 바로 그런 방법으로 두 집단 간의 화해를 이룩하기를 원하였던 것이다.

처음에는 이 정책이 동방 교회에서 놀랄 만한 성공을 거두었으며, 그 결과 제노의 계승자인 아나스타시우스(Anastasius, 491-518)가 다스리던 대부분의 기간에 제국의 정통적인 교리에 관한 공식적인 규범이 되었다. 그러나 결국 「헤노티콘」은 그 목적을 달성하지 못하였다. 첫째로, 로마 교회는 칼케돈 신조가 거부당함으로써 자신의 명예와 정통성이 손상당하였다고 생각하여 아카키우스를 파문하였으며 동방 교회와의 교제를 끊었다. 이 '아카키우스 분열'은 519년까지 계속되었다. 그 해에 황제 유스티누스(Justin, ?-520)는 칼케돈의 신앙 규정의 권위를 다시 회복시켰다. 그러나 그보다 더 중요한 요소는 단성론자들과 칼케돈 지지자들 사이의 논쟁이 계속되었으며 점점 더 강도가 높아졌다는 사실이었다.

사실상 이 시대는 — 5세기가 끝날 무렵에서 6세기의 첫 십 년간 — 동로마에서 신학 사상이 아주 풍성하게 발전하였던 시대였다. 성 바울의 제자이며 동시대 인물이라고 주장되었던 디오니시우스 아레오바고(Dionysius the Areopagite)라는 거짓 이름으로 저술을 한 익명의 작가의 저작들도 이 시기에 나왔다.

아테네의 플라톤 아카데미의 이교도 지도자였던 프로클루스(Proclus, 412경-485)와 같은 후기의 학문적 신플라톤주의 작가들에게서 강한 영향을 받은 이 가짜 디오니시우스는 「천상의 질서에 관하여」(*On the Celestial Hierarchy*), 「교회의 질서에 관하여」(*On the Ecclesiastical Hierarchy*), 「하나님의 이름에 관하여」(*On the Divine Names*), 「신비주의 신학」(*Mystical Theology*)과 같은 영향력 있는 논문들을 통하여 동방 교회의 소위 부정 신학 혹은 아포파시스적(apophatic) 신학의 전통을 크게 강화하였다. 또한 그는 후대의 라틴 번역자들을 통하여 서방 교회에서도 친숙하게 알려지게 되었는데, 신플라톤주의적 형이상학으로만이 아니라 부정 신학에 수반된 신비주의적 양식으로도 잘 알려졌다.

그러나 이 시대의 기독론 논쟁에서 더 중요한 사람은 수도사이자 장로였던 세베루스(Severus, 465경-538)였다. 사실 일부 학자들은 이 세베루스가 위(僞) 디오니시우스의 작품을 저술한 사람으로 보기도 하지만, 그렇게 볼 근거는 별로 없다. 카파도키아 교부들과 키릴의 저작에 통달하고 있었던 세베루스는 학식과 통찰력을 갖춘 신학적 지도력을 발휘하여 단성론자들을 이끌었다.

비록 그는 유티케스와 아폴리나리우스(Apllinarius)의 견해를 전적으로 배격하였지만, 그럼에도 불구하고 그는 칼케돈 공의회가 두 본성 교리를 가르쳤을 뿐만 아니라 키릴의 가르침을 공공연하게 공격하였던 키루스의 테오도레투스(Theodoret of Cyrrhus)와 에뎃사의 이바스(Ibas of Edessa)와 같은 악명 높은 안디옥파 교사들의 가르침을 회복시켰던 네스토리우스적 공의회라고 비판하였다. 한 본성 교리를 주의깊게 옹호하면서 세베루스는 열렬한 시리아 교사이며 신학자이며 선동가였던 마부그(Mabboug)의 주교 필로크세누스(Philoxenus, 485-519)와 협력하였다.

이런 지도력에 힘입어 단성론자들은 5세기의 마지막 십 년 동안에 다시 한번 동로마 제국을 거의 휩쓸게 되었다. 508년 이후로 콘스탄티노플에서 살았던 세베루스는 황제 아나스타시우스의 주목을 끌었고 사실상 황제의 교회 문제 자문역이 되었다. 마침내 세베루스와 필로크세누스는 황제로 하여금 칼케돈 공의회의 규정과 「레오의 공한」을 명백하게 정죄하는 정책을 베풀게 하는데 성공하였다. 안디옥에서는 칼케돈 신조를 지지하였던 총대주교가 쫓겨나고 세베루스가 그 자리에 취임하였으며(512), 콘스탄티노플 총대주교인 마케도니우스(Macedonius)는 유배를 당하였다.

그러나 이 성공은 국지적이었고 오래 가지 못하였음이 곧 드러났다. 「헤노티콘」으로 합법화되었다가 아나스타시우스의 새 정책으로 입장이 뒤집어진 칼케돈 지지자들은 팔레스타인과 소아시아와 유럽의 속주들에서 강력한 지지자들을 가지고 있었는데, 그들은 황제의 새 정책을 거스려 로마에 호소하는 것도 주저하지 않았다.

518년에 아나스타시우스가 죽고 라틴어를 사용하는 칼케돈 지지자였던 유스티누스 1세(Justin I)가 황제로 즉위하자 세베루스는 안디옥에서 쫓겨났고 교황 호르미스다스(Hormisdas, 514-523)의 사절들이 로마와의 교제를 회복하기 위한 조건을 부과할 수 있게 되었다. 그 결과 동방 교회에서 칼케돈을 지지하였던 사람들은 자신들이 협상하였던 것보다 더 많은 것을 얻게 되었다. 「헤노티콘」 자체가 정죄되었고 그것을 지지하였던 역대 콘스탄티노플 총대주교들도 역시 정죄되었다.

그러나 이런 놀랄만한 교황의 승리도 피상적이고 일시적인 것이었음이 곧 드러났다. 동방 교회는 레오를 선택하기 위하여 키릴을 포기하지 않았다. 대부분의 교회 지도자들은 황제의 명령에 따라 기꺼이 칼케돈의 규정과 그 권위를 받아들였지만, 그러나 단지 그것이 동방 교회의 참된 정통 즉 알렉산드리아의 키릴의 가르침과 일치하는 것으로 여겨지는 한에서만 받아들였다.

그들이 받아들였던 칼케돈주의는, 막센티우스(John Maxentius)와 그의 동료인 — 유스티누스 황제 시절에 콘스탄티노플에 출현하였던 — '스키티아의 수도사들'이 유명한 '테오파시트파'(theopaschite) 공식으로 요약하여 표현한 것이었다. "삼위일체 가운데 한 분이 육신을 입고 수난을 받으셨다." 의심할 여지없이 이 공식은 "우리를 위하여 십자가에 달리신 거룩하시고 영원하신 분"이라는 비타협적이고 무뚝뚝한 단성론자들의 표어를 수정한 것이었다.

그러나 이 공식은 일반적으로 동방 교회의 신자들이 그리스도에 관하여 말할 수 있는 모든 이야기의 궁극적인 주체가 성자 하나님이라는 교리를 얼마나 진지하게 받아들이고 있었는지를 보여준다. 새 황제는 칼케돈 신조에 대한 동방 교회와 서방 교회의 이해를 일치시키는 어려운 일에 덧붙여, 동방 교회 내의 칼케돈주의자들과 단성론자들 간의 화해라는 그와 마찬가지로 어려운 과업을 수행하여야 했다.

유스티누스의 조카이자 계승자였던 유스티니아누스 1세(Justinian I, 527-565)의 재위 기간에 모든 당파들을 칼케돈 공의회를 중심으로 화해시켜려는 정책이 추진되었다. 그러나 이때 칼케돈 공의회는 유티케스주의에 반대하여 니케아 공의회의 기독론과 알렉산드리아의 키릴의 기독론을 재천명한 것으로 이해되었다. 이런 시도는 유스티니아누스의 전반적인 정책과 완전히 일치하는 것이었다. 그의 정치적 야망은 서로마를 다시 정복함으로써 제국을 재통합하려는 것이었는데, 그 야망은 재정에 지나친 부담을 주었고 동로마의 국경들에서 희생을 감수하게 만들었다.

유스티니아누스는 북 아프리카를 회복하였고 결국 이탈리아를 다시 제국의 영토로 회복함으로써 부분적으로는 그 야망을 성취하였다. 실제로 유스티니아누스는 기독교의 5대 총대주교구 — 로마, 콘스탄티노플, 알렉산드리아, 안디옥, 예루살렘 — 에서 하나로 통일된 신앙고백을 수립하려고 하였다. 한 걸음 더 나아가 그는 니케아, 콘스탄티노플, 에베소 공의회와 더불어 칼케돈 공의회를 이 통일된 신앙고백의 토대로 삼으려고 하였는데, 이 점에 있어서는 단성론자들에게 공감하였던 황후 테오도라(Theodora, 508경-548)가 종종 그의 결심을 무디게 만들었다.

철저하게 통합되고 철저하게 기독교적인 제국을 만들겠다는 집권 초기부터의 목적을 달성하기 위하여 유스티니아누스는 이교주의를 불법화하였고 여전히 기독교를 믿지 않고 있었던 모든 불신자들에게 세례를 받도록 명령하는 엄한 칙령을 내렸다. 그는 이교주의의 학식과 충성의 중심지였던 아테네의 플라톤 아카데미를 폐쇄하였다(520). 그는 사마리아인들을 심히 박해하였으며 유대인의 종교적 권리와 시민적 권리를 크게 제한하였다. 마니교와 아리우스주의와 다른 이단 종파들을 불법화하였다. 그러나 교회 문제를 다루면서 그가 주장하고 누렸던 절대적인 권력에도 불구하고 또한 상황이 그에게 요구하는 것 같았던 타협과 화해의 능력에도 불구하고, 교회를 통일하려고 한 그의 시도는 결국 실패하고 말았다.

유스티니아누스의 첫번째 노력은 이원론적인 네스토리우스적 기독론을 함축하지 않으면서 유배된 단성론자들의 지도자들을 설득하여 칼케돈 공의회를 인정하게 하는 것이었다. 이런 그의 시도는 틀림없이 황후인 테오도라의 권유에 따른 것이었지만 동시에 알렉산드리아에서 유배 생활을 하고 있었던 안디옥의 세베루스가 극단적인 단성론자인 할리카르나수스의 율리아누스(Julian of Halicarnasus)와 결렬한 논쟁을 벌이고 있었기 때문이기도 하였다.

율리아누스는, 그리스도의 육체는 부패되지 않는다는, 아폴리나리우스주의적 가르침으로 보이는 교리('Aphthartodocetism')를 가르쳤다. 세베루스는 그리스도의 평범한 인간성을 열렬하게 변호하였는데, 그것은 단성론자들이 칼케돈의 해석, 즉 키릴적인 어법으로, 로고스의 한 위격이 인성과 신성 양쪽 모두의 유일한 존재론적 주체임을 강조하는 해석 — "삼위일체 가운데 한 분이 육신을 입고 수난을 받으셨다"는 테오파시트파의 공식에 내포되어 있는 바로 그 교리를 받아들였다고 볼 수 있는 근거를 제공하였다.

그에 따라서 유스티니아누스는 일부 단성론자 주교들을 콘스탄티노플로 초대하여 칼케돈 지지자들의 무리와 협의회를 갖게 하였다. 비록 단성론자들이 451년의 칼케돈 공의회에 대하여 태도를 바꾸었다고 지적해 주는 것은 아무 것도 없지만, 그럼에도 불구하고 황제는 기독론적 신앙에 대한 자신의 공식적인 정의를 설명하는 칙령을 발표하였는데(533), 그것은 그리스도께서 인간의 본성을 취하신 하나님의 말씀이며, 인간의 본성 속에서 (물론 신적인 본성 속에서는 아니지만) 직접 수난을 겪으셨다고 선언하였다.

이 '신 칼케돈' 신학을 옹호한 가장 유능한 신학자는 예루살렘의 레온티우스(Leontius, 534경 활동)였는데, 그는 '위격'(hypostasis)과 '본성'(nature)을 주의깊게 구분하였고, 그리스도의 인간적 본성은 그 자체의 위격(즉, 구체적인 존재의 원리)을 가지지 않고 단지 하나님의 아들의 위격 '안에서'(in) 존재하는 것이며, 따라서 하나님의 아들이 완전한 인간 본성을 가진 존재의 참된 주체라고 가르쳤다. 때때로 '위격 안에'(enhypostasis)의 교리라고 불렸던 레온티우스의 가르침은 테오파시트파의 표현과 함께 키릴의 기독론의 핵심적인 주제를 정당화하였으며, 그와 동시에 두 본성 교리를 유지하였다.

로마와 콘스탄티노플의 총대주교들에게 보낸 편지에서 유스티니아누스는 그 칙령을 되풀이하여 선언하였고, 그것과 동시에 잠시 동안의 관용과 화해의 시대를 열었다. 그 시기에 세베루스는 제국의 수도에서 받아들여졌고 테오도라 황후는 알렉산드리아와 콘스탄티노플 교구에 세베루스의 단성론적 입장을 지지하는 사람들을 임명할 수 있었다. 그러나 이런 상황으로 말미암아 생겨나게 된 두려움과 반대 때문에 또다시 로마의 간섭이 있었는데, 이번에는 이탈리아의 동고트족 지배자들을 대신하여 콘스탄티노플을 방문하였던 교황 아가페투스(Agapetus, 535-536)가 새로이 임명된 콘스탄티노플 총대주교를 내쫓고 칼케돈 지지자를 후계자로 임명하였다.

유스티니아누스 황제는 즉각 태도를 바꾸어 세베루스와 그 추종자들을 파문하는데 동의하였을 뿐만 아니라 세베루스의 저작들을 불사르도록 명령하였다. 알렉산드리아 총대주교 자리에도 칼케돈 지지자가 임명되었다. 비록 유스티니아누스는 단성론자 지도자들이 '네 공의회'(the Four Councils)의 정통 신앙을 인정하도록 노력하였지만, 칼케돈 공의회의 문제를 놓고 타협을 이루려는 노력은 결코 다시 하지 않았다. 팔레스타인의 수도사들 사이에서 일어난 격심한 논쟁을 거친 후에 543년에 유스티니아누스가 오리겐의 가르침을 정죄한 일은 참으로 엄격한 칼케돈 지지자들을 기쁘게 하였다.

유스티니아누스가 그 다음에 취한 조치는 — 그 자신의 생각으로는 단성론자들을 달래기 위한 의도로 취한 조치였는데 — 544년에 '삼장'(Three Chapters)을 정죄한 것이었다. '삼장'은 몹수에스티아의 테오도루스(Theodore of Mopsuestia)의 저서들과 에뎃사의 이바스와 키루스의 테오도레투스가 쓴 책들 가운데 알렉산드리아의 키릴을 반대한 저서들을 가리킨다. 테오도루스의 제자들인 이바스와 테오도레투스가 칼케돈 공의회에서 정통으로 인정되었었기 때문에, 유스티니아누스의 이런 제스처는 그 공의회 자체의 권위에 의문을 던진 것과 마찬가지였다. 그러나 안디옥 학파의 기독론에 대한 이 마지막 공격에서 유스티니아누스는 조심성 있게 이바스와 테오도레투스를 직접 정죄하지 않고 그들의 일부 저서들을 정죄하였다. '네 공의회'에서 나온 신 칼케돈 정통주의는 유지될 수 있었다.

유스티니아누스가 삼장을 정죄한 일은 단성론자들을 칼케돈 지지자와 화해시키는 데에는 별로 기여하지 못한 반면에 서방 라틴 교회에서 그의 신 칼케돈 정책에 대한 반대를 불러 일으키게 되었다. (이제 반달족의 통치에서 벗어난) 아프리카의 주교들과 이탈리아와 갈리아의 많은 주교들과 콘스탄티노플에 파견되어 있던 교황의 대표들은 삼장에 대한 정죄에 서명하거나 동의하기를 거부하였다. 유스티니아누스는 약하고 우유부단한 교황 비길리우스(Vigilius, 537-555)를 콘스탄티노플로 데려오는데 성공하였다.

그곳에서 교황은 유스티니아누스가 행한 일의 모든 본질적인 부분들에 동의하는, 악명높은 「유디카툼」(*Iudicatum*)을 발표하도록 설득당하였다. 그러나 서방 교회는 이 일에서는 그들의 지도자를 따르지 않았다. 아프리카 주교들의 교회회의에서는 비길리우스를 파문하였고, 이미 콘스탄티노플에 가 있었던 아프리카의 저술가이며 헤르미아네의 주교인 파쿤두스(Facundus, 571년 이후에 사망)는 「삼장 옹호」(*In Defense of the Three Chapters*)라는 논문을 작성하였다. 그는 유스티니아누스의 행위는 칼케돈의 기독론을 철회하는 것이나 다름없다고 주장하였다.

급기야 자신의 「유디카툼」에 대한 서방 교회의 반동에 일시적으로 용기를 얻은 비길리우스가 황제의 조치에 대한 동의를 철회하였을 뿐만 아니라, 황제의 납치 기도에도 불구하고 은신처를 구하여 피신하였던 교회에서 콘스탄티노플 총대주교를 파문하였고 또한 황제의 주요한 신학 사문이었던 테오도루스 아스키다스(Theodore Askidas)를 파문하였는데, 아스키다스는 황제의 정책을 입안하였던 인물이었다. 결국 그 문제는 553년에 콘스탄티노플에서 소집된 공의회에 넘겨졌다.

오직 12명의 서방 주교들만을 참석시킨 그 공의회의 구성 때문에 비길리우스는 참가하기를 거부하였다. 공의회는 정식으로 삼장을 정죄하였고 팔레스타인의 수도사들 사이에서 계속 번성하였던 오리겐주의에 대한 정죄를 재확인하였다. 유스티니아누스가 공의회의 조치에 대한 비길리우스의 동의를 끝내 얻어내었기 때문에 이 공의회는 다섯번째 에큐메니칼 공의회로 인정되고 있다. 그러나 비길리우스의 동의는 로마의 교회들과 밀라노 및 아퀼레이아의 교회들을 오랫동안 분열시키게 되었다.

이런 와중에서 단성론자 집단들이 단순히 집단으로서가 아니라 독립적이고 민족적인 기반을 가진 일련의 교회들로서 발전하는 과정이 시리아와 이집트, 아르메니아 그리고 궁극적으로는 이디오피아와 페르시아에서 이미 진행되고 있었다. 사실상 그 과정은 거의 유스티니아누스의 즉위 때부터 시작되었었다. 박해를 받고 있었던 시리아와 소아시아의 단성론자들은 칼케돈 지지자 사제들이 베푸는 성례를 받아들이려고 하지 않았으며, 텔라의 요한(John of Tella)이 유배 중이던 안디옥의 세베루스의 동의를 얻어 제시한 그들 나름대로의 신조를 따르는 성직자들을 세웠다.

세베루스 역시 로마 제국의 동부 국경의 페르시아 쪽 지방에 있는 단성론자들이 주교를 임명할 수 있도록 허락하였다. 그러나 로마 제국 내부에서 단성론자들이 독립적으로 조직된 성직제를 가지게 된것은 주로 야코부스 바라다이우스(Jacob Baradaeus, Bar'adai)의 업적이었다. 시리아의 수도사였던 그는 황후인 테오도라의 묵인 하에 에뎃사의 수도대주교가 되었으며(542경), 종종 신분을 감추고 단성론의 입장을 전파하는 선교 여행으로 여생을 보내었다. 그러므로 유스티니아누스가 죽을 즈음에는 이미 시리아 북부와 길리기아에 중심을 둔 독립적인 단성론파 교회가 존재하고 있었는데, 안디옥의 총대주교를 본딴 그들 나름대로의 수장이 있었다.

(578년에 죽은 바라다이우스의 이름을 따서) '야코부스파' 교회라고 불리게 된 이 교회는 — 제국 교회의 그리스어와 구별하여 — 시리아어를 전례와 신학에서 사용하는 언어로 택하였고 시리아 북부의 시골에 있는 여러 마을과 수도원들을 근거지로 삼았다. 이 교회는 오늘날까지도 존속하고 있다.

이집트에서는 유스티니아누스의 신학 정책과 종교 정책에 대한 저항이 칼케돈 공의회에 대한 수도사들과 일반 대중의 확고한 반대에 뿌리를 두고 있었으며, 또한 점차로 키릴의 기독론이 토착적이고 콥트적이며 이집트적인 명분이며 따라서 콘스탄티노플에서 유래한 외래의 정통을 강요하려는 황제의 시도에 직면하여 굳게 지켜야 할 것이라는 감정에 뿌리를 두게 되었다.

575년경부터 — 단성론자 자신들 내부의 심각한 여러 분열에도 불구하고 — 알렉산드리아에는 '멜키트'(Melkite, '왕의' 혹은 '황제의') 교회에 맞서 콥트 교회의 총대주교가 존재하였는데, 바로 이 콥트어를 사용하는 단성론파 교회가 이집트의 그리스도인들의 대다수를 포용하였기 때문에 페르시아와 아랍의 이집트 정복에도 불구하고 이집트의 지배적이고 특징적인 기독교 형태가 되어 오늘날까지 존속하는 교회가 되었다.

더구나 이 단성론파 교회는 — 역시 부분적으로는 황후 테오도라의 도움으로 — 누비아의 여러 왕국에 선교사들을 파송하여 에티오피아(악숨〈Axum〉 왕국)의 기독교의 모습을 형성하였는데, 그곳은 아타나시우스가 직접 348년 경에 프루멘티우스(Frumentius)를 초대 주교로 임명하였었던 곳이었다. 시리아와 이집트의 반 칼케돈파 수도사들이 6세기 에티오피아의 기독교 확장의 원동력이었다. 그곳의 교회는 오늘날까지 존속하고 있는데 형식적으로는 알렉산드리아의 콥트교회 총대주교에 속하여 있다.

시리아와 이집트의 단성론파 교회와 나란히 아르메니아에서 세번째의 단성론파 교회가 생겨났는데, 그곳은 4세기가 시작할 무렵에 카파도키아 출신의 선교사였던 그레고리(Gregory the Illuminator, 301경)가 국왕 티리다테스(Tiridates)와 그의 백성들을 개종시킴으로써 기독교가 전래되었던 곳이었다. 니케아 공의회에 대표를 파견하였던 아르메니아 교회는 '가톨리코스'(catholicos)라는 자체의 최고 주교로 대표되었으며, 363년에 그 나라가 페르시아의 지배 하에 들어갈 때까지 그리스 기독교의 전통에 속하였고 카파도키아 출신의 교사들과 지도자들을 환영하였다.

페르시아의 치하에서 시리아 기독교의 영향으로 말미암아 아르메니아 교회는 안디옥파와 네스토리우스파의 사상에 노출되었다. 에베소 공의회에서 네스토리우스가 정죄된 결과 이런 사상들이 도전을 받게 되었을 때, 아르메니아 교회의 지도자들은 뒤이어 발생한 논쟁을 해결하기 위하여 콘스탄티노플 총대주교인 프로클루스(434-446)의 판결에 호소하였다. 그에 대하여 프로클루스는 아르메니아 교회에게 자신의 「공한」(*Tome*)을 보내었는데, 그 편지는 알렉산드리아의 키릴의 기독론적 입장을 명백한 용어로 설명하였다. 그 결과 칼케돈 공의회에 전혀 참여하지 않았던 아르메니아 교회는 결국 제국의 정통 교리였던 제노의 「헤노티콘」을 받아들였고 칼케돈 공의회를 네스토리우스주의라고 배격하였다.

그러므로 에베소 공의회와 칼케돈 공의회를 둘러싼 논쟁들은 지중해 세계 전역에서 교회를 분열시켰다. 그런 논쟁들은 서방 교회(로마)와 동방 교회(콘스탄티노플)의 사이를 더욱 악화시켰을 뿐만 아니라, 페르시아에서 독립적인 네스토리우스파 교회를 형성시켰고 에티오피아와 이집트와 시리아 그리고 아르메니아에서 단성론적 신조를 따르는 민족 교회를 만들어 내었다.

기독교의 운동이 끼친 결과들은 오늘날까지도 여전히 계속되고 있다.

11. 동방 교회에서의 논쟁과 파국

유스티니아누스의 로마 권력의 회복은 그 자신의 생애와 더불어 끝나고 말았다. 568년 이후에 이탈리아에서의 비잔틴 세력은 롬바르드족의 침입으로 말미암아 허물어지기 시작하였다. 결국 롬바르드족은 이탈리아 반도의 북부와 중부의 대부분을 점령하였고, 제국의 총독이 거주하였던 라벤나를 일시적으로 로마와 이탈리아 남부의 제국 영토와 고립시키기도 하였다. 콘스탄티노플의 북쪽과 서쪽에서, 발칸 반도는 아바르족과 슬라브족의 끊임없는 약탈과 침략에 시달렸는데, 그들은 비잔틴 제국 영토의 넓은 지역을 차지하여 정착하였다. 제국의 군대들이 이런 이민자들을 막아낼 수 없었던 이유는 적어도 부분적으로는 유스티누스 2세(Justin II)의 시대 이래로 로마 제국이 동쪽 국경에서 페르시아 제국과 끊임없이 전쟁을 벌이고 있었기 때문이었다.

전임자의 과도한 행동으로 허약해지고 풍기문란해진 제국을 상속한 헤라클리우스(Heraclius, 610-641) 황제의 재위 2년에 페르시아인들은 시리아를 침공하여 안디옥을 장악하였고 끝내 다마스쿠스를 함락시켰다. 618년까지 페르시아인들은 팔레스타인과 이집트를 정복하였는데, 그곳의 단성론파 주민들은 시리아에서처럼, 비록 침략자들을 환영하지는 않았으며 곧바로 그들을 두려워하고 증오하게 되었지만, 황제의 군대에게도 거의 지지를 보내지 않았다.

이런 재난이 진행되는 동안에 슬라브족 약탈자들은 콘스탄티노플의 성벽을 뚫고 들어왔으며, 스페인에서는 마지막으로 남은 로마의 세력이 서고트족에게 쫓겨났다. 이러한 명백하게 가망이 없어 보이는 상황에 대처하여 헤라클리우스는 새로운 군대를 모집하고 훈련하였는데, 그에 드는 비용을 마련하기 위하여 부분적으로는 교회로부터 금과 은과 귀중품들을 징발하였다. 622년에서 628년 사이에 일어난 세 차례의 뛰어난 전투에서 승리를 거둔 그는 전쟁터를 페르시아 제국의 영토로 옮겼다. 그 결과 맺어진 화평조약(630)으로 시리아와 팔레스타인과 이집트가 다시 로마 제국으로 귀속되었다.

가장 위대한 승리를 거두어 위엄이 높아진 바로 이 순간에 헤라클리우스는 제국을 분열시키고 약화시킨 종교적 분열을 치유하려고 시도하였다. 더구나 치료할 수단도 가까이 있는 것 같았다. 일찍이 622년에 콘스탄티노플의 총대주교였던 세르기우스(Sergius, 610-638)는 그리스도의 '에너지'(*energeia*, '활동', '작용')라는 논란의 여지가 있는 문제에 관하여 단성론자들의 견해를 허용함으로써 타협할 길을 발견할 수 있다고 제안하였었다. 라오디게아의 아폴리나리우스(Apollinarius of Laodicea)는 그리스도의 한 본성에 상응하는 '한 에너지'(*one energia*)가 그리스도 안에 있다고 주장하였었는데, 안디옥의 세베루스는 이 점에서 아폴리나리우스의 주장을 따랐고 「레오의 공한」으로 표현된 전통적인 입장 즉 그리스도의 두 본성은 각자의 작용을 가지고 있다는 주장을 반대하였다.

세르기우스의 생각은 에너지(*energeia*)가 한 사물의 본성에 속하는 것이 아니라 그 존재론적 주체 혹은 위격에 속하는 것이 옳다고 이해된다면 이 '한 에너지'라는 공식이 칼케돈 신조의 두 본성이라는 교리와 조화될 수 있다는 것이었다. 헤라클리우스 황제도 이 생각에 설득되었다. 그리스도께서는 (칼케돈 신조에 따라) 한 위격이시며 따라서, 이 견해에 따르자면, 불가피하게 단일한 '에너지' 혹은 작용을 가지실 것이다. 페르시아와의 전쟁에서 승리를 거둔 헤라클리우스는 단성론파 지도자들이 이 공식을 받아들이도록 시도하였는데, 그 시도는 처음에는 성공을 거두었다.

그러나 결국 그 시도는 좌절되었다. 첫째로 이 시도는 팔레스타인의 칼케돈 지지자 수도사들의 반대에 부딪혔다. 그들의 연로한 지도자였던 소프로니우스(Sophronius)는 634년에 예루살렘의 총대주교로 선출되었다. 이런 반대에 부딪히자 헤라클리우스와 세르기우스는 로마의 지지를 구할 수밖에 없었다. 그러나 교황 호노리우스(Honorius, 625-638)는 새로운 교리적 가르침을 도입하는 것은 오직 에큐메니칼 공의회에서 다룰 수 있는 일이라고 판단하였고, 에너지라는 용어가 성경에서는 찾을 수 없는 용어라는 점을 지적하였으며, '두 본성'이라는 말은 '두 작용'을 내포한다고 넌지시 비추었다. 그러나 불행하게도 그는 나중에 생각을 바꾸어서 그리스도 안에 '한 의지'(one will)가 있다고 말할 수 있다고 하였다.

이런 로마 교황의 외교적이면서 전반적으로는 우호적인 반대와 함께 헤라클리우스의 계획 전체를 무의미하게 만들 것 같은 사건들이 뒤따라 일어났다. 632년에 모하메드가 죽은 이래로 아라비아 반도에서 이슬람 정복의 폭풍이 밀어닥치기 시작하였다. 다마스쿠스는 635년에 아랍인의 손에 들어갔고 안디옥과 예루살렘은 638년에 점령되었다. 그럼에도 불구하고 헤라클리우스는 638년에 「반론」(*Ekthesis*)을 공포하였는데, 그것은 교황 호노리우스의 주장을 따라 '한 에너지' 혹은 '두 에너지'라는 모든 논의를 금지하였고, 그리스도 안에는 오직 하나의 의지가 있다('단의론' 〈Monothelitism〉)는 그의 제안을 교리로 만들었다.

시리아는 이미 제국의 영토가 아니었으므로 이 칙령이 끼친 영향은 단지 이집트에서 칼케돈 지지자들과 단성론자들 간의 적대감을 불러 일으켜서 641년에 아랍이 좀 더 손쉽게 그곳을 정복하도록 만들었던 것 밖에 없었다. 헤라클리우스 황제가 죽을 무렵에는 페르시아 제국으로부터 되찾았던 영토들이 다시 외국의 수중에 떨어지고 말았는데, 이번에는 영구히 상실되었다.

단성론 문제는 더 이상 그가 해결할 문제가 아니었다. 그러나 헤라클리우스의 「반론」은 제국의 정통 교리의 표준이 되었고 소위 단의(單意) 논쟁이 계속되었다. 동방의 정통적 신학과 영성을 형성한 사상가들 가운데 한 사람이었던 막시무스(Maximus the Confessor, 580경-662)는 의지와 '에너지'는 위격이 아니라 본성에 속하는 것이라는 카파도키아 교부들의 교리를 수호하기 위하여 그 논쟁에 뛰어들었다. 그 교리가 가지고 있는 함축의미는 만일 그리스도께서, 칼케돈의 가르침에 따라, 두 가지 본성을 가지고 계신다면, 그리스도 안에는 그의 신적인 존재 방식에 상응하는 의지와 인간적인 존재방식에 상응하는 의지 두 가지가 있다는 것이었다. 이 논쟁으로 말미암아 막시무스는 교황 마르티누스 1세(Martin I, 649-655)와 동맹을 맺었다.

마르티누스는 649년에 로마에 교회회의를 소집하였는데 그 교회회의는 그리스도 안에 인간의 의지와 신의 의지 두 가지가 존재한다고 선언하였으며, 헤라클리우스의 「반론」을 정죄하였을 뿐만 아니라 당시의 황제인 콘스탄스 2세(Constans II, 642-668)가 공포한 「티포스」(*Typos*)도 정죄하였는데, 그 칙령은 그리스도의 의지 혹은 의지들의 문제를 논하는 것을 금지하였었다. 이렇게 황제에게 도전하였기 때문에 마르티누스는 콘스탄티노플에서 투옥되었고, 후에는 크리메아로 유배되어서 그곳에서 죽었다.

그러나 콘스탄스 2세의 계승자인 콘스탄티누스 4세(Constantine IV, 668- 685)는 이 문제에서 여전히 단호한 태도를 취하고 있었던 로마 교구와 기꺼이 타협하려고 하였다. 교황 아가토(Agatho, 678-681)와 협상을 시작한 콘스탄티누스 4세는 여섯번째 에큐메니칼 공의회로 알려진 회의를 소집하였는데, 그 회의는 680년과 681년에 콘스탄티노플에서 모였다.

이 공의회는 그리스도께서 "두 가지의 본성적 의지 혹은 의향을 가지고 계시며 … 한 의지가 다른 의지에 반대되지 않으며 … 그의 인간적인 의지는 거부하거나 마지못해서가 아니라 주체로서 신적이고 전능한 의지를 따른다"[1]라고 선언하였다. 공의회는 또한 총대주교 세르기우스를 정죄하였으며, 헤라클리우스 황제가 알렉산드리아 총대주교로 임명한 키루스와 교황 호노리우스도 정죄하였다.

이 결정으로 말미암아 오랫동안 계속되었던 기독론 논쟁이 끝나게 되었다. 단성론 쪽으로 나아갔던 유스티니아누스의 신 칼케돈 정통주의의 경향이 — 헤라클리우스의 단에너지론과 단의론이 대표하였던 경향도 바로 이것이었다 — 저지되었다. 그리스도의 인간적 본성은 인간적인 의지와 행동의 원칙이라는 사실이 확인되었다. 그리스도의 인간적 의지와 행동은 사실상 본성적이며 죄악된 것이 아니므로 지식을 알려주고 인도해 주는 신적인 의지와 조화된다.

칼케돈 공의회와 마찬가지로 제 6 차 에큐메니칼 공의회도 서방 교회의 승리로 돌아갔다. 그러나 그 이후에 열린 교회회의로 말미암아 동방 교회와 서방 교회는 더욱 더 멀어지게 되었다. '삼장' (Three Chapters)을 다룬 공의회도 681년의 공의회도 권징에 관한 교회법을 전혀 마련하지 않았기 때문에 유스티니아누스 2세(Justinian II, 685-695, 704-711)는 692년에 콘스탄티노플에서 회의를 소집하여 그 공의회들의 과업을 완결짓게 하였다.

(모임 장소의 돔〈dome〉 천장 혹은 트룰루스〈trullus〉 때문에) 트룰란 공의회(Trullan Council) 또는 (5, 6차 에큐메니컬 공의회의 과업을 완성하였기 때문에) 퀴니섹스트 공의회(Quinisext Council)라고 불렸던 이 회의는 전적으로 동방 교회의 성직자들만 참여하였다. 이 공의회는 고대의 많은 교회법들을 새롭게 채택하였는데, 그중 일부는 서방 교회의 관습과 직접적으로 모순되는 것들이었다.

칼케돈 신조와 마찬가지로 이 공의회는 "콘스탄티노플 교구는 옛 로마 교구와 동등한 권리를 누린다"고 선언하였다. 이 공의회는 부제와 장로들의 결혼을 허용하였으며, 그것을 금지하고 있었던 로마를 정죄하였다. 이 공의회는 사순절 동안에 토요일마다 금식하는 로마의 관습을 금지하였다. 또한 서방 교회가 즐겨 사용하는 양(羊)을 상징으로 하여 그리스도를 나타내는 표현법을 금지하였고 그 대신에 성육신의 사실성을 강조하기 위하여 인간의 모습을 묘사하도록 명령하였다. 이 공의회의 법령은 서방 교회에서는 결코 인정되지 않았다. 그 법령들은 동방 교회와 서방 교회를 감정과 관습에서 점점 더 멀어지게 하는데 중요한 작용을 하였다. 앞으로 우리가 살펴보겠지만, 8세기의 성상파괴령을 내린 황제들의 정책이 이런 소원한 관계를 더욱 심화시켰다.

12. 교회의 제도적 발전

콘스탄티누스가 교회를 인정한 이후에도 교회의 일반적인 기초 단위는 2, 3 세기와 마찬가지로 여전히 개별 폴리스(polis), 즉 주변의 전원 지역을 포함한 개별적인 '도시'의 기독교 공동체였다. 그러한 지역 교회들이 관할하는 지역의 넓이는 제국의 각 영역에 따라 상당히 달랐다. 지역 교회들의 지도자는 여전히 한 사람의 최고 목회자 즉 주교였다. 회중 가운데서 직책을 맡은 그 밖의 직분자들이 주교 아래에 있었는데, 그들은 '성직자' (clergy)라고 불렸다.

주교와 성직자들은 두 가지 범주로 나뉘게 되었다. 시민법과 교회법에서 '상위' 성직자로 알려진 주교와 장로(presbyters)와 부제(deacons)는 언제나 주교들에 의하여 임명되었다는 점에서 '하위' 성직자들과 구별되었다. 차부제(subdeacons), 복사(服事, acolytes), 구마품(驅魔品, exorcists)와 같은 '하위' 성직자의 등급의 수는 지역마다 달랐다. 그러므로 3세기에서 4세기와 5세기로 넘어가는 동안 지역 교회의 구조적 질서는 근본적으로 변하지 않았다.

그럼에도 불구하고 콘스탄티누스가 교회를 인정한 일은 지역 성직자들의 기능과 신분에 중대한 변화를 가져다 주었다. 그 한 가지로, 성직자들이 자기들의 의무 특히 공적인 예배를 드리는 일에 전념할 수 있도록 그들은 특정한 세금이나 시민적인 의무들에서 점차로 면제되었다. 그와 동시에 주교의 역할이 대단히 확대되었다. 4세기의 대부분 동안 주교들은 민사 소송에서 재판관으로 참석하는 특권을 부여받았는데, 그것은 기독교 공동체 내에서 재판관으로 활동하였던 예전부터의 기능을 확대한 것이었다.

더구나 지역 교회가 그 자체의 소유를 가질 수 있는 단체로 인정받게 되고 또한 교회의 사역이 점점 더 신자들이 개별적인 헌상뿐 아니라 토지의 희사에 의하여 지탱될 수 있게 되었을 때, 주교와 부제들은 종종 막대한 재산을 관리하는 사람이 되었다. 그 재산에서 나오는 수입은 성직자들을 지원하거나 교회 건물과 장비들을 건축하거나 유지하고, 가난하고 곤궁한 사람들을 돕는 교회의 사업을 지원하는 데 사용되었다. 이런 모든 이유들 때문에 성직의 위엄이 높아졌다.

지역 주교들은 점점 더 교구민들을 보살피는 목회자가 되었을 뿐만 아니라 또한 그 지역의 주요한 지도자이자 후원자가 되었다. 재산을 소유한 사람이 교회에서 서품받는 방법으로 — 그렇지 않으면 그들은 지방의 세속 관리로서 봉사하여야 하였으며 납세의 의무를 지게 되었다 — 점점 더 무거워지고 어려워지는 자신들의 책임을 피하려는 것을 방지하기 위하여, 4세기 초부터 시행된 제국의 입법이 주교직의 (그리고 일반적으로 성직 전체의) 면제와 특권과 위엄을 가장 잘 증명하고 있다.

4세기와 5세기 그리고 6세기 동안에 그리스도인의 수가 계속하여 증가한 사실은 교회의 조직과 성직자의 배치(配置)에 변화를 초래하였다. 새로운 지역 교회들이 생겨나서 주교들을 갖추게 되었을 뿐만 아니라 기존 교회들도 집회와 예배를 위하여 추가적으로 필요하였던 장소를 도시 중심지뿐 아니라 주변의 시골에서도 갖게 되었다. 이런 목적을 위하여 필요하게 된 건물들은 주교의 직접적인 감독 하에 있는 교회 공동기금으로 건축되고 유지되었다.

그런 경우에 항상 주교를 돕고 있었던 핵심적인 성직자들의 집단에서 파견된 장로와 부제가 그 건물들에서 봉사하였고, 그 곳들은 원칙적으로 주교 자신이 직접적인 목회자로 있는 장소들로 간주되었다. 다른 경우에는 '개인적인' 재산으로 예배를 위한 건물이 세워지고 헌납되었고, 그 헌납에 의존하여 살아가는 성직자가 그곳에 충원되었는데, 그 성직자는 주교에게 대한 책임은 있지만 주교가 직접 세운 것은 아니었다.

소위 '교구'(parochial) 체제의 시초를 찾아볼 때 나타나는 것이 바로 이러한 중심지들이다. 일부 사례들에서는 전원 지역이 '지방 주교'(country bishop, *chorespiscopos*)의 직접적인 감독 아래 놓여지기도 하였는데, 그 지방 주교는 사실상 자신의 지역을 관할하는 도시의 주교에 예속된 대리인으로 활동하였다. 그러나 대부분의 경우에는 회중의 모임장소 수가 늘어남에 따라 서품을 제외한 주교의 모든 사제권을 공유하고 있었다고 이해되는 장로들이 주교를 대신하여 활동하였다. 이런 경향에 따라 중세와 그 후대에까지도 일반적이었던 관념 즉 회중의 통상적인 목회자는 장로라는 개념이 점차 자라나기 시작하였다.

바로 이 시기에 성직자의 결혼과 독신을 규정하는 법과 관습들이 점차로 나타나기 시작하였다. 적어도 3세기 초부터 높이 존중되었던 금욕은 — 4세기 동안에 수도원적 이상이 확산된 것은 말할 필요도 없이 — 성직자는 독신생활을 하도록 장려되어야 한다는 관념으로 이어졌다. 실제로 많은 이들이 그랬던 것처럼 만일 성직자가 결혼하면, 그들은 당연히 '한 아내의 남편'[1]으로 여겨졌는데, 그것은 배우자가 죽은 경우에도 재혼을 할 수 없다는 뜻이었다.

그러나 4세기 중반 이후에 서방에서 교황의 훈계와 교회회의의 법령 모두가 장로나 부제 혹은 주교로 임명된 이후에는 (심지어 결혼한 사람이라고 하더라도) 금욕을 지킬 것을 명령하였다. 비록 그 규칙은 결코 보편적으로 지켜지지는 않았지만, 그 이념을 유지하였다. 그러나 동방에서는 다른 유형이 발전하였다. 그곳에서는 성직자의 독신에 관한 규정이 좀더 느리게 발전하였으며 공표되었을 때에도 좀더 관용적이었다.

그 문제에 관한 결정적인 입법은 692년의 퀴니섹스트(Quinisext) 혹은 트룰란(Trullan) 공의회에 와서 만들어졌다. 이 공의회의 교회법령들은 모든 주교가 독신생활을 할 것을 요구하였지만 이미 결혼한 사람이라도 부제나 혹은 장로에 임명되는 것을 허용하였다(그러나 부제나 장로들은 서품을 받은 이후에는 결혼하지 못하였다). 동방 교회에서 주교들이 대부분 수도사 신분에서 선출되었던 사실을 설명해주는 것이 바로 이 입법이다.

그러나 이 시기의 가장 중요한 발전들 가운데 한 가지는 지역적 수준을 넘어서는 교회 구조들과 관계가 있었다. 앞에서 살펴보았던 것처럼(III:2 참조) 제1차 니케아 공의회(first Council of Nicea)는 각 주의 주교들(동방 교회에서는 '총주교'(eparchy)라고 불렸다)이 공통의 관심사를 결정하기 위한 교회회의에서 함께 연합할 것을 예상하였고 그런 교회회의를 일 년에 두번씩 모이도록 명하였다. 또한 니케아 공의회는 각 주의 수도에 있는 주교('수도대주교'〈metropolitan bishop〉)에게 지역 교회회의의 소집자이자 의장이라는 특별한 지위와 권한을 부여하였다. 이런 교회의 지역적 체제는 이집트를 제외하고는 동방 교회 전역에서 신속하게 수립되었다. 이집트에서는 모든 주교들이 정도의 차이는 있어도 알렉산드리아의 총대주교(pope)에게 직접적으로 책임을 져야 했던 것 같다. 서방에서는 이런 체제가 좀더 느리게 진행되었다.

로마 교회의 직접적인 사법권 아래에 있었던 이탈리아 중부와 남부 지역은 엄격하게 '지역적인' (provincial) 교회회의는 전혀 없었지만, 그러나 그 지역의 주교들은 로마 주교의 사회로 정규적으로 모임을 가졌다. 이탈리아 북부에서는 밀라노와 아퀼레이아의 교회들이 단일 지역보다 상당히 더 넓은 영역을 관할하였다. 아마도 그 이유는 부분적으로는 도시의 수(따라서 주교구의 수)가 남부보다 훨씬 적었기 때문이다. 오직 갈리아에서만 엄격하게 지역적인 체제가 점차로 확립되었다.

지역적 혹은 지방적 수준 위에서 두 가지 제도가 특별히 중요하게 부각되었다. 그것들은 총대주교구와 제국 공의회 혹은 에큐메니칼 공의회였다. 칼케돈 공의회 때까지 총대주교구의 수는 다섯 개로 고정되어 있었다(로마, 콘스탄티노플, 알렉산드리아, 안디옥, 예루살렘). 총대주교구로 된 시기가 늦으며(451) 대체로 명예적인 성격이었던 예루살렘을 제외하면, 이들 네 총대주교구는 전통적으로 사도가 세웠다는 주장을 할 수 있는 교회들이었을 뿐 아니라(콘스탄티노플은 제외) 정치적 경제적 문화적 중심지에 위치한 교회들이었다.

그에 못지 않게 중요하였던 사실은 사실상 그 교회들이 상당한 정도의 언어적 문화적 결속을 대표하는 지역을 관할하였다는 점이다. 로마는 라틴 서방의 총대주교구였다. 로마의 라이벌이 될 수 있었던 유일한 교회였던 카르타고 교회는 반달족과 아랍의 잇달은 북 아프리카 침공으로 제거되었다.

안디옥과 알렉산드리아는 로마 제국 내에서 시리아어와 콥트어를 토착언어로 가지고 있었던 지역들에 속하였고 교회 생활을 그 지역에 집중하였다. 콘스탄티노플은, 로마 교회의 베드로 이론(Petrine theory, III:4 참조)에 따르자면, 총대주교구라는 주장이 의심스럽다고 하더라도, 5세기와 6세기에 그리스어를 쓰는 소아시아와 그리스 본토의 총대주교구로 확립되었다.

그러나 다섯 총대주교구 체제는 전체 교회에 대한 단일한 중앙 권위를 제공하지 못하였다. 특별히 381년 이후로 주요한 교구들은 끊임없이 자신들의 상대적인 위엄과 권위를 둘러싸고 은밀하게 혹은 공공연히 논쟁을 벌였다. 로마의 교황에게 '첫째가는 영예'가 돌려졌음에도 불구하고, 또한 로마 교구가 보편적인 권위를 갖는다는 주장에도 불구하고, 로마 제국 시대에 교회의 유일한 중심적 권위는 에큐메니칼 공의회였다.

그리고 이 제도는 실행에 있어서 황제의 직무라는 세속적 권위에 의존하였다. 콘스탄티누스 황제 시절부터 이런 공의회들은 제국의 자금과 시설에 의하여 열릴 수 있었을 뿐만 아니라 사실상 황제들에 의하여 소집되었다. 그리고 보편적인 공의회들의 결정 사항들을 (가능한 한) 시행하였던 사람도 — 백성들의 종교적 복지에 대한 일반적인 책임을 지고 있다고 보편적으로 여겨졌던 — 황제들이었다. 확실히 교회의 교리와 내적인 권징은 주교들의 책임으로 이해되었으며 그에 대하여는 황제가 침범할 수 없는 것으로 여겨졌다.

비록 실제로는 때때로 위반되기도 하였지만, 이것은 황제를 포함한 모든 사람들이 통상적으로 주장하였던 원칙이었다. 비록 황제들의 종교 정책들이 결국에는 교회의 일치된 의견에 의존하였지만, 그럼에도 불구하고 풀케리아(Pulcheria)와 마르키아누스(Marcian) 황제가 칼케돈 공의회에서 그랬던 것처럼, 그리고 제노(Zeno) 황제가 자신의 「헤노티콘」(*Henotikon*)에서 그랬던 것처럼, 황제들은 그러한 일치된 의견을 세우기 위하여 확고하게 주도권을 행사하는 것 이상의 역할을 하지는 않았다.

실제로 황제의 권위는 교회의 공통된 생활에서 중심적이며 필수적인 것이었다. 그리고 로마의 통치가 비잔틴 제국의 형태로 지속된 동방에서는 그런 황제의 역할이 계속되었다. 한편 서방에서는 유스티니아누스 황제 이후로 황제의 권위가 점차로 쇠퇴하였고 라틴 기독교의 통일과 자기 인식은 로마 교황의 지도력과 상징적 역할에 의존하게 되었다.

13. 예배와 경건

4세기와 5세기에 기독교의 예배는 현저하게 꽃을 피웠고 그와 함께 기독교 예술도 발전하였다. 공적인 제도로 인정되고 재산을 소유하거나 처분할 수 있는 자유를 얻게 되자 교회는 확장되었고 자신들이 사용하는 시간과 공간과 의식들을 정성스럽게 다듬기 시작하였다. 이것은 무엇보다도 예배력(calendar of worship)이 발전하고 뚜렷하게 된 데에서 명백하게 나타난다. 그리스도인의 생활의 시간적 리듬은 규칙적으로 주일을 지키는 한 주간을 단위로, 또한 부활절에서 오순절에 이르는 50일 동안의 기독교 유월절 축일에 중심을 둔 일년 단위의 순환을 주기로 반복되기 시작하였다. 4세기 말경에 예루살렘의 부활절 절기를 묘사한 순례자 에게리아(Egeria)의 기록에서 알 수 있듯이 제일 먼저 다듬어지기 시작한 절기가 바로 이 기독교 오순절 절기였다.

그녀의 기록을 보면, 예루살렘에서 예수님의 부활에까지 이르는 사건들을 기념하는 거룩한 주일(Holy Week)을 지정하는 일은 언제부터인가 이미 확립되어 있었다. 종려주일(Palm Sunday), 세족(洗足) 목요일(Maundy Thursday), 그리고 십자가의 날인 성 금요일(Good Friday)은 모두 특별한 의식으로 기념되었는데, 이런 절기를 준수하는 것은 5세기와 그 이후에 예루살렘으로부터 점차 로마 세계의 다른 지방에 있는 교회들에까지 확산되었다.

또한 사도행전 1:3의 날짜에 따라 부활절 이후의 40일째 날을 그리스도의 승천을 기념하는 특별한 절기로 만든 것도 4세기에 되어진 일이었다. 사순절(Lent)이 발전한 것은 훨씬 더 이전의 일인데, 니케아 공의회의 교회법 5조에 사순절이 언급되어 있다. 사순절의 최초의 기원이 무엇이든지 간에(여기에 관하여는 아직도 학자들 사이에서 논쟁이 벌어지고 있다), 발전된 형태의 사순절은 두 가지 목적을 가지고 있었다. 사순절은 부활절을 준비하는 금식 기간이었고(예수님의 광야 40일 금식을 기념하기 위하여 결국 40일로 고정되었다) 또한 예비자(catechumen)들이 교육을 받고 세례를 받을 준비를 하는 기간이었다.

부활절과 오순절에 의하여 결정된 이런 일년 단위의 순환이 다듬어지는 것과 나란히 성육신과 연결된 새로운 일년 주기의 절기가 나타났는데, 그 절기는 성탄절 축제(12월 25일)와 주현절(Epiphany, 1월 6일)에 집중되었다. 이런 날짜들은 각각 이교의 동지(冬至) 축제와 연결되었다. 아우렐리아누스(Aurelian) 황제 시대 이래로 로마에서는 12월 25일을 정복되지 않는 태양신(Unconquered Sun)의 탄생일로 지정되어 있었다. 그리고 동방에서는 1월 6일이 오랫동안 주신(酒神) 디오니소스(Dionysus)의 탄생일로 여겨졌었다.

이러한 환경에 영향을 받아서, 그리고 이미 유명한 축제들에 기독교적인 의미를 부여할 필요성 때문에 교회는 이런 날들을 신이신 로고스(divine Logos), 의의 태양(Sun of Righteousness)께서 역사 속에 태어나시고 나타나심을 축하하는 날로 적용하였던 것이다. 두 절기 가운데 먼저 확립된 것은 주현절이었는데, 이것은 알렉산드리아에서 기원하였고 일찍부터 예수님의 탄생뿐 아니라 세례받으신 사건, 그리고 제 4복음서에서 예수님께서 "그 영광을 나타내셨다"[1]고 전하는 가나에서의 기적까지도 기념하였다. 한편 성탄절 축제는 4세기 초에 로마에서 생겨났다. 4세기 중반에 이르면 이 두 절기 모두 거의 모든 지역의 교회에 알려져 있었고 지켜졌다. 주현절이 동방박사의 방문 및 경배와 연결된 것은 서방 교회에서 되어진 일이었다.

이런 일년 주기의 기독교 절기가 발전된 시기와 거의 일치하여 교회에 가입하는 의식들이 아주 크게 다듬어졌다. 이 의식들에는 세례 행위 자체와 (지역에 따라 그 성격과 순서가 조금씩 달랐던) 세례와 연관된 수많은 의식들뿐만 아니라 부수적인 행위들, 즉 사람들을 처음에 예비자로 받아들이고 그후에 실제적으로 세례지원자(candidate)로 등록시키는 절차들까지 포함되었다. 교회에 가입하는 절차에서 이렇게 뚜렷한 단계들이 발전한 것은 아마도 2세기 후반 및 3세기와는 대조적으로 4세기에는 성인에게 세례를 주는 것이 규범이 되어 있었다는 사실에 크게 기인한 것이었다.

교회의 완전한 회원으로 성숙하게 헌신할 필요를 존중한 까닭에서 나왔든지 아니면 그리스도인의 길이 요구하는 것들에 전심으로 헌신하기를 미루려는 소망에서 나왔든지 간에, 상당히 많은 그리스도인들이 생애의 상당한 기간을 예비자로서 혹은 '듣는 자'(hearers)로서 지냈으며, 실제로 일부 신자들은 죽을 때가 가까워지기까지 세례받기를 미루었다. 그런 사람들은 거의 '동료 여행자'(fellow traveler) 계층으로서 기독교 운동에 속하였다고 이해되었지만, 그러나 세례를 통하여 성찬식의 신비에 참여할 자격을 얻지 못한 상태였기 때문에 교회의 주일 집회에서 그들은 말씀의 예식이 있은 후에 물러나야 했다.

교회에 가입하는 절차가 이렇게 길어진 것과 함께 4세기와 5세기에 '비밀의 권징'(*disciplina arcani*)을 엄격하게 지키는 관습이 발전하였다. 그 권징에 따르면 비그리스도인뿐 아니라 예비자들도 기독교 생활과 신앙의 핵심적인 상징들, 즉 주기도문과 신조뿐 아니라 세례와 성찬 예식들과 그 의미를 모르는 채로 있었다.

이런 관습은 부분적으로는 기독교의 핵심적인 의식들과 그 해석들이 두려움을 불러일으키는 이교적인 제식들의 비밀스런 신비에 동화되었음을 반영하는 것이다. 예비자들은 자신들이 거룩한 실체의 그늘 속에서 살고 있다는 사실을 인식하도록 끊임없이 주의가 환기되었는데, 그들은 오직 존경심과 완전한 헌신을 통해서만 그 거룩한 실체에 접근할 수 있었다. 예비자들이 세례를 받기로 결정하면 스스로 세례지원자로 등록하였는데, 일반적으로 사순절이 시작할 때 등록하였다(4세기에 일부 지역에서는 세례식이 부활절뿐 아니라 주현절에도 거행되었다). 세례지원자로 받아들여지면, 그들은 예비적인 귀신축출(exorcism)를 거치게 되었고 부활절이 되기까지 40일 동안 믿음의 의미를 배우면서 보냈다. 이 시기 동안에 그들은 교회의 신조를 암기하여야 하였고 그 의미를 해석하는 것을 들었다.

부활절 전야의 어두운 동안에 행하는 철야(徹夜) 때에 세례지원자들은 세례를 받았다. 그들은 사탄과 사탄의 일들을 버렸다. 그들은 옷을 벗고 벌거벗은 채로 거듭나는 물 속으로 들어갔다. 물 속에서 그들은 삼위일체 하나님에 대한 자신들의 신앙을 고백하면서 물로 씻음을 받거나(서방 교회에서) 혹은 (안디옥에서처럼) 주교가 그들 각 사람에게 "아무개는 성부와 성자와 성령의 이름으로 세례를 받았다"라고 선언하였다. 언제나 그런 것은 아니지만 흔히 세례를 받기 전에 혹은 후에 주교가 기름을 바르기도 하였는데, 그것은 특별히 성령의 은사와 연결되었다. 이런 의식들이 다 행해지면 세례지원자들은 다시 옷을 입었는데, 이때는 흰 옷을 입었다. 그리고 부활절 성찬식에 참여하기 위하여 회중에게로 인도되었다. 이제 세례지원자들은 그리스도인의 충만한 생활에 참여하게 되었다.

이 시기에 각지의 교회들의 일반적인 집회는 여전히 성경 낭독과 해설을 듣고 성찬식을 거행하기 위하여 신자들이 주일 아침에 모이는 것이었다. 언제나 그랬던 것은 결코 아니지만, 원래 말씀의 예식에서 일반적인 관습은 구약 성경과 서신서들과 복음서들에서 각각 하나씩 선택한 세 가지 교훈(혹은 교훈들의 묶음)을 낭독하는 것이었다. 종종 이런 낭독은 다음 주일에 이어져서 계속되었던 것 같다. 즉 어떤 하나의 선지서와 서신과 복음서가 주일 집회 때에 차례대로 계속 읽혀졌는데, 그것은 의심할 여지없이 그 지역의 주교가 선택한 본문이었다.

그러나 점차적으로 각각의 주일마다 특별한 본문 낭독이 정해졌는데, 부활절 기간에 낭독되도록 정해진 본문에서 시작하여 7세기에 이르면 주일과 기독교의 큰 절기들을 위한 완전한 성구집(lectionary)들이 작성될 수 있었다. 낭독 중간에 혹은 두 낭독 사이에 그에 응답하여 시편이 찬송되었다. 또한 시편은 말씀의 예식 이전의 입당례(entrance rite)에서도 찬송되었고 빵과 포도주를 베풀 때와 교제를 나눌 때에도 찬송되었다. 복음서 낭독 다음에 막 낭독한 내용을 설명하는 것이 목적이었던 설교가 베풀어졌다. 가르치는 것은 주교의 의무였으나, 동방 교회에서는 일찍부터 그리고 서방 교회에서는 좀더 이후에, 장로들도 그 책임을 맡게 되었다.

원래 세례식에서 낭독되었던 니케아-콘스탄티노플 신조(Niceno-Constantinople Creed)가 일부 지역에서 성찬식에서도 낭독되게 된 것은 — 기독론 논쟁이 크게 일어났던 — 5세기와 6세기에 이르러서였다.

언제나 말씀의 예식 다음에 행하여졌던 성찬 예식 그 자체는 그 기본적인 형태는 아주 단순하였다. 그 예식은 사람들이 제물(offerings)을 드리는 것으로 시작하였으며, 부제들이 제단(altar-table)을 준비하였는데 그들은 제물의 핵심적인 부분인 빵과 포도주를 진열하였다. 그 다음에는 성찬식 기도가 드려졌는데, 그 내용은 지역에 따라 달랐지만 변하지 않는 어떤 요소들을 일반적으로 포함하고 있었다.

성찬식 기도는 '서언'(preface)으로 나오는 주교와 회중 사이의 대화로 시작하였다. 그리고 이사야 6:3의 천사들의 찬송(Cherubic Hymn)이 불려졌는데, 이것은 동방 교회에서 먼저 시작되었다가 나중에 서방 교회에서도 행하여졌다. 성찬식 기도는 계속하여 창조와 그리스도 안에서의 구속에 대하여 하나님을 찬양하였을 뿐만 아니라 그리스도의 성찬식 말씀을 다시 낭독하는 것도 포함하였는데, 그 말씀은 이 모든 행위가 죽으시고 부활하신 그리스도를 "기념하여" 드려진다는 선언이었다.

그 다음에 봉헌 기도가 드려졌고 영광송(doxology)으로 끝을 맺었는데, 그에 대하여 사람들은 '아멘'으로 응답하였다.

안디옥과 알렉산드리아 교구를 중심으로 하여 형성된 동방 교회의 전례에서는 성령님을 부르는 것('성령 강하를 비는 기도'〈Epiclesis〉)이 아주 중요한 위치를 차지하였다. 이 기도는 성령님이 빵과 포도주의 제물에 내려오심으로 그것들이 그리스도의 살과 피가 되도록 부르는 것이었다. 또한 그 기도는 성령님이 사람들에게도 내리셔서 그들이 성례를 받을 때 그 은혜도 받을 수 있도록 간구하였다.

서방 교회의 일부 전례들에도 그러한 기도의 흔적들이 있다. 그러나 그 기도는 일차적으로 동방 교회의 특징으로 남아 있으며, 이런 차이점이 결국 부활하신 주님께서 그의 백성들에게 성례전적으로 임하시는 전례상의 '순간'(liturgical moment)의 문제를 둘러싼 논쟁을 불러 일으켰다. 동방 교회의 경건과는 대조적으로 서방 교회의 경건은 성찬식 말씀을 낭송할 때를 그 순간으로 여기는 경향이 있었다. 물론 이것이 후기 교부 시대의 성찬식 전례에 있어서 형식이나 강조점의 유일한 차이는 아니었다.

용어와 순서 그리고 심지어는 우리가 "변함이 없는" 것으로 불렀던 요소들까지도 지역에 따라서 달랐다. 이 시대는 지역적인 전례의 유형들이 로마와 알렉산드리아 그리고 안디옥 교구를 중심으로 확립된 때였다(안디옥의 전통은 콘스탄티노플 교회의 전통이 되었으며 또한 동방 정교회의 전통이 되었다).

세례식을 제외하고, 성찬식이 계속하여 그리스도인의 헌신과 경건의 중심이 되었다는 사실은 의심할 수 없을 것이다. 주일마다 거행되었을 뿐 아니라 교회력의 모든 중요한 절기마다 베풀어졌던 성찬식은, 4세기와 그 이후의 그리스도인들에게 있어서 그리스도 안에 있는 구속의 신비 속으로 가장 친밀하게 들어갔던 순간이었다. 찬송과 기도의 헌상과 헌금을 드리면서 그리고 빵과 포도주의 헌상을 드리면서 그들은 그리스도 그분을, 성례전적으로 임재하시지만 거룩히 구별된 요소들에 참으로 현존하시는 그분을 받아들였다.

이런 방식으로 그들은 하나님의 희생양(Victim)이자 대제사장이신 그분의 새로운 생명에 참여하였다. 그분의 자기 희생은 신자들의 감사와 기억의 행위 속에서 현존하는 실체가 되었다. 그러므로 그 성례는 파생된 것이며 이차적인 것으로 보였지만, 그러나 전적으로 실제적인, 하나님의 말씀(God' Word)의 '성육신'의 양식으로 여겨졌다.

비록 핵심적인 예배이기는 하였지만, 일차적으로 주일과 절기들에 연결되었던 성찬식은 하나님께 드리는 교회의 예배의 유일한 수단은 결코 아니었다. 일찍부터 많은 지역에서 그리스도인들이 개인적인 기도를 위한 어떤 '시간들'(hours)을 지켰다는 증거가 있다. 터툴리안은 전통적인 제 3시, 제 6시 제 9시 기도뿐 아니라 아침과 저녁의 기도 시간을 언급하고 있다. 더구나 히폴리투스의 「사도적 전통」(*Apostolic Tradition*)은 모든 사람이 날마다 참여하도록 권장되었던, 기도와 가르침을 위한 공적인 아침 예배에 대하여 말하고 있다.

4세기를 지나면서 공식적인 전례상의 '성무들'(聖務, offices), 즉 하루의 특정한 시간에 행해져야 하는 찬양과 기도의 예배들이 발전되었다. 요일에 따라 혹은 주간에 따라 규정된 간격에 따른 성무의 순서대로 찬송가 전체를 공통적으로 낭송하도록 권장하였던 수도원의 기도와 헌신의 유형이 이런 발전에 영향을 준 중요한 요인 가운데 하나였다. 그렇게 생겨난 성무들의 기본적인 유형도 역시 주교의 교회 관습에 상당히 의존한 것이었는데, 주교의 교회에서는 공적인 예배들이 하루가 시작하고 끝날 때 전통적인 유형에 따라 드려졌다.

이 수도원적 전통과 '세속적'(secular) 전통의 상호작용은 점차적으로 낮 동안의 일곱 성무[2] 체제를 만들어내었는데, 그것은 약간 다른 형태이지만 동방 교회와 서방 교회에서 널리 퍼지게 된 밤의 성무[3]로 보충되었다. 그러나 전체적으로 볼 때 이 체제는 오직 수도원 공동체에서만 정규적으로 수행되었다. 평범한 그리스도인들이 계속하여 참여할 수 있었던 매일의 예배는 아침기도(Lauds)과 저녁기도(Vespers)였다.

그러나 4세기와 그 이후의 여러 세기 동안에 대중적인 경건 생활에서 그보다 더 중요하였던 것은 순교자들에 대한 숭배였다. 그 의식은 2세기와 3세기에서 비롯되었는데, 그 당시에는 믿음 때문에 투옥됨으로써(고백자들〈confessors〉) 혹은 죽음으로써(순교자들〈martyrs〉) 그리스도를 증거하였던 사람들이 독특하게 존경을 받았다. 고백자들은 옥에서 풀려난 이후에 교회에서 특별한 영예와 지위를 얻었다. 그러나 순교자들은 죽음의 순간에 이를 때까지 증거함으로써 모든 신자들이 고대하였던 유업을 이미 얻었다고 이해되었다.

그들은 부활을 기다리는 죽은 그리스도인들이 아니라 주님의 면전에서 살아있는 성인들이었다. 그러므로 그들의 육체적인 유물까지도 거룩하였으며 하나님의 나라의 능력으로 가득찬 것으로 여겨졌다. 그들의 시체는 가능한 한 극도의 주의를 기울여 매장되었다. 이런 헌신의 정신은 순교자가 묻힌 곳마다 특별한 기념비를 세우고 순교일에 그 무덤에서 성찬식을 거행하는 관습에서 더욱 분명하게 표현되었다.

콘스탄티누스 황제의 개종 이후에 교회가 그 영웅들에 대한 이러한 존경심을 자유롭게 표현할 수 있게 되었을 때 그들의 무덤 위로 커다란 납골당이 세워졌다. 이런 납골당들 가운데 주목할 만한 것들로는 로마 근처의 바티칸 언덕에 세워진 성 베드로의 바실리카와 451년에 칼케돈 공의회가 소집되었던 장소인 "승리를 거둔 거룩한 순교자 에우페미아(Euphemia)의 기념성당"을 들 수 있다. 크고 작은 그런 납골당들에 순례자들이 기도를 하기 위하여 그리고 거룩한 사람과 함께 (때때로 지나칠 정도로) 먹고 마시기 위하여 모여들었다.

성인으로 숭배된 모든 순교자들은 참된 후견인으로 여겨졌다. 즉 신자들이 신봉할 수 있고 자신들과 동일시할 수 있으며, 또한 일반적인 인간 후견인들이 베풀어줄 수 있는 것보다 훨씬 더 관대한 의로움을 베풀어주리라고 기대할 수 있었던 살아있는 존재로 여겨졌다. 성인들의 현존은 그들의 육체적 유물들의 존재와 연결되었기 때문에, 순교자 숭배는 또한 순교자의 유골에 대한 숭배가 되었다(일찍이 어거스틴의 시대에도 순교자의 유골을 부정하게 거래하는 일이 자주 있었다).

성인에 대한 헌신이 모든 계층의 그리스도인들에게서 너무나 깊고 진지하였기 때문에 성인들의 축일이 교회들의 예배력에 항구적인 일부분이 되었으며, 또한 어찌되었든지 서방에서는 거룩한 유골을 제단 속에 넣어두는 관습이 생겨남에 따라 모든 교회 건물이 한 순교자의 납골당이 되었다.

순교자 숭배와 뚜렷하게 구별되는 것이 예수님의 어머니에게 바쳐지게 된 존경이었다. 적어도 이레내우스의 시대 때부터 ― 이레내우스에게 있어서, 마리아는 두번째 하와로서, 하나님의 부르심에 대한 그녀의 순종이 그녀의 남편의 죄의 영향을 무효로 만들었다 ― 기독교 사상가들은 예수님의 어머니에게 구속사에서 특별한 지위를 부여하였었다.

아타나시우스와 아폴리나리우스(Apollinaris)와 같은 작가들은 마리아에게 하나님의 어머니(테오토코스〈theotokos〉)라는 명칭을 적용함으로써 그녀의 역할에 대한 이러한 평가를 표현하였다. 거의 같은 시기에 마리아의 순결성 ― 사실상, 성 제롬이 주장하였던 것처럼, 마리아의 영원한 순결성 ― 때문에 그녀는 서방 교회에서 수도원적 금욕 생활을 옹호하였던 사람들의 모범이 되었다.

그러나 동정녀 마리아(Virgin)에 대한 숭배가 교회의 공적인 전례 속에 확립된 때는 테오토코스라는 명칭이 동방교회에서 논쟁의 주제가 되었던 기독론 논쟁의 시기였다(참조 III:9). 431년에 에베소에서 공의회가 개최되었을 때 그곳에는 하나님의 어머니에게 봉헌된 한 바실리카 건물이 있었다. 또한, 마리아의 묘지로 믿어졌던 겟세마네의 한 쪽에 세워진, 비슷한 바실리카는 봉헌식을 동정녀의 '영면' (falling asleep, Dormition 나중에는 승천〈Assumption〉)을 축하하는 예식으로서 거행하였다(8월 15일).

다른 교회, 특히 예루살렘 교회는 마리아의 탄생을 가리키는 날(9월 8일)을 봉헌의 날로 지켰다. (성탄절에 의하여 결정된 절기들의 순환에 속하는 성 수태고지 축일(Annunciation, 3월 25일)과 정화일(Purification, 2월 2일)뿐만 아니라 이런 날들을 지키는 관습은 예루살렘으로부터 점차적으로 동방교회의 다른 지역으로 확산되었다. 이런 축일들은 6세기가 끝난 후에 이슬람의 침공으로부터 피신한 사람들의 물결과 더불어 서방 교회에 전래되었다.

동정녀 숭배가 처음부터 숭배를 이끌어 내었으며 이집트와 시리아 그리고 소아시아의 '어머니 여신들' (mother goddesses)에게 바쳐졌던 숭배를 대체하였다는 사실은 거의 의심할 여지가 없다. 그러나 그와 동시에 성육신의 매개자로 선택되었던 그녀의 역할이 마리아를 가장 고귀하고 가장 거룩한 인간들인 순교자들이나 사도들보다도 더 높이 올려 놓았다.

콘스탄티누스 황제가 교회를 인정한 이후에 전례 상에서 발생한 변화들을 따로 떼어놓고서는 기독교의 예배와 경건이 이렇게 발전하고 다듬어진 것들을 어느 하나도 충분하게 이해할 수 없을 것이다. 세례식과 성찬식 모두를 둘러싸고 있었던 경외감과 신비스러운 느낌, 그리고 과거의 성인들과 증인들에게 대한 헌신은 교회의 공적인 건물들의 성격과 그 건물들을 꾸미기 위하여 회화 예술 — 대부분 그림과 모자이크 — 을 체계적으로 사용한 데에 크게 의존하였다.

콘스탄티누스 황제에 의하여 불법적인 단체에 부과되었던 제약들에서 벗어난 313년 이후의 교회는 그들 자신의 특별한 집회 장소를 건축하였다. 이런 목적을 위하여 그들은 이교의 신전 건축 양식을 거부하고 로마의 바실리카 양식을 채택하였는데, 바실리카는 본질적으로 장방형의 공적인 홀에 지나지 않는 것으로서 여러가지 용도에 따라 맞추어 이용될 수 있었다.

예배당으로 사용된 바실리카는 세로 방향의 건물로서 일반적으로 세 개의 복도가 있으며 중심의 신랑(身廊)을 덮고 있는 높은 측벽의 창문들을 통하여 채광이 되는 건물이었다. 출입구의 반대편은 후진(後陣)이었는데, 그곳에는 주교의 좌석과 장로들의 좌석이 벽을 뒤로 하여 배열되어 있었다. 후진 앞에는 제단이 놓여 있었고 (흔히 난간들과 네 기둥으로 세워진 덮개로 구분되었다) 성경을 읽기 위한 낭독대(bema)가 높이 올려져 있었다. 세례를 베푸는 곳은 예배당과 붙어 있는 구조로 위치하여 있었다.

외면적으로는 일반적으로 아주 평범하였지만 바실리카의 내부는 그림들과 모자이크로 꾸며졌는데, 그것들은 높이와 길이의 조합으로 만들어진 전망과 더불어 바실리카 건물과 그 건물 속에서 거행되는 예식에 엄숙함과 경외감을 불어넣었다. 바로 이러한 배경에서 그리스도와 동정녀 마리아 그리고 성인들에 대한 그림이나 조각들을 존중하는 관습이 생겨났다. 그 관습은 서방 교회보다 동방 교회에서 먼저 번성하였는데, 어찌 되었든 간에 결국에는 서방 교회에서 성상들을 더욱 폭넓게 이용하게 되었다.

황제의 초상화에 경의를 표하는 기존의 관습에 의하여 그러한 성상 숭배가 더욱 장려되었다. 의심할 여지없이 그런 관습은 "형상에 바쳐진 존경은 그 원형에게로 전해진다" [4]는 원리에 근거하여, 황제보다 더 경배를 받으실 만한 분에게 그와 똑같은 존경을 바치는 일을 자연스럽게 받아들이게 하였다.

14. 라틴 기독교 전통

라틴 서방 교회들은 4세기의 삼위일체 논쟁과 기독론 논쟁에서 자신들의 역할을 감당하였다. 그러나 그것은 지도적인 역할도 아니었고 창조적인 역할도 아니었다. 이 논쟁들은 동방 교회에서 일어났고, 논쟁들을 불러 일으키고 해결한 사상가들은 그리스어로 생각하고 저술하였다. 칼케돈 공의회에서 정경으로 인정된 「레오의 공한」(*Tome*)에서 교황 레오 1세가 서방 교회의 신학이 진정으로 성숙하였음을 증명하였던 5세기 중반까지 교리적인 탐구와 논쟁에 대한 라틴 교회들의 공헌은 대체로 그들의 참여가 동방 교회의 어느 한 편에 제공하였던 정치적인 비중에 있었다. 이런 상황이 된 이유는 이중적이었다.

첫번째 이유는 서방의 라틴 교회가 전통적으로 관여하여 왔었던 문제들은 그리스 기독교 사상의 문제와는 거의 관련이 없었던 것이기 때문이다. 모두 북 아프리카 태생으로 로마 제국 시대에 라틴 신학의 가장 비옥한 온상이었던 터툴리안과 키프리안으로부터 서방 교회는 교회에 관한 문제들을 거의 강박관념으로 물려받았다. 교회의 정체성, 교회의 순결, 교회를 둘러싸고 있는 세상과의 관계. 사실상 터툴리안는 「프락세아스 논박」(*Against Praxeas*)이라는 논문에서(참조 II:7) 주의깊게 해석하면 아리우스 논쟁과 네스토리우스 논쟁에서 유익한 지침을 제시할 삼위일체론과 기독론에 관한 공식을 서방 교회에 제공하였다. 그러나 4세기에 서방 교회를 분열시켰던 것은 이런 논쟁들이 아니었다.

서방 교회들의 지속적인 관심사는 도나투스파 분열(Donatist schisms)로 촉진된 교회론적인 문제들이었으며 또한 스페인과 아퀴텐(Aquitaine)에서 일어난 프리스킬리아누스주의(Priscillianist) 운동의 저변에 흐르는 그리스도인의 삶의 본질에 관한 문제들이었다. 서방 교회의 인사들이 동시대의 동방 교회의 인물들의 신학적 사상과 용어를 오해하지 않고 배웠던 것은, 삼위일체 논쟁이 결정적인 전환점에 도달하였을 때 황제 콘스탄티우스 2세(Constantius II)에 의하여 동방으로 유배에 처해진 포아티에의 힐라리우스(Hilary of Poitiers, ?-367)를 통해서였다.

유배로부터 돌아온 후에 쓰여진 「교회회의에 대하여」(*On the Synods*)와 「삼위일체론」(*On the Trinity*)이라는 논문들에서 힐라리우스는 본래 무지한 라틴 교회의 지도자들이 그리스어를 사용하는 그리스도인들을 괴롭히고 있었던 문제들과 사상들을 어느 정도 이해할 수 있게 해 주었다.

두번째 이유는 키프리안이 죽은 이후 한 세기가 넘도록 라틴 기독교는 일류급의 신학적 지도자를 전혀 배출하지 못하였다는 사실에서 찾을 수 있다. 어거스틴의 세대가 올 때까지 서방에서는 성경 주석에서나 교리의 문제에 있어서나 특출한 교사가 전혀 나타나지 않았다. 물론 이 사실이 북 아프리카와 이탈리아와 스페인과 갈리아의 교회들이 신학적 재능이 부족하였다는 의미는 아니다.

도나투스주의자 티코니우스(Tyconius, ?-400경)는 북 아프리카에서 지속된 교회에 관한 논쟁에 중요한 기여를 하였을 뿐만 아니라 「규율서」(*Book of Rules*)라는 저서에서 해석학적 작품을 쓰기도 하였는데, 어거스틴은 그 작품에 대하여 감탄하였고 그것을 자신의 주석 방법을 다루는데 이용하기도 하였다.

4세기 중엽에 로마 교회는 아리우스주의자들에 맞서서 신플라톤주의 철학자의 문체로 학식 있는 글을 저술하였던 한 개종자를 얻었는데, 그 사람은 (역시 아프리카 출신으로서) 마리우스 빅토리누스(Marius Victorinus)라는 저명한 철학자이자 수사학자였다. 그러나 전체적으로 볼 때 이 시기의 라틴 기독교는 — 이전 시대에 라틴 문명이 일반적으로 그러하였던 것처럼 — 여전히 대체로 그리스의 자료들에 의존하고 있었다.

밀라노의 암브로시우스(Ambrose of Milan)는 이 사실을 보여주는 한 사례이다. 그리스어의 대가였던 그는 자신의 설교들과 논문들에서 그리스의 학식에 대한 열정적인 취향을 과시하였을 뿐만 아니라 동방의 주석가들이나 사상가들에게서 감탄할 정도로 기꺼이 사상들을 골라 모으는 — 실제로, 때때로는 전체 단락을 다 인용하는 — 태도를 보여주었다. 그러므로 오직 제롬과 아퀼레이아의 루피누스와 히포의 어거스틴과 펠라기우스에 이르러서야 라틴 신학은 지적이고 문학적인 성숙함에 이르게 되었다.

사실상 그들의 작품은 4세기 말과 5세기 초의 기독교 문학과 이교도 문학을 망라한 라틴 문학의 일반적인 부흥과 시기적으로 일치한다. 동시에 그들의 작품은 라틴 기독교 사상이 신학적으로 서방 교회의 전통에 고유한 주제들과 관심사들로 돌아갔음을 나타낸다.

15. 제롬(Jerome)

뛰어난 라틴어 문필가이며, 주의깊은 언어학자이며, 거리낌없는 달변의 논쟁가인 성 제롬(유세비우스 히에로니무스〈Eusebius Hieronymus〉)은 고대 서방 교회가 배출한 가장 위대한 학자였다. 331년에 달마티아(오늘날의 유고슬라비아) 지방의 스트리돈에서 번창하는 지주 가문에서 태어난 제롬은 어린 시절에는 능력 있는 상류 계층 소년들이 일반적으로 겪는 과정을 따라 생활하였다. 그는 로마에서 문법과 수사학과 라틴 문학의 고전들을 공부하였는데, 제롬은 이 세 과목의 대가가 되었을 뿐만 아니라 그것들에 빠져들었다.

로마에 있는 동안에 제롬은 일단의 친구들을 얻었는데, 그 가운데는 아퀼레이아의 티라니우스 루피누스(?-410경)도 있었다. 루피누스는 후일 제롬과 힘을 합쳐서 오리겐의 저작들을 체계적으로 번역하였고, 그리하여 오리겐의 알려져 있는 많은 저작들 가운데 현재까지 남아 있는 유일한 본문들을 제공하였다. 루피누스는 금욕적 생활에 대한 제롬의 열정적인 태도를 공유하였으나, 결국 오리겐의 명성과 가르침을 둘러싸고 격심하게 다투었다.

제롬은 자신이 기독교 문학과 금욕적인 생활에 관한 관심을 최초로 확신한 곳이었던 게르만 지방의 제국의 수도 트리에르에서 잠시 머문 후에 몇 년 동안을 달마티아와 아퀼레이아에서 경건하고 학식있는 그리스도인들과 어울려서 지냈다. 그곳에서 스스로 연단하고 휴식하는 생활에 대한 제롬의 취향이 더욱 더 발전되었다.

372년에 자신의 성격에 대한 비판을 받고 그들로부터 쫓겨난 제롬은 동방으로 향하였다. 결국 안디옥에 도착한 제롬은 그곳에서 병에서 회복되는 동안 그리스어를 진지하게 연구하기 시작하였다. 그후에 오래지 않아서 그는 금욕적인 생활에 완전히 헌신하기로 결심하였다. 374년에 그는 (자신의 장서(藏書)를 가지고) 안디옥 북쪽의 광야로 은퇴하여 그곳의 언덕에 거주하고 있었던 무수한 은자들 속에서 살았다. 이 실험은 성공이 아니었다고 판명되었다.

기껏해야 자만심 강하고 화를 살내는 사람에 불과하였던 제롬은, 완전히 다른 사회적 문화적 환경 출신일 뿐만 아니라 삼위일체 논쟁에서 자신의 라틴적이고 로마적인 입장을 전혀 참을 수 없었던 이웃 사람들과 함께 지내는 것이 불가능하다는 사실을 깨달았다. 따라서 제롬은 376년 혹은 377년에 안디옥으로 돌아왔다. 그곳에서 아마도 그는 당대의 첫째 가는 주석가의 한 사람이었던 라오디게아의 아폴리나리우스의 성경에 관한 강의를 들었음에 틀림없다.

그러나 발렌스 황제가 죽고 테오도시우스 1세가 즉위하여 삼위일체 논쟁의 흐름을 바꾸어 놓았던 379년 경에 제롬은 콘스탄티노플에 있었는데, 그곳에서 나지안주스의 그레고리(Gregory of Nazianzus)가 그에게 성경을 가르쳤고 오리겐의 저작들을 그에게 소개하였다. 이제 생애 처음으로 오리겐은 번역에 매달렸다. 그는 가이사랴의 유세비우스의 「연대기」(*Chronicle*, 아브라함의 탄생으로부터 325년에 이르는 세계사의 개요)를 번역하고 편집하고 상세하게 설명하였다. 또한 오리겐의 설교들을 라틴어로 번역하는 작업에 착수하였다.

그러나 제롬이 자신의 가장 위대한 번역 작업인 조잡한 옛 라틴어 성경 번역을 개정하는 작업에 착수하였던 곳은 로마였다. 그는 382년에 로마로 돌아와서 교황 다마수스의 일종의 비서가 되어 교황의 격려를 받아 그 일을 시작하였다. 22년이 넘는 기간에 걸쳐서 그는 신약 성경의 복음서들 번역을 완성하였고(로마에서), 구약 성경의 번역을 다 마쳤다(팔레스타인에서). 그는 그리스어 70인경이 아니라 히브리어 본문과 정경이 교회에 적절한 전거(典據)라고 납득하게 되었기 때문에 구약을 히브리어 원본에서 직접 번역하였다.

제롬이 금욕적인 정신을 가진 부유한 일단의 귀족 부인들, 특히 과부들이었던 마르첼라(Marcella)와 파울라(Paula)와 파울라의 딸인 에우스토키움(Eustochium)의 선생이 되고 영적인 조언자가 된 것도 역시 로마에서 있은 일이었다. 이런 관계들로 말미암아 제롬은 급진적인 동방적 형태의 금욕주의의 사도로 악명을 떨치게 되었는데, 로마의 그리스도인들 사이에서는 그런 금욕주의에 대하여 적대적이고 비판적인 사람들이 많았다.

독신 상태가 결혼한 상태보다 더 우월하다는 견해에 대하여 비판을 받았을 때 제롬은 「헬비디우스에게 반대하여」(*Against Helvidius*)와 「요비니아누스에게 반대하여」(*Against Jovinian*)이라는 저서에서 순결이라는 이상을 여인들뿐 아니라 남자들에게도 적용되는 것으로 옹호하였고 예수님의 어머니를 — 제롬은 마리아가 일생토록 순결을 지켰다고 주장하였다 — 금욕주의자들의 한 모범으로 제시함으로써 그 비판자들에게 응수하였다. 이런 견해를 제시하는 과정에서 제롬은 로마의 일반적인 성직자들과 그리스도인들이 그들의 소명에 걸맞지 않다고 공격하는 경향을 보였으며, 따라서 자신의 인기를 아주 떨어뜨려서 다마수스가 죽은 이후에는 로마에서 거의 쫓겨나게 되었다.

제롬은 여생을 베들레헴에서 보냈는데(그는 420년에 죽었다) 그의 친구인 파울라와 그녀의 딸 에우스토키움이 그곳에 수도원을 두 개 세웠다. 하나는 여성들을 위한 수도원으로서 파울라가 직접 감독하였고, 다른 하나는 남자들을 위한 수도원으로서 제롬이 그 지도자가 되었다. 바로 이 수도원에서 제롬의 성경 주석들과 구약 성경 번역이 쏟아져 나왔다. 그곳에 있는 동안에 제롬은 살라미스의 주교 에피파니우스(Epiphanius)의 지도를 따라 자신의 옛 스승이었던 오리겐에 반대하는 입장을 취하였다.

알렉산드리아의 테오필루스(Theophilus)와 연합하여 오리겐의 공식적인 지지자들 가운데 가장 두드러진 인물인 예루살렘 주교 요한(John)에 대하여 확고하게 반대 입장을 취하였던 제롬은 옛 친구였던 루피누스와의 관계를 항구적으로 더욱 악화시키고 말았다. 그 결과 두 사람 사이에서 오랫동안 계속된 지상(紙上) 논쟁이 벌어졌고 결국 오리겐주의 논쟁이 로마와 서방 교회에서 문제로 등장하게 되었다.

끝으로, 펠라기우스의 견해를 둘러싼 논쟁에서 제롬이 어거스틴의 편을 들게 된 것도 예루살렘에 있을 때였다. 제롬의 기념비적인 작품은 불가타 성경(Vulgate Bible)과 성경 주석들(오리겐의 주석들에 크게 도움을 받은 작품이다)인데, 불가타 성경은 20세기에 이르기까지 로마 교구와 교제를 나누는 교회들에서 규범적인 성경 번역으로 남아 있고, 그의 주석들은 중세의 스콜라주의자들과 복음주의적 개혁자들이 규칙적으로 참조하였던 작품이었다.

16. 히포의 어거스틴

제롬과 동시대 인물이지만 그보다 나이가 적었던 히포의 성 어거스틴(Aurelius Augustinus)은 354년 11월 13일에 누미디아 지방의 타가스테라는 도시에서 태어났다. 그의 부모는 베르베르어가 지배적인 언어였던 북아프리카 지역의 한 도시에서 라틴어를 사용하는 중산 계급이었다. 아버지인 파트리키우스(Patricius)는 이교도였지만 어머니인 모니카(Monica)는 경건한 그리스도인으로서 헌신적이었으며 또한 아마도 북 아프리카 양식에 따라 조금 미신적이기도 하였다. 자식에 대한 기대를 가지고 있었던 어거스틴의 부모는 그가 16세가 되었을 때 마다우라라는 인근 도시로 보내었고 그 다음에는 카르타고로 보내어서 그의 교육과 출세의 기회를 더욱 장려하려고 하였다.

어거스틴은 이 기간 동안 당대의 관습에 따라 교육 과정을 거쳤다. 즉 문법, 주요한 라틴어 고전 작품들에 대한 상세한 본문 연구를 거친 후에 카르타고에서 수사학을 배웠다. 이런 학문적인 훈련을 받은 그는 몇 가지 가능한 경력 중에서 진로를 선택하게 되었다. 변호사가 되든지 혹은 직업적인 수사학자가 되든지 아니면 제국 정부의 고위 관리가 되는 길이 있었다. 사실상 아버지가 죽은 다음에 그가 택한 첫번째 직업은 고향 도시의 수사학 선생이었다. 그러나 그는 곧 카르타고로 돌아가서 그

곳에서 자리를 찾았다.

이 시기에 어거스틴은 그 시대의 풍습에 따라 첩을 두었는데, 그녀와 14년 동안 함께 살았고 아데오다투스(Adeodatus)라는 아들도 얻었다. 그는 아들의 총명함을 자랑하기를 좋아하였고 아들이 일찍 죽었을 때(17세 혹은 18세 때) 크게 슬퍼하였다. 그가 카르타고에서 머물던 시절은 또한 그의 종교적 철학적 탐구가 시작된 때이기도 하였다. 그곳에서 어거스틴은 오늘날에는 단편으로만 알려져 있는 대화편인 키케로(Cicero)의 「호르텐시우스」(*Hortensius*)을 읽고 연구하였다. 그가 증언하고 있듯이, 그 책으로 말미암아 청년의 마음이 바뀌어 지혜와 완성된 인간의 삶을 추구하게 되었다.

373년경에 그가 북 아프리카에 널리 퍼져 유행하고 있었던 마니교(Manichean) 운동에 참여하게 된 것도 바로 이런 추구에 따른 결과였다. 마니교는 몇 가지 근거에서 그에게 호소력을 발휘하였다. 그 가운데 한 가지는 마니교가 그 체계적인 이원론으로 악의 문제에 대하여 호소력 있는 해결책을 제시하였다는 점이었다. 악의 문제는 이런 저런 형태로 일생을 통하여 끊임없이 어거스틴을 따라다녔던 문제였다.

또 다른 이유는 마니교가 구약을 거부하였던 점이다. 회의적인 젊은 지성인에게 구약의 문학적이고 도덕적인 미숙함이 문제가 되었던 것이다. 마니교가 마음에 끌렸던 세번째 이유는 마니교가 '믿음'을 요구하는 기독교를 비웃고 오직 이성적으로 증명할 수 있는 것만을 가르친다고 공언하였기 때문이다. 그러나 어거스틴이 마니교에 탐닉하였던 기간은 비교적 짧았다.

자신의 의문들과 질문들을 해결해 줄 것이라고 기대하였던 매력적이고 존경받는 마니교 지도자 파우스투스(Faustus)와 만났을 때 어거스틴은 그 사람의 피상적인 성격과 무지 때문에 난처하게 되었고 불쾌감을 느꼈다. 여전히 그는 마니교 내에서 활동하였지만 (그리고 은이나 물이 존재한다고 말할 수 있는 것과 동일한 의미로, 즉 확인할 수 있는 '실체'로서 악도 '존재한다'는 믿음을 대신할 만한 실제적인 대안을 발견하지 못한 것이 명백하였지만) 그는 키케로의 어떤 저작들 속에서 배운 학구적인 회의주의(I:1 참조) 쪽으로 마음이 움직이기 시작하였다.

어거스틴이 29세 때에 카르타고에서 로마로 옮겨서 그곳에서 교사가 되었던 것은 바로 이러한 마음 상태에서 일어난 일이었다. 이런 이주는 그가 북 아프리카에서 유능하고 장래성 있는 젊은 수사학자로서 얻었던 명성을 증거해 준다. 그러나 로마의 학생들이 수업료를 내기를 꺼려하였기 때문에 어거스틴은 화가 났고 불편하게 되었다. 그러므로 그는 제국의 수도인 밀라노의 공식 수사학 교수직 제의를 기꺼이 받아들였는데, 그것은 로마의 장관인 심마쿠스(Symmachus)가 그에게 제공한 것이었으며 또한 그의 마니교 친구들의 호의를 통하여 얻은 자리였다.

따라서 그는 384년에 밀라노로 갔고, 그곳에서 뛰어난 공직 생활이 될 것으로 그가 의심없이 기대하였던 생활을 시작하려고 준비하였다. 그러나 밀라노에서 그의 개인적인 생활의 문제가 — 인간적 완성으로 이끌어주는 진리에 대한 탐구 — 직업 생활의 문제를 앞질렀다. 그런 일 가운데 하나로, 알리피우스(Alypius)와 네브리디우스(Nebridius)라는 그의 옛 친구 두 사람이 밀라노에서 그에게 동참하였는데, 그들은 참된 길을 찾는 그의 관심사를 서로 다른 양식으로 공유하고 있었고 더욱 굳게 만들어 주었다.

그뿐 아니라 굳게 결심한 그의 어머니 모니카도 자신의 아들을 '정착시키려고' — 그의 생활에 질서를 잡게 하고 그가 그 속에서 자라났었던 기독교 신앙을 친근하게 느끼도록 만들어 주기 위하여 — 나름대로 노력하였다. 이때 즈음에는 어거스틴은 이미 마니교와의 관계를 최종적으로 단절하였다. 그러나 회의주의와 환멸은 아직 사라지지 않고 있었고, 그를 마니교도가 되도록 만들었던 문제들이 여전히 그를 괴롭히고 있었다. 틀림없이 그는 "가톨릭 교회의 세례 예비자(catechumen)로 계속 남아 있기로 결심하고 있었으나" 그것은 단지 "어떤 명백한 것이 나타나 나의 진로를 어떤 방향으로 이끌어줄 때까지"[1] 남아 있겠다는 것이었다.

밀라노에서 일어났던 또 다른 일은 어거스틴이 위대한 암브로시우스의 설교들 듣기 시작한 것이었다. 암브로시우스의 설교는 결국 그 문체로서 뿐 아니라 오히려 그 내용으로 어거스틴에게 감명을 주었다. 구약 성경에 대한 암브로시우스의 모형론적 그리고 알레고리적 해석은 어거스틴을 어머니의 신앙으로부터 멀어지게 만들었던 문제들 가운데 하나를 해결해 주었다. 암브로시우스가 구약을 해석하였을 때, 구약은 그 조잡한 모습을 감추었고 놀라울 정도로 깊이 있는 의미를 드러내 보였다.

또한 암브로시우스는 그에게 비물질적인 실체라는 사상, 즉 비공간적이며 만질 수 없는 존재 양식으로서 하나님과 영혼들에게 적합한 존재 방식을 소개해 주었는데, 그 사상은 적어도 어거스틴에게는 혁명적인 생각이었다. 그와 동시에 이 젊은 수사학자는 다른 사람들과의 접촉을 통하여 새로운 지적 운동이 뿌리를 내린 밀라노의 여러 서클들을 발견하였는데, 그 가운데 하나는 암브로시우스가 직접 관여하는 서클로서, 한 세대 전의 로마 철학자이자 수사학자였던 마리우스 빅토리누스(Marius Victorinus)의 전통을 따라 기독교와 신플라톤주의를 접목시킨 서클이었다.

어거스틴은 "그리스어에서 라틴어로 번역된 플라톤주의자들의 어떤 책들을"[2] — 틀림없이 플로티누스(Plotinus)와 포르피리(Porphyry)의 논문이었을 것이다 — 소유하게 되었고, 자신이 설명하고 있는 대로 그 책들을 통하여 존재에 대한 새로운 관점을 가지게 되었다. 그 책들은 어거스틴에게 악이 (마니교에서 주장하였던 것과는 달리) '실체'가 아니며 단지 선의 존재에 대한 부정에 지나지 않는다고 가르쳤을 뿐만 아니라 인간으로서 자신의 정체에 대하여 새로운 인식을 갖게 하였고 또한 신약 성경의 메시지의 새로운 의미를 밝혀 주었다.

이제 어거스틴은 자신을 한 영혼으로 볼 수 있게 되었고 자신의 성취는 하나님에 대한 지식과 사랑에 있다고 깨닫게 되었다. 그는 자신의 마음 속 깊은 곳에서 비취고 있는 "모든 사람들의 눈을 밝혀주는 진리의 빛"[3]을 인식하게 되었으며, 동시에 자신이 그 빛에서 얼마나 멀리 떨어져 나갔는지를 깨닫게 되었다.

그러나 이런 모든 지적인 혁명과 그것에 수반된 모든 흥분과 새로운 전망들에도 불구하고 어거스틴은 여전히 "명예와 이익과 결혼을 갈망하는"[4] 입신출세주의자로 남아 있었다. 그의 어머니가 사회적으로나 경제적으로 유리하고 적합한 혼인 상대를 물색하는데 도움을 주었다. 그 사람과 약혼하기 전에 (그 소녀는 실제로 결혼하기에는 너무나 어렸다) 어거스틴은 관습법에 따라 오래 함께 살았던 첩을 내보냈는데, 결과적으로는 어쩔 수 없이 또 다른 섹스 파트너를 맞아들이게 되었을 뿐이었다. 그러나 그러는 동안에 그와 그의 친구들은 독서와 사색과 함께 지혜를 추구하는 일에 전력하는 은퇴 생활의 장점들을 고려하게 되었다.

아프리카 출신의 폰티키아누스(Ponticianus)라는 방문객의 영향을 받아 이 작은 집단은 쾌락을 자제하고 금욕하는 수도원적 이상에 눈을 뜨게 되었는데, 그 이상은 아타나시우스의 「안토니우스의 생애」(*Life of Antony*)에서 묘사된 것처럼 어거스틴에게 감명을 주어 진리에 대한 내적인 탐구와 세상적이고 성적인 만족에 몰입하는 태도 사이의 모순을 깨닫게 만들었다. 그렇게 해서 어거스틴이 겪게 된 갈등은 밀라노의 한 정원에서 "펴서 읽어라, 펴서 읽어라"고 조잘대는 어린아이의 소리를 우연히 들었을 때에 해결되었다. 그는 바울의 로마서를 펴서 다음 구절을 읽었다. "낮에와 같이 단정히 행하고 방탕과 술취하지 말며 음란과 호색하지 말며 쟁투와 시기하지 말고 오직 주 예수 그리스도로 옷입고 정욕을 위하여 육신의 일을 도모하지 말라."[5]

이 회심으로 그는 금욕적인 생활로 돌아섰으며 그 일이 있은 직후에(386년 가을) 아들과 친밀한 친구들과 더불어 카시키아쿰에 있는 영지로 은퇴하였다. 그곳에서 그들은 몇 달 동안 책을 읽고 긴 토론을 벌였는데, 그 결과로 어거스틴은 오랫동안 자신을 괴롭혔던 문제들 가운데 일부를 다룬 일련의 대화편들을 펴 냈다. 그의 사고가 얼마나 철저하게 플라톤주의적 견해에 영향을 받았는지 보여주는 방식으로 그는 확실한 지식의 가능성과 악의 문제 그리고 완성된 인간의 삶의 본질에 관한 문제들을 다루었다.

겨울이 닥치자 어거스틴은 밀라노로 돌아갔고 세례지원자로 등록하였다. 387년에 세례를 받은 후에 그와 어머니 모니카와 아들 아데오다투스는 아프리카로 돌아가는 여행을 떠났으며, 그는 남은 생애를 아프리카에서 보내게 되었다. 모니카는 오스티아에서 죽었다. 그는 잠깐 길을 멈추었다가 다시 길을 떠났는데, 그때 이미 긴 일련의 작품들을 저술하기 시작하였다. 그 작품들 속에서 그는 이전에 신봉하였던 마니교를 비판하였다.

타가스테에 돌아온 그는 금욕주의자들의 조그만 공동체를 세웠고, 틀림없이 여생을 명상적이고 철학적인 은퇴 생활로 보낼 것이라고 예상하였다. 그러나 391년에 누미디아 지방의 히포라는 항구 도시를 방문하였을 때 그는 사람들에게 붙들리게 되었고, 눈물로 간청하고 항의하였음에도 불구하고 그곳의 주교 발레리우스(Valerius)에 의하여 장로로 임명되었다. 발레리우스는 그리스인으로서 라틴어는 더듬거릴 정도에 불과하였기 때문에 설교를 하는 일에서 자신을 도울 사람이 필요하였다. 395년 이후에 곧바로 발레리우스는 죽었고 어거스틴은 그를 계승하였다. 어거스틴은 430년에 죽을 때까지 히포의 주교로 일하였다.

어거스틴가 주교직을 계승한 것은 그의 생애에서 전환점이 되었다. 더 이상 그는 단순히 하나님을 마음 속으로 추구하는 변증법에 관심을 쏟는 그리스도인 철학자에 불과한 존재가 아니었다. 이제는 그 역시 성경과 그 해석, 그리고 북 아프리카의 교회들의 실제적인 문제들에 점점 더 관심을 많이 기울여야 하였던 목회자가 되었다. 그의 생애에서 결정적으로 중요하였던 이 시점은 그의 「참회록」(397년경)에 언급되어 있다.

이 책에서 그는 자신의 영적인 순례와 회심을 인간이 하나님과의 관계에서 처하여 있는 보편적인 상황의 실마리로서 또 실례로서 회고적으로 다루고 있다. 자신의 과거를 요약하고 미래로 눈을 돌린 이 뛰어난 작품에서 어거스틴은 그가 직면하게 될 모든 주요한 문제에 관한 그의 사고에 스며들게 될 주제 하나를 이야기하고 있다.

인간의 자아는 하나님에 대한 지식과 사랑을 위하여 창조되었으며 또한 하나님 안에서 안식을 얻을 때까지는 '평안하지 못하지만'[6], 그럼에도 불구하고 인간의 자아는 거짓되게 왜곡된 사랑 속에서 하나님에게 등을 돌리고 상실된다. 이런 타락은 묘사될 수는 있지만 설명될 수는 없다. 인간의 의지 속에 있는 그 원천들은 의식적인 선택의 단계보다도 더 깊을 것이다. 마찬가지로, 그 타락을 교정하는 것은 인간의 선택이 저절로 제공할 수 없는 충동에 의존하고 있다.

언제나 식별될 수 있거나 혹은 이해되지는 않는 방식으로 작용하는 하나님의 은혜와 사랑만이 인간의 사랑의 방향을 다시 조정할 수 있고 그 사랑을 완성하는 궁극적인 원천 즉 하나님에게 집중할 수 있게 해 준다. 「참회록」의 구성 자체에서 나타나는 이 주제는 거의 같은 시기에 행하여졌던 어거스틴의 바울 연구에서도 나타난다. 그것은 성경과 교회의 가르침의 전통에 대한 그의 관심이 어느 정도로 그에게 영향을 주어서 신플라톤주의적 경향을 수정하고 다듬게 만들었는지를 보여준다. 그리고 그것은 주교로 임명된 이후의 15년 동안 그의 생활과 활동을 지배하였던 문제, 즉 도나투스파 분열 문제를 처리하는 데서도 나타난다.

어거스틴의 시대에 도나투스주의(Donatism, 참조 III:1)는 이미 북 아프리카에서

80년 이상이나 지속되고 있었다. 대(大) 도나투스(Donatus the Great, ?-355경)와 파르메니아누스(Parmenian, ?-391경) 아래에서 도나투스주의는 제국 당국자들의 간헐적인 박해에도 불구하고 (그리고 실제로는 그 박해의 한 결과로) 어거스틴이 서임을 받던 당시에 북 아프리카의 그리스도인들의 다수파를 포괄할 정도로 번성하였고, 의심할 여지없이 누미디아 지방 산지의 도시와 촌락에서 지배적이었다.

배타적이고 청교도주의적 정신을 가진 집단이었던 도나투스파 교회는 터툴리안과 키프리안의 전통에 서 있었으며 스스로 로마 세계에서 옛날의 순교자 교회의 정신과 전통을 유지해 온 유일한 그리스도인 집단으로 생각하고 있었다. (그들의 주장에 따르자면) 가톨릭 교회는 디오클레티아누스 황제의 박해 시에 거룩한 책들을 당국에 넘겨줌으로써 배교하였었던 주교들로부터 유래하였을 뿐만 아니라, (사실상 무엇보다도) 현재 로마의 당국자들 즉 '세상'의 지지를 받고 있기 때문에 그들은 가톨릭 교회가 '오염되었다'고 생각하였다.

따라서 도나투스주의자들에게 있어서는, 가톨릭 교회는 전혀 '교회'가 아니었다. 가톨릭 교회는 그 순수하지 못함과 주교들과 성직자들의 타협 때문에 하나님의 성령을 박탈당하였으며, 따라서 구원의 영역 밖에 있었다. 이런 이유 때문에 도나투스주의자들은 가톨릭 교회에서 베풀어지는 세례를 인정하기를 거부하였으며 도나투스파 집단에 가입한 (적지 않은 수의) 가톨릭 교도들은 다시 세례를 받았다. 교회를 도덕적으로 또한 전례상으로 '순결한' 하나님 나라의 전초기지로 보는 아프리카 교회의 전통적인 개념을 고수하는 사람들뿐만 아니라, 누미디아 지방의 농민들과 같이 부분적으로는 사회적 경제적인 불만에서 '세상'을 적대시하였던 사람들도 도나투스파 교회로 모였다.

어거스틴 시대에 도나투스파 교회와 가톨릭 교회 사이의 적대감은 이미 확고하였고 더욱 악화되었다. 서로 상대방이 가한 폭력을 기억함으로써 그 적대감이 유지되었고 상호간에 일상적인 사회적 교류를 거부함으로써 더욱 그런 적대감이 깊어졌으며, 분열은 북 아프리카의 생활에서 기존의 사실이었다.

교회당 근처에 도나투스 회중의 바실리카가 서 있었던 히포의 주교로서 어거스틴은 이런 상황을 받아들이려고 하지 않았다. 부분적으로 그의 이러한 태도는 교회에 대한 도나투스주의의 이해에 대한 뿌리 깊은 반감에서 비롯되었다. 그가 생각하는 한에서는, 교회가 '순수한' 집단이 될 수 있다고 생각하는 것은 잘못된 것이었다. 3세기의 로마 주교들의 전통에서, 그리고 실제로 카르타고의 키프리안 자신에게서 어거스틴은 교회가 심판날까지 그 속에서 알곡과 가라지가 함께 자라게 될 '혼합된 집단'이라는 사상을 발견하였다.

더구나 그는 교회의 거룩성이 — 교회 안에서 그리고 교회를 위하여 하나님의 성령이 존재하는 것이 — (도나투스주의자들이 주장하는 것처럼) 세례를 베풀고 성찬식을 거행하는 혹은 사제를 임명하는 목회자의 거룩성이나 순결함에 달려 있는 것이 아니라, 단지 하나님 자신의 은혜로우신 사랑에 달려 있는 것이라고 믿었다. 따라서 그는 하나님께서 인간의 생활에 작용하시고 그 생활을 개혁시키시는 성례들을 실제로 효과적으로 집행하는 자는 인간인 사제, 주교 혹은 장로가 아니라 그리스도 자신이며 인간인 대리인이 행하는 사역은 단지 상징이며 통로에 불과하다고 주장하였다.

어거스틴은 교회가 그 자체의 거룩성이나 그 주교들의 거룩성에 힘입어 사는 것이 아니라 단지 그리스도 안에서 하나님의 은혜를 힘입어 사는 것이라고 주장하였다. 훨씬 후대에 중세의 신학자들이 표현하게 되었던 것처럼, 성례들은 인간인 목회자의 존재나 행위 때문에(*ex opere operantis*) '유효한'(valid) 것이 아니라 교회가 하나님께서 언약하신 은혜에 의지하여 그 성례 자체를 행하기 때문에(*ex opere operato*) 유효한 (즉, 성례들이 '선언한'〈said〉 것을 객관적으로 성취한다) 것이었다.

그러나 교회가 은혜 안에서 그리고 은혜를 통하여 산다는 이 믿음은 어거스틴으로 하여금 도나투스파 집단도 실제적인 의미에서 '교회'라고 하는 확신에 이르게 하였다. 도나투스파 교회의 세례와 성찬식은 의미없는('효과가 없는'〈invalid〉) 것이 아니었다. 그러나 그들의 성례는 결함이 있는 혹은 무능력한 것이었다. 보편 교회와 적대적으로 갈라진 상태에서 베풀어졌기 때문에 그 성례들은 그것들이 나타내도록 의도되었던 열매를 맺을 수 있는 사랑의 토양을 결하고 있었다. 그러므로 도나투스파 교회들은 나머지 교회들과 화해를 할 필요가 있었다. 그리고 어거스틴는 이런 목적을 위하여 헌신하였다.

친구이자 동료인 카르타고 주교 아우렐리우스(Aurelius)와 협력하여 어거스틴은 무엇보다도 아프리카의 가톨릭 교회들을 개혁하고 강화하고 통일하려고 노력하였으며, 그 결과 그들의 명분이 좀더 분명하게 되었다. 동시에 그는 선전가가 되어서 대중적인 전단들을 작싱하였는데 (인상적인 자품은 하나도 없다) 그 속에서 그는 분열의 기원과 성격에 대한 도나투스주의자들의 해석을 반박하기 시작하였다.

그는 또한 도나투스주의 지도자들과 토론하고 논쟁을 할 공적이거나 사적인 기회를 가지려고 하였다. 그리고 일련의 긴 논문들에서 그들의 신학적인 주장들에 대하여 대답하였다. 이런 모든 일을 통하여 어거스틴이 목적하였던 것은 가톨릭의 명분을 주목할 만하며 설득력 있는 것으로 만들어서 도나투스주의자들로 하여금 분리주의를 단념하게 하는 것이었다.

그러나 이런 방법들은 성공을 거두지 못하였고 가톨릭 교도에 대한 도나투스주의자들의 폭력도 줄어들지 않았다. 점차적으로 어거스틴은 — 부분적으로는 동료 주교들에 의하여 그리고 부분적으로는 유화 정책이 가망이 없다는 자기 자신의 궁극적인 인정에 의하여 — 분열이 종식되려면 로마 법이나 로마 정부의 압력이 가해져야만

한다고 깨닫게 되었다. 그러므로 그는 제국 법정이 도나투스주의자들에 반대하는 입법, 즉 도나투스주의자들의 재산을 몰수하고 분리주의적 집단에 계속 충성을 바치는 사람에게 무거운 형벌을 가하는 입법을 하도록 권장하는 일에 동참하였다(제국 법정은 기꺼이 입법하려고 하였다).

카르타고에서 주교회의를 열어서 도나투스파 주교들이 그들의 입장을 밝히거나 혹은 그 결과를 감수하도록 소환된 이후에 이런 정책은 마침내 411년에 시행되었다. 어거스틴은 여러가지 방식으로 국가 권력에 호소한 이 조치를 정당화하였다. 한편으로 그는 누가복음 14:23을 인용하였다("강권하여 내 집을 채우라").

다른 한편으로 그는 이런 법적인 제재가 실제로 많은 도나투스주의자들을 다시 가톨릭 진영으로 돌아오게 하였으며 또한 자신의 원래 예상과는 반대로 그들이 신속하게 그들 회중들의 아주 정상적인 회원들이 되었다고 실용적인 방식으로 언급하였다. 어거스틴은 도나투스주의자들에게 사형을 부과하는 것을 반대하고 항의하였지만 그럼에도 불구하고 그는 황제가 아프리카 교회의 분열을 구제하기 위하여 간섭할 권리를 가지고 있으며 또한 한 사람의 가톨릭 그리스도인으로서 그렇게 할 의무가 있다고 믿었다.

그러나 그가 내키지는 않았지만 확고하게 지지하였던 박해 정책은 결국 성공을 거두지 못하였다. 도나투스 운동은 좌절되었고 그 지지자들 가운데 많은 사람이 가톨릭 교회로 돌아왔지만, 그럼에도 불구하고 살아남았다. 도나투스주의자들은 이슬람이 로마의 속주였던 북 아프리카를 정복하였을 때가 되어서야 사라졌다.

411년 이후에 도나투스파 문제는 어거스틴의 중요한 관심사에서 벗어났으며, 그의 마음은 다른 문제들로 옮겨졌다. 이런 문제들 가운데 하나는 — 종교적 구도자라는 역할에서 볼 때 어거스틴 자신에게 있어서 다른 어떤 다급한 공적인 문제보다도 더 중요하였던 — 「삼위일체론」(*On the Trinity*)이라는 위대한 논문을 완성하는 일이었다. 그는 그 일을 10년 전에 시작하였으나 처음 네 권과 오늘날 판의 제 8권을 마친 후에는 제쳐두었었다.

후일에 소위 그의 '심리학적 유비'(psychological analogy)라고 불리는 것에 대한 아무런 힌트도 없는 이 부분에서조차도 그는 삼위일체의 문제를 신학자들이 어떻게 하나님을 묘사하는가에 관한 문제라기보다는 어떻게 인간의 지성이 삼중적인 존재로 계시는 하나님을 이해하는 데까지 올라갈 수 있는가에 관한 문제로 파악하였다는 사실이 뚜렷하게 나타난다. 하나님은 사랑의 행위 안에서 가장 확실하게 알려질 수 있으며 체험될 수 있다는 것이 어거스틴의 사상이었다.

하나님은 사랑의 원천(Source)이며 대상(Object)이고 힘(Power)이시다. 사랑을 선택하고 실행하는 속에서 인간의 자아는 하나님의 존재와 행위의 세 인격적인 구조 속으로 들어가며, 그리하여 일종의 반사적인 인식에 의하여 하나님을 알고 사랑한다. 그러나 414년 이후에 어거스틴이 자신이 끝맺지 못한 채로 두었던 일을 다시 시작하였을 때, 그는 이미 (처음으로) 나지안주스의 그레고리와 그 밖에 어떤 그리스 신학자들의 저작들을 읽었으며, 삼위일체적인 '위격들' (persons, hypostases)이 그들 서로간의 관계에 의하여 정의되고 구성된다는 그레고리의 사상을 깊이 묵상하였었다(III:4 참조).

'성부' '성자' '성령'이라는 명칭들은 서로 다른 존재의 이름이 아니라 관계들의 이름이라는 이 사상을 그는 더욱 발전시켰다. 하나님의 위격들은 단일한 '우시아' (ousia, 존재, 본질)의 구별되는 실현이 아니라 오히려 단지 한분 하나님께서 영원하게 스스로 관계하시는 실질적인 방식들이라는 것이 그의 확신이었다.

바로 이런 관계 속에서 '심리학적 유비'가 작용하게 되었다. 인간이 '하나님의 형상대로' 창조되었다는 교리에 호소하여, 그리고 이것은 삼위일체 하나님 전체의 이미지를 따라 창조되었다는 의미가 틀림없다고 주장함으로써 어거스틴은 인간의 자아가 그 자신의 자기관계성(self-relatedness) 안에서 그리고 자기관계성을 통하여 존재한다는 주장을 발전시켰다. 그리하여 그는 사람들의 모습은 모든 행동에서 그들이 기억하고 알고 의지하는 대로의 모습이며 또한 그런 모습이 된다고 주장할 수 있었다.

그리고 기억하고 알고 의지하는 이러한 관계들은 하나이며 동일한 자아가 그 자체에 관계하는 방식들이기 때문에, 삼중적인 관계와 인격의 단일성은 모순되지 않으며 오히려 서로서로를 전제한다고 주장할 수 있었다. 따라서 인간의 존재 방식 속에는 하나님의 존재 방식에 대한 '단서' (clue, *vestigium*)가 있다. 그러나 더 중요한 것은 모든 인격적인 존재 속에서 흘러 나온 인간의 자기 이해를 위한 탐구는 결국, 어거스틴이 깨달았듯이, '위에 있는' (above) 자아를 피조된 모든 존재들의 원형이시며 따라서 인간의 모든 탐구의 목적이신 하나님의 존재로 지칭하는 것이었다.

삼위일체의 '위격들'은 하나님께서 자기 자신에 대하여 갖는 실체적인 관계들이라는 이 사상의 핵심적인 요소 한 가지는 성령에 대한 독특한 이해였다. 어거스틴에게 있어서 성령은 사랑이라는 하나님의 본질의 표현이며, 사실상 성부와 말씀(Word)이 서로에 대하여 갖고 있는 상호간의 사랑의 관계이다. 따라서 어거스틴은 성령에 관하여 말할 때 규칙적으로 "성부와 성자로부터" 발출하신다고 말하였다. 이것이 소위 '이중 발출' (double procession) 교리였다.

그가 이 용어를 사용한 것이 궁극적으로는 니케아-콘스탄티노플 신조의 라틴어 번역에 '필리오케' (*filioque*, '그리고 성자로부터')라는 단어를 삽입하는 것으로 이어졌는데, 이런 본문 상의 변화는 중세와 근대 시대에 그리스 교회와 라틴 교회 사이의 갈등의 주요한 원인들 가운데 하나가 되었다.

어거스틴이 「삼위일체론」이라는 논문을 저술하는 동안에 로마가 서고트족들

(Visigoths)에게 함락당하였고(410) 그 결과 피난민의 물결이 로마로부터 북 아프리카로 몰려 오자, 그는 자신의 관심을 좀더 급박한 공적인 문제로 돌릴 수밖에 없었다. 콘스탄티누스 황제의 시대 이래로 그리스도인들은, 로마 제국이 그리스도와 그분의 뜻을 신실하게 지킨다면 하나님께서 로마를 지키고 구하실 것이라는 견해를 받아들이는 경향이 있었다. 어거스틴 자신도 그런 견해를 가졌었던 것 같다(III:1 참조).

그러나 이제 서고트족의 침략 앞에서 로마의 방비가 붕괴하자 많은 이교도들은 예전에 로마를 안전하게 보호해 주었었던 옛 신들에게로 돌아가는 것이 더 나을 것이라고 주장하였다. 어거스틴이 「하나님의 도성」(*On the City of God*)이라는 방대한 논문을 저술하는 일에 착수한 것은 바로 이런 문제에 대응한 것이었다. 그러나 그의 대답은 그것을 나오게 하였던 문제의 직접적인 전망을 훨씬 넘어서는 것이었다. 「하나님의 도성」은 기독교를 위한 변증서라기보다는 (비록 변증서인 것은 사실이지만) 인간의 사회들의 본질과 역사 속에서 그 사회들과 하나님과의 관계를 분석한 것이었다(본사 세계기독교고전 26-30으로 역간 — 편집자주).

그 작품은 이교의 종교와 철학 그리고 인류를 완성으로 이끌어 준다는 그들의 주장에 대한 비판으로 시작한다. 인간의 노력의 올바른 목적은 하나님 자신이며 또한 하나님과 교제하는 인간 사회인데, 그 사회는 오직 역사가 끝난 이후에 실현될 것이라고 어거스틴은 주장한다. 그러므로 인간이 세운 정부에 의한 제도에 일시적이거나 잠정적인 가치 이상을 부여할 수 있는 방법은 없다. 로마는 영원하지 않으며 영원할 수도 없다. 한 걸음 더 나아가 어거스틴은 지상의 정부들은 거짓된 방향으로 향한 사랑, 즉 눈에 보이고 물질적이며 덧없는 대상들에 대한 자기 중심적인 탐욕이 만들어낸 결과라고 확신하였다.

그러나 이것은 그 정부들이 정의와 평화를 실현할 수 없다는 뜻이 아니다. 비록 상대적이며 부분적이고 일시적이기는 하지만 그럼에도 불구하고 실제적인 정의와 평화를 실현한다. 심지어 도둑들의 사회에서도 어떤 종류의 질서를 필요로 하며 찾는다. 그렇다면, 노예제도나 사유재산 제도뿐 아니라 로마 나라와 다른 모든 나라들은 오직 인간의 죄악됨 때문에 존재하지만, 한편으로는 자신들을 출현시킨 바로 그 죄악의 영향력들을 억제하고 통제하려고 하는 한에 있어서는 하나님의 목적들에 봉사할 수 있는 것이다.

하나님의 섭리 속에서 '인간의 도성'은 감당하여야 할 역할이 있으며, 그리스도인들은 가능한 한, 이기적이고 경쟁적인 사랑이 고안해 내는 그 상대적인 평화와 질서를 이루는데 협력하여야 할 권리와 의무를 가지고 있다.

그러나 좀더 높은 사랑, 즉 하나님의 사랑과 모든 사람들이 평등하게 공유할 수 있는 선에 의하여 지배를 받는 사람들이 세상의 재화를 찾는 이 사회 속에 뒤섞여서 존재하고 있다. 그러한 사람들이 하나님의 도성의 역사적이고 예비적인 형태를 이루는데, 교회는 그 하나님의 도성을 흐릿하게 예시하는 구현체에 지나지 않는다. 어거스틴은 도나투스파 논쟁 때에 자신이 취하였던 입장을 잊지 않고 있었다.

교회는 완전한 사회가 아니며, 성자와 죄인들이 '섞여' 있는 단체이다(*corpus permixtum*). 동시에 교회는 덧없고 피조된 대상으로 향하는 거짓된 사랑으로부터 하나님 자신에게로 향하는 사랑으로 사람들을 이끄는 하나님의 은혜가 가시적으로 확실히 작용하는 사회이다. 이런 이유 때문에 교회는 구원받은 인간 사회, 즉 "하나님이 건설하시고 만드신" 도성을 예시하며 상징한다.

따라서 「하나님의 도성」의 주제는 '두 가지 사랑'의 주제인데, 그 하나는 덧없고 유한한 선을 향하고 있는 사랑이고 다른 하나는 영원하고 무한한 선을 향하고 있는 사랑이다. 이 두 가지 사랑이 두 종류의 인간 사회를 창조한다. 더구나 그것들은 각각 나름대로의 방식으로 자신이 목적하는 선에 도달한다. 만일 '인간의 도성'이 — 어거스틴에게는 로마 제국이 인간의 도성의 상징이었다 — 지속적이고 파괴될 수 없는 평화와 질서를 얻지 못한다면, 만일 인간의 도성이 정복과 파괴에 무력하다면, 그 이유는 인간의 도성의 선을 달성하는 수단들이 정복과 파괴이기 때문이며 또한 그 선 자체가 일시적인 것이기 때문이다.

영원히 계속될 유일한 가치이기 때문에 유일하게 궁극적인 가치인 것은 하나님 자신이며, 피조된 모든 선들은 하나님 안에서 탁월하게 보존되며 유지된다. 그러므로 어거스틴은 국가의 질서에 대한 이교적인 우상화와 기독교적인 우상화를 모두 거부함으로써 국가를 상대화하였고 사실상 그것을 세속화하였다. 동시에 그는 국가가 달성한 상대적인 선의 중요성을 강조한다. 비록 지상의 평화와 정의가 하나님의 도성의 평화와 정의를 구현한 것은 아니며 그렇게 될 수도 없지만, 그러나 지상의 평화와 정의는 결코 천한 가치가 아니다.

17. 펠라기우스 논쟁

서고트족이 이탈리아를 침공한 후에 북 아프리카에 밀려 닥친 피난민들의 물결은 로마 귀족들의 핵심 그룹들과 더불어 어거스틴에게 단순히 한 가지 문제 이상을 가져다 주었다. 로마의 함락의 의미에 관한 그들의 논쟁은 어거스틴의 관심을 아프리카 교회 내부의 문제들에서 세계 교회의 한 부분으로서 교회가 가지고 있는 문제들로 돌리게 하였고, 앞에서 살펴본 것처럼, 그로 하여금 「하나님의 도성」을 저술하도록 자극을 주었다. 그와 동시에 어거스틴으로 하여금, 로마에서 시작되어서 이탈리아 남부를 거쳐 시칠리아로 확산되고 있었던 그리고 궁극적으로 그 지도자인 펠라기우스(Pelagius)의 이름을 취하게 된 종교적 개혁 운동에 대하여 숙고하고 생각하게 만들고 결국에는 비판하게 만들었던 것도 그 피난민들의 도착이었다.

(비록 성직자도 아니고 어떤 수도원 공동체의 일원도 아니었지만) 브리튼의 한 금욕주의자였던 펠라기우스는 390년 경에 로마에 정착하였다. 그곳에서 그는 한때 제롬이 금욕적인 생활의 덕을 선포하였던 바로 그 귀족 서클에서 활동하고 가르쳤다. 그런 과정에서 그는 열정적이고 헌신적인 제자들의 무리를 얻었다. 특히 귀족 출신의 젊은이들에게 호소하였던 것 같은 그의 메시지는 모든 그리스도인들에게 도덕적 완성이라는 엄격한 기준을 요구하였다.

로마에 있는 신자들의 느슨하고 미온적인 태도에 고민하게 되고, 그들의 핑계를 대는 것에 비판적이 되었으며, 세례가 구원을 보장한다는 주장에 회의를 품게 된 펠라기우스는 하나님의 모든 명령들을 지킴으로써 완성을 성취하는 것이 모든 그리스도인들의 의무라고 주장하였다. 옛날의 엄격주의를 연상시키는 이런 엄격한 메시지는, 또한 펠라기우스가 하나님께서 모든 인간들에게 자신의 명령을 성취할 능력을 주시지 않은 채로 그 명령들을 주시지 않았을 것이라고 주장하였기 때문에, 많은 청중들에게 영감을 불러 일으키게 되었다.

그는 모든 사람들이 하나님의 창조에 의하여 — 즉, 자연적인 능력으로서 — 선택의 자유를 부여받았기 때문에 모든 사람들은 참으로 완전함에 도달할 수 있다고 주장하였다. 더구나 하나님께서는 성경으로 그리고 궁극적으로는 예수라는 인격으로 선과 악 사이의 차이에 대한 교훈과 덕스러운 삶의 모범들을 모두 제공하셨다. 그러므로 선에 대한 지식과 선택의 자유를 구비하고 하나님의 뜻을 지키는 사람들에게 약속된 영원한 생명에 의하여 인도함을 받기 때문에, 어떤 사람도 — 일단 세례를 통한 죄 사함을 받고 하나님 앞에 올바르게 세워진 후에는 — 완성을 이루는 데 필요한 설득이나 능력이 부족할 수가 없다. 펠라기우스는 모든 그리스도인들이 금욕자의 덕을 — 금욕, 순결, 청빈 — 소유하게 되고 교회는 순결하고 흠이 없는 사회로 드러나게 될 날을 고대하였다.

펠라기우스는 코엘레스티우스(Coelestius)라는 젊은 법률가이자 명석한 두뇌를 가진 인물을 제자이자 동료로 얻었다. 서고트족의 침공을 피하여 이 두 사람은 410

년에 히포에 정착하였고, 금욕적인 생활을 옹호하는 또 한 사람의 중요한 인물이었던 어거스틴을 만나려고 하였다. 그렇지만 어거스틴의 태도는 이미 펠라기우스를 괴롭히고 당황하게 만들고 있었다. 그러나 어거스틴은 부재 중이었고 방문자들은 카르타고로 떠났다. 일년 후에 펠라기우스는 팔레스타인으로 갔다. 그러므로 펠라기우스 논쟁은 펠라기우스에 의하여 유발된 것이 아니라 코엘레스티우스의 일부 가르침 때문에 일어난 것이었다.

코엘레스티우스는 계속 카르타고에 남아 있었고 그 곳에서 장로 임명에 지원하였다. 그러는 동안에 그는 죄와 아담의 타락과 세례에 관한 토론들에 관여하고 있었으며, 이런 주제들에 관하여 견해를 밝혔는데, 그는 그 견해들이 의심할 여지 없이 펠라기우스의 견해나 혹은 펠라기우스의 입장을 전제하고 있는 견해들이라고 생각하였다. 밀라노의 한 부제였던 파울리누스(Paulinus)라는 사람이 코엘레스티우스에 반대하여 짤막하게 제시하였던 고발장들로부터 우리는 그 견해가 어떤 것이었는지 볼 수 있다.

> (1) 아담은 죽을 운명으로 지어졌으며 죄를 범하였든지 범하지 않았든지 간에 죽었을 것이다. (2) 아담의 죄는 그 자신에게만 해를 끼쳤지, 인류에게 해를 끼친 것은 아니다. (3) 새로이 태어난 어린이들은 아담이 타락하기 이전의 상태와 동일하다. (4) 아담의 죽음과 범죄에 의하여 전 인류가 죽는 것도 아니며, 그리스도의 부활에 의하여 모든 인류가 살아나는 것도 아니다. (5) 복음 뿐만 아니라 율법도 하늘나라로 인도한다. (6) 주님이 오시기 전에도 죄가 없는 인간들이 있었다.[1)]

코엘레스티우스는 이런 선언들이 자신의 견해를 올바르게 설명하였다는 사실을 부인하지 않았다. 그리고 그 선언들은 유아들이 잉태될 때부터 아담의 원죄에 연루되기 때문에 하나님에세서 멀어졌다는 근거에서 유아 세례를 정당화하였던 아프리카 기독교의 가르침의 기존 전통과 모순된다는 사실도 의심할 여지가 없다. 당연히 지역 교회회의는 코엘레스티우스의 입장을 정죄하였고(411) 그의 성직 임명을 거부하였다.

어거스틴은 이 교회회의에 참석하지 않았다. 그리고 그는 코엘레스티우스의 가르침을 단지 보고서를 통해서 알고 있었다. 어거스틴은 점진적으로 조심스럽게 그 논쟁에 참여하였다. 「죄의 보응과 용서에 관하여」(*On the Reward and Remission of Sins*, 412)와 「영과 문자에 관하여」(*On the Spirit and the Letter*, 412)라는 논문에서 어거스틴은 논쟁의 저변에 깔려 있는 것이 무엇인지를 명확하게 밝혔다.

아프리카의 동료 주교들의 의견에 동의하여 어거스틴은 유아 세례는 그들이 죄에

— 아담의 원죄에 — 감염되었다는 것을 전제로 하고 있다고 주장하였다. 그러나 그는 또한 자신에게 있어서 문제의 핵심은 은혜의 필수성이라는 문제라고 지적하였다. 그는 펠라기우스의 도덕에 관한 가르침과 코엘레스티우스의 6개 조항들, 둘 다 인간이 그리스도의 은혜에 의하여, 즉 하나님의 사랑을 우리의 마음 속에 부어주시는 성령에 의하여 구원을 받는다는 진리를[2] 의심스럽게 만들었다고 생각하였다.

어거스틴에게 있어서 구원은 규정된 행동 양식들에 대한 외면적인 복종에 달려 있는 것이 아니라 인간의 영혼 속에 하나님에 대한 사랑을 환기시키는 데 달려 있었고, 그러한 인간의 사랑은 오직 하나님의 사랑에 대한 응답으로서만 일어날 수 있었다. 따라서 인간이 전심으로 하나님을 의뢰할 수 있는 자유는 하나님의 구속적 행위에 달려 있었다. 바울과 요한의 서신들에 대한 그의 묵상은 말할 것도 없고 그의 전 생애의 체험이 그에게 이것을 가르쳤었다.

이 확신의 배후에는 인간의 죄의 신비에 대한 어거스틴의 인식이 놓여 있었는데, 그에게 있어서 죄란 단순히 혹은 일차적으로 명령들에 대한 불순종의 문제가 아니라 오히려 잘못 방향을 잡은, 그리고 궤도에서 벗어난 사랑의 문제였다. 그가 아프리카의 동료들과 함께 모든 인간들이 아담의 죄와 죄책 속에 연루되었다는 사상에 호소한 것은 이 죄의 신비를 설명하기 위한 것이었다. 심지어 아기들의 경우에도 오직 세례에 의하여서만 그 죄책이 제거될 수 있었다.

415년이 되었을 때 어거스틴은 펠라기우스와 코엘레스티우스의 견해의 저변에 있는 전제들은 기독교의 복음이 선포하는 구원의 기초를 부정하는 '체계'를 구성한다고 아주 뚜렷하게 인식하게 되었다. 어거스틴이 펠라기우스에게 돌렸던 교리들을 펠라기우스가 명백하게 주장하였는지 — 혹은 어거스틴이 깨달았던 문제들을 그도 깨달았는지 — 의 여부는 별개의 문제였지만 말이다. 그리하여 그해 초에 어거스틴은 자신의 제자인 오로시우스(Orosius)를 (펠라기우스가 머물고 있었던) 팔레스타인에 있는 제롬에게로 보내어 펠라기우스를 반대하는 자신을 지지해 줄 것을 요청하였다.

펠라기우스가 오리겐주의자였던 예루살렘의 주교 요한(John, III:7 참조)의 피보호자가 되어 있었기 때문에 제롬은 그다지 지지를 해 줄 필요를 느끼지 못하였다. 예루살렘에서, 그리고 나중에 디오스폴리스(리다)에서 소집된 한 교회회의에서 펠라기우스는 코엘레스티우스의 가르침을 철회하였고, 모인 주교들에게 자기 자신의 견해는 아프리카의 주교들이 코엘레스티우스의 가르침들 속에서 발견하였었던 함축의 미들을 전혀 가지고 있지 않다는 점을 납득시켰다. 따라서 그 교회회의는 펠라기우스를 교회로 받아들여서 그에게 완전한 교제를 허락하였다.

이런 방해에 대하여 어거스틴과 그의 동료들은 두 차례의 교회회의를 소집함으로써 대응하였는데, 한번은 아프리카 지역의 교회회의로서 카르타고에서 소집되었고, 다른 한번은 누미디아 지방을 대상으로 밀레베에서 소집되었다. 이 교회회의들은 만장일치로 펠라기우스의 입장을 정죄하였고 그들의 견해를 교황 이노센트 1세(Innocent I, 402-417)가 확인해 주도록 요청하였다. 모호하고 다소 일반적인 용어를 사용하여 교황은 그들의 견해에 동의하였다. 그러나 이노센트 1세의 후임자인 조시무스(Zosimus, 417-418)는 생각이 달랐다. 펠라기우스 자신에게서 신앙고백을 받고 코엘레스티우스로부터 개인적으로 청원을 받은 후에 조시무스는 자신은 그들에게서 아무런 잘못을 발견할 수 없었다고 선언하였다.

그러나 두 가지 사태 진전이 겹쳐서 교황으로 하여금 자신의 입장을 바꾸게 만들었다. 로마에서 행한 코엘레스티우스의 가르침이 그곳의 그리스도인들 사이에서 심각한 공적인 소요를 불러 일으켰다. 그리고 어거스틴을 포함한 아프리카 교회의 지도자들로부터 압력을 받은 황제 호노리우스(Honorius)가 펠라기우스주의를 정죄하고 그 추종자들을 유배에 처할 것을 명령하는 칙령을 발표하였다.

그에 따라서 조시무스도 마음을 바꾸어 소위 「에스피툴라 트락타톨리아」(*Epistula tractatoria*)라고 하는 회람 서신을 발송하였는데, 그 속에서 그는 아프리카 교회 지도자들의 입장을 승인하였다. 그것은 카르타고 공의회(418)에서 다시 선언되었다. 이 시점부터 로마는 펠라기우스 분파를 확고하게 반대하였고, 실제로 에베소 에큐메니칼 공의회(431)에서 토론 없이 그들을 정죄하도록 하였다.

그러나 이런 결정들은 신학적 논쟁들이 중단되었다고 의미하는 것은 아니다. 한 가지 예로서, 어거스틴은 그 문제에 관한 저술에서 지나칠 정도의 입장을 가지게 되었기 때문에, 그렇지 않았으면 펠라기우스주의에 대한 그의 반대 입장을 지지하였을 많은 사람들을 곤란하게 만들었다.

모든 인간이 아담의 죄와 죄책에 사로잡혀 있으며 인간의 본성 자체가 타락하였고 그 자신의 힘으로는 자기 사랑과 '정욕'(concupiscence)에서 하나님에 대한 사랑으로 돌이킬 수 없다고 믿었기 때문에, 어거스틴는 하나님의 은혜의 유일한 효력을 강조하게 되었다. 그에 따라서 그는 예정설이라는 강력한 교리를 발전시켰는데, 그 교리에 따르면 사람들을 구원의 길에서 출발시키고 그 길을 계속 갈 수 있게 해주는 것은 하나님의 선택과 행동이며, 그것은 인간의 공로를 전혀 고려하지 않고 내려진 결정이라는 것이다.

더욱이 (427년에 작성한 「은혜와 자유의지에 관하여」〈*On Grace and Free Will*〉과 같은 논문들에서) 이 가르침의 함축 의미들에 관한 일부 친구들의 의문을 침묵시키기 위하여 노력하고 있을 바로 그 때, 어거스틴는 펠라기우스파의 새로운 지도자로부터 공격을 받았다. 에크라눔의 주교인 총명하고 매서운 율리아누스(Julian)는 논쟁과 조롱과 인신 공격을 결합하여 어거스틴의 말년을 크게 괴롭게 만들었으며 그로부터 특징이 없이 신랄한 응답을 이끌어 내었다.

펠라기우스와 코엘레스티우스를 정죄하기를 거부하였기 때문에 419년에 추방되었던 18명의 이탈리아 주교들 가운데 한 사람이었던 율리아누스는 결코 그의 스승 스타일의 금욕주의자는 아니었다. 그는 자신이 인간 본성의 선함을 수호한다고 생각하였으며 어거스틴이 제시한 아프리카 지방의 사악한 마니교적 이원론에 반대하여 혼인의 선함을 옹호한다고 생각하였다. 이 두 주인공 사이의 논쟁은 어거스틴의 죽음과 반달족의 로마령 아프리카 속주 정복으로 곧 중단되었다.

18. 반(半)펠라기우스주의

어거스틴이 죽은 뒤에도 유일한 신적 은혜의 효과에 관한 그의 교리를 둘러싼 논쟁은 그치지 않았다. 펠라기우스에 맞서 그의 견해를 지지한 사람들이 다 그의 예정설 또는 은혜는 거절할 수 없는 것이라는 명확한 주장을 받아들일 준비가 되어 있었던 것은 아니었다. 그러나 반달족이 누미디아와 아프리카를 정복함에 따라 어거스틴의 견해에 대한 논쟁은 갈리아 남부로 그 무대를 옮겼다.

이 곳에서 카시아누스(John Cassian, 참조. III:7) — 마르세유 근처의 두 수도원 설립자 겸 지도자이자 서방에 이집트 수도원제도의 정신을 해석해준 주요 인물 — 는 하나님의 은혜가 인간 안에서 이루어지는 "선한 의지의 발동"에 대한 응답으로 온다[1]는, 전통적으로 '반(半)펠라기우스주의' (semi-Pelagianism)로 표현되는 견해를 취했다. 그의 견해에 따르면, "의지는 인간 속에서 언제나 자유롭게 남아 있으며, 하나님의 은혜를 무시할 수도 있고 즐거워할 수도 있다" [2]고 한다.

카시아누스는 구원이 은혜와 동떨어진 채 사람들에게 온다고 믿은 것이 아니라, "모든 사람 속에는 창조주의 선의에 의해 선한 씨앗들이 심어져 있다"는 것을 믿었고, 인간으로 하여금 다른 어떤 좋은 것들보다 하나님을 더욱 좋아할 수 있게 만드는 이 씨앗들은 오직 "하나님의 도우심으로 활력을 얻을 때" 비로소 열매를 맺게 된다는 것을 믿었다.[3] 이처럼 인간 본성에는 하나님께로 향할 수 있는 능력이 있지만, 이 능력은 오직 하나님 자신의 행위에 의해서만 성취된다고 하였다.

어거스틴이 죽은 지 4년 뒤에 갈리아 남부 레렝의 수사 빈켄티우스(Vincent)는

*Commonitorium*이란 책을 썼다. 그는 이 책에서 어거스틴을 직접 비판하지 않은 채, 은혜와 예정에 대한 그의 가르침이 가톨릭 전승에 아무런 뒷받침할 만한 근거가 없는 새로운 것들이라고 주장하였다. 그는 이렇게 썼다: "더욱이 가톨릭 교회에서는 모든 곳에서, 모든 시대에, 그리고 모두가(*quod ubique, quod semper, quod ab omnibus*) 믿어 온 것을 주장하는 데에 가능한 모든 관심을 기울여야 한다."

그리고 빈켄티우스에 관한 한 어거스틴의 견해는 그러한 표준을 충족시키지 못하였다.[4] 약 40년이 지난 뒤 레렝의 대수도원장이자 훗날 리에츠의 주교가 된 파우스투스(Faustus)는 빈켄티우스의 견해를 훨씬 더 명확하게 진술하였다. 그는 「하나님의 은혜와 자유의지에 관하여」(*On the Grace of God and Free Will*, 474년경)라는 논문에서 신앙의 시작(*initium fidei*)은 인간의 자유의지에 뿌리를 두며, 자유의지는 원죄의 실재에도 불구하고 "구원을 위해 노력할 가능성"을 지닌다고 주장하였다.

은혜는 약화되었으나 여전히 자유로운 의지로 하여금 옳은 것을 택할 마음을 갖게 하는 하나님의 약속이자 경고라고 하였다. 은혜는 어거스틴이 말한 바, 의식적인 선택보다 더욱 깊은 차원에서 이루어지는 내적이고도 변화시키는 능력이 아니라고 하였다. 이런 점에서 파우스투스는 비록 펠라기우스를 배척하였음에도 몇 가지 점에서는 어거스틴보다는 펠라기우스 편에 더욱 가깝게 서있었던 셈이다.

논쟁의 맞은 편에는 프로스페르(Prosper of Aquitaine, 390년경-463년경)가 서있었다. 그는 활동 초기(아마 마르세유의 평신도 수사 시절)에 갈리아 수사들 사이에서 대두되고 있던 어거스틴의 견해들에 대한 반론들을 알리기 위해 어거스틴에게 편지를 쓴 적이 있었다. 카시아누스와 빈켄티우스를 논박하는 책들을 쓴 프로스페르는 훗날 교황 레오 1세(Leo I, 440-461 재위)의 비서가 되었고, 그 직위에 있는 동안 어거스틴의 저서들에서 발췌한 일련의 내용들을 편집하였다.

이 발췌문들은 결국 502년 아를의 주교가 된 레렝의 수사 카이사리우스(Caesarius, 469년경-542)가 매우 유용하게 사용하게 되었다. 529년 카이사리우스는 오렌지(Orange)에 소규모 교회회의를 열었으며, 이 교회회의가 공포한 법령들은 교황 보니파키우스 2세(Boniface II, 530-532 재위)에게 승인을 받음으로써 훨씬 더 큰 중요성을 띠게 되었다. 이 교회회의는 희석된 형태의 어거스틴 견해를 확증하였는데, 그것은 카이사리우스 자신이 지지한 견해였다. 그 내용은 인류가 아담의 원죄에 연루되어 있을 뿐 아니라 자신의 의지로 하나님께 돌아설 능력을 모두 상실했다는 것이었다.

오렌지 교회회의는 그것을 "인간이 자유롭게 되기를 바라는 것은 성령이 인간 속에 들어와 활동하는 데서 비롯된다"라고 진술하였고, 더 나아가 인간이 "믿고 싶은 마음"을 가지고 "거룩한 세례를 받으러 나오는 것"은 "값없는 은혜, 즉 성령의 감화에 의한 것"이라고 진술하였으며, 그러므로 인간의 모든 선(善)은 하나님의 사역이라고 하였다. 반면에 오렌지 교회회의는 어떤 문구로도 은혜의 불가역성을 시인하지 않았다. 오히려 그 반대로 인간은 "동일한 성령을 거절"할 수 있다고 하였다. 그리고 유기에 대한 예정 개념을 정죄하였다.

그러나 가장 중요한 것은 이 교회회의가 은혜의 수납을 세례에 한정한 점과, 이 은혜의 자연스런 열매가 선행들이라고 주장한 점이다. "또한 우리는 세례받을 때 이미 은혜를 받았다는 것과, 세례받은 모든 사람들은 그리스도의 도우심과 뒷받침에 힘입어 만일 충성스럽게 노력할 경우 영혼 구원에 속하는 일들을 이행할 수 있고 또 당연히 이행해야 한다는 것이 가톨릭 신앙과 일치한다고 믿는다."[5] 다른 말로 해서, 오렌지 교회회의는 하나님의 은혜가 신자들의 의지를 변화시킨다는 어거스틴의 사상을 확증한 반면에, 어거스틴의 예정 및 은혜 교리에 대해서는 대폭적인 수정을 가하였다. 이 쟁점들은 오렌지에서 완전히 해결되지 않았다. 오히려 중세 뿐만 아니라 프로테스탄트 종교개혁 과정과 그 이후까지 라틴 신학의 중심 의제로 남았다.

19. 대 그레고리(Gregory the Great)

서방에서 반(半)펠라기우스 논쟁이 벌어진 시기(430-529)는 대략 동방에서 네스토리우스 논쟁과 유티케스 논쟁, 그리고 그 여파로 로마와 콘스탄티노플 간에 벌어진 아카키우스 분쟁(참조. III:10)이 벌어진 시기와 일치한다. 서방에서는 이 시기가 제국과 교회의 권력 이동 및 몰락의 시기였다. 야만족의 이동과 제국 세력의 쇠퇴는 브리튼과 파노니아 같은 변방 지역들에서 기독교가 사실상 밀려나는 것을 뜻하였다. 갈리아와 스페인의 대부분 지역과 북아프리카에는 야만족 왕국들이 들어섰고, 이 민족들이 이동하면서 따라온 끊임없는 전쟁으로 도시들과 농촌들은 피폐해졌고, 교역과 통신이 단절되었으며, 그로써 로마 세계의 사회 경제적 기반이 훨씬 더 침식되었다.

더욱이 고트족, 반달족, 부르군트족은 한결같이 아리우스파였던 바, 이것은 문화와 언어 장벽뿐만 아니라 종교 장벽까지도 그들과 그들이 다스린 로마 속주 사회 — 로마 사회였기 때문에 가톨릭 기독교 진영에 편중된 사회 — 를 이간시켜 놓았음을 뜻하였다.

490년 동고트족 왕 테오도릭(Theodoric)은 자기 부족을 끌고 내려와 이탈리아 반도 전역을 점령하고, 야만족 국가를 수립하여 통치하고, 그들이 전체 토지의 1/3을 차지하였다. 갈리아와 스페인의 정치 운명도 이러한 이탈리아 속주들의 운명과 다를 바 없게 되었다. 그러나 테오도릭 — 그는 공식적으로는 콘스탄티노플에 있던 황제의 총독으로 다스렸고, '로마인들의 원로원 의원'(Patrician of Romans)이라는 칭호를 얻었다 — 은 가톨릭 기독교인들을 박해하지도 처벌하지도 않았다.

이러한 정책은 국가 행정을 철저히 로마 시민들의 손에 맡기는 대신, 군사에 관련한 일들은 고트족의 손에 맡기는 그의 일관된 체제의 일환이었다. 그러므로 카시오도루스(Cassiodorus, 참조. III:7)는 테오도릭 밑에서 최고 행정관(*magister officiorum*)으로 섬겼고, 기독교 철학자 보에티우스(Boetius, 524년경 죽음) — 아니키안(Anician) 가문 출신으로서 「철학의 위안」(*Consolation of Philosophy*)이라는 유명한 저서의 저자 — 는 테오도릭의 고문이 되었으며, 514년 집정관의 지위에 올랐다.

법률상 분리된 두 백성(고트족은 로마 시민들이 아니었다)을 다스린 왕이었던 테오도릭은 친 백성에 대한 점진적인 로마화와 문명화를 목표로 삼은 듯하며, 이 목적을 위해서 이탈리아의 제국 지방장관들과 평화로운 공존을 추구하였다. 동시에 자신의 정치 및 군사적 입지를 지키기 위해서 북쪽 국경선의 서고트족 왕 및 부르군트족 왕과 항구적인 야만족 — 그리고 아리우스파 — 협약 체결을 모색하는 가운데 조심스런 동맹 관계를 형성하였다.

그럼에도 동고트족 침략자들과 이탈리아의 라틴어권 백성 사이뿐만 아니라 테오도릭과 콘스탄티노플 황궁 사이에도 피할 수 없는 긴장과 적대감이 존재하고 있었다. 이러한 현상은 동고트 왕과 로마 원로원 귀족들 간의 관계가 점차 멀어지는 가운데 부각되었다. 상황이 이렇게 전개된 부분적인 이유는 적어도 테오도릭의 동맹 체제가 실패한 데에 있었다. 프랑크족이 가톨릭 기독교로 개종하고 서고트족으로부터 아퀴텐을 빼앗은 일과, 마침내 부르군트족이 콘스탄티노플과의 동맹으로 돌아선 일은 테오도릭과 그의 계승자들을 정치적으로 고립된 상황에 처하게 만들었다. 이러한 점을 감안할 때 테오도릭이 독립성이 강한 수많은 가톨릭 신하들의 충성 여부에 대해 불안해 했던 것은 매우 당연한 일이었다.

보에티우스는 모반죄로 투옥된 뒤 옥사하였고, 카시오도루스는 결국 공직에서 물러나 학교와 수도원을 세웠다. 더욱 중요한 것은 황제 유스티니아누스(Justinian)

가 이탈리아에 대한 재정복을 결심함으로써 그러한 긴장들이 표면화하였다는 점이다. 유스티니아누스는 테도오릭이 죽은 뒤 10년만(526)에 이탈리아 재정복 사업에 착수하였다. 그 결과 이탈리아는 여러 차례에 걸친 군사 원정의 여파로 가난, 기근, 질병, 인구 감소를 겪게 되었다.

전쟁 과정에서 한때 인구 전체가 도시를 빠져나간 적도 있는 로마는 폐허로 가득한 도시가 되었으며, 한때 도시 지역에 속했던 지역이 황무지로 변할 정도로 인구가 크게 감소하였다. 더욱이 비잔틴의 재정복이 있은 직후에 국토를 거의 똑같이 초토화한 이교도 롬바르드족의 침공이 잇달았다(568). 6세기 말엽 그들의 지도자들은 이탈리아 중부와 북부를 거의 장악함으로써 로마를 제국 총독의 주둔지인 라벤나로부터, 그리고 남부의 비잔틴 영토들로부터 고립시켰다.

이러한 사건들은 당연히 이탈리아 교회의 삶에 영향을 끼쳤다. 교황청은 일반 라틴어권 인구와 마찬가지로 6세기 초반에는 콘스탄티노플과 동고트족 간의 전쟁에 휘말렸고, 한동안 정파들의 앞잡이 노릇을 하였으며, 그 과정에서 도덕적 권위를 크게 잃었다. 그러나 롬바르드족의 남하로 상황이 변하게 되었다. 롬바르드족의 지배에 맞설 만한 군사력을 갖고 있지 못하던 제국 총독부와 관계를 단절한 로마 주교는 로마와 그 주변 지역의 기독교인들에 대해 영적 지도자 겸 정치 지도자가 되지 않을 수 없었으며, 그런 상황 속에서도 서방교회들에 대한 총괄적인 목회권을 유지하였고 또 유지하려고 노력하였다.

바로 이러한 역사 시점에 한 인물이 교황 자리에 앉게 되었다. 그는 당대의 도전에 맞서 일어났을 뿐 아니라, 서방교회들에게 중세 기독교 세계의 사상, 경건, 이념 형성에 크게 이바지한 저서들까지도 제시하였다. 그가 바로 그레고리 1세(Gregory I)로서, '대'(the Great)라는 칭호를 받기에 적절한 인물이었으며, 전통적으로 네 명의 라틴 '교회 박사들'(Doctors of the Church) 가운데 한 명으로 꼽혔다.

그레고리는 로마의 유력한 원로원 의원 가문에서 태어났다(540경). 젊은 나이에 고위 관직에 오른 뒤 573년 이전에 로마의 장관(prefect)이 되었다. 그러나 수도원 생활에 매력을 느끼고서 막대한 유산을 처분하여 빈민 구제와 수도원 설립 — 시칠리아에 6곳, 로마에 1곳을 설립하였는데, 로마에서는 카엘리우스 언덕에 자리잡은 가문의 궁정터에 설립하였다 — 에 사용하였다. 그레고리는 이 로마 수도원에 일개 수사로 들어갔다. 그러나 3년 뒤 교황이 새로 즉위하면서 로마의 부제 7명 가운데 하나로 임명되어 로마 시에 행정 책임을 맡게 되었다.

그뒤 교황 펠라기우스 2세(Pelagius II, 579-590)에게 콘스탄티노플 주재 교황 대사(*apocrisarius*)로 파견되었고, 이상한 일이긴 하지만 그리스어를 배우지 않은 채 그곳에서 유능하게 사역하였다. 586년경에는 다시 로마에 가 있었으며, 이번에는 성 안드레아 수도원의 대수도원장으로 활동하고 있었다. 590년 로마 시에 전염

병이 크게 번지고 있던 상황에서 교황에 선출되었고, 크게 사양한 끝에 그 직위를 받아들였다. 그리고 14년 뒤인 604년 3월 12일에 죽었다.

그레고리는 과거 로마 장관 시절의 책임감과 꼼꼼한 업무 능력을 발휘하여 교황직에 따르는 임무들을 수행해 나갔다. 그러나 당대의 사건들에서 현세가 종말에 다달았음을 간파하고 자신이 곧 다가올 심판에 앞서 주님의 백성을 보살피는 책임을 받았음을 자각한 일개의 기독교 신자의 정신을 가지고 업무를 수행해 나갔다. 교황이라는 직위가 얼마나 위엄있고 큰 특권을 지닌 것인지를 잘 알았지만, 스스로를 자신이 맡은 모든 사람들을 사랑 안에서 훈계하고 보호하고 지원해야 할 의무를 지닌 '하나님의 종들의 종'으로 여겼다.

그는 이러한 목자로서의 사명감을 가지고 시칠리아, 이탈리아, 프로방스에 펼쳐져 있던 로마 교회의 막대한 재산에 대한 관리에 일대 개혁을 단행하였다. 그 지역들에서 나오는 수입을 지역 주교들이나 세속 군주들이 가로채는 경우가 많았던 것이다. 그가 아는 한 이 토지들은 당연히 거기서 나오는 수입으로 먹고 입고 지원 받아야 할 빈민들의 몫이었다. 따라서 그는 직속 대표들을 임명하여 그 토지들의 경영을 감독하게 하였고, 직접 많은 시간을 내어 곡식을 심는 문제에서부터 가축들에게 사료를 공급하는 문제에 이르기까지 다양한 문제들에 대해서 꼼꼼히 지시를 내렸다. 이러한 방식으로 로마 교회에게 '성 베드로의 유산'에서 나오는 수입들을 되찾게 해주었고, 또한 가난하고 불우한 사람들, 그리고 그외 "우리 시대의 불안"의 희생자들에 대한 지원 정책을 힘있게 추진할 수 있었다.

동시에 그레고리는 자신이 교황에 즉위하던 바로 그 순간에 로마 시를 위협하고 있던 롬바르드족과 협상을 하지 않을 수 없었다. 592년 라벤나 주재 제국 총독과 상의하지 않은 채 스폴레토와 베네벤툼의 롬바르드족 공작들과 조공 지불을 조건으로 휴전 교섭을 벌였고, 교황으로 있는 동안 일관되게 이러한 독자적인 방식으로 롬바르드족 군주들을 대하였으며, 다른 한편으로는 주저하던 황제 모리스(Maurice)에게 콘스탄티노플과 롬바르드 왕국 간의 전면적인 휴전의 필요성을 역설하였다.

그는 이탈리아에 주둔하고 있는 제국 군사력이 약하기 때문만이 아니라 이탈리아와 그 백성에게 평화가 절실히 필요하기 때문에 반드시 휴전이 성사되어야 한다고 보았다. 비슷한 방법으로, 그는 갈리아 메로빙조(프랑크) 군주들의 착취 정책 아래 교회의 행정과 목회가 부패해 있는 상황에 관심을 갖고서 메로빙조 왕들과 편지를 주고받았고, 그들과 비잔틴 황제 간의 항구적인 평화조약 체결을 주장하였다. 그는 그렇게 함으로써만 교회와 교인들의 안녕이 유지될 수 있다고 판단하였다.

이로써 그레고리는 목회적인 관심사들을 추구해 가는 동안에 사실상 중부 이탈리아의 독립 군주이자 이탈리아 평민들의 보호자 지위에 서게 되었다. 또한 그의 정책들은 8세기 교황들이 동방 제국에 대한 종속 관계를 끊고 새로 구성된 프랑크 왕국과 동맹을 맺는 데 선례가 되어 주었다.

그레고리의 활동은 이러한 정치 사업들과 로마 교회 토지재산 관리에 대한 관심에 다 소진되어 버리지 않았다. 그는 콘스탄티노플 총대주교 요한네스(John the Faster, 582-595 재위)가 '에큐메니칼 총대주교'라는 칭호를 사용하기 시작할 때 그에 맞서서 5개의 독립된 총대주교 체제와 교황으로서 자신의 대권을 변호하였다. 그는 그러한 칭호를 주장할 수 있는 주교가 없다고 보았다. 또한 그는 색슨족 왕 에텔버트(Ethelbert of Kent)가 가톨릭 기독교도 공주와 결혼했다는 소식을 듣고서 즉시 영국에 선교사들을 파송하였으며(참조. IV:1), 그로써 영국을 기독교화하였을 뿐만 아니라 그 나라로부터 충성을 얻어 내었으며, 목회 활동에 대한 정화작업을 벌임으로써 교회 개혁도 이룩하였다.

그레고리의 가슴에 가장 가까이 자리잡고 있던 것은 목회 사역에 대한 규제와 개혁이었고, 그 다음 것은 수도원 조직들을 확대하고 개선하는 일이었다. 그는 대표작으로 꼽히는 — 그리고 그의 저서 중에서 가장 큰 영향력을 발휘한 책으로 꼽히는 — 「목회 규율」(*Pastoral Rule*)에서 교황 그레고리는 기독교 주교를 영혼들을 보살피는 목자로 보는 고도의 이상을 진술하였다. 그가 죽기 전에 그리스어로 번역되고, 9세기에 왕 알프레드(Alfred the Great)에 의해 앵글로색슨어로 번역된 이 책은 중세 서방에서 그 주제에 관한 교과서가 되었다.

방대한 양의 그의 편지들(그중 850가지가 현존한다)은 그가 이탈리아 교회의 문제들을 직접 감독하면서 자신의 이상들을 어떻게 실천으로 옮겼는지를 잘 보여준다. 그러나 그는 관심을 이탈리아 교회들에게만 한정하지 않았다. 당시의 통신 상태가 허락한 범위 안에서 서방 다른 지역들 — 스페인(이곳에서는 서고트족 왕 레카레드〈Recared〉가 587년 아리우스주의를 포기하였다), 갈리아(그레고리는 이곳의 아를에 교황 대리좌를 설치하였다), 아프리카, 그리고 심지어 일리리아 — 의 수도대주교들과 편지를 주고받는 가운데 그들에게 자신의 권위를 느끼게 해주었다.

그의 저서 「목회 규율」이 서방교회로 하여금 목회 사역을 이해하도록 만드는 데 기여하였다면, 그의 또다른 저서 「욥기에 나타난 윤리들」(*Morals on Job*. 콘스탄티노플에 있는 동안 최소한 초고 형식으로 저술함)은 수도원의 영성에 관한 그의 유산이었다. 욥기를 알레고리 방식으로 해석한 이 책에서 그는 적극적인 도덕적 생활뿐만 아니라 다가오는 하나님 나라를 명상하는 생활을 강조하였던 바, 어거스틴(Augustine)과 마찬가지로 그도 하나님 나라를 인간이 얻으려고 분투하는 목표로 보았다.

그러나 「욥기에 나타난 윤리들」에 못지 않게 중요한 저서는 4권으로 구성된 「이탈리아 교부들의 생애와 기적들에 대한 강론들」(*Dialogues on the Life and Miracles of the Italian Fathers*)이다. 이 책은 저자가 죽은 뒤 여러 세기 동안 성직자들과 수사들뿐만 아니라 평신도들 사이에서도 회람되었고, 그로써 중세의 대중 신앙 형성에 크게 기여하였다. 꿈, 환상, 신앙의 능력을 드러내는 기사(奇事)들로 가득한 이 책은 폭력과 혼란과 문화적 쇠퇴로 얼룩진 시대에 기독교 신앙과 삶이 무엇을 의지처로 삼았는지를 이해하는 데 좋은 열쇠가 된다. 이 책은 본론에서 잠시 벗어나 신학적인 내용들도 다루는데, 그레고리가 사실상 어거스틴의 신학 유산을 해석하고 그것을 로마 전승의 실천적 신앙과 융합한 그 내용에서는 중세 후반의 사상과 신앙의 특징들을 식별할 수 있다.

물론 그레고리의 신학 사상은 당시의 역사 및 문화 상황에 따른 한계점들을 당연히 드러낸다. 한편으로 그는 의존할 만한 자료가 거의 없었다. 그는 그리스와 라틴 세계를 망라하여 어거스틴의 사상을 제외하고는 과거 신학자들의 사상에 대해서 아는 바가 거의 없었다(어거스틴의 사상에 대해서는 생애 한 시기에 성실히 공부한 바 있다). 다른 한편으로, 당시의 상황들은 본격적인 비평이나 사색 작업을 할 만한 여건을 허락하지 않았다. 그레고리의 관심은 그가 보기에 이미 동트기 시작한 하나님 나라의 새로운 시대에 맞춰 기독교의 삶과 인생의 도(道)를 구체적으로 형성하는 데 있었다.

그러므로 그의 사상은 죄, 심판, 그리스도 안에서의 속죄 같은 주제들 주위를 맴돌며, 그 주제들에 관해서 본질상 오렌지 교회회의(참조. III:18)의 견해에 일치시키는 방식으로 어거스틴의 결론들(비록 이 결론들이 뿌리를 두고 있는 통찰들과 인식들은 아니더라도)을 발전시켰다. 그레고리는, 인류가 아담의 죄에 속박되어 있으며, 이것은 인간 누구나가 정욕을 통해 잉태되는 사실로써 입증된다고 하였다. 개인은 그리스도의 사역에 의해 이러한 상태에서 구출되며, 그리스도의 사역으로 인한 은혜들은 세례를 받을 때 죄사함과 성령의 선물을 통해 받게 된다고 하였다.

그럼에도 세례받은 뒤에 지은 죄에 대해서는 보속(保贖, satisfaction)을 치러야 하는 바, 이는 어떠한 죄도 속죄 없이는 사라질 수 없기 때문이라고 하였다. 보속에 반드시 필요한 방법은 사랑 안에서 행하는 선행으로서, 이것은 하나님의 우선적인 은혜와 그 은혜에 협력하려는 인간 의지가 있어야 행할 수 있다고 하였다. 이러한 보속이 '회개'(*poenitentia*, 고해)를 구성하는 세 가지 요소 중 하나 — 나머지 둘은 고백(죄 지은 사실을 시인함)과 통회 — 라고 하였다.

죄인이 그리스도를 통해 하나님과 화목하려고 할 때 좀더 깊이 그를 돕는 것은 성찬으로서, 성찬은 그리스도가 자신의 몸으로써 하나님께 드린 제사의 공로들을 산 자들뿐 아니라 죽은 자들도 포함하는 인류에게 전달하기 때문에 속죄의 능력을 갖고 있다고 하였다. 신자들은 하나님께서 그 기도를 들어주시는 거룩한 순교자들의 도움도 받는다고 하였다. 현세에서 보속을 치르지 않은 죄들은 사후에 연옥의 불 속에서 정결케 된다고 하였다.

중세 말 신앙의 핵심이었던, 죽은 뒤에 죄가 정결케 된다는 사상은 그레고리에게 새로운 것이 아니었다. 키프리안(Cyprian)과 어거스틴이 이미 그 점을 다룬 바 있었다. 카이사리우스(Caesarius of Arles)도 그것을 확고한 사실로 받아들였다. 따라서 그레고리는 연옥 교리를 해석하는 과정에서 '두번째 회개'의 가능성과 필요성에 관한 초기 기독교의 논의들(참조. II:15)에 뿌리를 둔 채 발전하고 있던 전승에 단지 편승하였을 뿐이었다.

그러므로 그레고리는 독창적인 신학자가 아니었던 셈이다. 그럼에도 그의 사상은 중세 사상과 제도가 형성되는 모든 시점에 중요한 역할을 하였다. 이런 점에서 그는 고대 교회의 지혜를 중세 라틴 서방 교회들에게 전달한 — 비록 제한되고 구속된 형식을 사용하긴 했지만 — 당대 사람들의 대열에 서 있다. 그 가운데 언급하지 않고 지나갈 수 없는 사람들에는 카시오도루스와 보에티우스(그가 번역한 아리스토텔레스의 저서들은 중세 철학의 시작을 촉진하였다) 외에도 그레고리와 거의 동시대인이었던 이시도루스(Isidore of Seville, 약 560-636)가 있다.

이시도루스의 「신학명제서」(*Book of Sentences*) — 간략한 교리 진술서 — 는 12세기까지 서방교회의 신학 교과서로 사용되었다. 그의 「기원들 또는 어원들」(*Origins or Etymologies*)은 교회와 세속을 망라하여 당대의 거의 모든 지식을 담고 있으며, 중세에 고대에 관한 중요한 지식 원천이 되어 주었다. 하지만 다른 사람들과는 달리 그레고리는 큰 난관에 부닥쳐 있던 시기에 단지 사상뿐만 아니라 교회의 삶과 조직까지도 형성하고, 그로써 새로운 야만족 세계에서 교회가 중요한 세력으로 살아남는 데 크게 이바지한 인물이었다. 후손들에게 그레고리를 '하나님의 집정관' (God's consul)으로 소개한 것이 부당한 일이 아니었다.

제4기
중세 -서임권 논쟁 종결까지

1. 영국 제도(諸島) 선교

로마제국의 권력이 야만족 왕국들의 권력으로 대체되고 있던 여러 세기 동안 서방교회의 활력을 무엇보다도 뚜렷하게 보여준 것은 과거에 로마제국의 영토들이나 국경선에 인접한 영토들을 차지하였던 이교 부족들을 기독교화하기 위해 쏟은 강력하고도 집요한 노력이었다. 그 노력은 어느 지역보다도 영국 제도에서 더욱 풍성한 결실을 맺었던 바, 이곳의 가톨릭 및 로마 기독교로의 개종은 교황청뿐만 아니라 유럽 교회들 전체에까지도 유익을 끼쳤다.

영국에는 심지어 콘스탄티누스(Constantine)의 개종 이전에도 기독교가 존재했었다. 추측컨대 아주 이른 시기부터 영국 서부에 로마령 갈리아의 기독교와 밀접한 관련을 가진 켈트 기독교가 존재하고 있었던 듯하다. 특히 글래스턴베리 — 세번 강 어귀에 자리잡고 있는 그 위치가 말해주는 대로 — 는 갈리아와 지중해 무역에 참여했던 고대 항구였고, 명백한 초기 기독교 성지였다. 로마군이 점령하였던 도회지들과 마을들에도 기독교가 존재하였다. 아를 공의회(314)에는 라틴어를 사용하는 세 명의 영국 주교들이 참석하였다.

4세기 말엽에 접어들면서 로마군은 영국에서 점차 철수하였고(대개 갈리아에서 일확천금을 얻으려고 하던 제국의 찬탈자들에 의해), 그 결과 로마군을 떠나보낸 속주 주민들은 영국 동부 해안에서는 이교도 색슨족의 노략에 맞서서, 그리고 북쪽에서는 스코틀랜드로부터 남하할 기미를 보이던 픽트족에 맞서서 스스로를 지켜야 했다. 갈리아와 스페인과는 달리 영국은 철저히 로마제국화한 것이 없었고, 따라서 제국 군대와 관리들이 떠난 데다가 색슨족, 앵글족, 주트족의 노략이 전면적인 침공과 점령으로 바뀌자 영국은 5세기를 지나면서 점차 부족 조직으로 전환되었고, 도회지들의 인구는 서서히 분산되었다.

그러나 기독교는 살아남았다. 가경자(可敬者) 비드(Bede the Venerable)는 「영국 교회사」(*Ecclesiastical History of the English People*)에서 오세르

의 주교 게르마누스(Germanus)가 영국에 있는 동료들의 요청으로 그곳을 두 번 방문하였다고 적는다(429년과 444-445년). 이중 첫번째 방문은 펠라기우스주의(Pelagianism)의 확산을 막으려는 데 목적이 있었다. 나중에 밝혀졌지만, 이 방문의 목적에는 전임 갈리아 지방주둔군 사령관(Dux)으로서 영국군을 지휘하여 북부의 색슨족과 픽트족 연합군을 막아달라는 요청에 부응하기 위한 것도 있었다. 게르마누스가 영국을 두번째 방문할 무렵에는 북해를 건너온 영국의 대적들이 이미 동부와 남부 해안 지대들을 점령하기 시작하고 있었다. 다음 세기가 지나면서 영국인들과 기독교는 점점 더 서쪽으로 밀려나다가 결국 콘월, 웨일스, 그리고 북쪽으로는 스트래스클라이드에 갇히게 되었다.

그러나 심지어 게르마누스 시대에조차 훗날 영국 제도를 개종시키는 데까지 발전하게 될 선교사들의 활동이 착수되어 있었다. 이 분야의 사역에서 최초로 주목할 만한 이름은 '영국의 사도' 패트릭(Patrick, 389경-461경)이다. 그는 브리튼인으로서 — 그의 출생지는 아직 연구 과제로 남아 있다 — 기독교 부제이자 고향 도회지의 행정관이었던 칼푸르니우스(Calpurnius)의 아들이었다. 소년 시절에 아일랜드 해적들에게 납치되어 강제노동을 하게 된 이 훗날의 선교사는 6년만에 탈출한 뒤 갈리아에 정착하였다(아마 영국에 있는 고향을 방문한 뒤). 이 시기에 해당하는 그의 경력은 거의 알려져 있지 않지만, 오세르 주교궁에서 하인(familia)으로 몇 년을 보낸 듯하다. 431년 교황 켈레스틴(Celestine, 422-432)은 팔라디우스(Palladius)라는 사람을 "그리스도를 믿는 스코틀랜드인들 〔즉, 아일랜드인들〕"의 주교로 파견하였지만, 팔라디우스는 1년이 못되어 죽었고, 그를 대신하여 막 주교 임명을 받은 패트릭이 아일랜드로 파견되었다. 아일랜드 북부에서 부족 영토들을 토대로 조직된 공동체에서 일한 패트릭은 그 지역 왕족 중에서 중요한 인물들을 개종시킨 듯하다. 그는 분명히 지역 주교구들을 세웠고(하지만 아일랜드에는 로마-갈리아 사회의 '도시들'이 없었기 때문에 부족 사회를 토대로 삼았다), 자신의 주교좌를 아르마에 두었다.

패트릭이 아일랜드에 금욕생활 공동체를 도입했다는 데에는 의심의 여지가 없지만, 수도원 공동체들이 아일랜드 교회의 목회 중심지들이 된 것은 그가 죽은 뒤, 그러니까 다음 세기의 일이었다. 이러한 발전의 기원은 대개 성 피니아누스(St. Finnian)가 미스(Meath) 지방 클로나드에 수도원을 설립한 때(540경)로 잡을 수 있으며, 곧 그 뒤를 이어 콤갈(St. Comgall)이 얼스터에 세운 뱅거 수도원('뱅거'라는 단어는 단순히 '수도원'이라는 뜻이다)과 소(小) 성 피니아누스(the younger St. Finnian, 579 죽음)가 설립한 모빌 수도원 같은 수도원들이 등장하였다. 그러한 수도원들을 다스린 대수도원장들은 대개가 그 부족의 왕족 출신이었고, 주교직을 겸하는 경우가 빈번하였다. 이런 식으로 행정구를 기초로 조직된 로마 제국의 주교구는 수도원 및 본질상 부족을 기초로 조직된 주교구로 대치되었다.

수도원 공동체들은 단지 목회 및 선교 사역의 초점들이 되었을 뿐만 아니라, 학문, 예술, 교육의 중심지들이 되기도 하였다. 아일랜드 수도원제도가 꽃핀 때와 거의 같은 시기에 웨일스에서도 수도원제도가 비슷한 양상으로 발전하였다 이 운동의 기원은 훗날 야닐티트(Llanilltyd, '일티드의 교회') — 찰디 섬에 자리잡았던 지역으로 추측됨 — 라 불린 수도원 설립자 성 일티드(St. Illtyd, 535경 죽음)의 사역으로 거슬러 올라가는 것이 관례이다. 일티드를 계승하여 웨일스 수도원제도의 지도자가 된 사람은 메네비아(오늘날의 세인트 데이비드) 대수도원 설립자이자 웨일스의 수호성인 성 데이비드(St. David, 560경 활동)였다.

그러나 심지어 아일랜드와 웨일스에서 이렇게 수도원제도가 발전하기 이전에, 그러니까 패트릭이 아일랜드에서 선교 사역을 하고 있는 동안에, 영국 기독교도 북쪽으로 스코틀랜드를 향해 뻗어나갔다. 이 선교를 이끈 인물은 성 니니안(St. Ninian, Nynia)이었다. 비드는 「영국 교회사」에서 그가 로마 가톨릭 신앙으로 교육을 받은 브리튼 원주민이었다고 전한다. 주교 패트릭(그가 주교였다는 사실은 그가 파송받은 지역에 이미 기독교가 있었음을 암시한다)과 마찬가지로, 니니안은 휘턴(칸디다 카사)에 주교좌를 두고서 하드리아누스 성벽의 북부 지방에서 사역하였는데, 이곳에는 부분적으로 로마화하고 부분적으로 기독교화한 켈트족이 살고 있었음에 분명하다.

그러나 스코틀랜드 — 즉, 클라이드 강과 포스 강의 하구(河口) 북쪽 지역 — 의 본격적인 개종은 아일랜드 출신 수사(修士)들의 사역에 힘입은 결과였다. 아일랜드 수도원제도는 처음부터 활발한 선교 운동이었다. 우리는 이미 앞에서(III:7) 6세기 말엽에 뱅거 대수도원의 수사 콜룸바누스(Columbanus)가 오랜 세월을 순례하면서 오늘날 스위스에 해당하는 부르군트(부르고뉴)와 심지어 이탈리아 북부에까지 수도원들(이 수도원들은 다시 선교 중심지들이 되었다)을 세운 경위를 살펴본 바 있다. 마찬가지로 후 세대 인물인 성 킬리안(St. Kilian, 689경 죽음)은 뷔르츠부르크에 주교좌를 둔 뒤 프랑코니아(프랑켄)과 투링기아(튀링겐)에서 사역을 벌였다.

그러나 이들 아일랜드 수도 순례자들 가운데 최초이자 가장 두드러지는 인물은 콜룸바(Columba, 521-597)였다. 클로나드 대수도원 출신이자 오네일(O'Neill of Connaught) 왕조의 일원이었던 콜룸바는 왕 달리아다(Dalriada) — 그는 백성과 함께 아일랜드 출신이었다 — 의 후원과 보호 아래 아이오나 섬(대략 오늘날의 아가일셔에 포함됨)에 수도원 공동체를 세웠다. 콜룸바는 아일랜드에서부터 칼레도니아의 픽트족에게로 들어가 선교를 하였고, 그들의 추장들을 개종시켰으며, 아일랜드에서와 마찬가지로 수도원 제도를 토대로 그곳에 교회를 조직하였다.

아이오나 공동체의 선교 사역은 콜룸바가 죽은 뒤에도 계속되었고, 7세기의 2/3가 시작될 무렵 영국 북동부에 정착해 있던 이교도 앵글로 색슨족에게까지 확대되었다. 이러한 발전을 보게 된 계기는 베르니키아(노섬브리아)의 왕 오스왈드(Oswald)의 요청 때문이었는데, 오스왈드는 기독교령 칼레도니아의 스코트족과 픽트족 틈에서 유배생활을 한 전력을 갖고 있었다. 633년에 왕권을 되찾은 오스왈드는 자기 백성을 기독교화하도록 아이오나에 지원을 요청하였다. 이 요청에 대해 아이오나 공동체는 성 아이단(St. Aidan, 651 죽음)을 파견하였다. 아이단은 오스왈드의 후원을 받아 '성도'(聖島, the Holy Isle) 린디스판(Lindisfarne)에 수도원을 세웠고(634), 오스왈드(641 죽음)와 그의 형제 오스위(Oswy, 641-670 재위)의 재위기간 동안 그 수도원을 중심으로 노섬브리아에 기독교의 뿌리를 내렸다. 아이단은 또한 청년들을 선교사로 훈련시켰다. 그들 중에는 차드(Chad, 672 죽음)와 체드(Ched) 형제가 있었는데, 차드는 654년에 시작된 머시아 왕국 선교에 합류하여 리치필드에 주교좌를 수립하였고, 체드는 동부 색슨족에게 들어가 사역하다가 654년 그들의 주교로 축성받았다.

아이단과 그의 후계자들의 선교가 진행되고 있는 동안 교황 그레고리(Gregory the Great)가 파송한 선교사들이 이미 영국 남동부에 도착하여 켄트와 이스트 앵글리아에서 활동하고 있었다. 교황이 솔선하여 그곳에 선교사들을 파송한 것은 켄트의 왕이자 험버 이남 색슨족의 상왕(上王, Bretwalda)인 에텔버트(Ethelbert)와 기독교도인 프랑크족 공주 베르타(Bertha) 간의 결혼을 이용할 계획하기 위한 것으로 판단된다. 선교사들은 원래 로마에 있는 그레고리 자신의 성 안드레아 수도원의 탁발수사 어거스틴(Augustine)과 몇몇 수사들로 구성되었다. 597년 켄트에 상륙한 어거스틴 — 그는 다소 소극적인 선교사로서, 그의 열정은 주로 교황 그레고리와 끊임없는 편지왕래에 의해 유지되었다 — 은 에텔버트를 개종시키는 데 성공한 뒤 601년 부활절에 그에게 세례를 주었다. 그레고리의 계획에 따르면, 어거스틴은 런던에 수도대주교좌를 세우고, 자신의 휘하에 12개의 주교구를 두게끔 되어 있었다. 또한 서부의 켈트 교회에 대해서도 관할권을 갖게 하고, 기회가 주어질 경우 요크(데이라 왕국에 속한)에 영국 북부를 책임질 두번째 수도대주교좌를 세우도록 할 계획이었다. 그러나 교황의 이러한 낙천적인 계획은 충분히 이루어지지 못하였다. 어거스틴은 런던이 아닌 캔터베리에 수도대주교좌를 두었고, 그곳에 교회를 세웠으며, 근처에 수도원을 지었다. 그는 604년까지 로체스터(켄트 주〈州〉에 속함)와 런던(에섹스 주에 속함)에 주교구를 설치하였다. 그러나 그가 죽고(604 또는 605) 왕 에텔버트가 죽은 뒤(616) 이교의 반발이 일어나 교회가 켄트 바깥 지역에 내린 뿌리가 얼마나 얕았는지를 드러냈다.

625년 교황 파울리누스(Paulinus)의 지시로 요크와 데이라 왕국에 선교사들이 파견되었지만, 이들의 사역은 632년 데이라의 에드윈(Edwin)이 전사함과 동시에 수포로 돌아갔다. 그러므로 영국은 7세기 후반이 되어서야 비로소 실질적으로 기독교를 받아들인 셈이며, 그것을 가능케 한 주요 원동력은 린디스판에서 확산되어 간 강력한 선교 활동과, 서부 색슨족을 대상으로 비리누스(Birinus)가 시작한(635경) 독자적인 교황청 선교 활동이었다.

그러나 영국이 사실상 기독교를 받아들인 그 시점에도 중요한 문제가 남아 있었다. 한편으로는 켈트족과 아일랜드 전승을 물려받은 서부와 북부 기독교인들과, 다른 한편으로는 새로 출현한 남부의 색슨족 기독교인들 간에 갈등이 끊이지 않았던 것이다. 색슨족 교회는 유럽식을 본따 지역 주교들을 중심으로 조직되었을 뿐만 아니라, 의식적으로 로마와 교황청에 충성하였다. 이 갈등은 부분적으로는 아주 오래 전부터 내려오던 브리튼(켈트)족 기독교인들과 이교 침략자들 간의 해묵은 무력 투쟁에 기원을 두고 있었다. 서부 브리튼족으로서는 대대로 원수지간이었던 앵글족과 색슨족을 동료 기독교인들로 보기가 쉽지 않았다. 그러나 갈등의 뿌리는 교회 문제들에도 있었다. 부활절 날짜같은 분명하고도 정의 가능한 쟁점들은 제외하더라도, 켈트족 기독교의 기풍과 조직은 로마교회의 선교로 설립된 기독교와 달랐다.

영국 제도 기독교의 장래로서는 다행히도 이러한 갈등은 노섬브리아 왕 오스위(Oswy)를 자극하였다. 자기 왕국을 위해 그 문제를 해결해야겠다고 판단한 오스위는 교회회의 또는 공의회를 소집하였다. 공의회는 664년 북해 연안에 있는 휘트비(Whitby)에서 열렸다. 휘트비에는 바로 얼마 전(659)에 귀족 대수녀원장 성 힐다(St. Hilda, 680 죽음)가 수도원과 수녀원으로 이루어진 대규모 이중 수도원을 세운 바 있었다. 리폰의 대수도원장이자 훗날 요크의 주교가 된 윌프리드(Wilfrid. 린디스판의 켈트족 수도원 출신)는 로마에 대한 충성을 주장하였고, 린디스판의 대수도원장 콜맨(Colman)은 켈트족 전승을 옹호하였다. 문제는 로마 주교가 주께로부터 직접 천국 열쇠를 받은 사도 베드로[1]의 후계자이자 대표라는 사실을 왕 오스위가 알게 되면서 해결되었나. 오스위가 그 사실을 발견하고서 내린 결단은 결국 영국 전체를 로마에 충성하도록 만들었고, 결국 영국 기독교는 유럽 대륙에 교회를 세우고 개혁하는 일에 교황청의 주요 동맹 세력이 되었다.

새로 대두된 이 켈트-영국 기독교의 열정과 규율은 당시의 유리한 상황에 크게 힘입었다. 즉, 668년 교황 비탈리아누스(Vitalian)은 소아시아 타르수스(다소) 출신 테오도루스(Theodore, 약 602-690)를 캔터베리 대주교로 임명하였던 것이다. 테오도루스는 영국 전역에서 권위를 인정받는 그 대주교구에 맨처음으로 부임하였다. 그는 관할 지역의 모든 교회들을 체계적으로 방문함으로써 사역을 시작하였다. 그리고 시찰 결과를 토대로 기존 교구들을 재조직하고 새 교구들을 신설하는 작업에 착수하였다. 허트퍼드 교회회의(673)를 주재하여 교회정치 기본법을 제정하고 정치 권력이 여전히 분열되어 있던 상황에서 교회를 전국적인 조직체로 구성하도록 하였다. 켈트 수도원의 비밀고해와 사면 관행을 받아들이도록 장려하는 정책을 폈고, 아일랜드의 관습에 따라 비밀고해와 사면을 수도원에 속하지 않은 평신도들에게 연례 의무로 부과하였다. 테오도루스의 조직력과 목회력은 무엇보다도 색슨족이나 켈트족 어느 한 쪽을 편애하지 않고 두 전승이 서로를 보완하고 살찌우는 단일체로 융합한 사실에서 드러난다.

왕 오스위가 내린 결단과 테오도루스가 발휘한 정치력의 결실들은 곧 영국 교회의 삶에 나타났다. 두 사람은 로마 교황청과 교황청이 교리와 규율을 위해 제정한 표준들에 충성한 것으로 명성을 얻었다. 이 사실은 앵글로 색슨족 순례자들이 로마에 있는 사도 베드로와 사도 바울의 성소들을 빈번히 순례한 일과 성 베네딕트(St. Benedict)의 「수도회칙」(*Rule*)이 테오도루스와 그 계승자들 시대의 영국 수도원 생활에 도입된 일로 여실히 드러난다. 동시에 아일랜드 전승을 특징지운 학문에 대한 사랑이 여러 수도원 학교들에서 보존 및 발전되었다. 그 가운데 가장 뛰어났던 것으로 추측되는 학교는 노섬브리아 웨어마우스와 재로우 학교였다. 비드(Bede the Venerable, 672-735)는 그 학교에서 공부한 뒤 연대기, 문법, 성경 해석학, 역사 분야에 걸쳐 글을 썼다. 무엇보다도 「영국 교회사」(*Ecclesiastical History of the English People*)로 기억되는 그는 당대 학자들과 함께 학문상의 작은 부활을 이룩하였고, 그것은 훗날 9세기 대륙의 카롤링조(朝) 문예부흥으로 꽃피우게 되었다.

2. 기독교와 프랑크 왕국

496년 클로비스(Clovis)가 가톨릭 기독교로 개종한 일(참조. III:5)은 장차 유럽 대륙의 정치와 종교 모두에 결정적인 사건이었다. 클로비스와 그 아들들의 통치하에 프랑크족은 과거에 로마제국이 차지하였던 갈리아와 게르마니아 영토들을 정복한 뒤 '레그눔 프랑코룸'(Regnum Francorum, 프랑크 왕국)을 수립하였다. 그들은 원래의 영토인 라인 강과 솜 강 사이의 지역에서 이동하여 과거에 로마

지방 주둔군 사령관 시아그리우스(Syagrius)가 통치하던 지역 — 대강 솜 강과 르와르 강 사이 지역 — 을 처음에는 약탈하다가 결국 점령하였다. 그뒤 클로비스는 추종자들을 이끌고 라인 강을 따라 남부와 동부에 왕국을 세운 알라만족을 공격하였다. 그리고 마침내 르와르 강을 건너 아퀴텐(Aquitaine)을 점령하였으며, 507년 그곳의 부일(보글라덴시스)에서 서고트족을 물리치고 피레네 산맥까지 뻗어있는 갈리아 남서부를 장악하게 되었다. 클로비스의 계승자들은 꾸준히 프랑크 왕국의 주도권을 넓혀갔다. 튀링겐을 합병하였고, 결국 532년 이후에는 론 계곡과 스위스 서부를 장악하고 있던 부르군트 왕국마저 합병하였다.

그뒤 프랑크 왕국, 즉 메로빙조(朝)는 6세기 중반까지 갈리아와 게르마니아에서 과거 로마제국의 영토였던 지역 전체를 장악하였다. 이 영토는 아버지의 재산을 생존해 있는 모든 아들에게 나눠주도록 한 프랑크족의 관습 때문에 여러 왕들 사이에 빈번히 분할되었다. 그 부분적인 결과로 제국 내에서도 반(半)정치적이고 반(半)부족적인 성격을 지닌 지역 분할들이 발생하였다. 그중 첫번째는 오스트라시아(Austrasia)로서, 튀링겐뿐만 아니라 라인 강 저지대를 중심으로 한 프랑크족의 고토(故土)에 자리잡았다. 두번째는 뉴스트리아(Neustria)로서, 일찍이 클로비스가 자신의 수도로 삼은 파리를 중심으로 르와르 강 남부과 솜 강 북부까지 뻗어 있었다. 그외에도 프랑크족의 정치사에서 비교적 중요성이 덜한 아퀴텐과 부르고뉴(부르군트) 남부 지역들이 있었다. 그러나 이러한 분할에도 불구하고 프랑크 왕국은 단일 유산으로 이해되었으며, 실제로 클로비스의 아들 로타르 1세(Lothar I, 561 죽음)의 말년과 다고베르트 1세(Dagobert I)의 재위기간(623-639) 대부분은 단일 군주가 전 지역을 다스렸다.

이 지역들에 살던 갈리아계 로마인들은 새로운 통치자들을 맞아 형편이 나빠지지 않았다. 가톨릭 교도들이었던 이들은 가톨릭 군주를 맞이한 것이 기뻤다. 게다가 콘스탄티노플의 로마 황제들도 어쨌든 프랑크 지도자들을 승인하였고, 경우에 따라서는 재정지원도 하였으며, 클로비스에게는 총독이라는 칭호와 직위, 그리고 휘장을 주었다. 이러한 제스처가 단순히 상징적인 것만도 아니었다. 클로비스와 그의 계승자들은 갈리아에 남아 있던 로마제국의 행정 및 재정권을 장악하였다. '레그눔 프랑코룸'은 로마제국의 권위와 전통의 정식 대변자였고, 어떤 의미에서는 계속 그런 지위에 남아 있었다. 더욱이 프랑크족은 조상 고트족과는 달리 사회와 분리된 지배 계급으로 남지 않고 정복지 민중들과 융합하였으며, 그로써 대부분의 옛 로마제국 영토들에서 통속 라틴어가 공용어로 남은 복합 문화를 이룩하였다. 또한 그들은 그들 나름대로 기독교의 확산을 장려하였다. 원래 그들 영토의 남서부에 자리잡고 있던 갈리아계 로마 교회들의 세력과 주도권에 이끌렸던 그들은 이교가 존속하고 있던, 그리고 과거에 들어선 기독교 교회들이 야만족들의 이동으로 쫓겨나거나 크게 약화된 북동부 접경 지대들에 대한 선교를 지원하였다. 더 나아가 수도원 운동을 장려하였던 바, 이 운동은 특히 콜룸바누스(Columbanus, 참조. III:7)의 선교 이후부터는 영국에서와 마찬가지로 기독교 확산의 중요한 매체가 되는 경향을 띠었다.

그러나 메로빙조(朝) 때의 교회와 사회는 갈수록 쇠퇴와 심지어 해체의 징조들을 드러내고 있었다. 유서깊은 도시들의 몰락과 상업 및 정보의 쇠퇴가 급속도로 진행되고 있었다. 삶의 실제 중심지는 농촌의 장원(莊園) — 생활 필수품들에 관한 한 자급자족을 지향하였고, 또 실제로 자급자족을 실현한 사유지(estate) — 으로 옮겨갔다. 유력한 인물이거나 왕 자신인 경우도 있었던 영주가 직접 또는 간접으로 다스린 이 사유지들은 지주와 농노(農奴)들 또는 소작인들 모두에게 경제적이고 신체적인 안전을 주었다. 동시에 이 장원 제도는 권위의 분산을 촉진하였고, 토지 보유자에게 재산과 권력을 함께 보장해 주었다. 왜냐하면 장원은 음식과 옷을 생산할 뿐만 아니라, 프랑크 사회를 얼룩지게 만든 끊임없는 전쟁에 필요한 장정들과 무기들까지도 제공해 주었기 때문이었다.

이러한 분권화 현상은 프랑크족이 다른 게르만족들과 마찬가지로 법과 체제로써 개인들로부터 독립된 채 유지되는 국가라는 개념을 갖고 있지 않았기 때문에 더욱 깊게 진척되었다. 그들의 입장에서 정치 질서란 지도자에 대한 전사(戰士)들의 개인적 충성에 관한 문제였다. 그리고 전통적으로 그 충성은 전쟁에서 이겼을 때 왕이 전리품으로 부하들을 보상할 능력을 갖고 있는지의 여부에 달려 있었다. 메로빙조(朝) 때에는 정치적 유대관계의 성격을 이런 식으로 이해함으로써 많은 결과들이 나타났다. 그중 한 가지는 '국가'의 경제 자원들을 왕의 개인 토지 또는 재산과 동일시한 것으로서, 이런 상황에서는 '공유' 재산이나 세금이라는 개념 자체를 생각할 수가 없었다. 그러므로 메로빙조 왕들은 — 새로운 정복 기회가 일단 사라지고 난 뒤에는 — 충성을 얻어내기 위해서 왕의 영토에서 토지를 떼어내 부하들에게 '수여'(benefice. 훗날에는 성직록〈聖職祿〉을 뜻함)하지 않으면 안 되었다. 비록 그렇게 수여된 토지는 수령자 당대로 한정되긴 했지만 말이다.

그처럼 폭력이 난무하고 권력이 분산되고 불안전한 사회에서 교회의 전통 체제와 운영방식이 지닌 영향력은 제한된 것일 수밖에 없었다. 장원의 등장과 관련성을 지닌 것으로 추측되는 이 시기의 가장 중요한 발전은 '개인소유 교회들', 즉 영주가 자기 영토에 개인 비용을 들여 건축한 뒤 사제의 급료를 지불함으로써 운영하던 교회들이 훨씬 더 많이 생긴 점이다. 이러한 발전에서는 훗날의 교회구 체계(Parochial system)뿐 아니라, 평신도의 성직 서임권을 둘러싸고 일어난 많은 논쟁들의 시작 단계를 볼 수 있다. 새로운 왕국의 주교들은 공동 문제들을 조정하기 위해 공의회를 개최하던 옛 관습을 그대로 유지하였으나, 그 횟수는 많지 않았고 정기적이지도 않았다. 그들은 삼장(the Three Chapters, 참조. III:10)을 둘러싼 분쟁과 단의론 논쟁(the Monothelite controversy, 참조. Ⅲ:11) 같은 외적인 쟁점들에 대응하였다. 그러나 프랑크 교회는 — 비록 베드로의 계승자들에 대한 존경과 로마에 있는 사도들의 묘지에 대한 순례는 끊어진 적이 없지만 — 심지어 교황권으로부터도 갈수록 고립되어 간 듯하다.

그러나 프랑크 왕국 자체 문제에서는 교회가 핵심적이고도 본질적인 역할을 하였다. 왕들과 영주들, 그리고 농민들은 한결같이 무질서한 세상에 질서와 정의를 수립하기 위해서는 하나님과 성인(聖人)들의 보호 및 도움이 반드시 필요하다고 생각하였다. 더욱이 기독교 주교는 특별한 지위를 차지하였다. 옛 로마 체제의 전통의 비위도 맞춰줘야 하는 동시에 공의와 자비를 요구하는 기독교 하나님의 까다로운 취향도 맞춰줘야 했던 주교는 고급 정치인이기도 했고, 성인이기도 했으며, 예언자이기도 했다. 글을 깨우쳐 주고 교육을 시키는 일은 주로 성직자들의 몫이었다. 학교와 비슷한 곳은 오직 수도원들과 성직자 훈련소 역할을 하던 주교궁밖에 없었기 때문이었다.

그러므로 교회들과 수도원들은 그들이 내놓은 명백한 봉사의 대가로 점차 토지를 수여받게 되었다. 그러나 세월이 흘러가는 동안 이것은 메로빙조 왕들이 크게 유익하게 사용할 수 있는 자원들을 주교들이 좌우하게 되었음을 뜻하였다. 따라서 왕들은 민중이 주교를 선출하던 옛 관습을 폐기해 버리는 대신 자기들이 주교 임명권을 가졌으며, 결국에는 이 권한을 충성스런 신하들에게 성직록(聖職祿)을 부여하는 방법으로 사용하였다. 더 나아가 주교좌를 비워놓고 그동안 세입을 가로채는 경향도 빈발하였다. 이러한 관습 — 비록 시대의 불가피한 표현은 아니었으나 자연스러운 표현이었던 — 은 역대 교황들에게 실망거리였다. 그러나 교황 그레고리(Gregory the Great) 때로부터 계속해서 교황들은 메로빙조 왕들의 의식을 바꾸려고 노력하였으나 번번히 성과를 거두지 못하였다.

프랑크 교회의 개혁과 문예부흥은 결국 메로빙조가 대체되면서 비로소 찾아왔다. 그것은 639년 다고베르트 1세(Dagobert I)가 죽은 뒤부터 한 세기 남짓한 기간 동안에 점진적으로 발생한 일이었다. 그가 죽은 뒤부터 메로빙조는 쇠퇴한 반면 뉴스트리아, 오스트라시아, 부르군트에서 이른바 '대재상들'(mayors of the palace, 왕의 주요 고문들과 대신들)의 권력이 커짐으로써 결국에는 새로운 정치 판도가 형성되기에 이르렀다. 오스트라시아의 대재상들, 즉 주교 아르눌프(Arnulf of Metz, 641 죽음)와 페핀(Pepin of Landen, 639 죽음)의 자손들은 경쟁자들을 눌렀고, 페핀 2세(Pepin II of Heristal, 715 죽음)와 그의 서자 샤를(Charles, '망치'라는 뜻의 '마르텔'〈Martel〉이라 부름)을 통해서 몇 대에 걸친 메로빙조 왕들의 막후에서 실질상의 군주로서 프랑크 왕국을 다스렸다.

페핀과 샤를은 그들이 대신하여 다스린 왕들과 마찬가지로 그 시대의 형태로 충성스런 기독교인들로서, 교회들과 수도원들에 재정 지원을 하였다. 그러나 그들이 가장 전념한 것은 영토를 재통일하고 접경 지역들을 수비하는 일이었다. 접경 지역들은 이교 게르만 부족들이 동쪽과 북쪽으로부터 위협하였고, 샤를의 시대에는 아랍족과 베르베르족이, 서고트족이 이슬람교 세력에게 완전히 궤멸당한 스페인으로부터 위협하고 있었다. 재통일과 수비라는 두 가지 사업에서 그들은 대체로 성공을 거두었다. 특히 샤를은 포아티에 근처에서 사라센 군대와 싸워 거둔 승리(732)로 역사와 전설 모두에서 유명하게 되었다. 이 승리는 단지 프랑크 왕국을 보존하는 데 그치지 않고, 곧 유럽이라 불리게 될 지역의 미래를 보장해 주었던 바, 프랑크 왕국이 차지한 자리는 유럽의 토대가 되었다. 그러나 아르눌프가(家)는 초기에 이렇게 군사적인 사업에 몰두해 있는 동안 교회와의 관계가 모호하게 되었다.

한편으로, 페핀과 샤를은 전비(戰費)를 충당하기 위해서 정기적으로 교회 재산을 징발하였다(이 점에서 샤를이 한층 더 심했다). 그들로서는 메로빙조의 영토가 증여와 성직록으로 잠식당해 있었기 때문에 그러한 정책을 쓰지 않을 수 없었다. 다른 한편으로, 두 지도자는 접경지대에 평화를 정착시키기 위해서 북동부 지역들을 대상으로 영국 선교사들의 활동을 장려하고 후원하였다. 이 사업으로 그들은 교황청과 긴밀한 관계를 맺게 되었고, 미래를 위한 중요한 결과들을 만들어냈다.

이러한 경위로 페핀 2세와 그 뒤를 이은 샤를은 성 윌리브로드(St. Willibrord, 658-739)의 선교 사역을 후원하였다. 윌리브로드는 리폰과 아일랜드에서 공부한 뒤, 690년 12명의 동역자들과 함께 오늘날 네덜란드에 해당하는 지역에 살던 프리지아인들을 대상으로 사역을 시작하였다. 695년 교황 세르기우스 1세(Sergius I)에게 주교 임명을 받은 윌리브로드는 위트레흐트에 주교좌를 설치하였다. 아직 이 때는 프리지아인들이 최종적으로 개종하지 않은 시기였다(그들은 프랑크 왕국이 8세기의 마지막 몇십 년 동안 이웃 색슨족을 정복한 뒤에야 비로소 개종하였다). 윌리브로드의 사역은 그 시대의 가장 주목할 만한 인물들 가운데 하나인 윈프리스(Wynfrith), 또는 훗날에 붙은 이름으로는 보니파키우스(Boniface, 680-754)에 의해 지속되었다. 데본셔 크레디턴에서 태어난 이 수사는 716년 프리지아로 와서 윌리브로드가 벌이던 선교 사역에 참여하였다.

그는 별다른 성과를 거두지 못하자 실망한 채 귀국길에 올라갔다가 718년 로마로 갔다. 그곳에서 교황 그레고리 2세(Gregory II)에게 독일 선교사로 임명받은 그는 로마 순교자의 이름을 따서 보니파키우스라는 이름을 취하였다. 그뒤 튀링겐과 헤세에서 큰 성과를 거두었고, 그 결과 722년 로마로 소환되어 사도 베드로에게 서약을 한 뒤 독일의 주교로 임명받았다. 다음 10년 동안 샤를 마르텔의 직접적인 후원을 받아가며 헤세와 튀링겐에서 더욱 성공적인 사역을 펼쳤다. 결국 헤세와 튀링겐뿐만 아니라 바바리아에까지도 교회들을 위한 주교좌들을 설치하였고, 수사들에게 베네딕트회 수도회칙을 도입하였으며, 교황의 승인을 받아 마인츠에 자신의 대주교좌를 설치하였다(747경).

747년 제자 스투름(Sturm)을 도와 풀다에 대규모 수도원 중심지를 설립하였는데, 이 수도원은 샤를 마르텔의 아들 카를로망(Carloman)에게 토지를 증여받았고, 중서부 독일의 학문과 성직자 교육의 중심지가 되었다. 이러한 모든 사역을 통해 보니파키우스는 새로운 영국 기독교의 정신을 가지고 교황의 신하로 행동하였으며, 프랑크 세계에 로마교회의 교회체제 및 규율 개념들을 수입하였다. 747년 직후 보니파키우스는 마인츠 교구를 사임하고 프리지아 선교사로 갔으며, 그곳에서 몇 년 동안 사역하다가 순교하였다.

보니파키우스가 프랑크 세계의 기독교에 기여한 것은 이러한 선교 사역이 전부가 아니었다. 741년 샤를 마르텔이 죽었다. 그가 대재상으로 발휘하던 권위는 프랑크족의 방식대로 두 아들에게 계승되었는데, 그중 첫째가 오스트라시아의 카를로망(741-747)이었고, 둘째가 뉴스트리아의 페핀 3세(Pepin III, 741-768)였다. 두 형제는 재위 초반부터 보니파키우스를 가까이 하였고, 그를 통해 교황청을 좀더 가까이 하였다. 그들이 교회 문제들을 다룰 때 지닌 정신이 742년 카를로망에 의해 소집된 교회회의(독일 공의회 〈*Concilium germanicum*〉로 알려짐) 법령 제1조에 반영되어 있다:

> 내 성직자와 현인들의 조언으로 나(즉, 카를로망)는 도시들에 주교들을 배치해 왔고 그들 위에 보니파키우스를 대주교 — 성 베드로로부터 파견되는 사람 — 로 세웠다. 그리고 내가 참석한 가운데 공의회 법령들과 교회법들을 되살리고 기독교 신앙을 바로잡기를 바라는 뜻에서 공의회 소집을 명령하였다. 더욱이 나는 교회 수입들을 회복시켰고, 과거에 부당하게 빼앗은 수입들을 교회에 되돌려 주었다. 그리고 거짓 사제들과 간음을 저지른 부제들 및 성직자들을 면직하고, 강등하고, 의무적인 고행을 부과하였다.[1]

보니파키우스의 주도로 몇 차례에 걸친 이러한 교회회의는 많은 성직자들의 세속성을 질책하였고, 방랑 주교들을 비판하였고, 성직자 독신주의를 지지하였으며, 일반적으로 성직자들에게 더욱 엄격한 규율을 부과하였다. 이로써 영국인 보니파키우스와 샤를 마르텔의 아들들의 협력으로 프랑크 교회는 도덕적인 면에서 교황청과 손을 잡게 되었고, 결과적으로 747년 교회회의에 회집한 프랑크 주교들은 프랑크 교회 문제들에 대한 교황의 관할권을 명확히 인정하였다. 교회 개혁에 대한 공동 관심 차원을 훨씬 뛰어넘은 프랑크 왕국과 교황권의 동맹을 위한 길은 이러한 방식으로 닦였다.

3. 화상 파괴 논쟁 당시의 동방과 서방

프랑크 왕국에서 샤를 마르텔(Charles Martel)과 페핀 3세(Pepin III)가 다스린 시기 — 그리고 성 보니파키우스(St. Boniface)가 활동한 시기 — 는 동방에서 황제 레오 3세(Leo III, 717-740 재위)와 그의 아들 콘스탄티누스 5세(Constantine V, 741-775 재위)가 다스린 시기와 대체로 일치한다. 7세기에 이슬람교도들의 침략으로 비잔틴-로마제국이 거의 몰락한 뒤 이 이사우리아 왕조 설립자들은 옛 국경선들과 재산을 회복하였다. 칼리프 오마르 2세(Omar II, 717-720 재위)를 콘스탄티노플의 문 앞에서 격퇴한 레오와 그를 계승한 아들은 소아시아에 대해서 로마제국의 통치를 다시 주장하고 나섰다. 동시에 그들은 화상(畵像)들 — 그리스도, 성모 마리아, 천사들, 성인들에 대한 그림들이나 조각들 — 의 숭배를 폐지할 것을 요구하는 종교 정책을 세우고 이를 강요하였다. 이 정책이 일으킨 길고 강렬한 신학적이고도 정치적인 갈등은 동방과 서방 모두에게 지속적인 결과들을 초래하였다.

동방에서는 화상(icon)들이 부활하였을 뿐만 아니라 화상 숭배에서 그리스도의 충분하고도 완전한 인성에 관한 칼케돈 신조의 확증을 찾는 신학적 공감대까지도 형성되었다. 서방에서는 화상 파괴를 주장한 황제들과 역대 로마 교황들 간의 투쟁이 교황청과 제국 간의 최종적인 정치적 분열로 귀결되었고, 그 결과 교황들은 샤를 마르텔의 계승자들과 새로이 손을 잡게 되었으며, 라틴교회와 그리스교회의 사이가 점차 벌어지게 되는 중대한 시점에 도달하게 되었다.

726년 황제 레오 3세는 화상들에 대한 반대 입장을 표명하고 교회 지도자들에게 자신의 정책을 알렸다(그의 대의명분은 아니더라도 동기는 아직 쟁점으로 남아 있다). 그런 뒤 콘스탄티노플 황궁의 한 출입구 위에 서 있던 그리스도의 상(像)을 파괴하는 상징적인 제스처를 취했다. 이러한 행위들은 수도에서 민란을 촉발하였을 뿐만 아니라 콘스탄티노플 총대주교 게르마누스(Germanus)에게 정죄를 받았다. 제국의 백성 사이에서, 그리고 누구보다도 수사들 사이에서 적대적이고 때로는 격렬한 반발이 일어난 것은 두말할 나위가 없었다. 한동안 군부의 열정적인 지원을 등에 업고서 정책을 수정하지 않고 강력히 추진하던 레오는 730년 공의회를 소집하였던 바, 이 공의회는 성상(聖像)들을 다시 금지하고, 게르마누스를 폐위 및 유배시켰으며, 좀더 유화적인 아나스타시우스(Anastasius)를 총대주교로 세웠다.

이탈리아에서도 레오의 행위에 대한 반발이 똑같이 드셌으나, 황제의 힘은 동방에서처럼 강하게 작용하지 못하였다. 물론 이탈리아의 주요 지역들은 여전히 비잔틴 관리들이 다스리고 있었다. 남부에서는 시칠리아와 칼라브리아가 그러했다. 북부에서는 아드리아해 연안의 라벤나(제국의 총주교좌)로부터 로마 주변 지역에 이르는 남서부 지역이 그러했는데, 이곳은 동로마제국 지방주둔군 사령관의 군사 지배하에 있었다. 그러나 이 지역은 북쪽과 남쪽이 모두 롬바르드 영토에 둘러싸여 있었다. 군사력을 소아시아에 집중하지 않을 수 없었던 동방 황제들은 이런 상황을 맞아 이탈리아에 있는 자신들의 재산을 유지하기 위해 가능한 모든 조치를 취하였다. 더욱이 이탈리아 사람들은 콘스탄티노플에서 라벤나로 파견된 다소 영향력이 없던 총독들이 아니라 로마 주교를 로마 전승의 진정한 대변자로 보았다.

그러므로 보니파키우스의 후원자 교황 그레고리 2세(Gregory II, 715-731 재위)가 황제의 화상 파괴 정책을 반대하고 정죄하였을 때 — 그것이 평신도 군주의 권한을 넘어선 행위라는 점과 화상 파괴주의가 사실상 성육신의 실재를 부인하는 행위라는 점을 근거로 — 레오는 총대주교 게르마누스처럼 교황을 마음대로 제거할 수 없었다. 그레고리를 제거하려는, 심지어 암살하려는 기도가 여러 차례 있었지만, 로마와 라벤나의 평민들과 비잔틴 군인들, 심지어 롬바르드 스폴레토와 베네벤툼의 공작들이 교황을 지지하고 나서는 바람에 번번히 실패하고 말았다.

레오가 잠재울 수 없었던 또다른 비판의 목소리는 이슬람 제국의 심장부로부터 들려왔다. 그것은 **다마스쿠스의 요한**(John of Damascus, 675경-749경)의 비판이었다. 그는 청년 시절에 기독교도였던 아버지로부터 칼리프들을 섬기는 고위 관직을 물려받은 바 있었다. 그뒤 강제로 사직당한 뒤 생애의 대부분을 예루살렘 근처 성 사바스 수도원에서 수사로 지냈다. 이곳에서 3부로 구성된 대작 「지식의 원천」(*The Fountain of Knowledge*)을 썼는데, 「정통신앙에 대해서」(*On the Orthodox Faith*)라는 제목이 붙은 마지막 권에서는 하나님과 삼위일체, 창조, 성육신에 관한 기독교 신앙을 개괄적이고도 체계적으로 진술하였다. 이 책에서 그는 그리스 전승 전체, 특히 카파도키아 교부들과 위(僞)디오니시우스(psuedo-Dionysius the Areopagite, 참조. Ⅲ:10)의 저서들에 의존하였고, 기독론에 대해서는 레온티우스(Leon'tius of Jerusalem)의 신 칼케돈주의(참조. Ⅲ:10)에 의존하였다.

1890년 교황 레오 13세(Leo XIII)에 의해 '교회 박사'(Doctor of the Church)로 공포된 그는 대대로 정교회 신학자들에게 사상의 근원이 되어 주었고, 중세에 라틴어로 번역된 그의 대작을 통해서 서방 스콜라 신학에도 영향을 끼쳤다. 화상파괴 논쟁이 벌어졌을 때 726-730년에 걸친 상론을 통해서 화상이 우상숭배라는 비판에 대해 여러 가지 근거로 답변함으로써 그 논쟁에 기여하였다. 요한은 첫째, 화상들에게 드리는 경배(proskunesis)와 오직 하나님께만 드리는 예배

(latreia)를 구분해야 한다고 주장하였다. 동시에 화상은 그것이 묘사하는 대상과 동등한 것이 아니고 따라서 대체물도 아니며, 다만 사람의 마음을 원래의 대상에게로 이끄는 상(像)일뿐이라고 하였다.

그와 — 논쟁 후반에 등장한 — 수도원 개혁자 테오도루스(Theodore of Studios, 759-826)는 화상 파괴 논쟁의 근본 쟁점을 기독론으로 파악하였다. 원칙상 묘사의 대상이 될 수 있는 그리스도의 인성이 참되고 구체적이고 역사적인 것이라면, 그리고 만일 그리스도의 인성이 신적 로고스의 '휘포스타시스'(hypostasis)와 참으로 동일한 것이라면, 그리스도의 상(像)을 경배하는 것은 언어로 그리스도를 묘사한 복음서들을 경배하는 것과 비슷하다고 하였다. 화상과 복음은 다같이 자연과 역사에 내재된 신적인 요소를 증거하며, 하나님께 나아갈 수 있게 해주는 매체라고 하였다.

레오의 계승자 콘스탄티누스 5세(Constantine V)의 재위기간에 화상파괴 정책은 화상들을 파괴하고 화상 경배 지지자들 — 다수의 일반 대중과 특히 수사들 — 을 체계적으로 박해하는 형식을 띠었다. 754년 콘스탄티누스는 공의회를 소집하였던 바, 이 공의회는 '화가들의 작품'을 정죄한 레오의 입장을 재확인하였을 뿐만 아니라 공의회 법령을 위반하는 사람들을 국법으로 처벌받게 만들었다. 이 법령에 따라 교회당들에 있던 성상들을 갈아 형체를 지웠고, 그림들에는 덧칠을 하였으며, 그대신 비종교적인 대상들을 그려넣었다. 수많은 화상 숭배자들이 투옥, 고문, 유배를 당하였다. 그 뒤에는 수사들에 대한 엄격한 제재조치들이 뒤따랐다. 온갖 방법으로 그들에게 모욕을 주었고, 어떤 경우에는 본인들뿐만 아니라 수도원의 반대에도 불구하고 강제로 결혼을 시켰던 바, 이런 조치들에는 수도원 토지를 몰수하려는 세속적 동기가 깔려 있는 경우가 빈번하였다. 그 결과 수사들이 대규모로 제국의 통치가 미치는 동방을 떠나는 일이 발생하였으며, 그들 중 많은 수가 이탈리아 남부로 갔다.

여제(女帝) 이레네(Irene)가 다스리는 동안 상황은 화상파괴주의 쪽으로 불리하게 돌아가지 않았다. 이레네는 처음에는 아들 콘스탄티누스 6세의 섭정으로 다스리다가(780-797), 그를 폐위하고 눈멀게 하고 죽인 다음 유일한 군주로 다스렸다(797-802). 레오 3세의 정책을 일관되게 지지한 군부의 반발을 피한 이레네는 787년 니케아에서 공의회를 소집하였고, 교황 하드리아누스 1세(Hadrian I, 772-795 재위)의 사절들을 공의회에 초청하였다. 보통 '에큐메니칼'이라 부르는 공의회 중에서 일곱번째이자 마지막이었던 이 공의회는 화상 숭배를 부활시켰고, 화상들이 우상들이라거나 신자들이 하나님께 하듯이 그들에게 예배한다는 주장을 부인하였다. 또한 콘스탄티누스 5세의 정책으로 몰수당한 수도원 건물들과 토지들에 대한 반환을 공포하였다.

그러나 9세기 초 황제 레오 5세(Leo V, 813-820 재위) 때 화상 파괴 정책이 되살아났다. 콘스탄티노플의 성 소피아 교회에서 열린 공의회(815)는 754년 콘스탄티누스 5세가 소집한 공의회의 입장을 재확인하였고, 그에 따라 재개된 화상 숭배에 대한 탄압은 미카엘 2세(Michael, 820-829 재위)와 테오필루스(Theophilus, 829-842 재위) 때까지 계속되었다. 미카엘 3세(Michael III, 842-867)가 어릴 적에 그의 배후에서 다스린 여제 테오도라(Theodora)는 843년 교회회의를 소집하여 니케아 공의회 법령들을 부활시키고 화상 숭배를 부활시킴으로써 화상파괴 운동을 최종적으로 종결지었다.

이 '화상파괴 논쟁'에 대한 해석은 역사가들 사이에 벌어진 많은 논쟁의 쟁점이 되어 왔는데, 그 부분적인 이유는 원 사료(史料)들 가운데 많은 부분이 당대의 탄압으로 남아 있지 않게 된 데에 있었다. 물론 그 논쟁이 얼마나 중요한 결과들을 초래했는지에 대해서는 의문의 여지가 없다. 그러나 동방교회의 삶에서 화상 파괴 운동이 어떤 의미와 동기를 가졌는가라는 문제는 좀더 어렵다. 성화(聖畵)들을 숭배하는 관습은 4세기와 그 이후에 기독교 신앙의 중요하고도 일상적인 부분이 되어 있었다는 데에는 의심할 여지가 없다. 또한 그 관습이 많은 수의 뛰어난 기독교 사상가들과 지도자들에게 늘 반대를 받았으며, 동방의 특정 지역들에서는 그러한 반대가 지속되어 많은 사람들이 그 관습을 이교로의 복귀로 보았다는 데에도 의심할 여지가 없다. 그러므로 화상 파괴주의는 기독교 전승에 뿌리를 두고 있었고, 적어도 한 가지 관점에서는 대중 신앙이라는 대세에 신앙적인 동기로 맞선 행위로 이해할 수 있다.

역사가들은 한 걸음 더 나아가 이사우리아가(家) 황제들 — 그리고 황제들 휘하의 수많은 군인들 — 을 배출한 소아시아 지역이 화상 숭배를 명백한 우상 숭배로 간주한 유대인들과 이슬람교도들을 보면서 더욱 화상에 대한 반대 입장을 자극한 지역이었다는 점을 지적해 왔다. 이 가설은 타당성이 있어 보이지만, 불행하게도 뒷받침할 만한 자료들이 거의 없다. 화상 파괴 운동이 영지주의 또는 마니교의 사조(思潮)에 영향받아 일어났을 가능성도 있다. 화상 파괴주의자들은 때로 그리스도와 성인들의 물질적 상징물들을 사용하는 것을 '신령과 진정으로 드리는 예배'와 대조함으로써 일종의 이원론을 주장하는 듯한 모습을 보였기 때문이다. 단성론(單性論)도 화상 파괴론의 경향을 띠었다. 그들의 입장에서 볼 때 그리스도를 묘사한다는 것은 결국 삼위일체 가운데 제2위격을 묘사하려는 것으로서, 불가능할 뿐만 아니라 우상 숭배 행위였기 때문이다.

그러나 이사우리아가(家) 황제들의 화상 파괴 정책들을 연구한 일부 학자들은 그러한 종교적 태도들과 동기들을 무시해 왔다. 많은 학자들은 화상 파괴주의 안에서 종교의 가면을 쓴 사회적 또는 정치적 정책을 보아 왔다. 그들은 이러한 관점의 증거로서 화상 파괴주의의 가장 큰 희생자가 수도원들이었다는 사실을 지적한다. 당시 수도원들의 숫자, 규모, 독립성은 국가 운영에 부담이 되었고, 황제의 절대권에 장애물이 되었기 때문이라는 것이다. 그것과 아울러 분명한 것은, 화상 파괴주의자들이 기독교 사회에서 황제의 역할을 최고 종교 권위자로 만드는 견해를 주장했다는 것과, 화상을 옹호하는 논지의 한 가지 요소는 교회 지도자들에게 맡겨야 할 문제들에 황제들이 부당하게 간섭하는 데 대한 항의였다는 것이다. 교황 그레고리 2세(Gregory II)의 태도에는 이러한 항의가 현저한 요소였다. 그는 화상 파괴주의에 이중적인 악, 즉 역사와 자연 질서에 내재해 있는 신적인 요소에 대한 신학적 부인과, 국가 수장의 권위를 종교 문제들에서도 인정하는 잘못된 견해가 반영되어 있다고 보았다.

4. 프랑크와 교황청

레오 3세(Leo III)와 콘스탄티누스 5세(Constantine V)의 화상파괴 정책에 대한 그레고리 2세(Gregory II)의 반대는 후임 교황들에 의해 유지되었고, 그 결과는 아무도 예측할 수 없었던 형태로 나타났다. 그레고리 3세(731-741 재위)는 교황에 즉위한 지 8달만에 로마에서 열린 공의회에서 누구든 성상(聖像)을 훼손하는 사람은 파문에 처한다고 공포하였다. 730년 레오 3세가 소집한 공의회에 대한 답변이었던 이 조치는 제국으로부터 즉각적인 반박을 받았다. 황제는 이탈리아 남부와 시칠리아에 있던 로마교회의 토지들을 몰수하고, 발칸 반도뿐만 아니라 그 지역들에 있던 교회들을 교황청의 관할권에서 벗어나게 만들었다. 그러나 황제는 그 이상 더 나가지 않았고, 또 그럴 수도 없었다. 그는 로마교회 자체에 화상 파괴 정책을 강요하려는 시도를 하지 않았는데, 아마 과거에 중부 이탈리아의 비잔틴령에 대해 교황에 반대하는 자신의 의지를 강요하였다가 실패한 사건들을 의식했기 때문이었던 것 같다. 그러므로 비록 교황들은 772년까지 동방 황제들의 주권을 줄곧 인정하였음에도 라벤나, 펜타폴리스, 그리고 로마는 실질상 독자적인 결정에 맡겨져 있었다.

그러나 이 지역들의 독립성은 교황청 존립에 필수적인 요건이었다. 로마 주교들은 그 지역들에게 영토 보존을 보증해 줌으로써만 파비아를 중심으로 한 롬바르드 왕늘의 지배와 콘스탄티노플을 중심으로 한 황제의 지배가 교체될 가능성을 미리 막을 수 있었다. 따라서 그레고리 3세는 남쪽의 롬바르드 공작들과 북쪽의 롬바르드 왕국을 대상으로 세력 균형을 위한 홍정을 벌인 뒤 몇 년이 지난 739년에 샤를 마르텔에게 그들을 막기 위한 지원을 요청하였다. 더욱이 8세기 중엽에 교황청 상서국은 역사상 막대한 영향력을 행사하기로 손꼽히는 위조문서들 가운데 하나를 작성하였다. 그것이 바로 「콘스탄티누스의 증여」(*Donnation of Constantine*)였다.

이 문서는 교황 실베스터(Sylvester)가 황제 콘스탄티누스의 문둥병을 고쳐주었다는 유명한 전설[1]을 사용하여 황제가 직접 보낸 감사 편지인 것처럼 꾸몄다. 그 내용은 로마의 주교들에게 안디옥, 알렉산드리아, 콘스탄티노플, 예루살렘 등 네 총대주교구에 대한 관할권을 부여하고, 거기서 한걸음 더 나아가 "복된 베드로의 거룩한 교구가 우리 제국과 지상의 권좌 위에 영광스럽게 드높임을 받아야 한다"[2]고 선언하는 것이었다. 더욱 더 관심을 끄는 것은 콘스탄티누스가 교황들에게 "모든 속주들, 궁전들, 로마 시와 이탈리아, 그리고 서방의 모든 지역"[3]을 양도해 준 것처럼 주장하는 내용이었다.

다른 말로 해서, 이 문서(그 내용은 당시 교황청이 정직하게 사실로 믿은 것을 진술한 것이었다)는 교회에서 보편적 권위에 대한 전통적인 교황청의 주장과 성직자들의 권위가 세속 군주들의 권위보다 우월하다는 전통적인 교황청의 신념을 재진술했을 뿐만 아니라, 교황들이 로마와 이탈리아의 다른 비잔틴 영토들을 다스리고 처분할 수 있는 권위라는 구체적이고도 당시 쟁점이 된 문제까지도 다루었다.

그레고리 3세가 샤를 마르텔에게 지원을 요청한 일은 성과를 거두지 못하였지만, 페핀 3세(Pepin III) 때에 이르번 상황이 크게 변해 있었으며, 마치 교황들이 롬바르드족의 위협에 맞서 페핀의 보호를 받지 않으면 안 되었던 것과 똑같이 페핀도 교황들로부터 협력을 얻지 않으면 안 되는 상황에 처해 있었다. 743년 페핀과 그의 형제 카를로망(Carloman)은 자기들이 대재상(mayor of the palace)들이 되어 통치하는 것을 합법화하기 위해서 메로빙조(朝)의 마지막 인물 킬데릭 3세(Childeric III)를 왕위에 앉혔다. 그러나 4년 뒤 킬데릭은 왕위를 자진 사퇴하고서 750년 이탈리아 몬테 카시노에서 수사가 되었다. 이로써 프랑크 왕국의 유일한 실질상의 군주가 된 페핀은 실제 권력뿐만 아니라 왕의 호칭도 얻고 싶어했다. 그러나 메로빙조의 마지막 왕을 폐위하기 위해서는 교황청의 강력한 인준이 필요하였다.

그러므로 그는 교황 자카리아스(Zacharias, 741-752 재위)에게 도움을 요청하였고, 교황은 킬데릭의 폐위와 페핀의 프랑크 왕 즉위에 즉각 동의하였다. 대관식은

751년 스와송에서 성 보니파키우스(St. Boniface)의 집전으로 거행되었다. 보니파키우스는 페핀을 왕으로 기름붓고 그로써 군주가 바뀐 상황을 신의 이름으로 재가하였다. 그로부터 약 3년 뒤인 754년에 롬바르드족 — 그들은 왕 아이스툴프(Aistulf, 749-756)의 지휘로 이미 라벤나 주변의 비잔틴 영토들을 차지하고 있었다 — 이 로마를 공격해 오자, 교황 스테파누스(Stephen, 752-757 재위)는 프랑크로 달려가 파리에 있는 생 드니 교회에서 페핀과 그의 아들들에게 새로이 왕관을 씌워주고 기름을 부었다. 페핀은 맨발로 나와 스테파누스를 맞이하고 그가 탄 말을 끌었으며, 스테파누스는 프랑크 왕에게 '로마인들의 집정관'(Patrician of the Romans)이라는 칭호를 내려주었다 — 이런 행위들은 페핀이 이미 「콘스탄티누스의 증여」에 관한 교리를 익히 알고 있었고, 다소 모호하게나마 그 교리를 받아들이고 있었음을 암시한다.

스테파누스는 페핀으로부터 이탈리아 중부의 비잔틴 영토들에 대한 교황청의 소유권을 보호해 주겠다는 약속을 받았고, 프랑크의 새 왕에게 기름을 부음으로써 자신이 왕과 그 아들들을 사도 베드로의 권리 수호자들로 세우는 것임을 명확하게 해놓았다. 페핀은 약속에 따라 754(또는 755)년에 이탈리아에 군대를 파견하여 교황령을 정복하고 있던 아이스툴프를 철수하게 만들었다.

이로써 '교황령'(the States of the Church), 즉 교황청의 세속 주권의 역사가 시작되어 1870년까지 지속되었고, 그뒤 비록 규모는 훨씬 축소되었으나 바티칸 시(the Vatican City)라는 국가의 등장으로 새롭게 시작되었다.

교황과 프랑크 왕과의 거래는 당시로서는 매우 일상적이고 자연스러운 일로 비쳤음에 분명하다. 그들의 거래는 7-8세기의 사건들이 조용하면서도 냉엄하게 형성해 놓은 정세를 현실로 인정하였다. 페핀 2세와 샤를 마르텔의 가문은 보니파키우스와 교황청과의 거래를 통해서 새롭고 강력한 라틴 기독교 세계의 세속 지도자들로서의 지위를 굳혔다. 동시에 교황들은 화상 파괴 논쟁과 이탈리아를 차지하려는 롬바르드족의 야심으로 압박을 받긴 했지만, 그들의 진정하고도 효과적인 권위 영역은 영국 선교와 메로빙조(朝)의 세력이 이룩해 놓은 새로운 가톨릭 기독교 유럽임을 인정하였다. 그러나 이러한 거래에 임하는 양측의 시각은 다를 수밖에 없었다. 스테파누스와 그의 계승자들의 입장에서는 그 거래가 「콘스탄티누스의 증여」에 담긴 원칙들을 가시적으로 실현하는 것을 뜻하였다. 그러나 페핀과 그의 계승자들의 입장에서는 자신들이 서방 기독교 세계의 안녕을 수호해야 하는 짐을 맡는 것을 뜻하였다. 이러한 정세 가운데 후대의 중세 서방에서 라틴 기독교 세계의 주도권을 놓고 교황들과 세속 군주들 간에 벌어질 투쟁의 씨앗이 싹트고 있었다.

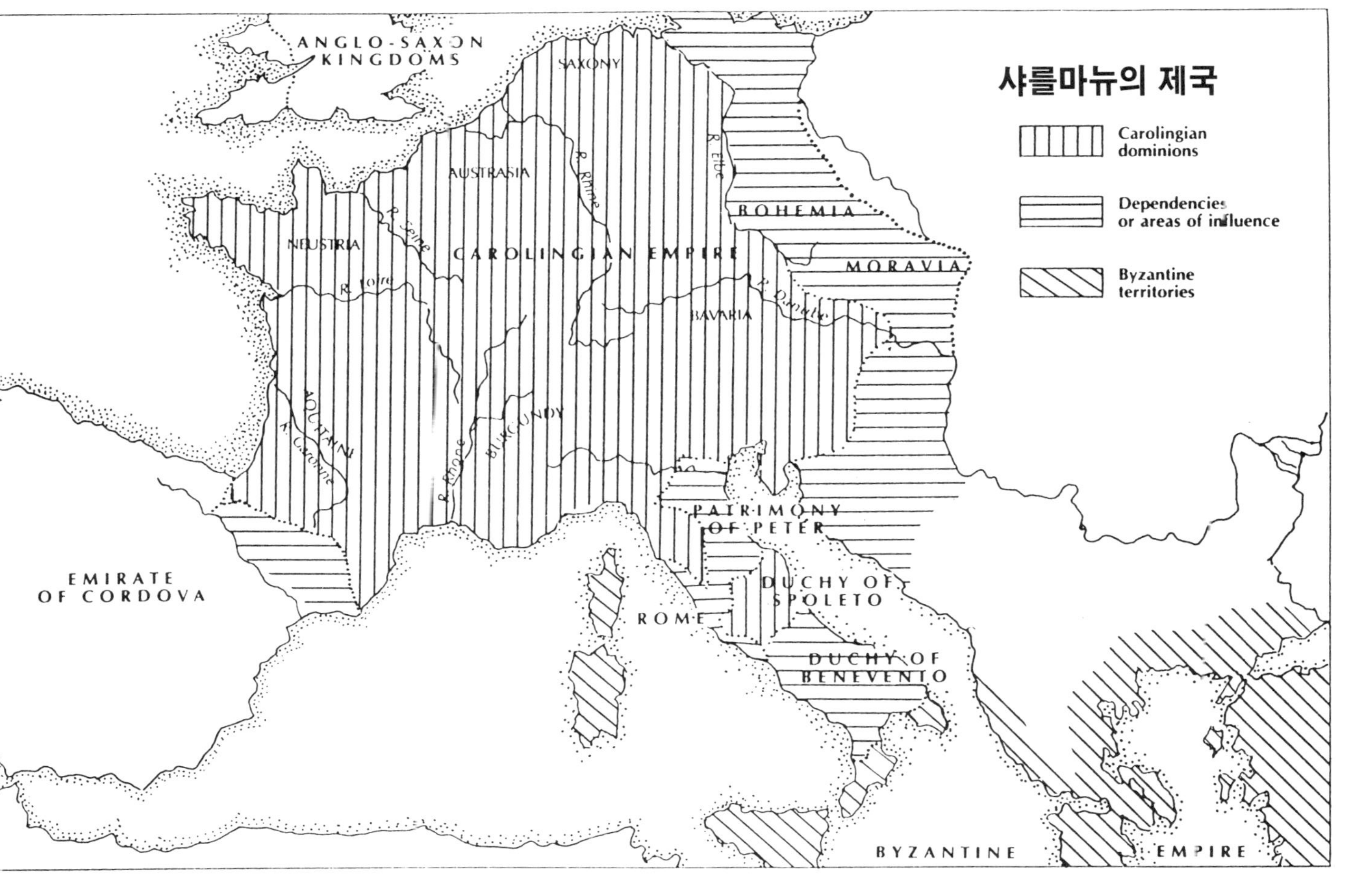
샤를마뉴의 제국
Carolingian dominions
Dependencies or areas of influence
Byzantine territories
ANGLO-SAXON KINGDOMS
SAXONY
AUSTRASIA
NEUSTRIA
R. Seine
R. Rhine
R. Elbe
BOHEMIA
MORAVIA
CAROLINGIAN EMPIRE
R. Loire
R. Danube
BAVARIA
AQUITAINE
R. Garonne
BURGUNDY
R. Rhone
PATRIMONY OF PETER
DUCHY OF SPOLETO
ROME
DUCHY OF BENEVENTO
EMIRATE OF CORDOVA
BYZANTINE EMPIRE

5. 샤를마뉴

페핀(Pepin the Short)은 768년에 죽었다. 그는 프랑크족의 방식대로 왕국을 두 아들 샤를(Charles)과 카를로망(Carloman)에게 분할하여 물려주었다. 두 형제(이들은 아버지와 마찬가지로 754년 교황 스테파누스에게 왕으로 기름부음을 받았었다)는 자주 투쟁을 벌였지만, 그들 간의 투쟁은 771년 카를로망이 죽음으로써 중단되었다. 샤를 — 그의 별명 '대제' (the Great)는 결국 그의 이름에 포함되었고, 역사는 대부분 그를 그렇게 해서 이루어진 이름인 '샤를마뉴' (Charlemagne)로 불러왔다 — 은 그때부터 814년 임종 때까지 하나님의 은혜와 소명이 자신을 기독교 프랑크 왕국 위에 세웠다는 생각을 가지고 그 왕국을 다스리고, 개혁하고, 확장하였다.

샤를은 다재다능한 사람이었다. 프랑크족의 전승에 위대한 전사(戰士)로 등장하는 그는 연례적으로 군사 원정을 감행하여 자신이 물려받은 영토를 두 배 이상 넓혔고, 죽을 무렵에는 오늘날 프랑스, 벨기에, 네덜란드, 오스트리아, 독일과 이탈리아의 상당 부분, 그리고 스페인 북동쪽 일부에 해당하는 영토를 다스리고 있었다. 그러나 그의 군사적 역량은 많은 재능의 일부에 지나지 않았다. 인구가 적고, 가난하고, 통신 속도가 늦고, 무역은 거의 존재하지 않으며, 충성심이 박약한, 거의 야만적인 세계를 물려받은 그는 행정 체계를 세우고, 그로써 아직 붕괴의 위협에서 벗어나고 있지 못하던 그 사회에 — 당대뿐만 아니라 한동안 후계자들의 시대에까지 — 종교적인 구심점과 상당한 정도의 정치적 통일을 부여할 수 있었다.

동시에 그는 기름부음을 받은 기독교 백성의 왕으로서 교회의 수호자로 자임하였고, 교회의 물질적이고 정신적인 안녕을 증진하기 위해 노력하였다. 마지막으로, 샤를은 학문을 즐긴 사람임에 분명하다. 비록 가까스로 글을 쓸 줄 알았지만(당시 왕들은 직접 글을 쓸 필요가 없었다), 라틴어와 심지어 그리스어도 어느 정도 구사하였고, 주변에 학문이 깊은 고문들을 두었으며, 왕국 전역에 교육의 혜택이 두루 미치게 하기 위해 많은 노력을 기울였다.

샤를이 최초로 감행한 군사 원정은 롬바르드 왕 데시데리우스(Desiderius)에게 이탈리아 교황령의 독립을 존중하도록 강요하기 위한 것이었다. 데시데리우스의 강력한 위협 앞에서 로마에 대한 수비를 준비하고 있던 교황 하드리아누스 1세(Hadrian I, 772-795 재위)의 요청이 있자 샤를은 두 번에 걸쳐 이탈리아를 원정하여 롬바르드를 속국으로 만들었다. 그로써 샤를은 774년 때와 마찬가지로 "하나님의 은총에 의한, 프랑크족과 롬바르드족의 왕이자 로마인들의 집정관"이라는 칭호를 얻었다. '로마인들의 집정관'이라는 칭호는, 샤를이 교황들에게 중부 이탈리아 영토들을 소유할 수 있도록 보증한다는 페핀의 약속을 재확인해 주자, 이에 감사해 마지 않던 교황 하드리아누스가 로마에서 부여해준 것이다.

그러나 롬바르드의 완충지가 사실상 사라지게 되자 교황청은 어느덧 프랑크 왕과 정치적 예속 관계에 들어가 있게 되었다. 프랑크 왕은 베드로의 계승자를 실제로 존경하긴 했지만, '하나님의 은혜로' 왕이 된 자신이 왕국 내의 기독교 백성의 영적 안녕에 대한 궁극적인 책임을 지고 있다는 자각이 더욱 컸다. 선왕으로부터 물려받은 신정왕(神政王) 의식의 당연한 표출이었던 이러한 경향 속에서, 샤를은 교황을 자기 왕국의 수석 사제로 보게 되었다. 아이러니하게도 이러한 관점은 「콘스탄티누스의 증여」의 원칙들보다는 비잔틴 황제들의 원칙과 더욱 일치하였다.

샤를이 자기 영토를 온전하게 지키고 기독교를 확장하는 데 결정적으로 중요했던 것은 당시 엘베 강과 라인 강 어귀 사이의 지역(오늘날의 독일 북서부)을 차지하고 있던 색슨족을 정복하는 일이었다. 그는 772년부터 804년까지 지속된 치열한 원정 끝에야 비로소 색슨족을 정복하였고, 그 동안 프랑크족은 적군들에게 기독교를 강제로 부과한 뒤 그 나라 전역에 선교사들과 주교구들을 배치함으로써 개종을 확인하였다. 색슨족에 대한 이 원정은 8세기 초에 성 윌리브로드(St. Willibrord)가 사역하였던 프리지아를 최종적으로 기독교화하는 성과도 아울러 거두었다. 또한 샤를은 반란을 일으킨 바바리아의 공작 타실로(Tassilo)를 진압하였는데, 이 일을 계기로 바바리아 교회들을 프랑크 체제 안으로 흡수하였을 뿐만 아니라, 아바르족에 대한 원정에 성공을 거두었으며, 기독교를 '동쪽 국경지방'인 오스트리아로 확대할 수 있었다. 이런 방식으로 프랑크 왕국은 비잔틴 제국의 북쪽 국경선에 인접한 지역에 사는, 슬라브인이 주종을 이루고 있던 발칸 민족들과도 접촉하였다.

샤를은 군사 지도자이자 정복자였을 뿐만 아니라 교회와 사회의 개혁자이기도 하였다. 그는 모든 상상력을 다 동원해도 질서와 문화라는 개념을 파악할 수 없었던 세계에 의도적으로 당대 최고의 지식인들을 기용하여 질서와 문화를 전달하였다. 그의 고문들 가운데 가장 뛰어난 인물은 영국의 수사 겸 부제 앨퀸(Alquin)으로서, 그는 고향 요크에서 주교좌성당 학교 교장으로 일하다가 781년에 샤를마뉴의 궁정에 들어갔다. 비록 깊고 독창적인 사상가는 아니었지만 학문성과 탐구성을 지녔던 그는 가경자 비드(Bede the Venerable)와 재로우 수도원 전승의 산물이었다. 그는 샤를의 궁정에서 같은 정신을 지닌 학자들을 만났다.

그중에는 몬테 카시노의 수사이자 「롬바르드 민족사」(*A History of the Nation of the Lombards*)의 저자로서 훗날 샤를로부터 왕국 전역의 교회들에서 읽을 설교들의 집필을 부탁받은 파울루스(Paul the Deacon, 799 죽음)와, 고전학자 페트루스(Peter of Pisa), 훗날 아킬라의 대주교 겸 샤를의 북부 이탈리아 최고 행정관이 된 파울리누스(Paulinus)가 있었다. 이 성직자들은 성경과 어거스틴(Augustine), 그레고리(Gregory the Great), 카시오도루스(Cassiodorus), 이시도루스(Isidore of Pisa)의 저서들 뿐만 아니라 로마 전승들과 교회법에도 능통한 학자들로서, 다양한 재능들을 발휘하여 샤를을 섬겼다. 앨퀸은 왕궁에서 비공식적인 교양학부를 운영하였고, 샤를도 직접 이곳에서 강의를 많이 들었다. 앨퀸은 투르의 성 마르틴 수도원 대수도원장이 된 뒤 샤를의 왕국 전역에 수도원 학교들, 도서관들, 필사소(筆寫所, scriptoria)들을 세우고 확대하였다. 그의 목적은 단지 문학과 교육을 널리 보급하는 데뿐 아니라, 과거의 유산을 담고 있는 문서들을 수집하고 필사(筆寫)하는 데도 있었다. 현존하는 수많은 고전들과 교부 저서들 — 모두 카롤링조(朝) 필사체라 부르는 우아한 서체로 작성되었다 — 은 샤를과 그의 계승자들 때의 수도원들에게서 나왔다.

그외에도 앨퀸과 그의 동료들은 대(對) 교황청 및 비잔틴 제국 외교관계와, 왕국 및 교회의 행정에 대한 체계적인 개혁 작업에서 샤를을 이끌었다. 더욱이 그들, 특히 앨퀸은 샤를로 하여금 자기 왕국을 거의 4세기 전에 히포의 어거스틴이 말한 '하나님의 도성', 즉 기독교 연방으로 바라보도록 가르쳤다(어거스틴의 글을 읽어줌으로써). 교회에 대한 샤를의 관심과 권위는 삶의 모든 분야로 확대되었다. 직접 주교들을 임명하고 그들을 대상으로 공의회를 소집하였으며, 공의회는 사실상 왕의 자문기구가 되었다. 샤를의 명령으로 앨퀸은 로마교회의 전통적인 전례(典禮)들을 세심히 연구한 뒤에 왕국 안에 천차만별로 흩어져 있던 예배 의식들을 개혁하고 통합하였으며, 그로써 다른 무엇보다도 이른바 사도신경이 서방에서 보편적으로 사용되게 만들었다.

샤를의 확고한 의지에 힘입어 주교들은 촌락, 즉 영지 교회들의 성직자들을 임명하고 감독하고 치리할 수 있는 권한을 부여받았으며, 심지어 평신도 성직 임명권자들이 사제들을 임명하던 지역에 대해서도 그러한 권한을 행사하는 경우가 빈번하였다. 이런 방식으로 교회구 체제는 점차 확대되어 교회의 통치 구조들을 형성하게 되었다. 샤를은 그와 동시에 과거의 수도대주교 체제를 재조직하였고, 그들(오늘날은 대주교라 부름)로 하여금 그들의 '관구'(province) 안에 있는 다른 주교들에 대해 관할권을 행사하도록 하였다. 그외에도 샤를은 주교를 직접 보좌하는 사람들(familia)인 성직자들 — 부제들(deacons)과 장로들(presbyters) — 의 생활에 관심을 기울였다.

샤를은 그들에 대해서 페핀(Pepin the Short) 시절에 마인츠의 주교 크로데강(Chrodegang)이 고안한 체제를 받아들이도록 권장하였다. 일찍이 크로데강은 자신의 성직자들에게 반(半)수도원적인 규율, 이른바 '비타 카노니카'(*vita canonica*, 규율에 따른 생활)를 부과하였던 바, 이 규율은 그들에게 공동생활과 성무일도(聖務日禱) 공동 암송을 강요하되(III:13 참조), 사유재산 소유를 허용하고 엄격한 수도원 규율과는 다른 방식으로 업무를 수행하도록 허용하였다. 이러한 체제가 확산됨에 따라 주교좌 성당과 공주(共住)성직자단 교회(collegiate church)에 소속된 성직자들을 '참사회원'(canon)이라 부르는 관습이 생겼다.

그러나 샤를이 무엇보다도 관심을 기울인 분야는 지역 주민들에 대한 목회 사역이었다. 비록 성취와는 거리가 멀었으나, 모든 마을에 교육받은 장로 — 주민들에게 기독교를 가르칠 수 있을 뿐만 아니라, 사실상 교장으로서 모든 주민들에게 글을 깨우치는 데 따르는 혜택을 줄 수 있을 만한 — 를 배치하는 것이 그의 이상이었다.

교회에 대한 이러한 관심은 두말할 나위없이 교황청까지 확대되었던 바, 하드리아누스 1세(Hadrian I, 772-795 재위) 때 교황청은 그동안 공식적으로 인정해 오던 콘스탄티노플에 있던 황제의 수장권을 최종적으로 부정하고, 샤를을 사실상 기독교 세계의 평신도 수장으로 인정하였다. 정복 사업과 교회 확장 및 개혁에 쏟은 열의로 볼 때 그를 수장으로 인정하는 것은 당연한 일로 보였다. 하드리아누스를 계승한 레오 3세(Leo III, 795-816)는 샤를이 그런 식으로 갖게 된 권위에 대해서 감사할 이유도 있었고 의기소침할 이유도 있었다. 교황청을 자신들의 통제하에 두고 싶어하던 로마 귀족들의 반발을 극복하고서 799년 4월 25일에 교황에 선출된 레오는 고용된 괴한들에게 습격을 받고 납치된 뒤 폭행을 당하였다. 프랑크의 두 성직자의 도움으로 도망쳐 나온 그는 파더보른에 있던 샤를에게로 피신하였으며, 그곳에서 샤를에게 존대를 받았다. 그러나 그가 도착한 직후 샤를은 교황 납치 음모를 꾸민 장본인들로부터 레오를 중범죄자와 파렴치범으로 고소하는 내용의 편지들을 받았다.

샤를은 사도 베드로의 어떠한 계승자라도 그러한 혐의를 가지고 그 신성한 직무를 맡을 수 없다고 판단하고서 일단의 프랑크 주교들을 이끌고 로마를 방문한 뒤, 성 베드로 대성당에서 열린 회의에서 레오에게 하나님 앞에서 결백을 맹세함으로써 무죄를 입증하라고 요구하였다. 이틀 뒤인 800년 성탄절에 레오는 성탄절 미사를 집전하였다. 그는 샤를이 그 미사에 참석한 뒤 성 베드로의 성소 앞에서 기도하고 있을 때 그의 머리에 왕관을 씌워주었고, 운집한 로마 시민들은 그를 "하나님으로부터 평화를 사랑하는 위대한 황제로 임명을 받은 샤를 아우구스투스"라고 연호하였다. 이러한 교황의 행위로 말미암아 샤를은 더이상 프랑크족과 롬바르드족의 왕이 아니라 콘스탄티누스의 계승자로서 로마인들의 기독교 황제가 되었다.

이 사건에 대한 해석은 역사가들 사이에 폭넓은 논쟁을 일으켜 왔다. 샤를 대제의 전기작가 아인하르트(Einhard)는 새 황제가 교황의 행위에 불쾌감을 표시한 다음 교황의 의도를 알았더라면 결코 성 베드로 대성당에 오지 않았을 것이라고 주장했다고 썼다. 많은 역사가들은 이 진술을 토대로 레오의 행위를 「콘스탄티누스의 증여」(Donation of Constantine)에 담긴 원칙을 재강조하려는 시도로 보았다. 그들의 주장에 따르면, 레오는 샤를의 지원이 절실한 데다 그로부터 무죄 서약을 요구받음으로써 궁색한 처지에서 — 콘스탄티누스의 말을 빌자면 — 오직 교황만이 줄 수 있는 것, 즉 로마 황제의 지위와 권위를 샤를에게 부여함으로써 그의 수장권을 사실상 재강조한 것이라고 한다.

다른 역사가들은 이러한 해석에 반대한다. 그들은 레오 1세의 행위를 하드리아누스 1세 — 그는 비잔틴 황제들의 수장권을 공개적으로 배척함으로써 황제의 지위를 서방으로 옮기려는 의도를 비친 듯하다 — 의 정책을 연장한 것에 지나지 않는 것인 동시에, 프랑크 지식인들의 이념을 승인한 것으로 본다(당시 프랑크 지식인들은 앨퀸과 마찬가지로 오랫동안 샤를을 새로운 다윗으로, 그리고 그들이 유럽이라 부르기 시작한 라틴 기독교 세계의 황제로 드높였다). 이러한 관점에서 보자면, 레오가 그 특별한 상황에 샤를에게 대관식을 치러준 일은 프랑크 왕이 궁지에 몰려 있던 교황을 위해 간섭한 일과, 동방 '황제'가 여성 이레네(Irene)였을 뿐만 아니라 합법적인 군주인 자기 아들을 살해함으로써 심지어 프랑크족에게도 충격을 준 여자라는 사실로써 충분히 설명할 수 있다.

이러한 해석들 가운데 하나를 고르는 것은 레오의 의도를 판단해야 하는 한 어려운 문제이다. 왜냐하면 그럴 만한 명백한 증거가 남아 있지 않은 데다, 어쨌든 레오의 의도가 복합적인 것이었을 가능성이 크기 때문이다. 그러나 샤를이 레오의 행위를 예기(豫期)치 못했다는 것은 명확한 사실로 보인다. 사실상 샤를은 황제라는 새로운 직위가 당혹스러운 것임을 곧 알아차렸을 것이다. 그 일로 즉시 비잔틴 제국과 외교적이고 군사적인 분쟁에 휘말려 들어갔기 때문이다. 비잔틴 제국 지도자들은 기독교 세계가 한 사람의 수장, 즉 콘스탄티노플에 권좌를 두고 있는 로마 황제만 가지고 있으며, 그외에는 황제가 있을 수 없다는 신념을 원칙상 포기할 수 없었다(아무리 상황에 밀려 실질상으로는 포기할 수 있게 될지라도 말이다).

더욱이 샤를과 그의 고문들은 교황이나 비잔틴 권력자들과는 다른 시각으로 황제직을 보았던 것 같다. 샤를은 자신을 로마인들의 황제로 보지 않고 유럽을 구성하고 있는 라틴(즉, 프랑크와 롬바르드) 기독교 세계의 황제로 보았다. 그렇다면 그 대관식은 그 안에 개입한 다른 파벌들에게 각기 다른 뜻을 갖고 있었던 셈이다.

어쨌든 이 사건을 계기로 사도적 기독교의 보호자들인 교황들과 프랑크 군주들의 연합 감독하에 새로운 라틴 기독교의 문화 및 종교 통일체가 등장하게 되었다. 그리고 프랑크 왕국은 이제 잠시나마 콘스탄티누스 제국의 희미한 모습으로 변하게 되었다.

6. 9세기 유럽의 기독교

누구든 샤를마뉴의 죽음(814) 이후 시기에 라틴 기독교 세계를 보면 무엇보다도 카롤링조(朝) 제국의 급속한 정치적 분해에 놀라워하게 된다. 이러한 상황 전개의 원인은 부분적으로는 유산을 생존해 있는 남자 상속자들에게 나눠주는 프랑크족의 관습뿐만 아니라, 샤를의 후계자들 중 대개가 부적격했다는 데에서도 찾아볼 수 있다. 그러나 이런 요인들로 충분한 설명이 되지는 않는다. 더욱 중요한 요인은 본격적인 무역과 신뢰할 만한 통신의 부재가 재촉한, 그리고 당연하게 만든 지역주의였다. 프랑크 왕국은 정착 농업에 토대를 사회로서, 그 기본적 사회 단위는 도시도 아니고 심지어 촌락도 아닌 자급자족적인 장원 또는 영지에 계속 머물러 있었다. 지역주의 경향을 심화한 데는 바다를 거점으로 치고 빠지는 수법으로 유럽과 영국을 괴롭히던 바이킹족과 사라센족 앞에 무력했던 왕국 군대체제도 한몫 하였다.

샤를의 계승자로서 '경건왕'(the Pious)이라 부르는 루이(Louis, 814-840)는 유일하게 살아남아 있던 샤를의 적자(適子)로서, 카롤링 제국 전체를 상속하여 다스렸다. 그러나 루이는 군인이 아니었으며, 아버지에게 진정한 권력의 원천이 되어 주었던 프랑크족의 본토 오스트라시아의 군사 귀족들을 제대로 지휘해본 적도 없었다. 그럼에도 그는 (비록 어려움이 없진 않았지만) 왕국을 하나로 규합하였고, 성직자 지식인들과 마찬가지로 라틴 기독교 제국의 이념에 대한 열정을 — 아마 매우 순진한 방식으로 — 갖고 있었다. 루이는 자신의 왕직와 황제직을 하나님께서 기독교 백성을 보호하고 확장하며 다스리도록 내리신 소명으로 보았다. 이 소명은 자신이 왕으로 즉위할 때 임한 것으로서, 그에 따라 자신의 유일한 재판관들은 왕국 내의 주교들이며, 그들이 또한 자신의 대신들이자 고문들이기도 하다고 보았다. 따라서 루이는 아버지와 마찬가지로 사실상 교회의 최고 목자로 활동하면서 교회 생활의 모든 부분을 개혁하고 감독하였다.

그러나 이렇게 기독교 제국의 이상에 충실했음에도 아들들에게 제국을 분할해준 사람이 바로 루이였다. 더욱이 그는 이 일을 서툴게 한 결과 자신과 아들들, 그리고 아들 서로간의 관계를 항구적인 갈등 관계로 만들어 놓았다. 이러한 갈등은 그가 죽은 뒤에도 계속되다가 843년 베르덩(Verdun)조약이 체결되고 나서야 비로소 해결되었다. 프랑스와 독일 간의 분리사를 시작시켜 놓은 이 조약에 의해 제국은 세 부분으로 분열되었다. 루이(Louis, 843-875)는 라인강 동쪽 지역을 받았고, 그 이유에서 '독일인'이라는 별명을 얻었다.

'대머리' (the Bald)라 부르는 샤를(Charles, 843-877)은 오늘날 프랑스에 해당하는 대부분의 지역을 받았다. 장남 로타르 1세(Lothair I, 843-855)는 황제라는 칭호와 함께 라인 강 북쪽 어귀로부터 이탈리아 북부 롬바르드 왕국까지 뻗은 이상한 모양을 한 중앙 지역을 받았다. 그러나 이러한 초기의 분할은 후에 있을 좀더 복잡한 분할의 전조에 지나지 않았다. 로타르 1세가 죽은 뒤 그의 영토는 다시 세 부분으로 분할되었고, 결국에는 작은 공국들 집단에 불과하게 되었다. 독일과 프랑스에서는 공식적으로는 왕정이 남아 있었지만, 진정한 중앙 권력은 남아 있지 않았다. 911년 독일 카롤링조(朝)의 마지막 왕이었던 소년왕 루이(Louis the Child)가 죽자 권력은 바바리아, 프랑켄(프랑코니아), 스바비아, 작센의 족장들에게 넘어갔고, 카롤링조 구성원들은 그들에게 고대 로마의 '둑스' (dux, 공작)라는 칭호를 부여함으로써 공식적인 지위를 허락하였다. 마찬가지로 프랑스의 카롤링조 말기의 왕들 — 그중 마지막 인물은 루이 5세(Louis V, 986-987) — 은 그들 영역 안의 많은 영주들보다 적은 권력을 행사하였다. 샤를마뉴가 이룩한 정치적 통일은 거의 총체적으로 허물어졌다.

이탈리아와 프랑스에서는 이러한 권력 분산이 부분적으로는 9-10세기에 거의 모든 방향에서 유럽 전역을 위협하던 외부의 공격들에 대한 반응이었다. 9세기가 시작되면서 데인-노르웨이의 해상 부족들이 영국과 프랑스를 노략하기 시작하였다. 스웨덴족이 발트 해를 건너 러시아의 강줄기를 따라 흑해로 내려가는 동안, 데인족과 노르웨이족은 앵글로 색슨족과 프랑크족 지역의 해안으로부터 강을 타고 올라가서 촌락들을 불태우고 수도원들을 무너뜨리는 등 노략질을 하다가 국왕군이 모집되어 싸우러 오기 전에 도망갔다.

영국에서는 이러한 노략질 때문에 비드와 앨퀸 같은 학자들과 카롤링조의 후원 아래 독일을 개종시킨 선교사들이 이룩해 놓은 수도원의 지적이고 문화적인 삶은 종말을 고하였다. 793년 초반에 린디스판이 약탈을 당했고, 9세기 중반까지는 영국의 중심지들 대부분이 약탈을 당했으며, 데인족이 영국 대부분 지역을 장악하고 통치하였다. 이러한 상황은 웨섹스 왕 알프레드(Alfred the Great, 871-899 재위)의 필사적인 용맹으로 극복되었다. 알프레드는 878년 에딩턴에서 대전투를 치른 뒤 구스룸(Guthrum)이 이끌던 데인족에게 영토 분할을 받아들이도록 강요하였고, 그로써 영국 중부와 북동부 대부분 지역으로 구성된 '데인로' (Daenlaw)가 형성되었다.

그러나 영국에서의 상대적인 평화는 프랑스와 네덜란드에 대한 바이킹의 공세와 심각성을 더욱 증대시킬 뿐이었다. 로타르 2세(Lothair II)의 아들 황제 루이 2세(Louis II)는 재위기간 중의 모든 교황들과 함께, 그리고 때로는 비잔틴 제국과 함께 남쪽에서는 이탈리아를 괴롭히던 사라센족, 북쪽에서는 겐트(Ghent), 쾰른, 랭스 같은 중심지들을 약탈하던 바이킹을 막아보려고 하였다. 결국 스칸디나비아인들은 센 강 어귀 지방에 정착하였고, 프랑스 왕 단순왕 샤를(Charles the Simple, 898-929 재위)은 알프레드의 방식을 따라 그들의 지도자 롤로(Rollo)와 프랑스식의 '데인로'를 만들어주지 않을 수 없었다. 롤로는 노르망디 공국으로 알려진 영토 — 중심지는 루앙 — 를 받은 데 대한 보답으로 기독교를 받아들이는 데 동의하였다.

프랑스에서는 — 그러나 독일과는 시기와 정도가 다르게 — 카롤링조 권력이 붕괴한 데 이어 18세기에 '봉건제도'(feudal system)라 부른 체제가 등장하였다. 이것은 본질상 일종의 사회-정치 조직이었다. 이 체제는 그 뿌리를 주로 과거 게르만족의 전쟁 지도자와 그 밑에서 싸우던 전사들 간의 관계를 형성했던, 상호 봉사와 충성으로 이루어진 인간 관계에 두었다. 그러나 봉건제도의 독특한 특징들은 그러한 인간 관계를 토지 소유과 관련짓고, 그 관계를 왕 또는 다른 영주의 중앙 권력에 대한 예속 군주들의 의무들을 규정하는 데 사용한 데 있었다. 봉신(封臣, vassal)은 주군(主君)에게 충성을 바치는 대가로 토지를 받았으며, 이 토지는 소유권이 당대로 그쳤다. 원래 로마제국에서와 마찬가지로 왕이 임명하는 관료들이었던 공작들(*duces*)과 백작들(*comites*)은 일반적으로 그러한 방식으로 메로빙조 왕들과 그들의 후계자들로부터 왕의 토지를 보상으로 받았다. 그러나 토지 재산이 경제력과 군사력의 기초였기 때문에, 그리고 '성직록'(benefice) 또는 '봉토'(封土, fief)가 실제로는 자손에게 상속되었기 때문에, 이 관료들은 점차 정착된 세습 귀족이 되었다.

더욱이 그들은 개인 재산과 권력에 힘입어 점차 왕으로부터 독립하는 가운데 해당 지역의 공공 질서와 정의를 유지하고, 외적의 침입을 막는 실세가 되었다. 이로써 그들 역시 — 사회적 신분, 법적 권리들, 안전이 영주와 맺은 개인적이고 반(半)가문적인 관계에 달려 있던 세계에서 — 봉신들을 얻기 시작하였고, 자신들의 영토에서 소작농들뿐만 아니라 자기들의 봉신들인 자유민들에 대해서까지 관할권을 소유한 작은 왕들이 되었다. 두말할 나위없이 이 모든 것은 자기 신하들을 보상하고 통제하는 방법으로 봉건제도를 만든 왕들의 세력이 잠식되는 대가로 발생하였다. 그리고 왕권 쇠퇴에 따른 한 가지 결과는 수도원들과 주교구들이 다함께 점차 지역 봉건 영주들의 통제 아래 들어가게 된 것이었다.

그러나 샤를마뉴가 이룩하였던 정치적 통일이 외적의 침입과 권력의 분산이라는 동시적인 충격으로 급속히 와해된 반면에, 카롤링조 왕들이 이룩한 종교적 통일은 똑같은 운명을 맞지 않았다. 로마 가톨릭 기독교는 유럽과 영국의 문화와 사회에서 통일 요인으로 남아 있었다. 그 핵심 제도들 — 교황제도, 주교제도, 수도원 공동체들 — 은 비록 당대의 사건들과 상황들 때문에 자주 부패하고 변형되긴 했으나 활기는 그대로 유지하였다. 무엇보다도 왕권과 교회권이 협력하여 기독교 사회를 부양한다는 카롤링조의 이상이 계속해서 백성의 생각을 사로잡았다.

수도원 운동은 원래 단출한 마음으로 그리스도를 닮기 위해 세속에서 떠난다는,

심지어 적대시한다는 정신으로 출발했다. 켈트족과 그후 영국의 수도원은 이러한 금욕 정신을 잃지 않았다. 영국 수도원은 목회와 선교 활동, 그리고 교육 육성에도 개입하였으며, 페핀 2세와 그의 계승자들의 지원과 보호를 받아 이교가 만연해 있던 유럽을 개종시키고 기독교화하는 데 중요한 도구가 되었다. 그러므로 9세기 무렵에는 왕들과 영주들에게 방대한 토지를 받아 설립된 수도원들이 시골에 흩어져 있었을 뿐만 아니라, 국가든 교회든 모든 권력 중심지에도 가까이 붙어 있었다. 더욱이 수도 생활의 형태는 성 베네딕트(St. Benedict)의 수도회칙이 보편적으로 받아들여짐에 따라 더욱 안정되고 통일되었다.

경건왕 루이(Louis the Pious)는 814년 부르고뉴(부르군트) 아니앙의 수사 베네딕트(Benedict of Aniane, 751-821)를 황궁으로 초빙한 다음, 그가 아이앙 수도원에 부과했던 것과 똑같이 엄격한 베네딕트 수도회칙을 왕국 내의 모든 수도원들에 부과할 수 있도록 권위를 부여하는 칙서를 그에게 줌으로써 수도 생활이 훨씬 더 빨리 안정과 통일을 얻는 데 기여하였다. 루이의 궁전 근처에 새로 설립된 수도원 공동체를 맡게 된 베네딕투스는 817년 황제가 엑스 라 샤펠에서 소집한 대수도원장들의 공의회에서 자신의 「*Capitulare monasticum*」을 공포하였고, 그뒤 모든 지역의 수사들의 교화(教化)를 위해 「*Concordia regularum*」과 「*Codex regularum*」을 작성하였다. 이러한 개혁 노력은 폭넓은 지지를 받지 못하였으며, 카롤링조 체제가 점차 와해됨에 따라 많은 수도원들이 무질서와 부패에 사로잡히게 되었다.

그럼에도 베네딕트는 새로운 규율 정신을 홍보하는 데 성공하여, 결국 유럽 전역에 더욱 엄격하고 체계잡힌 수도 생활이라는 열매를 맺게 하였다. 그럼에도 불구하고 9세기와 그 이후의 베네딕트회 수도원들은 6세기에 이 수도회를 설립한 사람이 구상했던 그런 공동체들이 아니었다. 그중 한 가지는 수사들이 더이상 평신도들이 아니라 대부분 성직자들이었다는 점이었다. 다른 한 가지는 이 성직자들이 농사일에 참여하지 않았다는 점이었다. 수도원 토지는 대부분 당시의 모든 장원들과 마찬가지로 농노들이나 소작인들에 의해 경작된 반면, 수사들은 예배와 다른 형태의 일에 몰두하였다.

더욱이 그들은 사회를 떠났음에도 불구하고 여러 가지 방법으로 세속을 가까이 두고서 중세 초반의 사회에 상징적이고도 실질적인 여러 가지 중요한 기능을 하였다. 갈수록 정교하고 길어진 수사들의 성무일도(聖務日禱, the Divine Office)는 그들이 대표하는 전체 사회를 대신하여 하나님께 드리는 예배로 이해되었을 뿐만 아니라, 악과 무질서의 권세에 맞선 영원한 투쟁으로도 이해되었다. 그들은 기증받은 토지를 가지고 왕이나 귀족 후원자들에게 물질적 자원과 필요할 경우 군인들을 제공해 줄 수 있었을 뿐 아니라, 귀족 자녀들이 교육을 받고 중요하고도 고급스런 직무를 믿을 만한 소양을 갖출 수 있는 환경도 제공해 주었다. 수도원들은 교육과 예술 면에서도 주요 중심지들이었다. 무엇보다도 수도원들은 질서정연하고 규칙적이며 평화로이 하나님을 섬기며 삶으로써 고통과 무질서로 얼룩진 세상에서 하나님의 실재와 임재를 상징하였다.

수도원과 사회의 공존은 주교제도와 병행되었다. 초기 카롤링 왕들이 이룩한 사회에서 주교는 비록 갈수록 경원(敬遠)시되는 대상이 되긴 했으나 무엇보다도 목자였다. 관할 구역에 사는 주민들 전체가 그의 교구민들이었고, 목회 사역의 궁극적인 후원자는 다름아닌 왕이었다. 왕은 주교를 임명하고 교회를 제공할 뿐만 아니라 그를 공의회에 소집하기도 했으며, 주교의 사역을 기독교 백성의 안녕을 보장해야 하는 왕의 사명의 일면으로 보았다.

따라서 기독교 유럽에서 교회와 왕의 협력으로 명예와 책임이 증진된 사람은 단지 교황뿐만 아니라 주교들이기도 했다. 그러므로 주교들이 자기 교회들에 속한 토지 자원들뿐만 아니라 행정가와 고문으로서 자기 재능까지도 발휘하여 하나님께 임명받은 왕을 섬긴 것은 지극히 당연한 일이었다. 앞에서도 보았지만, 그런 이유에서 주교들은 사실상 왕의 관리들과 봉신(封臣)들로 취급받았으며, 실제로도 유용한 봉신들이었다. 왜냐하면 그들의 재산은 세습되는 일이 없고 언제나 영주가 마음대로 처분할 수 있었기 때문이었다. 주교들은 사역의 대가로 왕으로부터 봉신에게 해당하는 보호와 물질적 지원을 받았다. 이러한 관계는 냉소적인 것이 아니었다. 카롤링조 왕들 — 그리고 앞으로 보게 되겠지만, 독일의 계승자들 — 은 교회를 수호하는 일을 신성한 의무로 받아들였다. 반대로 그들은 교회 재산에 의존하였으며, 이런 현상은 사회가 봉건화되면서 왕권이 쇠퇴함에 따라 더욱 두드러졌다.

정치 권력이 분산되던 이런 시대에 수도원제도와 주교제도가 중요하게 이바지한 한 가지 점은 앨퀸과 그의 동료들이 샤를마뉴의 궁정에서 시작시켜 놓은 교육 전승을 지속시킨 점이다. 앨퀸 이후 시대에 대부분의 수도원들과 많은 주교좌 '가정들'(훗날 '주교좌성당 학교들'의 초기 형태)은 다소 학문성을 갖추고 자유 7과(the seven liberal arts)를 가르치는 교사를 두었다. 좀더 뛰어난 일부 수도원들은 학교들은 물론이고 사본을 필사(筆寫)하기 위한 전문 기관들을 두었다. 그 학교들에서는 저명한 교사들이 고대 교회의 신학 및 해석학 전승뿐만 아니라, 수학, 연대기학, 천문학 같은 과목들까지도 연구하였다. 이러한 '카롤링조 문예부흥'의 정신은 과거에 치중한 것이었지만, 강세 운율과 리듬을 사용한 시(詩), 사회 문제들과 정치 이론에 관한 합리적인 사고, 새로운 신학 연구 등을 태동시켰다.

이 시대의 가장 독창적인 신학 사상가는 대머리 왕 샤를(Charles the Bald)의 궁정학교 교장이었다. 그는 아일랜드 출신 에리게나(John Scotus Erigena, ?-877경)로서, 위(僞) 디오니시우스(pseudo-Dionysius the Areopagite, 참조. III:

10)의 저서들을 라틴어로 번역하였고, 그 저서들의 내용에 철저한 신플라톤주의자로서의 자신의 사상을 덧붙여 「자연의 구분에 관하여」(*On the Division of Nature*)라는 책을 썼다. 그러나 에리게나는 자신의 사상을 물려줄 만한 사람이 없었고, 따라서 번역서들을 남긴 것 말고는 후시대에 이렇다할 영향을 끼치지 못하였다. 교리사가들에게 더욱 관심을 끄는 것은 수도원 학교들에서 일어난 두 가지 논쟁이다. 그중 첫번째 논쟁은 코르비에 수도원의 대수도원장 파스카시우스 라드베르투스(Paschasius Radbertus, ?-860경)가 일으킨 것으로서, 그의 저서 「주님의 살과 피에 관하여」(*On the Body and Blood of the Lord*)가 일부 독자들에게 성찬식 때 그리스도가 성찬물들에 임재한다는 개념을 지나치게 문자적이고 '물리적으로' 해석한다는 인상을 준 것이 발단이 되었다. 그의 저서는 대머리 왕 샤를로부터 관심을 끌었고, 여러 사상가들로부터 논박을 받았다. 그중 가장 유명한 논박은 저자 자신의 수도원의 수사 라트람누스(Ratramnus)로부터 나온 것이다.

16세기의 몇몇 종교개혁자들에게 많은 존경을 받은 라트람누스의 답변은 성 어거스틴의 전승으로 되돌아간 내용을 담았고, 그리스도가 성찬물들에 임재하는 것이 전적으로 사실이면서도 영적이고 '상징적'이라고(즉, 감각들을 통해서는 식별할 수 없지만, '신비 안에서'〈*in mysterio*〉 믿음을 통해 알 수 있다고) 주장하였다. 또다른 논박은 풀다의 대수도원장이자 훗날 마인츠의 대주교가 된 라바누스 마우루스(Rabanus Maurus, ?-856)로부터 왔다. 앨퀸에게 직접 배운 라바누스는 단순히 파스카시우스를 논박하는 데 그치지 않고, 광범위한 성경 주석을 썼으며, 이시도루스(Isidore of Seville)의 「어원들」(*Etymologies*)을 토대로 「우주에 관하여」(*De universo*)라는 유명한 '백과사전'을 제작하였다.

라바누스와 에리게나 두 사람은 모두 당대에 일어난 두번째 논쟁에 적극 참여하였다. 이 논쟁의 계기가 된 것은 수사 고트샬크(Gottschalk, ?-868경)의 사역이었다. 이 사상가는 수도원 생활을 청산하고 세속으로 들어가려고 시도하다가 라바누스의 반대에 부닥쳐 뜻을 이루지 못한 채 풀다 수도원에서 프랑스 오르베 대수도원으로 전출당하였다. 그는 이곳에서 히포의 어거스틴에 대한 연구에 깊이 몰입하였고, 결국 이중 예정(double predestination, 하나님이 어떤 사람들은 구원받도록, 다른 사람들은 유기〈遺棄〉되도록 결정해 놓으셨다는 교리)이라는 극단적인 이론을 내놓게 되었다. 이 이론은 5세기의 반(半) 펠라기우스 논쟁 배후에 깔려 있던 모든 질문들을 한꺼번에 되살아나게 함으로써 당대에 가장 격렬한 신학 논쟁을 불러일으켰다.

그의 이론에 대해서 에리게나와 라바누스뿐만 아니라, 유력한 랭스 대주교이자 과거에 생 드니 대수도원의 수사를 지낸 바 있는 힝크마르(Hincmar, ?-882) ― 그는 아마 신학자보다는 정치가, 행정가, 교회법 학자로 더욱 주목할 만한 인물인 듯하다 ― 도 반박하고 나섰다. 논쟁 과정에서 고트샬크는 라트람누스를 포함한 많은 지지자들을 얻었으나, 결국 848년 마인츠에서 열린 교회회의에서 정죄를 받았고, 그뒤 여생을 오트빌레 수도원에서 지내면서 반대자들을 학무적으로 논박하는 글들을 썼다. 논쟁은 신학적으로 매우 세련된 방식으로 진행되지는 않은 듯하다. 그러나 두 논쟁은 서방교회에 신학에 대한 진지한 관심이 다시 솟아나게 만들었을 뿐만 아니라, 프로테스탄트 신학을 포함한 후대의 많은 서방 신학의 중심이 될 쟁점들을 미리 암시해 주었다.

그렇다면 이런 모든 상황에서 교황청은 어떠했을까? 로마교회와 그 주교들은 서방 기독교 세계에서 중추적인 성격을 잃은 적이 없었다. 교황은 사도 바울의 대리자로서 비할 데 없는 명성과 존경을 누렸으며, 교황청의 안녕은 카롤링조 말기 군주들에게 적어도 공식적인 관심사였다. 비록 그들로서는 교황청을 보호하거나 통제할 만한 능력이 없었긴 하지만 말이다. 더욱이 교황들 — 교황청 상서국이 그들에 관해 남긴 기록은 당시 어떠한 기관들이 남긴 기록들보다 더욱 길다 — 은 「콘스탄티누스의 증여」에 요약된 원칙들을 잊은 적도 버린 적도 없었다. 그들은 자신들이 모든 주교들 위에서 보편적인 관할권을 행사하고, 교회에서 교육권의 주된 원천이 되며, 자신들을 기독교 세계의 모든 세속 군주들과 구분해 주는 영적 권세를 행사한다고 이해했다.

그러나 그런 권위를 주장하는 것과, 그 권위를 충분히 행사하는 것과는 별개의 문제였다. 그럼에도 당대의 상황과 경향이 허락하는 한도에서 이 권위는 행사되었다. 9세기 교황들이 교황령 안에서 자기들의 권리를 지켜내고, 교회 정치를 위한 일반 원칙들을 제시하며, 적절한 상황에서는 그 원칙들을 지지하기 위해 직접 나서는 모습을 보여주는 증거들이 풍부하다. 그러나 9세기의 상황들에서는 왕이 지역적인 정치 문제들을 직접 관리할 수 없었던 것과 마찬가지로, 교황도 교회의 일반 문제들을 직접 관리할 수 없었다. 또한 9세기의 상황들은 카롤링 제국이 점차 붕괴되어 가고 있던 당시 교황들로 하여금 이탈리아의 국지적인 주도권 분쟁들에 갈수록 휘말려들어 결국 압도당하지 않을 수 없게 만들었다.

그러나 때로는 교황이 여전히 효과적으로 권위를 행사할 수 있었다는 사실은 니콜라스 1세(Nicholas I, 858-867)의 교황 재위기간이 여실히 보여준다. 그의 전임자 레오 4세(Leo IV, 847-855 재위)는 사라센 침략자들이 로마를 뚫고 들어와 심지어 베드로 대성당과 바울 대성당 안에까지 들어간 지 1년 뒤에 교황에 즉위하였다. 그러므로 레오는 재위기간 대부분을 물리적인 방어 문제에 골몰하느라 보냈고, 그의 가장 큰 업적은 티베르 강 오른쪽 둑에 이른바 '레오 시'(Leonine city)라는 요새를 건축한 일이다. 그는 이 요새 덕분에 그뒤 몇 차례에 걸친 사라센족의 침공을 막아낼 수 있었다.

니콜라스는 이슬람교도들의 침략으로 대두된 문제를 무시할 수도 없었고 무시하지도 않았다. 그러나 교황청 및 황제 루이 2세(Louis II, 855-875)와 이탈리아 남부의 비잔틴 세력들 간의 협력은 사라센족의 공세를 잠시 중단시켰으며, 끈질긴 지도자이자 외교관이었던 니콜라스는 그동안에 두 가지 중요한(그리고 많은 덜 중요한) 사건들을 치르면서 알프스 산맥 이북에 교황권을 역력히 과시하였고, 그 과정에서 교황청이 권력도 명성도 잃지 않았음을 보여주었다. 그 두 가지 사건들 가운데 첫번째 것은 로렌의 왕 로타르 2세(Lothair II)가 — 자신의 문제를 프랑크 왕국 정책의 초점으로 만든 왕조에 대한 관심으로부터 — 자녀를 낳지 못하던 아내 티에트베르가(Tietberga)와 이혼하고서 자신의 첩 발드라다(Waldrada)와 결혼한 일에 교황이 개입한 사건이다. 티에트베르가로부터 상소를 받은 교황 니콜라우스는 이혼을 승인한 메츠 교회회의(863)의 결정을 번복하였고, 동시에 트리어 대주교와 쾰른 대주교를 파면하였다. 니콜라스는 이러한 방식으로 프랑크 성직자들과 군주에게 교황의 권위를 주장하였다.

훗날에 더욱 큰 영향을 끼친 것은 니콜라스가 프랑스 교회의 문제에 개입한 사건이었다. 사건의 발단은 그가 랭스의 대주교 힝크마르(Hincmar)에게 폐위된 스와송의 주교를 복직시키도록 강요한 데 있었다. 그것은 대주교 힝크마르의 권한에 속한 일이었다. 니콜라스가 취한 이 행동 — 교황이 대주교구 내부의 문제들에 개입할 권위를 갖고 있다는 원칙을 확립한 — 의 더욱 광범위한 의미는 두 가지 서로 무관한 상황들에 놓여 있었다. 첫번째 상황은 랭스 교구가 프랑크 왕국의 교회 문제에 대해 사실상 수장권을 갖고 있다는 힝크마르의 확신이었다. 그는 이 확신을 자신의 저서 「성 레미기우스의 생애」(*Life of St. Remigius*) (레미기우스는 클로비스〈Clovis〉에게 세례를 준 랭스의 주교임)에서 암시하였고, 869년 메츠에서 대머리 왕 샤를(Charles the Bald)을 일방적으로 황제로 임명함으로써 그 확신을 극적으로 보여주었다.

두번째 상황은 교회 안에서 교회법의 질서와 규율이 자주 파기되는 데 대해 당시 프랑스 주교들이 일반적으로 느끼고 있던 불만이었다. 이러한 현상은 무엇보다도 평신도 영주들이 갈수록 교회의 토지와 재산을 빼앗아가는 데서 생겼다. 주교들은 당시의 혼란상과 폭력성을 잘 드러낸 이 문제에 대해 846년 에페르네에서 회의를 갖고 왕에게 현실에 개입하여 교회의 상태를 올바로 되돌려 놓을 것을 요구하였다. 대머리 왕 샤를은 아마 그럴 만한 능력이 없었기 때문에 그 요구에 응하지 않았으며, 왕의 이런 입장은 힝크마르에게 지지를 받았다. 전통 질서가 위협을 받고 왕권이 교회의 보호자로서 제구실을 하지 못하는 상황에서 적어도 일부 교회 지도자들의 마음은 교황청으로 쏠렸다.

이 무렵 프랑스의 한 지역에서는 체제에 반대하는 한 무리의 학자들이 「위(僞) 이시도루스 교령집」(*Pseudo-Isidorian Decretals*)을 작성하였다. 이 책은 초기 교황들과 공의회들이 내린 판결 모음집으로서, 일부는 원본이고 일부는 위조되었으며, 그 학자들은 이시도루스(Isidore of Seville, 참조. Ⅲ:19)가 자료들을 수집하였다고 주장하였다. 그들이 이 모음집 — 그 안에는 「콘스탄티누스의 증여」가 실려 있었다 — 을 낸 목적은 분명하였다. 이 모음집은 당시 평신도 귀족들과 특정한 부패들에 의해 침식당하던 주교들의 전통적인 권위를 보호하기 위해서 왕, 평신도 귀족들, 세속 법정들뿐만 아니라 지역 대주교들의 권위를 약화시키는 대신 모든 교회의 권위를 교황청에 집중시켰다. 당시로서 이것은 혁명적인 주장이었다. 니콜라스 1세는 아마 그 교령집을 알게 되었을 것이고, 그가 랭스의 힝크마르를 치리한 일은 그 교령집에 담긴 교황권에 대한 명백한 호소에 동조한 것으로 해석할 수 있다.

그러나 교황들이 명백히 이 모음집에 호소하거나 상황을 이 모음집이 예시한 것과 비슷하게 이끌어갈 수 있게 된 것은 그로부터 2세기가 지난 뒤의 일이었다. 프랑크 왕국에 교황권을 확립하려는 이러한 움직임들에 발맞추어, 니콜라스는 비잔틴 교회의 문제에 개입하는 의미심장한 조치를 취하였다.

858년 콘스탄티노플 총대주교 이그나티우스(Ignatius)는 황제 미카엘 3세(Michael Ⅲ)의 삼촌이자 수석고문 바르다스(Bardas)의 강요에 의해 총대주교직에서 폐위되었다. 사건의 발단은 엄격한 보수주의자였던 이그나티우스가 섭정으로 있던 여제(女帝) 테오도라(Theodora, 참조. Ⅳ:3)의 강제 폐위 이후에 등장한 새 정부의 정책들에 타협하지 않은 데서 비롯되었다. 바르다스는 이그나티우스 자리에 포티우스(Photius)라는 평신도를 임명하였다. 포티우스는 동방교회에서 매우 저명한 학자이자 진지한 신학자였다. 이그나티우스가 은퇴를 거절하고 자신이 폐위된 것이 적법한 것인지를 제기하자 황제와 포티우스는 니콜라스에게 교회회의에 사절들을 보내줄 것을 요청하였다. 이 교회회의는 화상 파괴주의에 따른 문제들과 총대주교 문제를 다룰 예정이었다. 그러나 니콜라스의 사절들은 교황으로부터 받은 지시를 넘어서서 행동한 듯하다.

교황의 주된 관심은 이 기회를 빌어 이탈리아 남부와 발칸 반도에 대한 교황청의 관할권 회복 문제를 놓고 동방 권력자들과 협상하려는 데 있었다. (발칸 반도에 대해서는 불가리아 출신 황제 보리스(Boris)와 편지를 주고 받는 가운데 그의 국민들에게 복음을 전하기 위해 로마 선교사들을 파견할 수 있는지를 타진하고 있었다.) 그러나 교황 사절들은 교황의 뜻과는 정반대로 콘스탄티노플로부터는 양보를 받아내지 못한 채 교회회의에 참석하여 이그나티우스의 폐위에 대한 교황의 승인만을 확인시켜 주었다. 이 소식을 들은 니콜라스는 콘스탄티노플로 보낸 자신의 편지가 위조되었다고 불평하고서, 이그나티우스가 여전히 총대주교라고 선언함으로써 교회회의의 법령들을 승인하기를 거부하였다.

863년 그는 포티우스를 파문하였다. 그뒤 4년 동안 포티우스로부터 아무런 반박이 없었다. 그러나 867년 — 동방과 서방간의 불화점이었던 니케아 신조 라틴어판에 실려 있던 '필리오케'(filioque) 구절에 관한 문제를 최초로 제기한 편지에서 — 포티우스는 니콜라스에 대해 아나테마(저주)를 선언하고 그를 파문하였다. 그러나 같은 해에 바르다스와 미카엘 3세를 살해하고 즉위한 새 황제 바질 1세(Basil I, 867-886)는 이그나티우스를 다시 총대주교로 앉혔고, 그로써 이른바 '포티우스 분쟁'은 막을 내렸다. 포티우스는 878년 이그나티우스가 죽은 뒤 다시 총대주교로 선출되었지만, 교황 요한네스 8세(John VIII, 872-882)는 학자들 사이에 퍼져 있던 과거의 입장과는 달리 그의 선출을 합법적인 것으로 인정하였다.

니콜라스는 보편적인 권위를 주장할 수 있는 유일한 주교로서의 권위를 행사하는 데 성공하였지만, 그 과정에서 동방교회와 서방교회 간의 관계는 항구적인 분열을 향해 또 한 걸음을 내디뎠다.

7. 교황청과 오토 제국

870년 교황 요한네스 8세(John VIII)가 즉위할 당시에는 동방교회와의 관계가 주된 문제가 아니었다. 875년 황제 루이(Louis)가 죽자 사라센족은 이탈리아를 다시 공격하기 시작하였다. 전체를 이끌 중심 권력이 전무한 가운데 롬바르드와 남부 이탈리아의 소(小) 군주들은 방어와 주도권을 놓고 서로 경쟁하는 가운데, 사라센 침략자들에 대해 연합군을 형성하여 맞서기보다는 개별적으로 맞서는 경우가 많았다. 이런 상황에서 침략군은 로마 남쪽의 가리글리아노 강 어귀 지대에 항구적인 거점을 확보한 다음, 그곳에서부터 해안지대와 농촌지대를 약탈하였다. 다른 많은 수도원들 중에서도 특히 몬테 카시노에 있던 성 베네딕트 대수도원이 약탈을 당하였다.

침략군은 로마 성벽에까지 밀려왔다. 교황 요한네스는 북쪽으로부터 이탈리아를 지원할 세력을 규합하기 위해, 그리고 공동의 적 앞에서 이탈리아 군주들을 결집시키기 위해 노력하느라 재위기간 중 상당 부분을 보냈다. 그는 첫번째 시도에서는 실패했지만, 두번째 시도에서는 상당한 성과를 거두었다. 그럼에도 그가 죽은 뒤 — 전하는 바로는 그의 일가친척들이 그의 재산을 노리고 독살했다고 한다 — 로마는 약탈을 당하였다.

882년 요한네스의 죽음을 기점으로 교황청은 그뒤 거의 한 세기 동안 불화와 폭력으로 얼룩진 이탈리아 정치 상황으로 끌려들어가 지역 군주들과 로마 귀족들의 노리개가 되었다. 역사가들은 이 시대를 다룰 때 주로 교황청의 제도적 도덕적 부패, 교황직에 앉은 사람들의 잦은 무자격성, 교황직을 가문과 왕조 투쟁에 이용하는 행위에 초점을 두는 경향을 나타내 왔다. 물론 이러한 지적들은 매우 정확한 것이긴 하지만, 이 시대를 이해하려면 다른 두 가지 점을 더 염두에 두어야 한다.

첫번째는 이 시기에 교황청에서 발생한 일들이 당시 유럽 전역에 보편화되어 있던 상황 중 한 가지 예에 불과하다는 점이다. 프랑스 주교들이 846년 에페르네에서 대머리 왕 샤를에게 불평했던 것과 똑같은 상황이었다. 국가의 중심 권력이 사실상 사라지면서 교회 조직과 모든 종류의 재산들은 각 지역 평신도 영주의 봉건적 통제 아래 들어가게 되었고, 영주들은 교회의 재산을 사용하여 권력 신장을 꾀하였고, 추종자들과 일가친척들에게 성직록으로 하사하였다. 이런 상황에서 때로 수사들과 성직자들의 도덕적 추문과 규율 해이 현상이 나타났으며, 이러한 현상은 노르만족과 사라센족의 침공에 따른 혼란과 파괴로 더욱 심화되었다.

두번째는 이렇게 혼란과 무질서에 찌들어 있던 시기에 거의 모든 지역에서 회복을 위한 중요한 운동들이 일어났다는 점이다. 이 운동들의 목표는 종교 기관들의 정화와 개혁, 그리고 성직자와 군주가 기독교 공화국 수립을 위해 손잡고 일하는 일종의 카롤링조의 사회적 이상을 되살리는 데 있었다. 이 시기의 교황청 역사에서 흥미를 끄는 것은 교황청이 유럽 사회의 붕괴에 따른 영향들을 받았다는 사실이 아니라, 회복과 개혁 운동이 교황청이 아닌 다른 곳에서 발생하여(훗날 16세기 초와 마찬가지로) 서서히 교황청 조직보다 우세하게 되었다는 사실이다.

교황청 역사에서 가장 추문으로 얼룩진 시기는 두말할 나위 없이 세르기우스 3세(Sergius III, 904-911)로부터 요한네스 13세(John XIII, 965-972)에 이르는 반세기였다. 역사가들 사이에 전통적으로 '도색정치'(Pornocracy)로 알려진 이 시기 동안 로마와 교황청은 '로마인들의 원로원 의원'이자 교황청에서 가장 높은 평신도 관료였던 테오필락투스(Theophylact)의 가문에게 지배를 받았다. 테오필락투스와 그의 지명으로 교황이 된 요한네스 10세(John X, 914-928)는 로마 귀족들을 규합하여 이탈리아-비잔틴 세력과 손을 잡고서 가리글리아노 강 어귀의 요새로부터 사라센족을 최종적으로 몰아냈다. 이때 벌어진 전투에서 교황은 선두에 서서 직접 싸웠다.

테오필락투스가 죽자(915?) 그의 가문과 로마 공국이 안고 있던 문제들은 야심이 가득했던 그의 딸 마로지아(Marozia) — 스폴레토의 알베릭(Alberic)과 결혼함 — 의 손에 넘어갔다. 마로지아는 남편이 죽자(917 이후) 입지 강화를 위해 투스카니의 구이(Guy)와 재혼을 추진했다. 이 결혼에 대해서 교황 요한네스 10세(John X)가 반대하고 나섰지만, 투스카니 군인들이 로마에 들어온 뒤 라테란 궁에 들어가 교황의 형제를 죽이고, 이어서 교황마저도 투옥한 뒤 질식사시켰다. 마로지아는 세 명의 교황을 차례로 임명하였고, 그중 마지막 인물인 요한네스 11세(John XI, 931-936 재위)는 그녀의 아들이었다(어떤 이들은 마로지아가 교황 세르기우스 3세〈Sergius III〉에게서 낳은 서자라고 한다). 두번째 남편마저 죽자 추측컨대 순수한 로마인에 의한 제국 왕조 설립을 겨냥한 마로지아는 구이의 이복동생 프로방스의 위그(Hugh of Provence)를 이탈리아 왕이라 부르면서 그에게 청혼하였다.

그러나 결혼식 때 위그에게 모욕을 당한 마로지아의 아들 알베릭(Alberic)은 어머니가 근친상간을 범했다고 고소함으로써 로마 시민들을 상대로 어머니와 위그에 대한 봉기를 일으켰다. 위그는 로마에서 도망쳤고, 마로지아는 감금되었으며, 알베릭 자신이 '모든 로마인들의 군주이자 원로원 의원'이라는 호칭을 가지고 로마 교회와 공국 업무를 맡았다.

알베릭(932-954 재위)은 의심할 여지 없이 전제적인 통치를 하였다. 그러나 공평무사한 태도를 유지했고, 로마 시와 주변 영토들의 질서와 상대적인 번영을 회복하려는 데 주안점을 두었다. 더욱이 당대의 사건들 때문에 흐트러지고 부패한 수도원들을 개혁하는 데 많은 관심을 쏟았다. 로마를 외부 세력들의 지배하에 넣으려는 온갖 시도들을 뿌리친 테오필락투스의 손자 알베릭은 영토를 보존하려는 정신과 자립정신을 되살려 놓았다. 그는 교황청을 통제했지만, 그가 임명한 교황들 — 이들은 그에게 충성을 다하였다 — 은 교황직을 더럽히지 않은 사람들이었으며, 여하튼 이 시대 교황청의 기능은 주로 상징적인 것이었다. 알베릭이 과거 교황들이 확보하려고 애쓰던 것, 즉 로마와 그 주교의 독립을 확보하려고 노력한 것은 분명한 듯하다. 그러나 로마가 교황에게 속한 것으로 보지 않고 교황이 로마에 속한 것으로 본 점에서는 과거 교황들과 달랐다. 알베릭은 죽음을 앞두고서 현직 교황 아가페투스 2세(Agapetus II, 946-955 재위)가 죽고 난 뒤 자기 아들 옥타비아누스(Octavian, 그는 방탕아였음이 분명하다)를 후임 교황으로 세우겠다는 서약을 받아냄으로써 자신의 직위와 교황직을 연합시키려고 하였다. 그리고 그의 의도대로 옥타비아누스는 16살에 요한네스 12세(John XII)라는 이름으로 아가페투스와 자기 아버지를 계승하여 교황 자리에 올랐다. 그러나 그 직위에 걸맞는 활동을 내놓지 못하였다.

이러한 사건들이 진행될 때와 거의 같은 무렵에 수도원 세계에는 중세 초반에 수도원 생활뿐 아니라 공중 생활에까지도 획기적인 영향을 끼치게 되었던 조직이 등장하였다. 그것은 바로 **클루니 대수도원**(abbey of cluny)으로서, 이 대수도원은 전성기 때 교회 조직들을 도덕적이고도 신앙적으로 개혁하는 데 지대한 공헌을 하였다. 부르고뉴(Burgundy)에 사리잡은 이 대수도원은 910년 아키텐의 공작 윌리엄(William of Aquitaine)에 의해 설립되었다. 매우 경건한 평신도 성직임명권자였던 윌리엄은 베네딕트(Benedict)의 「수도회칙」(*Rule*)에 명시된 대로 자신의 수사들로 하여금 세속 군주의 간섭을 받지 않고 대수도원장을 선출할 수 있도록 하는, 당시로서는 예외적인 법령을 제정하였다. 더욱이 그 대수도원은 평신도의 감독으로부터 뿐만 아니라 주교의 감독으로부터도 자유로웠다. 처음부터 이 대수도원은 오직 교황에게만 감독을 받았다(10세기의 상황에서 그것은 사실상 어느 누구의 감독도 받지 않음을 뜻하였다). 이러한 상황들만으로도 클루니 대수도원은 당대의 독특한 기관이 되었고, 저명한 대수도원장들이 계속 등장함으로써 한층 더 두드러지게 되었다: 오도(Odo, 927-942 재위), 메욀(Maieul, 943-994), 오딜로(Odilo, 994-1049), 대(大) 위그(Hugh the Great, 1049-1109).

클루니 대수도원은 초창기부터 개혁되고 또한 개혁해가는 수도원으로서, 베네딕트(Benedict of Aniane)의 전승에 서서 베네딕트회 수도생활을 온전히 실천하는 데 전념하였다. 열정과 학식으로 유명했던 그 대수도원장들은 유럽 전역의 수도원 문제들에 관해 끊임없이 자문 요청을 받았고, 결국 그 대수도원의 개혁 정신을 영국에서부터 로마에까지 전파하였다. 예를 들어, 대수도원장 오도는 알베릭의 간청에 따라 적어도 로마를 세 번 방문했다. 또한 로마 북동쪽에 자리잡은 파르파 대수도원을 개혁하기 위해 클루니의 수사들을 파견하였을 뿐만 아니라, 알베릭의 신앙 고문이 되어 로마 전역의 수도원들을 감독하기까지 했다.

10세기 후반에는 유럽 전역에 클루니 대수도원장의 권위를 인정하는 수도원들이 퍼져 있었고, 11세기 초반에는 이 수도원들이 사실상 최초로 공식 조직을 갖춘 수도회가 되어 있었다. 클루니회가 지향한 것은 독신과 재산공유, 대수도원장직에 대한 평신도 간섭의 철폐, 세상을 위한 기노와 예배 사역에 수사들의 충분한 전념 등의 이상들을 회복하는 것이었다. 이러한 이상을 토대로 클루니회 지도자들은 왕들과 교황들의 고문들이 되었고, 그 수도회의 모범과 명성은 수도원들뿐만 아니라 평신도들과 주교좌성당 성직자들 사이에도 높은 수준의 도덕과 신앙 표준을 퍼뜨리는 데 이바지하였다.

영국도 10세기 후반에는 비록 간접적이긴 하지만 클루니회의 영향이 표면적으로 나타났다. 이곳에서는 왕 알프레드(Alfred)의 계승자들인 에드워드(Edward the Elder, 899-925 재위)와 아텔스탄(Athelstan, 925-939 재위) 때 데인로(Danelaw)에 대한 영국 왕들의 권위가 재확립되었고, 데인인들이 기독교로 개종하기 시작하였다. 그러나 학문과 목회에 대한 열정을 되살리려는 알프레드의 노력에도 불구하고, 교회의 삶과 재산을 회복하는 일은 군사적 위기가 사라질 때가지 기다려야만 했다. 이는 왕들이 새롭고 좀더 많은 군사력을 일으키기 위해 교회의 토지 재산을 계속해서 필요로 했기 때문이다. 왕의 보호 아래 진행된 영국 교회 개혁운동의 지도자는 성 둔스탄(St. Dunstan, 909경-988)으로서, 그는 왕 에드먼드(Edmund, 939-946 재위)에게 글래스턴베리의 대수도원장으로 임명된 뒤 왕 에드거(Edgar, 960-975 재위)에게 캔터베리 대주교로 임명되었다.

둔스탄 — 그는 철저한 금욕주의자인 동시에 박식한 신학자, 유명한 음악가, 능숙한 사본 채식자(彩飾者), 금속제련업자이기도 했다 — 은 글래스턴베리에서 거의 불모지에 가까운 사회에 엄격한 베네딕트회 수도원을 세웠고, 이 수도원은 훗날 그의 제자이자 동료였던 윈체스터의 주교 에텔월드(Ethelwold)가 기초를 놓고 개혁을 시행하는 데 모델이 되었다. 캔터베리 대주교가 된 뒤에는 주교들의 '권속들'(families)과 '재속'(在俗, secular) 참사회원들을 개혁하고 부양하는 데 고루 관심을 기울였다. 참사회원들에게는 베네딕트회 규율을 부과하여 사유재산을 소유하지 못하도록 하였고, 독신 생활을 하도록 하였다. 이런 개혁을 단행하는 과정에서 둔스탄과 동료들은 수도원 토지들에 대한 권한을 포기하지 않을 수 없게 된 많은 귀족들과 충돌하게 되었다. 그러나 대주교는 왕으로부터 지원을 받았다. 왕 에드거는 심지어 영국 교회 조직을 철저히 재건하려는 이 중요한 노력에 자신의 수입을 바쳐 지원하였다.

그러나 유럽에서 벌어진 회복 운동에서 가장 강력한 매체 역할을 한 것은 독일의 색슨족 왕들 — 이들의 계보는 '사냥꾼'이라 불린 하인리히 1세(Henry I, 919-936 재위)로부터 시작한다 — 이었다. 독일의 상황은 독특하였다. 이곳에는 봉건주의가 뿌리를 내리지 않았지만, 카롤링 왕국이 10세기 초반에 복합적인 부족 공국들 — 바바리아, 스바비아, 삭소니(작센), 프랑코니아(프랑켄), (929 이후에는) 로렌 — 로 분산될 징후를 보였다. 이러한 분산이 실제로 발생하지 않은 것은 두 가지 상황 때문이었다. 그중 첫번째는 유럽에 대한 헝가리족(마자르족)의 침공이었다. 9세기 말경에 시작된 이들의 침공은 북부와 남부에서 노르만족과 사라센족이 일으켜 놓은 것과 똑같은 중대한 위기를 샤를마뉴의 제국 동부 국경지대에 일으켜 놓았다. 아시아 평원지대에서 유목 생활을 하던 헝가리족은 때로 이탈리아와 프랑스까지 침공하여 가는 곳마다 약탈과 파괴를 자행하였다. 그러나 그들의 대무리가 일으키는 압력과 공포감을 가장 직접적으로 느낀 것은 독일 공국들이었다.

카롤링 왕국이 부족 공국들로 분산되지 않게 만든 두번째 상황은 독일의 성직자들과 이른바 '분가'(分家) 공국들의 지도자들이 — 부분적으로는 헝가리족의 위협 때문에 — 작센의 공작 하인리히(Henry the Fowler)를 왕으로 선출하기로 결정한 일이었다. 하인리히는 그들이 자신의 잠재력을 질시하였기 때문에 주로 자신의 자원들에 의존하였지만, 맡은 바 임무를 유능하게 잘 처리하였다. 북쪽에서는 데인족을 몰아냈고, 엘베 강 동쪽에서는 슬라브족을 진압했으며, 933년 안스트루트 전투에서는 헝가리속에게 치명적인 패배를 안겨주었다. 그의 후임에는 그보다 훨씬 유능한 아들 오토 1세(Otto I, 936-973 재위)가 즉위하여 독일 제국의 건축자가 되었다.

오토가 직면한 최초의 과제는 왕권 신장과 왕국 강화였다. 그는 재위 초부터 자신의 역할에 대해 분명한 관점을 갖고 있었던 것으로 보인다. 그렇게 생각하게 되는 이유는 그가 과거 샤를마뉴의 궁정이 있던 아헨(엑스-라-샤펠)에서 마인츠 — 독일의 수석주교구 — 의 대주교의 손을 빌어 직접 왕으로 즉위하였기 때문이다. 당시 그는 자신을 하나님께로부터 기독교 백성을 보호하고 양육할 책임을 받은 신정왕(神政王)으로 보았다. 더욱이 오토는 영국의 알프레드나 에드거처럼 공작들 가운데 한 사람으로서, 독실한 기독교인이었고(그의 직계 가문에는 시성〈諡聖〉된 성인이 두 사람 있었다), 교회 형편을 좋게 하는 데 직접적인 관심을 기울였다.

동시에 오토는 독일의 수도원들과 주교구들의 자원들이 다루기 힘든 대공국들의 지도자들을 장악할 수 있을 만한 기본적인 경제력과 군사력을 제공해 줄 수 있다는 점을 알았다. 이 새 왕은 처음부터 독일 주교구들과 대수도원들의 토지에 대한 소유권을 확보하고 서임권(성직 임명권) — 즉, 신정왕의 자격으로 주교들과 대수도원장들에게 직위에 대한 상징물을 줌으로써 그들을 임명하는 권리 — 을 주장함으로써 그들의 토지를 차지할 수 있는 토대를 닦았다. 이것은 자기 영토 전역에 걸쳐 고위 성직자들을 임명하는 일을 통제할 수 있게 되었음을 뜻하였다. 왜냐하면 주교나 대수도원장은 성직 임명을 받지 않고서는 직위에 오를 수 없었기 때문이다. 평신도 군주들에 의한 토지 소유 체제와 그들에 의한 성직 임명 관습은 유럽의 다른 지역에서도 존재하였고(클루니 대수도원은 교황의 개인 소유 교회였다), 만일 양측의 권리와 의무가 신중히 정의된 상태라면 교회의 복지와 상반되지 않는다는 것이 일반적인 생각이었다. 그러나 오토는 교묘한 정책을 써서 독일 교회들을 자신의 통제하에 두었고, 주교직과 대수도원장직 등 고위 성직에는 목회 임무에 충실한 뿐만 아니라 국사에서 왕의 권위를 대표할 수 있을 만한 사람들을 임명하였다.

오토는 즉위한 얼마 되지 않아 이탈리아 북부의 문제에 개입하였다. 이것은 제국에 대한 야심 때문이기도 했지만, 이탈리아 '왕국'이 아델라이데(Adelaide)라는 여성에게 상속되었기 때문이기도 했다. 이 사건은 바바리아와 스바비아의 공작들로 하여금 이탈리아에 개입하도록 빌미를 주었다. 또한 베렝가르(Berengar)라는 사람은 이 사건을 계기로 스스로 왕으로 선언하고서 아델라이데를 생포한 다음 그녀에게 자기 아들과 결혼하도록 요구했다. 이러한 상황에서 오토는 독일 왕의 권위를 주장하지 않을 수 없었고, 951년 이탈리아를 침공하여 아델라이데를 아내로 삼은 뒤 — 샤를마뉴와 똑같이 — 자신을 롬바르드 왕으로 삼았다. 또한 로마 외곽으로 와서 교황 아가페투스 2세(Agapetus II)에게 자신을 위해 황제 대관식을 집전해 줄 것을 요구하였다. 그러나 교황은 이를 거절하였다(개인소유 교회를 충분히 소유하고 있었으므로 독일의 침입을 바라지 않은 알베릭의 간청 때문이었을 것이다). 그 다음 10년 동안 오토는 일단의 독일 귀족들이 일으킨 반란과 헝가리족이 다시 시작한 공세에 휘말려 지냈다. 그러나 자신의 세력을 잘 유지해냈고, 결국에는 반란에 가담한 사람들까지도 규합하여 레히필드 강(아우그스부르크 근처)에서 헝가리족과 전투를 벌였고, 이 전투에서 그들을 최종적으로 그리고 철저히 진멸하였다(955). 그뒤 군인들에 의해 황제로 공포되었고, 기독교 세계를 구원해낸 인물로 널리 인정을 받았다.

그러나 황제가 되기 위해 거쳐야 할 단계가 아직 남아 있었는데, 그것은 교황이 집전하는 대관식이었다. 따라서 오토는 야심을 이루기 위해서 기다려야만 했다. 962년 그는 알베릭의 아들 교황 요한네스 12세로부터 페핀 2세(Pepin II)와 샤를마뉴와 같은 방식으로 로마교회의 강력한 오른팔 역할을 해달라는 요청을 받았다. 당시의 오른팔 역할이란 오토가 독일 문제에 매달려 있는 동안 교황령을 공격한 베렝가르(Berengar)를 물리치는 것이었다. 오토는 그 일을 해준 대가로 요한네스에 의해 황제로 즉위하였다. 그리고는 곧 자신이 로마교회의 '수호자직'을 어떻게 이해하고 있었는지를 드러냈다.

그는 이탈리아의 교황령들에 대해 교황청 소유권을 확증해 주었지만, 그 백성으로 하여금 로마교회가 아닌 자신에게 충성 서약을 하도록 만들었다. 그리고 앞으로는 어떠한 교황도 황제 자신이나 황제의 사절들에게 충성 서약을 하지 않고는 즉위할 수 없다고 천명하였다. 오토가 로마와 그 교구를 황제에게 소유권이 있는 교회로 보고 있다는 점을 눈치챈 요한네스는 그 독일 왕과 협상을 한 것을 후회하고는 과거 오토의 정적들에게 오토에 대한 자신의 투쟁을 지원해 달라고 요청하였다. 오토는 이 행위 ― 그의 관점에서는 반역에 해당하였다 ― 에 대해서 로마에 교회회의를 소집하고 963년 12월 6일에 요한네스의 폐위를 공포하였다. 그리고 그 대신에 레오 8세 ― 평신도로서 로마교회의 고위 행정관료 ― 를 앉혔다. 그러나 오토가 로마를 떠나자마자 로마 시민들은 레오를 몰아내고 요한네스를 복직시켰으며, 964년에 요한네스가 죽자 황제의 동의없이 베네딕트 5세(Benedict V)를 후임 교황으로 선출하였다. 그러나 오토는 로마로 돌아와 베네딕트를 독일로 추방하고 레오 8세를 복직시켰으며, 그의 후임자 요한네스 13세(John XIII, 965-972)도 직접 임명하였다.

이로써 서방의 로마 기독교 제국에 대한 꿈이 오토 1세에게서 되살아났으며, 오토는 훨씬 더 나아가 장남을 비잔틴 제국 공주 테오파노(Theophano)와 결혼시키기 위한 협상을 벌였다. 그러나 그 꿈은 그의 가문의 몰락으로 판명되었고, 몇 세기 뒤에는 그가 이룩한 독일 왕국의 몰락으로 판명되었다.

그의 아들 오토 2세(Otto II, 973-983 재위)는 이탈리아에서 사라센족과 전투를 벌이던 중 죽었다. 그의 손자 오토 3세(Otto III, 983-1002)는 3살에 왕이 되어 실질상 8년밖에 다스리지 못한 인물로서, 학문과 신앙과 이상론에서 일종의 천재였다. 그러나 그도 이탈리아를 위해 독일을 떠났고, 로마 아벤티누스 언덕에 세워진 궁정에 거주하면서 샤를마뉴가 상징으로 서 있는 진정한 로마 제국의 부흥을 기대하였다. 그는 당시 크레센티가(家)가 주도하던 로마 귀족들에게서 교황청을 빼앗았고, 여러 세대를 통해 가장 두드러지는 교황을 로마에 주었다.

그는 과거 자신의 가정교사였던 교황 실베스터 2세(Sylvester II, 999-1003)로서, 일반 대중에게 마귀의 힘을 빌어 마술을 한다는 오해를 살 정도로 다재다능한 인물이었다. 그는 「콘스탄티누스의 증여」가 위조문서임을 인정한 유일한 인물이기도 하였다. 하지만 오토의 제국은 독일에 그 근거를 두고 있었던 바, 그가 독일 문제에 소홀히 함으로써 그의 후임자들인 바바리아 출신 하인리히 2세(Henry II, 1002-1024)와 과거 프랑켄의 백작 콘라드 2세(Conrad II, 1024-1039)는 독일에 왕권의 기초를 재건하기 위해 많은 정력을 쏟지 않으면 안 되었다. 따라서 두 황제는 교황청과 이탈리아를 그들 나름대로 진행되도록 버려두었고, 로마교회의 문제는 투스쿨룸의 백작들의 지배하에 들어갔으며, 그들은 1033년에 나이 어린 베네딕트 9세(Benedict IX)를 교황 자리에 앉혔다.

오토 제국은 카롤링조가 지녔던 이상, 즉 신적인 임명을 받은 군주의 통치 아래 교회 조직들과 성직자들이 유기적인 역할을 수행하는 카롤링조의 기독교 사회에 대한 이상을 회복하였다. 또한 간헐적으로 교황청을 국지적인 영향력과 의미를 초월하는 조직의 수준으로 다시 한번 끌어올렸다. 그러나 결국에는 독일 제국이 사실상 로마 제국도 아니고 (심지어 서방에서조차) 보편성을 띠지 못한다는 사실과, 라틴 기독교 사회의 초점이 다른 데 있다는 사실이 명확하게 드러났다. 그러나 그 초점이 명확해질 수 있기 전에 오토 제국이 교황청에 다시 활력을 불어넣는 일이 필요하였다.

8. 화상 파괴 논쟁 이후의 그리스 교회

화상 파괴 논쟁이 동방 제국에 초래해놓은 분열은 쉽게 아물지 않았고, 그 정치적, 군사적, 종교적 결과들은 그대로 좀처럼 사라지지 않았다. 그중 첫번째 결과는 군대 안에 화상 숭배를 찬성한 군주들에 대해 조성되어 있던 상당한 불만이었다(군인들은 레오 3세 때 이래로 화상 파괴주의의 보루였다). 이 불만은 제국의 장군들과 해군 제독들의 빈번한 부조리에 대한 불만과 뒤섞였으며, 그 결과 이레네(Irene, 참조. Ⅳ:3)와 그녀의 계승자들인 니케포루스 1세(Nicephorus I, 802-811 재위)와 미카엘 1세(Michael I, 811-813 재위) 때 비잔틴 제국은 거의 모든 접경 지대에서 패배를 당하였다. 시칠리아, 크레타, 소아시아에서는 사라센족에게, 발칸 반도에서는 전쟁 지도자 크룸(Krum, ?-814)이 이끈 불가리아족에게 패배를 당하였다.

두번째 결과는 교회 내의 방임파와 엄수파 간의 투쟁 — 이것은 화상 파괴주의가 최종적으로 배척을 당한 뒤에도 계속되었다 — 에서 볼 수 있다. 엄수파는 화상 파괴주의 반대파의 핵을 이루었던 수도원들의 가치들과 태도들을 반영하였다. 그들은 교회와 그 지도자 곧 콘스탄티노플 총대주교를 황제의 권력과 정책들로부터 독립된(그리고 실제로는 자주 반대 입장에 서는) 권위로 보았다.

과거에 주로 평신도와 관료 출신 총대주교들의 노선에 섰던 방임파는 교리에서는 엄수파 못지 않게 열정적이고 정통적이었지만, 실질적으로는 황제가 기독교 세계의 수장이며, 교회는 그리스도의 대리자인 황제를 수장으로 삼는 기독교 사회의 가지 또는 팔이라는 견해를 취하였다.

비잔틴 제국이 최종적으로 화상 파괴주의를 배척한 다음 한 세기 반 이상 동안 확장과 쇄신을 시작한 것은 — 이 작업은 황제 치미스케스(Tzimiskes, 969-976 재위)와 바질 2세(Basil II, 976-1025 재위)의 탁월한 군사적 성공으로 그 절정에 도달했다 — 황제 미카엘 3세(Michael III, 842-867 재위)의 재위기간 때였다. 미카엘 자신은 보잘 것 없는 방탕아였지만, 처음에는 어머니 테오도라(Theodora), 그리고 그 다음에는 유능하되 평판은 좋지 못했던 삼촌 바르다스(Caesar Bardas)의 후견(그리고 통치) 아래 비잔틴 해군과 육군을 재건하였다. 그는 863년 멜리틴의 왕족이 이끄는 사라센 군대를 크게 무찔렀을 뿐만 아니라, 같은 해에 불가리아의 왕 보리스(Boris)가 로마교회 선교사들을 파송하는 문제를 놓고 프랑크 황제 루이 2세(Louis II)와 협상을 벌이고 있다는 소식을 듣고는 불가리아를 침공하여 보리스를 강제로 개종시킨 뒤 세례를 받게 만들었으며(보리스는 매우 적절하게 미카엘이란 세례명을 취했다), 그로써 콘스탄티노플 총대주교의 관할권과 동방 제국의 문화 영역에 또 한 나라를 추가하였다. 동부 전선에서 거둔 승리들이 그 지역을 잠잠하게 만들지 못했듯이, 이 사건도 발칸 반도에서 벌어지고 있던 군사적 정치적 투쟁을 종결짓지 못했던 것은 두말할 나위가 없다. 비잔틴 제국은 살아남기 위해서 두 국경선에서 끊임없이 선생을 치러야 했다. 그러나 미카엘의 계승자 바질 1세(Basil I, 867-886)와 함께 시작한 마케도니아 왕조하에서 비록 실패도 자주 있었지만 영토를 꾸준히 회복하고 확장하는 데 성공하여 1025년 무렵 제국은 시리아와 아르메니아의 상당 부분을 회복하였고, 남부 이탈리아, 크레타, 에게 해를 다시 지배하게 되었으며, 발칸 반도에 대한 주권을 주장하였다.

미카엘 3세의 즉위와 더불어 시작한 시대는 또한 동방의 학문과 예술이 괄목할 만한 부흥을 이룩한 시기이기도 했다. 이것은 황제 테오필루스(Theophilus, 829-842 재위)의 주도에 큰 힘을 입었던 바, 그는 콘스탄티노플의 세속 대학교를 부활시키고, 저명한 학자인 수학자 레오(Leo the Mathematician)로 하여금 그 학교를 이끌게 했다. 이 대학교에 모인 학생들 가운데는 장래의 콘스탄티노플 총대주교이자 당대의 가장 유명한 학자겸 사상가인 포티우스(Photius)와, 포티우스의 후임으로 철학 교수가 되었고 훗날 자기 형제 메토디우스(Methodius)가 함께 모라비아 지방의 슬라브족을 기독교로 개종시키는 데 일생을 바친 콘스탄티누스(Constantine)가 있었다(참조. IV:9). 863년 포티우스가 직접 재조직한 이 대학교는 제국의 관료들을 양성하는 곳이 되었을 뿐만 아니라, 비잔틴 문화와 신앙을 전파하는 중심지가 되기도 했다.

화상 파괴주의라는 쟁점을 제외한다면, 9세기 비잔틴 제국의 주요 종교 문제는 이른바 바울파(Paulicians. 사도 바울을 특별히 존경하였기 때문에 그런 별명이 붙었다)가 일으킨 문제였다. 레오 3세 당시에 발상지인 아르메니아와 소아시아 남부에 확고한 지지 기반을 갖고 있던 이 집단은 마니교, 영지주의, 또는 마르키온주의 이원론을 생각나게 하는 형태의 기독교를 가르치고 실천하였다. 가시적이고 물질적인 우주는 악의 세력의 피조물인 반면에, 영혼은 선한 신으로부터 유래한다고 가르친 바울파는 구약성경을 배척하였고, 성육신의 물리적 실재를 부인하였고, 따라서 마리아를 하나님의 어머니로 숭배하는 것을 무시하였으며, 기독교 예배에 물질적인 것, 무엇보다도 성화상(聖畵像)을 사용하는 것을 강력히 정죄하였다. 바울파에 대한 박해는 813년 미카엘 1세 때 시작되었다. 그들을 박해하게 된 이유는 단지 이단에 대한 혐오감 때문만이 아니라, 대부분 변경지방에 배치된 매우 용감한 군인들이었던 그들이 제국의 남동부 변경 지대에서 지속적으로 벌어진 전투에서 사라센족 편을 드는 경우가 자주 발생하였기 때문이기도 하였다. 이들에 대한 박해는 물론 843년 화상 파괴주의를 배척하고 난 다음부터 강화되긴 했지만, 그들을 제국의 적군들에게로 추방하는 것으로 그쳤다. 바울파의 한 군대는 863년 미카엘 3세에게 패배한 아랍군의 한 부분을 형성하고 있었다.

그럼에도 바울파는 비잔틴 제국에서 완전히 사라지지 않았다. 757년 황제 콘스탄티누스 5세(Constantine V)는 북쪽의 불가리아인들에 대한 수비를 강화할 목적으로 아르메니아와 시리아 정착민들을 트라케에 있는 요새로 이주시켰다. 이 정착민들 가운데는 일부 바울파 사람들이 있었던 바, 이들은 분명히 자기들의 사상을 트라케에 전파하였고, 그것은 그곳에서부터 불가리아에까지 퍼졌다.

그러므로 10세기의 중반에 불가리아의 왕 페트루스(Peter, 927-969)는 콘스탄티노플 총대주교에게, 사제 보고밀(Bogomil, 테오필루스〈Theophilus〉)에게 가르침을 받고 바울파가 신봉했던 이원론의 중요한 요소들을 뚜렷하게 재현하는 이단들을 어떻게 다루어야 할지를 문의하였다. 이 보고밀파 — 그들은 이런 별명으로 불렸다 — 는 이전 시대의 영지주의자들처럼 가시적인 세계가 악의 세력에 붙잡혀 있으며, 물질은 그 자체가 악하다고 믿었다. 보고밀파는 이러한 교리를 근거로, 그리고 개인의 의를 요구하고 사회와 교회의 불의에 항거하는 설교를 통해서 정회원들에게 성관계뿐만 아니라 육식과 술까지도 금지하였다. 이들의 운동은 뿌리뽑히지 않았으며, 결국에는 북쪽으로 발칸 반도뿐만 아니라 비잔틴 제국 내부에까지도 퍼졌다. 이 운동은 12세기에 이탈리아와 랑그도크에서 일어난 파타리아파(Patarene)와 카타리파(Catharist)에게 영향을 주었거나 원천이 되었다(참조. V:3).

정교회 내부에서는 마케도니아 왕조 시대에 전승들과 수도생활에서 착상을 얻은 신학 운동이 시작되었다. 이 운동 — 그 발전된 형태가 헤시카즘(Hesychasm, '조용한'이란 뜻의 그리스어 '헤수코스'〈*hesuchos*〉에서 유래)이라 불렸다 — 은 신학을 본래의 좁은 의미대로 신지식(神知識)에 관련된 학문으로 이해하였다. 그러나 헤시카즘은 그러한 지식을 본질상 단순한 이론보다는 실천의 문제로, 즉 정통신앙과 성례에 중심을 둔 예배, 그리고 주의 계명들에 대한 엄격한 준수로 주도되는 하나님 사랑의 실천으로 받아들였다. 이 운동의 초창기 지도자는 콘스탄티노플 성 마마스 수도원 대수도원장이자 고백자 막시무스(Maximus the Confessor, 참조. III:11)같은 신비주의 교사들의 전승에 서 있던 **시므온**(Simeon, 949-1022)과, 시내산 수도원 대수도원장이자 유력한 저서 「낙원의 사닥다리」(*Ladder of Paradise*)의 저자 **클리마쿠스**(John Climacus)였다. 시므온은 신학을 무엇보다도 수사들이 변화된 예수에게서 비친 신적인 광채를 통해 변형되고 신화(神化)될 때 얻는 신지식으로 이해했다. 그러나 그러한 지식은 사유(思惟)에 의해 얻지 못하고 도덕과 신앙 실천에 의해 얻는 것과 마찬가지로, 문자적이고 개념적인 것을 초월한다고 보았다. 그러므로 시므온은 정통신앙을 실천함으로써 보고, 느끼고, 체험하는 것 이상으로 하나님을 알 수 있는 방법이 없다고 하였다.

하지만 아무리 그렇게 하나님을 안다 하더라도, 하나님은 지각을 초월한, 즉 카파도키아 교부들이 가르친 대로(참조. III:4) 무한하고 그 본질을 알 수 없는 분이라고 하였다. 시므온은 신비주의자가 사로잡히는 것을 하나님의 본질이 아니라 하나님의 존재로부터 직접 발산되고 피조되지 않는 '빛', 즉 하나님의 자기 전달 행위라고 이해했다. 이러한 가르침(그것은 14세기에 그레고리〈Gregory of Palamas〉의 저서들에 더욱 다듬어져 소개되었다)이 발전함에 따라 시므온은 '새 신학자'(the New Theologian)라는 칭호를 얻었으며, 그로써 사실상 탁월한 '신학자'라 불린 나지안주스의 그레고리(Gregory of Nazianzus, 참조. III:4)에 버금가는 서열에 오르게 되었다. 경건주의적이고 신비주의적인 체험에서 자라났고 신 존재와 신의 에너지('빛')를 철저히 구분한 이 '암시적'이고 '부정적'인 신학은 결국 라틴 서방 신학과 구분되는 독특한 그리스 동방 신학의 표지로 서게 되었다.

9. 중세 초 기독교의 확장

9, 10, 11세기는 영국, 프랑크 왕국, 그리고 비잔틴 왕국의 기독교가 스칸디나비아의 노르만족뿐만 아니라, 중앙 유럽과 발칸 반도의 슬라브족에게까지 널리 전파된 시기였다. 어떤 경우들에는 이러한 확장이 군사적 정복의 결과였다. 그러나 과거에 부족을 중심으로 조직되고 때로는 유목 생활을 하던 사회들이 문화적이고 정치적인 재조직을 겪는 것과 나란히 진행된 경우가 대부분이었다. 그리고 군주들을 개종시키고 기독교 선교사들이 그들의 백성 가운데서 벌이는 선교를 지원하도록 — 때로는 무력을 사용하여 — 협력을 얻는 것이 거의 고정적 방식이었다. 그러므로 한 민족에 대한 실질적인 기독교화는 그 민족의 '개종'에 앞서 발생하기보다는 후에 발생하는 경향을 띠었다.

발칸 반도와 바바리아 동남부를 흐르는 다뉴브 강 유역에 대한 선교는 독일, 비잔틴 제국, 그리고 교황청 간의 경쟁으로 복잡하게 얽혀 진행되었다. 그리스, 마케도니아, 트라케에서는 동방 정교회가 우세하였다. 이 지역들에는 6-7세기에 이교 슬라브족의 잦은 이주와 침공의 결과 그들이 대규모로 정착해 있었다(이 시기에는 콘스탄티노플 북쪽 다뉴브 강 유역에서 불가리아 왕국이 등장하기도 했다). 슬라브족이 점차 기독교로 개종하게 된 것은 분명히 황제 니케포루스 1세(Nicephorus I,

802-811) 때부터 비잔틴의 정치적 지배를 다시 강조하고 나선 결과였다. 마케도니우스 왕조의 설립자 바질 1세(Basil I, 867-886)의 재위 기간에 세르비아도 비잔틴의 지배를 받게 되었고, 그 군주는 그리스 선교사들을 받아들이고 백성을 기독교로 개종시키는 일에 협력하였다. 비잔틴 제국으로부터 그리스 기독교가 확장된 일과 견줄 만한 것은 북 유럽에서 프랑크 왕국의 보호하에 바바리아로부터 라틴 기독교가 확장된 일이다. 이 사역은 잘츠부르크와 아퀼레이아 대주교구들을 중심으로 카린티아와 크로아티아로 뻗어나갔던 바, 이 두 지역은 10세기 초반 무렵에는 비잔틴 제국의 강력한 영향에도 불구하고 라틴 기독교를 선택하였다.

그러나 9세기의 가장 위대한 선교 업적은 불가리아와 모라비아 왕국들을 기독교로 개종시킨 일이었다(모라비아 왕국은 모라바 강을 따라 형성된 다뉴브 강 이북, 즉 오늘날 체코슬로바키아에 해당하는 지역을 거점으로 삼고 있었다). 이 두 왕국은 원래 외부 세력으로부터 가해진 압력 때문에 기독교를 받아들였다. 앞에서 본 대로, 불가리아의 경우에는 이 압력이 비잔틴 제국의 침공과 왕 보리스(Boris)에 대한 다소 강제적인 세례라는 형태를 띠었다(참조. IV:8). 모라비아의 경우에는 독일인 루이(Louis the German, 참조. IV:6)가 다스리던 프랑크 왕국으로부터 압박을 받았는데, 루이는 846년 모라비아를 침공한 뒤 기독교인이었던(또는 잠시 기독교인이 된) 군주 라스티슬라프(Rastislav)를 그 지역 '공작'으로 세웠다. 라스티슬라프는 보리스(그는 아들 시므온을 콘스탄티노플로 유학을 보냈고, 평생을 수사로 지내게 했다)와 마찬가지로 매우 진지하게 기독교를 받아들였고, 독일과 아마 이탈리아에서 파견된 선교사들이 자기 백성을 개종시키는 일을 도왔다. 그러나 또한 라스티슬라프는 보리스와 마찬가지로 자신의 기독교 왕국이 외국의 정치적 종교적 지배로부터 독립되기를 원했다. 그런 이유는 특히 그가 재위 기간의 대부분을 독일의 후원자들과 전쟁을 벌였기 때문이었다. 두 군주는 이 목적을 달성하기 위해서 로마, 독일, 비잔틴의 권력자들 간의 경쟁 관계를 이용하였다.

이러한 상황은 보리스가 독립된 불가리아 교회의 수장을 얻기 위해서 교황 니콜라스 1세(Nicholas I, 참조. IV:6)와 협상을 시작한 것과, 이러한 행위에 자극받은 비잔틴 권력자들이 그 민족을 동방 정교회의 영역으로 남겨둘 목적으로 870년에 불가리아에 대주교를 축성한 것으로 귀결되었다. 거의 동시에 라스티슬라프는 독일의 지배를 두려워한 나머지 황제 미카엘 3세에게 비잔틴으로부터 선교사를 보내달라는 편지를 보냈다. 재빨리 기회를 포착한 총대주교 포티우스(Photius)는 두 명의 수사 콘스탄티누스(Constantine, 또는 그가 868년 로마에서 수사가 되면서 취한 이름을 사용하자면 키릴〈Cyril〉)와 메토디우스(Methodius)를 파견하였다. 두 사람은 모두 그리스 교회의 신앙과 문화를 대표한 지식인들로서, 모두 데살로니가에서 태어나 슬라브어를 할 줄 알았다. 두 선교사는 성경과 전례서(典禮書)들을 슬라브어로 번역하는 작업에 착수하였고, 콘스탄티누스는 이를 위해 최초의 슬라브 문자를 고안하였던 바, 이들의 작업은 발칸 반도와 러시아의 슬라브 기독교 문화에 기초를 놓았다.

성경과 전례서를 해당 지역 언어로 번역하는 작업은 라틴어를 제외한 예배 용어에 익숙치 않던 모라비아의 독일 선교사들에게 강력하고도 지속적인 반대를 받았다. 그러므로 콘스탄티누스와 메토디우스는 독일 선교사들에게 제재를 가해달라는 요청을 하러 로마로 갔다가 교황으로부터 따뜻한 영접을 받았다. 콘스탄티누스는 그곳에서 죽었지만(869), 메토디우스는 슬라브어를 계속 사용해도 된다는 허락(비록 라틴어를 배제한 것은 아니지만)과 함께 대주교가 되어 모라비아로 돌아왔다. 비록 메토디우스가 죽은 후(885?)의 일이긴 하지만, 교황청은 예배 때 슬라브어를 사용하는 것을 금지하였으며, 895년 이후 헝가리족, 즉 마자르족이 침공하여 슬로바키아, 파노니아, 트란실비나아에 새로운 이교 왕국을 세움에 따라 두 수사들의 작업은 물거품이 되고 말았다. 모라비아 기독교인들은 북쪽에 인접한 보헤미아로 이주하였고, 키릴과 메토디우스의 제자들은 슬라브어 성경과 전례서를 불가리아와 그외 발칸 반도 지역으로 옮겨놓았다.

그로써 모라비아의 중심부뿐만 아니라 헝가리까지도 라틴 기독교권으로 인도한 키릴과 메토디우스의 사역은 그 완성을 보기 위해서 955년 마자르족이 오토 1세(Otto I)에게 결정적인 패배를 당할 때까지 기다리지 않으면 안 되었다. 헝가리에 대한 선교 사역은 10세기 말엽 헝가리 최초의 군주 게이사(Geisa)의 재위기간에 시작되었다. 그러나 기독교 신앙이 헝가리에 뿌리를 내린 것은 그의 아들 성 스테파누스(Stephen, 997-1038) — 그는 헝가리의 수호성인이 되었고, 직접 백성들에게 설교를 하였다 — 때였다. 이 사역은 오토 3세의 제국에서 파견된 선교사들뿐만 아니라 폴란드와 보헤미아에서 파견된 슬라브족 선교사들까지도 지원하였다.

보헤미아와 폴란드 기독교는 헝가리와 대략 같은 시기에 국교가 되었다. 체코인들의 교향인 보헤미아는 엘베 강과 다뉴브 강 중간의 몰다우 강이 흐르는 지역으로서, 서쪽과 북쪽이 모두 낮은 산맥들에 의해 독일과 차단되어 있었다. 9세기에는 이 지역이 더욱 판도가 넓었던 모라비아 왕국의 일부였으며, 따라서 콘스탄티누스와 메토디우스가 슬라브어를 사용하여 벌인 선교의 영향도 받았지만, 의심할 여지없이 갈수록 독일에 대한 적대감과 관련된 이교가 강한 세력으로 남아 있었다. 색슨 왕 하인리히 1세(Henry I)의 동맹자로서, 민족을 기독교로 개종시키는 데 앞장섰던 왕 벤체슬라스(Wenceslas, 924경-929 재위)는 잠시 재위하다가 암살당하였다. 그뒤 오토 1세가 보헤미아를 독일의 지배하에 둔 다음에야 비로소 공작 볼레슬라프 2세(Boleslav II, 967-999)가 기독교를 국교로 삼고 프라하 교구를 세웠다. 프라하의 두번째 주교 아달베르트(Adalbert, 보이체크〈Vojtech〉)는 체코인으로서, 결국 폴란드인들 가운데서 선교사로 일하였다. 폴란드 — 대략 오데르 강과 비스툴라 강 사이의 포메라니아 지역에 해당했음 — 도 965년 이후에 오토 1세의 색슨 제국의 조공국이 되었으며, 그 사건과 함께 폴란드의 개종 과정이 시작되었다. 폴란드 영토를 러시아, 독일, 헝가리 쪽으로 확장한 볼레슬라우스 1세(Boleslaus I, 992-1025 재위) 때 기독교화 작업도 진전을 보여 폴란드가 대주교구(그니에즈노)를 받아들였고, 그로써 폴란드는 로마교회의 독립 관구가 되었다.

10-11세기 비잔틴 기독교가 성취한 가장 두드러진 확장은 키에프 공국에 중심을 둔 러시아 민족의 개종과 함께 이루어졌다. 이 공국은 주민 대다수가 슬라브족이었는데도 스웨덴 바이킹의 후손들(바랑기〈Varangi〉와 루스〈Rus〉라 불림)에게 통치를 받았는데, 이들은 9세기에 발트 해에서 흑해로 흐르는 강을 장악한 바 있다. 9세기 중반부터 콘스탄티노플과 정규 무역(그리고 빈번한 전투)을 시작한 바랑기가(家)는 비잔틴 제국과 끊임없는 접촉을 유지하였고, 911년부터는 황제 근위대로부터 차출된 정예부대를 지원받았다.

그리스 선교사들은 총대주교 포티우스 때부터 러시아 공국에서 활동한 것으로 보이며, 따라서 10세기 중반 키에프에는 비기독교인들뿐만 아니라 기독교인들도 있었다. 예를 들어, 당시 키에프를 다스리던 이고르(Igor, 913-945 재위) 공의 아내 올가(Olga)는 기독교인이었다.

올가의 손자 블라디미르 1세(Vladimir I, 980-1015)는 군주로 선출되고 나서 세례를 받은 뒤 교회들과 수도원들을 세우는 데 앞장섰으며, 정교(正教, Orthodox Christianity)를 키에프로부터 노브고로드에 중심을 둔 공국의 북부 지방에까지 확장하였다. 그의 시대와 그의 아들 야로슬라프(Yaroslav)의 시대에 러시아 교회와 주교제도의 기반이 확고하게 놓였다.

노르만족은 11세기 초에 비로소 스칸디나비아 본토에서 기독교를 받아들였다. 영국의 알프레드 대왕(Alfred the Great)은 '데인로' (Danelaw)를 설치한다는 조건으로 데인족 왕 구스룸(Guthrum)을 개종시키고 세례받게 만들었으며, 이와 비슷하게 프랑스의 노르망디 공국도 롤로 공(Duke Rollo)이 단순왕 샤를(Charles the Simple)과 맺은 조약(911)에 따라 기독교화하였다. 그러나 스칸디나비아에서는 그렇게 시작한 개종 과정이 적지 않은 선교 노력에도 불구하고 거의 영향을 끼치지 못하였다. 일찍이 경건왕 루이(Louis the Pious) 때부터 덴마크와 스웨덴에 기독교를 전하려는 노력이 있었는데, 덴마크에서는 왕권을 놓고 경쟁을 벌이던 하랄드(Harald)가 카롤링조(朝)에게 지원을 요청하였고, 그 과정에서 826년에 세례를 받았다. 루이는 이렇게 전망이 열린 것을 보고서 프랑드르의 수사 — 코르비에 수도원 출신 — 안스카르(Anskar, ?-865)를 유틀란드 반도 하단(하랄드가 다스리던) 지역까지 하랄드를 수행할 사람으로 임명하였다. 그 직후에 안스카르는 선교사들을 보내달라는 스웨덴의 요청에 부응할 사람으로도 임명을 받았고, 831년 황제 루이는 그를 위해 함부르크에 대주교구를 설치하였으며, 이곳에서 안스카르와 그의 후임자들은 스칸디나비아와 독일 북부 주민들을 위한 교황 사절들이라는 특수한 책임을 맡게 되었다.

안스카르의 선교는 결과가 없지 않았다. 그가 죽을 무렵 덴마크와 스웨덴에는 기독교 신자들과 사제들이 있었다. 그러나 카롤링조의 권력이 쇠퇴하고, 유럽과 영국에 대한 바이킹의 공격이 절정에 달한 시기에는 선교 활동이 시들해졌다. 10세기 초 스웨덴에서는 기독교가 자취를 감추었다. 그러나 초기 색슨 황제들 — 사냥꾼 하인리히(Henry the Fowler)와 오토 1세(Otto I) — 때 새로이 부각된 프랑크 기독교 국가의 권력과 명성은 상황을 반전시키는 데 기여하였다. 그 영향으로 덴마크 왕 하랄드(Harald Bluetooth, ?-986경)가 세례를 받고 자기 백성을 기독교로 개종시키기 위해 노력했으며, 자기 영토에 기독교 주교들을 받아들였다. 영국을 정복하려는 새로운 시도에 정력을 다 쏟아부은 그의 아들 스웨인(Sweyn, ?-1014)은 이교도였고 또 그 상태로 남았지만, 그의 아들 카누트(Canute) — 1014-1035년의 영국과 덴마크 왕 — 는 독일과 영국 출신 선교사들의 지원을 받아 고국에 기독교를 정착시켰다.

덴마크의 개종이 프랑크와 색슨 왕국의 영향과 함부르크 대주교들의 선교 노력에 가장 큰 힘을 입었다면, 대략 비슷한 시기에 진행된 노르웨이의 개종은 영국 교회의 영향 아래 진행되었다.

통일 노르웨이의 제2대 왕 하콘(Haakon the Good, 935-961)은 어릴 적에 영국 왕실에서 자라난 인물로서, 영국 성직자들의 힘을 빌어 자기 영토에 기독교를 도입하였다. 노르웨이에서는 한동안 그 지역 군주였던 하랄드로부터 약간의 지원을 받아 선교 사역이 계속 이루어졌다. 그러나 이교 백작들 — 그들은 기독교 진영과 중앙 왕의 진영을 결부시켰음이 분명하다 — 은 새 종교를 일관되게 반대하였다. 노르웨이에서 교회가 최종적인 승리를 거둔 것은 올라프 트리그베송(Olaf Tryggvesson)의 재위기간 때였다. 올라프는 러시아에서 자라난 바이킹으로서 여러 차례 영국을 침공한 일로 유명한데, 그중 한 경우에 스킬리 제도에서 기독교 금욕주의자의 전도로 개종을 하게 되었다. 995년 노르웨이 왕이 된 그는 열정과 단호한 의지를 가지고, 때로는 무력까지도 사용해 가면서 자기 백성을 개종시키려고 노력하였다. 그가 1000년에 전사한 뒤 이교도들의 반동이 있었지만, 그의 작업은 후임자 올라프 하랄드송(Olaf Haraldsson, 노르웨이의 성 올라프, 1015-1028)에 의해 효과적으로 마무리되었다. 그도 영국 성직자들에게 지원을 받았고, 전도에 무력 사용도 불사하였다. 그러나 노르웨이는 12세기에야 비로소 교황청의 독립 관구가 되었고, 룬드에 대주교구가 설치되었다.

스웨덴을 기독교화하는 데 크게 기여한 인물은 전통적으로 왕 올라프 스쾨트코눙

(Olaf Skötkonung, 994-1024)으로 평가된다. 그는 노르웨이의 트리그베송 및 후임자들과 같은 시대 사람이었다. 기독교는 그의 시대 이전에 이미 스웨덴에 다시 나타났고, 북독일과 영국에서 파견된(노르웨이를 거쳐) 선교사들이 그곳에서 활동하고 있었다. 그러나 올라프는 웁살라에서는 반대에 부딪혀 대규모 이교 신전을 파괴하지 못한 반면에, 왕국 남서부에서는 신앙을 뿌리내리게 했다. 그럼에도 이교주의는 강한 세력으로 남았고, 선교 활동은 기독교인들에 대한 간헐적인 박해로 중단되면서라도 지속되어야 했다.

스웨덴은 12세기에 이르러서야 비로소 철저히 기독교화하였으며, 유럽의 프랑크-비잔틴 기독교 세계에 들어온 마지막 국가가 되었다.

10. 교황청의 개혁

오토 3세 제국의 계승자들 — 하인리히 2세와 이른바 살리가(家)(Salian line)의 창시자 콘라드 2세 — 은 하나님으로부터 라틴 기독교 세계의 군주들이자 교회의 수호자들로 세움을 받은 자신들의 역할을 잊지 않았다. 또한 그들은 백성의 영적인 안녕과 왕국의 정치적 안정 — 이것은 계속해서 교회 토지에 대한 국왕의 소유에 의존하였다 — 을 확고하게 다지기 위해서 주교들과 대수도원장들을 임명할 권리와 의무가 자신들에게 있다는 생각을 중단하지 않았다. 황제 하인리히 2세는 자신을 "그리스도의 종들의 종이요, 하나님의 뜻과 우리 구주이자 해방자의 뜻에 따른 로마인들의 황제"라고 불렀다. 그는 경건한 사람이었을 뿐만 아니라, 왕과 반(半) 사제 역할을 수행하는 데 적임자로서 수도원과 교회 조직들을 개혁하는 데 전념한 사람이었다.

11세기가 저물어갈 무렵에, 비록 후기 카롤링조 시대의 적나라하고도 충격적인 추문들이 대부분 바로잡혔음에도 불구하고, 개혁의 분위기가 무르익고 있었다. 클루니회의 이상이 계속해서 보급되었다. 영국에서는 둔스탄(Dunstan)의 개혁이 시작되고 있었다. 로렌에서는 보름스의 주교이자 교회법학자인 부르카르트(Burchard, 1000-1025 재위) 같은 사람들의 시역이 교회와 성직자들 생활의 올바른 규율에 대한 큰 관심을 보여주었다. 이탈리아에서는 이 무렵이 성 로무알드(St. Romuald, 950-1027)의 시대였다. 라벤나 출신인 그는 그곳의 수도원에 들어갔으나, 훗날 대수도원장직을 사임하고서 은수자 생활을 했으며, 결국 세속을 등지는 것과 은둔 생활을 강조한 수도회 — 아레조 근처에 있던 그 중심지 지명을 따서 카말돌리회(Camaldolese)라 불렀다 — 를 설립하였다.

유럽 전역에 규율, 단순한 생활, 사제직에 온전히 전념하려는 정신에 대한 자각이 팽배해 있었고, 부패하고 세속적 관심사들에 빠져 있던 성직자들의 실태가 비판을 받았다. 특히 두 가지 제도적인 악이 성직자들의 부패의 뿌리로 진단되었다. 그중 한 가지는 성직매매(simony)로서, 이것은 좁은 의미로 보자면 성직을 담보로 돈을 주거나 요구하는 행위를 뜻하였다.[1] 다른 한 가지는 성직자의 결혼 또는 축첩(蓄妾) 관습이었다. 이 관습은 성직에 따르는 거룩한 성격과 모순되게 보였을 뿐만 아니라, 성직자들을 한 마음으로 헌신하려는 정신을 방해하는 관심사들이나 필요들에 얽매이게 하는 것처럼 보였기 때문에 오래 전부터 서방교회의 교회법에 의해 금지되어 왔다.

그러나 이러한 개혁 정신에 아직 두드러진 영향을 받지 않은 기관이 하나 있었는데, 그것이 바로 교황청이었다. 교황청이 개혁 정신에 영향을 받지 않은 근본적인 이유는, 11세기 초의 교황청이 실질상 — 비록 원칙상은 아니더라도 — 로마와 이탈리아 정치 무대에서 서로 경쟁하던 지역 파벌들에 의해 조성되었지만 그 어느 파벌도 독일 황제들처럼 사제들의 영적 사명을 부양하고 유지하는 데 기여하지 않았기 때문이다. 반면에 하인리히 2세나 콘라드 2세도 무질서한 이탈리아 영토를 직접 통제하는 데 필요한 노력을 그리 자주 기울이지 않았으며, 어쨌든 그들은 로마인이라기보다는 독일인으로 인식되어 이탈리아에서는 인기가 없었다.

그러므로 투스쿨룸의 백작 그레고리(Gregory)의 아들들이었던 교황 베네딕트 8세(Benedict VIII, 1012-1024)와 요한네스 19세(John XIX, 1024-1032)는 황제들의 비위를 거스르지 않는 정책을 추구하면서도 다른 한편으로는 로마에 대한 자기 가문의 통제를 강화하고 적대 가문인 크레센티가(家)의 세력을 약화시키기 위해 궁리하였다.

황제 하인리히 3세(Henry III, 1039-1056) — 그는 경건과 고도의 영적 소명감, 그리고 교회 개혁 작업에 대한 헌신으로 유명하다 — 의 재위 기간에 교황청은 결정적인 분기점에 서게 되었다. 두 명의 전임 교황들의 조카였던 베네딕트 9세는 1032년 매우 연소한 나이에 로마 주교로 선출되었다. 그는 재위 기간 동안 은혜도 지혜도 자라지 않았으며, 방탕한 생활과 잔인한 행위를 일삼다가 결국 1044년 로마에 반란을 유발시켰던 바, 이 반란은 잠시 성공을 거두어 실베스터 3세(Sylvester III)가 교황으로 즉위하였다(1045). 베네딕트는 형제들에 의해 교황 자리를 되찾았지만, 교황이 되지 않기로 결심했다. 그러므로 그는 적절한 연금과 결혼 가능성을 약속받고서 교황 자리를 자신의 대부(代父)이자 라테란 성문 앞의 성 요한 교회의 사제 그라티아누스(Gratian)에게 넘겨주는 데에 동의하였고, 그라티아누스는 그레고리 6세(Gregory VI, 1045-1046)라는 이름으로 교황이 되었다. 그는 고결한 인격의 소유자였으나 — 그리고 그의 즉위는 개혁 성향을 지닌 성직자들에게 열렬한 환영을 받았다 — 황제로부터는 승인을 받지 못하였다.

1046년 가을 하인리히 3세는 황제 대관식을 치르기 위해 이탈리아에 와서 로마의 복잡한 상황을 발견하고는 수트리에 교회회의를 소집하여 그 상황에 대한 판결을 내리도록 하였다. 하인리히의 행위는 963년 오토 1세의 행위를 암시하는 것이었다. 그는 베네딕트 9세와 실베스터 3세뿐만 아니라 그레고리 6세에 대해서도 폐위를 선언하였고, 이러한 숙청 뒤에 밤베르크의 주교인 독일인 — 클레멘트 2세(Clement II, 1046-1047 재위) — 을 교황으로 임명하였다. 그리고 클레멘트는 하인리히에게 황제 면류관을 씌워주었다. 그는 황제와 함께 교회에서 성직매매 관습을 뿌리뽑으려는 노력을 시작하였다. 그러나 그는 불과 9달만에 죽고 말았다. 하인리히가 없는 동안 투스쿨룸가(家)는 아마 이탈리아의 다른 영주들의 지원을 받아 베네딕트 9세의 복직을 꾀했다. 그러나 황제는 또다른 독일인 교황 다마수스 2세(Damasus II)를 세웠고(1048), 그는 교황이 된 지 23일만에 죽었다.

그러나 하인리히는 끝까지 자신의 뜻대로 했다. 다마수스가 죽은 뒤 보름스에서 열린 교회회의에서 황제는 세번째 독일인을 교황으로 임명하였다. 그는 툴의 주교 브루노(Bruno)로서, 뛰어난 행정가이자 외교관이었고, 새로운 개혁 정신을 확고히 지지하였으며, 레오 9세(Leo IX, 1049-1054)라는 이름으로 교황이 되었다. 레오의 재위와 더불어 유럽의 역사 무대에는 새로운 교황청이 등장하게 되었다. 이러한 변화가 있게 된 직접적인 이유는 레오가 하인리히 3세의 진심어린 협력하에 성직자들의 기율을 바로잡고 정화함으로써 교회 개혁에 전력을 기울인 데에 있었다. 그러나 레오는 이 작업을 수행하기 위해서 교황의 권위를 적극적으로 주장하고 강화하지 않을 수 없었다.

그리고 그것은 전통적으로 교황권을 뒷받침해온 이념을 진지하게 다시 사용하지 않을 수 없는 것과, 교황들이 교황령에 대한 정치적 관할권을 되찾음으로써 로마와 이탈리아의 파벌들로부터 독립해야 한다는 것을 뜻하였다.

그러므로 레오 때 로마에서 편찬된 교회법이 로마의 수위권에 특별한 관심을 보이고 원래 「위-이시도루스 교령집」(*Pseudo-Isidorian Decretals*)에 담긴 개념들의 유포를 증언한다는 것은 놀라운 일이 아니다. 또한 레오 자신이 황제로부터 베네벤토에 대한 종주권을 받은 다음(그 대가로 밤베르크 교구에 대한 교황청의 세속 주권을 포기함), 남부 이탈리아로 세력을 확대하고 있던 노르만 침략자들에 대한 전쟁에 가담한 것도 이상한 일이 아니었다. 각 경우의 핵심 쟁점은 로마 교구의 권위와 독립성으로서, 그것은 교황이 개혁을 추진하는 데 없어서는 안될 선결 조건들이었다.

레오가 취한 최초의, 그리고 그 효과면에서 가장 멀리 미쳤던 조치들 가운데 하나는 비록 외국 교회 출신일지라도 자신의 전반적인 목표에 공감하고 고문과 조력자로 자신을 훌륭하게 보필할 만한 사람들을 교황청의 '핵심'(cardinal) 성직자 그룹(추기경단)에 초빙한 일이었다.

'추기경들'(Cardinals)은 교황의 직접적인 보좌관들에 해당하는 로마 교구의 성직자들로서, 교황 교회들, 또는 명의주교(titular) 교회들의 담임 성직자들이었고, 로마 교구의 행정 구역들에 대한 책임을 맡은 7명의 부제(집사)들이었으며, (8세기 이래로) 이른바 '로마 인접 주교구'(suburbicarian)의 주교들 — 교황의 주교구 행정 보좌관들 — 이었다. 레오가 추기경들로 초빙한 사람들 가운데는 이론가들, 행정가들, 교황사절들로서의 사역으로 장차 여러 세기 동안 교황청의 진로와 성격을 결정지어놓게 될 사람들이 있었다.

우선 로렌의 므와엥무티에 수도원 출신으로서 수사이자 학자, 그리고 무뚝뚝한 변론가였던 훔베르투스(Humbert)가 있었다. 1050년 레오는 그를 실바 칸디다의 주교 추기경으로 임명하였고, 그가 주도한 새로운 교황청은 성직매매라는 '이단'을 최고의 적으로 간주하였다. 그외 사람들로는 성 클레멘트 교회의 사제 추기경으로 임명받고 교황청의 매우 뛰어난 외교관이 된 칸디두스(Hugh Candidus, 'the White')와, 교황청 상서국장 툴의 위도(Udo), 그리고 교황 그레고리 6세의 전속사제를 지내고, 레오에게 교황령 행정관으로 임명받고, 훗날 혁명적인 교황 그레고리 7세가 된 투스카니 출신 힐데브란트(Hildebrand)가 있었다. 그리고 레오의 재위 기간의 배후에는 성 다미아누스(St. Peter Damian, 1007-1072)가 있었나(그는 1057년에야 비로소 오스티아의 주교 추기경에 임명되어 로마교회의 행정에 관여하였다). 폰테 아벨라 수도원의 탁발수사, 신학자, 카말돌리회 전승을 실천한 금욕주의자였던 다미아누스는 성직자 결혼, 성직 매매, 교회의 세상 추구 등을 웅변적으로 반박함으로써 개혁 열정에 끊임없는 자극을 주었다.

레오 9세는 이들의 지원에 힘입어 자신의 소신을 로마 바깥의 교회에 전달하는 작업에 착수하였다. 1049년 4월 라테란에서 열린 교회회의에서 레오는 자신의 구상을 분명히 밝혔다. 그는 교황의 아나테마(저주)를 내걸고서 주교들을 포함한 성직자들에게 성직 임명, 직위 제정, 교회당 축성 등의 경우에 돈을 받는 것을 금지하였다. 성직매매를 시행하는 주교인 줄 알면서 그에게 성직 임명을 받은 사람은 누구든 오랜 기간 참회를 해야 하고, 직접 성직매매를 한 주교는 파문을 당할 것이라고 공포하였다. 레오는 그러한 규율을 그냥 공포만 하고 말지 않았다. 그는 1049년 10월에 랭스에 교회회의를 소집한 뒤 그곳에 있는 성 레미기우스(St. Remigius)의 성유물 앞에서, 그리고 베드로의 후계자를 보기 위해 운집한 대중 앞에서 출석 주교들에 대한 확인을 명령한 다음 즉석에서 성직 매매를 한 주교들을 폐위하였다(또는 사직서를 수리하였다).

같은 해 마인츠에서 열린 비슷한 교회회의에서도 하인리히 3세가 참석한 가운데 성직 매매와 성직자 결혼을 정죄하였다. 그뒤 여러 해 동안 비슷한 목적을 가지고 이탈리아 남부와 북부, 그리고 독일의 다른 지역들을 여행하였다. 레오와 그의 사절들이 행한 이러한 여행은 많은 성과를 거두었다. 그 성과는 개혁 구상에 진전이 있는 것으로 그치지 않았다. 또한 개혁의 주도권을 사실상 황제의 손에서 빼앗아 온 것으로 그치지 않았다. 교리 쟁점들을 다루는 과정에서 (그리고 특히 라트람누스〈Ratramnus〉의 전승에 서 있던 투르의 베렝가리우스〈Berengarius〉의 성찬 사상을 다루는 과정에서) 레오 자신이 도덕뿐만 아니라 신앙에 대해서도 스승이자 재판관임을 과시한 것으로 그치지 않았다. 이와 똑같이 중요했던 것은 교황이 현실과 다소 거리를 두고 있는 사도의 권세와 전승의 상징인 대신에 실질적인 교회의 지도자이자 행정가로 등장하게 되었다는 사실이다.

그러나 레오는 바로 이러한 로마 교구의 권위에 대한 관심 때문에 비극적인 종말을 맞게 되었고, 종종 역사가들이 그리스 기독교와 라틴 기독교의 분열을 향한 돌이킬 수 없는 최종적인 단계로 간주해온 방향으로 나가게 되었다. 로마와 콘스탄티노플 간의 관계는 적어도 니콜라스 1세와 포티우스 시대부터 경색되어갔다. 두 총대주교들 간의 해묵은 경쟁 심리를 제쳐두더라도, 종교관습, 문화, 정치관계가 그들을 더욱 멀리 떨어뜨려 놓았다. 더욱이 레오 당시에는 콘스탄티노플 총대주교가 케룰라리우스(Michael Cerularius, 1043-1048 재위)였는데, 그는 자기 교구의 권위가 다른 동방 총대주교구들의 권위보다 높다고 단호히 주장하였을 뿐만 아니라, 로마와의 관계에서 동등성과 독립성을 확립하려는 단호한 의지를 보였다. 그의 이러한 의지는, 하인리히 3세 및 교황과 황제 콘스탄티누스 9세(1042-1055 재위) 간의 동맹 — 이것은 노르만 침략자들이 남부 이탈리아에서 교황령과 비잔틴 제국령을 모두 위협하는 상황에서 맺어진 군사 동맹이었다 — 이라는 특이한 현상 때문에 위협을 받았다. 이러한 화해에 직면하여 콘스탄티누스 황제는 케룰라리우스에게, 전통적인 '종무 서신'(synodical letter)을 교황에게 보냄으로써 로마의 권위를 인정하라고 요구하였다. 종무 서신이란 오래된 관습에 의해 선임 총대주교인 로마 주교에게 콘스탄티노플 총대주교 선출에 관한 소식을 알리고 새로 선출된 사람의 정통 신앙을 확인시켜 주는 편지로서, 케룰라리우스는 자신이 즉위할 때 이 서신을 의도적으로 보내지 않았었다.

케룰라리우스로서는 그러한 조치를 취할 준비가 되어 있지 않았다. 대신에 그가 보인 최초의 반응은 콘스탄티노플에서 라틴 전례를 사용하는 모든 교회들의 문을 닫게 만드는 것이었던 바, 이 행위로 새로운 동맹을 백지화하고자 했음이 분명하다. 케룰라리우스는 그뒤 1053년에 불가리아 수도대주교인 오크리다의 레오(Leo of Ochrida)를 설득하여 서방의 교회들에게 편지를 보내도록 하였다. 레오가 쓴 편지는 — 그의 주장에 따르면 — 동방교회와 서방교회의 통일을 방해하는 불법적인 관습들 — 성찬식 때 무교병을 사용하는 것과, 토요일에 금식을 하는 관습 등 — 을 제시하면서 '프랑크' 기독교를 비판하는 것과 다름없는 내용으로 이루어져 있었다.

교황청이 맨처음에 내놓은 답변은 훔베르투스(Humbert of Silva Candida)가 다소 흥분한 채 작성한 것으로서 매우 명쾌한 용어들을 사용하여 오래 전의 「콘스탄티누스의 증여」에 정의된 대로 로마 교회의 전통적인 주장들을 진술한 내용이었다. 그러나 이 편지는 매우 오랜 시간이 지난 뒤에야 콘스탄티노플에 도착한 듯하다. 그동안 교황 레오 9세는 1053년 치비타테에서 노르만족에게 패배하여 생포당하였다. 노르만족의 이 승리로 이탈리아의 비잔틴 영토들이 더욱 위태롭게 되자 콘스탄티노플의 당국자들로서는 '프랑크 왕국'과의 동맹을 포기할 생각이 사라져버렸다.

콘스탄티누스와 케룰라리우스는 오크리다의 레오가 작성한 편지에 담긴 것보다 훨씬 누그러진 어조로 교황에게 편지를 보냈다. 따라서 교황 레오는 두 교회의 통일을 위한 대화를 시작할 목적으로 콘스탄티노플에 사절들 — 훔베르투스, 로렌의 프리드리히, 아말피의 대주교 페트루스 — 을 파견하였다. 그러나 사절단을 이끈 훔베르투스는 외교 수완이 없는데다 그가 전달한(그리고 그가 작성한) 교황의 편지마저도 비타협적인 어조 일색이었다. 그러므로 케룰라리우스는 황제가 화해를 원했음에도 불구하고 결국 사절들을 무시하고 그들의 신뢰성에 의문을 제기하였다. 그들에 대한 의심은 레오 9세가 죽었다는 갑작스런 통고 때문에 더욱 깊어졌다. 훔베르투스와 그의 동료들은 콘스탄티노플을 떠났다.

하지만 떠나기 전인 1054년 7월 16일 그들은 성 지혜 교회(the Church of Holy Wisdom)를 방문하여 케룰라리우스의 태도를 공식적으로 비판한 다음, 제단 위에 그에 대한 파문장을 올려놓았다. 파문장의 내용은 케룰라리우스를 "마귀와 그의 천사들"과 동렬에 놓고 삼중 '아멘'으로 끝맺는 것이었다. 서방에서는 사절들의 이러한 행위를 만족스럽게 받아들였지만, 케룰라리우스로서도 자신이 원하던 것을 얻게 되었다고 생각한 듯하다. 이렇게 공식적으로 시작된 분열은 오늘날까지 아물지 않고 있다.

11. 개혁에서 혁명까지

1054년 레오 9세의 죽음은 새로운 교황청 구도에 아무런 문제도 일으켜 놓지 않았다. 황제 하인리히 3세는 즉시 또다른 독일인이자 또다른 개혁자를 교황으로 임명하였다. 그는 아이히쉬타트의 주교 게파르트(Gebhardt)로서 빅토르 2세(Victor II, 1055-1057)이라는 이름을 취했다. 마치 레오 9세의 정책들이 아무런 문제나 방해없이 지속되는 듯이 보였다. 그러나 하인리히 3세의 예기치 못한 죽음(1056)으로 위기가 발생하였다. 그의 후임으로는 6살난 그의 아들 하인리히 4세가 즉위하였으며, 그의 어머니인 여제(女帝) 아그네스(Agnes)가 섭정을 맡았다. 이 사건은 불가피하게 이탈리아와 로마에서 제국의 지도력의 약화를 뜻하였는데, 게다가 얼마 뒤에 교황마저도 죽었다. 따라서 이렇게 불확실한 상황에서 누가 후임 교황 선출을 관장해야 하는가라는 질문이 당연히 일어났다.

결국 판명된 일이지만, 교황청의 개혁자들은 자기들 가운데 한 사람인 로렌의 프리드리히를 교황 스테파누스 9세(Stephen IX, 1057-1058)로 선출할 능력이 있었다. 공교롭게도 프리드리히는 로렌의 공작 고드프리(Godfrey)의 형제였다(고드프리는 투스카니의 여백작 베아트리체〈Beatrice〉와 결혼함으로써 이탈리아 북부의 실질적인 권력자가 되어 있었다). 이러한 조치는 추기경들 가운데 개혁파뿐만 아니라 로마와 이탈리아의 권력자들을 만족시켰고, 비록 교황 선출이 독일 왕에게 자문을 구하는 관례를 무시한 채 이루어졌음에도 황제로부터 승인을 받았다. 이 일을 계기로 교회 지도자를 선출하는 데 평신도 권력자들에게 의존함으로써 생긴 구체적인 문제들이 부각되게 되었다. 이러한 의존은 성직자들이 본연의 의무를 수행하는 데 필요한 자유 및 자율성과 원칙상 일치하지 않는 것이었다.

스테파누스 9세 때 훔베르투스(Humbert of Silva Candida)는 개혁 운동의 강조점과 양상 전체를 뒤바꿔 놓게 될 책, 즉 「성직매매를 비판하는 세 권의 책」(*Three Books aganist the Simoniacs*)을 펴냈다. 이 책은 부분적으로는 오래 전부터 개혁자들이 성직자 독신주의와 로마의 수위권에 대한 관심과 관련지어 온 성직매매에 대한 전통적인(오늘날까지도) 반론을 논리적으로 전개한 것이었다. 그러나 이 책의 제3권에서 훔베르투스는 성직자의 직무에 대한 평신도 권력자들의 역할을 체계적으로 비판하였던 바, 왕이나 황제의 역할까지도 주저없이 그 대상에 집어넣었다. 그는 종교적인 방식으로 임명받은 군주에게 거룩하고 반(半) 사제적인 성격이 구유되어 있다는 주장을 일축하면서, 왕은 세속사에만 권한이 미치는 단순한 평신도일 뿐이라고 하였다(여러 세기 전에 암브로시우스가 테오도시우스 대제에게 주장한 것처럼).

그러므로 지위를 막론하고 어떠한 권력자라도 교회회의를 자신의 뜻을 관철하는 수단으로 만든다든지, 아니면 자신의 권위로 주교를 임명할 때는 성직자들과 백성에 의한 주교의 '적법한 선출'이라는 고전적 원칙을 위배하는 것이 된다고 주장하였다. 또한 주교에게 반지나 지팡이 같은 상징물들을 수여함으로써 사실상 교회에 주교직을 부여하려 할 경우, 그런 사람들은 월권 행위를 함으로써 성직자의 권리들을 훼손하고 있는 것이며, 하나님이 교회에 내린 질서(중세 초기에는 그것이 전반적인 사회 질서를 뜻하였다)를 깨뜨리고 있는 것이라고 하였다. 훔베르투스는 위와 같은 방법으로 직위를 받은 주교들은 "임명 방식이 뒤집혔기 때문에 주교들로 인정받을 수 없다"[1]고 주장하는 데까지 나아갔다.

이렇게 '평신도 서임권(敍任權)'을 논박하는 과정에서 훔베르투스는 단순히 성직자들이 세속에 탐닉하거나 지배를 받지 않도록 정화한다는 이상을 결론으로 받아들였고, 그런 한도에서는 평신도 서임권도 일종의 성직 매매라는 그의 사상은 납득할 수 있는 것이었다. 더욱이 일찍이 그의 입장을 예기(豫期)한 가르침들이 있었다(그는 비록 그런 가르침들을 의식하지 못했지만 말이다). 그러나 훔베르투스와 같은 입장에 서서 진지하게 생각할 때, 그 입장은 중세 초의 전반적인 사회 및 정치 질서를, 특히 독일의 황제권의 기초를 공격하는 것이나 다름 없었다. 이로써 교회의 도덕적 영적 개혁은 중세 사회의 조직 자체에 대한 혁명적인 변화를 요구하게 되었다.

모든 사람들이 다 훔베르투스의 사상에 동의하지는 않았다. 특히 다미아누스는 개혁 작업이 평신도 서임권에 대한 체계적인 공격 없이도 실행될 수 있다고 생각하였다. 그러나 교황청 내부의 견해는 훔베르투스를 지지하는 쪽이 대세를 이루었으며, 이 사실은 곧 분명하게 드러났다. 1058년 스테파누스 9세가 죽자 로마 귀족들은 즉각 개입하여 한 주일 안에 자신들의 파벌에 속한 베네딕트 10세를 교황으로 선출하였다. 개혁파 추기경들은 로마로부터 도피하지 않을 수 없었다. 그러나 그들은 힐데브란트의 지도력에 힘입어 이러한 위급한 상황을 모면하였던 바, 힐데브란트는 로마 시민들과 투스카니의 고드프리의 세력을 규합하여 피렌체의 주교 게르하르트(Gerhard)를 교황으로 옹립하였다. 여제 아그네스도 게르하르트의 선출에 동의하였으며, 따라서 그는 시에나에서 교황으로 선출되었다.

그는 니콜라스 2세(Nicholas II, 1058-1061)라는 이름으로 고드프리 공작 군대의 지원을 받아 로마에 즉위하였다. 베네딕트 10세의 선출은 불법으로 공포되었고, 그는 로마에 있는 성 아그네스 교회에 감금되어 1073년 이후에 죽었다.

니콜라스 때 훔베르투스가 평신도 서임권을 비판한 내용이 즉시 입법화되었고, 교황청은 독일, 로마, 이탈리아의 군주들로부터 정치적 독립을 강화하기 위해 노력하였다. 최초이자 가장 충격적인 단계는 1059년 로마 교회회의에서 취해졌다. 이 교회회의는 교황 선출에 관한 법령을 통과시켰는데, 이 법령은 비록 상당한 변화를 거치긴 했지만 오늘날까지도 교황 선출을 지배한다. 사실상 이 새로운 법령의 의미는 교황 선출을 추기경 성직자들의 손에 맡겼다는 데 있다. 그 법령에 따르면 로마 인접 교구의 주교들은 교황 후보자를 선별한 다음 사제 추기경들과 부제 추기경들에게 자문을 구해야 했다. 이러한 방식에 따라 후보자가 한 사람으로 결정되면 다른 성직자들과 백성의 뜻을 묻되, 이 경우에는 다만 그들의 지지를 받아내는 데 목적이 있었다. 교황 선출에서 황제의 역할은 비록 샤를마뉴 시대부터 쌓여온 선례들에도 불구하고 이제는 수사적인 조항으로만 남게 되었다. 이러한 방식으로 로마 주교 선출에 대한 평신도의 개입에 반대 입장을 취한 동일한 교회회의는 어떠한 상황에서든지 평신도 서임권을 배제하는 데로 나아갔다. 비록 니콜라스의 재위 기간에는 이 교회법을 적용하거나 강요하려는 시도가 사실상 없었지만, 교황청의 입장은 이제 분명해졌다.

그렇다면 교황들은 어떻게 해서 새로운 교황 선출 방식이 외부의 간섭없이 실행될 수 있도록 만들 수 있었는가? 니콜라스는 이 어려운 문제에 대해서 교묘한 해결책을 고안해냈다. 교황청은 노르만족 지도자 기스카르(Robert Guiscard)와 동맹을 맺었는데, 기스카르는 이탈리아 남부의 주요 지역을 차지하고 있었고, 교황청으로부터 자신의 지위를 무척 인정받고 싶어했다. 그는 로마교회와 교황으로부터 자신의 토지를 봉토(封土)로 받았고, 아풀리아와 칼라브리아의 공작이라는 칭호를 받은 데 대한 대가로 교황으로 하여금 "모든 곳에서 그리고 모든 사람들에 대해서 성 베드로의 세속 권력과 재산을 유지하고 확보하도록", 그리고 무엇보다도 "지도적인 추기경들과 로마 성직자들 및 백성의 조언에 따라 교황을 성 베드로의 영예로 선출하고 축성하는 일을 지원하겠다"고 공약하였다.[2] 바꿔 말하자면 1059년의 교황선출법이 실행되도록 보장해 줄 노르만 군대가 있었으며, 이 군대는 외국군이 아닌 교황의 봉신(封臣)의 군대가 될 것이었다. 이러한 조치는 니콜라스가 투스카니의 군주들과 지속적인 동맹 관계를 유지함으로써, 그리고 파타리아파(the Pataria)로 알려진 롬바르드 내의 유명한 집단 — 이들은 그 지역의 보수적인 고위 성직자들과 그들이 대표하는 독일 권력기구를 반대한 민주적인 반체제 집단이었다 — 과 긴밀하고 우호적인 관계를 맺음으로써 더욱 힘을 얻게 되었다(롬바르드와의 관계는 다미아누스와 주교 안셀무스〈Anselm of Lucca〉의 중재를 통해 이루어졌다).

1061년 — 그 해에는 실바 칸디다의 훔베르투스도 죽었다 — 니콜라스 2세가 죽자 그가 이룩한 중대한 법령과 정치 관계들도 수포로 돌아갈 위기에 처하게 되었다. 이런 상황에서 힐데브란트의 주도하에 루카의 주교 안셀무스가 알렉산더 2세(Alexander II, 1061-1073 재위)라는 이름으로 교황에 선출되었다. 그러나 새로운 교황청 체제를 반대한 사람들, 특히 독일과 롬바르드의 주교들은 1061년 바젤에서 공의회를 소집하기로 모의하였고, 이 공의회에서 여제-섭정 아그네스는 그들에게 설득을 당하여 파르마의 칼달루스(Caldalus)를 호노리우스 2세(Honorius II)라는 이름으로 교황에 선출하였다.

이러한 상황에서 독일에 혁명이 일어나 어린 왕 하인리히에 대한 수호권이 쾰른의 대주교 아노(Anno)에게로 넘어감으로써 교황 알렉산더로 하여금 위기를 모면할 수 있게 해주었다. 개혁파와 우호적인 관계를 유지하기를 바란 아노는 알렉산더 편에 섰고, 이러한 상황에 힘입어 알렉산더는 1064년 만투아 공의회에서 교황으로 최종적인 승인을 얻었다. 독일의 군주권이 약해지고 분열된 틈을 이용하여 로마의 개혁자들은 다시 활동을 시작하였다.

알렉산더 2세는 의심할 여지없이 힐데브란트의 조언대로 레오 9세의 정책을 따랐고, 유럽에 교황청의 영향력을 발휘하였다. 독일의 가장 유력한 고위성직자들이었던 쾰른의 아노와 마인츠의 지그프리트(Siegfried)는 성직 매매를 시행한 대가로 참회를 해야만 했다. 알렉산더는 정복자 윌리엄(William the Conqueror)의 원정을 허락하여 1066년 노르만족으로 하여금 영국을 정복할 수 있게 하였고, 영국의 주요 교구들에 노르만인 주교들을 세움으로써 윌리엄의 계획을 더욱 지원하였다. 노르만족에 대한 교황청의 호의는 사라센족에게서 시칠리아를 재탈환하기 위한 남부 이탈리아의 노르만 지도자들의 노력을 승인한 데서도 잘 나타났다.

그러는 동안 독일의 왕 하인리히 4세(Henry IV)는 성년이 되었고(1065), 곧 독일의 군주들 가운데 매우 유능한 인물이 될 만한 자질을 드러냈다. 그러나 그가 그렇게 할 수 있는 기회를 가질 수 있었던 것은 대부분 독일 주교들의 충성 때문이었던 바, 이들의 자원은 그가 아직 성년이 되기 전 9년 동안 평신도 귀족들의 결정적인 야심을 막아내는 데 중요한 힘이 되어 주었다. 하인리히는 일단 왕으로 즉위한 다음에는 왕권 확립을 위해 부지런히 노력하였다. 그의 왕권을 위협하던 세력은 귀족들과 색슨 공국의 자유 농민들로서, 그는 이들을 장악하는 것이 자기 왕국의 안정에 필수적인 요건으로 간주하였다. 그의 권력은 오토 1세 이래로 모든 독일 황제들이 그러했듯이 성직 임명과 교회 재산에 대한 왕의 통제권에 의존하였다.

그러므로 평신도 서임권에 대한 교황청의 정책이 독일 왕의 핵심적인 관심사들과 단호한 정책들 — 그리고 그 문제에 관한 한 유럽의 군주들 대부분 — 과 충돌하는 것은 불가피한 일이었다. 충돌의 계기가 된 구체적인 사건은 밀라노 대주교를 임명하는 문제를 놓고 벌어진 투쟁이었다. 밀라노는 교회에서 역사적인 중요성을 지닌 교구일 뿐만 아니라, 오늘날까지도 알프스 산맥으로 통하는 주요 통로들을 장악하고 있는 광활한 봉건 영지였다. 이 교구에 대해 하인리히 4세는 카스티글리오네의 고드프리(Godfrey of Castiglione)를 임명하였는데, 그는 이미 교황 알렉산더로부터 성직매매 죄로 고소당한 적이 있는 인물이었다. 교황은 고드프리에 대한 승인을 거부하는 대신 밀라노의 반체제 단체가 선출한 오토를 합법적인 대주교로 인정하였다. 그럼에도 왕 하인리히는 1073년 고드프리를 축성하여 그 자리에 앉게 하였으며, 그 직후 알렉산더 2세는 그 문제를 힐데브란트에게 넘긴 채 죽었다. 힐데브란트는 거의 대중의 지지에 떠밀려 교황으로 즉위하였으며, 오래 전에 죽은 후원자 그레고리 6세를 기억하고서 그레고리 7세(Gregory VII)라는 이름을 취했다.

12. 힐데브란트와 하인리히 4세

레오 9세의 개혁파 추기경들 가운데 마지막으로 남은 힐데브란트는 적어도 교황 니콜라스 2세 때부터 교황의 고문들 가운데 핵심 역할을 해왔다. 그는 일관되게 개혁에 헌신하였을 뿐만 아니라, 비록 출생지는 달랐지만 로마 가문 출신으로서 사도 베드로가 속한 로마 시와 교회의 명예를 위해서, 따라서 교황의 권위를 위해서도 동일하게 헌신하였다. 더욱이 힐데브란트는 다미아누스(Peter Damian)로부터, 그리고 아마 대(大) 그레고리(Gregory the Great)의 편지들로부터 사도 교구를 진정으로 떠받치는 사람들은 군주들도 아니고 이 세상의 힘있는 자들도 아니며(성 어거스틴은 왕권의 계보를 살인자 가인에게로 거슬러 올라가 찾았다), 학대받는 '그리스도의 가난한 사람들'(*pauperes Christi*)이라는 사실을 배웠다. 그가 점차 규모가 커지던 롬바르드 도시들에서 일어난 파타리아파(the Pataria)라는 소외 집단에 동조한 것도 그러한 확신에서 연유한 것이다. 그러므로 그의 구상은 처음부터 급진적이고 혁명적인 성격을 띠었으며, 외곬적이고 열정적인 사람들이 대부분 그렇듯이 그도 존경과 불신을 동시에 받았다. 평신도 서임권을 비판한 추기경 훔베르투스의 입장에 반대한 다미아누스는 힐데브란트를 '거룩한 사탄(Satan)'으로 묘사했다고 전해지는 반면, 클루니의 대수도원장 대(大) 위그(Hugh the Great)는 그를 거만하고 탐욕스런 인물로 생각하였다. 그러나 힐데브란트는 자신이 그리스도와 성 베드로의 영예를 위해, 그리고 참다운 기독교 사회 창조를 위해 투쟁하고 있다고 믿었다.

그로서는 무엇이 그러한 사회의 기초가 되어야 하는지 의심의 여지가 있을 수 없었다. 그것은 오직 교황에게만 속하는 보편적 주권이었다. 그리스도의 진정한 대리인은 황제가 아니라 교황이라고 보았다. 교회법 전승에 대한 최신 연구 결과들을 요약한 간략한 명제들의 모음집인 「*Dictatus Papae*」에서 그는 그 점에 대한 원칙들을 다음과 같이 분명히 밝혔다: "로마교회는 오직 하나님에 의해 설립되었다." "오직 로마 교황만 보편적이라고 올바로 불릴 수 있다." "오직 그만이 주교들을 폐위 또는 복권시킬 수 있다." "오직 그만이 황제의 표지를 사용할 수 있다"(오직 그만이 콘스탄티누스의 진정한 계승자이기 때문). "그에게는 황제들을 폐위할 권한이 있다." "그 자신은 어느 누구에게도 재판을 받을 수 없다." "그는 백성을 악한 군주들을 섬기는 데서 해방시킬 수 있다."[1] 두말할 나위없이 이런 명제들은 그레고리 자신이 창안한 것들이 아니었다. 「*Dictatus Papae*」의 실재는 「콘스탄티누스의 증여」와 「위 이시도루스 교령집」에서 찾아볼 수 있다. 새로운 것이라면 교황이 이 원칙들을 자신과 후임자들이 실행해야 할 구체적인 사업으로 강조했다는 점이었다.

새 교황과 하인리히 4세 간의 피할 수 없던 대립은 1075년까지 지연되었는데, 이는 그해 6월에야 비로소 하인리히가 독일에서 자신의 왕권을 강화할 수 있었기 때문이었다. 그러나 교황은 1075년 부활절에 열린 로마 교회회의에서 평신도 서임권에 대한 절대 금지를 다시 천명함으로써 자신의 입장을 이미 분명히 해두고 있었다. 그러므로 황제가 밀라노 대주교를 임명하였을 때 그레고리는 엄격한 책망의 편지를 보냄으로써 즉각 대응하였다. 하인리히는 이 편지에 대한 대응으로 보름스에 공의회를 소집하였고(1076. 1), 이 공의회에서는 다수의 독일 주교들이 힐데브란트를 탄핵하고 그를 교황으로 인정하지 않는 입장에 동조하였다. 그들의 이러한 행위는 즉시 롬바르드의 주교들에게 지지를 받았다.

이에 대한 그레고리 7세의 대응은 벼락과도 같았다. 1076년 2월 22일 로마 교회회의에서 그는 하인리히를 파문하고, 그에 대해 독일과 이탈리아에서 왕권 행사를 금지시키고, 하인리히의 모든 백성에 대해 그에 대한 충성의 의무를 면제시켜 주었다. 왕은 힐데브란트를 "이제는 교황이 아니라 일개의 거짓 수사"라고 불러가며 분노를 가득 담은 도전적인 편지를 보냈으며, "종교에 폭력을 입히지 않을 다른 사람", 또는 하나님에 의해 "왕으로 기름부음을 받은" 사람을 욕되게 하지 않을 다른 사람을 위해 교황직을 사퇴할 것을 요구하였다.[2] 그러나 결국 하인리히는 교황의 칙령이 단번에 독일 주교들을 당황케 만든 데다 독일 내에 있던 왕의 반대 세력들에게 반란의 빌미를 주었기 때문에 끝까지 교황과 대립할 수 없었다. 1076년 10월 평신도 귀족들은 회의를 열어 1년 안에 파문이 철회되지 않을 경우 하인리히는 폐위될 것이라고 공포하였다. 이 회의는 아울러 1077년 2월 아우그스부르크에서 독일 전체의 종교 및 정치 상황을 논의하기 위해 열릴 회의에 교황을 초대하였다.

하인리히는 파문을 면하기 위해서 극적이고도 약삭빠른 조치를 취했다. 그레고리 7세가 독일을 향해 북쪽으로 오고 있는 동안 왕은 한겨울에 알프스 산을 넘어 카노사에 있는 마틸다(Matilda of Tuscany)의 성에서 교황을 만났다. 그는 사흘 동안 성문 앞에서 고행자처럼 맨발로 서서 교황에게 알현을 청하였다. 그레고리의 수행원들, 특히 클루니의 대수도원장 위그는 왕을 만나주도록 간청을 하였고, 그레고리의 성직자로서의 양심도 그를 마다할 수 없었던 것이 분명하다. 그로써 1077년 1월 28일 하인리히 4세는 파문에서 벗어났다. 이 결과는 여러 가지 방법으로 왕에게 정치적인 승리를 안겨 주었다. 그는 반대파를 혼란 속으로 몰아넣었다. 일찍이 그는 아우그스부르크에서 교황의 주재하에 회의를 여는 것을 금지해 놓았기 때문이다. 그럼에도 불구하고 카노사 사건은 황제가 교회의 권력 앞에 굴복한 상징으로 남았다.

하지만 하인리히 4세와 그레고리 7세의 이야기 나머지 부분은 그레고리 진영의 실패를 기록한다(혹은 기록하는 듯하다). 독일에서는 하인리히의 반대파가 스바비아의 루돌프(Rudolf of Swabia)를 왕으로 선포함으로써 내란이 발생하였다. 하인리히는 교황으로부터 두번째로 파문과 폐위를 당하였지만(1080), 내란을 진압하였고, 브릭센 교회회의(1080.6)에서는 거꾸로 왕이 교황에 대해 폐위를 선언한 뒤 그 대신에 빌베르트(Wilbert)를 클레멘트 3세(Clement III, ?-1100)라는 이름으로 라벤나 대주교로 임명하였다.

하인리히는 1080년 이탈리아를 침공하여 3년에 걸친 원정과 전투 끝에 로마를 장악한 뒤 빌베르트를 교황 자리에 앉히고 스스로 황제로 즉위하였다. 여전히 산타 안겔로 성을 고수하고 있던 그레고리 7세는 계속해서 타협을 거절하였다. 1084년 5월 그는 노르만족 군대에게 구출되었지만, 생애의 마지막 해는 유배지에서 보냈다. 그는 임종하면서 이렇게 말하였다: "나는 정의를 사랑하고 불의를 미워했으며, 그 결과 유배지에서 죽는다."[3] 그렇지만 미래의 관점에서 볼 때 그레고리 7세는 매우 큰 업적을 이룩하였다. 평신도 서임권에 대한 그의 입장은 결국 절충을 겪게 되었다.

그러나 개혁파 교황들이 확보해 놓은 유럽에 대한 교황의 지도권과 교회에 대한 행정 및 사법권은 다시 상실될 수 없었다. 서임권 논쟁 이후 라틴 기독교 세계의 주도권을 장악한 것은 독일 제국이 아닌 교황청이었음이 판명되었다. 물론 이 사실이 명확해지기까지는 여러 해에 걸친 논쟁이 필요하였지만 말이다.

13. 서임권 투쟁의 종결

힐데브란트가 죽자 그를 따르던 추기경들(13명 가량은 라벤나의 빌베르트 진영으로 떠났다)은 몬테 카시노의 대수도원장을 후임 교황으로 선출하였고, 그는 빅토르 3세(Victor III)라는 이름을 취했다. 하인리히 4세의 군사적 우월성이 드러난 상황에서도 그 개혁자들은 개혁이라는 대의를 포기하지 않았다. 빅토르가 죽자 그들은 빌베르트와 황제의 군대가 여전히 로마 시를 장악하고 있다는 사실에도 불구하고 황제에 대한 저항을 늦추지 않으면서 성 다미아누스(St. Peter Damian)의 후임 오스티아의 주교 추기경이자 그레고리 7세의 충성스런 제자였던 우르바노 2세(Urban II, 1088-1099)를 교황으로 선출하였다. 과거 클루니회 수사였던 우르바노는 그레고리의 원칙들에 충실하였던 반면에, 정치적으로는 그레고리보다 더욱 능숙하였는데, 이는 아마 좀더 융통성을 발휘할 의지가 있었기 때문이었을 것이다.

과거에 독일 주재 교황 사절을 지낸 바 있는 그는 독일 주교들 사이에서 뿐만 아니라 말년에 그레고리를 버린 로마의 추기경들 사이에서도 그레고리의 이상을 실현하기 위해 지지를 규합하였다. 1093년 로마 시를 회복한 우르바노는 힐데브란트의 십자군 사상을 받아들여 예루살렘을 이슬람교도들에게서 해방시키는 데 성공하였다. 우르바노가 십자군을 제안한 것은 1095년 피아첸차에서 열린 교회회의에서였다. 그러나 그가 십자군을 실현시킨 것은 같은 해에 프랑스 클레르몽에서 열린 비슷한 교회회의에서였다 — 그리고 이 교회회의는 단순히 우발적이지만은 않게 성직매매, 평신도 서임권, 성직자 축첩제도를 징죄하는 개혁파 교황청의 입장을 재확인하였다.

우르바노는 제1차 십자군 원정을 선포하고, 교황 사절을 통해 지휘관이 됨으로써 결국 교황청은 기독교 백성의 가시적이고도 실질적인 수장이 되었고, 레오 9세 이래로 교황청이 점진적으로 확보해온 행정 및 사법권을 한층 강화하였다.

그러나 그렇다고 해서 서임권 논쟁이 끝난 것은 아니었다. 1099년 우르바노가 죽자 교황직은 진정한 의미에서 그레고리의 급진주의자들 가운데 마지막 인물인 파스칼리스 2세(Paschal II, 1099-1118 재위)에게로 돌아갔다. 그는 수사이자 스페인 주재 교황 사절을 지낸 인물이었다. 파스칼리스는 1105년 아버지를 강제로 퇴위시키고 왕위를 차지한 하인리히 4세의 아들 하인리히 5세(Henry V, 1106-1125)를 상대해야 했다. 새 독일 왕은 독일 주교구들과 대수도원들에 대한 왕의 통치권을 유지하려는 결의가 아버지 못지 않게 단호하였다. 그는 1100년 로마에 입성하였다. 이

때 교황 파스칼리스는 왕에게 그가 원하던 실질적인 것을 내주려는 태도를 취하는 가운데 자신의 급진적이고 개혁적인 성향을 드러냈다. 파스칼리스는 공포하기를, 만일 왕이 주교들에게 영적 권위의 상징물들을 수여함으로써 주교를 임명하는 모든 관행을 포기할 경우 교회는 그 대가로 세속에 속한 모든 권리들 — 대수도원장들과 주교들이 지닌 봉토(封土)들과 그에 따른 권한들 — 을 왕에게 넘겨주겠다고 하였다. 이 제안이 공포되자 로마와 독일의 대다수 성직자들은 공포감을 갖게 되었다. 파스칼리스는 개혁자들이 원했던 사제직의 자유에는 사도적 청빈이 포함된다는 매우 파격적인 결단을 내렸다 — 이러한 결단은 새로운 체제로 운영되던 피렌체 근처의 발롬브로사 수도원에서 사상을 형성한 사람에게서나 기대할 수 있는 것이었다. 그러나 이 제의는 아무도 만족시키지 못하였고, 따라서 철회될 수밖에 없었다.

그러나 이 사건으로 세속적인 서임과 영적인 서임 간에 구분선이 은연중에 그어졌다는 것은 이미 타협을 위한 토대가 가시화했음을 뜻하였다. 1099-1106년에 저술활동을 한 프랑스 주교들인 이보(Ivo of Chartres)와 위고(Hugo of Fleury)는 교회와 왕이 각각 독특한 서임권을 갖는다고, 즉 교회는 영적 권위를, 왕은 세속적 권위를 갖는다고 주장하였다. 더 나아가 영국은 이미 그 문제에 대한 해결점에 도달해 있었다. 영국에서 벌어진 서임권 투쟁 — 그 주인공들은 캔터베리 대주교 안셀무스(Anselm)와 왕 헨리 1세(1100-1135)였다 — 은 왕이 자신의 세속권을 가지고 새 주교를 임명할 권리를 유지하되, 수도대주교가 성직권의 상징물인 반지와 지팡이를 그에게 부여한다는 원칙을 토대로 종결되었다.

이러한 해결책은 1122년 보름스 정교협약(the Concordat of Worms)에서 하인리히 5세와 교황 칼릭스투스 2세(Calixtus II, 1119-1124 재위) 사이에 채택되었다. 이 조약에 따라 독일에서는 주교들과 대수도원장들에 대한 임명이 자유롭고 교회법에 따른 형태로 이루어지게 되었다. 그러나 그들을 선출할 때 왕이 참석하는 것이 허용되었고, 논란이 발생할 경우 왕은 수도대주교와 그외의 주교들에게 자문을 구해야 했다. 부르고뉴와 이탈리아 같은 제국의 다른 부분들에서는 주교와 대수도원장 선출 때 왕의 참석을 허락하는 규정이 제정되지 않았다. 왕은 반지와 지팡이를 수여하는 권한은 잃게 되었지만, 왕의 홀(笏)을 댐으로써 교구에 딸린 여러 가지 세속권들을 부여할 권한은 유지하였다.

이러한 형태로 타협이 이루어짐으로써 주교나 대수도원장은 원칙상 교회와 세속군주 모두에게 인정을 받아야 하는 결과가 초래되었다. 힐데브란트가 살아서 이 타협을 지켜보았다면 물론 실망하였겠지만, 그것은 유럽 기독교 세계의 삶에서 교황청이 맡게 될 새로운 역할의 토대가 되었다.

제5기
후기 중세 시대

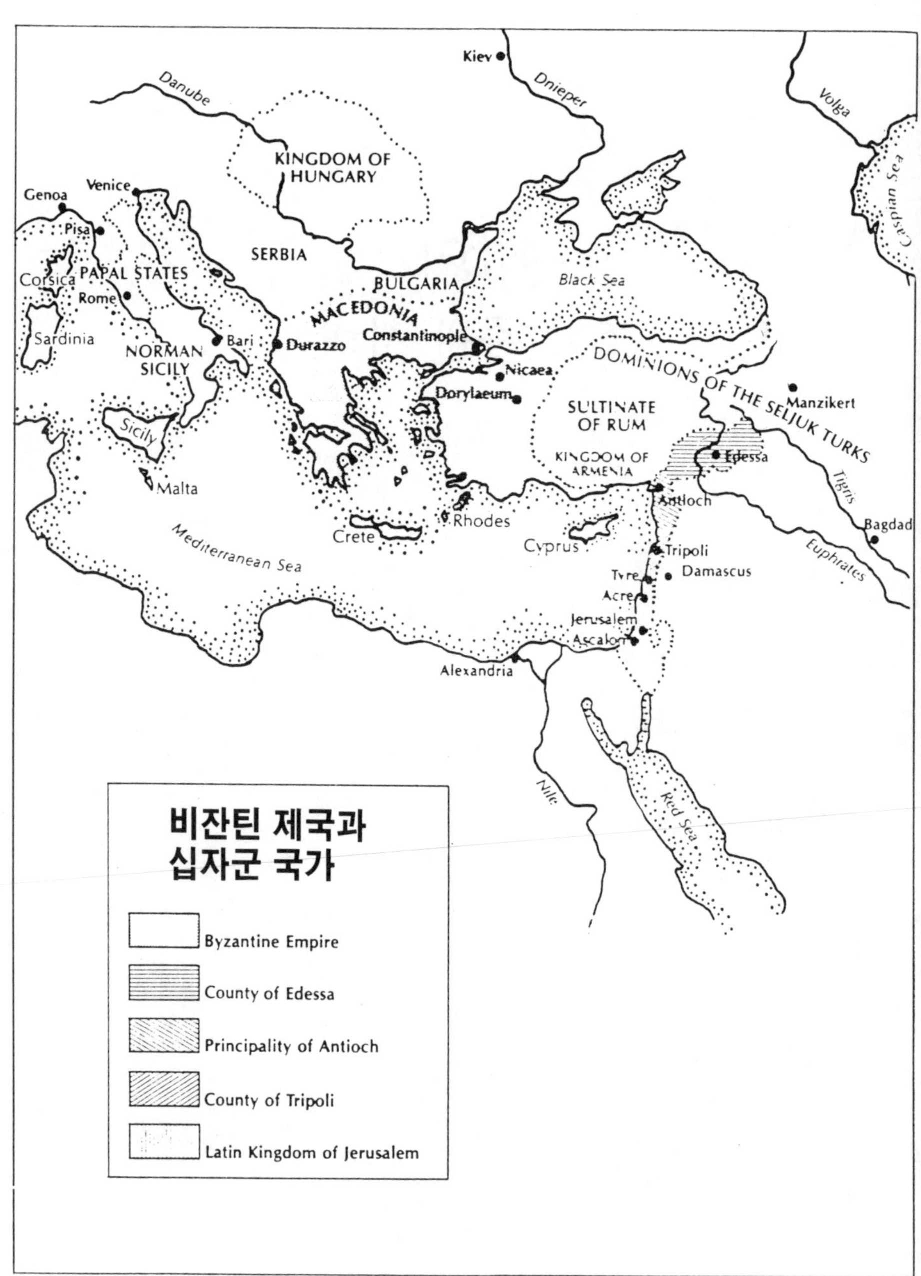
비잔틴 제국과
십자군 국가
Byzantine Empire
County of Edessa
Principality of Antioch
County of Tripoli
Latin Kingdom of Jerusalem
Kiev
Danube
Dnieper
Volga
Caspian Sea
KINGDOM OF HUNGARY
Genoa
Venice
Pisa
SERBIA
Corsica
PAPAL STATES
BULGARIA
Black Sea
Rome
MACEDONIA
Sardinia
Bari
Durazzo
Constantinople
NORMAN SICILY
Nicaea
DOMINIONS OF THE SELJUK TURKS
Dorylaeum
SULTINATE OF RUM
Manzikert
Sicily
KINGDOM OF ARMENIA
Edessa
Tigris
Malta
Antioch
Rhodes
Bagdad
Crete
Cyprus
Tripoli
Euphrates
Mediterranean Sea
Tyre
Damascus
Acre
Jerusalem
Ascalon
Alexandria
Nile
Red Sea

1. 십자군 운동

십자군 운동은 중세 시대의 가장 두드러진 현상들 가운데 하나이다. 십자군 운동이 일어난 원인들은 여러 가지이며 복잡하다. 경제적인 영향력을 강조하는 역사가들은 토지의 생산성을 크게 증가시킨 농경 수단에서 일어난 일련의 기술 향상과 함께 10세기의 유럽 인구의 급속한 증가에 초점을 둔다. 인구와 식량이 남아 돌게 되어 도시와 무역이 자라날 수 있게 되었다. 11세기가 끝날 즈음에 유럽 사회는 새로운 역동적인 힘으로 자극을 받고 있었고 기독교 세계의 변경은 어디에서나 점차적으로 확장되고 있었다. 2세기에 걸친 십자군 운동은 이러한 유럽의 전반적인 성장의 표현이며 서방 세계의 팽창력을 보여주는 증거라고 볼 수 있을 것이다. 유럽 내부에서 이전에는 사람이 살지 않았던 지역을 개척하는 일과 상응하여 유럽 외부에서는 이슬람의 '이교도들' 혹은 '분파적인' 그리스인들이 살던 땅을 식민지화하는 일이 진행되었다.

그러나 정신적인 원인들도 물질적인 원인들 못지 않은 영향을 미쳤다. 11세기 전체가 종교적 감정을 깊게 하였던 시대였는데, 그것은 수도원적이고 금욕적인 형태의 경건으로 표현되었다. 평신도들 속에서도 그런 경건이 적지 않게 나타났다. 클루니 수도원에 의하여 촉진되었던 이런 점증하는 종교적 열정은 일반적으로 교회를 개혁하는 세력이 되었었고, 신성로마제국과 오랫동안 다투어 왔던 교황의 용기를 북돋아 주었다. 개혁적인 교황청과 아주 긴밀한 관계를 맺었던 지역들은 — 프랑스, 로레인, 이탈리아 남부 — 주요한 십자군 부대들을 배출한 원천이었다. 십자군이 "십자가를 지는 것", 즉 그리스도의 봉신(封臣)으로서 자기 희생적인 삶을 사는 것은 수도원 생활을 모방하는 것으로 여겨졌으며 또한 수도사들의 더 높은 영적인 완성에 가까운 것으로 여겨졌다.

그 시대의 경건은 또한 성지(聖地)들을 순례하는 일에 큰 가치를 두었는데, 무엇보다도 그리스도의 생애와 죽음과 부활로 거룩하게 된 땅을 순례하는 일을 가장 강조하였다. 그 성지는 콘스탄티누스 황제 시대 이래로 순례의 대상지였었다. 순례자들은 헌신의 행위로 순례를 하였을 뿐만 아니라, 7세기 이후로는 참회한 죄인들에게 속죄 행위로서 성지 순례를 부과하였다. 비록 638년 이후로 예루살렘이 이슬람 교도들의 수중에 있었지만, 잠시 동안의 단절이 있은 것 외에는 아랍의 비교적 관대한 법률에 의하여 실제로 성지 순례는 끊임없이 계속되었다. 11세기 중엽에 이르렀을 때 순례의 빈도뿐 아니라 순례자의 수도 새로이 절정에 달하였다. 그러나 1071년에 일어난 셀주크 투르크족(Seljuk Turks)이 소아시아의 상당 지역을 정복하자 상황이 달라졌다. 1079년에 이르렀을 때 그들은 예루살렘을 관할하게 되었고, 그 이후로는 성지 순례가 사실상 불가능하게 되었다.

그러므로 순례의 영적인 이점(利點)에 심오한 감명을 받았던 시대에 이런 사건들의 파도가 밀려왔던 것이다. 더구나 그 시대는 적어도 서방에서는 이슬람과의 경쟁에서 기독교가 승리를 거두고 있던 때였다. 1060년과 1090년 사이에 이탈리아 남부의 노르만족들이 이슬람 교도들에게서 시칠리아를 빼앗았다. 카스티야의 페르디난트 1세(Ferdinand I, 1035-1065) 통치 아래에서 이슬람 세력에 대한 스페인의 기독교 재정복 운동이 시작되었다. 기독교가 이제는 이슬람을 쫓아낼 수 있다는 감정이 널리 퍼졌다. 모험심과 약탈하고자 하는 희망, 영토를 획득하려는 욕망 그리고 종교적인 증오심이 의심할 여지없이 십자군에게 아주 현세적인 충동을 불러 일으켰다. 그러나 그들은 자신들의 영혼와 그리스도를 위하여 지극히 중요한 어떤 일을 하고 있다고 생각하였다는 사실을 현세적인 충동과 똑같이 명백하게 이해하지 않는다면, 우리는 그들을 잘못 생각하게될 것이다.

십자군 운동을 불러 일으킨 첫번째 자극은 동로마 제국 황제인 미카엘 7세(Michael VII, 1071-1078)가 교황 그레고리 7세(Gregory VII)에게 셀주크에 대항하는 지원을 요청한 데서 비롯되었다. 이 요청이 그리스와 라틴 기독교 세계의 재통합을 약속하고 콘스탄티노플에서 로마가 가장 높은 권리를 차지하도록 약속하는 것이라고 여겼던 그레고리는 1074년에 원정 계획을 작성하였다. 서임권 투쟁이 발생하여 이 계획은 좌절되었지만, 그러나 나중에 우르바노 2세(Urban II, 1088-1099)에 의하여 부활되었다. 우르바노는 여러 가지 면에서 그레고리 7세의 상속자였다.

자신의 바로 전임자보다 강력한 지도자였던 콘스탄티노플의 황제 알렉시우스 1세(Alexius, 1081-1118)는 셀주크의 족장들 사이에서 일어난 분열적인 다툼이 공세를 취할 기회를 제공한다고 판단하였다. 그러므로 그는 잃어버린 아시아의 영토를 회복하는 일을 도울 일단의 서방의 기사들을 모집하는 일을 지원해 달라고 우르바노 2세에게 호소하였다. 우르바노는 1095년 3월 이탈리아 북부의 피아첸차(Piacenza)에서 열린 공의회 도중에 비잔틴 제국의 사자를 맞이하였으며, 도울 것을 약속하였다. 그 해 11월 프랑스 동부의 클레르몽(Clermont)에서 열린 공의회에서 우르바노는 십자군을 선언하였는데, 그의 호소는 거의 유례를 찾을 수 없는 결과를 낳았다. 우르바노의 머리 속에서 그 사업은 압박을 당하고 있는 알렉시우스 황제에 대한 제한적인 원조의 형태에서 크게 확대되어 이슬람의 수중에서 성지를 완전히 회복하는 사업으로 변하였다. 그는 모든 기독교 세계가 이 일에 참여하라고 요청하였으며, 이 어려운 원정에 참여하는 사람에 대하여 완전한 사죄를 약속하였다. 그리하여 우르바노는 성지 순례라는 옛 이상을 이교도에 대한 거룩한 전쟁이라는 좀더 새로운 이상을 결합하였다.

십자군은 조직된 무장 원정의 대열 속에서 성묘(聖墓, Holy Sepulcher)를 방문하겠다는 엄숙한 맹세를 한 순례자이며 또한 병사였다. 의복에 수놓아진 십자가를 몸에 지님으로써 입증되는 이 맹세는 법적인 재제를 통하여 강요될 수 있었던 항구적인 의무였다. 이 맹세는 십자군의 대열에 참여한 군대가 한번 심각한 장애에 부딪히더라도 쇠퇴하지 않도록 지켜주는데 기여하였다. 십자군에 참여한 사람은 영적이고 세속적인 특별한 권리를 많이 누렸던 수혜자였는데, 무엇보다도 십자군 '면죄부'는 과거에 지은 모든 죄를 일소하고 한 사람을 영적으로 무죄한 상태로 회복시킨다고 일반적으로 이해되었다. 십자군 병사들의 맹세, 지위, 의무, 특권은 중세의 교회법률가들에 의하여 점차적으로 공식화되었다.

우르바노 2세의 메시지는 즉각 열광적인 반응을 불러 일으켰다. 연대기작가들은 그가 클레르몽 바깥에 모인 사람들에게 십자군에 관한 선언을 하자 "하나님께서 그것을 원하신다"(Deus lo volt)라는 큰 외침으로 환영을 받았다고 전하고 있다. 그 명분을 받아들인 대중 설교자들 가운데 가장 유명한 인물은 피에르 은수자(Peter the Hermit)였는데, 그는 아미앵 혹은 그 부근 출신의 수도사로서, 초기의 전설은 십자군 운동의 기원이 그에게 있다고 잘못 연관시키기도 하였다. 십자군 운동의 복잡한 조직이 궁극적으로 난일한 교황의 행정체제에 근거하고 있는 것처럼 모든 십자군 운동의 자극은 교황에게서 나왔다. 일부 기사들이 포함된 큰 무리의 농민들이 프랑스의 기사인 무일푼 발터(Walter the Penniless)와 피에르 은수자를 비롯한 사람들의 지도 아래 1096년 봄에 출발하였던 것은 특히 프랑스에서 일어났던 열광주의 때문이었다. 독일을 거쳐 지나가면서 이 거친 집단들은 예루살렘의 유대인들이 그 도시를 투르크족에게 팔아넘기는데 협조하였다고 믿고 라인 지방 도시들에 사는 많은 유대인들을 학살하였다. (이런 조직적 대학살은 그 이후의 십자군 운동들에서도 나타났다.) 이 약탈자들은 헝가리와 발칸 지역에서 약탈 행위를 자행하였을 때 종종 가혹한 보복을 당하였다. 발터와 피에르가 이끄는 비교적 평화적인 두 무리는 그럭저럭 콘스탄티노플에 도착하였으며 곧 소아시아로 보내어졌다. 전투를 서두르지 말라는 알렉시우스 황제의 경고를 받았음에도 불구하고 그들은 셀주크의 전(前) 수도인 니케아에 접근하려고 하였다가 1096년 10월에 투르크족에게 거의 전멸당하였다. 이른바 이 민중 십자군(Peoples' Crusade)은 종교적인 열정은 두드러졌지만 대참패로 끝나고 말았다.

실질적인 **제 1차 십자군 운동**(1096-1099)은 유럽의 봉건 귀족들에 의하여 이루어졌다. 네 개의 규모 있는 부대가 모집되었다. 한 부대는 하(下)로레인의 공작인 고드프리 드 부이용(Godfrey of Bouillon)과 그의 동생들인 볼드윈(Baldwin)와 플란더즈의 유스타스(Eustace)가 지휘하였다. 북부 프랑스와 서부 프랑스에서 온 다른 부대들은 플랜더스 백작 로베르(Robert)와 영국과 프랑스 국왕의 형제들이 — 노르만디 공 로베르(Robert), 베르망드와 백작 위그(Hugh) — 지휘하였다. 남부 프랑스에서는 툴루즈의 레이몽(Raymond)이 대규모 부대를 이끌고 왔으며, 노르만족이 지배하는 이탈리아 남부에서는 유능하고 야심적이며 파렴치한 타란토의 보헤몽(Bohemond)과 그의 조카 탕크레드(Tancred)가 잘 갖추어진 부대를 이끌고 왔다. 부대 전체를 이끄는 단일한 지도자는 없었다. 우르바노 2세는 르 퓌의 주교 아드헤마르(Adhemar)를 교황 대리로 지명하였었다. 그리고 아드헤마르는 콘스탄티노플을 부대의 집결지로 지정하였다. 세 개의 서로 다른 길을 취하여 그 세력은 1096년 겨울과 1097년 봄 사이에 그곳에 도착하였다. 그들은 무질서하였고 처음에는 지도자들이 황제 알렉시우스에게 충성을 맹세하기를 거부하였기 때문에 황제에게 적지 않은 어려움을 주었다.

1097년 5월에 십자군 부대는 니케아를 포위하기 시작하였고, 그곳은 6월에 항복하였다. 7월 1일에 도릴레움 부근에서 투르크족에게 결정적인 승리를 거둔 십자군은 소아시아를 가로지르는 통로를 열었다. 그 결과 이고니움은 기아와 갈증으로 격심한 손실을 입은 후에 8월 중순에 함락되었다. 10월이 되자 십자군은 안디옥의 성벽에 도달하게 되었다. 어려운 포위 작전을 펼친 끝에 1098년 6월 3일에 그 도시를 함락하였다. 3일 후에 십자군은 그 도시에서 모술의 투르크족 지배자 케르보가에 의하여 포위 당하였다. 이 위태롭고 절망적인 순간은 십자군의 위기였으나, 6월 28일에 케르보가는 완전히 패배하였다. 그러나 십자군이 예루살렘에 육박한 것은 1099년 6월이었고, 예루살렘을 함락한 것은 7월 15일이었다. 예루살렘의 주민이었던 이슬람 교도와 유대인들은 칼날 아래 희생당하였다. 1099년 8월 12일 이집트의 구원군이 아스칼론 근처에서 완전히 패배함으로써 십자군의 성공이 확정되었다.

원정을 완수한 후에 고드프리 드 부이용은 성묘의 수호자(Protector of the Holy Sepulcher)라는 칭호를 얻었다. 그는 1100년 7월에 죽었고, 그보다 유능한 동생 볼드윈이 그를 계승하였다. 볼드윈은 그 전에 에뎃사에 라틴 백작령을 세웠었는데, 이제는 국왕 볼드윈 1세(King Baldwin I, 1100-1118)의 신분을 갖게 되었다. 정복된 영토는 서방의 봉건적 양식에 따라 분할되고 조직되었다. 예루살렘 왕국

이외에도 (보헤몽과 탕크레드가 세운) 안디옥 공령(公領)과 (툴루즈의 레이몽과 그의 아들 베르트랑〈Bertram〉이 세운) 에넷사 백령(伯領)과 트리폴리 백령(伯領)이 있었다. 이러한 봉토들은 실제적으로 예루살렘 국왕으로부터 독립적인 나라였다. 대부분의 기사들은 프랑스인들이었으나 십자군 국가들은 제노아, 베네치아, 피사의 함대로부터 귀중한 해상 지원을 받았다. 그리고 이탈리아의 중요한 상업 식민지들이 여러 도시들에서 성장하였다. 라틴 전례에 따른 예루살렘과 안디옥의 총대주교들 아래에서 전 영토가 8개의 대주교령과 16개의 주교령으로 구분되었고, 무수한 수도원들이 세워졌다.

얼마 지나지 않아서 군사적 수도원이 예루살렘의 라틴 왕국에 가장 큰 지원을 제공하게 되었다. 그 가운데 하나인 **성전 기사단**(Knights of the Temple, 또는 Templars)은 1119년에 위그 드 페이앙(Hugh de Payans)에 의하여 세워졌으며, 국왕 볼드윈 2세(1118-1131)로부터 성전 부지 근처에 숙소를 얻었다(이 때문에 성전 기사단이라는 이름을 갖게 되었다). 시토 수도회(V:2 참조)의 규율에 근거하여 그들에게 규율을 마련해준 클레르보의 베르나르(Bernard of Clairvaux)의 강력한 지지를 힘입어 성전 기사단은 1128년에 교황의 승인을 얻었고, 곧 서방에서 폭넓은 인기를 누렸다. 성전 기사단의 회원들은 엄격하게 말하자면 평신도들이었지만, 그러나 일반적인 수도원의 서약을 하였고 또한 이교도들에 대항하여 싸울 것과 성지를 수호하고 순례자들을 보호할 것을 맹세하였다. 그러므로 그들은 무기를 든 수도사들의 수도회로서, 십자군이 만들어낸 기독교적 이상과 호전적 이상의 혼합을 상징하였다. 십자군을 지지하였으나 나이나 성별(性別) 때문에 개인적으로 참여하는 것을 금지당한 사람들은 대신 돈이나 토지를 통하여 수도회에 참여할 수 있었다. 그리하여 풍부한 기부를 얻게된 성전 기사단은 곧 서방에서 거대한 지주가 되었다. 특히 십자군 운동의 종결로 원래의 목적이 와해된 이후에, 성전 기사단은 그들의 독립성과 재산 때문에 국왕의 질투의 대상이 되었고, 1307년에 프랑스 국왕 필립 4세(Philip IV, 1285-1314)로부터 잔인한 억압을 당하게 되었다. 그러나 십자군 운동이 계속되는 동안에 성전 기사단은 예루살렘 왕국의 주요한 보루였다.

성전 기사단의 주된 경쟁자였던 **성 요한 구호소 기사단**(Hospitallers 또는 Knights of St. John)도 성전 기사단과 유사한 점이 많았다. 1070년경 이탈리아의 아말피의 상인들은 예루살렘에 구호소를 세웠는데, 그 부근에 있었던 성 세례 요한 교회의 이름을 따랐다. 이 구호소는 병든 자들에 대한 의무를 저버리지 않으면서 한편으로는 그 대원장인 레이몽 뒤 퓌(Raymond du Puy, 1120-1160경)에 의하여 군사적 수도회가 되었다. 십자군 운동 시대가 지난 후에도 이 기사단은 처음에는 로도스에 있는 본부로부터(1310-1523), 나중에는 말타로부터(1530-1798) 투르크족과 무어족과의 전투를 계속하였다.

세번째이자 좀더 후대에 생겨난 기사단은 **튜튼 기사단**(Teutonic Knights)으로서 1190년에 독일인들에 의하여 창설되었다. 그러나 그 기사단의 주된 일은 팔레스타인에 있었던 것이 아니라 1226년부터는 프로이센에 있었다. 그곳에서 그 기사단은 이교도인 슬라브족을 강제로 기독교로 개종시키는 일과 독일의 식민지를 만드는 일에 관여하였다.

봉건적 무질서에도 불구하고 예루살렘 왕국은 1144년에 이슬람 교도들이 에뎃사를 함락시켜 왕국의 북동쪽 보루를 빼앗을 때까지는 꽤 성공을 거두었다. 1145년에 교황 유게니우스 3세(Eugenius III, 1145-1153)는 새로운 십자군을 선포하였다. 그 당시 명성이 아주 높았던 클레르보의 베르나르는 십자군을 설교하였으며, 1146년에 프랑스의 루이 7세(Louis VII, 1137-1180)와 독일의 신성로마황제 콘라드 3세(Conrad III, 1138-1152)의 협력을 얻었다.

1147년에 **제 2차 십자군**(1147-1149)이 출범하였다. 그러나 이 십자군은 제 1차 십자군의 광적인 열광주의는 거의 보여주지 않았고, 소아시아에서 거의 대부분이 패배하였으며 팔레스타인에 도착한 세력도 1148년의 다마스쿠스를 함락시키려는 시도에서 완전히 실패하고 말았다. 원정은 재난스러운 실패였다. 십자군의 붕괴는 비잔틴 제국에 대한 서방의 감정을 악화시켰는데, 옳든지 그르든지 간에 그 실패의 책임은 비잔틴 제국의 영주들에게 돌아갔다. 베르나르의 경우에는 십자군의 붕괴를 기독교 세계의 범죄 탓으로 돌렸다.

팔레스타인의 라틴 왕국이 초기에 성공을 거두었던 한 이유는 이슬람 지배자들 사이에서 서로 죽이는 분쟁이 벌어졌기 때문이었다. 1169년에 유명한 쿠르드족 출신 장군인 살라딘(Saladin, 1137-1193)이 이집트의 지배자가 되었다. 1174년에 그는 다마스쿠스를 함락시켰고 1186년에는 라틴 왕국의 남쪽과 북쪽과 동쪽을 자신의 영토로 포위하였다. 이제는 통일된 이슬람 세력에 맞서야 하였다. 외교적인 수단을 통하여 만족스러운 평화 조건을 얻는데 실패한 살라딘은 1187년 7월에 티베리아스와 예루살렘 사이에 있는 하틴에서 라틴 왕국의 모든 군대를 격파하였다. 예루살렘과 대부분의 성지가 급속하게 그의 손에 넘어갔다. 그러므로 십자군 군대는 1099년에서 1187년까지 성도(聖都, Holy City)를 장악하고 있었던 것이다. 그 이후에 무력으로 예루살렘을 되찾으려는 시도는 성공을 거두지 못하였다.

이 재난의 소식을 들은 유럽은 교황 그레고리 8세의 선포(1188)에 따라 **제 3차 십자군**(1189-1192)을 일으켰다. 이 십자군은 다른 어느 십자군보다 더 공을 들여 마련되었다. 당대의 으뜸가는 군인이었던 황제 프리드리히 바르바로싸(Frederick Barbarossa, 1152-1190)와 프랑스 왕 필립 오귀스트(Philip Augustus, 1180-1223) 그리고 영국왕 '사자심' 리처드(Richard "Coeur de Lion")가 거대한 세 군대를 이끌었다. 프리드리히는 길리기아에서 사고로 물에 빠져 죽었다. 용맹스러운 지도자를 잃은 그의 군대는 능력을 거의 발휘하지 못하였다. 프랑스 왕과 영국 왕 간의 끊임없는 다툼과, 자신의 정치적 계획에 따른 필립의 귀국은 원정 전체를 거의 유산시키고 말았다. 아주 중요한 항구였던 아크레는 회복되었으나, 예루살렘은 이슬람 교도의 수중에 남았다. 리처드는 1192년에 유럽으로 돌아가기 전에 살라딘과 3년 간의 휴전 조약을 체결하였고, 그에 의하여 라틴 사람들은 아스칼론에서 아크레에 이르는 해안의 영지를 소유하였으며 성묘(聖墓)로 가는 권리를 확보하였다. 제 3차 십자군은 어마어마한 노력에 비하여서는 거의 보여준 것이 없었다.

제 4차 십자군(1202-1204)은 참여한 사람의 수에 있어서는 소규모 사건이었으나 중대한 정치적 종교적 결과를 빚어내었다. 새 교황 이노센트 3세(Innocent III, 1198-1216)가 선포한 제 3차 십자군 세력은 샹파뉴와 블로와 지방, 프랑스 북부, 그리고 플랜더스에서 나왔다. 이제 예루살렘 회복의 열쇠는 이집트의 사전 정복이라고 확신하였던 십자군 부대는 그곳까지의 운송 수단을 베네치아 상인들과 협상하였다. 충분한 비용을 마련하지 못하게 된 십자군은 베네치아 상인들의 제안을 받아들여서 운송비를 지불하는 대신 자신들의 길을 잠깐 멈추고 베네치아를 위하여 헝가리부터 달마티아 해안의 기독교 도시 자라(Zara)까지 정복하였다. 1202년에 그들이 저지른 이 일은 교황을 크게 놀라게 하였다.

이제 그보다 훨씬 더 큰 제안이 제 4차 십자군에게 제의되었다. 폐위된 동로마 황제 이삭 2세(Isaac II, 1185-1195)의 아들인 알렉시우스 앙겔루스(Alexius Angelus)는 십자군이 콘스탄티노플로 와서 제위를 찬탈한 알렉시우스 3세(Alexius III, 1195-1203)를 몰아내는 일을 도와준다면 막대한 보수와 원정에 대한 지원을 해 주겠다고 약속하였을 뿐만 아니라 그리스 교회를 교황에게 예속시키겠다고 약속하였다. 특히 베네치아 상인들이 동방 무역을 완전히 독점할 수 있다는 밝은 전망을 가지고 그 제안을 환영하였다. 실제로 베네치아는 동로마 제국의 권위를 파괴하는 일에 강한 관심을 보여왔었다. 그리스인들에 대한 서방의 증오심도 작용하였다. 비록 이노센트 3세는 십자군의 목적이 이렇게 갈라지는 것을 금하였지만 대부분의 십자군 병사들은 설득당하였다. 알렉시우스 3세는 쉽게 쫓겨났으나 또 다른 알렉시우스는 십자군에 대한 자신의 약속을 지킬 수 없었다. 십자군 병사들은 베네치아 상인들과 더불어 1204년에 콘스탄티노플을 함락하였고 3일간 노략질을 벌여 그곳의 재물을 약탈하였다.

플랜더스의 볼드윈은 콘스탄티노플의 라틴 황제가 되었고 동로마 제국의 상당한 부분이 봉건적 양식에 따라 서방의 기사들 사이에서 분배되었다. 베네치아는 바라던 무역독점을 얻었을 뿐만 아니라 가장 큰 몫을 차지하였다. 콘스탄티노플에 라틴 교회의 총대주교가 임명되었고 그리스 교회는 교황에게 예속되었다. 뿌리가 잘린 동로마 제국은 계속 존속되었으나 1261년이 되어서야 콘스탄티노플을 되찾을 수 있었다. 이 라틴 사람들의 정복은 동로마제국의 재난이었고 그 나라를 심각하게 약화시켰으며 14세기 중엽에 오토만 투르크(Ottoman Turks)의 진출에 대하여 무력하게 만들었다. 또한 이 정복은 그리스의 그리스도인과 라틴의 그리스도인들 간의 증오심을 악화시켰다.

1212년의 이른바 **소년 십자군**(Children's Crusade)은 우울한 에피소드였다. 그 해 여름에 일부 어른들을 포함한 수 천 명의 소년들이 네덜란드와 북동 프랑스와 라인 계곡으로부터 나와 쾰른을 중심으로 모였다. 그들의 지도자는 니콜라스(Nicholas)라는 쾰른의 청년이었다고 한다. 그들은 자신들의 무한한 열정과 '하나님의 손'이 자신들을 데려다 줄 것이라고 생각하고 성지를 향하여 무작정 출발하였다. 그들이 내세운 목적은 자신들보다 나이 많은 사람들이 배반하였던 명분을 회복한다는 것이었다. 그들은 라인 강을 따라 알프스 통로를 지나 이탈리아로 들어갔는데, 그곳에서 그들 가운데 많은 사람들이 질병과 굶주림으로 사망하였다. 남은 소년들은 레반트로 갈 운송 수단을 마련하지 못하자 불명예스럽게 뿔뿔이 흩어져 고향으로 돌아가야만 했다. 다른 길을 택한 한 그룹은 아마도 마르세이유에 도착하였던 것 같으며 론 강 어귀에서 해로(海路)를 얻을 수 있었다. 후대의 기록은 그 집단 중 일부는 폭풍 속에서 익사하였으며 대다수는 파렴치한 선원들에 의하여 이집트에 노예로 팔려 갔다고 전한다. '마르세이유 십자군'의 역사성 문제는 여전히 논란거리이다.

또한 1212년 여름에는 환상을 보는 목동인 클와에의 스테펜(Stephen of Cloyes)이 이끄는 여러 무리의 프랑스 소년들이 생 드니 수도원과 파리로 행진하였다. 비록 이 소년들이 "주 하나님, 우리에게 참다운 십자가를 회복시키소서"라는 기도를 찬송하면서 행진하였지만, 실제로 이들이 성지를 향하여 떠났다는 확실한 증거는 아무 것도 없다. 이런 모든 현상들은 나이나 사회적 지위와 관계없이 십자군 이상이 모든 사람들의 마음을 굳게 잡았다는 사실을 보여준다.

그 이외에도 십자군 운동이 몇 차례 시도되었다. 1217년에 시작되어 1221년까지 계속된 이집트 원정은 처음에는 얼마간 성공을 거두었으나 결국 실패로 끝났다. 그것을 보통 **제 5차 십자군**이라고 부른다. 가장 기묘한 것은 **제 6차 십자군**(1228-1229)이었는데, 그것은 참된 십자군이라기보다는 '국가 방문'에 가까왔다. 자유로운 사상을 가진 신성로마 황제 프리드리히 2세(1212-1250)는 1215년에 '십자가를 졌으나' 전혀 자신의 맹세를 지키려고 서두르지 않았다. 마침내 그는 1227년에 출발하였으나 곧 되돌아왔다. 그는 심각하게 병을 앓은 것 같았으나, 교황 그레고리 9세(1227-1241)는 그가 십자군의 대열에서 이탈했다고 믿었고 또한 다른 적대적인 이유들이 있었기 때문에 프리드리히를 파문하였다. 그럼에도 불구하고 프리드리히는 1228년에 다시 십자군을 떠났고, 그 다음 해에 이집트의 술탄 알-카밀(al-Kamil)과 조약을 맺어 예루살렘과 베들레헴, 나사렛 그리고 해안으로 통하는 길을 확보하였다. 다시 한번 예루살렘은 그리스도인의 수중에 들어왔고 1244년까지 유지되었으나 그 해에 항구적으로 상실되었다.

프랑스의 루이 9세(성 루이〈St. Louis〉, 1226-1270)가 1248년에서 1250년까지 이집트 원정을 이끌었으나, 그 원정에서 그는 포로로 잡히는 재난을 당하였고, 1270년의 튀니스 공격에서는 목숨을 잃었다. 루이의 장남인 필립 3세(1270-1285)가 1271년에 프랑스로 돌아왔을 때 그는 아버지와 아내와 사산(死産)한 아들과 동생과 처남의 시체를 가지고 왔는데, 그들은 모두 튀니지아에서 죽었거나 혹은 험난한 귀향 여행 동안에 죽었다. 이런 심각한 손실이 아마도 프랑스의 십자군 정신을 무디게 만들었을 것이다. 그리고 그것은 "십자가를 지는 것"의 참으로 실제적인 위험을 잘 설명해 준다.

상당한 규모의 마지막 원정은 영국의 왕자 에드워드(Edward)가 1271년부터 1272년까지 이끌었던 십자군이었다. 그는 그 얼마 후 국왕(1272-1307)이 되었다. 그 원정은 군사적인 가치는 전혀 없었으나 에드워드에게 경건한 열정을 가진 인물이라는 평판을 가져다 주었다. 1291년에 팔레스타인에 남아 있었던 라틴 세력의 마지막 근거지였던 아크레가 함락되었다. 십자군 운동은 종결되었다. 새로운 원정을 일으키자는 용감한 논의가 그 후에도 거의 2세기 동안 계속 있었지만, 과거의 십자군 이상은 실제로 성왕(聖王) 루이와 더불어 죽었다.

본래의 목적에 비추어 볼 때 십자군 운동은 실패하였다. 십자군 원정은 성지를 항구적으로 정복하지 못하였다. 십자군 운동은 이슬람의 진출을 저지하지 못하였다. 동로마 제국을 돕기는 커녕 그것의 붕괴를 촉진하였다. 또한 십자군 운동은 라틴 그리스도인들이 그리스 그리스도인들을 이해하는 것이 여전히 불가능하였다는 사실을 드러내었고 그들 사이의 분열을 굳게 하였다. 십자군 운동 이전에는 그리스도인들과 이슬람 교도들 사이에 어느 정도의 상호 존중이 있었으나, 십자군 운동은 그들 사이에 거친 비타협적 태도를 조장하였다. 십자군 운동은 반(反)셈족주의를 다시 드러냄으로써 오점을 남겼고 이미지가 손상되었다. 비록 십자군 운동은 고상한 헌신의 정신으로 시작되었고 무수한 용감한 행위들로 유명해졌지만, 그러나 다툼과 분열된 동기들과 저열한 수준의 개인적 행동으로 말미암아 십자군의 행위는 내내 불명예스러운 것이었다.

한때 역사가들은 중요한 '간접적인 결과들을' 십자군 운동의 결과로 돌림으로써 그리고 1100년 이래로 계속된 유럽의 경제적 발전과 지적인 각성을 가져다준 가장 큰 단일한 영향력을 십자군 운동에서 찾음으로써 십자군 운동의 이런 황량한 모습을 덜어주곤 하였다. 이런 견해는 거의 지지될 수 없다. 스콜라주의의 발전에 너무나도 중요하였던 아리스토텔레스에 관한 지식을 포함한 이슬람 세계의 학문은 대체로 스페인과 시칠리아를 통하여 서방으로 들어왔지, 십자군 국가들을 통하여 들어온 것이 아니었다.

동방과 서방 간의 교역도 십자군 운동에 의하여 증가하였지만, 그러나 그 교역 자체가 십자군 운동에 근거한 것은 아니었고, 실제로 십자군 운동 이전에도 교역이 이루어졌었다. 마찬가지로 도시의 성장은 — '제 3신분'의 발생 — 제 1차 십자군 이전에 이미 일어나고 있었던 농경과 인구 상의 혁명의 결과였다. 십자군 운동은 도시를 만들거나 교역을 일으키지 않았고 식량과 인구가 남아돌도록 만들지도 않았다. 십자군 운동은 이런 것들을 전제로 하여 일어났다. 그러나 좀더 평범한 수준에서 볼 때 십자군 운동은 유럽의 봉건 귀족들의 난폭한 에너지를 방출할 출구를 제공하였고 유럽 주민들을 끊임없는 전쟁 상태로부터 잠시 벗어날 수 있게 해 주었다. 또한 십자군 운동은 상당한 수의 이런 다루기 힘든 영주들을 동방으로 보냄으로써 서방에서 왕권이 자라나는데 도움을 주었다.

십자군 운동의 주된 수혜자는 중세 교황이었다. 교황의 권위와 위엄은 이런 원정들에 의하여 크게 강화되었다. 교황들은 기독교 세계의 수호자로서, 이교도들에 대항하는 통일된 기독교 세계의 주창자로서, 십자군 이념을 불러 일으키는 사람으로서, 십자군의 보호자로서, 그리고 서방의 군사적 자원을 조직하는 사람으로서 돋보이게 되었다. 십자군 운동은 또한 면죄부의 이론과 실행에서 중요한 단계가 되었으며 또한 교회법을 다듬는 데에도 중요한 단계가 되었다. 이교도인 이슬람에 대한 성전(聖戰) 수행은 서방의 분리주의자들과 이단들과 교황의 정적(政敵)에 대한 적합한 대응으로 십자군을 일으킨다는 생각을 합법화하는 데 도움을 주었다. 동방에서 추진되었던 군사 전략이 서방 교회의 내적인 문제들에도 역시 적용될 수 있었던 것이다.

2. 새로운 종교적 운동들

제 1, 2차 십자군 기간인 1050년부터 1150년에 이르는 한 세기는 수도원 운동이 크게 일어난 시대였다. 그러나 그것은 새로운 열쇠를 가진 수도원 운동이었나. 전통적인 베네딕트 수도원 운동이 불필요한 무거운 관습들 아래에서 일하는 것이라고 보는 생각이 널리 퍼졌고, 베네딕트 수도회는 점점 더 공격을 당하게 되었다. 개혁자들은 단순성과 고립, 엄격한 금욕주의와 청빈, 그리고 수도원 규율을 문자적으로 절대적으로 고수할 것을 강조하였다. 더구나 교회의 타락에 대한 그레고리의 공격에 자극을 받은 12세기 전체 기간에 사회 전반적으로 '복음주의적 각성'이 두드러졌다. 교구의 성직자들과 평신도를 막론하고 많은 사람들이 초대 교회와 그 순박한 복음으로 돌아가는 것을 — 무엇보다도 사도적인 생활의 완전함과 위엄으로 돌아가는 것을 — 통하여 종교적 갱신을 이룰 수 있다는 전망에 자극을 받았다. 이 '사도적인 생활'(*vita apostolica*)은 극기(克己)와 극도의 청빈 속에서 그리스도를 따르는 것과 동일한 것으로 여겨졌으며 또한 세속적인 교회에 회개를 설교하고 그 메시지를 개인적인 성결로 확증해야 하는 의무와 같은 것으로 여겨졌다. 이런 생활 방식은 수도사나 성직자들에게만 허용된 것이 아니라 원칙적으로 모든 남녀 그리스도인들에게 열려 있었다. 여기에서 요구된 청빈은 수도원의 '제도화된' 청빈이나 도시나 시골의 가난한 사람들의 '자연적인' 빈곤이 아니라 그리스도와 그 제자들을 본받으려는 사람들의 자발적인 청빈이었다. 참된 그리스도인의 삶의 기초이자 증거로서 '사도적 청빈'을 요구하는 소리는 중세 시대 내내 울려 퍼졌다. 앞으로 살펴보겠지만, 그것은 악습들을 개혁할 기초를 제도적 교회와 교황의 지도권에 제공하였을 뿐만 아니라 그와 동시에 가장 심각한 도전을 제기하였다.

1100년경에 이르면 클루니 수도원은 대체로 교회의 갱신을 위한 힘을 다 써버렸다. 바로 클루니 수도원의 성공, 즉 그 수도원이 봉건 사회의 구조 속에 흡수된 일은 — 비판자들은 그것에 책임을 돌린다 — 세상을 포기한다는 수도원적 이상의 타협으로 이어졌었다. 이런 세속화에 항의하여 새로운 수도원 공동체들이 나타났다. 그 공동체들은 베네딕트 규율을 봉건적 형식과 관습에 따라 바꾸지 않고 원래대로 문자적으로 지킬 것을 강조하였다.

또한 이 공동체들은 좀더 개인적인 종교, 좀더 강렬한 영성(靈性)을 원하는 많은 수도사들의 요구에 부응하였으며 사회로부터 고립되어 생활하였고 심지어 어떤 경우에는 동료 수도사들과도 떨어져서 살았다. 서방 교회의 공동생활하는 수도원주의 전통과 공동체적 생활의 전통을 깨뜨리지 않으면서도 이 새로운 집단들은 은둔 생활의 이상, 즉 사막의 교부들의 고독하고 엄격한 금욕주의를 부활시켰다(III:7 참조). 이 새로운 정신은 쾰른의 브루노(Bruno of Cologne, 1032경-1101)가 **카르투지오 수도회**(Carthusian order)를 창설한 것에서 뚜렷하게 나타난다. 1080년에 그는 랭스의 성당학교 교장직을 물러나 부르고뉴의 그레노블 근처 외딴 곳에 있는 어떤 은자(隱者)들의 무리에 참여하였다. 그레노블의 주교는 곧 그와 대여섯명의 동료들을 높은 산 기슭에 있는 벽지에서 살게 하였다. 그곳에서 그는 1804년에 라 그랑드

샤르트뤼즈(La Grande Chartreuse) 수도원을 창설하였는데, 그 수도원의 이름은 인근 마을인 생-피에르-샤르트뤼즈에서 따온 것이었다. 카르투지오 수도사들은 침묵을 맹세하였고 은자로서 살았으며 예배와 식사를 위하여 미리 정해진 몇몇 시간에만 함께 모였다. 그리하여 그들은 은둔 생활과 공동 생활을 결합하려고 시도하였으며 수정된 형태의 베네딕트 규율을 따랐다. 1127년에 수도원장인 귀고 1세(Guigo I)가 그들의 관습을 편집하여 한 규율을 만들었는데, 교황 이노센트 3세(1130-1143)가 1133년에 그 규율을 승인하였다.

카르투지오 수도사들이 수를 늘이거나 영향력을 증대하려는 바람을 전혀 갖지 않았음에도 불구하고 '카르투지오 수도원'(Charterhouses)들은 점차로 유럽 전역에 세워졌다. 새로운 수도원들이 카르투지오 수도회의 정신과 본래의 관습들을 엄격하게 고수함으로써 카르투지오 수도회는 '개혁할 필요가 없는'(beyond reform) 수도회라고 널리 인정되었는데, 그 이유는 정확하게 그 수도회가 결코 '타락'(deform)하지 않았기 때문이었다(nunquam reformata quia nunquam deformata). 유명한 카르투지오 수도사 가운데는 성 위그(St. Hugh, 1140경-1200)가 있는데, 그는 1160년에 그랑드 샤르트뤼즈에서 서약을 하였고 1186년에는 영국 링컨의 주교가 되었다. 또한 작센의 루돌프(Ludolf of Saxony, 1300경-1378)도 그 가운데 한 사람인데, 그가 쓴 「그리스도의 생애」(*Life of Christ*)는 중세 말기에 아주 인기가 있었고 또한 이그나티우스 로욜라(Ignatius Loyola)의 경건을 형성시켜 주었다.

아르브리셀의 로베르(Robert of Arbrissel, 1060경-1117경)는 쾰른의 브루노와는 아주 다른 유형과 목적을 가진 은자였다. 한때 렌느의 주교의 집에서 사제로 있었던 로베르는 브리타니의 숲 속에서 은자가 되었고 그 후에는 르와르 계곡에 있는 여러 도시와 마을들에서 순회 설교자가 되었다. 가난하게 넝마를 걸치고 머리와 수염을 길게 기른 채로 맨발로 돌아다니면서 그는 금욕주의와 '사도적인 생활'을 설교하였다. 비록 그는 1096년에 교황 우르바노 2세로부터 설교할 자격을 얻었었지만, 성직자의 악덕을 자주 공격하였기 때문에 고위 성직자들에게 호감을 주지 못하였다. 그들은 그를 선동가로 여겼다. 로베르의 설교는 수많은 남녀 지지자들을 끌어모았다. 그는 여자 추종자들을 얻는 데 두드러지게 성공을 거두었으며 브리타니와 메인 그리고 앙주의 지방 귀족들 사이에서도 적지 않은 사람들을 모았다. 자신들의 집과 소유를 포기하고 스스로 '그리스도의 가난한 사람들'(Christ's Poor)이라고 불렀던 로베르의 제자들은 그의 지도 아래에서 금욕적인 생활을 하였다. 남녀 추종자들을 분리하지 않은 혁신적인 그의 정책은 렌느의 주교와 앙제르의 주교의 반대를 불러 일으켰고, 1100년에 포아티에에서 개최된 지역 공의회에서도 반대를 받았다. 그 결과 로베르는 여자들을 엄격하게 분리된 지역에서 살게 하여야 했고 1100년경에는 퐁트브르(Fontevrault)에 수도원을 세웠다. 그리하여 4년 사이에 이 순회 금유주의 설교자는 수도원 창설자가 되었다.

퐁트브르는 사실상 '이중 수도원' 즉 엄격하게 구별되어 살아가는 남자와 여자를 모두 포함한 수도원이었다. 이중 수도원은 중세 초기에 널리 퍼져 있었으나 10세기에 이를 즈음에는 인기를 잃었다가 12세기 상반기에 부흥하였다. 이중 수도원은 교회 당국으로 하여금 '사도적인 생활'을 가르치는 대중적인 설교자들에게 호응한 남자들뿐 아니라 많은 여자들도 수도원적 구조 속에 통합할 수 있게 해 주었다. 로베르의 이중 수도원은 여자들이 지도한다는 점에서 독특하고 혁신적이었는데, 특별히 여수도원장이 전체 수도회에 대하여 사법권을 행사하였고 반면에 남성들은 일차적으로 여자들의 예배와 경제적인 필요를 돌보아 주었다. 그러나 퐁트브르는 이중 수도원으로 계속 남아 있지는 않았다. 한 세대가 지나기 전에 퐁트브르는 북서 프랑스에서 가장 유명한 수녀원이 되었고 주로 그 지역의 대 귀족 가문들 출신의 여자들의 피난처 역할을 하였다.

퐁트브르의 공동체는 그랑드 샤르트뤼즈의 공동체와는 달리 수도원 조직으로 발전하지 않았다. 새로운 수도회들 가운데 명성과 영향력과 수가 가장 컸던 것은 **시토 수도회**(Cistercians)였다. 클루니 수도원이 11세기를 지배하였듯이 시토 수도회는 12세기를 지배하였다. 클루니 수도사들과 카르투지오 수도사들처럼 시토 수도사들도 부르고뉴 출신이었다. 1098년 모레슴 수도원장인 로베르는 적은 무리의 수도사들과 함께 디종 부근의 시토(시스터시움)에 아주 엄격한 수도원을 세우기 위하여 모레슴을 떠났다. 처음부터 이 수도원의 목적은 자기를 부인하는 불굴의 삶을 육성하려는 것이었고, 베네딕트의 규율을 마지막 한 글자까지 지켰다. 수도회의 건물과 기구들, 심지어는 예배의 형식과 장식물까지도 가장 단순한 것들이었다. 음식과 의복에 있어서 이 수도회는 아주 엄격하였고 염색하지 않은 값싼 모직으로 된 의복을 채택하였나(이 때문에 옛 베네딕트 수도사들을 '흑의 수도사'〈Black Monks〉라고 지칭한 것에 대조하여 시토 수도사들을 '백의 수도사'〈White Monks〉라고 지칭하게 되었다). 시토 수도사들은 은자들은 아니었지만 '청교도주의'(puritanism)를 실천한 것뿐 아니라 사람이 거주하지 않는 곳으로 물러난 점에서도 은둔 생활의 충동을 엿볼 수 있다.

제 3대 수도원장인 영국 사람 스테펜 하딩(Stephen Harding, 1109-1134) 아래에서 시토 수도회의 영향력이 급속히 자라났다. 1115년까지 클레르보의 수도원을 포함한 네 개의 자매 수도원이 부르고뉴의 다른 곳들에 세워졌다. 그곳으로부터 시토 수도회는 유럽 전역으로 급속히 성장하였다. 클레르보의 베르나르가 1153년에 죽었을 때, 클레르보에는 339개의 수도원이 있었다. 13세기가 끝날 때까지 이 수도원의 수는 두 배를 넘게 되었다. 이 경이적인 성장은 시토 수도회가 어린이를 수도사 지원자(oblate)로 받아들여 수도원에서 훈련시켜서 나중에 수도사로 받아들이는 옛 관습과 단절하였음에도 불구하고, 그리고 1155년에 더 이상의 확장을 멈추려는 공식적인 시도가 있었음에도 불구하고 계속되었다. 시토에 있는 수도원의 훈련과 관습들이 다른 모든 수도원들을 구속하는 모델이 되었지만, 시토 수도회의 조직은 클루니 수도회의 고도로 집중된 체제를 따르지 않았다. 따라서 클루니 수도회의 체제처럼 단일한 한 수도원장에게 권위가 집중되기보다는 많은 수도원장들에게 권위가 주어졌다. 시토회의 모든 수도원장들은 연례 총회로 시토에 모였지만, 시토 수도원의 원장은 수도회 전체의 '총장'(abbot-general)이 아니라 단지 '동등한 수도원장들 가운데 첫번째'에 지나지 않았다. 간단히 말하자면 시토 수도회는 동등하게 자율적인 수도원들의 연합체였으며, 각 수도원장들은 수도회 전체를 구속하는 법을 만드는 일에 있어서 다른 모든 수도원장들과 동등한 발언권을 가지고 있었다. 이런 조직 체제는 시토 수도회의 '두번째 창건자'로 합당하게 인정받고 있는 스테펜 하딩이 공표하였던 유명한 '자비의 헌장'(*Carta Caritatis*)으로 거슬러 올라간다.

거의 처음부터 시토회 수녀원들도 함께 생겨났으며 시토의 관습들을 따르려고 열망하였다. 그러나 초기의 시토 수도회 법규는 수녀원들에 있는 사람들의 존재를 무시하였고, 수녀원들은 수도회 내에서 공식적인 지위를 전혀 갖지 못하였다. 1191년에 총회에서 처음으로 그들을 언급하였고, 1213년부터는 연례 총회에서 수녀들의 수를 제한하고 그들을 시토회 수도원장들의 엄밀한 감독 아래 두려는 노력이 반복하여 행하여졌다. 1228년에는 시토 수도회에 더 이상의 수녀원을 허용하는 것이 금지되었다. 그러나 그런 규정도 소용이 없었다. 중세가 끝날 무렵에 시토 수도회에 속한 수녀원의 수는 그 수도회의 수도원의 수 만큼이나 많았다. 그 사실은 금욕적인 생활의 폭넓은 호소력과 1100년 이래 서방 교회 내의 여성 운동들의 열정을 뚜렷하게 증거하는 것이다. 그러나 시토 수도회의 수녀들은 수도회의 협의회에서 발언권이 없었고 후대에 생겨난 베긴회(Beguines, V:4 참조)처럼 공식적인 종교 조직의 한 가장자리에서 존재하였다.

시토 수도사들은 가르침이나 목회 사역에는 비교적 별로 관심을 기울이지 않았다. 금욕적인 경건의 모범으로 역할한 것을 제외하면, 사회에 대한 그들의 주된 공헌은 광대한 황무지를 열성적으로 개간한 것이었다. 시토 수도원들은 의도적으로 거친 벽지나 기독교 세계가 팽창하는 변경에 세워졌다. 농노를 고용하기를 거부하였고, 처음에는 노동자들을 고용할 수 없을 정도로 가난하였던 시토 수도사들은 평신도 형제들(소위 '콘베르시'〈conversi〉)을 이용하여 토지를 경작하였다. 이 평신도 형제들은 서약을 하고 단순화된 수도원적 체제를 따랐으나, 글을 읽을 수 없었기 때문에 2류 수도사로 남아 있었다. 이런 체제는 시토 수도회에서 생겨난 것은 아니었지만, 그들이 그 제도를 가장 충분하게 이용하였다. 시토 수도회가 가장 활발하게 팽창한 시기였던 12세기 동안에는 불만이 거의 일어나지 않았던 것 같다. 그 후의 시토 수도회의 역사는 수도원 연대기에서 아주 친숙하게 볼 수 있는 유형이다. 즉 금욕적인 성실함이 물질적인 번영을 만들어 내었고 그것이 정신적 쇠퇴로 이르게 되었다는 것이다.

초기에 시토 수도회가 성공을 거둔 것에는 **클레르보의 베르나르**(Bernard of Clairvaux, 1090-1153)의 덕택이 적지 않았다. 그는 모든 사람들로부터 당대의 가장 커다란 종교 세력으로 인정받았고, 중세의 중요한 성자들 가운데 한 사람이었다. 디종 부근의 퐁텐느에서 기사 집안에서 태어난 그는 1113년에 자신이 설득한 5명의 형제들을 포함한 약 30명의 동료들과 함께 시토에 있는 수도원에 가입하였다. 1115년에 그는 클레르보에 자매 수도원을 세우기 위하여 12명의 동료 수도사들과 함께 시토를 떠났다. 화려한 교회 고위직 제의에도 불구하고 그는 죽을 때까지 클레르보의 시토 수도원 원장으로 있었다.

열성적이고 비타협적이며 태도도 거칠었고 극도의 금욕에 헌신하였던 그의 일차적인 동기는 그리스도에 대한 사랑이었는데, 그것은 루터와 칼빈의 인정을 얻게 될 만큼 복음적으로 표현되었다. 그리스도에 관한 신비적인 명상은 그의 가장 높은 정신적 즐거움이었는데, 그것은 (아가서에 대한 86편의 설교인) 「아가서 설교집」과 그의 논문 「하나님을 사랑하는 것에 관하여」(*De diligendo Deo*)에 고전적으로 표현되어 있다. 그의 신비주의는 위(僞)디오니시우스(pseudo-Dionysius)의 '지성주의적' 유형이 아니라 '실제적' 혹은 '자발적' 유형이었다. 왜냐하면 베르나르에게는 하나님에 대한 지적인 파악보다는 영혼이 하나님의 사랑을 경험하는 것이 가장 중요하였기 때문이었다. 영혼이 하나님께로 돌아오는 것은 항상 초자연적 은혜에 의하여 개혁된 의지의 사역이었다. 베르나르의 주장은 12세기의 다른 두 저명한 시토 수도회 신비주의자들의 글에서 다시 나타났다. 그들은 생 티에리의 윌리엄(William of St. Thierry, 1085경-1148)과 1147년부터 1169년까지 스텔라(Stella, L'Etoile)의 수도원장이었던 이삭(Isacc)이었다.

베르나르는 대단한 활동가였기 때문에 수도원 안에 머무르지 못하였다. 그가 이유없이 '유럽의 무관(無冠)의 황제'라고 불렸던 것이 아니었다. 당대의 지도적인 설교자이며 또한 역사상 가장 위대한 설교자 가운데 한 사람인 베르나르는 사회적 계급을 막론하고 청중들을 깊이 감동시켰다. 그는 당대의 문제들에 대하여 방대한 서신교환을 하였다. 교회의 관심사들 때문에 그는 폭넓게 여행하게 되었는데, 그는 그런 관심사들을 아주 돋보이게 하는 사람으로 여겨졌다. 불운하였던 제 2차 십자군을 조직하는 일에 그가 주도적인 역할을 담당하였다는 사실은 이미 살펴보았다(V:1 참조). 비록 유니게우스의 많은 행동들은 베르나르가 바라는 대로는 아니었음이 드러났지만, 교황에 대한 베르나르의 영향력은 시토 수도회의 원장이자 한때 클레르보의 수도사였던 피사의 베르나르(Bernard of Pisa)가 교황 유게니우스 3세(1145-

1153)로 선출되었을 때 확고해진 것 같았다. 그는 유게니우스에게 자신의 주된 문학 작품인 「사색에 관하여」(*De consideratione*)를 헌정하였는데, 그것은 세속적인 일과 성스러운 일을 뒤섞음으로써 생겨난 교황청의 세속화를 혹평하는 교회론적인 논문이었다. 정통주의를 수호하고 '이단자들을 두드리는 망치'의 역할을 하면서 그는 1141년의 상스 공의회(Council of Sens)가 아벨라르(Peter Abelard)와 브레스치아의 아놀드(Arnold of Brescia)를 정죄하게 하였을 뿐만 아니라 이 조치를 교황이 승인하게 만들었다. 또한 그는 삼위일체에 관한 가르침 때문에 질베르 드 라 포레(Gilbert de La Porree, 1076경-1154)를 정죄당하게 하였는데, 질베르는 초기 스콜라 신학자들 가운데 가장 뛰어난 인물로서 샤르트르의 성당 학교의 교장으로 있다가 나중에 포아티에의 주교가 되었던 인물이었다. 1145년에 베르나르는 프랑스 남부의 이단들에게 설교하였고 잠정적으로 어느 정도 성공을 거두기도 하였다. 베르나르는 1153년에 죽었는데, 그는 당대에 가장 잘 알려졌고 가장 널리 애도를 받은 인물이었다.

시토 수도회의 가장 큰 경쟁자이자 여러 가지 면에서 반대되었던 수도회는 **어거스틴 교단**(Augustian canons)이었다. 이 교단은 수사 사제단(regural canons, *canonici regulares*) 또는 오스틴 교단(Austin canons)으로도 알려졌다. 엄격하게 말하자면 그들은 수도회가 아니라, 서임을 받은 성직자들의 무리로서 속세를 떠나지 않은 채로 청빈과 독신과 상급자에 대한 복종의 공동 생활을 하기 원하는 단체였다. 시토 수도회가 엄격한 세상 거부를 통하여 베네딕트 수도회를 개혁하는 데 목적을 두었다면, 수사 사제단은 세상에 대하여 목회하는 사도적 생활을 회복하려고 하였다. 그들은 성 어거스틴이 성직자들과 수녀들에게 영적인 충고를 적어 보낸 서신들에 기초하여 작성된 규율을 따랐다. 그리하여 그들은 성 베네딕트와 그의 규율을 '넘어서서' 나아갔고 실제로, 그들이 주장한 것처럼, 성경 자체로 돌아갔다. 원래부터 설교와 가르치는 일에 적극적이었을 뿐 아니라 병든 사람과 가난한 사람과 노약자를 위한 병원과 구호소를 세우는 일에도 적극적이었던 그들은 점차적으로 수도회의 모습을 모두 갖추게 되었다. 수사 사제단의 많은 건물들은 옛날의 수도원 건물들과 구별할 수 없게 되었다. 그러나 그들의 규율은 중세 사회의 실제적인 필요들에 그들이 계속 부응할 수 있게 해줄 정도로 융통성이 있었다. 1075년에서 1125년 사이에 많은 수사 사제단 공동체들이 서 유럽에서 출현하였다. 13세기에 이르면 이런 공동체들이 수 천 개나 있었다. 물론 그것들 가운데 많은 공동체가 아주 소규모였다. 12세기에 창설된 두 개의 수사 사제단을 특별히 살펴볼 필요가 있다.

그 첫번째는 크상탕의 노르베르(Norbert of Xanten, 1080경-1134)가 창설한 **프레몽트레 교단**(Premonstratensians, 혹은 노르베르 교단〈Norbertines〉)이다. 한때 크상탕과 쾰른의 교회들과 독일령 라인란트에서 성직자로 있다가 황제 하인리히 5세(Henry V, 1106-1125)를 섬기기도 하였던 노르베르는 초기에는 오로지 자신의 느슨한 도덕과 세속적인 야심으로 유명하였다. 1115년에 그는 종교적 회심을 체험하였고 평민들에게 설교하는 순회 사역을 시작하기로 결심하였다.

1118년에 그는 교황 겔라시우스 2세(Gelasius II, 1118-1119)로부터 설교할 수 있는 허가를 얻었고, 그 이후로 여러 해 동안을 프랑스 북부에서 설교하면서 지냈다. 아르브리셀의 로베르와 마찬가지로 그도 많은 남녀 추종자들을 얻었으나, 역시 로베르의 경우처럼 교회 당국은 '남녀가 뒤섞인' 추종자들의 무리가 돌아다니는 것을 호의적으로 보지 않았다. 따라서 노르베르는 1120년에 라옹과 캉브레의 주교들의 도움을 받아 라옹 부근의 숲 속에 수도원을 세웠다. 그 지역을 하나님께서 지적해 주신 것이라고 믿었기 때문에 그는 그 수도원을 '프라에몬스트라툼'('미리 알려진 장소', Praemonstratum, Prémontré)이라고 불렀다. 1121년에 그 수도원은 시토 수도회의 성격을 따른 일부 조항들을 첨가한 — 이것은 노르베르가 베르나르와 친구였기 때문이었다 — 어거스틴 규율을 받아들였다. 사실상 프레몽트레 교단과 수사 사제단 일반의 관계는 시토 수도회와 베네딕트 수도회의 관계와 같았다. 즉 엄격주의자들과 순수주의자들의 집단이었다. 1126년에 그들은 교황 호노리우스 2세(Honorius II, 1124-1130)로부터 수도회로 승인을 받았다. 한 세기 후에 그 수도원의 수는 6백개를 훨씬 넘었다.

노르베르는 처음부터 자신의 여자 추종자들을 위한 규정을 마련하였다. 즉 프레몽트레의 수도원은 퐁트브르의 수도원처럼 이중 수도원이었다. 그러나 퐁트브르와는 달리 이곳에서는 여자들이 탁월한 권위를 행사하지 않았다. 여자들은 수도원장의 지도에 복종하였으며, 형제들을 위하여 집안의 허드렛일을 맡았고 예배나 목회 활동에는 제한적인 역할만을 담당하였다. 더구나 이중 수도원에 대한 비판이 수도원 안팎에서 점차 높아졌다. 수도원 재산의 상당 부분이 여자 수도자들의 기부나 혹은 그녀들을 대신한 기부에 의하여 형성되었기 때문에 12세기의 교황들이 여자들의 권리를 보호하기 위하여 노력하였지만, 그러나 일반적인 종교적 의견은 여전히 여자들을 남자들의 순결, 특히 수도사들의 순결을 끊임없이 위협하고 유혹하는 존재로 보았다. 그리하여 교황의 교서에도 불구하고 프레몽트레 수도회는 이중 수도원들을 없애기 시작하였고, 프레몽트레에서 모인 총회의 결정을 통하여 12세기가 끝날 무렵부터는 더 이상 여자들을 수도회에 받아들이지 않았다.

이와 똑같이 유명하였던 **어거스틴 교단 수도회**는 한때 파리의 성당학교의 유명한 교사였던 샹포의 기욤(William of Champeaux, 1070경-1121)이 1108년이 조금 지난 후에 파리에서 세운 생 빅토르(St. Victor) 수도원이었다. 숫자적으로는 결코 크지 않았지만, 빅토르 수도사들은 사색적인 신학자, 신비주의자, 시인으로서 대단한 위엄을 누렸다. 그들 가운데 가장 두드러진 인물들이 생 빅토르의 위그(Hugh of St. Victor, 1096경-1142)와 그의 제자인 생 빅토르의 리처드(Richard of St. Victor, 1123경-1173)였는데, 두 사람 모두 신비주의 신학을 위하여 새로운 변증법적 방법을 사용하였다(V:5 참조). 12세기 말의 빅토르 회중 가운데는 유명한 찬송가 작가인 생 빅토르의 아당(Adam of St. Victor)과, 아벨라르와 '변증가'(dialecticians)들을 격렬하게 반대하였던 생 빅토르의 발터(Walter of St. Victor)도 포함되어 있었다.

1050년에서 1150년 사이에 이런 종교적 운동들에서 아주 두드러지는 특징은 '사도적인 생활'이 아주 급속하게 수도원 생활에 동화된 것이었다. 아르브리셀의 로베르와 크상탕의 노르베르와 같은 그 시대의 대중 설교자들은 수도원으로 은퇴하는 경향이 있었으며 심지어는 수도원의 창시자가 되기도 하였다. 그리고 수사 사제단들도 곧 수도회와 다름없는 조직으로 발전하였다. 교회 당국은 분명히 종교적 생활을 이렇게 '합법화'(regularization) 하는 것을 선호하였고 증진하였다. 그러나 일부 사람들이 그 동화 과정을 따르기를 거부하였다는 사실도 놀라운 것이 아니다. 오히려 그들은 참된 '사도적인 생활'은 순회하면서 대중들에게 설교하는 생활이어야 하며, 수도원의 담벽 안이 아니라 '세상 속에서' 그리스도와 같은 청빈하고 단순한 생활을 하는 것이어야 하며, 또한 수도사와 성직자 양쪽 모두에서 나타나는 부와 사치와 나태함에 대하여 끊임없이 반대하는 생활이어야 한다고 고집하였다. 이런 순회 설교자들은 보통 정통적인 신앙을 가진 개혁자들과 부흥주의자들로 출발하였지만, 일부 사람들은 도덕에 대한 비판에서 교회가 승인한 교리와 권징의 권위를 거부하는 입장으로 넘어갔다. 한 마디로 말하자면 그들은 이단이 되었다. 13세기 초에 탁발 수사(修士)들이 나타나서 공식적으로 인정받기 전에는 교회가 '사도적인 생활' 운동의 폭발적인 힘을 단지 수도원적 혹은 준(準)수도원적 체계 내에서만 통제할 수 있었던 것처럼 보인다. 그러므로 신학적 정통성은 전통적인 제도들과 분리될 수 없었다. 이런 한계는 중세 교회에 무서운 결과를 낳았다.

이단으로 넘어간 두 명의 대중 설교자로서 **피에르 드 브뤼이**(Peter of Bruys)와 **수도사 앙리**(Henry the Monk)가 있었다. 두 사람 모두 12세기 전반기에 프랑스에서 활동하였다. 피에르의 출신과 초기 생애에 대하여는 거의 알려진 것이 없으며 그의 가르침과 그의 제자들에 관하여 알려져 있는 대부분의 내용은 「페트로브뤼이파(派) 논박」(*Contra Petrobrusianos*)이라는, 1122년부터 1156년까지 클루니 수도원장이었던 가경자(可敬者) 피에르(Peter the Venerable)가 쓴 적대적인 논문에서 나온 것이다. 피에르 드 브뤼이는 원래 론 강 어귀에 인접한 프랑스령 알프스 지방의 브뤼이에 있는 작은 산골 마을의 사제였다(혹은 브뤼이는 그의 출생지였을지도 모른다). 자기 교구에서 추방된 후에 피에르는 론 강과 나란히 있는 지역에서 이단적인 선동가로 활동하였고 그 후에 서쪽으로 옮겨서 사람들이 많이 사는 나르본느와 툴루즈 주변 지역으로 갔다. 그는 1119년경부터 1139년 혹은 1140년까지 약 20년 동안 활동하였다. 그는 부분적으로는 자신의 활기찬 웅변술 덕택으로 많은 추종자들을 얻었는데, 그들은 페트로브뤼이파(Petrobrusians)로 알려졌다.

피에르의 기본적인 전제는 각 사람이 자신의 구원에 대하여 완전한 책임을 져야 한다는 것이었다. 따라서 그에 따르면 성직자, 유아세례, 미사, 죽은 자를 위한 기도, 교회의 예식, 교회 건물은 모두 불필요한 것들이다. 참된 종교는 그러한 '물질적인' 것들을 필요로 하지 않는다. 그는 또한 십자가에 대한 어떠한 존경도 거부하였다(십자가는 오히려 고문의 도구로서 증오의 대상이어야 했다). 피에르는 자신이 설교한 것을 실천하였는데, 그의 몰락이 그것을 증명하였다. 즉 그가 님므 부근의 순례 도시인 생 질르에서 십자가를 불태우고 있었을 때 격노한 구경꾼들에 의하여 그 자신도 그 불꽃 속으로 던져졌던 것이다.

자주 '로잔의' 앙리(Henry of Lausanne, 로잔은 그가 한때 설교하였던 곳이며, 그의 출생지는 아닌 것 같다)라고 불렸던 수도사 앙리는 베네딕트 수도사였는데, 1116년부터 프랑스 북부와 특히 남부 지방에서 떠돌아 다니는 설교자가 되어 1145년이 얼마 지나서 죽을 때까지 활동하였다. 1116년에 그는 르 망에서 사순절 설교를 하였는데, 탐욕스럽고 불순한 성직자에 대한 그의 비판으로 말미암아 소요가 발생하였다. 그곳의 주교인 학식 있는 라바르댕의 힐데베르(Hildebert of Lavardin)에 의하여 추방당한 앙리는 남쪽으로 길을 떠나 포아티에와 보르도에서 설교를 하였다. 결국 그는 아를의 대주교에게 체포되었고, 1135년의 피사 공의회(Council of Pisa)에서 교황 이노센트 2세 앞에 서게 되었다. 이 공의회에서 앙리의 몇몇 신조들이 정죄되었고, 앙리는 순회설교를 그만두고 수도원으로 다시 들어가도록 명령을 받았다. 그는 그 명령에 전혀 순종하지 않았거나 혹은 수도원에서 곧 탈출하여 툴루즈 근방에서 허가없이 설교를 재개하였다. 1145년 이후로 그가 모습을 감춘 곳도 툴루즈 근방이었다. 그 해에 클레르보의 베르나르는 툴루즈에서 앙리의 추종자들에 반대하는 설교 사역을 하였었다.

어느 시점엔가 — 피사 공의회 이전인지 이후인지 분명하지 않다 — 앙리는 프랑스 남부에서 피에르 드 브뤼이를 만났으며, 그로부터 좀더 급진적인 사상을 받아들였던 것 같다. 그러나 그는 이미 모방자가 아니었고 앙리파(Henricians)로 알려진 그 자신의 상당한 추종자 집단을 얻었다. 피에르처럼 그도 유아 세례와 죽은 자들을 위한 기도를 거부하였다. 피에르와 페트로브뤼이파와는 달리 그는 십자가를 존중하였지만, 원죄 교리를 부인한 점에서 그들보다 훨씬 멀리 나아갔다. 고대의 도나투스파들처럼 그는 합당하지 않은 사제들이 거행한 성례의 효력을 부인하였다. 참된 교회는 거룩한 생활과 사도적 단순성에 기초한 정신적인 것이다. 앙리는 이 기준에 따라 가시적이고 성직계급적인 로마 가톨릭 교회의 권위를 부정하였다. 피에르처럼 앙리도 구원에 대한 개인의 완전한 책임을 강조하였다. 따라서 특별한 성례전적 기능을 가지고 있는 성직자는 불필요하다. 참된 교회는 신실한 자들이 가난한 그리스도를 따르도록 권고해 줄 가난한 순회 설교자들만 있으면 족하다.

수도사 앙리와 피에르 드 브뤼이 두 사람의 가르침은 여러가지 면에서 카타리파(Cathars, V:3 참조)의 가르침과 유사하다. 그러나 이들의 가르침에는 성숙한 카타리파 교리의 표지인 신학적 이원론이 없었다.

이 시기에 '사도적인 생활'을 가르쳤던 또 한 사람의 개혁주의적 설교자이자 아마도 가장 잘 알려졌던 인물은 **브레스치아의 아놀드**(Arnold of Brescia)였다. 생일이 확실하지 않았던 그는 이탈리아 북부의 도시 브레스치아에서 혹은 그 부근에서 태어났으며, 1115년경에는 아마도 프랑스에서 아벨라르(Abelard) 문하에서 공부하기 시작하였다. 1119년에 고향으로 돌아온 그는 그곳의 어거스틴 교단의 수도사를 거쳐 수도원장이 되었다. 그는 성직자가 그리스도의 참된 제자가 되기 위해서는 모든 재산과 세상의 권력을 포기하고 오직 신자들의 자발적인 기부에 의존하여 살아야 한다고 아주 엄격하게 가르쳤다. 그러므로 아놀드의 가르침은 발데스(Valdes)와 발도파(Waldenses)의 가르침을 예시한 것이었다. 브레스치아에서 그는 곧 반대파 주민들을 자극하여 그곳의 주교이자 온건한 개혁자였던 만프레드(Manfred)에 맞서게 하였다. 성직자의 정치적 경제적 권력에 대한 억제책으로 1138년에 민중이 자치정부(commune)을 선포하였을 때 아놀드는 자치정부 당국이 자신의 '사도적' 개혁을 위한 종교적 강령을 지지하도록 부추겼다. 그러나 만프레드는 1139년의 제 2차 라테란 공의회(Second Latearan Council)에서 이노센트 2세를 설득하여 아놀드를 정죄하게 만들었고, 그를 이탈리아에서 추방하였다. 그후 아놀드는 프랑스로 피신하여 아벨라르와 함께 공부하였고, 무모하게 클레르보의 베르나르를 공격하였다. 그에 대하여 베르나르는 상스 공의회(Sens Councils, 1141)에서 아벨라르와 함께 아놀드도 정죄를 받게 만들었고 또한 프랑스 왕 루이 7세로 하여금 아놀드를 추방하게 하였다. 취리히와 보헤미아에 피신하여 지내다가 1146년에 아놀드는 새 교황인 유게니우스 3세에게 굴복하였는데, 교황은 그에게 로마로 오도록 명령하였고 그 결과 그는 엄중한 감시를 받으면서 살게 되었다.

로마에서 한때 아놀드는 성직자의 부패와 교회의 세속 권력에 대하여 한층 더 격렬하게 비난하게 되었다. 그는 곧 고대의 공화국을 회복한다는 명분으로 1146년에 교황 유게니우스 3세를 쫓아내었던 로마 시 자치정부의 지도자가 되었다. 1148년에 파문당하였음에도 불구하고 아놀드는 계속하여 영향력을 발휘하다가 정력적인 교황 하드리아누스(Hadrian V, 1154-1159)가 ― 그는 교황의 자리에 오른 유일한 영국인이었다 ― 1155년에 성도(聖都)인 로마 시 자체에 성사금지령을 내림으로써 로마 사람들이 그를 추방하지 않을 수 없게 될 때까지 계속하여 영향력을 발휘하였다. 또한 하드리아누스는 독일의 새 지배자인 프리드리히 바르바로싸(1152-1190)와 교섭하여 황제의 대관식을 베풀어주는 대가로 1155년 아놀드를 처형하게 하였다. 아놀드는 1155년에 처형되었고 그의 몸은 불살라져서 그 재가 티베르 강에 뿌려졌다.

공식적으로는 이단으로 규탄받은 적이 한번도 없었던 아놀드의 실제적인 잘못은 교회의 재산과 세속권력에 대한 그의 비난에 있었는데, 그것은 자신의 개혁주의적 목적을 성취하기 위하여 기꺼이 정치적 세력을 이용한 태도와 결합되었다.

피에르 드 브뤼이, 수도사 앙리, 그리고 브레스치아의 아놀드는 이따금 '종교개혁 이전의 개신교도'라고 주장되어 왔다. 그렇게 말하는 것은 중세 교회에 대한 반대의 표현은 무엇이나 다 '개신교적'인 것으로 취급하는, 명백한 잘못이다. 앞에서 언급하였듯이, 그들은 16세기의 종교개혁자들이 아니라 12세기 후반의 카타리파와 발도파의 선구자들이었다. 그들의 설교가 카타리파와 발도파의 길을 닦아 주었다.

3. 중세의 이단 — 카타리파와 발도파; 종교재판소

18세기는 수도원 성직자와 재속(在俗) 성직자 그리고 평신도 속에서 종교적인 활력을 되찾는 운동들이 일어난 위대한 시대였을 뿐만 아니라 또한 큰 이단들이 출현한 시대였다. 신실한 사람들은 합당하지 못한 사제들의 성례 집행을 받아들여서는 안된다는 엄숙한 경고와 함께, 교회의 부패를 바로잡고 경건을 혁신한 그레고리의 개혁은 성인들을 배출하였을 뿐만 아니라 이단과 분파주의자들도 함께 배출하였다. 비록 그 개혁은 정통적인 교회 개혁 운동들을 일깨웠지만 또한 이단들이 자라나기 알맞은, 그리고 적어도 한 동안은 번성할 수 있는 환경을 만들어 주었다.

12세기의 후반기에 **카타리파**(Cathars)와 **발도파**(Waldenses)라는 강력한 두 이단이 출현하였는데, 그들은 알프스 산맥에서 피레네 산맥에 이르는 전 지역을 로마 가톨릭 교회와의 교제에서 벗어나도록 위협하였다. 교회 조직이 그들을 성경과 교부들과 공의회들의 신조와 법령들과 개별 교황들의 권위있는 선언에 의하여 정의된 기독교 신앙을 완고하게 반대하는 자들이라고 판단한 점에서 그들은 '이단'이었다. 그러나 전통으로부터 이탈하였다고 해서 모두 이단이라고 불릴 수는 없었으며 교회의 가르침이 모두 명백한 교리적 정의와 지위를 갖추고 있었던 것도 아니었다. 그러므로 실제적으로 말하자면, 이단으로 판별하는 기준은 교황의 선언에 달려 있었다. 이 때문에 중세의 이단은 거짓된 교리의 문제였던 것 만큼이나 교회의 교정에 대한 의도적인 거부의 문제였다.

카타리파 이단은 동방의 이단, 특히 이원론적인 보고밀파(Bogomils, Ⅳ:8 참조)가 서방의 가톨릭에 미친 외부적인 영향력을 가정하지 않는다면 설명될 수 없다. 순례와 무역과 십자군을 통하여 동방과의 접촉이 증가함에 따라 서방 유럽인들은 발칸반도와 소아시아와 콘스탄티노플의 보고밀파 이단들의 중심인물들과 접촉하게 되었다. 보고밀파 선교사들도 12세기 중반에는 서 유럽의 여러 지역에서 활동하였다. 보고밀파의 이원론은 이미 11세기 전반기에 서방에 침투하였으며 피에르 드 브뤼이와 페트로브뤼이파는 12세기 초 몇 십 년 동안에 보고밀파의 영향을 받고 있었다. 그러나 중세 이단을 연구하는 역사가들은 그런 영향력에 대한 확고한 증거를 오직 1140년대의 라인란트(쾰른)에서만 발견한다. 보고밀파와 카타리파가 12세기 중반 이후에 밀접한 관계를 가졌다는 것도 논쟁의 여지가 없다.

'카타리'(Catharos)라는 말은 그리스어에서 유래한 것으로 '순수한 사람들'(Pure Ones)이라는 뜻이다. 그 이름은 그 분파 전체를 가리키는 일반적인 이름이 되었지만, 그러나 엄격하게 말하자면 지도적인 회원들이나 열성 신자들에게만 적용되었던 이름이 틀림없다. 열성 신자란 그 분파의 핵심적인 세례식인 '콘솔라멘툼'(*consolamentum*, consolation), 즉 물에 의한 세례가 아니라 안수례(按手禮)에 의한 '성령 안에서의' 세례를 받은 남녀 신자였는데, 그 세례식을 통하여 그들은 '참된 그리스도인'이 되었다. 가톨릭측 반대자들은 그들을 '완전해진'(perfected) 이단들 혹은 '안수례를 받은'(consoled) 이단들이라고 불렀으며 또한 그들의 전통적인 검은 복장 때문에 '의복을 입은'(robed) 이단이라고도 불렀지만, 카타리파는 이런 이름들을 사용하지 않았다. 카타리파는 자신들을 간단히 '그리스도인' 혹은 '선량한 그리스도인'으로 불렀고, 프랑스의 추종자들은 보통 자신들을 '선량한 사람들'(bonshommes)이라고 지칭하였다. 그들은 또한 남부 프랑스에 있는 그들의 주요한 근거지인 알비 시의 이름을 따서 알비파(Albigenses)라고도 불리기도 하였다.

사료(史料)들에서는 카타리파가 종종 '마니교도'(Manichaen 또는 Manichees)라고 언급되어 있다. 그러나 한때 어거스틴도 추종하였었던 로마 제국 말기의 마니교(Ⅱ:18 참조)가 6세기 이후에도 서방에 남아 있었다는 증거는 전혀 없다. 그럼에도 불구하고 카타리파가 고대의 마니교 제자들처럼 적대하는 두 신적인 원리들에 관한 교리와 심지어는 영원 전부터 공공연하게 싸우고 있는 두 신에 관한 교리를 기르친 신학적 이원론자들이었다는 것은 사실이다. 이런 의미에서 카타리파가 '중세 마니교도'라고 불릴 수 있다.

카타리파는 1140년대에 그 출현이 처음으로 기록되었던 쾰른과 리에주와 같은 북부 유럽의 도시들에서 생겨났지만, 대략 1140년과 1160년 사이에 이 이원론적 이단은 남쪽으로 확산되었다. 카타리파가 가장 크게 침투하고 세력을 떨친 곳은 북부 이탈리아(롬바르디, 투스카니)와 무엇보다도 남부 프랑스(랑그독)였지만, 그러나 13세기 초기까지는 독일에도 계속 확산되었다. 1167년에 이르면 카타리파는 툴루즈 부근의 생 펠리스 드 카라망에서 많은 대표들이 참가한 공의회를 소집할 정도로 숫자가 충분히 많아졌다. 그리고 12세기가 끝나기 전에 그들이 이미 적어도 남부 프랑스 주민들의 많은 부분 혹은 아마도 다수 주민들의 묵인을 얻었고, 그곳의 지도적인 귀족들에게서 보호를 받았으며 하급 지방 귀족들의 적극적인 지지를 받았다. 그 사료들은 카타리파의 총 수를 확실하게 제시하지 못한다. 일부 시골 지역들을 제외하고는 실제로 이단적인 교의를 채택하였거나 혹은 로마 가톨릭 교회를 떠난 사람들은 인구의 소수파를 넘지 못하였던 것 같다. 그러나 전통적인 정통 신앙을 포기하지 않았던 훨씬 더 많은 사람들이 모범적인 삶을 살아가는 카타리파 남녀 추종자들을 적대할 이유가 없다고 생각하였던 것 같으며 또한 그들을 '사도적인' 그리스도인들로 칭송하였던 것 같다. 분명한 사실은 1200년에 이르면 남부 프랑스와 북부 이탈리아의 카타리파가 기성 교회에 심각한 위협이 되었다는 것이다.

보고밀파의 이원론처럼 카타리파의 이원론도 두 가지 종류가 있었다. 발칸반도와 동로마 제국에서 10세기에 나타난 원래의 보고밀파는 '상대적인'(relativ) 혹은 '온건한'(mitigated) 이원론자들이었다. 선하신 하나님에게 사탄엘(Satanel, 접미사인 -el은 신성(神性)을 나타낸다)과 그리스도라는 두 아들이 있었는데 그들 중 장남인 사탄엘이 반란을 일으켜서 악의 지도자가 되었다. 사탄은 천상의 영역에서 (아마도 지위에 있어서 세번째인) 많은 천사들을 이끌어 갔으며, 눈에 보이는 세상을 창조하였으며 타락한 천사들을 속여 자신이 창조해 놓은 사람의 몸 안에 거하게 하였다고 그들은 주장하였다. 이런 이원론은 사탄을 선하신 하나님과 동등하게 영원하다고 가르치지는 않았기 때문에 '온건한' 이원론이다. 정확한 연대는 알 수 없지만 그보다 조금 후에 보고밀파는, 하나는 선하고 다른 하나는 악한, 동등하며 동일하게 영원한 두 세력이 있다고 가르치는 '급진적인' 혹은 '절대적인' 이원론을 채택하였다. 이 해석에서는 악한 세력인 사탄이 하늘을 침공하여 선한 천사들을 사로잡아서 자신이 악하게 창조한 인간의 육체 속에 그 천사들을 강제로 감금하였다고 설명하였다. 이런 두 견해 모두 결국에는 서방으로 전래되었고, 세상에 존재하는 그리고 세상을 지배하고 있는 것 같은 악의 문제를 설명하는 방식으로서 기독교의 정통적인 인간의 창조와 타락의 교리와 경쟁하였다.

초기의 카타리파는 초기의 보고밀파와 마찬가지로 온건한 이원론자들이었다. 그러나 1160년대 말에 보고밀파 사제(혹은 'papa')인 니케타스(Nicetas)가 절대적인 이원론적 입장을 콘스탄티노플로부터 서방으로 도입하였다. 중세의 이원론적 선교사들 가운데 가장 영향력 있었던 이 선교사는 1167년의 생 펠릭스 드 카라망에서 열린 카타리파 지도자들의 공의회에 참석하였고, 그들을 설득하여 절대적인 이원론 전통에 따라 재세례(재안수)를 받게 하였다. 랑그독의 카타리파의 대다수가 절대적인 이원론자들이었던 반면에 이탈리아에서는 온건한 이원론자들과 절대적인 이원론자들이 모두 계속 유지되었으며, 13세기를 지나면서 그들의 교리적인 분열이 이탈리아의 카타리파 교회들을 심각하게 약화시켰다.

악의 궁극적인 기원에 대한 의견이 달랐음에도 불구하고 모든 카타리파 사람들은 보이는 세계가 악한 세력의 작품이며 그 속에서 천사의 영혼들이 — 타락한 천사이거나 혹은 선하신 하나님의 천상의 영역에서 붙잡혀 온 천사이거나 간에 — 사탄이 창조한 육체들 속에 감금되어 있다는 점에는 모두 의견을 같이 하였다. 그러므로 가장 큰 범죄는 — 아담과 하와의 원죄는 — 감옥의 수를 증가시키는 인간의 재생산이다.

구원은 오직 '콘솔라멘툼'(consolamentum, 안수에 의한 성령 세례)에 의하여 주어지는데, 그것은 죄를 사하고 영혼을 선하신 하나님의 왕국으로 회복시켜 종교적인 완성의 상태로 들어가게 하며 (그 완성의 상태는 아주 엄격한 금욕적 생활에 의하여 유지되어야 한다) 카타리파 성직자의 지위에 오를 수 있도록 작용한다.

'콘솔라멘툼'은 일반적으로 '완전한 신자'(Perfect, 즉 이미 콘솔라멘툼을 받은 자)의 지도를 받으면서 금식과 교육을 받는 수습 기간을 거친 후에야 베풀어진다. 그 의식은 두 부분으로 나누어져 있었다. 첫번째 부분에서는 '신자'(believer, 아직 '콘솔라멘툼'을 받지 못한 추종자)가 주기도문을 말할 수 있는 권리를 부여받는다. 이때까지는 신자가 사탄의 영역에 머물러 있었으며 따라서 선하신 하나님을 '아버지'라고 부를 자격을 가지지 못하였다. 두번째 부분에서 신자는 공식적으로 세례를 요청하였고 새로운 생활에 필요한 것들을 자세히 설명하는 긴 설교를 들었다. 그 설교는 주로 산상보훈[1]의 교훈에 기초한 것이었다. 신자는 엄숙하게 평생 독신으로 지내기 위해 결혼을 하지 않을 것과 (혹은 기존의 결혼 생활을 그만 둘 것과) 맹세와 전쟁과 재산 소유를 하지 않을 것과 고기나 우유, 치즈, 혹은 달걀을 결코 먹지 않을 것을 약속하였다. 왜냐하면 이 모든 것들이 재생산의 죄의 결과로 나온 것들이기 때문이다. (물고기는 성적인 결합에 의하여 생겨나는 것이 아니라 그냥 물에서 생겨난다고 믿었던 중세의 일반적인 가정에 따라서 물고기를 먹는 것은 허용되었다.) 그 다음에 사죄를 받은 목사가 그 신자의 머리 위에 복음서의 사본 하나를 얹었고 모든 카타리들이 자기들의 손을 그 신자의 몸에 대고 있었으며, 그 동안에 그 목사가 요한복음의 첫 17개 절을 읽었고 주기도문을 반복한 내용이 틈틈이 삽입된 자비를 구하는 호칭기도를 낭독하였다. 이 의식을 통하여 신자는 사죄를 받음으로써 그 영혼이 사탄의 세력에서 벗어나 하늘 앞에 서게 된 '선한 그리스도인'이 되었다.

이렇게 콘솔라멘툼을 받은 사람들은 선택된 회원이 되었으며, 그들의 엄격한 서약에서 떨어져 나가 콘솔라멘툼을 상실하지 않는다면 구원을 확신할 수 있었다. 완전한 신자(Perfect)의 생활이 엄격하고 위험하였기 때문에 대다수의 사람들이 죽음이 임박하기까지 콘솔라멘툼을 받지 않으려고 하였다. 죽어가던 사람이 나중에 회복하면 그는 두번째 세례를 받을 것이라고 기대되었다. 주로 적대적인 관찰자들에게서 나온 보고서들에는 완전한 자 가운데 일부가 죄를 짓는 위험을 피하기 위하여 금식을 통하여 자살하였다고 전한다. '엔두라' (endura)라고 알려진 이 유명한 관습은 카타리파가 쇠퇴하고 격심한 박해를 받았을 때 몇몇 사람들이 취하였던 것 같다. 그러나 이것은 카타리파가 번성하고 있었을 때의 전형적인 관습은 결코 아니다.

참된 사도적 계승의 연장선상에 서 있었던 완전한 신자(Perfect)는 카타리파의 성직자들이었다. 그들은 (적어도 박해 때문에 입기가 부적절하게 될 때까지 그들이 입고 다녔던) 검은 의복과 (그들의 엄격한 식사 규정뿐 아니라 매주의 금식 그리고 연례적인 금식으로 말마암아) 수척해진 모습과 그리고 주기도문을 연결 기도로 혹은 예식적 주문으로 끊임없이 반복하여 암송하는 것으로 쉽게 구별되었다. 이 계급에 속한 사람들은 모두가 설교하고 신자들을 가르치며 특별히 죽어가는 사람들에게 콘솔라멘툼을 집행하여야 할 의무와 권리를 가지고 있었다. 또한 이들은 신자들로부터 '멜리오라멘툼' (melioramentum)으로 알려진 특별한 인사를 받을 자격이 있었는데, 그 인사는 세번 고개를 깊이 숙여 절하고 세번 완전한 신자의 자비와 축복을 요구하는 형태로 이루어져 있었다. 가톨릭측 저자들은 완전한 신자들이 이런 행위를 통하여 경배를 받는다고 생각하였기 때문에 그것을 '경배' (adoration)라고 불렀다.

비록 모든 완전한 신자들이 성직자의 기능을 수행할 수 있었지만, 카타리파에도 역시 성직계급 조직이 있었다. 주교들(Bishops)은 완전한 신자의 공동체에서 선출되었고 특별한 '콘솔라멘툼'을 다시 받음으로써 그들의 직책을 인준받았다. 어떤 주교도 다른 주교들보다 더 높지는 않았다. 카타리파가 발칸 반도에 교황을 두었다는, 13세기에 카타리파의 반대자들이 유포한 보고는 근거가 없다. 주교들은 각각 두 명의 선출된 보조자들을 두었는데, 그들은 '큰 아들' (elder son)과 '작은 아들' (younger son)로 알려졌는데 그 명칭은 나이를 지적하는 것이 아니라 성직 계승의 순서를 지적하는 것이었다. 주교들과 그들의 '아들들'의 일차적인 과업은 순회하면서 설교하고 세례를 베푸는 일이었다. 비교적 안정을 누렸던 시대에는 그들은 정상적으로 콘솔라멘툼을 집행하였다. 또한 주교들은 각각 하위 보조자로서 여러 명의 집사들(deacons)을 두었는데, 그들의 주된 임무는 다른 완전한 신자들을 위한 숙소나 은신처를 관리하는 것이었다.

앞서 언급하였던 것처럼 콘솔라멘툼은 남녀 모두에게 베풀어졌다. 그러므로 남자들뿐만 아니라 여자들도 완전한 신자라는 높은 신분에 들어갈 수 있었고 사제로서 전례를 집행할 수도 있었다. 이런 사정은 카타리파가 영적인 관심을 가진 여자들 특히 랑그독의 귀족 가문의 여자들에게 크게 인기가 있었던 점을 설명해 준다. 성(性)은 사탄이 만들어낸 것이며 사물에 대한 선하신 하나님의 계획 속에서는 전혀 의미 있는 역할을 하지 않기 때문에 남성과 여성 사이의 신체적인 차이는 중요하지 않다는 전제에서 여자들에게도 이런 특권적인 지위가 주어졌다. 여자 완전한 신자도 멜리오라멘툼을 받을 자격이 있었으며 공동 집회에서 모든 남녀 신자들보다 앞서며 만일 남자 완전한 신자가 참석하지 않았을 경우에는 그런 모임에서 기도를 인도하였다. 그러나 (아마도 엄격하게 이론적인 근거에서라기보다는 실제적인 이유에서) 여자 완전한 신자들은 주교나 집사가 되지는 못하였다. 그러므로 실제로는 그녀들은 종종 귀족 부인들이 그녀들을 위하여 세운 수도원 속에서 준(準)은퇴생활을 하였던 것이 보통이었다. 그곳에서 그녀들은 콘솔라멘툼을 받기로 신청한 사람들을 가르쳤고 그 지역에서 설교를 듣고자 하는 모든 사람들에게 설교를 하였으며 공동 식사를 주관하였다. 이곳에서도 역시 카타리파의 직분자들에게 환대를 베풀었는데, 그들은 이런 수도원들을 자신들의 순회 사역의 기지로 이용하였다. 간단히 말하자면 남자 완전한 신자들이 카타리파의 돌아다니는 선교사들이었던 반면에 여자 완전한 신자들은 보통 정착하여 활동하였다.

성(性)과 결혼 그리고 출산에 관한 그들의 견해를 고려하면 카타리파가 자유로운 성관계를 결혼보다 나은 것으로 여겼을 것이라는 결론이 논리적인 것 같다. 왜냐하면 결혼 제도는 다만 죄스러운 임신을 조장할 뿐이었기 때문이다. 물론 정통주의쪽 반대자들이 카타리파 사람들의 온갖 방식의 성적 탈선을 일상적으로 비난하였지만, 그러나 논리적인 가능성이 역사적인 사실로 나타나지는 않았다. 대다수의 카타리파 사람들은 성적인 관습에 있어서 가톨릭측 사람들보다 더 나쁘지는 않았다는 것이 가장 공정한 판단으로 생각된다. 다른 한편으로 카타리파의 완전한 신자들은 방종함으로 악명이 높았던 랑그독의 가톨릭 고위 성직자와 비교하여 그들의 도덕적 성실성으로 그 당시의 사람들에게 틀림없이 깊은 인상을 주었다. 이 경쟁적인 두 사제들 간의 뚜렷한 대조는 카타리파가 대중들의 마음을 끌었던 잠재적인 원천이었고, 그들만이 '사도적인 생활'을 영위하는 '참된 그리스도인'이라는 카타리파의 주장을 지지해 주었다.

카타리파 지도자들은 물질적인 피조물을 전면적으로 부정하는 점에서 완전한 신자들과 우열을 거루기를 희망하는 사람이 거의 없다는 사실을 인정하였다. 그러므로 카타리파 운동의 실제적인 힘은 소위 '크레덴테스'(credentes) 혹은 '신자'들에게 있었는데, 그들은 완전한 신자들을 존경하였고 선물과 선한 뜻으로 완전한 신자들을 부양하였다. 신자들은 결혼이 허용되었고 재산을 가질 수 있었으며 고기와 그 밖에 완전한 신자들에게 금지된 음식을 먹을 수 있었고 심지어는 표면적으로 로마 가톨릭 교회에 복종하여도 무방하였던 '평범한' 추종자들이었던 것 같다. 결국 구원의 유일한 수단인 성령 세례를 받지 않았기 때문에 그들은 여전히 사탄의 영역에 있었고 그의 지배 아래 있었다. 그러나 그들이 죽기 전에 콘솔라멘툼을 받으면 일생 동안 완전한 신자로 있었던 사람들과 마찬가지로 구원을 받을 수 있다는 보장이 있었다.

대부분의 카타리파 사람들은 콘솔라멘툼을 받지 못하고 죽은 사람들의 영혼이 다시 인간이나 혹은 심지어는 동물의 몸 속으로 들어가며, 마침내 그들이 본래 유래하였던 하늘 나라로 다시 올라갈 때까지 모든 물질적인 흔적들로부터 점차적으로 정화되는 과정을 계속한다고 생각하였다. 이런 체계에서는 천국과 지옥에 관한 정통 교리는 의미가 없었으며 이 세상 자체가 하나의 거대한 연옥이었다.

카타리파는 라틴어 성경인 불가타(Vugate)를 아주 많이 이용하였고, 그 일부를 그들의 방언으로 번역하였으며, 그 속에서 자기들의 가르침을 찾았다고 주장하였다. 일부 사람들은 야훼를 사탄과 동일시하였으며 구약성경을 전적으로 악한 세력의 작품이라고 거부하였다. 신약성경은 선하신 하나님으로부터 온 것이라고 모두가 믿었다. 그러나 전통적인 신약성경의 성인들을 모두 다 받아들이지는 않았다. 예를 들어, 그들은 세례 요한을 성인으로 인정하기를 거부하였다. 왜냐하면 그는 성령으로 세례를 준 것이 아니라 단지 물로 세례를 베풀었기 때문이었다. 물질적인 것은 모두 악하기 때문에 그리스도께서 실제로 육신을 입으셨다거나 혹은 실제로 죽음을 당하셨다거나 육체의 부활을 경험하실 수가 없었다.

즉 카타리파의 이원론은 완고한 가현설(Docetism)을 요구하였다. 구원은 그리스도의 피로 말미암아 오는 것이 아니라 그리스도의 가르침에 복종함으로써 오는 것이다. 십자가는 단순히 고문의 도구에 지나지 않으며 혐오되어야 할 것이다. 악한 세력이 만들어 낸 물질적인 것으로 교회를 세우고 장식함으로써 선하신 하나님은 수치를 당하신다. 성례는 그 물질적인 요소들과 더불어 악한 것이며 어떤 경우든 간에 단지 정신적인 성숙을 위하여만 쓸모가 있을 것이다.

카타리파의 이원론은 정통적인 기독교의 기준으로 보면 아주 이단적이었지만, 그것은 일부 정통적인 금욕주의 저술가들이 인간의 성(性)과 결혼, 여성의 신분, 그리고 타락한 세상의 본질을 논의하였을 때 사용한 표현에서 아주 멀리 벗어난 것은 아니었다. 확실히 정통적인 교리의 세부적인 사항들을 정식으로 배우지 못한 대다수의 중세 그리스도인들은 이런 서로 경쟁하는 이원론들을 구분할 위치에 있지 못하였다.

더구나 카타리파 설교자들은 그들의 가장 이단적인 교리들을 단지 내부의 열성 있는 신자들에게만 공개하였다. 어떻든 간에 카타리파의 주된 호소력은 교리적이고 지적인 것이라기보다는 도덕적이고 윤리적인 것이었다. 카타리파의 완전한 신자가 특별히 중세 사회의 낮은 계급 출신의 수 천 명의 사람들에게서 아주 효과적으로 충성을 얻었다는 점은 의문의 여지가 없다.

카타리파와는 달리 **발도파**는 결코 교회에 대한 의식적인 적대감을 가지고 생겨난 것이 아니었다. 그리고 교회가 그들을 기술적으로 잘 다루었다면 결코 교회에서 분리되어 나가지 않았을 것이다. 이 운동의 창시자는 리용의 부유한 상인이었던 발데스(Valdes, 또는 Waldes)였다. (일부 역사가들이 여전히 사용하고 있는 피터 발도 〈Peter Waldo〉라는 이름은 역사적인 정당성이나 음성학적인 정당성이 거의 없다. '피터' 라는 이름은 14세기 말에 추종자들이 발데스를 첫번째 사도와 연결시켜서 그의 교회와 선교를 정당화하기 위한 방편으로 붙여졌다.)

1173년에서 1176년 사이의 어느 한 때 그는 방랑하는 음유시인이 성 알렉시스(St. Alexis)의 희생을 자세히 열거하는 노래를 듣고 감명을 받아 어떤 신학 선생에게 '하나님께로 가는 최선의 길' 을 물었다. 그 신학자는 수도원주의의 황금률을 인용하였다. "네가 온전하고자 할진대 가서 네 소유를 팔아 가난한 자들을 주라. 그리하면 하늘에서 보화가 네게 있으리라. 그리고 와서 나를 좇으라."[2] 발데스는 자기보다 한 세대 후의 아시시의 프란체스코(Francis of Assisi)처럼 이 충고를 문자 그대로 실천에 옮겼다. 아내를 위한 준비를 하고 딸들의 평생을 위하여 퐁트브르의 수녀원에 영구적인 기금을 기부한 후에 그는 나머지 재산을 가난한 사람들에게 주었고 거리에서 참회의 생활을 설교하기 시작하였다. 그는 그리스도께서 사도들에게 내리신 지시들을 절대적으로 완수하는 것을 목적으로 삼았다.[3] 그는 거기에 규정된 대로 옷을 입으려고 하였고, 자기에게 주어진 것만을 의존하여 살려고 하였다. 자신의 의무를 더 잘 알기 위하여 성경과 교부들의 글의 일부를 방언으로 번역한 책을 구하였다. 물론 일부 사람들은 그가 미쳤다고 생각하였다. 다른 사람들은 깊은 감명을 받았다. 그들은 여기에 '사도적인 생활' 즉 자발적인 청빈과 참회의 설교를 하는 생활의 참된 표지가 있다고 판단하였다. 곧 발데스를 중심으로 한 무리의 추종자들이 형성되었고 리용의 대주교와 성직자들의 의심과 적대감을 불러 일으켰다. 교회법은 거의 예외없이 설교할 권리를 성직자들에게만 제한하였다.

지역적으로 반대를 받게 되자 발데스와 그의 추종자들은 1179년의 제 3차 라테란 공의회에서 자신들의 청빈과 설교의 생활을 승인해 줄 것을 교황에게 호소하였다. 비록 공의회의 일부 구성원들은 그들을 무식한 평신도라고 비웃었지만 공의회는 그들을 이단이라고 판단하지 않았다. 교황 알렉산더 3세(Alexander III, 1159-1181)는 청빈에 대한 그들의 헌신에는 찬사를 보내었지만 주교로부터 먼저 허가를 받지 않고서는 그들은 설교할 권리가 없다고 거절하였다. 예상대로 교회의 승인은 주어지지 않았다. 잠시동안 초창기의 발도파는 교황의 제한을 준수하였던 것 같다. 그러나 발도파는 자신들의 설교할 권리를 거절한 것을 하나님의 음성을 거역하는 인간의 음성이라고 생각하였기 때문에[4] 설교를 그만둔다는 것은 생각할 수 없었다.

따라서 그들은 곧 설교를 재개하였고 1182년경에 리용의 주교에 의하여 불순종을 이유로 파문당하고 그 도시에서 쫓겨 났다. 그들 가운데 일부는 — 이제 스스로 '마음이 가난한 자들'(Poor in Spirit)이라고 불렀으며 또한 '리용의 가난한 자들'(Poor of Lyons)으로도 알려졌다 — 프랑스 북동쪽으로 나아가 라인 강과 그 너머의 독일어를 사용하는 지역으로 옮겼다. 대부분은 남쪽으로 옮겨서 랑그독과 롬바르디로 들어갔다. 1184년에 발도파는 다른 분파들, 특히 카타리파와 함께 베로나 공의회(Council of Verona)에서 이단을 총괄적으로 정죄한 교황 루키우스 3세(Lucius III, 1181-1185)의 교서 「아드 아볼렌담」(*Ad abolendam*)에 의하여 파문당하였다.

교황청과 지방의 교회 당국의 이런 행위들은 발도파로 하여금 자신들의 뜻과는 달리 교회에서 떨어져 나가게 만들었을 뿐만 아니라, 그들의 세력을 상당히 증대시켜 주었다. 북 이탈리아의 억겸파(Humiliati)는 경건한 노동자들의 무리로서 주로 밀라노와 그 밖의 롬바르드 지방 도시들에서 모직 산업에 종사하는 사람들이었는데, 그들은 공통된 고행의 생활로 결합되어 있었다. 그들 역시 알렉산더 3세에 의하여 개별적인 모임을 갖거나 설교하는 것이 금지되었다. 그리고 그들 역시 1184년에 불순종을 이유로 루키우스 3세에 의하여 파문당하였다. 브레스치아의 아놀드를 추종하였던 일부 사람들이 발도파에 가담하였던 것처럼 이 롬바르드 지방의 억겸파의 상당부분도 이제 발도파에 가담하였고 발데스의 지도 아래 들어왔다. 정죄되고 파문을 당한 후에 발도파가 특별히 롬바르디 지방에서 불복종에서 이단으로 나아가 로마 가톨릭과의 단절을 더욱 확대한 것은 놀라운 일이 아니다. 왜냐하면 그 지역은 반성직자주의가 널리 퍼져 있었기 때문이다. 이런 발전에서 발데스가 어떤 역할을 하였는지는 확실하지 않다. 그는 자신의 많은 추종자들보다는 훨씬 온건하였던 것 같으며 로마 가톨릭과의 궁극적인 화해의 가능성을 결코 배제하지 않았던 것 같다.

1184년에서 발데스가 죽은 1205년 사이에 발도파의 초기의 특징들이 급속하게 발전하였다. 그것들 가운데 가장 주된 특징은 성경 특히 신약성경이 믿음과 생활의 유일한 규범이라는 원칙이었다. 즉 성경에서 정당한 근거를 찾을 수 없는 것은 무엇이든지 교회에서 정당화되지 못한다는 것이다. 한 걸음 더 나아가 성경의 모든 규정들은 문자 그대로 따라야만 한다는 것이다. 발도파 운동의 지도자들이었던 (카타리파의 완전한 신자에 해당되는) 발도파 설교자들을 훈련하기 위하여 세워진 여러 학교에서 성경의 많은 부분들이 열정적으로 가르쳐졌다. 그리스도께서 70인을 파송하실 때 베푸신 교훈[5]을 따르기 위하여 이 설교자들은 두 사람씩 함께 다녔으며, 간단한 모직 의복을 걸치고 맨발이나 혹은 자신들의 사도적 직책을 나타내는, 특별한 형태로 재단된 샌들을 신고 다니면서 회개를 명하고 고해를 들었으며 맹세와 모든 피흘리는 일을 거부하였다. 발데스처럼 그들도 결혼과 모든 세상적인 것들을 포기하였으며 지지자들이 바친 것으로 살아갔다. 그들은 성직 임명이 필요하다고 생각하지 않았고 남자들뿐 아니라 여자들에게도 설교할 권리를 주었다. 가톨릭 사제가 베푸는 성찬식에 참여하지 못하는 지역들에서는 평신도가 성찬식을 거행하는 것도 허용되었다.

발도파 사회 자체에 해당하는 이런 내적인 그룹 외에도 발도파는 곧 '친구들'(friends, *amici*) 혹은 '신자들'(believer, *credentes*)이라고 하는 일단의 동조자들을 발전시켰는데, 발도파는 그들에게서 새로운 형제들을 얻기도 하였지만, 그러나 그들은 외적으로는 계속 로마 가톨릭 교회와의 교제를 유지하고 있었던 사람들이었다. 그들은 헌금을 통하여 설교자들을 지원하였고 방언으로 된 성경을 연구하는데 참여하였으며 훈련 학교들을 유지하였다. 그들은 미사와 죽은 자들을 위한 기도를 비성경적인 것이라고 거부하였고, 연옥을 부정하였다. 그들은 보통 주기도문을 제외하고는 다른 기도를 이용하지 않았고 맹세와 거짓말과 범죄자나 이단에 대한 사형(死刑)을 단호히 거부하였다. 이런 발전의 상당 부분은 카타리파의 예를 따른 것이었지만 그러나 발도파는 카타리파를 강력하게 반대하였고 자신들과는 아주 다른 집단이라고 올바르게 판단하였다.

발데스와 프랑스의 발도파는 가톨릭 성직자들 가운데서 합당한 사제들이 예배를 거행하는 것을 거부하지 않았다. 그들은 성례의 거행이 오직 거행자가 사제일 경우에만 유효한 것으로 생각하였으며, 발도파의 성례 집행은 단지 일시적인 필요에 의한 것이며 임시변통으로 마련한 것이라고 여겼다. 그러나 좀더 급진적인 롬바르드의 그룹은 성례의 효력이 '공로'(merit)나 개인적인 가치에 의존하는 것이지 '직분'(office)에 의존하는 것이 아니라는 도나투스파의 입장을 채택하였다. 그러므로 롬바르드 그룹은 성례를 베풀기 위하여 그들 자신의 목사들을 선택하였는데, 일생동안 그 직분을 맡게 하였고 육체 노동으로 자신을 부양하도록 허락하였다. 따라서 그들은 설교자들은 오직 자발적인 기부에 의하여 살아야 한다는 발데스의 원칙을 깨뜨렸다.

이러한 내적인 갈등과 발데스의 통치가 자의적이며 심지어는 전제적이라는 감정으로 말미암아 1205년에 ('롬바르드의 가난한 사람들'〈Poor Lombards〉로 알려져 있던) 롬바르드의 지부가 갈라져 나가게 되었다. 1218년 베르가모에서 개최된 한 협의회에서 재통합하려는 시도가 있었으나 그 분열을 치유하는데 실패하였다. 두 집단은 서로 분리된 채로 남게 되었다. 이단에 대하여 처음으로 효과적인 반격을 개시하었던 유능한 교황 이노센트 3세(1198-1216)는 1208년에 이른바 가난한 가톨릭교도(Poor Catholics, *pauperes catholici*)들의 조직을 묵인함으로써 이 분열을 이용하였는데, 이 가난한 가톨릭교도들은 발도파의 일부 관습들을 유지하도록 허용되었고 교회의 엄격한 감독을 받으면서 주로 순회 설교 활동을 하였다. 그리하여 상당수의 사람들이 교회로 돌아왔는데, 그 가운데는 한때 랑그독 지방의 발도파 지도자들이었던 위에스카의 뒤랑(Durand of Huesca)과 베르나르 프랭(Bernard Prim)도 포함되어 있었다.

그럼에도 불구하고 발도파는 확산되었는데, 특히 농민들과 장인들 사이에서 퍼져나갔다. 발도파는 그들이 원래 생겨났던 지역들뿐만 아니라 스페인 북부, 오스트리아, 보헤미아, 그리고 독일 동부에서도 발견되었다. 점차적으로 그들은 억압을 당하였고 주요 근거지를 튜린의 남서쪽에 있는 알프스산맥의 골짜기로 옮길 때까지 지하에서 명맥을 유지할 수밖에 없었다. 종교개혁 당시에 많은 발도파 사람들이 종교개혁의 원리들을 받아들였고 완전히 개신교도가 되었다. 그들의 이야기는 영웅적으로 박해를 견딘 이야기이며, 그들은 비록 본래의 이상과 방법들을 상당하게 수정하였지만 중세의 분파들 가운데 유일하게 살아 남은 집단이다.

13세기가 시작될 무렵까지 프랑스 남부와 이탈리아 북부 그리고 스페인 북부에서 로마 가톨릭 교회의 상황은 심각하였고 심지어는 위태로울 정도였다. 카타리파와 발도파를 개종시키려는 선교 노력들은 대체로 실패하였다. 일찍이 1181년에 교황 알렉산더 2세는 카타리파의 지지자였던 베지에르 자작(viscount of Béziers)에 대한 십자군을 명령하였으나, 그 십자군은 성취한 것이 거의 없었다. 이노센트 3세의 시대에 폭풍이 밀어닥쳤다. 시토 수도사들에 의한 설교 사역들이 헛되이 끝나고 또한 1208년에 교황 대리인 카스텔나우의 피에르(Peter of Castelnau)가 살해당한 일에 화가 난 이노센트는 1209년에 프랑스 남부의 이단들에 대한 십자군을 선포하였는데, 성지 회복을 위한 십자군이 얻을 수 있었던 것과 같은 질대적인 사면을 이 십자군에도 제공하였다. 이 전략은 프랑스의 왕인 필립 오귀스트(1180-1223)에게는 아주 기분 좋은 것이었다. 그는 남부의 귀족들이 너무나 독립적인 봉신이라고 생각하고 있었으나 그들의 이단성이 명백하게 입증되는 않는 한 그들을 공격하기를 — 봉건적 관습들을 명백하게 깨뜨리는 행위이기 때문에 — 꺼려하고 있었다.

이른바 알비 십자군(Albigensian Crusade)의 실제적인 활동은 남부의 새로운 봉토를 분할할 수 있는 전례없는 이 기회를 환영하였던 프랑스 북부의 귀족들에 의하여 추진되었다. 시몽 드 몽포르(Simon de Monfort)가 그들을 지도하였는데, 그는 일-드-프랑스 지방의 작은 영주였으며 결혼에 의하여 영국의 레스터 백작의 칭호를 가지고 있었다. 교황과 프랑스 왕과 북부 귀족들의 이해가 결합되어 20년에 걸친 파괴적인 전쟁이 벌어졌다(1209-1229). 그 전쟁에서 남부 귀족들의 세력이 분쇄되었고 도시와 지방이 황폐해졌다. 카타리파의 수호자들은 무력하게 되거나 혹은 카타리파와 함께 근절되었다. 비록 저항이 끊이지 않고 계속되었으나 1243년에 몽세귀르에 있는 카타리파의 요새가 함락되고 말았다.

이단이 간헐적으로 출현하였던 중세 초기에는 이단들에 대한 처벌 문제가 아직 결정되어 있지 않았다. 통치자나 성직자 혹은 군중에 의하여 사형에 처해진, 일반적으로 화형에 처해진 사례들이 무수하게 많이 있었지만, 고위 성직자들은 그것에 반대하였다. 이단에 대한 공식적인 조사(*inquistio*)은 아직 체계화되지 않았다. 이런 임무는 오랫동안 지방의 주교들이나 교회 법정들에 맡겨져 있었지만, 이단의 수가 많을 경우에는 교회의 통제가 효력이 없었다. 이노센트 3세는 이단을 색출하여 교회 법정에 세우는 일을 할 특별한 대리자들을 임명함으로써 그런 이단 심문을 교황에게 집중시켰다. 이단을 억압하기 위한 정규적인 상설 기관을 설립한 것은 교황 그레고리 9세(1227-1241)였다. 1233년에 그는 특별 대리자들 대신에 탁발 수도회들, 주로 도미니쿠스회 — 이 수도회는 아주 특이한 목적을 가지고 세워졌다 — 에서 선발한 이단심판관들(inqusitors)에게 이단을 색출하는 일을 맡겼다. 이런 이단심판관들은 자신의 특별 법정들을 세웠으며, 실제적으로 지역 교회의 권위에서 벗어나 있었다.

교황과 도미니쿠스회의 종교재판소는 재빨리 가장 강력하고 두려운 기관으로 발전하였다. 종교재판소의 재판 절차는 비밀이었으며, 고발한 사람의 이름은 고소된 사람에게 알려지지 않았다. 그리고 이노센트 4세의 1252년의 조서에 의하여 고소된 사람을 고문할 수 있게 되었다. 자신에게 부과된 혐의를 만족스럽게 설명하지 못하는 사람들이나 — 이것은 아주 어려운 일이었다 — 자신의 죄책을 참회하는 사람들은 속죄행위를 하여야 했다. 자발적이인 참회이든 고문에 의한 참회이든 간에, 참회를 거부한 사람들은 관대한 처벌을 내려달라는 요청과 더불어 처벌을 당하기 위하여 세속 당국에 넘겨졌는데, 암묵적으로는 그들이 화형당할 것을 알고 있었다. 이런 잔인한 형벌의 근본적인 이유는 중세 사람들이 익숙히 알고 받아들인 것이었다. 즉 하나님에 대한 반역인 이단은 국왕에 대한 반역보다 더 나쁜 것이므로, 죽음으로써 다스리는 것이 당연하다는 것이었다. 더구나 이단은 많은 영혼들을 파괴하는 '그리스도인의 몸' (*corpus christianum*) 속에 있는 전염병이며, 따라서 가장 극단적인 처방이 필요하다는 것이었다. 그러나 종교재판소는 영적인 문제들만 다룬 것이 아니었다. 이단으로 선포된 자의 재산 몰수는 종교재판소의 가장 혐오스러운 특징들 가운데 하나였다. 몰수로 얻은 재산은 평신도와 교회 당국이 나누어 가졌기 때문에, 이 관습이 없었다면 박해가 없었을 지역에도 박해의 불길이 계속 타오르게 만들었다. 어떻든 간에 이 종교재판소에 의하여, 그리고 조금 뒤에 언급될 그보다는 덜 불쾌한 수단들에 의하여 카타리파는 14세기 중엽에 거의 근절되었고 발도파도 크게 위축되었다.

중세 교회가 중세 시대의 평신도들의 정통적인 또한 이단적인 금욕주의 운동들에서 분출되었던 깊은 종교적인 갈망에 효과적으로 내응하였는지의 여부에 관하여 역사가들은 논쟁을 계속하고 있다. 불과 검, 종교재판소와 십자군은 그런 필요에 거의 부응하지 못하였다. 그러나 교회는 강압적인 수단에만 의지하지는 않았다. 교회는 설교와 모범을 통하여 설득하는 방법 — 수사(friar, *fratres*)들의 방법 — 도 추구하였다.

4. 도미니쿠스회, 프란체스코회, 그리고 다른 탁발 수도회들

카타리파와 발도파는 중세 교회에 심오한 영향을 주었다. 그들과 동등한 헌신과 금욕주의와 열정을 가진, 그리고 그들보다 더 학식 있는 설교자들로 대응하려는 시도에서 도미니쿠스회가 성장하였다. 발도파가 번창하였던 것과 똑같은 '사도적 청빈'과 그리스도의 명령에 대한 문자적인 복종의 분위기 속에서 프란체스코회가 생겨났다. 중세의 수도원 운동은 이 두 수도회에서 가장 고상한 모범을 갖게 되었다. 중세의 경건은 아시시의 프란체스코에게서 가장 고상하고 가장 감동적인 대표자를 발견하였다.

도미니쿠스 데 구즈만(Dominic de Guzman)은 카스티야의 칼레루에가에서 1171년에서 1173년 사이에 태어났다. 팔렌시아 유학 시절 이후인 1196년에 그는 마드리드에서 북동쪽으로 90마일 지점에 위치한 자신의 고향 교구인 오스마에 있는 성당 공동체 안에서 어거스틴 수도회 수사가 되었다. 이곳에서 도미니쿠스는 오스마의 주교인 아케베도의 디에고(Diego of Acevedo)와 교제를 나누었으며, 그와 함께 카스티야의 국왕을 수행하여 널리 여행을 하였다. 1206년에 로마 여행에서 돌아오는 길에 두 사람은 카타리파와 발도파가 세력의 절정을 누리고 있었던 랑그독에 도착하였다. 그곳에서 그들은 시토 수도회가 모욕적인 취급을 당하는 것을 알게 되었다. 몽펠리에의 선교사 지도자들과 만난 자리에서 디에고는 방법을 완전히 개혁할 것을 촉구하였다. 오직 자기를 부인하고 열심히 '사도적 청빈'을 배우며, 발도파의 설교자들과 카타리파의 완전한 신자들처럼 열성적으로 설교하는 선교사들에 의해서만 이런 이단들을 다시 교회 속으로 이끌어 올 수 있다는 것이었다. 시토 수도회의 설교자들은 디에고 주교의 충고를 실천에 옮기려고 노력하였고, 비록 아주 더디게 진전되었지만 어느 정도 성공을 거두었다. 주로 카타리파에서 개종한 여인들을 위한 수녀원이 1207년에 툴루즈에서 멀지 않은 프루이유에 세워졌다. 이때까지는 디에고가 지도자로 활동하였던 것 같지만, 그러나 그는 자신의 교구로 돌아가야 했다. 그는 1207년에 자신의 교구에서 죽었다. 그때부터 도미니쿠스가 그 사역을 계속하였다.

반(反) 카타리 전쟁의 폭풍이 도미니쿠스의 선교를 더욱 어렵고 맥빠지게 만들었다. 그러나 시토 수도회 출신인 툴루즈 주교 풀크(Fulk)의 도움과 십자군 대장인 시몽 드 몽포르의 후원을 받아 점차적으로 그는 자신과 비슷한 생각을 가진 사람들을 모았다. 1215년에 툴루즈의 부유한 시민인 피에르 세이라(Peter Seila)가 그에게 가담하였는데, 피에르는 도미니쿠스와 그의 동료들이 사용하도록 집 세 채를 제공하였다. 한편 풀크 주교는 그들을 도시의 설교자들로 세웠다. 바로 그 해에 도미니쿠스는 로마에서 열린 제 4차 라테란 공의회를 방문하여 설교자들의 수도회를 승인해 줄 것을 교황에게 요청하였다. 비록 그의 노력은 칭찬을 받았지만, 그 요청은 거절당하였다. 그 공의회는 바로 얼마 전에 새로운 수도회의 창설을 금지하였었던 것이다. 도미니쿠스는 기존의 규율을 채택하라는 충고를 받았고, 자신이 이미 지키고 있었던 어거스틴의 규율을 채택하였는데 그것은 자신의 목적들을 수용할 수 있을 정도로 융통성이 있는 규율이었다. 실제적인 수도회 설립에 해당하는 승인은 1216년에 교황 호노리우스 3세(1216-1227)로부터 얻었다.

1217년 1월에 호노리우스는 공식적으로 수사 설교자 수도회(Order of Friars Preachers, *fratres praedicatores*, 이 이름은 교황 자신이 제안한 것이었다)를 확인했다. 일찍이 1217년에 그 새로운 단체의 구성원이 얼마 되지 않았을 때, 도미니쿠스는 동료들이나 교회 당국과 상의하지 않은 채로 자신의 동료들을 널리 분산시키기로 결심하였다. 연구하고 설교하고 새로운 수도원을 창설하기 위하여 7명은 파리로, 4명은 스페인으로 보내어졌고 4명은 계속 툴루즈에 남았다. 그리고 도미니쿠스 자신은 로마로 갔다. 이 갑작스러운 결정은 하나의 혁명이었다. 즉, 주로 남부 프랑스의 이단들에게 설교하도록 특별한 허가를 받았던 한 어거스틴 교단 수도회가 세계적인 복음화 선교와 영혼 구원에 헌신하는 수사 설교자들의 수도회가 되었다. 커다란 대학 도시들인 파리와 볼로냐가 곧 툴루즈를 대신하여 이 수도회의 중심지가 되었다. 도미니쿠스는 자신의 수사들이 신학자들로 훈련을 받기를 원하였다. 그러나 한편으로는 그들은 도시 빈민의 수가 계속 증가하고 있는 당시의 사회에서 효과적으로 설교하기 위하여 탁발과 집단적인 청빈을 채택하였다.

이 수도회의 첫번째 전체 총회는 1220년과 1221년에 볼로냐에서 개최되었는데, 거기에서 '도미니쿠스회' — 그들은 일반적으로 이렇게 불렸다 — 의 직제들이 발전되었다. 수도회의 우두머리는 전체 총회에서 종신제로 선출된 총장이었는데, 그는 전체 총회에서 징계를 받을 수 있었고 필요하다면 해임될 수도 있었다. 목회지는 여러 지역으로 나누어졌는데, 지역 총회에서 선출된 지역 수도원장이 각 지역을 책임졌다. 수도원은 각각 자체의 수도원장을 선출하였다. 모든 수도원이 그 수도원장과 선출된 형제 한 사람을 연례 지역 총회에 파견하였다. 전체 총회도 매년 열렸는데, 볼로냐와 파리에서 번갈아 가며 개최되었다. 전체 총회는 2년 동안은 각 지역마다 한 명씩 선출된 대표들로 구성되었으며, 매 3년째에는 모든 지역의 수도원장들로 구성되었다. 따라서 그 체제는 아주 교묘하게 중앙의 권위와 대의제적 통치를 결합하였다. 그 체제는 13세기에 알려진 조직 체제 가운데 가장 고도로 발달된 것이었다.

도미니쿠스는 1221년에 볼로냐에서 죽었고, 작센의 요르단(Jordan of Saxony, 1222-1237)이 그를 계승하였는데, 그는 뛰어난 조직가였으며 최초로 도미니쿠스의 전기를 쓴 사람이었다. 그 당시에 도미니쿠스회는 약 25개의 수도원들을 헤아렸고 8개의 지역으로 — 스페인, 프랑스, 프로방스, 롬바르디, 이탈리아 남부를 포함한 로마, 독일, 헝가리, 영국 — 구분되어 있었는데, 1230년경에는 거기에 네 지역이 — 폴란드와 덴마크, 그리스, 그리고 성지(聖地) — 추가되었다. 도미니쿠스회는 놀랄 만큼 급속하게 성장하였는데, 14세기 초에 이르면 약 600개의 수도원을 보유하게 되었다. 이 가운데 1/4이 여자들을 위한 수녀원이었다. 1207년에 세워진 최초의 '도미니쿠스회' 수도원도 프루이유의 수녀원이었으며, 도미니쿠스도 죽기 전에 세 개의 다른 수녀원을 마드리드와 볼로냐 그리고 로마에 세웠거나 혹은 세울 계획을 수립하였었다. 그러나 그는 여자들의 수녀회가 번창하리라고는 예상하지 못하였으며, 죽기 직전에는 수녀원을 세우는 문제를 재고하였던 것으로 보인다. 주로 이런 수녀원들에 수사들이 정착하여 영적인 관심을 쏟는 것은 순회 설교자와 고백자들로 활동하여야 할 형제들의 소명을 손상시킨다는 근거에서, 수도회 내에 더 이상의 수녀원을 허용하지 말라는 강력한 반대가 이미 1223년에 제기되었다.

1228년에 파리에서 개최된 특별 전체 총회에서 도미니쿠스회는 수녀원을 더 이상 받아들이는 것을 금지하였다. (같은 해에 시토 수도회도 비슷한 법을 통과시켰다.) 이런 금지는 (시토 수도회의 경우와 마찬가지로) 효과가 없었다. 1245년 이래로 교황의 교서들은 특히 독일에서 많은 새로이 증가된 수녀원들이 가입하는 것을 허용하였다. 도미니쿠스회 수녀들은 엄격한 제한을 받았으며 설교하거나 헌금을 구하는 것이 금지되었다. 그 대신에 수녀들은 '작은 겸손'(poor humiliy)의 내적인 생활을 가꾸었다. 즉 청빈은 마음 속의 덕목이 되었다. 이런 사정은 중세 시대 말기에 독일의 도미니쿠스회 수녀원들에서 신비주의 형태의 경건이 꽃피웠던 까닭을 설명하는데 도움을 준다(V:9 참조).

학문에 대하여 언제나 열심을 가지고 있었던 수사 설교자들의 수도회는 특별히 대학 도시들에서 활동하려고 노력하였으며, 그런 도시들에서 많은 지원자들을 얻었고 곧 그 대학의 여러 학부들에 폭넓게 대표를 두게 되었다. 신학자들인 알베르투스 마그누스(Albertus Magnus)와 토마스 아퀴나스(Thomas Aquinas), 신비주의자들인 마이스터 에크하르트(Meister Eckhart)와 요하네스 타울러(Johannes Tauler), 개혁자인 지롤라모 사보나롤라(Girolamo Savonarola)와 같은 인물들은 도미니쿠스회 수사들의 목록을 장식한 위대한 이름들 가운데 일부에 지나지 않는다. 도미니쿠스회 수사들은 학식을 갖추었기 때문에 이단심판관으로 채용되었는데, 그것은 도미니쿠스의 이념에서는 전혀 찾아볼 수 없었던 역할이었다. 도미니쿠스를 이단심판관으로 표현한 전설들은 근거가 없는 것들이다. 그는 자신의 모범인 성 바울의 본을 따라 설교를 통하여 영혼을 얻으려고 하였다. 그런 결과를 이루기 위하여 그는 자신의 설교자들이 그 설교를 듣는 사람들의 마음에 들도록 하는 것이라면 어떤 희생이나 체면 손상도 감수하였을 것이다. 그러나 비록 도미니쿠스의 목적과 개인적인 태도가 자기 희생적이고 겸손하였지만, 그의 수도회의 높은 지성주의는 상대적으로 수도회에 귀족적인 취향을 부여하는 경향이 있었다는 것은 분명하다. 그러나 발도파에서 나타났었던 것과 같이 도미니쿠스회도 실제적인 복음 사역에 대한 강조를 표현하였다. 도미니쿠스회의 이상은 세상과 분리된 명상적인 삶이 아니라 사람들의 필요를 채워주는 봉사의 생활이었다. 1234년에 도미니쿠스는 이제 교황 그레고리 9세(1227-1241)가 된 그의 옛 친구이자 후원자였던 오스티아의 후골리노 추기경에 의하여 시성(諡聖)되었다.

비록 도미니쿠스와 도미니쿠스회에 돌려진 영광은 컸지만, 그것은 프란체스코회에 대한 대중의 존경과 특히 그 수도회의 창시자에 대한 존경을 능가하지는 못하였다. 나무랄 데 없는 젊은이였으며 중년의 나이에 어떻게 하면 사람들에게 가장 잘 접근할 수 있을까를 계획하고 그 목적을 위한 방편으로서 청빈을 택하였던 엄격한 설교자(도미니쿠스)는, 모든 것을 그리스도와 자신의 동료들을 위하여 희생하고 자신의 메시지를 부각시키기 위한 방편으로서가 아니라 단지 주님을 닮기 위한 방법으로 청빈을 채택하였던 쾌활한 젊은이(프란체스코)만큼 호감을 끄는 인물은 아니었다. 아시시의 프란체스코에게서 우리는 중세의 가장 위대한 성인을 발견할 수 있을 뿐만 아니라, 인간적으로 가능한 모든 일에서 그리스도를 닮고자 소망하였던 그의 절대적인 진지함을 통하여 모든 세대에 그리고 보편 교회에 속한 한 사람을 발견할 수 있다.

지오반니 베르나르도네(Giovanni Bernardone)는 1181년 혹은 1182년에 이탈리아 중부의 아시시에서 부유한 직물 상인인 피에트로 베르나르도네와 그의 아내 피카(Pica)의 아들로 태어났다. 프랑스를 지지하였던 그 아기의 아버지는 아기에게 프란체스코(프란시스⟨Francis⟩, '프랑스인')라는 별명을 붙여 주었는데, 그 별명이 곧 아기의 세례명을 대신하게 되었다. 젊은 시절에 프란체스코는 사치품을 좋아하고 화려한 옷을 입고 다녔으며 잘못에 대하여 관대하였다. 진지한 성품을 가졌던 그의 아버지는 프란체스코가 친구들과 어울려 흥청대면서 해로운 생활을 하는 것을 전혀 기쁘게 생각하지 않았다. 프란체스코는 기사가 되어서 군사적으로 영예를 얻으려는 꿈을 가지고 있었다. 페루지아의 전쟁(1202-1203)에서 포로로 잡혀 지낸 1년의 체험이 그 뒤의 투병 기간과 마찬가지로 그의 정신을 변화시켰다. 그는 예전의 오락거리들이 진부한 것들이라고 깨달았으며 의문들과 침울함이 마음에 가득차게 되었다. 그 후에(1204-1205) 그는 이탈리아의 끝 부분에 있는 아풀리아를 향한 군사 원정에 참여하였다가, 갑자기 스폴레토에서 물러나 아시시로 돌아갔다. 그가 종교적인 생활로 전향한 것은 점진적으로 일어났다. "내가 죄악 가운데 있었을 때, 나환자들을 보는 것은 나로서는 아주 두려운 일로 보여졌다. 그런데 주님께서 친히 나를 그들 가운데로 인도하셨고 나는 그들을 도왔다. 내가 그들을 떠났을 때 이전에 내가 그렇게 두렵게 느꼈었던 것이 육체와 영혼에 달콤한 것으로 바뀌어 있었다."[1]

그리스도를 닮은 자비심에 관한 이 언급은 프란체스코의 새로워진 성격이 처음으로 반응을 보인 것이었다. 어느 날 그가 아시시의 바로 바깥 쪽에 있는, 폐허가 된 성 다미안(St. Damian)의 교회에서 기도를 드리고 있을 때에 제단 위에 있는 색칠이 된 십자가가 자신에게 다음과 같이 말하였다고 생각하였다. "프란체스코, 가서 내 집을 수리하라. 네가 보듯이 그것은 무너지고 있다." 그 말을 문자 그대로 받아들인 그는 교회를 재건하기 위한 석재를 구입하기 위하여 아버지의 가게에서 옷감을 팔았다. 성난 그의 아버지는 그를 도시의 행정관과 주교에게 데려가서 그렇게 팔아버린 상품들과 돈을 강제로 물어내게 하였다. 그러나 프란체스코는 그의 의복과 함께 자신이 가지고 있었던 그 돈을 주교의 발 아래 내려놓고 그 이후로는 하늘에 계신 아버지 이외에는 아버지가 없다고 선언하였다. 이 사건은 아마도 1206년이나 1207년에 일어났다. (프란체스코의 초기 생애의 연대는 불확실하다.)

그 다음 2년 동안 프란체스코는 아시시 주변을 방랑하면서 불행한 사람들을 돕고 교회들을 재건하면서 지냈는데, 그 가운데 그가 가장 좋아하였던 곳은 아시시 외곽의 수풀 평원에 있었던 포르티운쿨라였다. 그곳에서 1208년 2월 24일에 그리스도께서 제자들에게 하신 말씀[2]이 예배 시간에 낭독되었는데, 그 말씀은 마치 이전에 실천에 옮기도록 알리는 트럼펫 소리로 발데스에게 다가왔던 것처럼 프란체스코에게

다가왔다. 그는 돈을 가지지 않고 가장 조잡한 의복을 걸치고 신자들이 자기에게 주기로 한 것을 먹으면서 회개와 하나님의 나라를 설교하려고 하였다. 그는 절대적인 청빈과 그리스도를 닮은 사랑과 그리스도의 대리자들인 사제들과 교황에게 겸손하게 복종하면서, 그리스도를 모방하고 그 계명들에 순종하려고 하였다. "지극히 높으신 분께서 친히 나에게 거룩한 복음의 양식에 따라 살아야 한다는 사실을 알려주셨다."[3] 비슷한 생각을 가진 동료들이 그의 주위에 모여들었다. 그는 그들을 위하여 1209년에 간단한 규율을 작성하였는데, 그것은 거의 복음서들에서 선택한 내용들로 구성되었다. 1210년에 그는 11명의 동료와 함께 이 규율을 가지고 교황 이노센트 3세의 승인을 요청하였다. 그것은 사실상 1179년에 발데스가 교황 알렉산더 3세에게 제출하였다가 승인을 얻지 못하였던 것과 동일한 요청이었다.

교황은 프란체스코에게서 감명을 받았지만, 그의 계율을 즉각 받아들이지는 않았다. 그러나 교황은 꿈 속에서 어떤 가난한 사람이 — 나중에 그가 프란체스코라는 것을 깨달았다 — 막 무너지려고 하는 로마의 성 요한 라테란(St. John Lateran)의 커다란 바실리카 건물을 떠받치고 있는 것을 보고 마음이 움직여 구두로 승인해 주었다. 교황은 그 형제들에게 설교할 수 있도록 허가하였으며 또한 열 두 사람 모두 로마를 떠나기 전에 성직자의 삭발식을 받아야 한다고 결정하였다. 프란체스코가 1209년에 작성한 본래의 규율에 적어 넣었던 수도회의 이름은 '작은 수사들의 수도회'(Friars Minor, *fratres minores*, '더 작은' 혹은 '비천한' 형제들)였다. 나중에 1215년에 이노센트는 제 4차 라테란 공의회에서 작은 수사들의 수도회는 교회에 이미 존재하고 있는 수도회들 가운데 하나로 간주될 수 있으므로 새로운 수도회를 금지하는 공의회의 결정에 저촉되지 않는다고 선언하였다.

프란체스코의 단체는 사랑으로 함께 결속되고 극도의 청빈과 단순성과 겸손을 실천함으로써 결합된 그리스도를 본받고자 하는 사람들의 자발적인 연합이었다. 왜냐하면 오직 그렇게 함으로써 세상을 부인하고 참으로 그리스도를 따를 수 있다고 그가 믿었기 때문이었다. 그들은 포르티운쿨라에 본부를 두고 두 사람씩 돌아다니면서 회개를 설교하고 소리높여 찬송하고 농부들의 일손을 돕고 나환자들과 버림받은 사람들을 돌보았다. 곧 넓은 지역을 포괄하는 선교 계획들이 작성되었고 수도회가 급속하게 증가함으로써 그 계획들을 실행할 수 있게 되었다. 프란체스코 자신은 시리아로 가서 이슬람 교도들을 개종시키기를 원하였고, 필요하다면 순교하려고 하였다.

1212년에 그는 앙코나에서 배를 타고 레반트로 향하였는데, 역풍이 불어 그 여행을 좌절시켰고, 그는 이탈리아로 돌아갔다. 1213-1214년 동안 그는 스페인에 있었다. 그러나 병이 나서 모로코로 가지 못하였다. 그 대신에 그는 스페인의 많은 도시들에서 수사들의 소규모 공동체들을 창설하였다. 마침내 1219년에 포르티운쿨라에서 개최된 수도회의 전체 총회에서 세계 각지에 원정대를 파송하기로 결정한 후에 프란체스코는 바닷길로 시리아에 도착하는 데 성공하였고 그곳에서 이집트로 갔다. 그때는 제 5차 십자군(1218-1221)이 진행 중이었지만, 그는 그럭저럭 술탄 알-카밀의 궁전에 도착할 수 있었고 그와 오랫동안 대화를 가질 수 있었다. 그러나 술탄을 개종시키고 세례를 받게 하려는 그의 탄원은 성공을 거두지 못하였다.

도미니쿠스와는 달리 프란체스코는 조직가로서 뛰어나지 못하였다. 그러나 수도회는 엄청나게 증가하였고, 같은 마음을 가진 소수의 사람들에게 적합하였던 규율은 수백 명 또 수천 명을 헤아리게 된 집단에게는 금방 불충분한 것이 되었다. 어떤 식으로든지 변화가 일어나게 될 것이었다. 그러나 그 변화는 이노센트 3세의 조카이자 나중에 그레고리 9세(1227-1241)가 된 추기경 후골리노의 조직가적 재능에 의하여 앞당겨졌다. 후골리노는 도니미쿠스 수도사로 있을 때 프란체스코와 사귀었고, 프란체스코는 1217년에 그를 자신의 수도회의 '보호자'로 임명하였다. 후골리노의 영향력과 프란체스코가 1221년에 자신의 대리자로 임명한 코르토나의 엘리아스 형제(Brother Elias of Cortona)의 영향력 아래에서 프란체스코회가 완전한 수도원적 조직으로 바뀌는 작업이 급속하게 진행되었다. 1217년의 전체 총회에서 11개의 지역이 이미 확립되었는데, '감독'(minister)이 각 지역을 책임지고 있었다. 프란체스코의 영향력은 그가 시리아와 이집트에 있는 동안에 퇴색하였고, 1221년부터는 점점 더 무대 뒤로 물러났다.

(이른바 레귤라 프리마〈*Regula Prima*〉라고 하는) 새로운 회칙이 1221년에 마련되었고 1223년에는 (그 해에 교황 호노리우스 3세로부터 승인을 받았기 때문에 레귤라 불라타〈*Regula Bullata*〉로 알려진) 새로운 규율이 마련되었다. 1209년에 작성된 원시 회칙(레귤라 프리미티바〈*Regula Primitiva*〉)의 정신은 프란체스코가 직접 초안을 마련한 이 마지막 회칙에서도 여전히 살아 있었다. 그러나 중요한 수정들이 이루어졌다. 프란체스코는 수사가 여행을 떠날 때 "아무 것도 가지지 말아야 한다"는 규정을 삭제하여야 했으며, 수도회에 가입하고자 하는 사람은 모든 소유를 포기하여야 한다는 기본적인 요구 조건에도 그것이 불가능할 경우에는 '선한 의도' 만으로도 족하다는 수정이 가해졌다.

아마도 이런 변화들은 대부분 불가피한 것이었다. 그러나 프란체스코는 모든 형태의 제도적인 안정과 특권을 절대적인 청빈에 대한 위협이라고 두려워 하였기 때문에, 의심할 여지없이 그런 변화들은 그에게는 통탄스러운 것이었다. 그는 점점 더 세상에서 물러났고 기도와 찬송과 명상에 더욱 몰두하였다. 1224년 9월 14일 라 베로나 산에 있는 한 암자에서 오랜 철야 기도를 마치면서 프란체스코는 성흔(聖痕), 즉 그가 고통을 함께 나누기를 갈망하였던 십자가에 달리신 그리스도의 상처와 같은 손과 발과 옆구리에 난 상처를 받았다. 언제나 평화의 원천이 되었던 자연에 대한 그의 사랑은 이 말년에 가장 뚜렷하게 나타났으며, 1225년에 작곡된 그의 「피조물의 찬양」(*Laudes Creaturarum*)에 표현되어 있다. 일반적으로 「태양의 노래」(*Canticle of the Sun*)로 유명한 이 찬송가는 물질적인 창조를 거부한 카타리파에 대한 생생한 반박이었다. 마침내 그는 1226년 10월 3일에 포르티운쿨라 근처의 작은 오두막에서 몸이 쇠약해지고 시력을 거의 상실한 채로 상처 때문에 크게 고통을 받으면서 죽었다. 2년 후에 교황 그레고리 9세는 — 그의 오랜 친구였던 후골리노 — 그를 교회의 성인(聖人)으로 선포하였다. 기독교의 역사에서 프란체스코보다도 더 합당하게 그런 칭호를 받았던 사람은 거의 없다.

프란체스코회의 조직은 비록 초기에는 도미니쿠스회의 비교적 '민주적인' 체제보다 독단적인 경향이 나타날 여지가 더 많았지만, 도미니쿠스회의 조직과 비슷하였다. 수도회의 우두머리는 총장이었고, 형제들은 그에게 복종하여야 했다. 총장은 전체 총회에서 선출되었으며 그의 지도력이 '미흡하다'고 입증되면 이 총회에서 경질될 수 있었다. 1223년의 규율은 전체 총회를 삼년마다 개최하거나 혹은 총장의 소집에 의하여 "그 밖의 길고 짧은 회기로" 개최할 것을 규정하였다. 1239년 이후에야 삼 년마다 전체 총회를 개최하는 것이 의무화되었다. 각 지역마다 지역 감독이 있었는데, 그는 원래 총장에 의하여 임명되었으나, 1239년 이후에는 지역 총회에서 선출되었다. 도미니쿠스회와는 달리 프란체스코회는 처음에는 수사들의 집이나 수도원을 소유하지 않았고, 바위를 잘라 만든 암자나 나무로 만든 오두막이나 버려진 교회당에서 살았다. 일단 수도원이 세워지자 지역들은 '감독구'(custodies)들로 세분되었는데, '관리자'(custos) 혹은 행정 관리들이 그 감독구들을 책임졌다. 다시 각 수도원들은 '보호자'(guardian)의 지도를 받았다. 본래 관리자나 보호자는 총장에 의하여 임명되었으나, 1239년 이후에는 지방 감독이 지방 총회의 자문을 따라 임명하였다. 그러므로 프란체스코회의 체제는 비록 감독들에게 더 많은 입법권을 부여하였고 충분할 정도로 '대의제적'이지는 않았지만, 점점 더 도미니쿠스회의 체제에 근접하였다.

도미니쿠스회와 마찬가지로 프란체스코회도 거의 초창기부터 이른바 제2 수도회(Second Order)라는, 여자들로 이루어진 지회(支會)를 가지고 있었다. 궁극적으로 '가난한 여인들'(Poor Ladies) 혹은 '가난한 클라라파'(Poor Clares)로 알려진 프란체스코회의 여자 수사들은 1212년에 프란체스코가 자신의 친구이자 제자인 아시시의 성 클라라(St. Clare of Assisi, 1194-1253)를 통하여 직접 설립하였다. 프란체스코는 아시시의 성 다미안 교회에서 클라라와 그녀의 동료들을 수녀회로 세웠다. 그러나 이것은 프란체스코가 직접 '창설'하였다고 말할 수 있는 유일한 수녀원이었다. 그는 일생동안 다른 수녀원들을 수도회로 받아들이는 것과 그의 수사들이 그런 수녀원들을 세우고 돌보는 것을 강력하게 반대하였다. 그러나 곧 다른 수녀원들, 특히 이탈리아 중부의 수녀원들이 성 다미안 수녀원과 합쳐져서 '성 다미안 수녀회'가 생겨났다. 추기경 후골리노가 1219년에 그 수녀회에 규율을 주었는데, 그것은 실제적으로 베네딕트 수녀회의 규율이었고 특별히 프란체스코회적인 것은 거의 없었다. 그렇지만 성 다미안의 수녀들은 여전히 프란체스코회의 원래의 이상을 구현한 '생활 신조'(*formula vitae*) 혹은 생활 양식을 준수하였다. 프란체스코회의 그 이후의 역사는 도미니쿠스회의 역사와 유사하다. 즉 수녀원들을 더 이상 받아들이는 것에 대하여 내부적인 반대가 있었지만, 그런 통합을 허용하고 여자들의 청원에 따라 수사들을 수녀들의 지도 신부로 일하도록 규정한 교황의 조서들 앞에서는 효과가 없었다. 이미 1212년에 세워진 아시시의 수녀원처럼 여자들은 엄격하게 수녀원 안에 갇혀 있었고 따라서 돌아다니면서 가난한 자들에게 설교하는 사역에 참여할 수 없었다. 도미니쿠스회의 수녀들처럼 그녀들 역시 '내적인 신앙'을 — 청빈과 세상 거부를 내면화시키는 것을 — 추구하였는데, 그것은 신비주의가 태동하는 기반이었다.

전체 프란체스코회는 너무나 급속하게 성장하였다. 14세기 초기가 되면 약 1,400개의 수도원을 헤아리게 되었다(그 가운데 1/5이 수녀원들이었는데, 주로 지중해 연안의 나라들에 위치하고 있었다). 비록 프란체스코 자신에게는 학식 있는 신학자 친구가 한 사람도 없었지만, 프란체스코회는 재빨리 대학 도시들에 자리를 잡았으며, 저명한 학자들을 많이 받아들이게 되었다. 그 가운데는 헤일스의 알렉산더(Alexander of Hales)와 로저 베이컨(Roger Bacon), 성 보나벤투라(St. Bonaventura), 요한 둔스 스코투스(John Duns Scotus) 그리고 오캄의 윌리엄(William of Ockham)이 포함되어 있었다. 그러나 프란체스코회는 도미니쿠스회 이상으로 가난한 자들의 수도회로 남았다.

도미니쿠스회와 프란체스코회는 거의 무한한 대중적 영향력을 발휘하였다. 이전의 수도회들과는 달리 그들은 주로 도시와 읍에서 활동하였는데, 그 주된 이유는 탁발이 오직 그런 곳들에서만 실천할 수 있다고 입증되었기 때문이었다. 그들의 사역의 결과 평신도들의 신앙이 크게 강화되었다는 사실은 의심할 여지가 없다. 동시에 그들은 주교와 일반 성직자들의 영향력을 축소하였는데, 교황이 그들을 교구의 통제로부터 면제하여준 덕분에 그들은 어디에서나 설교하고 사면해 줄 수 있었다. 평신도들에게 미친 주된 영향은 제삼회(第三會, tertiaries) 혹은 '제3의 수도회'(Third Order)의 발전이었는데, 그것은 처음에 프란체스코회와 연관되어서 나타난 현상이었다.

원래는 참회 수도회(Order of Penitence)로 알려진 제삼회는 남자들과 여자들이 여전히 일상적인 직업에 종사하면서도 금식과 기도, 예배와 자선을 베푸는 준(準)수도원적 생활을 할 수 있도록 허용하였다. 따라서 그들은 또한 맹세와 무기를 드는 것을 삼가하였다(이것은 세속 당국과 끊임없는 마찰을 빚은 원인이었다). 프란체스코회 제삼회 수사들 가운데 가장 잘 알려진 인물들로는 튀링기아의 성 엘리자베스(St. Elizabeth of Thuringia, 1207-1231)와 라몽 룰(Ramon Lull, 1232경-1315경)을 들 수 있다. 한편 시에나의 성 캐더린(St. Catherine of Siena, 1347-1380)도 역시 유명한 도미니쿠스회 제삼회 수사였다. 결국 모든 탁발 수도회가 제삼회를 발전시켰다. 시간이 지남에 따라 제삼회의 체제는 거의 완전한 수도원으로 발전하는 경향이 있었고, 결혼한 사람들은 거기에서 제외되었다. 제삼회는 '사도적인 생활'을 추구하는 것에 자극을 받은, 그리고 여전히 수도원 체제를 완전한 기독교적 생활이라고 생각하였던 시대의 종교적 이상에 부응하기 위한 성공적인 시도로 여겨져야 한다.

도미니쿠스회와 프란체스코회 이외의 많은 탁발 수도회들이 13세기에 생겨났다. 그 대부분이 오래 지속되지 못하였는데, 부분적으로 그것은 리용 공의회(Council of Lyon, 1274)가 그들을 단념시키려고 노력하였기 때문이었다. 그러나 두 수도회는 계속 중요하게 존속되었다. 그 하나는 **갈멜파 수도회**(Order of Friars of the Blessed Virgin Mary of Mount Carmel, 혹은 Carmelites)였다. 1154년경에 경건한 십자군 병사였던 칼라브리아의 베르톨드(Berthold of Calabria, ?-1195)는 팔레스타인의 갈멜 산에서 은자 생활을 시작하였다. 그리고 1185년이 되었을 때 그는 이미 그곳에 은자들의 공동체를 세워 놓았다. 1209년 혹은 1210년에 예루살렘의 라틴 교회 총대주교는 갈멜파에게 죽을 때까지 고기를 먹지 말고 정규적으로 금식하며 오랜 침묵 기간을 갖도록 규정한 엄격한 금욕주의 규율을 주었다. 이 규율은 1226년에 교황 호노리우스 3세에게서 승인을 받았다. 한 걸음 더 나아가 1229년에 그레고리 9세의 교서는 집단적 청빈과 탁발 생활을 규정하였다.

십자군이 실패한 후 1382년경에 갈멜파는 팔레스타인에서 키프로스와 시칠리아, 남부 프랑스, 그리고 영국으로 이주하였다. 유럽으로 들어오자, 그들은 더 이상 은자(隱者)로 지내지 않고 도시 지역의 수도원에서 살기 시작하였으며, 영혼을 돌보는 목회 사역에 착수하였다. 수도회 내부의 위기를 촉진하였던 이런 변화들은 영국의 갈멜파 수도사인 시몬 스톡(Simon Stock, 1165경-1265)의 지도 아래에서 조정되었다. 그 해에 교황 이노센트 4세는 갈멜파 수도회가 도미니쿠스회의 노선을 따라 변혁되는 것을 승인하였다. 갈멜파 수사들은 명상적인 생활을 설교와 가르침과 목회 사역에 결합하려고 노력하였으며, 처음부터 성모 마리아에 대한 열렬한 헌신으로 특징지워졌다. 엄격하게 고립되어 명상의 이상(理想)에 헌신하였던 갈멜파 수녀회는 1452년 교황 니콜라스 5세(Nich olas V)에 의하여 공식적으로 설립되었다.

네 개의 주요 탁발 수도회 가운데 마지막인 **어거스틴 은수자 수도회**(Order of Friars Hermits of St. Augustine, 오스틴 수도회〈Austin friars〉라고도 알려져 있다)는 12세기와 13세기에 생겨난 이탈리아의 은자들의 집단이 여러 개 결합한 것이었다. 1243년에 교황 이노센트 4세는 틀림없이 그들의 요청에 따라 투스카니의 은자들에게 성 어거스틴의 '규율'을 지정해 주었고, 추기경 리처드 아니발디(Richard Annibaldi)에게 그들을 통합하는 책임을 맡겼는데, 그 통합은 1244년에 성취되었다('소 통합'〈little union〉). 1255년에는 교황 알렉산더 4세의 지시에 따라 이탈리아의 다른 은자 공동체들도 어거스틴 규율을 받아들이게 되었고, 1256년에는 이런 모든 집단들이 도미니쿠스회의 체제에 기초한 체제를 가진 어거스틴 은수자수도회로 통합되었다('대 통합'〈great union〉). 그들은 (은수자라는 이름에도 불구하고) 더 이상 은자들이 아니었으며 (은수자라는 이름은 단지 그들의 역사적인 기원을 지적할 뿐이다) 그 대신에 탁발 수사들이 되었다. 다른 탁발 수도회들과 마찬가지로 오스틴 수사들도 교회의 사법권에서 면제되었다. 그들은 '사도적인' 생활 혹은 적극적으로 세상에 봉사하는 생활에 헌신한, 가르치는 수도회가 되었다. 특별히 도미니쿠스회처럼 그들도 신학 연구에 헌신하였으며 무엇보다도 성경과 성 어거스틴의 저작들을 연구하는 데 몰두하였다. 그리고 그들은 곧 대학 도시들에 수도원을 설립하였다. 파리에서 배우고 또 가르쳤으며 1357년에 수도회의 총장으로 선출된 리미니의 그레고리(Gregory of Rimini, ?-1358)는 중세 최고의 어거스틴 학자로 여겨졌다. 그레고리의 저작들은 후대에 그와 같은 수도회에 속하였던 마르틴 루터로부터 높이 평가되었고 찬사를 받았다. 루터는 1505년에 어거스틴회 수도사가 되었다.

이 시대의 경건은 탁발 수도회들 외에도 다른 많은 현상들에서도 나타났다. 그 중요한 한 표현이 베긴회(Beguines)였는데, 그것은 1210년경에 프랑스 북부와 네덜란드 그리고 독일의 라인란트에서 일어난 상당한 규모의 여자들의 운동이었다. 베긴회의 수녀들은 경건한 여자 평신도들로서 작은 수도원에서 공동 생활을 하거나 혹은 홀로 가족과 함께 살았으며, 육체 노동으로 생계를 부양하였고, 청빈과 순결과 자선 사업을 실천하였다. 그녀들은 수도회에 속하지 않았으며 고정된 규율을 가지고 있지 않았고 철회할 수 없는 맹세를 하지 않았다. 그녀들은 교회의 공식적인 인정을 받지 못하였고 받으려고 하지도 않았기 때문에 자주 이단으로 혹은 이단적인 경향을 가진 집단으로 의심을 받았다. '베긴'(Beguine)이라는 이름은 아마도 남부 프랑스의 카타리파 이단들에게 사용되었던 '알비파'(Albigensian)라는 말에서 유래되었을 것이다. 일부 베긴회 수녀들은 정말로 발도파와 카타리파의 가르침을 따랐었던 것으로 보이지만, 그러나 대다수의 수녀들은 정통적이었고 교회의 성례 생활에 헌신하였으며 교회의 감독을 순순히 받아들였다. 베긴회의 수녀원들은 보통 수사들의 수도원 주위에 모여 있었는데, 수사들은 베긴회의 주된 지지자였다.

그 운동은 자발적이었고 지역적이었다. 그리고 그 운동은 사도적인 생활이 중세 시대의 남자들뿐만 아니라 여자들에게도 잠재적인 호소력을 가지고 있었음을 잘 설명해준다. 더구나 도시와 읍에서 남자들보다 여자들의 수가 훨씬 더 많았던 것으로 보인다. 그러므로 베긴회는 많은 수의 경건한 여자들, 특히 남편을 얻으리라고 기대할 수 없었던 여자들 그리고 어떤 경우든지 간에 수가 너무 많아서 기존의 수도회들로는 감당할 수 없었던 여자들의 정신적이고 육체적인 에너지를 방출할 수 있는 통로를 제공하였다.

베가르회(Beghards)로 알려진, 베긴회보다 수는 적었지만 그와 유사한 남자들의 조직이 있었는데, 그들은 대체로 구걸로 생계를 유지하였다. 1274년 리용 공의회는 베긴회와 베가르회를 불법적인 수도회들에 포함시켰고 새로운 수도회를 금지한 제 4차 라테란 공의회(1215)의 규정을 재차 적용하였다. 1312년의 비엔나 공의회(Council of Vienne)는 베긴회와 베가르회의 생활방식을 명백하게 거부하였고 심지어 그들을 교회에서 쫓아내기까지 하였다. 이런 가혹한 조치들은 부분적으로는 그들이 자유신령파(Free Spirit, V:9 참조) 이단과 연루되었기 때문이었다. 1400년에 이르면 이미 베긴회와 베가르회는 대부분 기성 수도회들에 흡수되어 있었다.

프란체스코회에서 본래의 단순성과 자기 희생 그리고 완전한 개인적 단체적 청빈을 주장하는 사람들과, 전통적인 다른 수도회들이 누리고 있었던 것과 비슷한 안정과 정착생활 그리고 영향력을 상대적으로 높이 평가하는 사람들 간의 불화는 이미 프란체스코가 살아 있는 동안에 이미 나타났었다.

나중에 '엄수파'(원시회칙파, observants)라고 알려진 좀더 엄격한 당파는 레오 형제(Brother Leo, ?-1271)에게 지도를 구하였는데, 그는 프란체스코의 고해 신부이자 절친한 친구였었다. 나중에 '꼰벤투알회'(conventuals)로 알려진 좀더 느슨한 당파는 코르토나의 엘리아스를 지지하였는데, 그는 1221년 이후부터 프란체스코의 대리자였고 1232년에서 1239년까지 수도회의 총장이었다. 교황의 정책은 꼰벤투알회를 옹호하였다. 왜냐하면 프란체스코회가 그보다 먼저 생겼던 수도원들의 노선에 따라서 성장하고 강화됨으로써 교회의 필요가 가장 잘 채워질 수 있었기 때문이었다. 1230년에 그레고리 9세는 프란체스코의 「유언」(*Testament*)이 순전히 개인적인 문서이며 따라서 전체 수도회에 구속력을 갖지 않는다고 선언하였다. 또한 그는 수사들에게 기부금뿐 아니라 수도원과 가구와 서적을 단순히 '이용'(*usus rerum*)하는 것을 허용하였으며, 이런 것들의 '소유'(*dominium*) 혹은 법적인 소유권은 추기경-보호자(cardinal-protector)나 교황과 같은 수도회의 '영적인 친구들'에게 부여하였다. 1245년에 교황 이노센트 4세(1243-1254)는 수사들에게 유증(遺贈)된 물건들의 소유권을 교황청 자체에 부여하였다. 그러나 그는 돈과 재산을 수사들에게 '필요한 것들'(necessities)을 위하여 사용할 수 있게 하였을 뿐만 아니라 수사들의 '편의'(convenience)를 위하여서도 사용할 수 있도록 허용하였다. 따라서 1223년의 규율이 한층 더 느슨해지는 길을 열었다.

엄수파는 이러한 발전들을 맹렬하게 반대하였다. 그들은 파르마의 요한(John of Parma, 1209-1289)이라는 유능하고 인기있는 지도자를 발견하였는데, 그는 1247년부터 1257년까지 총장을 역임하였다. 한편 꼰벤투알회는 수도회의 규율에 대한 교황의 해석을 자신들의 입장으로 삼았고, 파르마의 요한의 뒤를 이어서 1257년부터 1274년까지 총장을 역임한 보나벤투라(Bonaventura)를 중심으로 모였다. 가장 위대한 스콜라 신학자들 가운데 한 사람이었던 보나벤투라는 그레고리 9세의 '사용이론'(use theory)에 호소하여 대규모 수도원 건물을 짓는 것을 지지하였으며, 신학 연구 — 하나님의 진리에 대한 추구 — 가 육체 노동보다 더 좋다고 주장하였으며, 수사들이 설교자와 고해신부로 활동하는 것을 재속(在俗) 성직자들의 단점들을 교정하는 데 필요한 일이라고 옹호하였다. 그는 프란체스코의 절대적인 청빈이라는 이상을 지지하였으나, 그것을 단지 그리스도인의 완전에 이르는 한 가지 수단에 불과한 것이지 그 자체가 목적은 아니라고 생각하였다. 그가 총장으로 재임한 기간은 프란체스코회의 역사에서 전환점이 되었으며, 따라서 그는 그 수도회의 '두번째 창시자'라고 정당하게 불려져 왔다.

엄수파의 일부 수사들은 '요아킴주의'(Joachimism)와 연관됨으로써 정통성이 의심스러운 입장에 빠지거나 혹은 공공연한 이단이 되었다. 한때 시토 수도사였으며 이탈리아 남단의 칼라브리아에 있는 시토회 수도원장이었던 피오레의 요아킴(Joachim of Fiore, 1132경-1202)은 '새로운 시대'의 선지자로 널리 인정되어 왔다. 「영원한 복음」(*The Everlasting Gospel*)이라는 전집으로 알려진 일련의 저작들에서 요아킴은 세계의 역사를 삼위일체의 세 위격에 대응하는 3 시대로 구분하였다. 성부의 시대는 아담으로부터 그리스도의 탄생에 이르는 시기 — 구약의 시기이며 '족장' 문화의 시기 — 였다. 성자의 시기는 그리스도로부터 요아킴 자신이 살던 시대까지 — 신약의 시기이며 또한 '사제-성직자적' 문화를 가진 기독교 교회의 시기 — 였다. 요아킴은 성령의 새로운 시대가 임박하였다고 믿었나. 그 시대는 자유와 사랑의 평등한 시대인데, 그는 그 시대를 '수도원적' 시대라고 이름을 붙였다. 왜냐하면 그 시대는 수도원들의 공동체적 가치들에 의하여 형성될 것이기 때문이었다. 정말로 그 시대는 '영원한 복음'[4]이 마침내 충만하게 계시될 시대가 될 것이었다.

요아킴은 신학자나 주석가라기보다는 시인이자 상징주의자에 더 가까왔고, 그의 저작들은 아주 다양하게 해석되어져 왔다. 그가 새로운 시대의 복음을 구약과 신약을 대신하는 세번째 약속(Third Testament)으로 보았거나 혹은 교황과 사제들과 성례들과 성경과 신학적 학식으로 이루어진 옛 교회를 대신할 새로운 '영적인 교회'의 출현을 기대하였던 것은 아니 것 같다. 그러나 그의 역사 철학은 중세 교회가 순전히 조건적이고 일시적인 성격, 즉 두번째 시대(Second Age)의 교회라는 성격을 가지고 있다고 과격하게 주장한 것으로 이해될 수 있었고, 사실상 그렇게 이해되었다. 요아킴주의의 폭발적인 이념적 힘, 성직계급적인 교회에 반대하는 사람들에게 반복적으로 호소력을 발휘하였던 원천, 그리고 중세 말기에 교회가 요아킴의 추종자들을 적대시한 근거가 그 속에 있었다.

1250년대에 이르면, 파르마의 요한을 포함한 많은 프란체스코회의 엄격주의자들은 이미 요아킴의 예언을 자기들의 수도회의 세계사적인 의미와 절대적인 개인적 단체적 청빈이라는 프란체스코회의 본래의 이상이 가지고 있는 세계사적인 의미를 해석하는 체계로 이용하고 있었다. 예언적 믿음을 가지고 있었던 이런 수사들은 '영성주의자들' (Spirituals)이라는 별명을 얻게 되었다. 그들 가운데 한 사람인 보르고 산 돈니노의 제랄드(Gerard of Borgo San Donnino)는 1254년에 「영원한 복음 입문서」(*Introduction to the Everlasting Gospel*)라는 제목의 책을 썼는데, 그 속에서 그는 성 프란체스코를 계시록에 나오는 '여섯번째 봉인을 가진 천사'[5]와 — 즉 요아킴이 예언한 세번째 시대를 알리는 천사 혹은 그 선구자 — 동일시하였다. 또한 제랄드는 엄격한 프란체스코회 수사들이 참으로 '영원한 복음'을 설교하는 영적인 수도사이며 또한 그 설교로 새로운 세대를 불러들일 (제랄드는 그 시대가 1260년에 출현한다고 보았다) 사람들이라고 찬사를 보내었다. 교황 알렉산더 4세(1254-1261)는 1255년에 제랄드의 책을 정죄하였고, 보나벤투라는 1257년에 프란체스코회 총장을 맡으면서 제랄드에게 종신형을 선고하는 것으로 직무를 시작하였다. (반면에 파르마의 요한은 가까스로 정죄를 피하였고 한 암자로 은퇴하여 남은 생애를 보내었다.)

영성주의자들은 13세기 후반 내내 강력하게 저항하였고 14세기 초에도 수십 년 동안 저항을 계속 하였는데, 나르본느 수도원의 수사였던 피에르 요한 올리비(Peter John Olivi, 1248-1298)라는 가장 뛰어난 대변인을 발견하였다. 올리비는 프란체스코회가 재산을 '이용'할 수 있다고 동의하였으나, 그 이용은 — 수사의 매일의 생계에서 극도의 엄격함과 단순함으로 특징지어지는 — 진정한 '청빈한 이용'(*usus pauper*)이어야 한다고 주장하였다. 1297년경에 저술한 「묵시록 주석」(*Commentary of the Apocalypse*)에서 올리비는 프란체스코회 영성주의를 요아킴의 예언과 결합하였다. 그는 '청빈한 이용'을 반대하는 '세속적인 교회'가 하나님에 의하여 파멸되고 참된 '영적인 교회'로 대체될 다가오는 우주적 투쟁을 상상하였다. 비록 올리비 자신이 세속적인 교회를 로마 가톨릭 교회와 동일시하지는 않았지만, 그는 당대의 성직계급적 교회에 대하여 뿌리깊은 적대감을 보였으며, 남부 프랑스의 급진적인 프란체스코회 수사들 가운데 조심성 없는 그의 제자들은 — 그들에게는 올리비가 숭배의 대상이었다 — 곧 그의 사상을 혁명적인 교리로 바꾸어 놓았다.

교황 요한 22세(John XXII, 1316-1334)의 재임 기간에 이러한 반대 운동들의 중심이 파괴되었는데, 좀더 극단적인 영성수의사들은 그를 묵시록에 예언된 적그리스도[6]로 여겼다. 1317년과 1329년 사이에 발표한 일련의 교서들에서 요한 22세는 복종이 청빈보다 더 큰 덕목이라고 선언하였고, 영성주의자들이 고대의 도나투스파 이단설을 받아들였다고 정죄하였으며, 1230년에 그레고리 9세가 처음으로 승인하였고 1279년에 니콜라스 3세(1277-1280)가 확인하였던 '이용'과 '소유' 구분의 법적인 효력을 거부하였으며, 그리스도와 사도들이 개인적으로나 공동으로나 아무런 재산도 소유하지 않았다는 가르침을 이단이라고 정죄하였다.

(1870년에 제 1차 바티칸 공의회(First Vatican Council)에서 로마 가톨릭 교회의 교리로 처음 선포된) 신앙과 도덕의 문제에 대한 교황의 무오류 교리는 사실상, 요한 22세에 반대하여 그레고리 9세와 니콜라스 3세의 법령들은 잘못이 없으며 논박될 수 없고 따라서 후대의 교황들에 의하여 철폐될 수 없다고 주장하였던 올리비와 급진적 프란체스코회 그룹에서 기원하였다는 주장이 제기되어 왔다. 어떻든 간에 요한 22세의 법령들은 중세 말기의 '청빈 운동' 전체의 신학적 토대들을 논박하였고 교회 내부의 '개혁'의 조류를 교황의 지도권에서 떼어 놓았다는 점에서 파멸적이었다.

1316년부터 프란체스코회 총장인 케세나의 미카엘(Michael of Cesena, ?-1342)을 중심으로 즉각 요한 22세에 대한 반대가 형성되어 1328년에 그가 교황에 의하여 파면될 때까지 계속되었다. 케세나는 수도회 내부의 온건한 입장이었으며 초기에는 영성주의자들을 반대하였다. 그러나 교황의 법령들이 그를 급진적으로 만들었다. 1328년에 그는 자신과 함께 아비뇽의 교황청에 억류되어 있었던 영국의 프란체스코회 철학자인 오캄의 윌리엄과 함께 그곳을 탈출하였다. 두 사람 모두 바바리아의 황제 루이의 왕궁으로 피신하였다. 바로 이곳에서 오캄은 교황을 이단으로 고소하는 네 편의 논문을 저술하였다. 케세나와 오캄은 이른바 이탈리아의 프라티켈리파(Fraticelli)에서 추종자들을 발견하였다. 그러나 종교재판소에 의하여 영성주의자들의 수는 심각하게 줄어들었고 그들의 주장도 잊혀진 것이 되었다. 엄수파 프란체스코 수사들과 관습파 프란체스코 수사들 간의 분열은 14세기와 15세기 동안 줄곧 계속되었다. 그 두 당파를 한 사람의 총장의 사법권 아래 함께 묶어 두려는 많은 개혁 조치들이 시도되었음에도 불구하고 결국 작은 수사들의 수도회(프란체스코 수도회)는 1517년에 교황 레오 10세(Leo X)에 의하여 각자의 직분자들과 총회를 가진 엄수파 수도회(Observants)와 꼰벤투알회(Conventuals)라는 두 개의 독립적인 수도회들로 나누어졌다.

5. 초기 스콜라주의: 캔터베리의 안셀무스와 아벨라르

십자군 운동들과 새로운 평신도, 성직자, 수도원 운동들로 표출된 유럽 교회와 사회의 역동적 정신은 사상 분야에서도 동일하게 발휘되었다. 따라서 중세 사상사가들은 11-12세기의 '문예부흥' — 중세 학파들에 의해 수행된 고전학들과 사색적 사고의 부활 — 에 관해서 말한다. 중세 초 주교좌성당 및 수도원 학교들의 교육 활동들은 앨퀸(Alcuin)과 9세기 '카롤링조(朝) 문예부흥'의 주역들과 관련하여 이미 언급한 바 있다(IV:5, 6). 중세 초 학문은 대부분 교부들, 특히 어거스틴(Augustine)과 대(大) 그레고리(Gregory the Great)의 가르침을 답습한 것이었다. 에리게나(John Scotus Erigena)의 뛰어난 경우를 제외하고는 거의 독창성이 없었다. 더욱이 800-1000년에 알프스 산맥 이북에서 이루어진 교육은 성격상 문법과 수사학 공부에 기초를 둔 문학이 주종을 이루었다. 또한 이 두 세기 동안 유럽은 북쪽, 남쪽, 동쪽 — 바이킹족, 이슬람교도들, 헝가리족(마자르족) — 으로부터 침공을 당하였다. 그러므로 사상 분야에서는 철학 활동과 신학 사색을 위한 아무런 자극도 계기도 없었다.

그러나 서유럽이 마침내 외세의 침공으로부터 벗어난 11세기에 들어서는 학교들의 수가 증가하였고, 이러한 추세는 특히 프랑스에서 두드러졌다. 학교들이 증가함에 따라 논리학 또는 변증학에 대한 관심과, 철학과 신학 문제들에 논리적 방법을 사용하려는 경향이 현저하게 되살아났다. 그 결과 신선하고 비옥한 지적 발전이 이루어졌으며, 이러한 발전은 13세기의 인상적인 신학적 종합(*summae*)으로 절정에 도달하였다. 이 운동은 학교들(schools)에서 유래하였기 때문에 오랫동안 '스콜라주의'(Scholasticism)로 알려져 왔다.

중세의 학교들은 성격과 영향 면에서 크게 달랐다. 11세기 전체를 통해서 수도원 헌신자들(oblates)과 젊은 수사들을 훈련하기 위해서 설립된 옛 수도원 학교들(monastic or cloister schools)이 여전히 중요한 역할을 하였다. 노르망디의 베크와 중앙 이탈리아의 몬테 카시노에 있던 베네딕트회 대수도원들의 경우처럼 이 학교들은 지적 각성의 전초기지들이었다. 그러나 1100년 무렵 적어도 알프스 이북에서는 주도권이 세속 교사들의 주도하에 도시 소재 주교좌성당 학교들로 넘어갔다. 이 주교좌성당 학교들 가운데 유명했던 학교들은 오를레앙, 샤르트르, 파리, 랭스, 랑, 리에주, 투르네 등 프랑스 북부와 오늘날 벨기에의 국경 지역들에 해당하는 곳에 자리잡고 있었다. 이 학교들은 교회의 직접적인 통제를 받지 않은 평신도 학교들로서, 신학보다는 의학과 법학이 주요 과목들이었다.

11세기부터는 직업 교사라는 새로운 계층이 등장하였다. 이들은 방랑 교사(*scholasticus vagans*)로서, 이곳 저곳을 옮겨다니면서 개인적인 매력과 변증 능력으로 학생들을 끌어모았다. 이런 학자 계층의 대표적인 인물은 아벨라르(Peter Abelard)였지만, 그 전형은 이미 안셀무스(Anselm of Besate, 1050경)에게서 볼 수 있다. 방랑 교사들은 11-12세기의 지식 분야에서 주도적인 역할을 하였다. 이들의 기동성 — 이것은 전통적인 수도원 신학자들의 '안정성'과 대조할 때 새로운 현상이었다 — 은 스콜라주의의 위대한 첫 세대가 지녔던 지적인 역동성과 생명력을 비춰주었다.

그러므로 스콜라주의는 중세 학교들과 학자들의 전형적인 사고 형태였던 셈이긴 하지만, 이러한 정의는 자주 사용하기에는 너무 광범위하다. 또한 엄격한 의미에서 볼 때 모든 학교와 모든 학자가 '스콜라적'이지는 않았기 때문에 오해의 소지도 갖고 있다. 수도원 학교들이 대수도원장이나 그 외 영적 교사의 감독하에 가르친 신학은 매일 반복되는 수도원 예배라는 배경 속에서 성경과 교부들을 연구하는 데 초점을 두었다. 이 신학은 성향으로는 주로 사색적 또는 '신비주의적'이었고, 그 목표는 '지혜'(*sapientia*) — 천상 세계의 실체들에 대한 구체적인 체험과 인격적 몰입 — 였다. 수사들은 책 — 무엇보다도 성경(*sacra pagina*) — 을 공부하되, 사람들은 듣는 것만을 이해한다는 이유로 큰 소리로 읽고, 그 내용을 묵상하고, 실천할 수 있도록 그 교훈을 암기하는 방법을 사용하였다. 전형적인 수도원 신학자는 클레르보의 베르나르(Bernard of Clairvaux)였다(이 사실은 그가 아벨라르에 대해 지녔던 적대감을 부분적으로 설명해 준다).

반면에 스콜라 신학은 주로 도시 주교좌성당 학교들에서 가르쳤던바, 이 곳에서는 이미 교양 과목들을 공부한 성직자들이 '스콜라스티쿠스'(*scholasticus*, 교사)의 지도하에 세속에서 적극적인 목회 활동을 하기 위한 준비를 하였다. 이들이 한 공부는 대부분 사색적 또는 '이론적' 성향을 띠었고, '지식'(*scientia*), 즉 논리적으로 변호 가능한 진리를 습득하는 데 목표를 두었다. 성경을 공부하였고, 변증법 또는 '질문' 법을 사용하여 그 권위를 증명하였다. 12세기의 두드러진 스콜라 신학자들은 아벨라르(Peter Abelard)와 롬바르드(Peter Lombard)였다. 확실히 수도원 신학과 스콜라 신학 간에는 절대적인 차이가 없었다.

안셀무스는 신학을 행하는(doing theology) 두 가지 방법 모두에게서 중요한 것을 결합함으로서 '성경 묵상' 과 '신적 조명을 위한 기도' 라는 틀 안에서, 기독교의 근본적 가르침에 대한 변증법적 탐구를 엄격히 수행하였다. 위그(Hugh of St. Victor)의 저서들에서도 같은 결합을 볼 수 있다. 결국 스콜라주의의 독특한 특징은 공통된 연구 방법, 즉 아리스토텔레스의 논리학 또는 변증법을 사용하여 철학 및 신학적 진리를 발견하고 변호하는 방법을 채택한 데 있었다. 변증 방법에는 세 가지 기본 단계가 있었다. 먼저 질문 제시(*quaestio*)가 있고, 이전의 권위자들이 제시한 답변들에 대한 찬론과 반론(*disputatio pro et contra*)이 제기된 다음, 논리적으로 타당한 결론(*sententia*)이 따른다. 아리스토텔레스의 총서(叢書)가 재등장할 때까지 — 12세기에 시작됨 — 변증법에 대한 지식은 아리스토텔레스의 논리학 저서들 — 「범주들」(*Categories*)과 「해석에 관하여」(*On Interpretation* 〈*De Interpretatione*〉) — 과 포르피리(Porphyry)가 자신의 이전 저서에 붙인 「서론」(*Introduction*〈*Isagoge*〉)의 단편들에 대한 번역들에서 유래했다. 중요한 주석들이 붙은 이 번역들은 모두 중세의 진성한 창시자들 가운데 한 사람인 보에티우스(Boethius, 480?-524)의 펜에서 나왔다.

기독교 신학 영역 — 성경 계시를 죄로 정신이 어두어진 모든 사람들에게 단번에 주어진 것으로 이해하던 — 에서는 변증법이 새로운 진리들을 도출해 내려는 태도를 취하지 않았다. 오히려 그 공인된 목적은 성경에 담겨 있어 교회의 권위있는 교사들에 의해 전달되는, 신적으로 계시된 진리들의 체계(*corpus doctrinae*)로서의 기독교 신앙을 분석, 설명, 변호하는 데 있었다. 그러므로 스콜라 신학은 계시와 그것에 대한 교회의 해석 전승이라는 틀 안에서 움직였다. 이런 점에서 스콜라주의는 논리 장치를 통해 계시된 신앙 자료들을 이해하려는 합리주의적인 시도였다고 정의할 수 있다. 스콜라 학자들에 따르면, 기독교 신앙은 지적인 모호한 태도에 대한 권유가 아니며, 신자들은 자신들이 이미 참되다고 믿은 바를 이해해야 할 의무가 있다고 한다.

그러나 스콜라 신학자들은 기독교 계시를 그렇게 합리적인 방법으로 논의하고 검증할 수 있는 것으로 받아들이는 정도에 따라, 그리고 계시된 진리를 이해할 수 있는 이성(理性)의 능력에 대한 평가 정도에 따라 각기 달랐다. 또한 신앙 또는 신학과 비교하여 이성 또는 철학에 상대적인 자율성을 부여하는 정도에 따라서도 각기 달랐다.

스콜라주의의 발전에는 '형이상학적 실체들' (universals, 보편적 실체들)의 본질 — 즉 종(種, species)과 속(屬, genera)의 존재 — 에 관한 논의가 따랐으며, 이 논의는 포르피리의 「서론」(*Isagoge*)으로부터 시작되었다. 스콜라주의는 세 가지 주된 입장을 받아들였다. 플라톤의 영향을 받은 극단적인 '실재론자' (realist)들은 형이상학적 실체들이 개별적인 대상들과 무관하게, 그에 앞서서 — *ante rem* — 존재한다고 주장하였다. 즉, 유(類) 개념으로서의 '인간'은 개별적인 인간보다 앞서며 그를 결정짓는다고 하였다. 아리스토텔레스의 영향을 받은 온건한 '실재론자'들은 형이상학적 실체들이 오직 개별적인 대상들과 관련된 상태에서만 — *in re* — 존재한다고 가르쳤다. 오직 개별적인 사물들만 존재한다고 가르친 '유명론자'(唯名論者, nominalist)들은 형이상학적 실체들이 단지 개인들의 유사체들을 가리키는 단어들이나 추상적인 명칭들(*nomina*)일 뿐이며, 오직 사고 안에서 — *post rem* — 만 존재한다고 주장하였다. 학자들은 대개 유명론과 실재론 간의 이 논쟁이 중세 사상을 결정지었으며, 결국 스콜라주의와 동의어가 되었다고 주장한다. 사실상 그 논쟁은 불과 반세기 정도만, 즉 1080-1130년에만 첨예하게 일어났을 뿐이다. 그 뒤에는 새로운 철학 문제들이 아리스토텔레스에 대한 온전한 재발견으로 확대되고 자극받아 사색 분야에 등장하였다.

스콜라주의 최초의 중요한 논쟁은 과거에 라드베르투스(Paschasius Radbertus)와 라트람누스(Ratramnus)가 성만찬 때 그리스도 임재의 본질을 놓고 벌인 논쟁(참조. IV:6)의 재현이었다. 1049년경 투르에 주교좌성당 학교 교장이었던 베렌가리우스(Berengar, 998?-1088)는 당시 널리 퍼져 있던 견해, 즉 성찬의 포도주와 빵의 성분들이 그리스도의 진짜 살과 피로 변한다는 견해를 비판하였다. 그는 주장하기를, 논리학의 규칙들에 따르면 '실재'(substance, 빵과 포도주)는 '우연'(偶然, accidents. 요소들의 외형)들이 변하지 않는 한 변하지 않은 채 남아 있어야 한다고 했다. 그를 즉각 반박하고 나선 사람은 당시 노르망디의 유명한 베크 수도원의 소수도원장으로서 훗날(1070) 정복자 윌리엄(William the Conqueror)에게 캔터베리 대주교로 임명받은 란프랑쿠스(Lanfranc, 1010?-1089)라는 유명한 인물이었다.

당대의 가장 유력한 신학자였던 란프랑쿠스는 성경과 전승의 최고 권위를 옹호한 반면, 신학에는 변증법을 적절히 사용해야 한다고 주장하였다. 주로 그의 노력에 힘입어 로마 공의회(1050)와 투르 공의회(1054)는 베렌가리우스의 견해를 정죄하였다. 이 논쟁은 훗날 '화체설'(transubstantiation)로 알려진 견해가 라틴 기독교 세계에서 주된 견해가 되었음을 보여주었다. 이 견해는 1215년 제4차 라테란 공의회에서 교리로 공포되면서 완전한 승인을 얻었다.

종종 스콜라주의의 아버지라 부르는 **캔터베리의 안셀무스**(Anselm of Canterbury)도 비록 결과는 판이하였으나 변증법을 사용하였다. 1033년 북이탈리아 아오스타의 귀족 가문에서 태어난 그는 1060년 베크에서 란프랑쿠스 밑에서 수사가 되었고, 1063년 그를 계승하여 소수도원장이 되었으며, 1078년에는 대수도원장이 되었다. 안셀무스의 지도로 베크 학교는 큰 명성을 얻었다. 1093년 윌리엄 2세(William II)의 재위기간 동안(1087-1100) 캔터베리 대주교가 되었고, 힐데브란트

(Hildebrand)의 원칙에 따라 주교구를 강력하게 이끌었다. 그는 1109년 순직하였다.

중세의 사상가들을 통틀어 가장 독창적인 인물들 가운데 한 사람이었던 안셀무스는 올바른 변증법을 가지고 신학 진리들을 충분히 증명할 수 있다고 확신하였다. 기독교 신앙의 어떠한 부분도 이성(理性)의 영역을 초월하지 않는다고 하였다. 하나님의 존재뿐 아니라, 삼위일체, 성육신, 구속(救贖) 같은 '신비들'까지도 '필연적인' 진리들 — 즉, 논리의 규범들과 잘 조화를 이루는 교리들 — 임을 증명할 수 있다고 하였다. 아퀴나스(Thomas Aquinas) 같은 후대의 스콜라주의자들과는 달리, 안셀무스는 이성의 자연적인 진리들과 오직 신앙으로만 알 수 있는 초자연적인 진리들 사이를 명쾌하게 구분하지 않았다. 그러한 구분을 하기 위한 전문 용어들은 아직 등장하지 않았다.

신앙과 이성이 서로 함께 흘러 조화로운 하나의 기독교 지혜 체계를 구성한다고 보았다. 그럼에도 어거스틴을 뛰어나게 대변한 안셀무스는 합리적인 이해는 신앙을 전제한다고 주장하였다. "이해하기 위해 믿는다"(credo ut intelligam)는 것이 그의 태도와 중세의 모든 어거스틴주의자들의 태도를 잘 표시한 좌우명이었다.

안셀무스가 자신의 책 「*Proslogion*」에서 제시한 신 존재 증명은 감각적 체험을 고려하지 않고 오직 정신과 개념들 안에서만 진행된다는 점에서 전형적인 어거스틴적인 것이었고, 그런 한도 안에서 신플라톤주의적이었다. 그는 새로운 변증법에 맞추어 '신'(Deus)이라는 단어에 대한 정의로부터 시작하였고, 그 다음 이 정의를 논리적으로 분석하였다. "신은 그보다 더 큰 존재를 생각할 수 없는 존재"라고 하였다. 그러므로 신은 사고(思考) 안에서(*in intellectu*) 뿐만 아니라 실재 안에서(*in re*)도 존재해야 하는바, 이는 만일 신이 오직 사고 안에서만 존재한다면 사고뿐 아니라 실재 안에서도 존재하는 더 큰 존재를 생각할 수 있게 되는데, 이것은 정의상 불가능하기 때문이라고 하였다. 이 논증은 이미 안셀무스 당시에 마르무티에의 수사 가우닐로(Gaunilo)에게 반박을 받은 것으로서, 비록 데카르트(Descartes), 라이프니츠(Leibniz), 헤겔(Hegel) 같은 뛰어난 지지자들이 없지는 않았지만, 많은 사람들에게는 논리적인 술책으로 비쳤다.

안셀무스는 그 다음에 콩피에뉴의 참사회원 로스켈리누스(Roscelin, 1050-1125)에게 관심을 돌렸다. 로스켈리누스는 유명론의 영향을 받아 성부, 성자, 성령이 동일하든가 세 신(神)이든가 둘 중 하나라고 주장하였다. 1092년 스와송 공의회에서 이 삼신론(三神論, tritheism)을 철회하도록 강요받았다. 로스켈리누스의 견해에 관한 주요 정보 원천인 안셀무스에 따르면, 로스켈리누스의 이단설은 형이상학적 실재들을 단지 '바람 소리'(*flatus vocis*)로 다루어 인정하지 않는 데 그 뿌리를 두고 있다고 하였다. 안셀무스는 주장하기를, 따라서 로스켈리누스는 여러 개인들이 실질상 한 사람임을 설명할 수 없었던 것과 마찬가지로 신의 세 위격이 본질상 한 신임을 설명할 수 없었다고 하였다. 극단적 실재론자였던 안셀무스는 모든 실재를 개별적이고 덧없는 존재들보다는 무시간적인 형이상학적 실체들에 두었다. 위 논쟁은 형이상학적 실체들에 관한 논쟁이 기독교 교의에 대한 직접적인 관련성 때문에 특별한 중요성을 띠었음을 보여준다.

안셀무스가 신학에 기여한 가장 중요한 점은 「하나님은 왜 인간이 되었는가」(*Cur Deus homo*)라는 저서에서 제기한 속죄에 관한 논의로서, 이전 시대를 통틀어 그 주제를 가장 유능하게 다루었다. 그는 이 질문(*quaestio*)을 어떠한 권위에도 의존하지 말고 다룰 것과, 오직 합리적인 논증으로만 성육신과 그리스도를 통한 구속이 필요했다(또는 논리적으로 적합했다)는 점을 증명하자고 제안했다. 그의 방법은 마귀에게 속전(贖錢, ransom)이 지불되었다는 개념 같은 초대 교회가 즐겨 가르쳤던 개념들을 철저히 배척했다는 점에서 매우 혁명적인 것이었다. 사람은 자기 죄로 하나님의 명예를 더럽히고 하나님이 부여하신 우주 질서(*rectitudo*)를 깨뜨렸다. 그러므로 사람이 공의에 대해 진 빚은 오직 하나님께만 갚아야 한다. 마귀에게는 돌아갈 것이 경멸밖에 없다. 이제 하나님으로서는 훼손당한 명예에 대한 적절한 보속(保贖, satisfaction)이 치러지지 않을 경우 죄를 벌하시는 것(*aut poena aut satisfactio*)이 그분의 공의 또는 질서이다. 하나님은 인간을 창조한 본의를 무산시키지 않기 위해서 자비로운 마음에서 보속 방법을 친히 결정하셨다. 그러나 언제나 하나님께 순종을 해야 할 사람은 과거의 불순종을 만회할 만한 것을 지니고 있지 못하며, 하나님의 무한한 명예를 훼손한 것을 만회할 만한 무한한 보속을 치른다는 것은 더욱 생각할 수 없는 일이다. 그러므로 어쨌든 보속이 치러져야 한다면, 인간 본성을 지닌 인간이되 보속을 바칠 만한 무한한 가치를 지닌 존재에 의해서만 가능하다. 그러한 독특한 존재는 무죄한 신인(神人)이다. 그러므로 성육신은 필연적인 일이었다.

앞으로 안셀무스의 이론이 '실재론적' 확신, 즉 그리스도가 취할 수 있었던 인성(人性)같은 객관적으로 존재하는 형이상학적 실재가 있다는 확신에 근거하고 있다는 사실을 보게 될 것이다. 더욱이 그리스도의 자발적인 자기 희생 제사는 보속일 뿐만 아니라 보상을 받을 만한 가치도 지닌 행위이다. 그 보상은 그분의 제자들이 얻을 영원한 지복(至福)이다. 그분은 제자들을 위해 끊임없이 중재하고, 제자들은 반복되는 고행 행위들을 통해 그리고 그분의 살과 피로 이루어지는 성례에 신실히 참여함으로 말미암아 그분과 같은 죽음을 당함으로써 그분과 연합한다. 그러므로 폭넓은 영향을 끼친 안셀무스의 속죄 이론도 역시 중세 교회의 고행-성찬 의식에 토대를 두었고, 그것에 신학적 근거를 제공하였다.

안셀무스는 기독교 교리들을 '증명'하는 데 급진성을 보였음에도 불구하고, 충실한 성직자로, 그리고 성경과 교회 전승의 주된 권위를 옹호한 인물로 남았다. 그는 변증법적 해석이 교회의 교리들을 뒷받침할 수 있다고 확신하였다. 이성(理性)에 대한 그의 대담한 확신은 이성의 창조자와 창조계에 내재해 있는 합리성에 대한 확고한 신앙에서 흘러나온 자연스런 결과였다. 그의 저서 「*Proslogion*」의 원제목 — 「이해를 추구하는 신앙」(*Fides quaerens intellectum*)으로서, 정신이 기독교 신앙의 합리적 근거를 적극적으로 탐구하는 것을 강조함 — 은 스콜라주의의 핵심 동인들을 요약하고, 변증법의 부활에 따른 지적 흥분을 드러낸다.

변증법을 종교적 용도로 사용하는 것을 옹호한 또다른 인물은 샹포의 기욤(William of Champeaux, 1070?-1121)으로서, 그는 파리 근처 생 빅토르 수도원 학교를 유명하게 만들었고, 샬롱의 주교를 지내다가 죽었다. 안셀무스와 마찬가지로 그는 형이상학적 실체 문제에 관해서는 철저한 실재론자였다가, 과거 자신의 학생이던 아벨라르(Peter Abelard)의 비중있는 논박에 굴복하여 입장을 철회하였다.

12세기에 가장 유능했던 변증가 아벨라르(1079-1142)는 매력, 웅변, 허영, 비판정신을 지녔으면서도 결코 비신앙적인 인물은 아니었다. 브리타니 팔레에서 태어난 그는 로스켈리누스와 샹포의 기욤에게서 배웠으나, 훗날 그들 모두를 논박하였고, 의심할 여지없이 그 두 사람보다 재량이 뛰어났다. 그는 형이상학적 실체라는 난해한 문제에 대해서 한 스승의 유명론과 다른 스승의 실재론을 중재하는 입장을 취했다. 형이상학적 실체는 단순한 단어(*vox*)가 아니라 사물들의 속성을 함축할 수 있는 단어 또는 용어(*sermo*)이다. 그것은 그 자체로서는 사물이 아니지만, 사물들과 관련을 맺고서 존재한다(*cum fundamento in re*). 형이상학적 실체에 대한 지식은 정신 활동을 통해서 오며, 정신 활동은 감각들이 제시하는 증거에 따라 진행되는 가운데 개별적인 사물들로부터 특정한 공통 특성들을 '추출한다'(abstract). 그러므로 형이상학적 실체는 개별적인 존재는 없으면서도 실제적인 것 — 개별적 본질('사람' 같은)이 아닌 개별적인 것들의 집단이 공유하는 것의 조건 또는 상태(*status*)(가령 '사람이 됨') — 을 나타낸다. 이러한 견해는 종종 '온건한 실재론'(moderate realism)이라 불려 왔지만, 이 표현은 아벨라르가 형이상학적 실체들을 존재의 범주하에 형이상학적으로 다루지 않고, 오직 논리적으로 사물들의 속성들로 다루었다는 점에서는 부적절하다. 그러므로 아벨라르는 무엇보다도 논리가로 남았으며, 이 점에서 실재론보다는 유명론에 더욱 가까운 면모를 보여주었다.

아벨라르는 그가 「재난들의 역사」(*Historia calamitatum*)에서 술회한 대로 격정적인 인생을 살았다. 그는 이미 1103년에 파리 근처 믈룅에서 많은 학생들을 끌어모은 가운데 자유 7과(liberal arts)를 가르치고 있었다. 훗날 훌륭한 신학자가 되려는 꿈을 품은 그는 랑의 안셀무스(*Anselm of Laon*, ?-1117) — 당대의 가장 저명한 성경 학자로서, 아벨라르에게 '불꽃 없는 연기'라는 이유로 면직당한 인물 —

의 학교에 맞서서 랑에 자신의 학교를 세웠다. 아벨라르는 1115년에 노트르담 주교좌성당 참사회원으로 있으면서 파리에서 과거 어느 교사도 얻지 못한 인기를 한몸에 받고 있었다. 이렇게 명예의 절정에 있을 때 동료 참사회원인 퓔베르(Fulbert)의 질녀 엘로이제(Heloïse)와 사랑에 빠져 동거하게 되었다. 엘로이제는 아이를 낳아 아스트롤라베(Astrolabe)라는 이름을 지어주었고, 아벨라르의 신학 교사로서 밝은 전망을 막고 싶어하지 않던 엘로이제의 강한 반대를 무릅쓰고 아벨라르는 그녀와 비밀결혼을 올렸다. 자기 질녀가 속았고 자신도 명예를 실추당했다고 믿고서 크게 분노한 퓔베르는 아벨라르를 거세하도록 만듦으로써 앙갚음을 하였다. 아벨라르는 엘로이제에게 아르장퇴유 수녀원의 수녀가 되도록 강요하였고, 자신은 생 드니 수도원의 수사가 되었다. 그러나 가르치는 일이 그의 생명의 호흡이었으며, 따라서 곧 대수도원장의 허락을 받아 강의를 시작하였다. 그가 맨처음으로 펴낸 신학 논문은 로스켈리누스의 삼신론(三神論)을 반박한 내용으로서, 이 논문에서 정적들로부터 사벨리우스주의(Sabellianism)로 고소를 당할 만큼 로스켈리누스와 정 반대 입장을 피력하였으며, 그의 견해는 1121년 스와송 공의회에서 정죄를 당하였다.

한편 아벨라르는 생 드니 수도원 설립자가 유명한 아레오바고 관원 디오니시우스(드니)(Dionysius 〈Denis〉 the Areopagite)임을 부정함으로써 그 수도원에서 추방을 당하였고, 그 뒤 파리 근처의 한적한 곳에서 은수자 생활을 하였다. 학생들이 다시 몰려들자 작은 정착촌을 세우고 그 곳을 파라클레테(Paraclete, 보혜사)라고 불렀다. 그러나 그가 쏟아낸 비판들은 그 시대의 가장 유력한 종교 지도자 클레르보의 베르나르(Bernard of Clairvaux)에게 적대감을 불러일으켰고, 그 결과 브리타니의 외딴 곳에 있던 엉성한 생 질다 수도원으로 도피하여 그곳의 수도원장이 되었다. 몇 년 동안 모진 투쟁을 해가며 고집센 수사들을 개혁해 보려했으나 성과를 거두지 못하고 1133년경 처음에는 랭스에서, 다음에는 파리의 몽 생 제네비브에서 다시 한번 교사로서의 활동을 재개하였다. 그동안 엘로이제는 파라클레테 정착촌에 있던 작은 수녀원의 수녀원장이 되어있었고, 아벨라르는 그녀와 편지를 주고받고 있었다. 엘로이제가 남긴 편지들은 그 신빙성이 아직도 쟁점으로 남아 있지만(어떤 학자들은 그 편지들 전부를 아벨라르의 작품으로 여긴다), 그 편지들은 12세기의 새로운 '인문주의'의 현저한 증거로 남아 있다.

아벨라르는 1135-1140년에 문학 활동에 집중적으로 몰입하였으며, 이 때 「기독교 신학」(*Theologia christiana*), 「신학 서론」(*Introductio ad theologiam*)의 일부분들, 윤리적 내용의 논문 「너 자신을 알라」(*Scito te ipsum*), 그리고 「예와 아니오」(*Sic et non*)를 쓰고 끊임없이 수정하였다. 이 저서들은 곧 위세가 당당했던 베르나르에게 주목을 받았고, 그 결과 아벨라르는 1141년 상스 공의회에서 두번째로 정죄를 받았으며, 그 뒤 교황 이노센트 2세(Innocent II)에게 상소하였지만 기각을 당하였다. 아벨라르는 이번에는 기가 꺾였다. 결국 그는 굴복을 하였고, 클루니의 대수도원장 가경자 페트루스(Peter the Venerable)라는 도량이 큰 친구를 사귀었으며, 그에 따르면 아벨라르와 베르나르는 마침내 화해를 하였다고 한다. 아벨라르는 1142년 클루니회에 소속된 어느 한 수도원에서 죽었다.

아벨라르는 합리주의자도 아니었고 불가지론자도 아니었다. 그는 안셀무스의 좌우명을 뒤집지 않았고, "나는 믿기 위해서 이해한다"(*intelligo ut credam*)라고 선언하였다. 그는 본래 비판적인 정신을 가졌고, 변증법으로 교회 교리들을 검증하려고 한 점에서 혁신적이었다. 그는 성경, 교부들, 또는 신조들을 배척하지 않은 채 모든 신앙 교리들을 가볍게 믿을 것이 아니라 논리적으로 검증해야 한다고 주장하였다. 그러나 그는 신적인 진리들을 완전히 이해하는 것(*comprehendere*)이 가능하다고 생각하지는 않았다. 기껏해야 신앙과 부합하는 정도만큼만 이해(*intelligere*)할 수 있다고 생각하였다. 그는 이러한 제약을 감안하여 기독교 신앙을 '이해'(existimation, *existimatio*) 또는 '평가'(*aestimatio*)라고 정의하였던 바, 그가 이 단어로 뜻한 것은 베르나르가 오해한 것처럼 '견해'(opinion)가 아니라, 믿음이 시각에게 자리를 내줄 마지막 날에 계시될 완전한 진리에 대한 정신적 이해 또는 '접근'(approximation, 추산)이었다. 그러므로 그는 안셀무스와는 달리 기독교의 핵심 교리들을 '필연적인' 진리들로 증명하려고 하지 않았다. 그러나 그는 안셀무스와 마찬가지로 교리를 설명하는 데 변증법이 지닌 힘을 크게 확산하였다. 다만 그가 내놓은 설명들은 안셀무스의 설명들보다 덜 정통적이고 당대의 관점에 더욱 공격적으로 비쳤다.

예를 들어, 아벨라르는 그의 책 「예와 아니오」에서 중요한 신학 쟁점들에 대해서 성경과 교부들의 저서로부터 명백히 모순되는 일련의 본문들을 제시하되, 그것들을 조화시키거나 해명하려는 시도를 하지 않았다. 이것은 아벨라르의 독창적인 방식은 아니었다. 교회법 학자들은 진작부터 이런 방식을 서로 모순되는 법적 권한들을 조화시키는 방법으로 사용했었다. 그럼에도 아벨라르는 특히 「예와 아니오」의 서문에서 "우리는 의심해야 연구하게 되며, 연구해야 진리를 깨닫게 된다"고 선언함으로써 자신이 의심의 씨앗을 뿌린 자라는 정서를 족히 불러일으킬 수 있었을 것이다.

1121년 정죄를 받은 그의 삼위일체 교리는 거의 사벨리우스주의에 해당하는 것이었다. 그는 인간 본성이 아담으로부터 죄책(罪責)이 아닌 형벌을 유산으로 물려받아 왔다고 가르치고, 은혜는 능력을 부여하기보다는 돕는다고 가르쳤던 바, 이것은 어거스틴의 전승에 위배되는 내용이었다. 또한 아벨라르의 속죄 개념도 그다지 혁신적인 것이 아니었다. 그는 안셀무스와 마찬가지로 마귀에게 속전이 지불되었다는 개념을 모두 배척하였지만, 보속(保贖)이 하나님께 매우 효과적으로 치러졌다는 안셀무스의 개념도 배척하였다. 아벨라르의 견해에 따르면, 성육신과 그리스도의 죽음은 하나님이 무가치한 백성을 사랑하신다는 최고의 표현이며, 그 효과는 이웃 사랑을 일깨워 주는 것이라고 하였다 — 이것이 '모범주의'(exemplarism) 또는 속죄의 '도덕적 영향설'로 알려진 입장이다. 선과 악이 행위보다는 의도에 잠재해 있다는 그의 윤리 이론은 많은 사람들의 눈에 하나님의 율법이 지니는 '객관성'을 포기하고 결국 주관주의로 귀결되는 것으로 비쳤다. 그는 또한 고대의 철학자들이 고대 기독교 사상과 어느 정도나 일치하든 상관없이 그리스도 이전의 기독교인들이라고 믿었는데, 이러한 믿음도 그것을 성경 계시의 독특성에 대한 위협으로 본 그 시대에는 걸맞지 않는 것이었다.

아벨라르는 비록 영적으로 심오하기보다는 철학적으로 섬세하긴 했지만, 당대에 큰 정신적 자극을 준 인물이었다. 그는 두번씩이나 정죄를 당하고 유명한 사람들에게 적대시당했기 때문에 직접적인 추종자들은 거의 없었지만, 간접적으로 끼친 영향은 지대하였다. 그가 안셀무스의 방법을 심화함으로써 변증법적 신학 연구 방법에 준 충격은 심대한 것이었다. 파리와 그 대학교가 논리학과 신학에서 유럽의 지적 여왕이 된 데에는 12세기의 다른 어느 파리 교사보다 그의 영향이 컸다. 기독교 교리 전체를 조망하려는 그의 노력과, '조직적' 신학을 위해 잡아놓은 윤곽들은 스콜라주의 초기의 개별적 '질문들'(*quaestiones*)과 13세기의 위대한 '종합'(*summae*), 즉 포괄적인 조망 간에 중요한 다리로 서 있다.

안셀무스와 마찬가지로 철학적 이성과 전통적 영성을 다시 조화시킨 인물은 **생 빅토르의 위그**(Hugh of St. Victor, 1096?-1142)였다. 그의 저서는 어거스틴과 위(僞) 디오니시우스(peudo-Dionysius the Areopagite)가 물려준 신플라톤주의 전승에서 이끌어낸 신비주의적 주제들을 다룰 때 변증법을 온건하게 사용하였다. 위그는 과거에 학자들이 믿은 것과는 달리 작센의 귀족 가문에서 태어나지 않고 프랑스 북부, 즉 플랑드르에서 태어난 듯하며, 반면에 교육은 독일 수도원에서 받았다. 어린 나이에 어거스틴회 참사회원이 되었으며, 1115년경 파리 근처에 새로 설립된 생 빅토르 수도원에 들어가 그 수도원 학교 교장으로 명성을 얻었다. 당대인들에게 '제2의 어거스틴'으로 알려진 그는 조용하고 온건한 사람으로서, 학문과 신앙이 깊었다. 저서들에는 교육에 관한 매우 유력한 논문 「*Didascalion*」 — 이 논문에서 그는 인간의 모든 지식을 신학의 서론이라 하였다 — 과, 아벨라르의 저서들보다 모든 신학의 지류들을 더욱 충분히 개괄해 놓은, 그리고 그로써 후대의 「신학대전」(*Summae*)의 직접적인 전조가 된 「기독교 신앙의 성례들에 관하여」(*De Sacramentis christianae fidei*)가 있다.

위그는 자기 영혼과 하나님과의 합일을 묘사하지 않았기 때문에 엄격한 의미에서는 신비주의자가 아니었지만, 영혼이 하나님 안에 있는 지식에 오르는 세 단계를 추적한다는 점에서는 신비주의 신학자라고 부를 수 있다.

첫째, '육체의 눈'은 감각할 수 있는 사물들로 구성된 세계를 안다. 둘째, '이성(理性)의 눈'은 내면을 향하여 자신을 안다. 셋째, '명상의 눈'은 하나님을 향하여 그분 안에 있는 모든 것들을 이해한다. 그러나 세번째 눈은 죄로 말미암아 닫혔고, 따라서 신적 계시에 의해 열려야 한다.

그러므로 보이지 않는 하나님을 믿고 체험하려면 믿음이 필요하다. 믿음은 단순한 견해보다는 더욱 확실하지만, 직접적인 지식보다는 덜 확실하다 — 이것은 훗날 고전이 된 개념이다. 위그는 어거스틴과 베르나르 못지 않게 신학의 목적을 신조 내용에 대한 지적인 통달보다는 하나님께 대한 인격적 체험과 향유에 두었다.

안셀무스, 아벨라르, 위그만큼 독창적이지는 못했지만 그럼에도 당대에 큰 지적 봉사를 하고 종교개혁 때와 그 이후까지 존경을 받은 사람은 '신학명제(sentence)들의 대가' 피터 롬바르드(Lombard, 1100?-1160?)였다. 그는 롬바르두스 노바라 근처에서 태어나 볼로냐, 랭스, 파리에서 공부하였으며, 그로써 이탈리아 북부의 법학과 프랑스 북부의 신학 및 변증학을 결합하였다. 베르나르의 친구로서 자기 나름대로 그를 도왔던 그는 1140년 노트르담 학교 신학 교사가 되었고, 1159년 파리 주교가 되었다. 위그에게 배운 것이 분명하며, 아벨라르에게도 배웠을 가능성이 높다. 그는 1150-1152년에 대표작 「신학명제들에 관한 네 권의 책」(*Sententiarum libri quatuor*)을 썼다. 이 책에서 그는 네 가지 주제들 — 하나님, 피조물들(창조와 그리스도 이전의 세계사), 구원(성육신과 구속), 그리고 성례들 및 종말(죽음, 심판, 천국, 지옥) — 아래 신학의 모든 분야를 논하였다. 그는 아벨라르의 「예와 아니오」의 형식을 따서 각 주제마다 교리적 명제 또는 질문을 제기하고, 성경, 교부들, 교회 공의회의 법령들로부터 추려낸 명제들에 대한 찬론과 반론을 제시한 다음, 쟁점에 대해 판단(*sententia*)을 내렸다. 그는 아벨라르에게서는 변증법을, 위그에게서는 전승과 교회의 교도권(teaching authority)을 존경하는 태도를 물려 받았다. 언제나 온건하고 선한 의식을 드러낸 그는 당대의 필요를 충족시킨 결과 종교개혁 때까지 신학 교육의 주요 기반으로 남은 지침서를 펴냈다.

교회법 분야에서 비교적 명성과 영향력을 떨친 사람은 볼로냐의 수사 그라티아누스(Gratian, ?-1159?)였다. 아벨라르가 선호한 변증법을 사용하고, 보름스의 부르크하르트(Burchhard of Worms, 965?-1025)와 샤르트르의 이보(Ivo of Chartres, 1040?-1115) 같은 초기 교회법 학자들의 저서들을 기초로 삼은 그라티아누스는 1140년경 종종 「교령집」(*Decretum*)으로 알려지는 「상이한 교회법 색인집」(*Concordia discordantium canonum*)에서 본질적으로 다른, 그리고 종종 상충되는 교회의 수많은 공식 선언들을 정리하였다. 롬바르드의 「신학명제들」과 마찬가지로, 그라티아누스의 「교령집」은 곧 권위있는 문서가 되었고, 교회의 공식적 교회법 체계의 핵을 이루었으며, 그것을 중심으로 훗날 모음집들이 모이게 되었다.

롬바르드와 그라티아누스는 그로써 정통신앙을 훼손하지 않은 채 교회 교리와 교회법을 체계화하는 데 변증법의 유용성을 과시하였다. 불화와 이단으로 얼룩진 그 시대에 그들은 교회의 가르침에 질문을 제기하면서도 교회의 전승에 진실하게 남아 있을 수 있다는 사실과, '이성'과 '신앙'이 반대되지 않는다는 사실을 보여주었다. 「신곡」에서 단테가, 낙원에서 피터 롬바르드와 그라티아누스를 나란히 놓은 것은 놀라운 일이 아니다.

6. 아리스토텔레스의 재발견과 대학의 등장

제 1시기의 스콜라주의는 12세기 중반에 끝났다고 말할 수 있다. 스콜라 학파들은 활동을 계속 많이 펼쳤지만, 대체로 체계 수립과 편집에 더 열을 내었던 12세기 후반기나 13세기 초반에는 창조적인 천재가 전혀 나타나지 않았던 것이 분명하다. 하지만 이 시기에는 중세의 지성사와 종교사에 매우 중요한 두 가지 발전이 있었다. 그것은 아리스토텔레스의 저작 전집이 서방에 점차로 다시 소개된 일과 대학의 등장이었다. 탁발 수도회들이 등장하여 대학에 급격한 영향을 준 일과 아울러 이 두 발전 때문에 13세기에 스콜라 학파의 활동은 새롭고 더 활발하게 전개되었다.

1130년 경까지 중세 사상가들은 아리스토텔레스의 유일한 저작 단편, 즉 소위 아리스토텔레스의 「범주론」과 「명제론」과 포르피리가 쓴 「서론」으로 구성되고 보에티우스(V:5 참조)가 번역하고 논평한 '구논리'(old logic, *logica vetus*)만 사용할 수 있었다. 1130년과 1170년 사이에 아리스토텔레스의 나머지 논리학 저작들이 서방에 소개되었다. 이것은 「분석론 전후편」(*Prior Analytics, Posterior Analytics*), 「토피카」(*Topica*), 「궤변론」(*Sophistical Refutations*)으로 구성된 '신논리'(*logica nova*)이다.

게다가 그 다음 백 년 동안 자연과학에 대한 아리스토텔레스의 저작들(「자연학」

〔*Physics*〕과 「천체론」〔*On the Heavens*〕, 중요한 철학 저작들(「영혼에 대하여」〔*On the Soul*〕, 「형이상학」〔*Metaphysics*〕, 「윤리학」〔*Ethics*〕 그리고 정치적 문학적 논문들(「정치학」〔*Politics*〕, 「수사학」〔*Rhetoric*〕의 번역이 나타나려고 했고, 그래서 1270년까지 라틴 기독교는 전체 아리스토텔레스 전집을 가졌고, '대철학자' 로서 아리스토텔레스의 지위는 완전히 수립되었다.

동시에 히포크라테스와 갈레누스(Galen)의 의학 저술들과 유클리드와 아르키메데스의 과학 및 수학 저술과 플라톤의 많은 대화록을 포함하여 고대의 다른 많은 저술들의 번역이 또한 나타났다. 번역 활동을 전개한 주요 본부는 시리아의 안디옥, 콘스탄티노플, 시칠리아, 그리고 무엇보다도 스페인 — 이 네 곳이었다. 인도에서 스페인까지 뻗어있는 광대한 회교 제국은 아리스토텔레스의 아랍어 번역서(이 책들은 종종 좀더 초기의 네스토리우스주의 그리스도인들의 시리아어 번역서에 바탕을 두곤 했다)를 포함하여 고대 사상의 보화들을 많이 보전하고 있었다. 그래서 스페인의 아랍인들이 서유럽에 새로운 학문을 도입하는 중요한 원천 노릇을 하는 일이 생겨났다. 1085년 기독교 세력이 다시 정복한 후에 톨레도(Toledo) 시는 고대 필사본과 그리스 학문을 추구하는 북부 학자들의 집결 장소가 되었다.

여기서 가장 중요한 초기 번역가인 도미니크 군디살비(Dominic Gundisalvi)와 크레모나의 제랄드(Gerald of Cremona)가 활동하고 있었다. 이 두 사람은 아랍어를 (때로는 스페인 번역을 중간에 거쳐서) 라틴어로 번역했다. 조금 후대에는 그리스어에서 직접 정확하게 번역하고 초기 번역을 개정했으며, 이 일은 가장 위대한 중세 번역가인 플랑드르의 도미니쿠스 수도승 모에르베케의 윌리엄(William of Moerbeke, 1215?-1286)이 주로 했다. 그는 얼마 동안 로마 근처 비테르보(Viterbo)에 있는 교황청 법원의 회원으로 지냈고 이곳에서 토마스 아퀴나스를 알게 되었다.

아리스토텔레스의 저작들은 단편으로 드문드문 서방에 전파되었을 뿐만 아니라 '온전하지 못한' 상태로 전파되기도 했던 점을 우리는 지적해야 한다. 아랍어 (혹은 시리아어) '원본' 을 번역한 데서 필연적으로 따르는 텍스트 본문상의 오류를 제쳐두더라도, 아리스토텔레스의 저작으로 생각되었던 많은 저작들이, 소위 (플로티누스의 「에네아데스」〔*Enneads*〕의 구절로 이루어져 있는) 「아리스토텔레스의 신학」(*Theology of Aristotle*)과 (플로티누스의 제자인 프로클루스의 「신학 요론」〔*Elements of Theology*〕에서 발췌한 내용인) 「원인론」(*Liber de Causis*)처럼 신플라톤주의에서 나온 것들이었다. 상황이 이러했으므로, 13세기의 많은 스콜라주의자들은 아리스토텔레스주의를 어거스틴과 위 디오니시우스의 기독교 신플라톤주의와 결합했고 그래서 아리스토텔레스의 '자연주의' 의 영향을 완화하고 이 자연주의를 전통적인 신학적 목적을 위하여 좀더 받아들일 만한 것으로 바꿀 수 있었다.

아리스토텔레스 전집은 또한 9세기부터 계속 지도급 이슬람 및 유대 사상가들이 써 왔던 아주 영향력이 큰 일련의 주석서들과 아울러 스페인을 거쳐 서방에 이르렀다. 중세 유대교 철학자들 가운데 가장 위대한 철학자이며, 토마스 아퀴나스도 지극한 존경으로 대했던 사람은 (1135년에 코르도바 〔Cordova〕 에서 태어나고 1204년 카이로에서 추방된 채로 죽은) **모세스 벤 마이몬**(Moses ben Maimon) 혹은 **마이모니데스**(Maimonides)였다. 그는 계시 종교를 신 아리스토텔레스주의 철학과 조화시키려고 했던 그 유명한 「길 잃은 자의 길잡이」(*Guide for the Perplexed*)의 저자이다. 아리스토텔레스의 '주석가들' 가운데 가장 유명하고 영향력있는 사람은 이슬람의 철학자 **이븐 시나**(ibn-Sina, 980-1037, 라틴어로 하면 아비켄나 〔Avicenna〕 로 페르시아에서 살다가 죽음)와 **이븐 루쉬드**(ibn-Rushd, 라틴어로 하면 아베로이스로, 1126년 코르도바에서 태어나 1198년 마라케쉬에서 죽음)였다. 아비켄나가 코란의 계시 종교를 아리스토텔레스와 신플라톤주의적 자료로부터 나온 자연 종교의 기초 위에 세우려고 했던 반면, 아베로이스는 아리스토텔레스의 가르침을 가장 높고 최종적인 진리로 보고서 이 가르침에서 신플라톤주의의 '오염'을 제거하려고 했다. 아리스토텔레스를 진리의 선생들 가운데 가장 높은 자로 보고 따라서 신플라톤주의적(유신론적 신비적) 부가물을 제거한 아리스토텔레스주의적 이성과 기독교 계시를 조화하는 문제로 당혹해 했던, 소위 라틴 아베로이스주의라고도 하는 13세기에 나타난 근본적 아리스토텔레스주의의 발전은 주로 아베로이스 때문이었다. 이들 근본적 아리스토텔레스주의자들 가운데 가장 유명한 사람은 1260년대와 1270년대에 파리 대학 교양학과의 두 선생, 브라방의 시제르(Siger of Brabant)와 다키아의 보에티우스(Boetius of Dacia)였다.

그러므로 중세의 '아리스토텔레스주의'는 아리스토텔레스 자신의 저작과 신플라톤주의와 아랍과 유대의 요소들이 합쳐진 복잡한 혼합물이었던 것이 분명하다. 이질적인 자료들로 형성된 이 커다란 덩어리가 서구에 점차로 도입됨에 따라 전체 중세 말기 사상은 변화했다. 어거스틴의 시대 이래 처음으로 기독교 사상가들은 특별히 기독교적 영감 자료에 전혀 빚을 지지 않은 포괄적인 실재관에 직면했다. 게다가 이 실재관은 엄밀한 아리스토텔레스주의적 형태를 갖춘 세속적이고 합리주의적인 세계관(*Weltanschauung*)이었다. 13세기와 그 이후에 줄곧 신학자들은 아리스토텔레스의 '자연주의'가 제기한 절박한 문제들과 씨름했다. 그 문제들은 세계의 영원성, 영혼의 사멸성, '하비투스'(*habitus*)(선을 행하는 습성)에 대한 덕의 의존성, 인간 인식에서 감각 지식의 우위성, 순수 '자연' 현상으로서 국가를 보는 개념 등이었다. 이 아리스토텔레스주의 교리에서 처음 둘은 기독교 계시와 직접적으로 상충했다. 마지막 세 가지는 전통적인 어거스틴주의와 결정적으로 갈라섰다. 13세기부터 종교개혁 시대까지 신학자들이 '기독교 아리스토텔레스주의'의 한계를 논쟁하고 정당성에 이의를 제기했던 것은 별로 놀랄 일도 아니다.

서방에 '아리스토텔레스'가 나타난 것과 동시에 대학의 등장이라는 중세 고등 교육 체제의 한 혁명이 일어났다. 최초의 중세 대학은 12세기가 마감하는 동안 생겨났다. 1500년까지 약 80개의 대학들이 유럽에 도처에 섰다. 가장 초창기 대학의 역사적 발전은 정확하게 그 연대를 정하기가 아주 모호한 상태이다. 어쨌든 좋은 지리적 조건과 그 곳으로 모인 명망 높은 선생들 덕택으로 어떤 마을과 도시들은 유명한 교육 본부가 되었다. 그 곳을 들면, 신학으로는 파리와 옥스퍼드, 교회법과 민법으로는 볼로냐(Bologna), 의학으로는 살레르노(Salerno)와 몽펠리에(Montpellier) 등이 있다.

이들 기관들로 말미암았던 광범위한 교육적 변화로는, 장사 길드의 모습을 본받은 교수 방법과 교과서와 학위 등의 표준화, 학생 및 교수 조합을 공동 단체나 '대학'으로 결합한 일이 있었다. 그러한 조합들이 생겨난 것은 주로 외부의 간섭으로부터의 보호와 자유 그리고 좋은 지위 때문이었고, 또한 교수 전문직의 허가를 규제해야 했기 때문이었다. '대학'(university)이라는 말의 원래 의미는 우니베르시타스 스콜라리움(*universitas scholarium*, 학자들 혹은 학생들의 조합), 그리고 우니베르시타스 마기스트로룸(*universitas magistrorum*, 선생들 혹은 교사들의 조합)이라는 이름에 나타나 있다. 우리는 이 조직의 출발을 1200년 경으로 잡을 수 있다.

12세기 말까지 볼로냐에는 두 개의 '대학' 혹은 법률 학도들의 상호 보호 조합이 있었다. 13세기 초에 이 두 개의 큰 단체가 결합해서 하나의 우니베르시타스 스콜라리움을 형성하고 교양학부장(rector)을 선출했다. 점차로 다른 학과(교양, 의학, 신학) 학생들도 자기네 대학을 만들었다. 처음에 교수들은 이 조직에서 빠졌다. 시간이 흐르자 이 교수들도 박사 조합을 만들었지만, 이탈리아와 전(全) 남부 유럽의 대학 조직의 핵심은 학생 길드였으며 볼로냐의 제도를 따랐다. 하지만 북부 유럽에 널리 퍼졌던 제도는 원래 파리에서 만들었던 것으로 교수 허가를 통제할 목적으로 조직된 선생들의 길드(우니베르시타스 마기스토로룸)였다. 파리 대학은 노트르담 대성당 학교에서 발전하여, 일찍이 혼자서 교수 자격을 허가하고 교수들과 학자들에게 자신의 법령을 부가하려고 했던 주교의 종교법 고문으로부터 독립을 얻게 되었다. 원래 파리 대학의 교수였던 교황 이노센트 3세(1198-1216)는 갓 태어난 대학을 옹호하여 개입했다. 이 단체의 가장 초창기 법령들은 1208년 혹은 1209년경부터 시작하지만, 1215년 교황청 특사 로베르투스 데 쿠르존(Robert de Curzon)이 모양을 다듬었고 그 후 교황 교서에 의하여 확증되었다.

1250년까지 파리 대학은 네 개의 구별되는 교수 단체 혹은 '학과' 즉 교양, 교회법(시민법은 1219년 이후로 파리 대학에서는 금지되었음), 의학, 신학의 교수 단체로 구성되었다. 교수와 학생을 포함하여 큰 교양 학과는 네 개의 민족 단체 혹은

'민족' (볼로냐에서 시작되었던 것으로 보이는 다른 유형의 길드 조직), 즉 프랑스인(일 드 프랑스 〔ile-de-France〕 와 라틴 나라에서 온 사람들), 피카르드인(저지대 나라를 포함), 노르만인 그리고 잉글랜드인(영국, 독일, 북부 및 동부 유럽인으로 구성됨)으로 더욱 구분되었다.

민족마다 한 사람의 학생감(proctor)이 통할했다. 그리고 유일하게 교양학부장(rector)을 두고 있는 교양 학과를 제외하고는 한 사람의 학장(dean)이 각 학과를 통할했다. 점차적 단계를 거쳐서 이 교양학부장은 대학의 우두머리가 되었다.

교양 학과에서는 적어도 원칙적으로는 3학과(*trivium*, 문법, 수사학, 논리학이나 변증론)와 4학과(*quadrivium*, 천문학, 대수학, 기하학, 음악) 등 전통적인 7개의 자유 교양(liberal arts)을 가르쳤다. 실제로 파리 대학의 교양 과정은 거의 전적으로 아리스토텔레스의 논리학과 철학 그리고 자연과학의 기초 교육으로 이루어져 있었다. 하지만 옥스퍼드 대학은 오랫동안 파리 대학보다 4학과에 더 관심을 두었다. 그리고 13세기 영국은 수학과 자연과학의 유명한 업적을 쌓은 옥스퍼드 교수들이 잇따라 등장한 일을 자랑할 수 있었다.

이 교수들 가운데는 로버트 그로스테스트(Robert Grosseteste, 1168?-1253, 1235년부터 링컨의 주교로 지냄)가 있었다. 그는 아리스토텔레스의 자연학과 형이상학을 어거스틴의 신플라톤주의와 결합하여 빛을 모든 실재의 기본 구성 요소로 보았던 (그래서 천문학과 광학을 중심으로 삼았던) 창조적인 종합을 이룩했다. 그리고 그로스테스트의 뛰어난 제자로 로저 베이컨(Roger Bacon, 1214?-1292?)이 있었다. 베이컨은 수세기 동안 마술사로 유명했지만, 근대에는 과학에서는 실험을, 인간 생활에서는 경험을 우위로 둘 것을 강조한 사실로 유명했다.

대학 조직에서, 통상적인 입학 나이는 14,5세였고, 유일하게 라틴어 문법과 작문은 이미 교육을 받은 것으로 전제했다. 모든 학과의 교습은 주로 강의나 '읽기'(*lectio*)를 사용했다. 읽기의 경우에 선생은 정해진 교과서에 따라 나란히 주석을 '주해하거나' 달았던 반면, 학생들은 엄청난 노트를 해야 했다. 학파에서는 오랜 동안의 관심 주제뿐만 아니라 한 교과서에 나타난 서로 다른 요점들 질의(*quaestio*) 혹은 간단한 문답 방식으로 다루어 왔다. 이것을 대학에서는 완숙한 변증론적 방법에 따라 토론(*disputatio*) 혹은 논쟁으로 발전시켰다. 이 토론은 구두로도 할 수 있고 문서로도 할 수 있었다. 문서에 의한 토론은 13세기의 신학 대작들 즉 위대한 대전들(*summae*)이 취한 특징적인 형태였다.

예를 들어 토마스 아퀴나스의 「신학대전」(*Summa theologiae*)은 아리스토텔레스의 삼단 논법의 요구 조건에 따라 모든 논제를 '논증한다.' 하지만 구두 토론은 좀더 실제적인 함축의미를 담고 있었다. 왜냐 하면 구두 토론은 대학 교육의 두번째 중요한 구성요소였기 때문이다. 이 구두 토론은 정해진 때에 열려서 보통 며칠 간

진행되는 공적인 행사였다. 이 구두 토론에서는 한 학생과 한 선생이 언뜻 타당해 보이는 논거로 지지되는 두 가지 모순되는 명제들의 논리적 해결('종결'〔determination〕)에 도달하려고 했다. 통상적으로 학생은 이 논거를 찬반 양론으로 제시했고, 반면에 선생은 최종 종결을 내릴 책임이 있었다. 강의와 토론의 교육 방법은 형식주의와 현학으로 흐르기 쉬웠지만, 학생들로 하여금 개별적 지식들을 섭렵할 수 있도록 했으며, 학생들의 분석력을 예리하게 만들었으며, 그 재능이 잘 드러나도록 했다.

맨처음 학위인 학사는 길드 견습생으로 들어가는 것과 비슷했다. 두번째 학위인 석사 혹은 박사(석사와 박사는 원래 같은 말이었음)는 길드의 장인과 비슷하며 대학에서 완전한 교수권(*licentia docendi*)과 궁극적으로는 어떤 곳에서라도 가르칠 수 있는 권리(*ius ubique docendi*)를 포함했다. 1215년 파리 대학에서는 교양과정이 6년 동안이었으며, 적어도 20세가 될 때까지는 교양학과 석사가 될 수 없었다. (교양 학과의 학사는 석사 과정을 밟는 과정에서 취득했다.) 파리 대학과 옥스퍼드 대학에서는 신학 석사 혹은 신학 박사의 연령이 원래는 최소한도로 34살이 되어야 했지만, 그후 40살로 연장되었다. 이 학위를 얻기 위해서 먼저 교양 학과의 석사가 되어 교양 학과에서 어느 기간 가르쳤다. 그러므로 신학 박사 지원자는 성경 학사 학위(*baccalaureus biblicus*)와 피터 롬바르드(Peter Lombard)의 「명제」(*Sentence*) 학사 학위(*baccalaureus sententiarius*)를 중간에 거쳤다. 그와 아울러 그는 이 교과서를 각각 몇 년 동안 강의했다. 당연히 신학 박사 학위 취득에 필요한 시간과 돈을 지출할 여유가 있었던 학생은 상대적으로 몇 명 되지 않았다.

수업에서 라틴어를 유일한 언어로 사용했으므로 유럽의 전 지역에서 학생들이 모일 수 있었다. 그리고 이들은 많은 수가 좀더 유명한 대학으로 몰려갔다. 극심하게 가난했던 이 학생들을 도우려는 후원자가 일찍이 생겨났다. 이와 같은 후원으로 생긴 가장 영향력 있고 오래된 대학 가운데 하나로 소르본느 대학이 있었다. 이 대학은 생 루이의 목사인 로베르 드 소르본(Robert de Sorbon, 1201-1274)이 1257년경에 파리 대학의 신학생들을 위하여 세웠던 것이다. 그와 같은 많은 '학료'(college)들이 다른 유럽 대학(university)에 역시 세워졌다. 이 학료들은 가난한 학자들을 위한 기부 숙박소나 거처로 생겨났지만, 시간이 흐르자 교육과 사회 생활의 중심지가 되었고 따라서 대학의 많은 기능을 흡수했다. 이 학료들은 프랑스 혁명 때까지 프랑스에 남아 있었지만, 결국 영국의 옥스퍼드와 케임브리지에서 정착되었다. 학료는 이 곳에서 대학 조직의 가장 뚜렷한 특색이 되었다.

중세 대학은 아리스토텔레스의 재발견으로부터 혜택을 주로 받은 장본인이며, 중세가 문명사와 현대 세계에 가장 중요하고 독창성 있게 기여한 것 가운데 하나로 남아 있다.

7. 절정기 스콜라주의와 그 신학: 토마스 아퀴나스

아리스토텔레스의 재발견, 대학의 등장, 학문에 미친 탁발 수도원의 기여는 13세기에 '절정기 스콜라주의' 시대를 이끌어들였다. 이는 지적인 열기가 뜨거웠고 창의력이 눈에 띄었던 시대로, 철학과 변증론적 방법을 자유롭고 제대로 사용하여 결론을 수립했던 포괄적인 신학 연구(*summae*)를 저술했던 비할 데 없는 몇몇 천재를 포함하여 영민한 사상가들이 특색있게 나타났다. 이들이 사용한 논리학은 전부 아리스토텔레스의 것이었지만, 그들의 철학은 보통 아리스토텔레스와 신플라톤주의를 취사선택한 혼합물이었다. 그리고 기독교 아리스토텔레스주의는 도미니쿠스회에 결국 널리 퍼지는 동안 보수적인 전통주의자나 프란체스코 수도회의 주도급 대표자들에게 반대를 받았다. 아무튼 아리스토텔레스와 새로운 학문에 대하여 그들이 어떤 태도를 취했던지 상관없이, 사실상 1250년과 1350년 사이의 모든 위대한 신학자들은 탁발 수도원의 회원이었다. 파리가 계속 유럽의 지적인 수도였지만, 이들의 대부분은 이탈리아나 잉글랜드 출신이었다.

프란체스코 수사들은 이미 1219년에 파리에 이르렀다. 이 학파의 설립자는 당대 가장 유명한 파리 대학의 교수였던 잉글랜드인 **헤일스의 알렉산더**(Alexander of Hales, 1186?-1245)로 1236년에 수사가 되었다. 그러므로 1220년 이래로 그가 차지하고 있었던 파리 대학의 신학 교수직은 프란체스코회의 소유가 되었다. 프란체스코 학파의 문필적 원천이던 알렉산더의 두터운 「대전」(*Summa*)은 신학의 진정한 '체계'라기보다는 교리들을 서로 연결시킨 것이었다.

그리고 이 책은 아리스토텔레스에게 빚을 졌으며 어거스틴과 신플라톤주의 그리고 빅토리아누스와 안셀무스에게도 그만큼 빚을 졌다. (이 「대전」은 알렉산더가 지었다고 한다. 하지만 그는 당연히 이 작품을 기획하고 조직했을 것이며 기록은 아마도 수많은 그의 제자들이 했을 것이다.) 13세기 프란체스코 박사들 가운데 가장 탁월한 사람은 토마스 아퀴나스와 지적으로 대등하다고 보아도 손색이 없는 신학자 지오반니 디 피단자(Giovanni di Fidanza 1217?-1274)로 일반적으로 **보나벤투라**(Bonaventura)로 알려져 있다. 그는 투스카니(Tuscany)에 있는 바그노레아

(Bagnorea)에서 태어나, 파리 대학에서 헤일스의 알렉산더와 알렉산더의 후계자 라로셸의 요한(John of La Rochelle) 아래서 공부했고, 결국 1254년부터 1257년까지 파리대학에서 프란체스코 신학교수직을 차지했다. (하지만 1257년이 되어서야 그는 토마스 아퀴나스와 나란히 대학 교수의 반열에 공식적으로 끼이게 되었다.) 1243년에 프란체스코회에 입적한 후 그는 1257년에 이 수도원의 총장으로 파르마의 요한(John of Parma)을 승계했다.

1273년에 그는 교황 그레고리 10세에 의하여 알바노(Albano)의 추기경으로 임명되었다가, 1274년 리옹 공의회에 참석하던 중에 죽었다. 그는 파리 대학의 교수로 특별히 탁월한 「명제 주석서」(*Commentary on the Sentences*, 약 1250년)로 유명했지만, 어려운 시절 소수사회(Friars Minor)를 지혜롭게 이끈 일(V:4 참조)과 순결한 생활로 더욱 유명했다. 그는 또한 학문적인 저술 이외에도 아시시의 프란체스코의 '공식' 전기(*Legenda maior*, 1263)를 썼으며, 프란체스코회의 규칙에 대한 권위있는 주석서를 작성했다. 그는 1482년 교황 식스투스 4세에 의하여 시성되었고 1587년에는 식스투스 5세에 의하여 '교회의 박사'로 선포되었다.

보나벤투라는 영적으로는 성 프란체스코의 아들이었고 지적으로는 성 어거스틴의 제자였다. 어거스틴처럼 그는 오직 두 가지 일, 즉 가장 높은 실재이신 하나님과 하나님과 연합하는 영혼의 과정을 알기를 바랐다. 철학과 모든 세속적 지식은 잘해야 하나님을 '바라봄'(*visio Dei*)이라는 목적의 수단에 불과하다. 그러므로 보나벤투라는 변증론의 대가로서 아리스토텔레스를 인정하고 그의 방법을 사용했지만, 토마스 아퀴나스보다는 훨씬 아리스토텔레스주의에서 멀었다. 그리고 그는 토마스와는 달리 자신의 신학을 뒷받침하기 위하여 순수 철학의 체계를 표명하지 않았다. 게다가 그는 토마스와 달리 그리고 아리스토텔레스의 지식론에 분명하게 대립하여 지성적 확실성과 도덕적 확실성은 지성과 양심의 신적이며 초자연적 조명을 요구한다는 기본적 어거스틴주의적 교의를 굳게 잡았다.

보나벤투라는 본질적으로 어거스틴과 프란체스코에게뿐만 아니라 아레오바고 사람 디오니시우스와 성 빅토르의 리처드에게 깊은 영향을 입은 신비주의적 신학자였다. 그의 핵심적 관심사는 프란체스코회의 영성을 대변하는 고전적 교과서이며 신비주의 문학의 대작인 「하나님을 향한 영혼의 여행」(*Itinerarium mentis in Deum*)에 명료하게 요약되어 있다. 마음은 명상과 기도에 의하여 그리고 철저히 하나님의 은혜를 힘입어, 먼저는 전체 세계에 나타난 하나님의 자취를 살펴보고, 그 다음에는 자신 속에서 깊이 하나님을 바라보고, 마지막으로는 존재하는 모든 것의 기원이며 목적인 성삼위 하나님을 보려고, 자신을 초월함으로써 하나님께 나아간다. 가장 높은 이 단계에서 모든 지성의 활동은 중지한다. (마음이 아니라) 영혼은 사랑과 정감의 황홀경 속에서 무의식 중에 하나님과 연합한다.

분명히 보나벤투라의 사상은 아리스토텔레스 철학의 영혼과 실체에 대체로 낯설었다. 이런 점에서 보나벤투라는 전통주의자이며 아퀴나스보다 덜 혁신적인 신학자였다. 하지만 대(大) 알베르투스, 토마스 아퀴나스, 브라방의 시제르의 작품과 저술들 덕분에 나타나는 기독교 아리스토텔레스주의 대유입을 막 예견한 시대에(1257) 그는 정규적인 학문 활동을 하다가 인정을 받았던 사실을 기억해야 한다. 그리고 '아리스토텔레스'에 대한 그의 적대감은 주로 파리 대학 교양학과에 있던 급진적 아리스토텔레스주의자('라틴 아베로이스주의자')들에 대한 것이었다. 더 나아가 보나벤투라는 많은 점에서 아퀴나스보다 좀더 사변적인 신학자였다. 예를 들어, 창조된 질서의 기본 구조를 설명하기 위하여 삼위일체에 대한 정통(어거스틴주의적) 교리를 사용한 점이나, 은혜의 이끄심을 받아 마음이 자기 내면 세계로 내려감으로써 지성(intellect)을 초월하는 '하나님을 바라봄'으로 상승할 수 있게 하는 '내성적 사색'(introspective speculation) 방법을 정교하게 만든 점에서 그러했다. 보나벤투라는 또한 참으로 체계적인 사상가였으며, 그의 작품들은 아퀴나스의 작품에 견줄 만큼 체계적인 힘을 보여 준다.

1217년 파리 대학이 설립된 지 꼭 2년 후에 도미니쿠스회 수사들이 파리에 도착했다. 그리고 이들은 (1229년에는) 크레모나의 롤란드(Roland of Cremona)와 (1231년에는) 성 자일즈의 요한(John of St. Giles)과 더불어 파리 대학의 12개 신학 교수직 가운데 둘을 이내 확보했다. 아퀴나스 이전에 파리 대학의 초기 도미니쿠스회 교수들 가운데서 가장 유명한 사람은 **대(大) 알베르투스(알베르투스 마그누스**, 1200?-1280)로 알려져 있는 독일의 알베르투스였다. 1193년과 1206년 사이 어느 땐가 울름(Ulm) 근처 라우잉겐(Lauingen)에서 귀족 가문에 태어난 알베르투스는 파두아 대학에서 교양학과를 공부했고, 거기서 1223년 도미니쿠스 수도사가 되었다. 파리 대학에서는 신학을 공부했고, 후에 거기서 그는 1245년에서 1248년까지 교수로 강의했다. 1248년 그는 독일에서 최초의 도미니쿠스회 고등 연구 본부를 세우기 위하여 쾰른으로 파견되었다. 잠시 그는 이 수도회의 선임 관교장(provincial prior)과 로젠스부르크의 감독(1260-1262)으로 봉사했지만, 그는 경력 대부분을 쾰른에서 가르치고 글 쓰는 일로 보냈다.

경이로울 정도로 많은 글을 썼던 알베르투스는 오랜 경력의 대부분을 아리스토텔레스 전집에 대한 일련의 주석서를 쓰는 데 사용했다. 이 방대한 계획은 1250년 초에 시작되어 20여 년이 걸려서야 완성되었다. 알베르투스는 독창적인 사상가라기보다는 지칠 줄 모르는 편집자요 주석가였다. 그리고 그의 아리스토텔레스주의는 어거스틴, 위 디오니시우스, 아비켄나, 그리고 「원인론」(V:6 참조)에서 표현한 여러 신플라톤주의 견해를 받아들임으로써 변모된 것이었다. 그의 활동은 독창성이 없었지만 기독교 사상사에서 한 시기를 긋는다. 그 이유는 알베르투스는 자연 질서에 대한 참된 지식을 제공하는 원천으로 이교 철학을 무엇보다도 아리스토텔레스의 철학을 받아들이면서 뛰어난 이슬람 사상가와 유대교 사상가들을 따랐기 때문이다. 그러므로 철학은 하나님의 위대한 창조 계획을 펼치는 한 독자적인 가치를 지닌 자율적 분야로 나선다. 그의 탁월한 제자이며 스콜라주의의 왕자인 토마스 아퀴나스는 곧 알베르투스의 견해를 좀더 분명하고 일관성있게 표현했다.

토마스 아퀴나스(1224 혹은 1225-1274)는 시칠리아의 호헨슈타우펜(Hohenstaufen) 왕국의 낮은 귀족들인 란둘프 다키노와 테오도라 다키노(Landulf and Theodora d'Aquino)의 아들이었다. 그는 로마와 나폴리 중간에 있는 아퀴노라는 고대 도시 근처 로카세카(Roccasecca)의 가문 성채에서 태어났다. 그는 5살 때 언젠가 대수도원장이 되겠다는 기대를 하며 베네딕트 수도원 제도의 본산인 몬테 카시노의 대수도원에 수도 생활 헌신자로 들어갔다(후에 그는 그 대수도원의 대수도원장직을 거절했다). 토마스는 (1224년 황제 프레데릭 2세가 세운) 나폴리의 '세속' 대학의 교양학과에서 연구 시절(1239-1244)을 보낸 다음 1244년에 나폴리의 도미니쿠스회에 가입했다. 이 일은 가족들의 반대를 불러일으켰고, 그의 가족들은 그를 납치해다가 일 년 동안 로카세카에 붙들어 두었다. 그는 풀려난 다음 도미니쿠스회에 다시 가입했고 대 알베르투스 아래서 수도와 신학 연구를 위하여(1245-48) 파리로 보냄을 받았다. 1248년에 그는 알베르투스를 모시고 좀더 깊은 연구를 하기 위하여 그리고 신학 학사로 성경에 대한 어설픈 강의를 하기 위하여 쾰른으로 갔다. 소문에 의하면 바로 여기서 그의 동료 수도사들은 그를 '벙어리 황소'(dumb ox, *bovem mutum*)라고 불렀다. 이 말은 그가 덩치는 큰데 개인적으로는 소심했던 사실을 가리킨다.

토마스는 신학 박사 학위를 준비하려고 다시 파리로 파견되었던 1252년까지 쾰른에 머물렀다. 1252년에서 1256년까지 그는 피터 롬바르드의 「명제」를 강의했다. 1256년 봄 그는 파리 대학에서 신학 박사를 받았고, 거기서 도미니쿠스 신학교수직의 두번째 자리를 차지했다. 하지만 탁발 수도회와 (탁발승의 특권을 제한하고 도미니쿠스 신학교수직을 한 자리로 줄이기를 바랐던) 재속 신학 교수들 사이에 신랄한 토론이 벌어져서 그가 대학 교수단에 공식적으로 받아들여진 것은 16개월 후 1257년 가을로 연기되었다. 1259년에서 1268년까지 토마스는 이탈리아에 머물면서 나폴리와 오르비에토(Orvieto)와 로마와 비테르보에서 가르치고 글을 썼다. 1269년 그는 신학 교수로 파리에 두번째로 체류했다. 1272년 그는 나폴리로 부름을 받았고, 거기서 도미니쿠스 연구 본부를 세웠다. 1274년 3월 7일 그는 리옹 공의회로 가는 길에 포사누오바(Fossanuova)의 시토회 수도원에서 죽었다. 1323년 그는 교황 요한 22세에 의하여 아비뇽에서 시성되었다. 죽은 지 수세기 동안 토마스를 교회의 보편적 교사(*doctor communis*)로 널리 칭송했지만, 1879년이 되어서야 교황 레오 13세는 그의 사상이 로마 가톨릭 신학의 표준이라고 공식적으로 선언했다.

가르치고 설교하는 일로 복잡다단한 시절, 토마스는 중요한 시민 문제와 교회 문제에 대하여 계속 조언해 주었다. 그리고 특별히 그가 파리에 머무르는 동안 그에 대한 자주 심한 토론이 종종 벌어지곤 했다. 하지만 그는 이런 혼란 속에서도 침착했고, 지칠 줄 모르고 저서를 많이 저술했다. 약 백 권에 달하는 그의 저술 가운데서 가장 중요한 것은 그의 두 위대한 신학적 종합이다. 그것은 1259년과 1264년 사이에 스페인에 살던 회교도, 유대인, 이단 그리스도인들에 대하여 설교하는 도미니쿠스 선교사들을 위해 쓴 「대이교도 대전」(*Summa contra gentiles*), 그리고 1265년에 신학 초심자들의 교과서로 시작하여 죽을 때까지 다 끝내지 못한 작품이며 그의 천재성이 가장 두드러진 「신학대전」(*Summa theologiae*)이다. (토마스는 1273년 12월 6일 미사를 드리는 중에 신비 체험을 한 이후로 모든 저술 활동을 중지했다. 「신학대전」은 그의 비서 피페르노의 레기날드(Reginald of Piperno) 수사의 감독에 따라 완성되었다.) 성체와 성혈 대축일을 위하여 작성한 전례문과 그의 찬송, 기도, 설교에서 입증되듯이, 토마스는 개인적으로 겸손하고 아주 경건한 사람이었다. 지적으로 그의 작품은 그를 교회의 가장 위대한 교수들에 속하게 하는 명료성과 논리적 일관성과 폭넓은 표현을 특징으로 갖고 있었다.

토마스에 따르면 모든 신학적 탐구의 목적은 하나님에 대한 그리고 인류의 초자연적 기원과 운명에 대한 참된 지식을 주는 것이다. 그런 지식은 부분적으로는, 이성적인 '믿음의 서론'(*praeambula fidei*) 즉 전능하시고 전지하신 하나님의 존재와 영혼의 불멸성을 파악할 수 있는 인간의 자연적 이성으로 생긴다. 이 진리들을 지성의 신적인 조명을 떠나서 전적으로 세계의 관찰된 특성으로부터의 귀납적 추론을 통해서 얻을 수 있다는 토마스의 주장은 어거스틴주의와 프란체스코주의(플라톤주의)의 전통에 대한 혁명적인 단절이었다. 토마스는 (하나님의 지식을 포함하여) 모든 자연적 지식은 감각 경험으로부터 시작한다는 기본적인 아리스토텔레스주의적 전제를 또한 옹호했다. 그러므로 하나님의 존재는 자명한 것이 아니다. 이 하나님의 존재는 영혼이 자신의 내면을 헤아려 살핌으로써나(어거스틴과 보나벤투라) 지성이 하나님의 관념을 소유함으로써(안셀무스) 바로 알려지는 것이 아니라 경험의 자료에 대한 반성을 통하여 매개적으로 알려진다.

확실히 자연 이성은 영원한 지복에 필수적인 '믿음의 신비들'(*articuli fidei*), 즉 성 삼위이신 하나님의 존재, 예수 그리스도가 되신 성자 하나님의 성육신과 그리스도를 통한 세상의 구속, 육신의 부활과 마지막 심판 등과 같은 진리들을 전혀 알지 못한다. 그러므로 이성은 정경인 성경에 담긴 하나님의 계시(*sacra doctrina*)에 의하여 완전해져야 한다. 성경은 교부들의 해석과 교회 공의회의 명령과 교황의 신앙 규정에 비추어 언제나 이해되어야 하지만, 간단히 말해서 교회가 갖고 있는 교훈상의 권위에 의하여 파악되어야 하지만, 유일한 최종적 권위이다(*regula fidei*). 이 계시된 진리들은 이성의 능력을 넘어서 있지만, 이성에 대립하지 않는다. 그리고 믿음에 의하여 조명된 이성은 이 계시된 진리를 거스르는 반대가 부적절한 것임을 보여 줄 수 있다. 그러므로 토마스는 기독교의 모든 진리는 철학적으로 입증될 수 있다고 하는 안셀무스의 확신에 결코 동조하지 않았다. 철학과 신학은 하나님으로부터 나오며 진리는 하나이기 때문에 그는 철학과 신학 사이에는 모순이 전혀 있을 수 없다고 주장했다.

하지만 토마스는 철학과 신학을 따로 나누지는 않았지만 조심스럽게 구분했다. 신학과 철학은 두 개의 독립된 '학문'이며 두 개의 뚜렷이 구별되는 지식 양태라고 그는 주장했다. 그러나 하나님의 지식(자연 신학)이 두 학문에 공통적이므로 철학과 신학은 일치한다. 그러므로 여기에 믿음과 이성에 대한 토마스주의의 유명한 종합이 있다. 이 종합에서 이성은 특별히 아리스토텔레스주의의 철학은 본연의 모습과 권위를 받는다. 하지만 토마스는 철학과 신학을 대등하지 않은 것으로 만들었다. 그 이유는, "은혜는 자연을 파멸시키지 않고 완성시킨다"(*gratia non tollit sed perficit naturam*)는 토마스주의의 근본적인 공리와 일치하여 자연 이성은 하나님의 계시에 의하여 완성되어야 하기 때문이다. 그러므로 이 종합은 종속을 배제하지 않았다. 그리고 토마스는 모든 점에서 하늘에 계신 하나님을 '보고' '즐기는' 인류의 초자연적 운명에 비추어 철학의 기능을 보았던, 명확한 기독교적 의식을 갖고 있는 신학자였다.

토마스는 엄밀한 의미의 신학에서 하나님을 다루는 데서, 성경과 아리스토텔레스주의와 신플라톤주의(어거스틴과 디오니시우스주의)의 개념들을 자유롭게 사용했다. 하나님은 제한이나 실현되지 않은 잠재태가 전혀 없는 순수 활동(Pure Act)이시다. 그러므로 하나님만 변함이 없으시다. 하나님께서는 원인을 갖고 계시지 않으시는 제일 원인(Prime Cause)이시다. 그러므로 하나님만 스스로 안에서 그리고 스스로를 통하여 존재하신다(*ens a se*). 그처럼 하나님의 경우에서만 그 안에서 본질(*quod est*, 사물의 어떠함)이 존재(*esse*, 존재하는 사실, 존재 활동)와 일치한다. 그러므로 하나님께서는 단순히 '존재자'(a being) 혹은 존재를 '갖는' 자가 아니시라, 단순하고 필연적으로 '있는' 자 즉 존재 자체(*ipsum esse*)이시다. 그러므로 하나님께서는 가장 실제적이며 완전한 존재이시며, 존재를 갖고 있는 모든 것의 원천이자 목적이시며, 존재의 절대적 충만이시다.

토마스주의의 신론은 전통에 뿌리를 두긴 했지만, 전통적 요소를 섞은 단순한 혼합물이 아니었다. 토마스는 새로운 존재 형이상학을 형성하면서 아리스토텔레스와 그리스 철학을 넘어섰기 때문에 이 신론은 독창적인 창조물이었다. 아리스토텔레스(와 그리스인들)는 '생성'의 문제(사물은 무엇이며 이 사물들은 어떻게 존재하게 되는가?)를 씨름했지만, 토마스는 '존재'를 형이상학의 핵심 문제(왜 유〔有〕는 있는가? 왜 유는 무가 아닌가?)로 삼았나. 자신이 자신에게 원인이 되지 않는 존재자의 존재는 오직 자기의 원인이 없는 제일 원인의 필연적 존재에 의하여 설명될 수 있다. 그래서 토마스는 원인성 혹은 기원에 의한 논증을 바탕으로 하여 신 존재에 대한 다섯 가지 증명을 제시했다. 게다가 그는, 하나님에 대한 자신의 철학적 언어가 모세에게 계시된 성경적인 하나님의 이름, 즉 스스로 있는 자(*Qui est*)[1]와 일치한다고 확신했고, 그래서 이 이름을 해석했다. 하지만 우리의 신 지식은 심각하게 제한적이다. 하나님께서는 무한하시고 우리의 지성은 유한하므로, 하나님이 계시는 사실만 알지 하나님이 누구신가는 알 수 없다. 그리고 이런 지성으로서는 하나님은 어떤 분이 아니시라는 것(부정의 방법)을 알고 창조주 하나님과 그 피조물 사이에 타당한 유비에 따라 하나님의 본성을 알려고 노력하는 길(유비적 단정의 방법) 밖에는 없다. 계시를 통하여 신앙에 주어진 하나님의 지식도 유비적인 것이다. 그래서 토마스는 주저하지 않고, "자신이 생각하고 말하는 모든 것은 하나님이 실제로 어떤 분이신지에 미치지 못한다는 사실을 인정하는 사람이 하나님을 가장 잘 안다"[2]고 결론내렸다.

하나님은 완전하시므로 아무것도 필요치 않으시며, 따라서 세상의 창조는 하나님께서 존재하게 하신 존재들에게 자유로이 베푸시는 선하심의 표현이었다. 하나님의 섭리는 모든 사건에 뻗어 있다. 그리고 이 섭리는, 어떤 것은 영생에 이르도록 예정하시고 다른 것들은 자기 의지로 말미암은 죄의 결과로 영원한 저주에 이르도록 예정하신 데 나타난다. 사실 인간은 자유 의지를 갖고 있지만, 이 자유 의지가 하나님의 결정하시거나 허용하시는 섭리를 배제하지 않는다. 하나님이 악을 허용하신 결과 전체의 좀더 나은 선이 있게 된다.

토마스는 인식론처럼 인간론에서, 플라톤주의와 어거스틴주의의 전통을 철저하게 딘질했고 이내 '괴상하고' '해로운' 교리를 도입한다는 비난을 받았다. 어거스틴주의자들은 영혼의 영성과 독특한 지위, 영혼이 하나님께 가까움, 영혼이 육신과 절대적으로 다름을 주장하는 데 열정적이었다. 그들은, 영혼은 본질적으로 실체이며 육신의 '형상'(내재하는 결정 원리)은 불멸적인 영혼이 아니라 '신체성의 형상'(*forma corporeitatis*)인 반면, 영혼은 다양한 형상들(생장〔vegetative〕 생활과 감각〔sensitive〕 생활과 지성 생활의 형상들)을 소유하고 있다고 주장했다. 반대로 토마스는 인간 영혼은 비물질적이며 불멸적이지만 육신은 단순히 '사용하거나' '지배하는' 독립된 개별 실체가 아니라고 가르쳤다. 반대로 개별 영혼은 하나님에 의하여 인간 육신의 단일 형상이 되도록 창조되었다. 그래서 영혼과 육신은 함께 하나의 실체이며 인격은 심리적 통일체이다. 그러므로 영혼은 육신에 의존하여 존재하지 않으며 육신의 죽음 이후에도 살아있지만, 육신으로부터 개별적인 자연적 특성을 얻는다. 하지만 영혼은 육신에게 엄밀한 의미의 인간이 되라고 요구한다. 그리고 토마스에게 이 조건은 마지막 날 육신의 부활이 필요함을 설명한다.

아담은 원래 창조될 때 자연적인 힘들 외에도 덧붙여진 은사(*donum superadditum*)를 갖고 있었다. 이 덧붙여진 은사 때문에 그는 최상선을 찾고 세 개의 기독교적 덕목인 믿음과 소망과 사랑을 실천할 수 있었다. 아담은 범죄하여 이 은사를 잃어버렸고, 죄는 또한 그의 자연적인 힘들을 부패시켜 그의 상태는 원의(原義)가 결핍되었을 뿐만 아니라 적극적으로 저급한 목적을 향해 나아갔다. 타락한 이 상태에서 아담은 하나님을 기쁘시게 할 수 없었다. 그리고 이 부패는 그의 모든 자손에게 전가되었다. 아담의 후손들은 사려와 정의와 용기와 절제의 네 가지 자연적 덕목을 얻을 수 있는 능력을 여전히 갖고 있다. 하지만 이 덕목들은 어느 정도의 일시적인 존귀와 행복를 가져다 주긴 하지만, 이 덕목을 가진 사람들로 하여금 하나님을 볼 수 있도록 하기에는 역부족이었다.

타락한 인간성의 회복은 하나님의 거저 주시고 공로없이 베푸시는 은혜를 통해서만 가능하다. 이 은혜로 인하여 인간 본성은 덧붙여진 은사를 회복하고, 죄는 사하여 지고 세 가지 기독교적 덕목을 실천할 수 있는 힘이 주입된다. 이처럼 주입된 은혜(*gratia infusa*)는 피터 롬바르드가 가르친 것처럼 성령 하나님에 의한 영혼의 내주나 '창조되지 않은 은혜'(*gratia increata*)가 아니다. 반대로 이 은혜는 교회의 성례전에 의하여 영혼 속에 창조된 사랑(*gratia creata*, 창조된 은혜)이며, 참으로 인간적인 자비의 기질 혹은 '습성'(*habitus*)이다. 죄인은 이 기질이나 습성에 의하여 하나님 앞에 받으실 만하게 되며 하나님의 뜻에 순종하여 살 수 있다. 이 은혜를 받을 수 있는 인간의 행위는 전혀 없다. 하지만 이와 같이 하나님이 베푸시는 사랑의 습관을 거저 사용하지 않고서는 구원은 불가능하다. 구원은 바로 그리스도의 자기 희생의 열매이다. 하나님께서 이 희생이 없이도 죄를 사하시고 은혜를 베푸실 수 있을 것으로 생각해 볼 수 있지만(여기서 토마스는 안셀무스와 의견을 달리 했다), 그리스도의 사역은 하나님께서 선택하실 수 있는 가장 지혜롭고 효율적인 수단이었으며 세계의 모든 구속은 이 수단에 근거를 두고 있다. 이 사역은 죄에 대한 보속을 포함했고, 그리스도께서는 보답을 받을 만한 공로를 이루셨다. 그리스도의 사역은 또한 사람을 감화시켜 하나님과 자기 이웃을 사랑하게 하신다. 그러므로 토마스는 안셀무스와 아벨라르가 제시한 견해를 발전시켜 결합했다. 그리스도의 보속은 세상의 죄보다 넘치는 것이다. 그리고 그리스도께서는 하나님으로서 아무것도 필요치 않으시므로 그리스도께서 필시 받으실 수 없는 보답은 인류의 유익이 된다. 그래서 그리스도께서는 인류의 머리시며, '새로운 인류'의 모범이시다.

일단 신자가 그리스도에 의하여 구속을 받고 성례전적 은혜로 힘을 얻어 사랑의 습성을 적극적으로 시행하면, 그는 참으로 하나님을 기쁘시게 하고 전적으로 공로있는(*merita de condigno*, 가치있는 공로), 그래서 그 자체로 영생의 보답을 받을 만한 가치가 있는 행위들을 수행하게 된다. 그러므로 궁극적으로 하나님 앞에서 사람을 의롭게 만드는 믿음은 사랑의 활동에 의하여 '형성된' 믿음(*fides caritate formata*)이다. 이 사랑의 활동이 없으면 믿음은 '형성되지 않은'(*fides informis*) 채로 있으며, 따라서 살아있고 구원을 주는 믿음이 아니다. 하지만 모든 선행은 하나님의 선행적이며 협력적인 은혜에 의해서만 가능하다. 그러므로 아퀴나스는 중세의 경건의 두 가지 두드러진 요소인 은혜와 공로가 들어설 충분한 공간을 발견했다.

하나님이 정하신 은혜의 운반 수단은 성례전이다. 이 성례전은 교회가 시행하도록 교회에 주신 것이며 구원에 필수적이다. 여기서 성례론의 영역에서 스콜라주의는 이전보다 훨씬 정확하고 체계적인 구조를 획득했다. 하지만 대체로 스콜라주의 신학자들과 물론 교회의 공식적인 가르침은 신실한 자들이 행하던 경건과 예배의 오랜 관행들을 형식적으로 분명히 표현하고 있었을 뿐이다. 그러므로 중세 시대에 성례론의 발전은 고대의 원칙 즉 "기도의 규칙이 신앙의 규칙을 규정해야 한다"(*lex orandi lex credendi*)를 가장 철저하게 적용했음을 보여 준다.

수사의 맹세를 포함하여 모든 거룩한 행위들은 성례전이라는 고대의 감정이 12세기에도 살아있었다. 하지만 피터 롬바르드는 성례전을 일곱을 정했고, 그의 「명제집」이 결국 널리 영향을 주었다. (일곱이라는 수가 언제 어떻게 생겼는지는 불확실하다. 1439년에 피렌체 공의회 때까지 이 절대적인 수는 공식적으로 인정되지 않았다.) 롬바르드가 상세히 설명한 것처럼, 성례전은 세례, 견진, 성체, 고백, 병자, 신품, 혼인 등 이다. 이 모든 것은 그리스도께서 직접 세우시거나 사도들을 통해서 세우신 것이다.

토마스에 따르면 이 모든 것은 은혜를 표시할 뿐만 아니라 은혜를 일으킨다(수여한다). 이 성례들이 없으면 머리 되신 그리스도와 그의 신비한 몸된 교회의 지체들 사이에는 참된 연합은 없다. 성례마다 아리스토텔레스주의의 '질료'와 '형상' 용어로 규정되는 두 요소로 이루어져 있다. 즉 외부적 행위나 외부적 매체(떡, 물, 포도주 등) 그리고 이 행위의 목적과 효과를 담은 형식문(제도의 말)('내가 당신에게 세례를 베푼다', '내가 너를 사죄한다')로 이루어져 있다. 집전자는 그리스도와 교회가 정한 것을 하려는 의도를 갖고 있어야 하며, 받는 자는 적어도 판단 연령에 있는 사람이라면 성례의 유익을 받으려는 진정한 바람을 갖고 있어야 한다. 이 조건들이 충족되면, 성례는 사효적(事效的)(*ex opere operato*), 즉 정당히 행한 행위에 의하여 은혜를 전달한다. 이 은혜의 최고 원인은 하나님이시다. 성례는 도구적 원인이다. 성례는 그리스도의 수난의 덕이 지체들에게 적용되게 하는 수단이다. 그래서 토마스는 성례를 '그리스도의 수난의 성물'이라고 부른다.

받는 자는 세례를 통하여 거듭난다. 그리고 죄를 죄을 경향은 지워지지 않지만, 원죄와 이전의 개인적 죄들은 이 죄에 마땅한 형벌과 아울러 사하여진다. 죄에 저항할 수 있도록 은혜가 주어지며, 전에 잃어버렸던 기독교적 덕목을 얻을 수 있는 힘이 다시 회복된다. 견진과 신품처럼 세례는 영혼에 '지울 수 없는 인(印)' (*character indelibilis*) 즉 하나님을 존귀하게 여기는 불멸의 영적 기질을 새긴다. (그래서 이 세 가지 성례는 동일한 사람에게는 반복해서 주지 못한다.)

1200년까지 성찬 요소들에 그리스도께서 직접 임재하심을 규정하기 위하여 사용한 공인된 언어는 '화체' (transubstantiation)이다(피터 롬바르드는 1150년에 '변화' 〔*conversion*〕 이라는 말을 사용하고 있었지만). 화체라는 말은 12세기 중반에 이미 나타났다. 1215년 제4차 라테란(Lateran) 공의회는 이 개념에 충분한 교리적 권위를 부여했다. 토마스 아퀴나스는 그 정의(定義)를 분명하고 정확하게 했을 뿐이다. 사제의 축성의 말이 있을 때 — 이 말 자체에 있는, 또한 신품시 사제에게 부여되는 하나님의 능력을 통하여 — 이적적인 변화가 일어나며, 그래서 떡과 포도주의 '우유성' (accidents) (모양, 맛 등)은 변하지 않은 채로 있지만 그것들의 '실체' 는 그리스도의 살과 피로 변모한다.

토마스는 그리스도의 모든 살과 피가 거룩해진 각 요소에 임재한다는 (임재설 〔concomitance〕 로 알려진) 견해를 또한 받아들여 자세하게 설명했다. 이 가르침은 그의 독창적인 것은 아니었지만 평신도가 떡에만 참여하는 관행과 더불어 발전했었다. 평신도에게 잔을 주지 않은 것은 흔히들 생각하는 것처럼 성직자의 사주 때문에 생긴 것이 아니라 주로 거룩해진 잔 즉 그리스도의 고귀한 피를 엎질러서 성례를 부끄럽게 하지 않을까 하는 두려움 때문에 평신도의 관행으로 출발했다. 그와 같은 걱정은 일찍이 7세기에 널리 퍼져 있던 포도주에 떡을 적시는 관행에 나타나 있었다. ('빵을 적심' 〔intinction〕 으로 알려져 있는) 이 관행은 675년과 1175년에 교회회의에 의하여 금지되었지만 평신도들은 정서적으로 이 관행을 지지했다. 아퀴나스 시대까지 평신도가 떡에만 참여한 것은 거의 보편적인 일이 되었다. 그래서 임재설은 이 관행을 설명하고 정당화했다. 평신도가 오직 한 가지 '종' (種 species) 혹은 종류로만 교제에 참여하는 것(*communio sub una specie*:포도주 없이 빵만 받는다는 뜻(일종배찬) — 역자주)은 콘스탄스 공의회의 명령에 의하여 1415년에 공식적으로 정해졌다.

중세의 경건과 예배는, 이미 11세기에 핵심 성례로서 세례를 대체하기 시작한 성찬이나 미사에서 그 절정에 이르렀다. 이 세례는 은혜가 생기게 할 뿐만 아니라 은혜의 창조자이신 그리스도를 포함한다. 그러므로 '이 주인을 경배하는 것' 즉 제단에 있는 성막에 보존되었거나 (토마스 아퀴나스가 기도서를 작성한) 성체와 성혈 대축일이 진행되면서 운반되는 거룩하게 된 떡(그리스도)께 기도를 드리고 서약하는 것은 전적으로 적합한 것으로 생각되었다. 미사는 성육신의 연장이며, 피 없이 반복되는(혹은 '다시 제시되는') 수난이며, 받는 자의 영적인 향상의 원천이며, 신자와 그리스도의 연합에 대한 증거이며, 하나님을 아주 기쁘게 하는 속죄의 희생으로, 하나님으로 하여금 이 땅과 연옥에 있는 곤경에 처한 자들에게 은혜가 되게 한다.

고백 성사는 세례나 성찬만큼 위엄있는 것으로 치지는 않지만 교회의 목회 생활과 권징 생활에 핵심적이므로, 개인 신자에 대하여 첫째는 아니라도 사실 아주 중요한 것이었다. 세례는 이전 죄를 속죄하는 효과가 있지만 세례 이후에 범한 죄에 대해서는 고백 성사가 필요하다. 이 죄는 소위 '죽을' 혹은 '치명적인' 죄, 토마스에 따르면 하나님으로부터 변하지 않는 선으로부터 돌아서는 죄(대죄)와, 변하는 선을 향하여 돌아서는 고작 무절제한 '사소한' 죄(소죄)로 뚜렷이 구별된다. 토마스에게 고백 성사의 '질료'는 세 가지 회개 행위, 즉 통회(contrition), 고백(confession), 보속(satisfaction)으로 구성된다. 통회는 하나님을 거스르는 반역에 대한 진정한 슬픔과 다시는 그처럼 거스르지 않겠다는 결심이다. 하지만 토마스는, '하등통회'(attrition)에서 범한 죄를 싫어하고 형벌을 두려워 하는 데서 시작한 고백은 주입된 은혜에 의하여 참된 통회가 될 수 있다고 주장한다.

사제에 대한 개인적(비밀스런) 고백은 서방에서 켈트족과 앵글로색슨족의 수사 선교사가 이 제도를 옹호한 이래로 점차 널리 퍼지게 되었다(IV:1 참조). 아벨라르와 피터 롬바르드는, 사제들은 고백이 바람직하다고 생각하지만 사제에 대한 고백이 없이도 하나님의 속죄가 있은 바로 다음에 참된 통회가 따른다는 데 의견을 같이했다. 1215년에 제4차 라테란 공의회는 분별 연령에 이른 평신도는 적어도 일 년에 한 번 사제에게 고백할 것을 요구했다. 그리하여 그와 같은 연례 고백은 교회법이 되었다. 토마스는, 오직 은혜의 성례적 주입을 통해서만 죄에 대한 슬픔의 정도가 불확실할 때 시작된 고백이나 굴종적인 두려움(하등통회)에서 시작된 고백은 참된 통회의 고백이 될 수 있으므로 사제적 고백과 사죄는 필수적이라고 설명했다.

하나님께서는 사제의 사죄를 통하여 고백자에게 죄에 마땅한 죄과와 영원한 형벌을 사하시지만, 어떤 잠정적 형벌이나 '보속'은 죄의 결과로 남는다. 이 잠정적 형벌은 하나님을 거스르는 죄인의 범죄를 보속하고 인간의 능력만큼 하나님의 영광을 다시 세운다. 이 잠정적 형벌들은 또한 사죄 받은 사람으로 하여금 장차 죄를 피할 수 있도록 한다. 이 형벌들은 '회개의 열매들'이다. 그리스도의 대표자인 사제는 고백자의 통회(혹은 하등통회), 고백, 보속을 기꺼이 치르려는 마음을 증거로 하여 사죄를 선언한다(이것이 이 성례의 '형상'이다). 사제의 용서가 없이는 세례 후 '치명적' 죄를 범한 사람은 구원의 확신을 가지지 못한다. 사죄가 있고 난 다음, 사제는 이생에서 완성되지 못한다면 연옥에서 완성될 보속의 적합한 활동을 부가한다.

아퀴나스가 나기 50년 전 고백 성사의 보속과 완전히 결합되어 있던 '면죄부' 제도는 급속히 성장했다. '면죄부'는 잠정적 형벌의 일부 혹은 전부를 없애주었다. 주교는 오랫동안 범상하지 않은 통회가 포함된 경우에 속량을 완화할 수 있는 권리를 행사해 왔었다. 교회에 대한 큰 봉사도 이런 혜택을 받기 위하여 이루어지곤 했다. 하지만 완전한 면죄부 제도는 11세기 이전에는 가동되지 않았던 것으로 보인다. 맨 먼저 면죄를 두드러지게 사용한 것은 교황 우르바노 2세였다. 교황 알렉산더 2세는 1063년경 스페인의 회교도를 대항한 소규모 전쟁에 동일한 특권을 주었지만, 우르바노 2세는 1095년에 1차 십자군 전쟁에 참전한 모든 사람에게 완전한 면죄를 약속했다. 이 제도는 한번 시작되자 급속도로 퍼졌다. 교황뿐만 아니라 주교들도 면죄부를 주었지만 이들은 면죄부를 계속 더 용이하게 주었다. 성지 순례나 특별 기간의 순례, 교회 건축이나 심지어 다리나 도로 건축과 같이 선행에 대한 기부도 그런 보답을 받을 것으로 보았다. 사람들은 이 제도의 금전적인 가능성을 곧 파악하고 이용했다. '잠정적'(temporal) 형벌은 연옥의 형벌을 포함했기 때문에, 면죄부의 가치는 정해지진 않았어도 엄청났고, 실제 고백을 면죄부와 바꾸려는 경향은 인간 본성상 귀가 솔깃한 것이었다.

아퀴나스가 고전적 해석을 가한 것도 바로 그런 관행이었다. 헤일스의 알렉산더를 따라 아퀴나스는, 그리스도와 성인들의 넘치는 공로는 선행의 보고가 되어, 이로부터 (뜻대로 주교들과 함께 권위를 함께 가질 수 있었던) 교황의 이름으로 교회의 권위에 의하여 궁핍한 죄인에게 이 보고의 일부가 전달될 수 있다고 가르쳤다. 사실 면죄부는 참으로 통회하는 사람들에게만 이용될 수 있었다. 그러나 그런 사람들을 위해서 이 면죄부는 전체로나 부분적으로 여기 이 땅과 연옥에서 받을 잠정적인 형벌을 제거한다. 교회의 가르침에서 면죄부들은 결코 죄를 범할 수 있다는 허가는 아니었다. 이것들은 이미 범하고 회개하고 용서받은 죄에 정히 마땅한 형벌의 면제이다. 하지만 일반 신자들은 잠정적인 형벌의 면제와 죄의 용서 사이에 신학적으로 세심하게 구별하는 일이 드물었다. 면죄부에 대한 교회의 공식적 가르침은 미완성 상태였다. 그리고 교회의 고위 성직자들은 면죄부 제도를 보통 시급한 재정 문제에 대한 부분적인 해결책으로 사용했다. 그래서 이 제도는 중세 말엽 동안 남용과 추문을 불러 일으켰고, 그로 하여 프로테스탄트 개혁자들에 의한 고백 성사에 대한 대대적인 공격이 있게 되었다.

토마스에 따르면, 죽음의 시간에 병자의 영혼은 끝없고 풀려나지 못하는 지옥으로 곧장 들어간다. 교회의 성례적 은혜를 온전하고 신실하게 사용한 자들의 영혼은 즉시로 하늘 나라로 간다. 오직 불완전하게 은혜의 방도를 사용했던 많은 자들의 영혼은 연옥에서 다소간의 고난과 정화의 기간를 거쳐야 한다.

하늘에서든지 혹은 이 땅에서든지 혹은 연옥에서든지 교회는 하나이다. 한 지체가 고난을 당할 때 모두가 고난을 당한다. 한 지체가 건강할 때 모두가 이 선행에 참여한다. 토마스는 이 통일성을 성인에게 바치는 기도와 연옥에 있는 자들을 위한 기도의 근거로 삼는다. 게다가 보이는 교회는 보이는 머리 즉 로마 교황을 필요로 한다. 그에게 복종하는 일은 구원에 필수적이다.

그리스도의 대리자이며 베드로 사도의 후계자인 교황은 교회 문제에 대하여 충만한 권력(*plenitudo potestatis*)을 가지며 모든 영혼을 직접 관할하며 모든 영역에 자신의 감독권을 행사할 수 있다. 무엇이 올바른 교리인지 결정하고 일반 공의회를 소집하고 필요하다면 새로운 믿음의 규정을 발포하는 권한도 교황에게 속한다.

그와 같은 것이 토마스주의 신학의 두드러진 특색들이다. 토마스 아퀴나스 이후의 스콜라주의 역사는 대체로 그의 기념비적 업적에 대한 비판적 반응에 대한 이야기이며 '이성과 계시'의 고대 문제에 대한 대안적 접근 방법의 발전에 대한 이야기이다.

8. 후기 스콜라주의: 둔스 스코투스와 오캄의 윌리엄

아리스토텔레스의 철학과 기독교의 신학을 인상 깊게 종합한 토마스주의는 그 앞에 막아서는 모든 것을 일소하기는 커녕 프란체스코회의 지도적인 사상가들뿐만 아니라 토마스의 도미니쿠스회 동료들 가운데 보수적인 인사들에게서도 여러 가지 측면에서 강한 반대를 불러 일으켰다. 인식론과 심리학에서 토마스가 플라톤-어거스틴적인 옛 전통에 비추어 볼 때 위험스러운 혁신가로 비쳤다는 점을 살펴보았다. 또한 일부 비판자들은 그의 가르침을 1265년에서 1275년 사이에 파리 대학교의 문학부에서 활발하였던 급진적인 아리스토텔레스주의자들의 가르침과 연결시켰다. 브라방의 시제르(Siger of Brabant, 1240경-1284경)가 급진적인 아리스토텔레스주의자들 가운데 가장 유명한 인물이었다. 적지 않은 고위 성직자들이 파리 대학교를 이단을 번식시키는 토양으로 확신하고 있었으며, 그 곳에서 이교적인 자연주의와 합리주의가 옛 진리들을 잠식하고 있으며 심지어는 토마스 아퀴나스의 기독교적 아리스토텔레스주의까지도 오염시켰다고 확신하였다.

따라서 토마스가 죽은 지 정확하게 3년 후인 1277년에 교황 요한 21세의 격려를 받아 활동하고 있었던 파리의 주교 에티엔느 탕피에르(Etienne Tempier)는 219개의 정죄된 주장들의 목록을 발표하였는데, 비록 토마스의 이름은 언급되지 않았지만 그 목록에는 그의 명제들이 많이 포함되었다. 며칠 후에 도미니쿠스회 수사이며 이전에 파리 대학교의 교수를 역임하였던 캔터베리 대주교 로버트 킬워드비(Robert Kilwardby, ?-1279)는 옥스퍼드 대학을 '방문'하여 그곳에서 가르치고 있었던 토마스주의의 많은 전제들을 비난하였다. 이 비난은 1284년과 1286년에 킬워드비를 계승하여 캔터베리 대주교가 된 프란체스코회 수사 존 페컴(John Peckham, 1225경-1292)에 의하여 다시 확인되었다. 그러나 토마스에게는 강력한 지지자들이 남아 있었는데, 그들 가운데는 그의 옛 친구이자 선생이었던 알베르투스 마그누스(Albert the Great)도 있었다. 그리고 '토마스주의'(Thomism)는 곧 도미니쿠스회의 공식적인 교리가 되었다. 1323년에 교황 요한 22세가 토마스를 시성(諡聖)하였을 때, 적대적인 공격들이 중단되었고 이전의 정죄들은 철회되었다.

1277년의 정죄들과 그 정죄들을 불러 일으킨 의심의 분위기가 낳은 한 결과는 독특한 그리고 자주 심하게 경쟁하는 사상 '학파들'의 형성이었다. 그 사상 학파들은 일반적으로 탁발 수도회들과 그 주요한 신학자들이었다. 도미니쿠스회가 아퀴나스의 기독교적 아리스토텔레스주의를 승인한 반면에, 프란체스코회는 헤일스의 알렉산더(Alexander of Hales)와 보나벤투라의 신(新)어거스틴주의에서 자신들의 입장을 취하였다. 그러나 이런 학파들이 모든 점에서 반대되었던 것은 결코 아니었다. 즉 모든 학파들은 전통적인 신학적 철학적 자원들을 취사선택하여 이용하였으며, 심지어는 같은 학파 내에서도 자주 의견과 가르침에서 날카로운 갈등이 있었다.

중세 후기 전체에서 프란체스코 학파의 대들보이자 토마스의 가장 강력한 비판자는 **요한 둔스 스코투스**(John Duns Scotus, '스코틀랜드인' 〈the Scot〉, 1265경-1308)였다. 그는 놀랄 정도로 미묘하고 예리한 사상가이자 가장 위대한 스콜라주의자들 가운데 한 사람이었다. 그의 초기 생애에 관하여는 알려진 것이 거의 없다. 그는 1265년 혹은 1266년에 스코틀랜드의 록스버러셔의 맥스톤에서 태어난 것으로 보인다. 1281년에 그는 프란체스코회에 가입하였으며 1291년에 사제로 임명되었고, 옥스퍼드와 파리 대학교에서 공부하였다. 그는 옥스퍼드(1300년경)와 파리(1302-1303)에서 「명제집」(*Sentences*)을 강의하였다. 강제로 잠시 파리를 떠났다가 1304년에 돌아와서 1305년에 신학교수가 되었고 1307년에 쾰른에 있는 프란체스코회 연구소로 보내어질 때까지 그 곳에서 가르쳤다. 그 다음 해에 그는 쾰른에서 죽었다.

그는 대단한 통찰력으로 아퀴나스의 어떤 교리들을 비판하였으나 존 페컴처럼 완고한 보수주의자는 결코 아니었다. 그는 지성에 대한 신의 조명이라는 어거스틴의 교리를 거부하고 그 대신에 아리스토텔레스의 지식론을 채택하였다. 또한 그는 이슬람의 철학자 아비켄나(Avicenna)에게서 영향을 받았다.

스코투스와 더불어 아퀴나스의 시대와 '스콜라주의 전성기'가 극적으로 변화되기 시작하는 것을 보게 된다. 14세기와 15세기의 스콜라 학자들은 더 이상 거대한 사변적인 신학 체제들을 만들어내지 못하였고, 그 대신에 「명제집」에 대한 정교한 주석을 저술하거나 혹은 단일한 주제에 대하여 비판적인 해설을 썼다. 주장들에 대한 논리적인 분석이 본질에 대한 형이상학적 분석을 대체하였다. 자연적 이성의 영역에 점점 더 많은 제한들이 부과되었다. 반면에 하나님의 계시에 대한 전망은 넓혀졌다. 신학자들은 하나님을 순수 행동(Pure Act)이며 최초의 부동의 동인(First Mover Unmoved)으로 보는 개념을 통하여 자연적 질서와 초자연적 질서를 통합하려는 시도를 — 토마스가 행하였었던 시도 — 더 이상 하지 않았다. 그 대신에 그들은 자연적 이성으로는 하나님을 알 수 없다는 점과 하나님은 자신이 창조한 세상에 대하여 절대적으로 자유롭다는 점을 강조하였다. 비록 둔스 자신도 존재에 대한 형이상학적 연구를 하나님에 대한 신학적 연구와 결합하려고 노력하였던 위대한 스콜라 철학자들 가운데 마지막 인물이었지만, 또한 돌이켜보면 스콜라 사상의 새로운 국면의 — 오캄의 '새로운 길'(*via moderna*)의 지지자들과 아퀴나스의 '옛 길'(*via antiqua*)의 지지자들 간의 갈등을 드러낸 '후기 스콜라주의' 시대의 — 선구자로 나타난다. 앞으로 살펴보겠지만, 둔스와 그의 추종자들은 자연 (형이상학적) 신학의 여지를 여전히 남겨두었다는 점에서 '옛 길'을 지지하는 신학자들 속에 포함되기도 하였다. 그럼에도 불구하고 스코투스의 사상은 아퀴나스의 사상과는 크게 달랐으며, 스콜라주의의 새로운 시대를 출범시켰다.

스코투스는 하나님의 존재에 대한 토마스주의의 증거들은 (모두 인과율의 원리에 기초한 '5가지 방법'〈Five Ways〉) 단지 동인(動因)들의 위계 속에 있는 최고 동인의 존재를 증명하는 것이지 독특하고 초월적인 하나님을 증명하는 것이 아니라고 주장하였다. 즉 간단히 말하자면 이러한 '우주론적인' 증거들은 물리적인 세상을 넘어서지 못한다는 것이었다. 그 대신에 스코투스는 일련의 '존재론적인' 증거들을 제공하였는데, 그것들은 안셀무스(Anselm)의 유명한 논증과 유사한 점들이 있었다. 그러나 스코투스는 철학(형이상학)은 오직 무한한 존재의 실존(existence)을 증명할 수 있는 것이지 전능하시고 공의로우시고 자비로우신 존재의 실존을 증명할 수 있는 것은 아니라고 주장하였다. 영혼의 불멸성뿐만 아니라 '하나님'이라는 개념에 의하여 그리스도인들이 이해하는 내용은 엄격하게 계시와 믿음의 영역에 속한다. 따라서 아퀴나스와 비교하여 스코투스는 철학과 신학이 '겹치는' 영역을 크게 축소하였고 믿음의 내용들을 꿰뚫어 보는 자연적 이성의 능력에 엄격한 한계들을 두었다.

인간학에서도 스코투스는 아퀴나스를 강력하게 반대하였다. 토마스는 (그리고 아리스토텔레스주의자들은) 지성이 최고의 자질이며 — 인간은 '이성적 동물'이다 — '맹목적인' 의지는 지성에 의하여 인도되어야 한다고 생각하였다. 그러나 스코투스는 (그리고 어거스틴주의자들은) 의지가 지성에게 그 대상들을 지적하기 때문에, 그리고 무엇보다도 의지는 사랑이 소재하는 곳이며 하나님에 대한 사랑은 하나님에 대한 지식보다 더 위대한 것이기 때문에, 의지가 더 고상한 자질이라고 생각하였다. 더구나 인간의 의지는 지성과는 달리 자유로운 힘이다. 왜냐하면 지성은 어떤 주장에서 일단 진리를 깨달으면 그 참된 주장에 동의하지 않을 수 없지만, 의지는 여전히 자유롭게 행동하거나 행동하지 않을 수 있기 때문이다. 따라서 스코투스의 '주의론'(主意論, voluntarism)은 토마스의 '주지주의'(主知主義, intellectualism)를 반대한다.

토마스주의자들(도미니쿠스 학파)과 스코투스주의자들(프란체스코 학파) 사이에 격렬한 논쟁을 일으킨 한 분쟁은 동정녀 마리아의 '원죄없는 잉태'(immaculate conception)에 관한 것이었다. 아퀴나스는 한편으로는 마리아가 그녀의 영혼이 창조되었던 순간 이후에 거룩하게 되었다고 인정하였지만, 예수 그리스도께서 '모든' 사람들의 구세주라는 견해를 유지하고 강조하기 위하여 마리아도 인류의 원죄를 공유하고 있었다고 가르쳤다. 스코투스는 마리아가 예견(豫見)된 그리스도의 공로에 의하여 원죄의 오염에서 벗어났다고 주장하였는데, 이것은 1854년 교황 피우스 9세에 의하여 로마 가톨릭 교회의 교리로 선포될 가르침이었다.

스코투스 신학의 핵심은 지극히 선하신 자신의 본성에 모순되지 않는 모든 것들을 의지(意志)하실 수 있는 전능하신 하나님의 무조건적인 자유이다. 아퀴나스는 하나님께서 무엇을 의지하시는 것은 그것이 선하기 때문이라고 주장하였지만, 스코투스는 어떤 것이 선한 까닭은 오직 하나님께서 그것을 의지하시기 때문이며 하나님께서 의지하실 수 없는 유일한 것은 자신에 대한 증오라고 주장하였다. 하나님의 무한하신 자유와 절대적인 권능은 어떠한 유한한 피조물에 의하여서도 속박될 수 없기 때문에, 심지어 그리스도의 십자가 희생까지도 오직 하나님께서 그것에 부여하신 가치밖에 없다는 것이다. 하나님께서 다른 어떤 행동이라도 만일 하나님께서 그것이 적합하다고 생각하셨다면 세상을 구원하는데 충분한 행동이 되었을 것이다. 아퀴나스가 말하였듯이 그리스도의 죽음은 구원을 위한 가장 현명한 방법이었다고 말할 수도 없다. 왜냐하면 그것은 하나님의 의지를 제한할 것이기 때문이다.

확실하게 말할 수 있는 것은 다만 그리스도의 죽음은 하나님에 의하여 선택된 방법이라는 사실 뿐이다. 마찬가지로 성례들도 아퀴나스가 가르쳤던 대로 질적으로 은혜를 담지하고 전달하는 것이 아니라, 그것들을 수행하면 은총을 내려주시기로 하나님께서 지정하신 조건들이다. 따라서 은혜는 도구적인 원인들인 성례들('상징들')에 있는 것이 아니라 오직 성례들이 합당하게 수행될 때 현존하는 하나님의 '언약' (*pactum*)에 있다.

스코투스의 은혜와 구원 교리 전체가 토마스주의 교리와 날카롭게 의견을 달리하고 있다. 구원은 오직 개인들과 그들의 공로들에 대한 하나님의 자유로우신 용납(*acceptatio*)에 달려 있는 것이지, 그들의 영혼의 어떠한 자질에 — 심지어는 신에 의하여 창조된 자질이라고 하더라도 — 달려 있는 것이 아니라고 스코투스는 주장하였다. 하나님께서는 피조된 모든 습성(habit)들을 자유롭게 다루신다. 그러므로 토마스는 성례에 의한 은혜의 주입에 의하여 영혼에 생겨난 사랑의 습성과 구원 사이에 내적인 연관관계를 부여하는 실수를 범하였다. 더구나 하나님께서는 영원 전부터 누구를 구원하고 누구를 구원하지 않으실 지를 결정하였다. 그러므로 모든 것은 인간의 이해를 넘어서는 하나님의 절대적인 의지에 달려 있다.

확실히 둔스는 계시를 통하여 알려진 하나님의 '작정하신' (ordained) 혹은 '언약하신' (covenanted) 의지에 따라, 교회의 성례 생활을 적절하게 이용하고 그들 자신의 구원에 충분히 협력하는 사람들은 구원을 받을 것이라고 인정하였다. 이런 맥락에서 둔스는, 또 다시 토마스에 반대하여, 구원은 다른 모든 것들보다도 더 하나님을 사랑하는 자연적인 힘에 의하여(*ex suis naturalibus*) 가능하며, 따라서 구원은 자유로운 의지에 따른 도덕적인 선행에 의하여 가능한데, 그 행동은 인간을 하나님께서 받으실 만한 존재로 만드는 은총을 '받을 자격이 있도록' (merit) 해 주는 것이라고 주장하였다. 그러나 엄격하게 말하자면 이 자연적으로 선한 행동은 거룩하게 하시는 은혜를 수여받기에 '합당한' (deserves) 진정한 '가치있는 공로' (merit of worthiness, *meritum de condigno*)가 아니다. 오히려 그것은 '적합한 공로' (merit of fitness, *meritum de congruo*), 즉 하나님께서 자유롭게 은혜의 선물로 보답하시기로 선택하신 '준(準)공로' (semi-merit)이다. 한번 거룩하게 하는 은혜를 입으면, 신자는 계속하여 참되고 충분하게 가치있는 선행들을 수행하고 따라서 영원한 구원을 정당한 보상으로 받을 만하게 된다. 비록 스코투스가 하나님께서는 타당한 공로들에 구원으로 보상하도록 매여 있는 것이 아니라 자유롭게 그들을 그 목적으로 받아들이신다고 재차 주장하였지만, 여기에서 그는 아퀴나스와 의견을 같이 한다.

그러므로 둔스는 축복으로 이르는 정상적인 길이라고 당연하게 받아들인 '확립된' (established) 구원의 순서에 관한 자신의 독특한 교리를 가지고 있으면서도, 이 순서가 결코 존재론적인 필연은 아니라고 일관되게 주장하였다. 하나님께서는 다른 방법들로도 자유롭게 인간을 구원하실 수 있다. 그리고 어떤 경우든지 인간의 운명은, 어거스틴이 가르친 대로, 궁극적으로 하나님의 영원한 선택과 유기(遺棄)에 달려 있다. 스코투스는 타락한 인간이 최초의 은혜 수여를 적합한 공로로서 얻을 수 있다는 자신의 가르침에 '펠라기우스적인' 혹은 반(反)어거스틴적인 것은 전혀 없다고 믿었다. 은혜의 상태 밖에서 이루어진 도덕적으로 선한 행동에 대한 하나님의 자유로우신 '용납' (acceptation)과 선택된 자들의 예견된 공로들(*ante praevisa merit*)에 대한 고려가 전혀 없는 하나님의 영원하신 예정에 대한 스코투스의 이중적인 강조는, 그가 보기에는, 하나님의 주권에 관한 어거스틴의 교리를 적절하게 보호하였다.

토마스 아퀴나스와 둔스 스코투스 간의 신학적인 차이에서 가장 중요한 점은 스코투스가 하나님의 무제한적인 자유를 강조하고 끊임없이 그것에 의존한다는 점임을 알게 될 것이다. 하나님 밖에 있는 모든 것, 창조된 영역에 속한 모든 것 그리고 하나님께서 규정한 의지에 속한 모든 것은 전적으로 하나님의 절대적인 의지에 의존하고 있으며 결코 필연적인 것이 아니다.

이런 의존성은 교회와 성례들과 사제직에까지 — 요약하자면 모든 구원의 수단들에까지 미친다. 그와는 대조적으로 토마스는 하나님의 주권을 옹호하는 일에 전혀 뒤떨어지지 않으면서도 하나님의 절대적 권능(*potentia absoluta*)을 규정적(제도를 통한) 권능(*potentia ordinata*)과 대조하지 않았으며, 따라서 영원 속에 있는 하나님의 자유와 시간 속에서 '2차적인 원인들'의 작용을 통한 그 의지의 실행 사이에 근본적인 구별을 하지 않았다. 오히려 토마스는 하나님의 자유가 바로 우리가 알고 있는 세상을 — 그 속에서 교회와 그 은혜의 기관들이 자신들의 '필연적' (necessary) 위치를 발견하는 수직적 계층질서로 정돈된 우주 — 창조하고 유지하시는 일에서 나타난다고 보았다. 그러나 스코투스의 사상에서는 '의존성' (contingency)이 토마스주의의 '필연성' (necessity)을 대치하였다.

둔스는 교회의 권위에 대한 반역자가 아니었다는 사실을 덧붙여야 할 것이다. 그는 사제직과 성례 제도를 포함한 하나님의 '규례들' (ordinances)의 합법성에 의문을 제기하지 않았다. 실제로 바로 이성의 한계들에 대한 강조에 의하여 그는 계시의 담지자(擔持者)이자 해석자로서의 교회의 권위를 높였다. 1277년의 정죄들을 내린 정신에 발맞추어, 그의 근본적인 관심사는 모든 형태의 '그리스적 숙명론', 즉 아리스토텔레스와 아라비아 사상과 심지어는 토마스주의 사상의 결정론적인 특징들에 대항하여 하나님의 무조건적인 자유를 보호하려는 것이었다. 그의 생각으로는, 토마스주의 사상은 하나님을 일련의 원인들 속에 포함시킴으로써 즉, 하나님을 창조된 질서 속에 포함함으로써 하나님을 제한하였다.

둔스 스코투스의 사상과 14세기 초기의 유명한 두 신학자들 — 프란체스코회의 피터 오리올(Peter Auriole, 1280경-1322)과 도미니쿠스회의 생-푸르생의 뒤랑두스 (Durandus of St-Pourcain) — 의 사상들은 저명한 철학자이자 신학자인 **오캄의 윌리엄**(William of Ockham, 1285경-1349경)의 작업의 출발점이 되었다. 스코투스처럼 오캄도 후기 스콜라주의의 역사적 진로에 크게 영향을 주었다. 그는 '새로운 길' (modern way)의 권위 있는 지도자였다 ― 즉 '구' (old) 스콜라주의와 '신' (new) 스콜라주의 사이의 길을 갈라놓은 책임을 주로 져야 할 사상가였다.

윌리엄은 1280년과 1290년 사이의 어느 때에 영국 런던 부근의 서레이에 있는 오캄이라는 마을에서 태어났으며 어린 시절에 프란체스코회에 가입하였다. 그는 1309년 혹은 1310년에 옥스퍼드에서 신학 연구를 시작하였고 1319년 혹은 1320년이 되었을 때에는 이미 신학 석사 학위에 필요한 그리고 피터 롬바르드(Peter Lombard)의 「명제집」(*Sentences*)을 강의하기 위한 공식적인 자격을 다 갖추었다. 그러나 그의 교수 자격증은 보류되었는데, 그 이유는 그가 대학 총장인 존 러터렐(John Lutterell)에 의하여 교리적인 오류를 저질렀다고 고소되었기 때문이었다. 러터렐은 1323년에 오캄에게 대한 고발을 신청하기 위하여 아비뇽에 있는 교황의 궁정으로 갔다.

1324년에 오캄은 자신을 변호하도록 아비뇽에 소환되었으며 조사위원회가 임명되었다. 그 혐의들은 비교적 온건하였고 공식적인 행동은 전혀 취하여졌던 것 같지 않지만, 오캄은 결코 박사 학위를 받지 않았다. 그러므로 그는 '존경할 만한 학위취득자' (*venerablilis inceptor*)라고 알려지게 되었으나 ― 즉 박사 학위를 위한 자격들을 모두 갖춘 사람이었으나('학위취득자'〈inceptor〉) ― 그러나 결코 실제 교수(regent master)가 되지는 않았다. 이런 칭호는 후대에 그가 '유명론 학파의 창시자' 라는 의미로 잘못 해석되었다(*inceptor scholae nominalium*).

1324년부터 1328년까지 아비뇽에 있는 동안에 오캄은 당시에 프란체스코파의 청빈(V:4 참조)을 둘러싼 격심한 논쟁에 깊숙이 관련하게 되었다. 그 논쟁에서 그는 프란체스코회 총장인 케세나의 미카엘(Michael of Cesena)의 세력에 가담하였는데, 미카엘은 교황 요한 22세에 대한 자신의 반대 입장에 대하여 답변하기 위해 아비뇽에 소환되어 있었다. 1328년에 교황이 그들과 프란체스코회의 다수파의 입장을 정죄할 것이 확실해지자 케세나와 오캄은 아비뇽에서 도망쳐서 뮌헨(Munich)으로 가서 황제인 바바리아의 루드비히(Louis of Bavaria, 1314-1347)의 보호를 요청하였다. 오캄과 케세나와 그들의 동료들은 즉각 파문당하였다. 오캄이 1349년에 로마 가톨릭과 화해하려고 시도하였던 증거가 있다. 그러나 그 결과는 불확실하며 그는 아마도 1349년이나 1350년에 흑사병으로 죽은 것 같다.

비록 오캄이 독창적이고 아주 독립적인 사상가였으며 아퀴나스에 대한 비판 못지않게 스코투스에 대해서도 확고한 비판자였지만, 또한 그는 그 위대한 프란체스코회 선배가 강조하였던 많은 것들을 공유하고 있었다. 그는 하나님의 절대적 권능과 규정적 권능을 구별한 스코투스의 구분을 받아들여 그것을 자신의 신학의 시금석으로 삼았으며 훨씬 더 급진적으로 적용하였다.

그리하여 그는 하나님께서는 절대적 권능에 의하여 구원을 자신에 대한 사랑보다는 증오에 의지하도록 만드실 수도 있었다고 주장하였다. 그러나 스코투스 못지 않게 오캄도 사제직과 성례 제도를 포함하여 하나님께서 시간 속에서 제정하신 것들은 구원에 이르는 정상적인 통로를 이루고 있기 때문에 경멸되어서는 안된다고 가르쳤다. 오캄과 스코투스 두 사람 모두의 핵심적인 관심사는 기독교의 신학과 윤리를 그리스-이슬람적 숙명론 즉 '올바른 이성'의 명령에 일치하는 행동을 하도록 속박되어 있는 하나님이라는 개념의 모든 흔적들로부터 자유롭게 하는 것이었다.

오캄은 또한 하나님의 '규정적인' 구원 계획이라는 스코투스의 교리의 지도적인 특징을 받아들였다. 이 체계에 따르면 개인은 그 자신의 자연적인 능력이나 혹은 자유로운 의지에 의하여 도덕적으로 선한 행위를 성취할 수 있는데, 이 선한 행위는 '적합한 공로' 즉 준 공로(semi-merit)로서 은총의 주입을 일으키고, 하나님은 다시 이 공로를 거룩케 하는 은총으로 보상해 주시기로 작정하셨다. 반면에 토마스는 그의 완숙한 저서에서 사람이 자연적 상태에서는 어떤 의미의 '공로'이든지 최초의 은혜를 받을 공로가 있다는 것을 분명히 부정했다는 것이 생각날것이다. 신자는 거룩케하는 은총으로 무장되어 사랑의 행위들을 수행하는데, 진정한 '가치있는 공로들'인 이 사랑의 행위들은 하나님이 적합한 공로들을 영원한 구원을 베푸시는 기초로서 용납하기로 작정하시는 한, 그 정당한 보상으로 구원을 얻게 된다. 그러므로 오캄의 구원 교리는 다음과 같은 기본적인 유형을 드러낸다:

하나님께서는 자신의 제정하신 의지에 따라 최선을 다하는(*facere quod in se est*) 사람들을 구원하시려고 하는데, 그것은 처음에는 자연 상태 속에서 준(準)공로(*de congruo*)로서의 은혜를 획득함으로써, 그런 후에는 은혜의 상태 속에서 충분한 공로로서(*de condigno*)의 구원을 얻음으로써 이루어진다. 바로 이것이 "하나님께서는 자신들 속에 있는 것을 행하는 사람들에게 은혜를 거부하시지 않는다"(*facientibus quod in se est Deus non denegat gratiam*)는 오캄주의자들의 격언의 의미이다.

오캄과 스코투스, 그리고 그들의 추종자들은 모두 자연적인 능력으로 은혜와 협력하며, '최선을 다하는' 원칙을 주장하였지만, 오캄은 하나님께서 선택된 자들의 예견된 공로들(*ante praevisa merita*)을 고려하지 않고 그들을 영원히 예정하신다고 주장한 스코투스의 가르침을 거부함으로써 스코투스의 구원 교리에 중요한 수정을 가하였다. 오캄과 오캄주의 신학자들에게 선택된 자들에 대한 영원한 예정은, 하나님의 작정하신 의지에 따르면, 그들의 공로에 대한 하나님의 예지(豫知, *post praevisa merita*)에 조건지워져 있다. 마찬가지로 유기(遺棄)된 자들에 대한 영원한 예정도 그들의 과실(過失)에 대한 하나님의 예지에 근거하고 있다. 간단히 말하자면 예정은 인간의 행위에 대한 하나님의 예지와 동일하다 — 오캄주의자들은 이것이 인간의 자유와 위엄을 옹호하기 위하여 필요한 교리라고 여겼다. 영원한 구원을 가치있는 일들에 대한 하나님의 예지와 연결시킴으로써 오캄주의자들은 펠라기우스주의에 대한 스코투스-어거스틴주의의 '보호수단들' 가운데 한 가지를 제거하였다. 그러나 그들은 하나님께서 가치있는 공로와 적합한 공로 모두를 받아들인다고 하는 그들의 교리 자체가 하나님께서는 누구에게도 빚지고 있지 않다는 어거스틴의 교리를 지지하는 데 충분하다고 믿었다.

나중에 16세기에 루터와 그의 동료 개혁자들은 스콜라주의의 구원 교리 전체가 — 주로 오캄의 구원론을 언급하였지만 아퀴나스와 스코투스의 구원론도 포함되었다 — 불안해 하는 양심을 위로하기보다는 겁에 질리게 한다고 주장하게 되었다. 왜냐하면 그 구원론은 적어도 부분적으로는 구원을 오직 하나님의 값없는 자비(신뢰할 수 있는 유일한 근거)에 의존하기보다는 공로(불안정의 원리)에 의존하게 만들었기 때문이었다. 그러나 오캄주의 전통에 따라 훈련을 받았던 루터는 스코투스-오캄주의적 '언약 신학'의 특징들을 수용하였는데, 언약 신학은 구원과 은혜의 주입된 성질들 사이의 모든 본질적인 연관관계를 부정하며 하나님의 '용납'을 구원의 궁극적인 근거로 만들었다. 스코투스를 포함한 선배 스콜라주의 학자들에 대한 오캄의 참다운 급진적인 성격은 그의 지식론와 자연신학에 대한 입장이라는 두 가지 근본적인 점에서 나타났다. 그의 인식론은 실제적으로 그 이전의 중세 전통 전체와 단절하였다. 어거스틴으로부터 아퀴나스를 비롯한 모든 위대한 기독교 사상가들은 개별자에 대한 지식은 보편자에 의하여 전해진다고 주장하였다.

즉 지성은 오직 보편적인 개념(인간)을 통하여 개별적인 것(소크라테스)를 안다. 물론 이런 사상가들도 지성이 실제로 보편적인 것을 알게되는 방식에 관하여는 의견을 달리하였다. 그러나 보편자가 초자연적인 조명에 의하여 직접적으로 알려지든지(어거스틴주의자들) 혹은 감각 경험으로부터 오는 추상화를 통하여 간접적으로 알려지든지(아리스토텔레스주의자들) 간에, 모든 사람들은 보편자가 지성의 일차적이고 적절한 대상이라는 점에는 동의하였다. 마찬가지로 모든 사람들은, 보편자들이 개별적인 것들과는 구별되는 독립적인 본질이든지(극단적인 실재론) 혹은 사물들 속에 고유하게 존재하고 있는 추상적인 본질들이든지(온건한 실재론) 간에 초정신적인 실체를 가지고 있다는 점에 동의하였다. 심지어 지성은 개별자들에 대한 직접적인 지식을 가진다고 가르쳤던 둔스 스코투스도 여전히 본질들의 실체를 지지하였는데, 왜냐하면 개별적인 것들을 알 때에 지성은 실제로 모든 존재를 구성하는 공식적으로 뚜렷한 '공통의 본성들'을 알기 때문이다. 따라서 스코투스에게 있어서도 지성의 적절한 대상은 가장 보편적이고 추상적인 의미의 '존재'(being)이다.

바로 이런 맥락에서 오캄은 자신의 유명한 '면도칼' 혹은 설명의 경제 원칙을 휘둘렀다. "복수성(複數性)은 필연성 없이 주장되어서는 안된다." 혹은 "좀더 적은 전제들로 해결될 수 있는 것은 무엇이나 더 많은 전제들을 사용하면 실속이 없어져 버린다." 이제는 오직 개별적으로 존재하는 사물만이 실재적이며 개별자들에 대한 직접적이고 매개되지 않은 지식(그가 '직관적 인식'〔intuitive cognition〕이라고 불렀던 것)이 가능하다는 것이 진리라고 오캄은 주장하였다. 따라서 단일한 사물들에 대한 인식을 독립적인 본질들(어거스틴, 안셀무스, 보나벤투라) 혹은 이해할 수 있는 개념들(species, 아퀴나스) 또는 공통의 본성들(스코투스)과 같은 존재들을 주장함으로써 설명할 필요가 없다. 직관적 인식이 모든 지식의 토대이다. 왜냐하면 개별적인 대상에 대한 직접적인 파악만이 지성으로 하여금 대상의 존재 여부를 판단할 수 있도록 해주기 때문이다. 그러므로 보편적인 것이 아니라 개별적인 것이 실재(존재)와 사상(지식) 모두에서 우선한다. 보편적인 개념들 혹은 본질들은 직접적으로 파악될 수 없으며 따라서 그것들은 지성과 지성의 판단 행위 밖에서는 아무런 실재를 소유하지 않는다(오캄이 '추상적인 지식'〔abstractive knowledge〕이라고 불렀던 것이다).

그러므로 오캄에게 있어서 보편자는 오직 정신의 내용으로만 존재하며 — 지성이 그것에 의하여 비슷한 많은 개별자들을 이해하는 행동으로서 (여기에서 '유사성'은 '공통의 본질'을 의미하는 것이 아니다) — 많은 사물들을 상징하기 위하여 고안된 관례적인 상징들인 인간의 언어 내에서만 작용한다. 따라서 오캄과 그의 제자들은 보편적 개념들을 정신적이고 언어적인 현상으로 설명하였기 때문에, 그들은 '명목론자들'(termists) 혹은 '유명론자들'(nominalists)로 불려졌다. 그러나 그들은 보편자들을 순전히 주관적인 구성개념들로 보지는 않았다. 왜냐하면 이런 개념들은 오직 지성이 자신의 외부에 실제로 존재하는 사물들과의 접촉과 연관되어서, 즉 많은 개별적인 존재들에 의하여 제시된 유사점들과 접촉하여서 발생하기 때문이다.

오캄의 혁명적인 지식론은 스콜라주의에서 '옛 길'과 '새로운 길'이 분리되는 철학적 기초를 확립하였다. '옛 사람들'(ancients)은 — 아퀴나스뿐 아니라 이제는 스코투스도 그 가운데 한 사람으로 포함되어야 한다 — 보편적인 개념들이 실체의, 무엇보다도 초월적인 실체의 궁극적인 담지자(擔持者)라고 확신을 가지고 본질들에 대한 형이상학적 분석에 관심을 쏟았다. 그러나 오캄이 이끄는 '새로운 사람들'(moderns)은, 실체는 축소할 수 없는 개별적인 것이며 보편적인 개념들은 단순히 정신적인 구성개념들과 언어적인 상징이라고 확신을 가지고 개별적인 존재들에 대한 지성의 직접적인 체험과, 그런 체험으로부터 나온 논리적으로 타당한 추론들에 관심을 쏟았다. 보편자들은 지성과 언어의 관습들 밖에서는 아무런 존재를 가지고 있지 않으며 따라서 초월적인 실재에 대한 '창문'이 아니기 때문에, 자연 신학과 형이상학적 신학은, 모든 실제적인 목적들에도 불구하고, 불가능하다. 신학의 대상들에 대한, 직접적인 체험에 의하여 제공된 경험적인 증거가 전혀 없다. 그러므로 예전의

'자연' 신학의 과업은 전적으로 계시와 믿음에 근거를 둔 새로운 '실증적인' 신학에 자리를 양보하여야 한다.

기독교 신앙을 이성적인 토대 위에 두려는, 11세기로부터 시작된 위대한 스콜라주의의 노력을 오캄이 파멸시켰다는 주장이 자주 제기되어 왔다. 오캄이 자연 신학을 사실상 제거한 것은 사실이다(스코투스 이후로 자연 신학은 최소한으로 축소되어 있었다). 그러나 그는 신학적 과업에서 이성을 추방하지는 않았다. 그보다는 이성을 계시의 한계 내에 위치시켰다. 오캄과 그의 제자들에게 있어서 스콜라주의는 이제 계시된 첫번째 원리들을 이성적으로(논리적으로) 조사하는 형식을 갖게 되었다. 그리고 중세 말기의 학자들은 사변적인 형이상학에는 거의 열정을 보이지 않았지만, 다른 한편으로는 미래의 행위들과 사건들에 관한 하나님의 지식 문제('미래의 우발적인 사건들' 〔future contingent〕)와 같은 신학적 문제들에 관한 자유로운 철학적 사변들을 즐겼다. 이런 점들을 볼 때 그들은, 예전의 스콜라 학자들이 합리적으로 증명할 수 있다고 여겼던 많은 내용들을 이제는 계시에게만 할당하였다는 사실을 제외하고는, '이해를 추구하는 신앙'이라는 전통적인 스콜라철학의 프로그램을 계속 추구하였다.

오캄주의 사상 혹은 유명론(唯名論)은 중세 후기를 통틀어 모든 수도회들의 대표자들 속에서 폭넓은 지지를 받았다. 그러나 오캄의 제자들로 이루어진 어떤 고정된 '학파'를 말할 수는 없다. 왜냐하면 항상 그의 사상 전체가 받아들여진 것은 아니었기 때문이다. 더구나 오캄주의는 반대에 직면하였다. '옛 길'은 유능한 옹호자들을 가지고 있었는데, 그 가운데는 '토마스주의의 왕자'로 알려진 프랑스의 도미니쿠스회 수사인 존 카프레올루스(John Capreolus, 1380경-1444)도 있었는데, 그는 「신학대전」(*Summa theologiae*)의 거대한 주석서와 변증서를 저술하였다. 토마스주의는 또한 로마의 자일스(Giles of Rome, 1247경-1316) 덕분에 어거스틴회 수사들의 수도회에서 근거지를 찾았는데, 그는 1277년의 정죄들의 여파 속에서 전통적인 어거스틴주의에 대항하여 토마스주의를 굳건하게 옹호하였다. 자일스는 1285년에 파리 대학의 제 1 어거스틴 신학 강좌를 차지하였다. 1287년에는 그의 가르침들이 어거스틴 수도회의 공식적인 교리로 채택되었다. 1292년에 그는 그 수도회의 총장이 되었다. 앞으로 살펴보겠지만, 도미니쿠스회 신학자들의 중요한 그룹도 알베르투스 마그누스와 토마스 아퀴나스의 사상과 직접적으로 연결된 노선을 지지하였으며, 14세기 동안에 쾰른과 라인란트 지방에서 활동하였던 신비주의적 작가들도 그 노선을 지지하였다(V:9 참조).

14세기 중반에 오캄주의 개념들과 입장들은 옥스퍼드와 파리 양쪽 모두에서 확립되었다. 옥스퍼드에서는 프란체스코회 수사인 아담 우드햄(Adam Woodham, ?-1349)과 도미니쿠스회 수사인 로버트 홀코트(Robert Holcot, 1285경-1349)가

'새로운 길'을 대표하였다. 1340년대에 파리 대학교에서는, 시토회 수도사인 미르쿠르의 요한(John of Mirecourt)과 오트르쿠르의 니콜라스(Nicolas of Autrecourt)의 가르침에서 나타나듯이, 오캄의 영향력이 특별히 강력하였다. 그러나 두 사람 모두 오캄주의의 원리들을 너무나 급진적으로 이용하였기 때문에 그들의 주장들 가운데 많은 것들이 공식적으로 정죄되었다. 훨씬 더 온건한 오캄의 제자는 파리 대학교의 총장을 두 차례 역임한 장 뷔리당(Jean Buridan, 1295경-1358경)이었다. 뷔리당은 경험론적 유형의 자연 철학을 발전시키기 위하여 오캄의 논리와 인식론을 이용하였다. 즉 그는 물리학을 관찰 가능한 현상들의 과학으로 만들었다. '직관적 인식'이 자연적 지식의 유일한 기초라고 하는 오캄의 교리는 중세 말기의 과학에 좀더 경험주의적인 성격을 부여하는데 도움을 주었는데, 그것은 뷔리당의 두 주요 제자들인 작센의 알베르트(Albert of Saxony, 1316경-1390)와 잉겐의 마르실리우스(Marsilius of Inghen, ?-1396)의 업적에서 더욱 분명해지는데, 그들은 모두 처음에 파리에서 가르치다가 나중에는 오스트리아와 독일에 오캄주의 사상을 전파하였다.

후기 스콜라주의에 대한 평가들은 여전히 큰 차이를 보이고 있다. 특히 '새로운 길'은 주로 토마스주의적 종합을 스콜라주의 사상의 정점으로 보는 사람들에 의하여 자주 중세 신학의 밑바닥으로 여겨져 왔다. 그러나 오캄 이후에 신학이 단순히 좌절되었다고 생각하는 것은 잘못일 것이다. 중세 말기의 학자들은 신학의 '과학적' 지위와 같은 문제들을 다루는 일에서 상당한 독창성과 창조성을 과시하였다. 하나님의 전능하심, 죄와 은혜와 공로의 문제들에서 하나님의 뜻과 인간의 자유의지의 관계, 미래의 우발사건들에 대한 하나님의 지식, 예정, 교회의 본질과 국가와의 관계, 성경과 전통, 성례들, 특별히 성찬식의 요소들의 '변화'의 본질 등이 그런 문제들이었다.

신학의 내부적인 문제들에 대한 이런 관심의 한 가지 아주 중요한 결과는 성 어거스틴의 저서들, 특히 예정과 선행(先行)적 은혜(prevenient grace) 그리고 의지의 속박(노예의지)과 같은 주제들을 다룬 저서들의 참된 해석을 새롭게 추구한 것이었다. 격렬한 논쟁을 불러 일으킨 이런 연구는 중세 후기 내내 계속되었고 종교개혁 시대까지 이어졌다. '최선을 다하는 것'을 적합한 공로와 가치 있는 공로 모두의 기초라고 특징적으로 강조하는 오캄주의의 구원론 체계는 앞에서 언급한 도미니쿠스회 신학자인 로버트 홀코트라는 초기의 유능한 옹호자를 발견하였다. 이 교리는 곧 옥스퍼드의 또 다른 신학자이며 당대의 가장 뛰어난 수학자였던 토머스 브래드워딘(Thomas Bradwardine, 1290경-1349)으로부터 '현대적 펠라기우스주의'의 일종으로 공격받았다.

그의 주저인 「펠라기우스주의자들에 반대하는 하나님의 명분」(*De causa Dei*

contra Pelagium, 1344년 경에 완성됨)은 어거스틴주의의 (그리고 명백하게 토마스주의의) 주장들을 비타협적으로 재천명한 것이었다. 즉 타락한 인간의 의지의 속박, 의지를 자유롭게 하기 위한 선행적 은혜의 절대적 필요성, 그런 은혜의 불가항력성, 가치 있는 행동의 유일한 기초인 은혜의 주입된 성질, 그리고 모든 것들을 떠받치고 있는 하나님의 영원한 예정, 그 예정은 예견된 공적들을 전혀 고려하지 않은 채로 선행적 은혜를 받을 사람들을 선택한다. 캔터베리 대주교로 취임한 지 얼마 지나지 않아서 브래드워딘은 오캄과 홀코트, 그리고 지도적인 영국의 사상가들의 한 세대 전체와 함께 선(腺) 페스트 혹은 흑사병의 제물이 되었다.

오캄주의 구원론에 대한 또 한 사람의 완강한 반대자는 중세 시대의 최고의 어거스틴 연구가로 명성이 높았던 리미니의 그레고리(Gegory of Rimini, 1300경-1358)였다. 학생과 교사로서 파리에서 오랫동안 활동하였던 그는 1357년에 어거스틴회의 총장이 되었으며, 로마의 자일스 이래로 그 수도회의 가장 영향력 있는 지도자가 되었다. 비록 오캄의 지지자였으며 인식론에서 '새로운 길'을, 그리고 하나님의 '두 가지 권능' 교리를 지지하였지만, 그의 급진적인 어거스틴주의는 오캄주의의 구원론의 전체 체계와 갈등을 일으키게 되었다. 그는 선택된 자들과 유기된 자들에 대한 하나님의 무조건적 예정이라는 — 절대적인 작정(decree)으로서 그 속에서는 인간의 공로나 과오에 대한 예지(豫知)는 아무런 역할도 하지 않는다 — 엄격한 어거스틴주의 교리를 지지하였다.

브래드워딘과 리미니의 공격에도 불구하고, 지도적인 오캄주의 신학자들은 자신들이 하나님께서 자유롭게 공로들을 '용납'하신다는 점을 강조하기 때문에 그들 역시 '어거스틴주의자들'이라고 항상 확신하면서, 여전히 스승의 구원 교리의 핵심적인 세부 내용들을 고수하였다. 이런 '새로운 길'의 후대의 대표자들 가운데 가장 뛰어난 인물은 세 명의 재속(在俗) 신학자들이었다. 프랑스의 피에르 다이(Pierre d'Ailly, 1350-1420)와 장 드 제르송(Jean de Gerson, 1363-1429), 그리고 독일 사람 가브리엘 비엘(Gabriel Biel, 1420경-1495)이 그들이었다. 다이와 그의 제자인 제르송은 교황의 권위를 교회의 총 공의회의 권위에 복속시킴으로써 교회의 대분열(Great Schism)을 해결하려고 노력하였던 '공의회 운동'의 지도자들이었다.

1395년에 파리 대학교의 총장이 된 제르송은 클레르보의 베르나르와 보나벤투라를 모범으로 하여 신학과 영성(spirituality)의 재통합을 요구함으로써 학자들의 악명높은 당파주의를 극복하려고 노력하였다. 신비주의 신학에 관한 그의 고전적인 저서인 「신비주의 신학에 관하여」(*De mystica theolgia*, 1402)는 이 오캄주의 신학자가, 일반적인 추측과는 달리, 원칙적으로 신비주의를 반대하지 않았다는 사실을 보여준다. '최후의 스콜라주의자'로 알려져 있는 비엘은 오캄의 충실한 제자였으며 리미니의 공격에 대하여 오캄을 옹호하였다. 오캄주의 사상에 대한 그의 균형잡힌 해설은, 다시 루터로부터 '현대 신학자들'이 '펠라기우스주의자들보다 더 나쁘다'라고 공격받을 계기가 되었다. 한편 나중에 트렌트 공의회의 신학자들도 가담한, 초기 루터의 대적자들은 비엘을 가톨릭의 권위자로 인용함으로써 대응하였다.

단순히 스콜라주의 전성기의 '후주곡'(postlude)으로 혹은 종교개혁 사상의 '전주곡'(prelude)으로서가 아니라, 그 자체에 기초하여 판단한다면, 14세기와 15세기의 스콜라주의 신학은 고유한 중요성을 가지고 있다고 보여진다. 그 시대의 최고의 지성들은 '자연과 은혜' '이성과 계시' '하나님과 세상'과 같은 주제에 관한 오랜 문제들에 새로운 해결책들을 제안하였다.

그들은 이전 시대의 스콜라주의, 무엇보다도 토마스 아퀴나스의 기독교적 아리스토텔레스주의가 철학적 신학적 근거들에서 심각한 비판에 처하였다고 믿었기 때문에 그들의 해결책들은 필연적으로 그들의 위대한 선배들이 제시한 해결책들과는 달랐다. 논쟁이 풍성하게 벌어졌으나 때로는 천박한 현학과 언쟁에 밀려나기도 하였다. 그러나 그 시대가 지적인 불모 상태였다거나 혹은 후기 스콜라주의 사상이 스콜라주의의 '파산'을 표시한다고 말하는 것을 공정하지 못할 것이다. 오히려 후기 스콜라주의는 새로운 열쇠를 가진 스콜라주의였다.

9. 신비주의, 현대 신심(Modern Devotion), 그리고 이단

중세 말기는 단순히 스콜라주의 신학에서 중요한 발전이 있었던 것만으로 두드러졌던 것이 아니었다. 14세기에는 또한 내적인 경건을 세상 속에서의 그리고 세상으로의 적극적인 봉사의 생활과 결합하려는 새로운 형태의 대중적인 경건이 출현하였을 뿐만 아니라 신비주의가 크게 꽃을 피웠다. 이러한 정신적인 현상들에서 공통적이었던 것은, 영혼이 신비적으로 하나님과 연합됨을 통해서든지 혹은 실제적으로 신비적인 체험을 포함하지 않은 내적인 삶을 가꾸는 것을 — 하나님의 현존하심의 훈련 — 통해서든지, 하나님과의 직접적인 인격적 접촉을 추구하였다는 점이었다. 또한 공통적이었던 것은 교회와 사회의 갱신을 위해서는 개인의 종교적인 갱신 즉 외면적인 전례들과 의식들에 대한 단순한 순응이 아니라 참된 내적인 신앙이 필요하다는 기본적인 확신이었다.

신비주의자들과 '현대신심주의자들'(new devotionalists, 데보티오 모데르나 〈*Devotio Moderna*〉 운동의 번역어는 「기독교대백과사전」에서 채택한 '현대신심'이라는 용어를 사용하였다. 그러나 '새로운 헌신'이라는 표현이 더 적절할 것이다 — 譯註)은 모두 그들과 연관된 집단들과 함께 이단이라는 의심을 널리 불러일으켰으며 일부 사례들에서는 공식적으로 정죄를 받기도 하였다. 이러한 반작용들은 부분적으로는 하나님에 대한 '체험적 방법'이 불가피하게 제도적 교회와 그 성례의 집행에 대한 무관심과 적대심을 조장할 것이라는 두려움에 의하여 자극을 받은 것이었다. 이런 두려움은 신비적인 경건에 기초를 두었던 '자유 신령파'(Brothers and Sisters of the Free Spirit) 이단을 제외하고는 대체로 근거가 없었다는 사실이 판명되었다. 이 이단은 결코 조직적인 분리 운동까지 이르지 못하였고 곧 억제되었다. 확실히, 새롭고 강력한 이단 운동들이 14세기 말기와 15세기 초에 일어났으나, 그러나 그것은 신비주의자들이나 경건주의자들 속에서 일어난 것이 아니라 두 명의 학자들, 즉 영국의 존 위클리프(John Wyclif)와 보헤미아의 얀 후스(Jan Hus)를 따르는 추종자들 속에서 일어났다(V:13 참조).

중세 말기의 신비주의자들 가운데 가장 유명한 인물은 — 비록 가장 대표적인 인물은 아니지만 — **요한네스 '마이스터' 에크하르트**(Johannes "Meister" Eckhart, 1260경-1327 혹은 1328)였는데, 그는 독일의 도미니쿠스회 수사로서 쾰른과 파리에서 공부하였으며, 독일의 도미니쿠스회에서 고위 직책들을 계속 역임하였다. 1311년부터 죽을 때까지 파리와 슈트라스부르크 그리고 쾰른에서 교사와 설교자로 봉사하였다. 생애 말년에 그는 이단 혐의를 받게 되었고 1329년에 교황 요한 22세는 그의 저서들에 나타난 28개의 전제들을 정죄하였다. 에크하르트는 알베르투스 마그누스와 토마스 아퀴나스의 가르침을 받아들였는데, 아리스토텔레스적인 측면보다는 신플라톤주의적 측면을 받아들였다. 그가 정죄를 받게 된 것도 주로 신플라톤주의에서 나온 일련의 경솔한 진술들 때문이었다.

에크하르트의 중심적인 관심사는 하나님에 대한 영혼의 관계였다. 그는 영혼이 그 속에 — 그가 영혼의 '불꽃'(*scintilla, Fünklein*) 혹은 영혼의 '근저'(*Grund*)라고 다양하게 불렀던 — 특별한 구조를 가지고 있으며, 그것이 바로 하나님의 형상이며 하나님께서 완전히 거하시는 곳이라고 가르쳤다. 에크하르트의 일부 주장들은 그가 이 영혼의 가장 깊숙한 본질을 창조되지 않은 어떤 것, 즉 하나님과 그 모습에 '닮았을' 뿐만 아니라 참으로 하나님과 '하나'로 여겼음을 지적하고 있다. 왜냐하면 그것이 세상과 시간이 창조되기 이전에 하나님과 함께 존재하였기 때문이었다. 오직 모든 감각과 사고와 의지의 대상으로부터 물러나서 영혼의 '근저' 속으로 후퇴하는 것을 통하여 영혼은 자신 속에서 하나님의 말씀(Word, 성자〈Son〉)의 탄생을 체험하며 하나님과의 신비적 연합을 얻는다. 이 연합은 사랑과 애정의 황홀경 속에서 인간의 의지를 하나님의 의지에 완전히 일치시키는 것 이상을 포함한다. 그것은 영혼이 완전히 하나님으로 변형되는 것, 영혼이 하나님 속에 있는 그 영원한 선(先) 존재로 돌아가는 것이다. 실제로 그것은 '하나님'(*Gott*)이 아니라 순수한 '신성'(*Gottheit*)의 심연과의 형언할 수 없는 연합이다. 클레르보의 베르나르의 '주의적인'(voluntarist) 혹은 '감정적인'(affective) 신비주의와 너무나 다른 이런 '본질주의적'(essentialist) 혹은 '변혁적인'(transformative) 신비주의는 정통주의로 하여금 그들이 범신론적이며 피조물과 피조되지 않은 것 사이의 존재론적 차이를 제거함으로써 모든 존재를 하나님 속에 통합하고 있다고 의심하도록 만들었다. 에크하르트는 후에 자신이 과장하는 잘못을 저질렀다고 인정하였고 어거스틴주의와 토마스주의의 교리에 근거한 정통적인 설명들을 제공함으로써 논란이 되는 그의 주장들을 옹호하였다.

에크하르트의 탁월한 제자는 쾰른에서 에크하르트 아래서 공부했고 슈트라스부르크와 바젤에서 설교자와 영적인 지도자로 명성을 쌓았던 동료 도미니쿠스회 수사 요한네스 타울러(Johannes Tauler 1300?-1361?)였다. 타울러는 에크하르트처럼 하나님의 형상이며 하나님의 영원한 내주 장소인 '불꽃' 혹은 '근거'를 영혼 속에서 파악했다. 그러나 그는 조심스럽게 이 근저(*Grund*)는 하나님이 주신 것이지 영혼의 본래적 속성이 아니라고 주장했다. 영혼이 그 원천으로 돌아감은 은혜의 활동이며 인간 의지와 신적 의지의 연합을 동반하는 것이지 유한한 존재가 무한한 존재로 흡수되는 것이 아니다(물론 타울러의 어떤 말은 이 해석을 허용하지만 말이다). 루터는 뒤에 타울러의 설교를 '순수 신학'의 샘이라고 찬양했다. 루터의 찬탄을 자아낸 것은 타울러의 특징적인 신비적 가르침이 아니라 고난, 자기 부인, 은혜 의존의 내적 종교에 대한 그의 가르침이었긴 하지만, 이 판단 때문에 프로테스탄트 학자들은 종종 타울러를 종교 개혁의 선구자로 보곤 한다.

14세기의 위대한 독일 도미니쿠스회 신비주의자 가운데 세번째 사람은 하인리히 주조(Heinrich Suso, 1295경-1360)였다. 콘스탄스 출신인 그는 일찍이 도미니쿠스회에 들어갔고 쾰른에서 공부했다. 쾰른에서 그는 타울러와 만났고 에크하르트에게 크게 영향을 받았다. 주조는 1329년 정죄의 악몽에서 에크하르트를 유능하게 변호했다. 금욕적인 은둔 시절을 보낸 후에 그는 콘스탄스와 울름에서 설교와 목회 사역을 시작했다. 주조는 대개 신비적 연합을 실체의 연합보다는 의지의 연합으로 묘사하고, 피조된 존재와 피조되지 않은 존재의 지울 수 없는 차이점을 강조하면서 타울러처럼 에크하르트보다 좀더 주의깊게 말했다. 주조의 「진리의 소책자」(*The Little Book of Truth*) 즉 그리스도의 수난에 대한 명상집은 후대의 토마스 아 켐피스(Thomas à Kempis)의 「그리스도를 본받아」(*The Imitation of Christ*)보다 더 인기를 얻었다.

위대한 독일 신비주의자들은 세 사람 모두 라인란트(Rhineland)에서 도미니쿠스회 수녀들과 베긴회(V:4 참조)를 목회하며 돌보았고 종종 자기 나라 말로 하는 설교와 소책자들을 이런 종교적인 여성 공동체에 베풀었다. 수도원에 있던 수녀들과 베긴회들은 오랫동안 외적인 신체적 금욕을 넘어 그 위에 내적인 자기 희생을 j강조함으로써 절대적 청빈의 옛 이상을 '영화'(靈化)시켜 왔다. '독일 신비주의'라고 하는 이 현상은 여성의 경건과 도미니쿠스회 신학 사이의 이러한 만남, 영혼의 배려, 그리고 자기 나라 말로 하는 설교 속에서 나타난 것으로 볼 수 있다.

에크하르트, 타울러, 주조는 14세기 라인란트와 스위스에 있는 성직자나 평신도 신비주의 단체에 대한 영감의 주요 원천이기도 했다. 이 단체들은 스스로를 '하나님의 친구'[1](*Gottesfreunde*)라고 불렀다. 이 단체로부터 14세기 후반 익명의 신비주의 논문 즉 「독일 신학」(*Theologia Deutsch*)이 나타났다. 이 책은 1516년과 1518년에 자신이 서문을 써서 발행한 젊은 루터에게 심대한 영향을 미쳤다. 16세기 재세례파와 영성주의자들(Spritualist)에 의하여 이 책은 기본적 '개혁' 문헌으로 널리 사용되기도 했다.

신비주의 신앙은 플랑드르의 신비주의자 가운데 가장 위대한 **얀 판 로이스브루크**(Jan Van Ruysbroek, 1293-1381)에 의하여 네덜란드에서 더욱 커갔다. 그는 1343년 은퇴하여 흐루넨다엘(Groenendael)에서 은거하기까지 브뤼셀에서 교구 사제로 오랫동안 시냈다. 거기서 1349년 로이스브루크와 친구들과 제자들 집단은 어거스틴주의적 표준의 명상 공동체를 세웠다. 그는 이 공동체의 초대 수도원장이 되었다. 그의 초기 신비주의 논문 가운데 하나인 「영적인 약혼식」(*The Spritual Espousals*)에 나타난 부주의한 몇몇 표현들은 장 드 제르송으로부터 범신론이라는 비난을 받게 되었다. 하지만 「번쩍이는 돌」(*The Sparkling Stone*)과 같은 후기 저술에서 로이스브루크는 조심스럽게 하나님과의 신비적 연합은 명상자의 피조된 존재가 없어지는 것을 포함하지 않는다고 말했다. 그는 또한 '고요한 즐거움'의 명상적 생활은 선행의 '일상 생활'에서 나와야 한다고 주장했다.

독일 라인란트와 저지대 나라들이 신비주의적 영성의 주요 본산이었지만, 14세기 영국에서도 신비주의가 주목할 만하게 만개했다. 하지만 대륙의 신비주의자들과 달리 영국의 신비주의자들은 흔히 은자나 은둔자였지 수도원 공동체의 적극적인 회원은 아니었다. 「사랑의 불」(*Fire of Love*)의 저자인 **리처드 롤**(Richard Rolle,

1300경-1349)과 「완덕의 단계」(*The Scale of Perfection*)의 저자인 **월터 힐튼**(Walter Hilton, ?-1396)은 자신들의 가장 유명한 작품들을 기록했을 때 은자였다. 물론 롤은 햄폴(Hampole)에 있는 시토회 수녀의 영적인 지도자로 생애를 마감하고 힐튼은 후에 어거스틴교단의 회원이 되었다. 1350년경부터 1380년까지 활동했던 「무지의 구름」(*The Cloud of Unknowning*)의 이름없는 저자는 은자였던 것으로 보이며, 「하나님의 사랑의 계시」(*Revelations of Divine Love*)의 저자이며 중세의 가장 위대한 여성 신비주의자 가운데 한 사람인 **노르위치의 줄리안**(Julian of Norwich, 1342?-1416)는 일평생 은둔자였다. 영국의 신비주의자들은 신플라톤주의에 영향을 입은 정도에 따라 상당히 달랐다. 예를 들어 「무지의 구름」의 저자는 위(僞)디오니시우스의 전통으로 활동했다. 하지만 이 모든 사람들의 경건은 전적으로 정통주의적이었다.

이 시기 동안 가장 탁월한 이탈리아의 신비주의자는 도미니쿠스회의 제삼회 회원(tertiary)인 **시에나의 성 캐더린**(St. Catherine of Siena, 1347-1380)으로, 그는 신비적인 황홀과 교회와 세계에 가장 활동적인 '사도단'을 결합했다. 캐더린은 교황과 추기경과 전체 기독교에 말하면서 교황의 아비뇽 '유수'를 끝낼 것을 요구했다(V:12 참조).

신비주의는 때때로 과도한 이단을 불러일으킬 수 있었다. 1312년 교황 클레멘트 5세(1305-1314)가 소집한 비엔나 공의회는 베긴회와 베가르회의 '혐오스러운 분파'의 여덟 가지 오류를 정죄하는 명령을 발포했다(V:4 참조). 이 '분파'가 주장한다고 하는 이 이단적 교리는 주로 다음 세 가지였다. 즉 이 세상에서 하나님과 완전히 하나가 됨으로써 영적인 완성 상태(무죄 상태)를 이룩할 수 있는 것과, 이 '신격화한' 사람은 성례적 은혜와 선행을 포함하여 종교의 모든 외부적인 것을 하지 않아도 된다는 것과, 그런 사람은 더 이상 교회법이나 심지어는 하나님의 도덕법에 구속되지 않는다는 것이다. 간단히 말해 이 이단은 자가신론(autotheism, 영혼과 하나님이 하나됨), '반율법주의'(하나님의 법을 폐기함), 급진적인 '영성주의'(종교에 대한 모든 외적인 도움의 제거)를 포함했다.

1310년 마거리트 포레테(Marguerite Porete)의 하이놀트(Hainault) 출신의 한 베긴 회원이 「순박한 영혼의 거울」(*The Mirror of Simple Souls*)에서 그와 같은 이단적 생각을 개진했다는 혐의로 화형되었다. 교회 당국은 소위 이 자유 신령파(Free Spirit)의 이단은 국제적으로 조직된 분파의 활동이라고 믿었다.

최근의 연구는 비록 유럽의 북부와 남부의 많은 도시 지역들에서 대부분 여성들로 구성된 자유신령파(Free Spirit)를 찾아볼 수 있었지만, 그렇게 단결된 집단은 존재하지 않았음을 보여주었다. 일부는 베긴회(Beguines)와 베가르회(Beghards)였고, 일부는 성직자 수도회였고 일부는 독립 수도회였으나, 기성 수도회들과는 아무런 식섭적인 관계를 맺고 있지 않았다. 이 자유신령파들은 대체로 말세에 옛 '사도 생활'을 대표하고 '자발적인 청빈'을 실천하는 운동들로서, 그러한 성격과 아울러 상당한 신비주의적 신앙을 갖고 있었다 — 동일한 결합을 13세기 중엽 이래 많은 수의 베긴회와 베긴 수녀회들에서 찾아볼 수 있었다. 자유신령파들은 북유럽의 모든 위대한 신비주의자들에게 반대를 받았다. 그들은 자가신론(autotheism)을 주장하고 해방된 영혼은 전통적인 구원 방식들이 필요없다고 종종 주장한 점에서 에크하르트(Eckhart)를 포함한 정통 신비주의자들보다 더욱 급진적이었다. 그러나 그들은 자유인들과는 아주 무관하게, 완전에 이르는 길에는 극단적인 금욕주의와 철저한 포기가 필요하며, '완전하게 된' 사람들이 무절제한 행위를 하는 경우란 없다고 가르쳤다. 포레테의 경우에서 볼 수 있는 대로 이단 자유신령파들과 정통 신비주의자들은 구분하기 어려운 때가 많았다. 그녀의 저서 「단순한 영혼들의 거울」(*Mirror of Simple Souls*)은 중세 말의 수많은 수도원들에서 필사(筆寫) 및 번역되었고, 15세기에 교황 유게니우스 4세(Eugenius IV)에게 승인을 받았으며, 1927년에는 영국 베네딕트회의 후원으로 현대 영어로 출판되었지만, 이러한 일들이 있기 전에는 정죄된 이단 서적으로 간주되었었다.

중세 말에 가장 널리 퍼지고 가장 큰 영향력을 발휘한 운동은 네덜란드 동부 — 데벤터와 그 주변 도시들인 켐펜, 츠볼레, 빈데샤임 — 에서 **제랄드 흐로테**(Gerard Groote, 1340-1384)와 그의 제자 **플로렌티우스 라데빈스**(Florentius Radewijns, 1350-1400)가 시작한 운동이었다. 이 운동은 곧 '현대 신심'(*Devotio moderna*)으로 알려지게 되었고, 1370년대와 1380년대에 흐로테와 라데빈스의 사역으로 설립된 세 공동체들 — 데벤터에 설립된 공동생활 자매회(the Sisters of the Common Life)와 공동생활 형제회(the Brothers of the Common Life), 그리고 빈데샤임에 설립된 어거스틴 참사회 공동체 — 을 포괄하였다. 자매회와 형제회, 그리고 빈데샤임회는 빠른 속도로 저지대(the Low Countries)와 라인란트, 베스트팔렌으로 확산되었고, 그 곳들로부터 독일 남부와 중부로 들어갔다.

데벤터 출신 흐로테는 파리 대학교에서 법학, 의학, 신학을 공부하였고, 그 대학교의 교양학부 교수를 지냈다. 그는 많은 성직록(聖職祿)들을 보유한(비록 성직자가 아니었음에도) 현실 때문에 자기 중심적인 생활을 하다가, 1370년 이후 어느 시기에 회개를 체험하고서 카르투지오회 모니쿠이첸 수도원으로 들어간 뒤 그곳에서 한동안 반성을 하면서 라인란트 신비주의자들, 특히 로이스브르크(Ruysbroeck)의 저서들을 공부하였고, 그들의 친구가 되었다. 본격적인 수도원 생활도 본격적인 신비주의자 생활도 마음에 들지 않은 그는 부제로 성직 임명을 받은 위트레흐트 교구에서 선교사 설교자로 여생을 보냈다. 당대의 부패들, 특히 성직자들과 수도원들의 부도덕성을 비판한 이유로 1383년 설교 자격을 박탈당하였다. 이 판결에 대해 교황에게 상소하였지만, 답변을 듣기 전에 죽었다.

흐로테(Groote)는 죽기 전에 데벤터에 있는 자기 가문의 저택에 여성들의 신앙공동체를 세웠던바, 이 공동체는 '공동생활 자매회'의 핵을 이루었다. 이 평신도 여성들은 노동을 하여 생계를 유지하고, 수도 서약을 하지 않고, 수도복을 입지 않았지만, 하나님과 사회를 섬기기 위한 공동생활을 추구하였다. 이들은 많은 젊은 여성들을 끌어모았고, 그 결과 저지대와 독일 서부 곳곳에 수많은 자매회들이 설립되었다. 그러나 자매회들은 점차 수도 생활을 열망하게 되었고, 15세기 초반에는 대부분 프란체스코회 제3 수녀회가 되어 있었으며, 그들의 수녀원들은 위트레흐트의 '참사회'(chapter)로 조직되었다. 그 공동체들 가운데 일부는 성 어거스틴의 수도회칙과 엄격한 봉쇄생활을 채택하기도 했다.

흐로테가 원래 지녔던 이상은 세속 사회를 떠나지 않은 채 신앙을 실천하는 공동생활이었다. 이 이상에 가장 가까이 남은 사람들은 라데빈스(Radewijns)가 데벤터에 있는 자신의 총사제관 — 그는 그곳의 교구 사제였다 — 에 조직한 평신도 '공동생활 형제회'였다. 이들의 주요 활동은 네덜란드와 독일의 도시 학교들에 다니는 학생들을 신앙으로 돌보는 일이었다. 이러한 목적을 위해 그들은 특히 수도 생활 또는 성직에 적합하다고 판단되는 일부 학생들에게 숙식을 제공해 주고 형제단원들이 그들에게 신앙 교육을 할 수 있는 숙사(宿舍)들을 설립하였다. 형제단원들은 큰 예외 없이 대학교 교육이나 신학 교육을 받지 못한 사람들이었다. 그리고 인쇄 기술의 발달로 필사(筆寫)가 비경제적인 일이 된 15세기 말 이전에 그들은 도시 학교들에서 교사가 되거나 직접 학교들을 설립하였다. 에라스무스(Erasmus)는 데벤터에서, 루터(Luther)는 마그데부르크에서 각각 형제단원들이 영적 교사로 있던 학교들에 다녔다. 그러나 형제단원들이 기독교 인문주의 또는 종교개혁의 '선구자들'이었다고는 할 수 없다.

1387년 라데빈스는 흐로테의 조언에 따라 빈데샤임에 어거스틴 참사회 공동체를 설립하였고, 그로써 적어도 몇몇 형제단원들로 하여금 충분한 수도 생활을 할 수 있는 여건을 마련해 주었다. 이 단체는 곧 광범위한 지역에 걸쳐 수많은 공동생활 단체들로 발전하게 되었다. 빈데샤임 '공동체'는 어거스틴 수도회칙을 엄격히 고수한 점에서 구별되었으며, 중세 말 수도원들에서 일어난 '엄수파' 개혁운동에 주도적인 역할을 하였다.

공동생활 형제회와 자매회, 그리고 빈데샤임 참사회원들이 실천한 '새로운 경건'(new devotion)은 하나님과의 깊은 인격 관계에 대한 각성에 그 기초를 두었고, 그리스도의 생애와 수난에 대한 끊임없는 묵상을 강조하였으며, 교회의 전통적인 신앙의식(儀式)들로부터 자양을 얻었다. 현대신심 운동가들은 비록 종교적인 '인물들'이긴 했지만, 반(反) 성례적이거나 반(反) 제도적이지는 않았다. 그들은 '내면적 열정'

에서 우러나오는 경건을 가르침으로써 신앙의 형식주의(formalism)와 교회의 부패를 극복하는 데에만 목표를 두었다. 더욱이 이러한 경건은 신비주의가 아닌 묵상을 그 성격으로 삼았다. 현대신심 운동가들은 본격적인 신비주의를 받아들이지 않았고, 라인 강 유역과 플랑드르의 신비주의자들이 쓴 저서들을 대체로 무시하였다. 이 보수주의적인 경건이 남긴 가장 고귀한 열매는 중세의 다른 어느 저서보다 널리 보급된 「그리스도를 본받아」(*The Imitation of Christ*)라는 책이었다 — 이 책의 저자는 토마스 아 켐피스(Thomas a Kempis, 1380?-1471)로서, 긴 생애의 대부분을 츠볼레 근처 성 아그네스 산에 있는 빈데샤임파 수도원에서 지낸 인물이다.

10. 선교와 실패

십자군에서 종교개혁까지는 기독교에 이익과 손실을 동시에 준 시기였다. 스페인에서는 기독교인들이 회교도들과 계속해서 싸워야 했다. 점차 네 개의 기독교국가들이 반도를 통치하게 되었다. 카스틸(Castile)이 톨레도(Toledo)를 정복했고(1085), 라스 나바스 드 톨로사(Las Navas de Tolosa)에서 회교도를 패배시켰고(1212), 레온(Leon)과 합병하여 강력한 국가가 되었다(1230). 작은 나바르(Navarre)는 피레네 산맥 양쪽에까지 뻗었다. 한편 동쪽의 아라곤과 서쪽의 포르투갈이 독립을 획득했다. 그래서 1250년까지 반도에서의 이슬람 세력은 그라나다 왕국으로 제한되었으며, 1492년에는 결국 쫓겨났다. 스페인 기독교 왕국들은 약했고 계속 자신들을 서로 경계하고 있었다. 스페인의 실제적 세력은 카스틸과 아라곤이 연합되어 페르디난드와 이사벨라가 공동으로 통치할 때(1479)에서야 비로소 분명해졌다.

동방에서는, 1208년 중국 북부의 정복으로 시작된, 대 몽고 제국이 북 아시아를 가로질러 1238년과 1241년 사이에 남부 러시아의 대부분을 정복하고 1258년에는 팔레스타인의 국경에 다다랐다. 이 정복으로 중앙 아시아에서 번창하던 네스토리우스계 교회들 대부분이 소멸되었다(III:9 참조). 정복의 첫 폭풍이 지나간 후에, 몽고의 지배 아래 있던 중앙 아시아는 처음으로 문호가 개방되었고 그 지배가 끝나자 다시 19세기까지 폐쇄되었다. 1260년경 베니스 상인 니콜로와 마페오 폴로가 북경에까지 이르는 긴 여행을 했다. 그들은 거기서 몽고의 쿠빌라이 칸에게 환영받았다. 그들은 1269년에 이탈리아로 돌아왔다가 1271년에 다시 북경으로 출발했다. 이 때 니콜로보다 더 유명한 그의 아들 마르코를 동반했고, 그는 칸의 신하가 되었다. 1295년에 폴로 부자는 베네치아에 돌아왔다. 그들의 귀환 이전에 프란체스코파 수도사 몬테 코르비노의 존(John of Monte Corvino)이 북경으로 출발했다. 그는 거기서 교회를 하나 세웠고 기독교는 잠시 동안 번성했다. 교황 클레멘트 5세(Clement V, 1305-1314)는 존을 대주교로 임명하고 여섯 명의 주교들을 두게 했다. 그러나 그 사역은 승리한 명왕조에 의해 몽골인들과 다른 외국인들이 중국으로부터 쫓겨났을 때 끝나게 되었다.

회교도에게 다가가려는 노력들이 있었지만 거의 성공하지 못했다. 아시시의 프란체스코(Francis of Assisi) 자신은 1219년에 이집트에서 술탄에게 설교했다. 선교사로는 마조르카섬 원주민 출신 라몽 룰(Ramon Lull, 1232?-1315?)이 더 유명했다. 그는 완전한 세속적 삶으로부터 돌아섰고(1263), 선교사로서의 준비로 아랍어를 연구하며 「위대한 예술」(*Ars Magna*, 1274년경)을 썼다. 그는 그 책에서 철학적으로 훈련된 회교도들에게 기독교의 진리를 반박할 수 없게 설명하려 했다. 그는 1293년에 터키에서 선교사역을 시작했다가 그 해 말에 추방되었다. 그는 선교사 훈련을 위한 학교들을 세우기 위해 교황을 설득하려고 노력했다. 1307년에 그는 다시 한번 아프리카에 갔다가 다시 쫓겨났다. 비록 하나의 희망에 머무르긴 했지만, 그의 웅변은 비엔나 공의회를 설득해 아비뇽, 파리, 살라만카(Salamanca), 볼로냐(Bologna), 그리고 옥스퍼드에서 헬라어, 히브리어, "갈대아어"(Chaldean), 그리고 아랍어를 가르칠 것을 명령하도록 설득했다. 그는 1314년에 튀니스로 갔다. 그는 거기서 그 다음 해에 돌에 맞아 순교자의 죽음을 맞이한 것으로 전해진다. 그는 선교의 성과를 거의 보여주지 못했지만 선교정신을 많이 높였다.

이 시기에 드러나는 특징은 한 때 기독교 지역이었던 곳들의 상실이었다. 십자군의 마지막 팔레스타인 점령지를 1291년에 잃었다. 새로운 이슬람 세력이 오토만 터키(Ottoman Turks)에서 일어나고 있었다. 그들은 중앙 아시아에서 출발해서 1300년까지는 소 아시아에서 독립국가를 이루었다. 1354년에 그들은 동로마제국의 유럽 지역을 침략했고, 1361년에는 아드리아노플(Adrianople)을 탈취했으며, 점차적으로 발칸반도에 대한 그들의 지배를 확장했다. 제국의 일부가 1454년까지 남아 있었지만, 그 해에 콘스탄티노플이 함락되고 비잔틴 제국은 멸망하고 말았다. 터키족의 성공적 전진은 종교개혁 시대에는 비엔나의 문에까지 이르렀다. 그들에 의해 지배받던 기독교인들은 정치적 권리들을 빼앗겼으나 여전히 기독교의 예배와 조직은 많은 억압 아래서도 지속되었다. 그러나 비잔틴의 기독교가 콘스탄티노플의 함락 이후에 급작스럽게 쇠퇴하지는 않았다. 16,17세기 동안에 동방 신학자들은, 부분적으로는 개신교와 로마 가톨릭의 교리적 정의들에 대한 반응으로, 신앙의 조직적 정형들과 포괄적인 신앙고백들로 동방 기독교의 독특한 가르침들을 발표했다. 고대 비잔틴 전통은 또한 러시아와 다른 슬라브계 나라들에서의 교회 설립을 통해 재생을 경험했다.

11. 교황권의 전성과 쇠퇴

교황권과 제국 사이의 경쟁은 결코 1122년 보름스(Worms) 국회에 의해 끝나지 않았다(IV:13 참조). 그러나 그 투쟁에서의 종교적 관심은 그때부터 많이 줄었다. 하인리히 4세(Henry IV)와 벌인 그레고리 7세(Gregory VII)의 획기적인 싸움은 교회의 순수성과 "탈봉건화"의 거대한 질문을 포함하고 있었다. 이후의 분쟁들은 명백히 최고권력을 위한 경쟁들이었다.

호헨슈타우펜 가문의 프리드리히 1세 "바르바로사"(Frederick I "Barbarossa", 1152-1190)는 가장 뛰어난 신성로마제국 황제 중 하나였다. 그는 샤를마뉴(Charlemagne)를 자신의 모범으로 삼았으며, 교회적 사건들에서 그가 한대로 비슷하게 지배하고자 했다. 보름스 국회에도 불구하고 그는 실제적으로 독일 주교들의 임명을 주관했다. 다른 나라에서의 그의 권리 주장은 북부 이탈리아의 자치 정부들(communes)로부터 강력한 저항에 부딪혔다. 처음에는 이 반대를 성공적으로 극복했다. 프리드리히의 가장 유능한 적인 알렉산더 3세(Alexander III, 1159-1181)가 교황의 권좌에 올랐다. 추기경들은 그 선거에서 분열되었다. 그래서 일단의 제국주의적 소수가 경쟁 교황을 선출했으며, 그는 자신을 빅토르 4세(Victor IV)라 불렀고 프리드리히와 독일 주교들이 재빨리 그를 지지했다. 알렉산더의 지위는 오랫동안 어려웠다. 그러나 1176년에 프리드리히는 이탈리아의 롬바르드(Lombard) 도시 연합에 의해 레그나노에서 패퇴되었고 알렉산더를 인정하지 않을 수 없었다. 교황권을 통제하려는 프리드리히의 시도는 무너졌다. 그러나 독일 주교들을 지배하는 그의 권위는 거의 줄지 않았다. 1186년에 그는 시칠리아와 남부 이탈리아의 상속녀와 자신의 아들 하인리히(Henry)를 결혼시켜서 남과 북으로부터 교황령들을 위협하는 큰 수확을 거두었다.

알렉산더는 가장 뛰어난 영국왕들 중 하나인 헨리 2세(Henry II, 1154-1189)에 대해서도 명백한 승리를 얻었다. 헨리 2세는 1162년에 표면적으로는 공손한 대법관 토머스 아 베케트(Thomas a Becket, 1118?-1170)를 캔터베리 대주교로 선출하는 것을 확보하였다. 일단 성직에 취임하자 베케트는 교회적 권리를 강하게 주장하였다. 1164년에 헨리는 클라렌던 헌장(Constitutions of Clarendon)의 제정을 얻어냈다. 그것은 교회적 사건들에 있어서 로마에 호소하는 권리를 제한하고, 파문의 위력을 줄이고, 시민 법정들에 성직자들을 복종시키며, 그리고 그들이 그에게 충성하도록 주교의 선출을 왕의 지배 아래 두게 했다. 그래서 베케트는 공개적으로 헨리와의 교제를 끊었다. 1170년에는 싸우기를 그쳤으나 잠시뿐이었고 헨리편의 경솔한 분노의 표현으로 인해 그 해 말에 베케트는 노르만 기사의 손에 살해되었다. 알렉산더는 기술적으로 그것을 이용했다. 베케트는 1173년에 교황에 의해 성자의 명부에 올랐고, 종교개혁 때까지 계속해서 가장 대중적인 영국 성자 중 하나가 되었다. 헨리는 클라렌던 헌장을 포기하고 베케트의 무덤에서 공식적 참회를 하지 않을 수 없었다. 그러나 이런 뚜렷한 교황의 승리에도 불구하고 헨리는 이전처럼 많이 영국의 교회에 대한 자신의 지배를 계속했다.

프리드리히 바바로사는 1190년 제3차 십자군 전쟁 중에 사망했다. 그의 뒤를 그의 아들 하인리히 6세(Henry VI, 1190-1197)가 계승했으며, 그는 1194년에 시칠리아와 남부 이탈리아에서 부인의 유산을 모두 얻었으며, 자기 제국의 지배를 크게 확장하려는 야망에 찬 계획들을 발전시켰다. 이탈리아의 양 끝이 독일 군주의 소유가 됨으로써, 교황권은 침통한 정치적 위기에 처했다. 그러나 상황은 하인리히 6세가 요절하고(1197), 1198년에 교황위가 중세 교황들 중에서 가장 위대한 이노센트 3세(Innocent III, 1198-1216)에게 계승되면서 해소되었다. 그래서 그의 지휘 아래 교황권은 세속적 사건들에 대한 가장 강한 권력의 위치에 도달했다.

하인리히 6세의 죽음으로 독일은 분열되었다. 한 당은 하인리히의 형제 스바비아의 필립(Philip of Swabia)의 권리주장을 지지했고, 다른 당은 경쟁가문인 벨프(Welf, Guelph)가문의 브룬스비크의 오토(Otto of Brunswick)의 권리주장을 지지했다. 이 혼란 상황에서 이노센트는 교황권에 이익을 가져오게 하려 애썼다. 그는 오토로부터 이탈리아와 독일에서의 큰 양보를 확보했다. 그러나 필립이 점차로 우세해지자, 이노센트는 경쟁적인 권리주장들은 교황이 주재하는 법정의 판결에 복종해야 한다는 동의를 얻어냈다. 필립의 암살(1208)은 이 계획을 좌절시켰고 오토는 다시 한번 주도권을 획득했다. 이노센트는 이제 오토로부터 열망하던 교황령의 경계에 대한 보증과 독일 감독의 선출에 대한 지배를 포기한다는 약속을 얻었다. 이런 양보들을 믿고 그는 1209년에 오토를 황제의 자리에 오르게 했다. 오토는 신속히 자신의 약속들을 잊어 버렸다. 화가 난 교황은 그때 하인리히 6세의 어린 아들 프리드리히 2세(1212-1250)를 앞에 내세웠다. 프리드리히는 1212년에 오토에 반대하는 사람들에 의해 독일왕으로 추대되었다. 그래서 그는 깨어진 오토의 모든 약속들을 갱신했다. 1214년에 오토는 프랑스왕 필립 2세(1179-1223)에 의해 부비네(Bouvines) 평야에서 패배했고, 프리드리히가 제국을 계승했다. 그래서 이노센트 3세는 교황의 권리들을 보호했고 황제의 계승을 명령한 것처럼 보였다. 교황위의 합법적 최고 권위는 실현된 것으로 보였다.

이노센트 3세는 다른 나라의 군주들을 복종시키는 데도 실패하지 않았다. 강력한 필립 2세가 그의 왕비 잉게보르그(Ingeborg)와 부당하게 이혼하자 그는 수찬금지령을 통해 그녀를 다시 취하도록 했고, 레온(Leon)왕 알퐁소 9세(Alfonso IX)의 지나친 근친결혼을 해소시켰다. 아라곤(Aragon)의 왕 피터(Peter)는 자신의 왕국을 교황으로부터 봉토로 받았다. 그러나 이노센트의 가장 크고 분명한 승리는 영국에서 있었다. 잔인하고 평판이 나쁜 국왕 존(John, 1199-1216)은, 투표에 붙일 것을 받아 들이고서도 자신이 추천한 사람을 캔터베리 대주교가 되게 하려 시도했다. 분쟁은 로마에 상소되었다. 왕의 선택은 취소되었고 이노센트의 친구인 스테판 랭톤(Stephen Langton, ?-1228)이 임명되었다(1207). 존은 이를 거절했다. 이노센트는 영국을 수찬금지령 아래 두었다. 왕은 그를 반대하는 성직자들을 쫓아냈다. 교황은 그를 파문했고 그의 왕위가 몰수되었다고 선언했고, 그에 대한 십자군을 공포했다. 패배한 왕은 모욕적인 복종을 교황에게 했을 뿐만 아니라 자신의 왕국을 교황위의 봉토로 인정하여 해마다 봉건세금을 지불하는 데 동의했다.

교회 내적 일들에 대해서는 이노센트의 정책은 강력하게 중앙집중화되고 있었다. 그는 교황권을 위해 모든 분쟁적 감독 선출에 대한 결정권을 요구했다. 그는 한 지역에서 주교들의 다른 지역으로의 이전을 승인할 유일한 주권을 주장했다. 그가 카타리파(Cathars)에 대한 십자군을 일으킨 것은 이미 언급했다(V:3 참조). 1215년의 제4차 라테란 공의회 역시 교황의 승리였다. 거기서는 화체설이 신앙의 한 조항으로 선언되었고 일년마다의 고해와 성찬이 요구되었다. 콘스탄티노플의 점령은, 비록 이노센트가 승인하지는 않았지만, 그리스 교회가 교황의 권위에 대한 복종을 약속한 것 같았다.

교황권은 이노센트 3세에 이르러 그 세속 권력에서 절정에 다다랐다. 후임 교황들도 같은 싸움을 계속했으나 성공은 감소했다. 이탈리아와 시칠리아 남부와 북부, 그리고 독일의 지배자인 황제 프리드리히 2세는, 정치적 능력은 매우 뛰어났으나 중세적 경건은 갖지 않아, 비록 이노센트 3세에 의해 그 자리에 올랐지만 곧 교황권의 정치적 권리 주장에 대한 최고의 반대자가 되었다. 그레고리 9세(1227-1241) — 그는 종교 재판소의 설립자이며 프란체스코파의 후원자 — 와 이노센트 4세(1243-1254) 아래서, 프리드리히 2세에 대한 교황의 다툼은 최대의 비통함과 매우 세속적인 무기들로 수행되었다. 프리드리히는 파문되었고, 교황의 영향력에 의해 프리드리히에 대항하는 경쟁자들이 독일에서 일어났다. 교황은 호헨슈타우펜 계의 멸망만이 자신의 승리를 확인하리라 확신한 것처럼 보였다. 1250년에 프리드리히가 죽자, 그의 아들 콘라드 4세(Conrad IV, 1250-1254)를 똑같이 적대했으며 그의 유산인 남부 이탈리아와 시칠리아를 영국 왕 헨리 3세의 아들인 에드먼드(Edmund)에게 주었다.

그러나 새로운 영향력, 곧 프랑스의 영향력이 교황의 조언자들 안에서 나타나기 시작했다. 우르바노 4세(Urban IV, 1261-1264)는 프랑스인이었고 프랑스인들을 추기경으로 임명했다. 1263년에 그는 남부 이탈리아와 시칠리아를 프랑스 국왕 루이 9세(Louis IX, 1226-1270)의 형제 앙주(Anjou)의 샤를에게 주었다. 이것이 교황의 정책에서 전환점이었다. 왜냐하면 이로써 교황권의 프랑스에 대한 의존이 시작되었기 때문이다. 그 다음의 교황 클레멘트 4세(Clement IV, 1265-1268) 역시 프랑스인이었다. 그가 교황으로 있는 동안, 콘라드 4세의 젊은 아들 콘라딘(Conradin)이 무력으로 남부 이탈리아와 시칠리아에 대한 자신의 세습적 권리를 주장했다. 그는 클레멘트 4세에 의해 파문되었고, 앙주의 샤를에 의해 패퇴되어 그의 명령에 의해 참수되었다(1268). 그와 함께 교황들이 그렇게 맹렬히 반대했던 호헨슈타우펜 가문 황제들의 계보는 끝났다. 하지만 콘라딘의 사형집행이 교황의 책임이라고 생각할 근거는 없다.

이 긴 투쟁들과 끊임없는 혼란은 신성로마제국의 힘을 매우 약화시켰다. 그 이후로부터 종교개혁까지, 그것은 하나의 강력한 단일 통치권이라기 보다는 연약한 국가들의 집단이었다. 그들은 교황의 권리 주장들에 거의 저항할 수 없었다. 그러나 다른 세력들이 일어나 교황이 이노센트 3세와 같은 통치권을 행사하는 것을 불가능하게 했다. 그런 세력 중 첫째는 민족성에 대한 새로운 의미였다. 그것은 사람들에게 프랑스인 또는 영국인으로 그들이 교황까지 포함하는 모든 외국인들에 대항해서 자신들만의 공동이익들을 갖고 있다고 느끼게 했다. 둘째 요소는 도시 중산층의 증진된 교육, 부, 그리고 정치적 영향력이었다. 도시들은 세속적 사건들에 대한 교회의 간섭 아래서 반항적이었다. 그런 발전과 밀접하게 관련된 것이 평신도 법률가들의 뚜렷한 성장과 로마법에 대한 새로운 연구였다. 성직자들을 대신해서 왕의 조언자가 된 이런 평신도들은 중세 교회의 상황을 전혀 알지 못한 법 — 로마법(the

Roman) — 의 체계에 호소함으로써 왕의 권력을 점진적으로 강화했다. 또한 사려 깊고 경건한 사람들 중에서 최근의 교황권이 추구한 그런 세속적 목적이 교회의 진정한 관심과는 일치하지 않는다는 확신이 자라났다. 정치적 관점에서 볼 때, 교황권은 자신의 뜻대로 사용할 충분한 군대가 없었다는 점에서 약했다. 그것은 다른 세력을 상대하려면 하나의 경쟁자가 있어야 균형을 잡을 수 있었다. 독일에서 일어난 대붕괴는 이제 유럽 정책들에서 교황의 주된, 그리고 크게 반대하지는 않는 적대자가 될 프랑스에게 문을 열어 놓았다.

독일에선 교황의 간섭이 계속되었다. 1273년 교황 그레고리 10세(1271-1276)는 독일의 선제후들에게 그들의 왕 선출에 실패하면 교황 자신이 왕을 지명하겠다고 위협하며 왕을 선택하도록 지시했다. 그들은 합스부르크 가문의 루돌프 1세(Rudolf I, 1273-1291)를 선택했고, 그는 즉시 오토 4세와 프리드리히 2세가 했던 교황권에의 양보를 갱신했다.

프랑스에서는 상황이 매우 달랐다. 카페왕조(Capetian)의 권력은 급격히 커져, "공정자"(the Fair)로 알려진 필립 4세(1285-1314)에 이르러서 프랑스는 거리낌없고 완고하며 국왕의 권위에 대해 최고의 생각들을 가진 왕을 갖게 되었다. 그 때 교황위는 보니파키우스 8세(Boniface VIII, 1294-1303)가 갖고 있었다. 그는 세속적 일들에 대한 최고의 통치권에의 열망에 있어서 누구에게도 뒤지지 않았다. 1295년 프랑스와 그 동맹국 스코틀랜드는 영국과 전쟁을 시작했다. 이 전쟁으로 영국왕 에드워드 1세(Edward I, 1272-1307)는 평민들의 대표들을 의회(Parliament)에 등원하도록 초청하고 그들에게 영국 의회에서의 영구적인 몫을 줌으로써 그의 모든 시민들의 지지를 규합했다. 전쟁은 또한 군비를 조달키 위해 프랑스와 영국의 왕들로 하여금 그들의 성직자들에게 과세하게 했다. 성직자들은 교황 보니파키우스에게 호소했다. 그는 1296년의 교서 「교직과 평신도」(*Clericis laicos*)에서 교황의 허가 없이 성직자의 재산에 그런 세금을 부과하거나 거둔 모든 사람을 파문에 처한다고 발표했다. 필립은 프랑스로부터의 금괴 수출을 금지하고 그럼으로 교황과 이탈리아 은행가들의 수입에 타격을 가함으로 응수했다. 이탈리아 은행가들은 그의 태도를 바꾸도록 보니파키우스를 움직여 성직자들이 자발적인 기부를 할 수 있게 했다. 그것은 왕권의 승리였다.

상대적 평화가 필립과 보니파키우스 사이에 잠시 동안 나타났으나 1301년에 갈등이 재연되었다. 필립은 교황이 근래에 그에게 교황청 대사로 보낸 파미에르(Pamiers)의 주교 베르나르 사이세(Bernard Saisset)를 체포하고 반역으로 고소했다. 보니파키우스는 베르나르의 석방을 명령했고 프랑스 주교들과, 마지막에는 왕까지 로마로 소환했다. 이에 대해 필립은 첫 프랑스 국회 — 성직자들, 귀족들, 그리고 평민들이 대표가 된 — 를 소집했다. 국회는 왕의 저항적 태도에 대해 왕을 도왔다. 교황은 그 유명한 대칙서 「우남 상탐」(*Unam sanctam*)으로 대답했다. 그 대칙서는 시민 세력을 지배하는 교황의 최고 법적 권위에 대한 교황의 권리 주장들 중 최고수위표였다. 대칙서는 세속 권력들이 영적 권위에 지배받고, 교황의 개인 안에 있는 영적 권위는 오직 하나님에 의해서만 심판 받을 수 있다고 확언했다. 그것은, 토마스 아퀴나스의 견해를 따라, "모든 피조된 인간이 로마 교황에게 복종하는 것이 구원에 전적으로 필요하다는 것"을 선언했다. 이 선언의 정확한 의도는 이후 많은 후속 토론을 불러 일으켰다. 필립은 새 회의로 응답했다. 그 회의에서 교황은 이단과 도덕적 타락을 포함한 일련의 부조리한 죄목으로 고발되었고, 그를 재판할 교회의 총회를 열자는 호소가 있었다. 필립은 이것이 단순한 협박에 그쳐서는 안된다고 결정했다. 그래서 그는 유능한 법률가인 기욤 드 노가레(Guillaume de Nogaret)를 이탈리아로 보냈다. 그는 보니파키우스의 옛 원수 스키아라 콜로나(Sciarra Colonna)와 동맹했다. 그들은 함께 군대를 모아, 필립을 막 파문하려던 교황을 아나그니(Anagni)에서 체포했다(1303). 용감한 보니파키우스는 양보하지 않으려 했다. 그는 곧 친구들에 의해 풀려났으나 한달 후에 죽고 말았다.

이런 사건들은 교황위의 세속권 주장에 대한 강한 타격이었다. 필립의 대리자들이 잠시동안 교황을 구금했다는 것은 중요하지 않았다. 민족감정이라는 새로운 힘이 등장했다. 왕은 그것에 성공적으로 호소했고, 교황의 영적 무기는 그것에 대해 거의 효과가 없었다. 세속사에 대한 교황의 정치적 지배 희망은 영구히 실현 불가능해졌다.

교황청의 불행은 더욱 심해졌다. 보니파키우스의 계승자인 뛰어난 베네딕트 11세(Benedict XI, 1303-1304)가 죽은 후에, 추기경들은 프랑스인 베르트랑 드 고(Bertrand de Got)를 교황으로 선출했고 그는 클레멘트 5세(1305-1314)가 되었다. 클레멘트는 연약한 성품과 빈약한 경험, 그리고 허약한 건강을 가진 자로서, 무자비한 필립에 필적하지 못했다. 결과적으로 그는 보니파키우스 8세에 대한 필립의 공격을 무죄로 선언하고, 보니파키우스가 내린 수찬금지령과 파문을 취소하고, 왕을 기쁘게 하기 위해 교황의 대칙서 「우남 상탐」(*Unam sanctam*)을 수정했다. 필립은 그 불운한 교황을 성전기사단(Templars)을 잔인하게 해체하는 일에도 끌어들였다(V:1 참조). 게다가 클레멘트는 아비뇽에 거처를 마련했다. 아비뇽은 프랑스 왕국에 속하지는 않았지만, 대중은 클레멘트가 교황청을 프랑스에 세운 것으로 판단했다. 비록 베네딕트 12세(1334-1342)의 임기까지는 교황들이 아비뇽에 머물겠다는 분명한 표시는 없었지만, 의심할 바 없이 이탈리아 정치의 곤란한 상태가 이전과 연관되어 있었다. 어쨌든 교황청은 1309년부터 1377년까지 아비뇽에 자리잡았다. 그 기간이 전래된 유대인의 추방 기간과 거의 같아서 "바빌론 유수"(Babylonian Captivity)의 이름을 얻었다. 그 명칭은 이탈리아 시인 페트라르카(Petrarch)에 의해 처음으로 사용되었으며(Ⅴ:15 참조), 그는 교황이 프랑스 왕에게 포로가 되었다는 그 당시의 판단을 공유하고 있었다.

클레멘트 5세의 격렬했던 임기 중에 교회법에 대한 중세의 공식적 수집을 끝냈음에 주목하는 것 역시 흥미롭다. 그 교회법령의 총체는 초대교회 이래로 교회 역사의 산물이며, 회의들과 교황들 개인의 명령들뿐만 아니라 그들의 결정들도 포함하고 있다. 중세에는 많은 수집이 있었으며 그 중에서 가장 유명한 것이 1140년 경에 만들어진 소위 '볼로냐의 그라티안의 「교령집」(*Decretum*)'이었다(Ⅴ:5 참조). 교황 그레고리 9세는 1234년에 그 때까지의 새로운 명령들을 포함하는 공식적 수집이 이루어지게 했다. 보니파키우스 8세는 1298년에 비슷한 수집을 출판했고, 클레멘트 5세는 1314년에 그것을 증보했다. 그의 작업은 곧바로 출판되지는 않았고, 그의 계승자 요한 22세의 치하에서 1317년에 출판되었다. 「교회법 대전」(*Corpus iuris canonici*)으로 알려진 교회법 체계의 이 위대한 집성은 교회 생활의 전 영역을 둘러싸고 있다. 20세기까지 더 이상의 공적 수집은 없었지만 교회법은 계속 만들어졌다. 결국 1904년에 교황 피우스 10세(Pius X)는 특별위원회에 교회법 전체의 성문화와 단순화를 명했다. 1917년에 그의 계승자 베네딕트 15세가 *Codex iuris canonici*(2414개의 교회법들을 포함한 5권의 "책들")을 반포했다.

12. 아비뇽 교황청, 교황에 대한 비판과 옹호, 대분열

교황청이 아비뇽에 있는 동안(1309-1377), 교황들은 모두 프랑스인이었고 추기경들의 대다수가 프랑스의 주교 자리들을 갖고 있었다. 아비뇽 교황들 중 가장 뛰어난 사람은 물을 필요도 없이 요한 22세(John XXII, 1316-1334)였다. 1314년에 독일에서 있은 황제의 이중선출은 그 나라를 루이(Louis the Bavarian, 1314-1347) 지지파와 프리드리히(Frederick of Austria, 1314-

1322) 지지파로 나누었다. 프랑스 국왕 필립 5세(Philip V, 1316-1322)의 지원을 받은 요한 22세는 교황령들의 이익을 위해 이탈리아에서 독일의 영향력을 줄일 기회가 무르익었다고 생각했다. 그는 두 사람 중 누구도 승인하기를 거부하고, 더 나아가 황제의 공석 중엔 교황이 제국을 다스릴 권리를 갖는다고 선언했다. 루이가 이탈리아 내정에 간섭하자 교황은 그를 파문했다. 교황과의 싸움은 루이가 죽을 때까지 계속 일어났다. 그 과정에서 독일 선제후들은 '선택된 제국의 수반은 그 취임이나 공식 임무의 수행을 위해 교황으로부터 인가받을 필요가 없다'는 1338년의 선언을 렌스(Rense)에서 발표했다(이것은 같은 해 프랑크푸르트 국회에 의해 인준되었다). 사실상 제국은 교황청으로부터 완전히 분리되었다.

교황이 세속사에 대한 충분한 권력을 갖고 있다는 극단적 주장들이 보니파키우스 8세의 재임 기간 중에 두 사람의 어거스틴파 수사, 로마의 자일스(Giles, 1245?-1316) — 그의 견해는 교황의 대칙서 「우남 상탐」(*Unam sanctam*), 1302)을 특징지었다 — 와 비테르보의 제임스(James of Viterbo)에 의해 개진되었다. 그들은 후에 또다른 어거스틴파 수사 아우구스티누스 트리움푸스(Augustinus Triumphus, 1243-1328)에 의해 합류되었다. 그는 모든 제후들은 교황에게 복종함으로써 통치하며, 교황은 그들을 해임할 수 있는 반면에 교황 자신은 "하나님의 결정 때까지" 누구에 의해서도 심판받을 수 없으며 "교황은 하나라"고 주장했다. 이 교황주의 또는 "성직계급제도적"(hierocratic) 권리 주장들은, 여러 사람들 중, 프랑스 도미니쿠스파 수도사인 파리의 존(John of Paris, ?-1306)에 의해 논박되었다. 교회와 국가는 상하 관계가 아니라 두 개의 자율적 권력들로서 각각의 통치자는 그 고유한 영역만 다스린다고 그는 주장했다.

두 권력 사이의 이런 "평행주의"의 다른 옹호자는 중세의 시인들 중 가장 위대한 단테(Dante Alighieri, 1265-1321)였다. 1308년과 1311년 사이에 씌어진 그의 라틴어 논문 「군주론」(*De monarchia*)에서 단테는 다음과 같이 주장했다: "하나의 보편적 제국, 특히 로마 황제의 제국만이 문명화된 행동의 본질인 저 평화적 상태를 일으킬 수 있다. 교황의 통치가 영원한 축복에 필수적인 것처럼, 이런 제국의 힘은 인간의 세속적 행복에 필수적이다. 이 각각의 권위는 직접 하나님으로부터 오는 것이며 각자의 고유영역에 간섭해서는 안된다."

파리의 존과 단테보다도 더 급진적인 사람은 그 시대의 으뜸가는 "왕권 변증가" 파두아의 마르실리우스(Marsilius of Padua, 1280?-1343?)였다. 그는 신학이 아니라 주로 의학을 공부했다. 1313년 그는 파리대학의 총장이 되었고, 1324년에는 중세의 정치학 논문들 중 가장 주목할 만한 「평화의 옹호자」(*Defensor pacis*)를 완성했다. 그 극단적 견해들로 인해 마르실리우스와 그의 조수 잔둔의 존(John of Jandun, 1275?-1328)은 황제 루이 바바리안의 궁정에서 피난처를 찾아야 했다.

그들은 여생을 위해 황제의 보호를 기뻐했다. 그들은 1327년 교황 요한 22세에 의해 파문당했고, 1334년에 클레멘트 6세는「평화의 옹호자」가 자신이 읽었던 가장 이단적인 책이라고 단언했다.

아리스토텔레스에 심도 있게 정통해 있고 교회법을 잘 알고 있던 마르실리우스는 이렇게 생각했다: "모든 권력의 기초는 '민중'(the people), 즉 국가에서는 시민들 총체(*universitas civium*)이고 교회에서는 신자들의 총체(*universitas fidelium*)이다. 그들이 합법적인 권력이며, 정치의 그리고 교회의 통치자들은 그들에 의해 임명되고 그들에게 책임을 져야한다. 성직자들은 세속사 어느 것에도 강제적 관할권을 갖고 있지 않다. 그들의 유일한 의무는 가르치고, 경고하며, 꾸짖고, 그리고 그것으로 말미암아 사람들을 전적으로 내세의 구원으로 인도하는 것이다. '주교'와 '사제'는 동등한 지위라고 신약성경은 가르친다. 비록 하나의 순수한 인간적 제도로서 다른 사제들을 감독할 사제의 임명이 적당하기는 하지만, 이 임명은 영적 능력의 우월성을 주는 것이 아니다. 어떤 주교도 다른 주교들을 지배할 영적 권위를 갖고 있지 않으며, 교황도 전통적으로 제일 큰 존경을 받는 것 정도 이외에 모두를 지배할 그런 권위를 갖고 있지는 않다. 신약성경은 성직자가 지상의 권력과 재산을 소유하는 것이나, 또는 시민법으로부터의 예외를 뒷받침하고 있지 않다. 사제나 고위성직자 누구도 기독교회의 표준적 진리를 규정하거나, 교회법들을 편찬하게 하거나, 또는 통치자나 지역에 대한 수찬금지령이나 파문을 부과할 권위를 갖고 있지 않다. 그런 것들은 총공의회(general council)에서 신자들의 대표의 전체 모임에 의해서만 결정될 수 있다. 그런 회의가 교회에서 최고의 권위이며, 회의의 판단은 틀림이 없다. 기독교국가와 기독교회가 가까운 관계이기에 — 마르실리우스는 전적으로 세속적인 국가나 종교와 정치의 분리를 계획하지 않았다 — 국가의 행정부는 회의를 소집하고 주교를 임명하고 교회 재산을 관리할 수 있다." 이런 사고들은 종교개혁 시기에 열매맺게 되나, 마르실리우스 당시에 폭넓게 받아들여지기에는 너무 급진적이었다.

그러나 극단적 교황주의자들의 권리주장들은 거의 받아들여지지 않았다. 그들은 제국의 정치적 자치를 위해 교황과 다투던 독일인들이나, 프랑스 — 아비뇽 교황청을 프랑스 통치의 수단으로만 간주한 — 와 전쟁 중이던 영국인들과는 전혀 함께 하지 못했다. 이미 1265년에 교황 클레멘트 4세는 모든 기독교국가에서 교회의 모든 공직에 대한 교황의 임명권을 주장했다. 이 신기한 원칙은 클레멘트 5세와 그 후계 아비뇽 교황들에 의해 거의 무제한적으로 사용되었다. 그런 피임명자들을 "provisors"(성직 임명자)라 불렀고, 교황이 총애하는 사람들을 강요했기 때문에 영국에서는 왕과 국회가 성직임명법(Statute of Provisors)을 제정해서 교황의 모든 임명을 금했다(1351). 이 법은 필연적으로 교황과 왕의 권위 사이에 다툼을 야기했고, 상소금지법(*Praemunire*)으로 알려진 더 확장된 법은 왕국 밖으로 호소하는 것을 공민권 박탈의 벌칙으로 금지했다(1353). 시행에 있어서 이 법들은 거의 사문화되었지만, 그것들은 영국 정신의 성장을 보여준다. 그 정신은 그 후 1366년에 국회가 영국을 교황의 봉토로 바친 존 왕의 행동(1213)을 무효화했을 때 잘 예증되었다.

아비뇽 교황청의 어떤 모습도, 교회생활에서의 압제적 징세로 인해, 비판이나 종교적, 정치적 반대에 크게 도움을 주지 못했다. 그런 징세는 이미 13세기에 악평이 자자할 정도에 도달했으나, 교황청의 사치와 호사는 줄지 않은 채 교황청의 아비뇽 이주로 중부 이탈리아 교황령으로부터의 세금이 대부분 끊어지게 되자 상황이 더욱 악화되었다. 아비뇽 교황들은 중세에서 가장 복잡한 중앙집중적 행정체계를 발전시켰으며, 이 강력한 관료주의적 기계는 교황의 수입을 늘리는 데만 몰두했다. 이런 목적을 위한 하나의 주된 수단은 "임명세"(annates) — 새로운 성직 임명자의 첫해 수입 모두를 세금으로 하는 — 제도였다. 같은 시기에 교황의 배타적인 임명을 위한 직위들의 "임명보류"(reservation)가 엄청나게 늘었고 공석중인 성직록도 교황의 수입이 되었기에 이 제도는 주된 수입원이 되었다. 교서들과 다른 교황의 문서들에 대한 세금도 양과 수에 있어서 급격히 증가했다. 이것들은 교황 징세의 일부분일 뿐이었다. 그 전체적 결과로, 교황의 징세가 성직자들에게, 그리고 그들을 통하여 대중들에게 무거우면서도 점점 더 늘어나는 부담이라는 강렬한 확신이 생겼다. 체납자에게 파문과 같은 교회적 견책이 부과되는 무자비한 수단에 의해 이런 감정은 무게를 더해갔다. 교황청은 지출에선 낭비하고 징세에선 공격적인 것 같았다. 그 두 점에서 교황청의 평판은 종교개혁까지 점점 더 나빠졌다.

아비뇽 교황 대부분은 — 이는 꼭 첨부되어야 하는 말인데 — 선한 성품의 사람들이었으며, 몇몇은 존재하는 제도를 악폐없이 관리하려고 용감하게 시도했다. 그러나 누구도 그 해로운 "성직록 체제" — 교회 공직(*beneficia*)을 사고, 팔고, 교환하고 보상이나 과세되는 재산의 일종으로 취급하는 체제 — 의 뿌리와 가지를 치지는 않았다. 이 체제는 대체로 수입을 올리는 작용을 했을 뿐, 교회의 생기있는 목회 활동에는 본질적으로 거의 관심을 갖지 않았다. 무엇보다도 교황청의 중앙집중화는 주교 교구에 대한 주교들의 권위를 떨어뜨렸고, 그로 인해 전통적으로 교회생활의 기본 단위였던 지방 주교 교구의 중요성은 사라졌다. 곧이어 교회는 둘, 그리고 셋의 경쟁하는 교황 "권위들"(obediences)로의 분열을 통해 더 큰 타격을 받게 되었다.

1367년, 교황 우르바노 5세(Urban V, 1302-1370)는 로마로 돌아왔으나 1370년에 그와 그의 궁정은 다시 아비뇽으로 옮겼다. 그의 계승자 그레고리 11세(Gregory XI, 1370-1378)에게 시에나의 성 캐더린(St. Catherine of Siena)과 스웨덴의 성 브리제트(St. Bridget of Sweden)는 로마로 귀환할 것을 하나님의 이름으로 역설했다. 코라 디 리엔초(Cola di Rienzo)에 의해 1347년에 로마로 향하던 대중 혁명의 여파로 그 도시(로마)는 고통당하고 있었고, 그런 서 교황의 이익들이 보존되려면, 교황이 거기에 있어야 했다. 따라서 그는 1377년 월에 교황청을 로마로 옮겼다. 그래서 그레고리 11세가 죽었을 때(1378년 5월) 추기경들의 대부분은 로마에 있었다. 그들중 다수인 프랑스인들은 기꺼이 아비뇽으로 돌아가려했다. 그러나 로마시민들은 교황청을 로마에 머물러있게 하기로 결정하고 이를 위해 이탈리아인 교황을 요구했다. 혼란상태에서 추기경들은 바리(Bari)의 대주교인 바톨로메오 프리그나노(Bartolommeo Prignano)를 교황으로 선택했고 그는 우르바노 6세(Urban VI, 1378-1389)가 되었다. 그는 교황청에 대한 프랑스의 영향력을 제거하고 교황청을 약간 개혁하려했으나 서툴러서 곧 추기경들의 적대감을 사고 말았다. 그의 선출이 있은 지 4개월 후에 12명의 추기경들이 아나그니(Anagni)에서 모여서 이전의 교황 선출은 성난 폭도에 의해 강요된 것이기 때문에 무효라고 선언하고 제네바의 추기경 로베르(Robert)를 교황 클레멘트 7세(Clement VII, 1378-1394)로 선출했다. 몇 달 지나지 않아, 클레멘트 7세와 그의 추기경들은 아비뇽에 자리잡았다. 대분열이 시작되었다.

이전에도 많은 경쟁 관계의 교황들이 있었으나, 그들은 각각 다른 이유에 의해 선출되었었다. 여기의 두 교황은, 그들 각자가 동일한 추기경들의 모임에서 다수에 의해 정당하게 선택되었다. 라틴 기독교계는 이제 두 교황이 상대를 비난하고 서로를 파문시키는 광경을 목격했다. 그들 사이에서 결정을 내릴 세력은 명백히 없었다. 자신들의 정치적 밀착관계에 의해 몇 나라는 한 교황을, 다른 나라들은 또 다른 교황을 따랐다. 로마의 교황은 북부와 중부 이탈리아, 독일의 대다수 지역, 보헤미아, 폴란드, 헝가리, 스칸디나비아, 그리고 잉글랜드의 인정을 받았다. 아비뇽의 교황은 프랑스, 스페인, 스코틀랜드, 나폴리, 시칠리아, 그리고 독일 일부의 충성을 받았다. 그것은 공평하게 농등한 분리였다. 이제 두 개의 궁정(각각은 자신의 추기경단을 갖는다)이 유지되어야 하기 때문에, 교황청의 악폐 — 특히 세금의 악폐 — 가 증가되는 반면에 유럽은 고통당하면서 분개했다. 무엇보다도, 교회는 가시적으로 하나여야 한다는 깊은 감정이 손상당했다. 교황권에 대한 대중의 존경은 땅에 떨어졌다.

로마에선 우르바노 7세의 뒤를 보니파키우스 9세(Boniface IX, 1389-1404), 이노센트 7세(Innocent VII, 1404-1406), 그리고 그레고리 12세(Gregory XII, 1406-1415)가 차례로 계승했다. 아비뇽에선 클레멘트 7세의 뒤를 스페인 출신의 페드로 데 루나(Pedro de Luna)가 베네딕트 13세(Benedict XIII, 1394-1417)라는 이름으로 계승했다.

대분열은 거의 40년 동안 지속되었다. 그것은 불행을 초래한 피사공의회(the Council of Pisa)에서 1409년에 제 삼의 교황을 만듦으로 더 복잡하게 되었다.

the Council of Constance, 1414-1418)가
ㅓ를 주장하고 세 경쟁적 교황들 — 그레고리 12세,
세(John XXIII) — 을 해임하거나, 또는 사임을 권
(V:14 참조).

13. 위클리프와 후스

1400 년까지, 종래에 중세 교회를 괴롭혔던 두개의 큰 이단 — 카타리주의(Catharism)와 발도주의(Waldensianism) — 은 성공적으로 제어되었다. 카타리파(Cathars)는 사실 거의 파괴되었다. 발도파(Waldeses)는, 비록 여전히 청산되어야 할 하나의 세력이었지만, 고립되었고 숨어야 했다. 마찬가지로 프란체스코파의 급진적 그룹들(the Fraticelli)과 소위 자유신령파(Free Spirits)의 이단적 이견은 더이상 직접적인 관심거리가 아니었다. 그러나 바로 이 시기 — 1375년부터 1425년까지의 반세기 — 에 균형을 위협하는 새로운 이단적 운동들이 유럽의 변경에 위치한 두 나라 — 영국과 보헤미아 — 에서 일어났다. 이 두 나라는 무엇보다도 과거에 이단에 대해 현저하게 자유로웠었다. 각 나라에서, 그 새로운 이단은 곧 영국에서는 위클리프, 그리고 보헤미아에서는 후스라는 한 사람의 단일 지도자의 탓으로 여겨졌다. 이것은 위클리프의 경우에 대체로 옳다. 그러나 후스는 체코 자체의 전통적인 종교개혁의 상속자였다.

위클리프가 옥스퍼드에서 한 가르침이 유럽 대륙을 가로질러 프라하에 있던 후스에게까지 전달된 것은 대체로 왕조의 결혼이 빚어낸 "우연한 결과"(accident)였다. 그러나 두 지도자들이 많은 공통점을 가져야 했던 것은 단순한 우연은 아니었다. 두 사람 다 교황청의 아비뇽 "유수"와 그에 따른 파국적인 대분열에 의해 라틴 기독교계에 파급된 큰 충격들에 반응하고있다. 일반적으로 교회는 슬프게도 "머리에서 지체에 이르기까지" 개혁의 필요가 있다고 여겨졌다. 그래서, 위클리프와 후스가 근본적으로 "도덕주의자들"이었다는 것과, 그리고 교회의 교의가 그들의 중심 관심거리

와 그들의 이설의 주된 원천이 되어야 했다는 것은 놀라운 것이 아니다.

존 위클리프(John Wyclif, 1325?-1384)는 1320년과 1330년 사이의 어느 때에 요크셔(Yorkshire)에서 태어났다. 그의 전체 경력은, 상세한 많은 부분들은 추측할 수밖에 없지만, 옥스퍼드 대학과 연관되었다. 그는 거기서 1356년에는 학사 학위를, 1361년에는 석사 학위를 받았다. 그 이후에 잠시 동안 그는 발리올 칼리지(Balliol College)의 학장으로 일했다. 그는 옥스퍼드에서 계속 강의하는 동안, 1361년에 또한 필링햄(Fillingham) 교구 교회의 목사로 임명되었다가, 1368년에는 옥스퍼드에 더 가까운 러저샬(Ludgershall)의 교구로 옮겼다. 그는 1365년에 용이하게 캔터베리 칼리지(Canterbury College)의 학장으로 선출되었다. 그러나 교황은 파격적으로 곧 이 선출을 면직시켰다. 1360년대 동안에 위클리프는 옥스퍼드, 그리고 더 넓은 학문 세계에서 논리학과 형이상학의 훌륭한 강사요 저술가로 큰 명성을 얻었다. 1369년까지 그는 하나의 인상적인 저술, 「존재에 대하여」(*Summa de ente*)를 완성했다.

철학적으로 그는 극단적 실재론자(ultrarealist)로, 그때 당시에 유행하던 유명론(nominalism)에 반대하는 옛길(*via antiqua*)의 원기왕성한 옹호자였다. 그는 신학에서도 계속적으로 연구해서, 1372년에는 박사 학위를 받았고 「신학대전」(*Summa theologica*)을 12권으로 쓰려는 계획을 세웠다. 그는 옥스퍼드에서 그로스테스트(Robert Grosseteste), 브래드워딘(Thomas Bradwardine) 그리고 랄프(Richard FitzRalph, 1295?-1360)에 의해 중개된 어거스틴적 플라톤 전통에 깊게 영향을 받았다. 교황 그레고리 11세(Gregory XI, 1370-1378)에 의해 분명히 그에게 약속되었던 교회 고위 성직 임명의 기대에 실망해서, 그는 왕을 위한 신학적 조언자가 되었다. 그리고 1374년에 위클리프는 국왕 에드워드 3세(Edward III)에 의해 루터워스(Lutterworth)의 교구가 맡겨졌다. 그는 러저샬의 목사직을 사임하고 나서 루터워스에서 죽을 때까지 — 비록 1381년까지 옥스퍼드와 밀접한 교제를 계속하고 있었지만 — 그 교구를 섬겼다. 1374년에 위클리프는 왕의 사절단의 한 사람으로 교황의 대표들과 만나기 위해 브뤼주(Bruges)로 보내졌다. 그 만남에서 "성직임명법" 문제와 교황의 봉토로서의 영국의 지위에 대해 해결하려는 것은 쓸데없는 시도임이 밝혀졌다.

이미 1370년대 초에 위클리프는, 어떤 특정 상황들 아래서 국가가 교회의 재산을 몰수하는 것을 정당화 하는, "주권"(dominion)과 "통치권"(lordship)에 관한 견해를 갖고 있었다. 이 견해들은 의심할 바 없이 그가 왕의 신하로 들어간 그 시기에 왕에게 알려졌다. 그는 브뤼주에서 돌아온 이후에 옥스퍼드에서 한 강의들에 기초해서 쓴 두 논문, 「하나님의 통치권에 대하여」(*On Divine Lordship*)와 「시민 통치권에 대하여」(*On Civil Lordship*)에서 충분히 자신의 입장을 발전시켰다. 위클리프는 이렇게 주장했다: "하나님은 최고의 지배자이시며, 그의 통치권에 모든 인간적 통치권이 의존한다. 하나님은 은혜로 모든 소유와 권력을 청지기로서의 시민과 교회에 주신다. 그것들은 영구적 '재산'이 아니라 신실한 봉사의 조건에서만 유지되는 일시적인 '대여'이다. 옳은 자들만이 통치권을 정당하게 사용할 수 있기 때문에, 죽을 죄를 지으며 살아가는 성직자들은 세속적 재산에 대한 모든 권리주장을 상실한다. 그것들을 시민 지배자들이 그 악한 성직자들로부터 정당하게 빼앗을 것이다. 하나님께서 시민 지배자들에게는 세속적인 것들에 대한 통치권을 주셨고, 반면에 교회에는 영적인 것들에 대한 통치권만 주셨다."

성실함과 엄청난 순진함에서 나온 이 가르침은 확실히 에드워드 3세의 무절제한 아들인 랭카스터(Lancaster)의 공작 존(John of Gaunt)과 그의 탐욕스러운 귀족 패거리들을 기쁘게 했다. 그들은 "태만한" 교회의 "재산 몰수"를 통해 치부하기를 원했다. 그것은 또한 오랫동안 탐욕스런 교권주의에 대해 거리낌없이 비판해온 많은 평민들의 흥미를 끌었다. 그것은, 적어도 이론적으로는, 언제나 "사도적 청빈"을 옹호했던 탁발 수도회 또한 불쾌하게 하지 않았다.

1377년 2월, 위클리프는 자신의 견해를 검증하기 위해 런던에서 모인 주교들 앞에 출두하도록 소환되었다. 그러나 곤트의 존과 궁정당의 보호는 그 소송을 좌절시켰다. 같은 5월, 그레고리 11세(Gregory XI)는, 30일 안에 로마에 출두하라고 명령하는, 위클리프에게 적대적인 교서를 발표했다. 그리고 1378년 1월에는 런던의 대주교가 그에 대해 더 나아간 소송절차에 착수했다. 그러나 이 모든 일들은 위클리프에 대한 왕실의 보호와 큰 대중적 인기로 인해 효과를 얻지 못했다.

대분열의 시작으로(1378), 위클리프는 자신의 견해에서 더욱 급진적이 되어 궁극적으로 중세 교회의 전통적 구조 전체를 거부하였다. 그는 이제 정치적 무대를 거의 포기하고서 신학의 연구와 저술에 전념했다. 그의 저서 「성경의 진리에 대하여」(*On the Truth of the Holy Scriptures*, 1378)에서, 그는 이렇게 주장했다: 성경은 "모든 그리스도인을 위한 지고의 권위이며 신앙의 기준이고 모든 인간적 완전함의 기준"이다. 그러나 그는 교회 교부들과 고대 박사들의 해석적 권위를 부인하지는 않았고, 그래서 그는 "오직 성경"이라는 종교개혁의 선구자는 아니었다. 그의 장래성 있는 논문 「교회에 대하여」(*On the Church*, 1378)는 참된 교회를 어거스틴의 용어로 "예정된 자들의 총체" — 그리스도를 그 머리로 하는 영원하고 순수하게 영적인, 그래서 보이지 않는 지체 — 라고 정의했다. 따라서 교황은 기껏해야 보이는 교회의 로마 지역 수장이다. 보이는 교회는 선택된 자들과 저주받은 자들 모두에 의해 구성된다. 부분적으로는 그들의 책임 있는 "열매들"에 의해 알려지기는 하겠지만 오직 하나님만이 그들을 알고 계신다.

위클리프는 자신의 책 「교황의 권력에 대하여」(*On the Power of the Pope*,

1379)에서 다음과 같이 양보했다: "만일 그가 진정으로 사도적 순진함과 청빈으로 베드로를 본받으려 한다면, 보이는 교회는 한 사람의 지상 지도자를 갖게 될 것이다. 그런 교황은 아마도 선택된 자들 중의 하나일 것이다. 그러나 세상의 권력을 거머쥐고 부에 혈안이 된 교황은 아마도 선택된 자가 아닐 것이며 그러므로 적그리스도이다. 여하튼 간에 교황직은 그 기원에 있어서 인간적 — 즉 그리스도가 아니라 콘스탄티누스(Constantine)에 의해 창설되었다 — 이며, 그것의 관할권은 엄밀히 영적 문제에 국한된다"(이어서, 위클리프는 교황제의 폐지와 교회의 총체적 재산 몰수를 요구했다.).

이 논문들에 이어 「성찬에 대하여」(*On the Eucharist*, 1380)가 씌어졌다. 거기서 위클리프는 고대 교회의 가르침에 따라 화체설 교리를 비논리적이고 비성경적이며 비신앙적이라고 거부했다. "성찬잉여물"(remanence)로 알려진 그 자신의 긍정적 견해는, "우유성"(accidents, 요소의 외형 — 역주)이 본질과 떨어져서 그 자체만 존재하는 것과 실제로 존재하는 본질이 "소멸되는" 것은 있을 수 없기 때문에 봉헌 이후까지도 빵과 포도주의 물질적 본질은 남는다는 것을 담고 있다. 그리스도의 몸과 피는 그 요소들 안에 진실로, 물질적으로 또는 육적으로가 아니라 상징적으로 또는 성례전적으로 현존한다. 빵과 포도주는 그래서 그리스도의 몸과 피의 "유효한 표지"이다. 위클리프는 비록 설교하는 것이 성례전의 집례보다 더 중요하다고 여겼지만, 그의 생애의 마지막까지 계속 성찬에 집착했다. 그럼에도 불구하고, 교회 교의들 중 가장 소중히 여겨지는 것 중의 하나에 대한 그의 공격은, 그가 탁발 수도회를 "가인의 자식들"로 비난한 것과 연결되어, 그에게서 곤트의 존, 궁정당, 탁발 수도사들, 그리고 옥스퍼드 대학 동조자들의 지원을 빼앗았다.

이 반대의 조류는, 위클리프에게는 책임이 없는, 1381년의 정치적 사건들에 의해 강화되었다. 1348년과 1350년 사이의 흑사병(Black Death)으로 야기된 심각한 경제적 혼란의 흔적에서 자라난 하층계급의 동요는 많은 피를 흘리고 진압된 1381년의 대 농민 반란에서 절정에 달했다. 위클리프의 적들은 그의 이단이 이 폭동을 일어나게 했다고 고발했다. 그 결과로 교회와 국가가 화해했다. 새 캔터베리 대주교 윌리엄 코티나이(William Courtenay, 1381-1396)는 런던에서 회의를 소집하여(1382), 그의 저술들 중에서 24개의 명제를 골라 정죄했다. 그러나 위클리프를 소환하거나 그 이름을 정죄하지는 않았다. 이제 궁정당은 위클리프를 포기했고, 코티나이는 이 정죄된 명제들의 옹호자는 누구라도 구속할 권한을 얻었다. 마음대로 할 수 있는 고삐를 쥐자, 그는 재빨리 옥스퍼드에 있는 위클리프파에 적대적으로 행동했다.

위클리프 자신은, 언급한 대로, 1378년이 끝날 때 정치적 싸움터에서 물러났다. 그리고 1381년 여름, 그는 루터워스(Lutterworth)에서 본당을 사임하고 거기서 방해받지 않은 채 머물러 있었다. 그의 생애에서 이 마지막 몇 해는 열정적인 저술활동의 시기였다. 그는 자신의 신학 「대전」(*Summa*)의 마지막 권을 완성했고, 영어 소책자를 무수히 펴냈으며, 그리고 *Opus evangelicum*과 *Trialogus*를 저술했고 거기에는 그의 주된 신학적이고 철학적인 주제들이 요약되어있다. 그는 또한 불가타 성경(라틴역)을 영어로 번역하기 위한 영감과 추진력을 제공했다. 그가 직접적으로 그 번역작업에 기여하지 않았다는 것은 분명하다. 그 작업은 위클리프 사후에 히어포드의 니콜라스(Nicholas of Hereford)와 존 퍼비(John Purvey)를 포함하는 옥스퍼드와 루터워스의 제자 그룹에 의해 이루어졌고 완성되었다.

위클리프는 또한 그때 사람들 가운데서 복음을 전하던 "가난한 사제들"에 의해 사용될 대 설교집을 구성했다. 그들의 의복과 행동에서, 이 순회 복음전도자들은 발도파나 프란체스코파의 초기 설교자들과 유사했다. 위클리프가 이들의 훈련에 활동적으로 종사했다는 것은 있음직하지 않다. 저술 활동으로 그의 힘을 다 소진했고, 그의 건강은 악화되었다. 그는 1382년 11월에 처음 쓰러져서 이후 신체의 일부가 마비되었다. 1384년 12월 28일 미사 참석 중에 두번째로 쓰러지고 그 사흘 후에 세상을 떠났다. 그는 루터워스의 교회 묘지, 즉 신성한 땅에 묻혔다. 그가 아직 공식적으로 파문당하지 않았기 때문에 그것이 가능했다. 1428년, 링컨(Lincoln)의 주교는, 콘스탄스 공의회(1415)의 명령에 순종하여, 위클리프의 유해를 파내어 불태우고 재를 스위프트(Swift)강에 뿌렸다.

위클리프의 추종자들은 "롤라드파"(Lollards="중얼거리는 자들" mumblers)라 불렸다. 이것은 네덜란드에서 유래된 비웃는 말로, 네덜란드에선 오랫동안 베긴회(Beguines)와 베가르회(Beghards)에게 적용되었었다. 그 운동은 위클리프 사후 현저한 지적 지도력의 부족으로 인해 불리해졌다. 옥스퍼드의 위클리프파는 코티나이 대주교와 그 후계자 토머스 아룬델(Thomas Arundel, 1396-1414)에 의해 꾸준히 제거되었다. 히어포드와 퍼비까지도 신념을 철회하도록 강요받았다. 그러나 옥스퍼드의 상실과 롤라드 선교사들의 체포와 구금에도 불구하고, 그 운동은 리처드 2세(Richard II, 1377-1399)를 통하여 계속 성장했다. 랭카스터 가문의 찬탈로 헨리 4세(1399-1413)가 즉위하자 상황은 바뀌었다. 교회를 달래려는 의도에서 새 왕은 1401년 반(反) 이단 법령(*De haeretico comburendo*)의 통과를 보장하도록 설득되었다. 그 법령 아래서 많은 롤라드 회원들이 화형당했다. 그러나 헨리 4세는 고위 롤라드 회원은 용서했다. 그의 아들 헨리 5세(1413-1422)는 그렇지 않아 그 법을 무자비하게 실시했다. 그의 치세 아래서 가장 유명한 롤라드 지도자 코브함(Cobham) 경 존 올드캐슬(John Oldcastle)이 정죄되고 모반으로 몰려 처형되었다(1417). 그는 엄격한 종교적 원칙의 사람으로, 전설과 극적 자유는 그를 Falstaff(세익스피어의 희곡)의 등장인물로 바꾸었다. 비록 그 지지자들이 여러 시골 지방들에서 잔존했고 종교개혁 때까지 계속 지하에서 존재했지만, 그의 죽음으로 영국에서 롤라드파의 정치적 중요성은 사라졌다. 위클리프는 그가 태어난 나라보다 오히려 멀리 떨어진 보헤미아에 더 큰 영향을 끼쳤다.

보헤미아는 14세기에 중요한 정치적, 지적 그리고 종교적 발전을 경험했다. 신성로마제국 황제 찰스 4세(Charles IV, 1346-1378)는 동시에 보헤미아의 왕이었고 그 나라를 위해 많은 일을 했다. 그는 마인츠에 대한 교회적 예속을 풀어주어 프라하를 대주교교구로 만들었으며(1344), 중부 유럽 최초의 대학을 프라하에 세웠다(1348). 찰스는 교회의 개혁에도 호의적이었다. 그의 치세 동안과 그 이후에, 몇몇 힘있는 설교자들이 "단순한 복음"의 이름으로 교회의 엄청난 세속화를 공격하면서 보헤미아를 휘저었다. 이들 중 가장 유명한 사람들은 오스트리아 어거스틴 수도회 신부 발트하우젠의 콘라드(Conrad of Waldhausen, ?-1369), 그리고 모라비아인 크로메리츠의 밀리츠(Milic of Kromeriz, ?-1374)이었다. 그들은 보헤미아의 신학적이고 대중적인 종교문학에 주목할만한 기여를 한, 야노프의 마태(Matthew of Janov, 1355?-1394)와 스티트네의 토머스(Thdmas of Stitne, 1331-1409), 두 사람에 의해 연결되었다. 이 설교가들과 저술가들은 체코의 종교적 개혁, 모국어로 설교하는 특징적인 모습, 성직자와 평신도들의 도덕적 개혁, 삶의 규칙으로의 성경 중심, 그리고 주의 만찬에의 빈번한 참여 등을 요구했다. 이 토착적 개혁운동은 보헤미아로 위클리프파의 사상이 소개되기 전에 오랫동안 있었다. 위클리프의 사상은 유명한 학자 야노프의 마태를 통해서, 프라하에 있는 체코인들의 대학 써클들에까지도 연결되었다.

정치적으로, 보헤미아는 인구중 이주 독일인들과 토착 체코인들 사이의 싸움으로 분열되었다. 체코인들은 지배 독일인들과 동등해지려는 강한 열망으로 활기에 찼다. 1382년에 보헤미아는 지금까지는 별로 연관이 없던 영국과, 보헤미아 공주 앤(Anne)이 영국왕 리처드 2세와 결혼함으로 교류를 시작했다. 체코 학생들이 옥스퍼드로 유학했고 거기서 위클리프의 신조들과 저술들을 알게 되었다. 그들은 곧 그것들을 자신들의 고국, 특히 프라하 대학으로 보냈다. 위클리프의 사상을 어느 정도 갖고 있던 교수들 중에는 **얀 후스**(Jan Hus)가 있었다. 그는 체코의 민족적 열망들을 열정적으로 대변했으며 그 토착 개혁 운동의 뛰어난 지도자가 되었다.

후스는 1372년 또는 1373년에 남서부 보헤미아에 있는 후시넥(Husinec) 마을의 가난한 양친 밑에서 태어났다. 그는 프라하 대학에서 공부했고, 거기서 문학석사가 되었다(1396). 1400년에 그는 대학에서 계속 가르치면서 사제 서품을 받았다. 대학에서 그는 1401-1402년의 겨울학기 동안에 문과 교수단의 의장으로 선출되었다. 1409년에 그는 성경과 피터 롬바르드(Peter Lombard)의 「명제집」(*Sentences*)에 대한 강의로 박사학위를 위한 모든 요건을 갖추었다. 그러나 그의 생애 마지막 몇

해의 쓰디 쓴 논쟁들로 인해 결국 박사학위를 받지 못했다. 그 논쟁들이 결과적으로 그로 하여금 학문의 영역을 떠나게 만들었고 콘스탄스에서 그를 화형대로 보냈다. 원래 경제적 안정의 원천으로만 여겼었던 사제 서품에 들어가기 전 어느 날, 후스는 성경연구를 통해 회심하고 성직 개혁의 열렬한 주창자가 되었다. 1402년에 그는 체코 개혁운동의 중심지인 프라하에 있는 베들레헴 성당의 설교자로 임명되었다. 체코어로 하는 그의 열띤 설교들을 통해 후스는 곧 거대한 대중적 지지를 얻었다.

학문적 경력 초기에 후스는 위클리프의 철학적 저술들을 탐독한 학생이었고, 프라하의 대부분의 체코인 교사들처럼 그 저술 속의 "실재론"에 완전히 동의했다. 다수를 차지하던 독일인 교사들은 반대로 거의 오캄(Ockham)과 새로운 길(*via moderna*)의 추종자들이었다. 위클리프의 신학적 저술들은 옥스퍼드에서 석사학위를 받은, 후스의 절친한 친구이며 평생의 동료인, 프라하의 제롬(1370?-1416)에 의해 처음으로 소개되는 1400년까지는 프라하에 들어오지 않았다. 후스가 비록 자신의 설교들과 논문들에서 자주 위클리프의 용어를 그대로 쓰기는 하지만, 흔히 생각되는 것과 같은 위클리프의 "단순한 메아리"는 아니었다. 그는 위클리프에게 그런 것만큼, 체코 개혁운동에 많은 은혜를 입었다. 그리고 그의 위클리프 신학 인용은 비판적으로 취사선택된 것이었다. 그는 위클리프에게서 반박할 수 없는 정통적이라 여겨지는 것들을 받아들인 반면에 자신이 찬성하지 않는 견해들은 언제나 침묵으로 넘겨버렸다. 그는 또한 위클리프적 방식들에서 정통적 정서들을 표현하고자 했고, 그것은 사건들로 확증된 숙명적 성질이었다. 후스는 성찬에 대한 그의 가르침에서 철저하게 정통적이었다. 위클리프와는 달리 화체설을 부인하지 않았다. 그는 위클리프처럼 참된 교회는 예정된 사람들로만, 즉 교황이 아니라 그리스도가 머리인 사람들로 구성된다고 가르쳤다. 하지만 어떤 교황이 올바로 산다면, 그는 "부분적인" 로마 교회의 수장으로 간주될 수 있을 것이다. 참된 교회의 삶은 그리스도 같은 순수와 청빈의 삶이다. 이 교회의 유일한 법은 성경, 특히 신약성경이다. 위클리프의 것과 같은 이 "성경주의"(Scripture principle)는 교회법의 비성경적 전통들을 배제하지만 고대 교부들과 박사들의 가르치는 권위는 부인하지 않았다.

위클리프에 해당하는 45개 조항이 프라하 교사들 다수에 의해 정죄되었다(1403). 그러나 소수인 체코인 교사들은 일반적으로 위클리프를 옹호했다. 물론 후스는 옹호에 참여했다. 그러는 동안에 베들레헴 성전에서의 그의 설교는 처음에는 젊은 대주교 하젠부르크의 츠비네크 차이잎(Zbynek Zajic of Hasenburk, 1401-1411)의 지지를 얻었다. 그러나 성직에 대한 후스의 통렬한 비판과 정죄된 위클리프의 가르침들에 대한 그의 동의로 인해 점차로 이 호의는 반대로 바뀌었다. 논쟁의 새로운 장들이 빠르게 일어났다. 대분열이 일어났을 때, 보헤미아는 여전히 로마교황 그레고리 12세를 따랐다. 분열을 치료하기 위해, 보헤미아의 왕 벤체슬라스 4세

(Wenceslas IV, 1378-1419)는 경쟁 교황들 사이에서 중립정책을 선포했다(1408). 후스와 대학의 체코인 교사들은 벤체슬라스 4세의 편에 섰다. 츠비네크 대주교, 독일인 성직자들, 그리고 대학의 독일인 교사들은 그레고리 12세에 밀착해서 왕을 불쾌하게 했다. 그러다가 벤체슬라스는, 1409년 1월, 돌연히 체코인을 위해 독일인 세 사람마다 하나의 투표권만 줌으로 대학 구성을 바꾸었다. 그래서 이전의 비율은 완전히 역전되었다. 거의 즉각적으로 독일인 교사들과 학생들 약 1500명이 탈퇴하고, 같은 해에 그들 자신들의 대학을 라이프치히에 세웠다. 1409년 10월, 후스는 재조직된 대학의 첫 학장으로 선출되었다. 결과적으로 라이프치히 대학 교수들의 마음에는 오랫동안 그가 배반자와 이단자로 동일시되었고 그들의 적의는 콘스탄스에서 표출되었다.

한편, 불운한 피사 공의회(1409)가 진행되었다(V:14 참조). 대주교 츠비네크는 이제 이 회의의 교황 알렉산더 5세(1409-1410)를 지지했다. 그는 그 교황에게 보헤미아에 위클리프의 가르침이 널리 퍼져있다고 설명하고, 그에게서 그들의 근절을 위임받았다. 후스는 저항했으며 츠비네크에 의해 파문당하고(1410) 로마 교황청(Roman Curia)에 의해 취조받게 되었다. 그 결과로 프라하는 크게 소란스러워졌다. 프라하에서 후스는 대중적 영웅 이상이었다. 국왕 벤체슬라스는 호감을 갖고 그를 지원했다. 1411년과 다시 1412년 두 차례, 알렉산더의 평판 나쁜 계승자 교황 요한 23세(1410-1415)는 면직된 그레고리 12세와 그 지지자인 나폴리 국왕 라디슬라스(Ladislas, 1386-1414)에 대해 계획된 자신의 십자군에 참여하는 모든 사람들에게 면죄를 약속했다. 후스는 이 '십자군의 면죄'를 비난했다. 교황은 물리적 힘을 사용할 권리를 갖고 있지 않으며, 돈의 지불은 진정한 용서에 유효하지 않고, 그리고 용서는 진정으로 회개하고 자신들의 죄를 고백하는 사람들에게는 값없이 주어지기 때문에 면죄는 필요 없다는 것이다. 그로 인해 소동이 일어났다. 교황의 교서들이 대중들에 의해 불태워졌다. 그러나 이로 인해 후스의 원칙적 위치는 크게 손상 당했다. 그는 대학에서, 츠노모의 스타니슬라프(Stanislav of Znojmo)와 스테판 팔레크(Stephen Palec)를 포함한, 많은 주요 지지자들을 잃었다. 그는 다시 한 번 파문당했다. 그렇기에 그는 국왕 벤체슬라스를 멀리했다. 프라하 자체는 교황의 수찬금지령 아래 놓여졌다. 도시를 이 불행으로부터 구하려고 후스는 1412년 10월에 프라하를 떠나 북부 보헤미아의 권력을 가진 귀족 친구들에게서 피난처를 찾았다.

이 피신 기간 동안 수많은 모국어 소책자를 쓴 것 이외에도, 후스는 그 주된 저서 「교회론」(*De ecclesia*)을 저술했다. 이 논문은 같은 이름의 위클리프의 논문에 크게 영향을 받았지만 위클리프의 가장 급진적인 결론들을 피하고 있다. 비록 후스가 '악한 사제들과 고위 성직자들은 정당한 법적 권위(*potestas iurisdic-*

tionis)를 갖지 못하며 그러므로 그들에게 순복할 필요가 없다'는 "반(半)도나투스주의"(semi-Donatist)의 위치를 유지하긴 했지만, 부분적으로 그는 '죄를 지은 사제는 성직의 능력(*potestas ordinis*)을 갖지 않는다'는 완전한 도나투스주의 이단에 가깝게 서 있었다. 이런 이유로 그는 자신의 경우를 "하나님과 그리스도"에게만 호소했지, 왕이나 교회 회의에 호소하지 않았다. 이것은 교황주의자(curialist)와 공의회주의자(conciliarist)들의 눈에는 명백히 이단적인 태도였다.

대 콘스탄스 공의회(1414-1418)가 드디어 다가왔으며 보헤미아의 혼란이 다루어져야 한다는 요구가 있을 것이 확실했다. 후스는 그 회의에 출두할 것을 요청 받았고, 국왕 벤체슬라스의 형제인 신성로마황제 지기스문트(Sigismund, 1410-1437)에 의해 안전권(safe-conduct)이 주어졌다. 비록 후스는 자신이 중대한 위험에 처할 것을 알고 있었지만, 부분적으로 그가 진리라고 여기는 것을 증거할 의무를 믿어서, 그리고 부분적으로 그가 의회를 자신의 사고방식으로 이끌 수 있다고 확신해서 가기로 결정했다. 콘스탄스에 도착한 직후 그는 구금되었다. 공의회는 그 이전에 이미 약속된 안전권을 취소하도록 지기스문트를 설득했다. 후스의 체코인 적들뿐만 아니라, 프라하에서 쫓겨난 독일인 교사들도 그를 심하게 비난했다. 그의 담당 판사들은 그의 이전 동료요 친구였던 스테판 팔레크의 고발을 비중있게 취급했다. 그들의 대표는 유명한 피에르 다이(Pierre d'Ailly)와 장 드 제르송(Jean de Gerson)이었다.

공의회는 1413년 로마 종교회의(synod)에서 이미 채택된 행동을 확인하고, 형식상으로 위클리프를 이단으로 정죄하고 오랫동안 묻혀있던 그의 유해가 신성한 땅에서부터 옮겨지도록 명령했다(1415. 5. 4.). 일반적으로 이단의 우두머리인 위클리프의 헌신적 제자로 추정된 후스는 자신에게 호감을 갖고 들어 주리라는 희망을 거의 가질 수 없었다. 그에게 해당된 30개의 잘못된 가르침들에 근거해서, 공의회는 그의 완전한 복종을 요구했다. 그러나 그 체코인 개혁자는 영웅적 기질을 가졌다. 그는 몇 개의 고발을 잘못된 전달에 기인한 오류라고 선언했고, 나머지 것들도 성경과 고대 교부들에 이해 그 잘못이 확인되지 않는 한 바꾸기를 거절했다. 그는 그 공의회의 강권적 판단에 자신의 양심을 복종시키려 하지 않았다. 1415년 7월 6일, 그는 정죄되고 가장 확고부동한 용기를 갖고서 자신의 죽음을 맞이하며 화형당했다.

후스가 콘스탄스에서 구금되어 있는 동안, 프라하의 그의 추종자들은 주의 성찬에서 평신도들에게 잔을 주기 시작했다(1414. 10.). 이는 후스가 찬성한 것으로, 곧 후스파 운동의 표지가 되었다. 후스의 죽음의 소식은 보헤미아에서 극도의 분노를 불러일으켰으며, 콘스탄스 공의회가 평신도에게 잔을 주는 것을 금하고 후스보다 더 급진적인 그의 동료이자 친구 프라하의 제롬을 화형시킨 것은 불에 기름을 붓는 격이 되었다. 보헤미아에서 혁명이 일어났다. 거기서 두 파가 발전했다: 중도적이며 귀족정치적 정당은 프라하에 본거지를 잡았으며 이종배찬파(Utraquists, 성찬 시 sub utraque, 즉 빵과 포도주 나 받는 데서 나옴) 또는 Calixtines(성배, 잔을 뜻하는 라틴어 calix로부터 나옴) 또는 단순히 프라하 사람들(Praguers)로 알려졌다; 그리고 다른 하나의 급진적이고 민주정치적 정당은, 그 요새 타보르(Tabor)로 인해, 타보르파(Taborites)로 불렸다.

이종배찬파는 자신들이 "하나님의 법", 즉 성경에 의해 금지되었다고 생각하는 의식들만 금하고자 했다. 타보르파는 분명한 보증이 "하나님의 법"에서 발견될 수 없는 모든 의식들을 거부했다. 두 파는 맹렬히 다투었으나, 1420년 "프라하의 네 조항"(Four Articles of Prague)이라는 공동 조항으로 연합했다. 그 조항은 하나님의 말씀의 자유로운 선포, 평신도를 위한 잔, 사도적 청빈, 그리고 사제와 평신도의 엄격한 생활을 요구했다. 그들은 또한 보헤미아를 향한 반복적인 십자군에 함께 저항했다. 외눈박이 — 결국 완전한 장님이 된 — 타보르파 장군 트롱노프의 얀 치츠카(Jan Zizka of Trocnov)의 지휘 아래 후스파들을 파괴하려는 모든 시도들이 유혈로 패퇴되었다. 치츠카의 죽음(1424) 이후에도 후스파의 반대자들은 성공적이지 못했다. 대 프로코피우스(Procopius the Great)의 지휘 아래 후스파들은 보헤미아의 국경을 넘어서 전쟁을 치렀다. 바젤 공의회는, 오랜 협상 후에, 잔의 사용과 기타 네개 조항의 다른 요구들을 승낙함으로 후스파들 중 일부의 소망들을 만족시켰다(1433). 만족하지 못한 타보르파는 저항했고 리파니(Lipany) 전투에서 이종배찬파에 의해 거의 전멸당했으며 거기서 프로코피우스는 전사했다(1434). 승리한 이종배찬파는 바젤 공의회와 하나의 합의, "Compactata"에 도달했으며(1436), 이 조건들 위에서 명목상으로 로마교회에 남았다. 그러나 교황 피우스 2세(1458-1464)는 이 합의를 무효로 선언했다(1462). 그럼에도 이종배찬파는 자신들의 입장을 고수했고, 보헤미아의 국회는 1485년과 다시 1512년에 이종배찬파와 로마 가톨릭교도 사이의 완전한 평등을 선언했다. 종교개혁 때 이들의 상당 부분은 더 새로운 사상을 받아들였고, 소수는 로마교회로 돌아갔다.

위클리프주의의 진정한 대표자들은 이종배찬파라기보다는 타보르파였다. 1458년경부터 타보르파와 이종배찬파, 그리고 발도파(Waldeneses)의 요소들을 모두 갖는 일반적 후스파 운동에서 보헤미아 형제단(*Unitas Fratrum*)이 성장했다. 그것은 후스주의에서 생기있는 많은 것들을 흡수해서 후대 모라비안의 정신적 선조가 되었다(VII:6 참조).

위클리프와 후스는 흔히 종교개혁의 선구자로 규정되어 왔다. 그들이 했던 교회의 악폐에 대한 반항, 성경을 높임, 결국 교회에 개혁을 몰고 온 모든 선동에 대한 기여 등을 고려하면 그 명칭은 적당하다. 그러나 개신교 종교개혁자들의 근본적 신조들은 그 본질 중 조금도 위클리프와 후스의 신조에 빚을 지고 있지는 않으며, 그들은 전통적 가르침에 대한 파괴에 있어서 더욱 급진적이었다. 그럼에도 불구하고 위클리프와 후스, 그리고 중세 후기의 "정통적" 사상가들의 상당수가 개신교 종교개혁자들이 직면해야 했던 것과 같은 중심 문제들에 이미 직면하고 있었다는 점에서, 정당하게 그들은 종교개혁의 "선구자"로 불릴 것이다. 비록 "대답"의 연속성은 아니지만, "질문"의 기본적 연속성이 있었다.

14. 개혁 공의회들

교황청의 분열은 기독교계의 근심거리였으나, 그 해소는 쉽지 않았다. 중세의 발전 논리는 교황이 책임지고 있는 세상 위에 다른 지배적 권력은 존재하지 않는다는 것이었다. 그러나 선한 사람들은 어디에서나 '그 분열은 끝나야 하며, 그리고 교회는 '머리와 지체들 안에서' — 즉 교황과 성직자들 안에서 — 개혁되어야 한다'고 느꼈다. 그 열망하는 개혁은 교리적이 아니라 도덕적이며 행정적이었다. 그 분열을 치료하는 과업에 진지하게 자신을 바친 사람들 중 주된 인물들은 그 시대의 교사들, 특히 파리 대학의 교사들이었다. 거기서 파두아의 마르실리우스는 총공의회의 최고권위를 그의 「평화의 옹호자」(*Defensor pacis*)에서 주장했다(1324). 그러나 마르실리우스는 사제들과 고위성직자들의 모든 법적 권위를 부인했고, 교황의 신적 기원 또한 부인했다. 이 급진적 사고들은 14세기 말 파리와 다른 어떤 지역의 공의회주의자(conciliarist)들에게서도 호의를 얻지 못했다. 그들은 교회에서 법적 권위의 충분성이, 공의회로 대표되는, 그 구성원들의 총체에 있다는 자신들의 기본 요구를 지원하기 위해서 철저하게 신학과 교회법의 정통적 전통을 택했다. 교황은, 그 다음으로, 그 교회 "조직"(corporation)의 "제일의 행정관"(principal minister)으로서 이 권세를 충분히 받으며 그것을 전체 교회의 선을 위해 사용해야 한다. 교황에 대한 총공의회의 우월성이라는 공의회주의의 중심 원칙은 파리에 거주하던 독일인 교회법 박사 겔른하우젠의 콘라트(Conrad of Gelnhausen, 1320?-1390)의 1379년 논문과 1380년 논문에서, 그리고 파리에 있던 또 다른 독일인 학자 랑엔쉬타인의 하인리히(Heinrich of Langenstein, 1330?-1397)이 1381년 논문에서 처음으로 학문적 엄밀성을 갖고 나타났다.

분열을 치료하는 최고의 수단으로서의 공의회에 대한 고려, 소위 공의회의 길(*via concilii*)은 파리대학에서 뿐만 아니라 볼로냐의 대 교회법 학교에서도, 그리고 추기경들 중에서도 지지자를 만들었다. 그러나 공의회적 해결은, 특히 교회법이 회의는 교황에 의해서만 소집되어야 한다고 규정하고 있기 때문에, 많은 문제들을 안고 있었다. 따라서 파리의 지도자들, 피에르 다이와 장 드 제르송은 이 계획을 천천히 채택해야 했다. 여러 해 동안, 경쟁관계의 교황들을 사임시키려던 소위 철회의 길 (*via cessionis*)의 노력들이 헛되게 되었다. 프랑스는 1398년부터 1403년까지 그리고 다시 1408년에, 로마 교황을 인정하지 않은 채 아비뇽 교황으로부터 철수했다. 그러나 그 예는 다른 지역에선 약간의 지지만 받았다. 1408년경, 다이와 제르송은 공의회에서 유일한 희망을 보기 시작했다. 그리고 그들은 이전에 파리에서 자신들의 학생이자 동료였던 클레망의 니콜라스(Nicholas of Clemanges, 1367-1437)의 지원을 받았다. 니콜라스는 1397년부터 1405년까지 아비뇽의 베네딕트 13세의 비서였다.

양쪽 교황의 추기경들은 결국 공의회의 필요성을 확신하게 되었다. 그들은 렉호른(Leghorn)에서 만나(1408), 그들 자신의 이름으로 1409년 3월 25일에 피사에서 모일 그런 회의의 초청장을 보냈다. 거기에는 추기경들, 주교들, 대교단의 수장들, 그리고 지도적 대수도원장들뿐만 아니라, 신학 박사들과 교회법 박사들, 그리고 평신도 군주 대표들도 참석했다. 교황은 참석하지도 않았고 그 공의회의 합법성을 승인하지도 않았다. 양쪽 교황 모두 분열과 이단의 죄목으로 공의회에 의해 해임되었다. 이는 공의회가 교황보다 우월하다는 실천적인 주장이었다. 그러나 그 공의회의 행동은 너무 성급했다. 왜냐하면 다이가 조언했던 바대로 제안된 새 교황의 인격이 일반적으로 받아들여질 수 있는지의 여부를 확인하는 대신에, 추기경들은 금방 밀라노의 대주교 피에트로 필라르기(Pietro Philarghi)를 선출했고 그는 알렉산더 5세(1409-1410)라는 이름을 갖게 되었기 때문이다. 그 공의회는 미래의 공의회에게 개혁의 질문을 남긴 채 해산했다.

많은 관점에서, 상황은 공의회가 열리기 전보다 더 나빠졌다. 로마, 나폴리, 그리고 독일의 상당 지역들이 그레고리 12세에 밀착했다. 스페인, 포르투갈 그리고 스코틀랜드는 베네딕트 13세를 지지했다. 영국, 프랑스 그리고 독일의 몇 지역은 알렉산더 5세를 인정했다. 이제 세 명의 교황, 세 주된 행정기관, 그리고 세 추기경단이 존재했다. 그러나 이런 잘못에도 불구하고, 피사 공의회는 교회가 하나임을 보여주었고, 더 나은 공의회가 분열을 끝낼 수 있으리라는 희망을 증진시켰다. 이 공의회는 추기경들에 의해 소집되었으며, 이는 비관례적 행동이었다. 뛰어난 공의회주의자

니임의 디트리히(Dietrich of Niem, 1340?-1418)에 따르면, 만일 하나 또는 그 이상의 교황들의 승낙이 가능하다면 황제가 소집하는 것이 초기 교회의 실천과 조화될 것이다.

새로 신성로마제국 황제로 선출된 지기스문트(1410-1437)는 디트리히의 제안을 받아들였다. 지기스문트 자신은 교황으로 요한 23세(1410-1415)를 인정했다. 그는 교황위를 갖고 있던 사람들 중 가장 열등한 자 중의 하나로 피사계열에서 알렉산더 5세의 계승자로 선택되었었다. 지기스문트는 요한이 나폴리 국왕 라디슬라스(Ladislas)와 관계가 좋지 않은 점을 이용해서 선제후와 교황이 함께 연명으로 1414년 11월 1일 콘스탄스에서 공의회를 개최하게 했다. 중세에 가장 뛰어나고 가장 무게있게 정성을 들인 모임이 열렸다. 지기스문트는 개인 자격으로 참석했고 요한 23세가 회의를 주관했다.

요한은 공의회의 승인을 얻고자 희망했다. 이런 목적을 위해 그는 많은 이탈리아 주교들을 동반했다. 이들의 투표를 중립화하기 위해서, 공의회는 (추기경들, 대주교들, 주교들, 수도원장들, 수도원 부원장들, 신학박사와 교회법 박사들 그리고 군주 대표들로 구성된) 그 자체를 영국, 독일, 프랑스, 이탈리아의 네 "민족들"로 조직했다. 각 "민족"은 하나의 투표권을 가졌고, 추기경들에게도 하나의 투표권이 할당되었다. 공의회의 인가를 단념하고서, 요한 23세는 도주함으로(1415. 3.) 회기를 깨뜨리고자 시도했다. 그러나 제르송의 강력한 지도력 아래, 공의회는 1415년 4월 6일에 그 유명한 포고문 *Haec sancta synodus*(또는 *Sacrosancta*)에서 다음과 같이 선포했다: "이 거룩한 콘스탄스 공의회는 … 성령 안에서 합법적으로 개최되었다. 그것은 가톨릭 교회를 대표하는 하나의 공의회를 구성한다. 따라서 그것은 즉각적으로 그리스도로부터 그 권위를 갖는다. 그리고 교황 자신을 포함하는 모든 계층과 모든 조건의 사람들은 신앙, 분열의 폐지 그리고 그 머리와 구성원들 안에서의 교회의 개혁에 관한 한 그것에 순복하도록 묶여진다."

5월 29일, 공의회는 악평이 자자한 비행에 근거해 요한 23세를 해임했다. 7월 4일, 그 자신의 권위 위에서 공의회를 형식적으로 인정한 이후에야(그리고 그것으로, 적어도 그 자신의 마음에서라도, 로마 계열 교황들의 합법성에 대한 공의회의 암묵적 승인을 구하고자), 그레고리 12세가 사임했다. 공의회는 교회에서 모든 것 위에서는 자신의 최고권위를 성공적으로 선언함으로서 피사와 로마의 교황들의 교회들을 자유롭게 했다. 그 지도자들이 얀 후스에게 완전한 복종을 강요한 이유를 발견하는 것은 쉽다. 그의 시련과 순교는 이런 사건들과 동시대였다(V:13 참조).

아비뇽 교황 베네딕트 13세는 더 어렵다는 것이 밝혀졌다. 지기스문트 자신이 베네딕트와 만나려 스페인으로 여행했으나, 그 완고한 교황은 사임을 거절했다. 지기스문트는 베네딕트와 직접 해결하지 못한 것을 스페인 왕국들과 협력해서 이루었다.

스페인과 스코틀랜드는 베네딕트를 부정했다. 스페인 사람들은 다섯번째 "민족"으로 공의회에 가입했다. 그리고 1417년 7월 26일 베네딕트, 또는 다시 한번 불리게 된 루나의 피에트로는 형식상 해임되었다. 피사에서의 성급함에 대조되는 그 공의회의 조심스런 행동은 기독교계의 어느 중요 지역도 이전의 교황들을 지지하지 않을 것을 확실케 했다.

콘스탄스 회의의 하나의 주된 목적은 도덕적이고 행정적인 개혁이었다. 그러나 공의회는 몇 "민족들"의 질투와 경쟁이 효과적인 행동을 방해했기 때문에 개혁의 기구로서는 크게 실패했다. 공의회의 위대한 업적은 분열을 종식시켰다는 것이다. 1417년 11월 추기경들은 각 민족 대표 6명씩과 함께 로마 추기경 오도 콜론나(Oddo Colonna)를 교황으로 선출했다. 그는 마르틴 5세(Martin V, 1417-1431)란 이름을 취했다. 로마 기독교는 다시 한번 단일의 수장을 갖게 되었다. 공의회는, 그 또다른 유명한 포고문 *Frequens*(1417.10.9)의 소망에 따라, 새 교황이 5년 안에 다시 공의회를 소집하기로 약속하고 1418년 4월에 끝났다.

콘스탄스 공의회는 하나의 혁명적인 교회적 시도였다. 그것은 절대적 교황군주제를 공의회의 대표적 권위로 대치시켰다. 교황은, 비록 교회의 집행권자로 남았지만, 자신의 지위와 권리들을 공의회를 통해 행동하는 기독교인 총체로부터 받았다. 그리고 공의회는 빈번한 주기로 열려야 했다. 교황은 기껏해야 입법상의 군주가 되었다.

잠시 동안 이 위대한 변화가 실제로 성취된 것처럼 보였다. 마르틴 5세(Martin V)는 1423년에 파비아에서 개최될 다음의 공의회를 소집했다. 전염병으로 상당수가 참석하지 못했고, 회의를 시에나로 옮기게 했다. 거기서는, 완수한 것이 거의 없이, 공의회는 교황에 의해 1424년 초에 독단적으로 해산되었다. 교황은 더이상의 공의회를 열려고 하지 않았다. 그러나 후스파의 전쟁이 유럽을 괴롭혔고, 그런 압력은 마르틴 5세로 하여금 바젤에서 개최할 공의회를 소집하고 그것을 이끌 교황사절로 추기경 케사리니(Giuliano Cesarini)를 임명하게 했다. 2달이 채 안되어 마르틴 5세가 죽고 유게니우스 4세(Eugenius IV, 1431-1447)가 교황이 되었다. 그 공의회는 1431년 7월에 열렸으나, 12월에 유게니우스는 회의를 휴회하고 1433년 볼로냐(Bologna)에서 속개할 것을 명령했다. 공의회는 휴회를 거절하고 공의회가 교황보다 우위라는 콘스탄스의 선언을 재확인했다. 그래서, 대체로 처음부터, 바젤 공의회와 교황 사이에는 나쁜 감정들이 존재했다. "민족들" 사이의 질투가 콘스탄스에서의 개혁 계획을 좌절시켰음을 염두에 두고서, 공의회는 그런 집단화를 거절하고 대신에 네개의 큰 위원회(개혁, 교리, 공공의 평화 그리고 일반적 질문들에 대한)로 구성했다. 그것은 큰 열정과 성공에의 약속을 갖고 작업을 시작했다. 공의회는 1433년에 중도 후스파와 뚜렷한 화해를 이루어냈다(V:13 참조). 교회의 일치가 회복되는 것처럼 보였다. 교황은 거의 지지를 얻지 못했으며, 1433년이 끝나기 전에 형식적으로 공의회를 인정했다. 공의회의 미래는 보장된 것으로 보였다.

바젤 공의회는 이제 콘스탄스에서 달성하는 데 실패했던 행정적이고 도덕적인 개혁들을 진행했다. 각 주교교구에서 매년, 각 대주교교구에서는 2년 마다 종교회의를 열어서 거기서 악폐들이 검토되고 수정되어야 할 것이라고 공의회는 명령했으며 10년 마다의 공의회를 위해 준비했다. 공의회는 교황의 임명에 대한 반대로 교회법에 따른 선거의 옛 권리들을 재주장했으며, 로마에의 호소를 제한했다. 그것은 추기경의 수를 24명으로 고정하고 어떤 민족의 대표도 추기경단의 3분의 1 을 넘지 못하게 명령했다. 그것은 임명세(annante)와 교황의 다른 강압적 세금들을 철저히 폐지했다. 교황의 전통적 특권들의 이러한 박탈이 유익하고 필요하긴 했지만, 그것이 실현되는 정신은 점차 교황 유게니우스를 향해 보복적이 되었다. 폐지된 세금들을 대신해서 제공될 교황청에 대한 명예로운 지원은 없었다. 이 실수는 교황의 원한을 증가시켰을 뿐만 아니라 공의회 안에서의 분열도 야기했다. 이 때 큰 기회가 왔으나 교황 유게니우스 4세는 그것을 충분히 이용했고, 공의회는 그것을 활용하지 못해서 공의회의 기대들을 파괴하고 말았다.

동방제국은 이 때 정복하러 온 터키족과의 마지막 싸움에서 심하게 압박당했다. 서방으로부터의 도움을 얻으려는 희망에서, 황제 요한 8세 팔라에오로구스(John VIII Palaeologus, 1425-1448)는, 콘스탄티노플의 대감독 요셉 2세(Joseph II, 1416-1439)와 유능한 니케아의 대주교 요한 베사리온(John Bessarion)과 함께, 그리스 교회와 라틴 교회의 연합을 위한 협상에 들어가려 했다. 교황과 공의회 양쪽 다 이 접근을 자신들 각자의 이익을 위해 사용하려 했다. 공의회의 다수는 그리스인들이 바젤이나 아비뇽으로 오기를 원했다. 교황은 이탈리아 도시를 제안했고, 그리스인들은 그것을 받아들였다. 공의회는 이 문제로 갈라지고(1437), 케사리니(Cesarini)와 이전의 충실한 공의회주의자 쿠사의 니콜라스(Nicholas of Cusa, 1401-1464; V:17 참조)를 포함한 소수는 탈퇴했다. 유게니우스 4세는 그 때 공의회를 그리스인들과 만날 페라라(Ferara)로 옮긴다고 선포했다. 소수파는 그 쪽으로 갔고, 1438년 3월에 동로마 황제는 많은 동방 고위성직자들과 함께 거기에 도착했다. 실제적으로 교황이 승리했다. 기독교계의 재연합에 대한 약속으로 여념이 없던 한 사건으로 인해 여전히 계속되던 바젤 공의회는 그 관심의 많은 부분을 빼앗겼다.

페라라 공의회는, 1439년 피렌체(Florence)로 옮겨져서, 그리스 교회와 라틴 교회 사이의 오랜 토론을 목격했다. 그리고 그 토론에서 마지막 결론으로, 동방 대주교의 권리들을 보존하는 것처럼 보이는 모호한 용어로 교황의 우월성이 받아들여졌다. 그리스 교회는 그들만의 독특한 예배의식과 사제의 결혼을 유지했다. 그들은 논란이 되었던 니케아 신조의 filioque 구절을 인정했다. 하지만 그들이 옛 신조에 그것을 첨가하지 않을 것이라는 이해는 갖고 있었다. 에베소(Ephesus)의 강력한 대주교 마가(Mark)는 동의하길 거부했으나, 황제와 그의 교회 수행원들 대부분이 찬성했다. 1439년 7월, 두 교회의 재연합은 교서 *Laetentur coeli* 에서 기쁘게 선포되었다. 그렇게 행복한 사건으로 인해 교황 유게니우스 4세의 위신은 크게 올라갔다. 그 성취의 실속 없음은 즉시 드러나지 않았다. 아르메니아 교회, 그리고 단성론 그룹들과 네스토리안 그룹들과의 재연합도 피렌체 공의회에서 또는 그 직후에 선포되었다. 그러나 처음부터 동방 수도사들은 반대였다. 그리스로 돌아가자, 에베소의 마가는 그 시대의 영웅이 되었다. 교황 유게니우스가 추기경으로 임명했던 베사리온은 이탈리아로 달아나야 했고, 거기서 문필활동과 교회봉사에서 뛰어난 경력을 갖게 되었다. 어떤 효과적인 군사원조도 서방으로부터 그리스에 오지 않았고, 터키족에 의한 콘스탄티노플의 함락(1453)은 1439년의 연합 노력이 불러일으킨 그 정치적 희망들을 좌절시켰다.

한편 바젤의 다수파는, 유일하게 남아있던, 유능하고 뛰어나긴 하지만 독재적인, 추기경 아를의 루이 달레망(Louis d' Aleman, 1380?-1450)의 지도아래, 더 급진적인 행동으로 나아갔다. 그 공의회는 1439년에 유게니우스 4세를 해임하고 반(半) 수도사인(half-monastic) 평신도 사보이의 아마데우스 공작(Duke Amadeus of Savoy)을 계승자로 선택했으며, 그는 펠릭스 5세(Felix V)가 되었다. 그러나 그것이 새로운 교황의 분열을 야기한 것처럼 보였기 때문은 거의 아니었지만, 시간이 지나자 바젤 공의회는 그 남아있던 영향력을 빠르게 잃어갔다. 사실상 유게니우스 4세가 승리했고 니콜라스 5세(1447-1455)가 그를 계승했다. 펠릭스 5세는 자신의 불가능한 교황위를 포기했다(1449). 공의회는 펠릭스의 계승자로 니콜라스 5세의 선출에 합의함으로써 그 실패에 대한 면목을 세우고 나서 자신의 해산을 공포했다 (1449).

공의회주의 이론은 계속 남아서 종교개혁에서 큰 힘을 얻게 되었지만, 바젤에서의 큰 실패는 교황위를 입헌군주로 바꾸려는 희망 또는 공의회를 통해 필요한 개혁을 달성하려는 희망을 사실상 파괴했다. 교황위는 계속하여 일어난 "회복"의 시기에 자신의 권리 주장에서 다시 독재적 군주로 나타났으며, 이제 교황의 우월성에 대한 그 첫번째 공의회주의적 정의 — 1439년의 통일 포고문 *Laetentur coeli* 의 정의 — 로 무장했다.

그러나 독재적 권리 주장들은 다시 한번 만만치 않은 반대에 직면했다. 그것은 교회 공의회들로부터 나온 것이 아니라 대분열과 "공의회주의자의 시도"로부터 이익을 얻었던 각 나라들로부터 나왔다. 예를 들어, 영국왕들은, 교황청의 아비뇽 "유수" 이래로, 성직임명과 교회 세금에서 자신들의 몫을 확보하는데 현저하게 성공했었다. 그들은 이제 자신들의 이득을 보존하기로 결정했다. 프랑스 군주들도 마찬가지였다.

1438년에 샤를 7세(Charles VII, 1422-1461) 왕은, 성직자들과 귀족들과 함께, 소위 부르제의 국본조칙(Pragmatic Sanction of Bourges)을 채택했다. 이로 인해 바젤에서 시도된 개혁들의 대부분이 프랑스를 위해 법으로 제정되었으며, 그래서 프랑스는 교황의 가장 억압적인 세금들과 간섭들로부터 구원을 얻었다. 독일은 그렇게 운이 좋지 못했다. 마인츠 국회에서 귀족들은 프랑스의 "국본조칙"과 매우 유사한 하나의 "승인"(acceptation)을 채택했다(1439). 그러나 나라의 분열과 약함은 교황의 술책이 파고들 틈을 만들었다. 그래서 그것의 규정들은 그 실행에 있어서 1448년의 비엔나 협정(Concordat of Vienna)에 의해 제한되었다. 약간의 특권들이 영주들에게 주어졌지만 전체로서의 독일은 교황의 징세의 무게 아래 남아있었다.

대분열과 공의회들의 시기 전체에 걸쳐, 민족의식이라는 새로운 힘이 자신을 드러내 보이고 있었다. 콘스탄스 공의회는 교황청과 타협하기 위해 "민족들"에게 권한을 주었다. 보헤미아는 한 민족으로서 자신의 종교적 상황을 처리했다. 영국과 프랑스는 그들의 민족적 권리들을 주장했다. 독일도 그렇게 하려고 시도했다. 공의회들의 철저한 개혁 실행의 실패로, 사람들은 그들이 추구했던 것이 민족적 행동에 의해 획득되어야 하지 않을까 질문하기 시작했다. 그런 느낌은 종교개혁까지 확대되어야 했고, 그 투쟁의 과정에 크게 영향을 끼칠 것이었다.

15. 이탈리아 르네상스와 그 시대의 교황들, 대중적 종교지도자들.

아비뇽 교황청시대, 대분열(the Great Schism)시기와 동시대에 일어났던 가장 주목할 만한 지적인 사건은 르네상스의 시작이었다. 이러한 정신적 지평에서의 커다란 변화가 앞선 중세시대의 도움없이 이루어진 것으로 사람들은 오랫동안 생각했었다. 그러나 중세시대가 "개인"과 "인문주의적" 관심을 결여하지 않았음을, 내세 중심사고가 지배적일 정도로 교회의 지배가 강하지 않았음을, 그리고 적어도 전승된 고대 라틴문헌들이 폭넓게 소개되었음을 사람들은 이제 깨닫고 있다. 1100년 경에 로마법이 부흥하기 시작하여 처음에 이탈리아를 거쳐 나중에는 프랑스와 독일에까지 퍼져 사람들로 하여금 점차로 그러한 규범적인 고대사상의 특징에 관심을 갖게 하였다. 더 나아가서 12세기 전반에 걸쳐서 아리스토텔레스 전 작품들이 점차적으로 재발견됨과 동시에 학교에서 논리학과 문예(liberal arts)가 다시 부흥하였다. 이 부흥은 "은총"에 못지 않게 "자연"에도 큰 관심을 나타냈던 13세기의 위대한 「신학대전」(*summae*)에서 절정을 이루었다.

하지만 사람들이 이 모든 사실들을 깨달았을 때조차도, 14세기, 15세기, 그리고 16세기 초엽에 있었던 르네상스에, 미세하지만 그것이 누적되었을 때는 매우 의미있는 것으로 나타나는 세계관의 변화가 수반되었다는 사실은 여전히 옳다. 이런 세계관의 변화에서는 천국의 기쁨이나 지옥의 파멸을 맞이할 미래의 삶보다는 현세의 삶의 기쁨과 존엄과 만족을 상대적으로 더 많이 강조하며, 사람들에게 영원한 구원이나 저주의 대상으로서의 가치보다는 인간으로서의 가치를 더 많이 부여한다. 이와 같이 세계관을 바꾼 방법은 특별히 전승되었던 위대한 문헌들에서 나타나 있는 고대 고전정신에 대한 재평가이다. 르네상스를 주도했던 참여자들과 후원자들이 보기에, 르네상스는 "암흑"과 "야만"의 시기인 중세 이후에 문화 전반이, 특히 고전문화가 바로 "재탄생"(이탈리아어 renascimento; 불어 renaissance)한 것이었다.

고전문헌을 재발견하고 연구하려는 열정은 처음에 이탈리아에서 나타났는데, 이곳에서는 13세기 말엽부터 복잡한 도시문화가 발전하고 있었다. "인문주의"(studia humanitatis. 인간연구, 즉 문예 〔liberal arts〕)란 말을 만든 르네상스의 창시자는 프란체스코 페트라르카(Francesco Petrarch, 1304-1374)였다. 그는 아비뇽에서 성장하였는데, 그는 그 곳에서 1353년까지 대부분의 생을 보냈으며, 그 이후에는 밀라노, 베네치아, 파두아에서 주로 살았다. 그는 고대 라틴 저술가들, 특히 키케로와 세네카의 저술들을 열정적으로 읽었으며, 그들을 모범으로 삼아 그의 우아한 新라틴 문체를 만들어 내었다. 그는 또한 기독교에 적대적인 아리스토텔레스-아베로이스 철학을, 따라서 스콜라신학을 단호하게 비판하였다. 그러므로 그가 스콜라주의에 대해 거부한 것이 기독교 신앙과 경건을 거부한 것은 아니었으며, 도리어 중세 전통을 넘어서 고전 전통을 의식적으로 선호함을 나타내는 것이었다. 우리는 페트라르카 속에서 무엇보다도 하나님과 인간들 간의 관계를 포함한 그들의 문제와 인간들이 모든 사상과 철학의 중심이 되어서, 이런 연구들이 진정으로 "인문주의적 연구"(*humaniora*)이어야 한다고 끊임없이 주장하는 모습을 발견하게 된다. 이러한 목표를 이루기 위해 페트라르카는 성 어거스틴을 그의 지적 인도자로 삼고, 플라톤을 모든 철학자들 중에서 가장 위대한 자라고 불렀다. 키케로와 같은 "달변", 인간중심사상, 스콜라주의에 대한 반대, 플라톤-어거스틴의 "지혜"에 대한 칭송, 고전의 가르침과 기독교적 신앙이 조화될 수 있다는 확신 등 이런 모든 측면에서 볼 때, 페트라르카는 르네상스 문화에서 "근대적" 요소를 상징하는 인물이며, 인문주의 운동의 태두이다.

그런데 "그리스 부흥"이 곧 페트라르카가 시작한 라틴 문헌 문화의 부흥에 필적하게 되었다. "그리스 부흥"은 비록 콘스탄티노플 멸망이란 대재난을 피해 온 피난민들이 나중에 새로운 자극을 주기는 했지만, 이미 오래 전 1453년 콘스탄티노플 멸망보다 이전에 이루어졌었다. 이미 1360년에 페트라르카의 친구이자 동료이며, 유명한 데카메론을 저술한 지오반니 보카치오(1313-1375)는 레온티우스 필라투스를 칼라브리아에서 피렌체로 데려와서 그리스 연구에 관한 강의를 하게 하였다. 1397년에 탁월한 비잔틴 학자인 마뉴엘 크리솔로라스(1355?-1415)는 피렌체 대학에 설치된 그리스 연구과의 주임교수로 임명되었다. 마뉴엘 크리솔로라스의 뛰어난 제자들 중에 레오나르도 브루니(1370?-1444)가 있었는데, 그는 나중에 피렌체의 장관으로서 배움에 대한 사랑을 정치에 대한 적극적 참여, 즉 르네상스 문화의 특징이 된 "시민에 봉사하는 인문주의"(civic humanism)와 연결시켰다. 페라라-피렌체 의회는 1438년과 1439년에 걸쳐서 그리스 문헌들과 라틴 문헌들을 함께 모음으로써 동방세계가 지닌 귀한 문헌들을 익히려는 열정을 크게 장려하였다. 이 의회에 있었던 그리스 지도자들 중에는 요한 베사리온(Bessarion, 1403-1472)과 조르지오스 게미스토스 플레톤(Plethon, 1355?-1450)이라는 두 명의 저명한 플라톤주의자들이 포함되어 있었다. 요한 베사리온은 니케아의 대주교였으며, 말년에는 로마교회에서 추기경을 지냈다. 플레톤은 피렌체에서 플라톤에 대해 강의함으로써 피렌체의 인민당 당수였던 코시모 드 메디치(Medici, 1389-1464)에게 영감을 불어넣어서, 그로 하여금 마르실리오 피치노(Ficino, 1433-1499)가 지도하는 소위 플라톤 아카데미를 1462년에 설립하게 하였다.

피치노는 1473년에 사제가 되었는데, 기독교와 신플라톤주의를 "플라톤적 신학" 속에서 결합시켰는데, 플라톤적 신학이란 인간을 존재의 거대한 위계 질서 속에서 중심을 차지하는 존재로 간주하고, 하나님의 말씀(logos)이 육신이 된 그리스도를 영적 세계와 물질 세계를 연결하는 매개로 보는 신학이다. 피치노의 "경건 철학"은 알프스산맥을 넘어서 프랑스의 자크 르페브르 데따플과 영국의 존 콜레트(Colet)에게 커다란 영향력을 행사하였는데, 콜레트는 다시 에라스무스에게 경건철학을 전달하였다. 피치노만큼 영향력 있었던 플라톤 아카데미의 또다른 구성원이 있었다. 그는 뛰어난 젊은 철학자인 지오반니 피코 델라 미란돌라(Mirandola, 1463-1494)였는데, 그의 「인간의 존엄에 대한 강연」(*Oration on the Dignity of Man*)

은 가장 유명한 르네상스 저술들 중 하나이다. 유대교 신비철학이 지닌 신비적 지식과 히브리어에 대한 그의 열정은 요한네스 로이힐린(Reuchlin)에게 영감을 주었고 그를 통해서 북부 유럽의 인문주의에 히브리어 연구를 도입하게 하였다.

이탈리아 르네상스의 인문주의자들은 고전문화의 문헌들뿐 아니라 고대 기독교 문헌들도 다시 살려내었다. 피렌체에 있는 산타 마리아 데글리 안젤리의 카말돌레세 수도원은 인문주의자였던 수도원 부원장 암브로지오 트라베르사리(Traversari, 1386-1493)가 지도하는 그리스 교부 연구의 중심지가 되었다. 이교문학 연구에도 베사리온, 브루니, 특히 로렌조 발라(Lorenzo Valla, 1406-1457)가 정열을 바쳤다. 발라는 본래 문법학자이며 문헌학자인데, 이러한 날카로운 역사 비판적 감각을 발전시켜서 〈콘스탄티누스의 증여〉가 사실은 8세기에 나온 조작임을 드러내고(IV:4 참조), 디오니시우스 아레오바고의 저술이라고 간주되었던 저술들이 가짜임을 보여주고(III:10 참조), 실제로 사도들이 사도신경을 만든 것이라는 주장을 부정할 수 있었다. 그는 또한 신약성서 라틴어 불가타를 그리스어 성서와 비판적으로 대조함으로써 신약성서 텍스트 연구에 기초를 세웠다.

르네상스는 결코 이교 사상의 부흥이 아니었다. 확신하건대, 그 대다수가 평민이었던 인문주의자들은 새로운 "세속 도덕"을 형성하는데 대부분의 관심을 기울였다. 세속 도덕이란 즉 고대 성인들로부터 얻은 덕있는 삶과 덕이란 이상(ideal)인데, 이것은 이탈리아 지방자치 체제를 이루는 부유한 상층시민들의 정치적, 상업적 삶과 직접적으로 관련 있을 것이다. 하지만 그들은 고전 윤리와 기독교 윤리 간에 근본적인 모순이 있음을 알지 못했고, 그래서 일반적으로 고전문헌들에 담긴 학문을 기독교 진리의 수정판 정도로 간주하였다. 많은 인문주의자들이 실제로는 "개혁적 성향의" 스콜라주의자들이기 때문에, 그들이 스콜라신학을 경멸한 것을 너무 강조해서는 안된다. 그들이 스콜라신학을 경멸했다고 해서 그들이 기독교의 기본진리를 부정한 것은 거의 아니다. 르네상스 지도적 철학자들인 피치노, 피코, 쿠사의 니콜라스(V:17 참조)는 기독교와 플라톤주의를 종합했다는 점에서 "어거스틴"적이었다. 요약하자면, 르네상스 문화는 비록 기본적으로 "세속적이고 속인의 것"이긴 하지만 본질에 있어서 "비기독교적"이거나 "반(反)성직자주의"의 입장을 취하지는 않았다.

여기서 회화, 조각, 건축, 음악, 모국어 문학에 있어서 전 르네상스 운동이 이룩한 주목할 만하고 때로는 기념비적인 업적들을 일일이 나열할 수도 없고 개괄할 수도 없다. 그러나 신기원을 이룬 한가지 기술적 혁신에 대해서는 적어도 언급해야 한다. 이 혁신은 분리가능한 식자를 사용한 인쇄기술이었는 데, 이 기술은 1450년 경에 마인츠의 요한 구텐베르크가 도입한 것이었다. 이런 발명은 책의 수를 늘리고 책의 가격도 구입가능할 정도로 싸게 만듦으로써 독서층을 크게 늘리는데 기여하여서, 곧바로 인문주의자들의 학문이 매우 널리 전파될 수 있게 하였으며, 나중에는 종교

개혁자들의 가르침이 매우 널리 전파될 수 있게 하였다. 1500년까지 유럽대륙에서 200개가 넘는 출판사가 설립되었다.

비록 피렌체가 르네상스의 "여왕의 지위에 있는 도시"였지만, 르네상스 운동은 로마뿐 아니라 다른 많은 이탈리아 도시들에서도 큰 영향력을 발휘하였다. 르네상스 운동은 로마에서 교황들 사이에서조차 수많은 강력한 후원자들을 얻어서, 교황청이나 추기경 관저가 르네상스가 전성기임을 보이는 전시장이 되었다. 르네상스 시기의 첫번째 교황은 니콜라스 5세(1447-1445)였는데, 그는 바티칸 도서관을 세워서 로마를 재건하려는 야심찬 계획을 발전시켰다. 후임 교황인 알폰소 보르지아는 스페인인으로서 칼릭스투스 3세(1455-1458)란 이름을 얻었는데, 인문주의에 호의적이지 않아서, 비록 효과는 거두지 못했지만 터키인들을 그들이 얼마 전에 정복한 콘스탄티노플로부터 몰아내려는 십자군전쟁을 시작하려고 했었다.

가장 주목할 만한 교황은 아이네아스 실비우스 피콜로미니인데, 그는 피우스 2세(1458-1464)로서 통치하였다. 인생의 초년에 그는 공의회 운동의 지지자로서 바젤 공의회에서 활약하면서, 단호하게 성직자 같지 않은 목소리를 내는 인문주의 저술가로서 명성을 얻었다. 그러나 그는 유게니우스 4세와 화해하고 나서 추기경이 되었으며, 결국 교황이 되어서 그가 예전에 지지했었던 모든 공의회주의적 견해들을 반대하게 되었다. 1460년 *Execrabilis*란 대칙서에서 그는 이후로 교황이 총공의회에 탄원하는 것을 금하였다. 유럽으로 하여금 터키인들에 대항해 십자군 전쟁을 하도록 각성시키려는 그의 지속적 노력은 다시 이루어지지 못했다. 그가 변화되고 자아를 찾으려는 태도를 취했음에도 불구하고, 15세기 후반부에 있었던 교황들 중에서 교황 직무를 수행하는 데 필요한 의무들을 가장 가치있는 것으로 생각한 사람이었다.

피우스 2세의 후임은 바울 2세(1464-1471)였는데, 그는 고대문헌들의 수집가였으며 학문에 대해 호의적이었음에도 불구하고 로마 아카데미를 이교도라고 탄압함으로써 인문주의자들의 분노를 자아냈다. 식스투스 4세(1471-1484)로부터 시작해서 레오 10세(1513-1521)를 거쳐 간 후임교황들은 예술과 문학의 후원자들이었으며, 로마를 꾸민 위대한 건설가들이어서 로마가 이탈리아 예술의 중심지가 되게 하였다.

콘스탄스 공의회 이후 세월이 흐르면서 교황청의 이상과 야심은 극적 변화를 겪게 되었다. 이탈리아가 중부 이탈리아에서 점차적으로 베네치아, 밀라노, 피렌체, 나폴리(소위 두 개의 시칠리아섬들의 왕국), 교황령(교회국가)이란 다섯 개의 커다란 국가들로 통합되었다. 이들보다 더 작은 많은 자치구들이 이들 국가 외곽에 남아 있어서, 이들 국가들은 서로 이 자치구들을 차지하려고 경쟁하였다. 이탈리아 정치는 더 큰 권력을 지니고 있음을 과시하고 서로서로 다투는 온갖 다툼의 경연장이 되었다. 이 다툼에는 음모와 살인, 표리부동함이 최고도로 사용되었다.

교황청은 이런 이탈리아 정치게임에 깊이 몰두하게 되었다. 교황청의 최우선 관심은 정치적 독립을 유지하면서, 교황국가와 타협하고 그것을 확장시켜 나가는 것이었는데, 교황의 이비농 세류와 내분열로 인해 교황국가를 효과적으로 통제할 수가 없었다. 콘스탄스에서 선출된 교황인 마르틴 5세부터, 교황청의 목표와 방법은 다른 이탈리아 국가들의 목표, 방법과 다를 바 없었으며, 아무리 오랫동안 보편국가를 열망했다 해도, 이제 교황청은 수많은 경쟁국가들 사이에 있는 하나의 국가로서만 자리잡게 되었다. 교황은 이탈리아 군주의 지위로 격하되었고, 교황의 직무는 아마도 10세기를 제외한다면 교황청 역사의 어느 시기에서도 볼 수 없을 정도로 세속화되었다. 이전에 프란체스코 수도회의 총장이었던 교황 식스투스 4세로 인해, 정치적 야심과 뻔뻔스러운 친인척 중용이 교황청(the Holy See)을 완전히 지배하게 되었다. 식스투스는 피렌체와 전쟁하였고, 그의 친인척들을 부유하게 하고 출세시키려고 하였으며, 교황국가를 확장시키고자 하였다. 그는 대대적인 건축사업을 벌여서 시스틴 성당이 그의 이름을 따라 명명될 정도였으며, 지나치게 낭비해서 역사상 유일하게 교황청 세금을 인상해서 파산을 막을 정도였다.

후임 교황이었던 이노센트 8세(1484-1492)는 16명의 자식을 불법적으로 낳았는데, 공공연하게 그의 아이들의 재산을 증식시키려 하고, 무절제하게 낭비하고 성직을 매매한 점에 있어서 악명이 높았다. 심지어 그는 터키 술탄인 바야지드 2세로부터 술탄의 형제이자 경쟁자인 드젬(Djem)을 감금해주는 조건으로 매년 대가를 지불받았다. 알렉산더 6세(1492-1503)는 스페인인이며 칼릭스투스 3세의 조카였는데, 추기경들을 매수함으로써 교황이 되었다. 그는 비록 손댈 수 없을 정도로 부도덕한 사람이었지만 교황청 재정을 잘 관리하였으며 상당한 정치적 감각을 소유하고 있었다. 그의 최대 관심사는 그의 사생아들, 특히 그의 딸 루크레치아 보르지아를 조건 좋은 곳에 결혼시키고, 무자비하고 난폭한 그의 아들 케자레 보르지아에게 교황국가로부터 공국을 떼어내줌으로써 그를 도와주는 것이었다. 그의 통치기간은 이탈리아의 독립이 붕괴되기 시작한 시기였다. 예를 들어 1494년에 프랑스의 샤를 8세가 나폴리공국의 왕가가 프랑스 혈통임을 주장하려고 이탈리아를 침공하였다. 1499년에는 프랑스의 루이 12세(1498-1515)가 밀라노를 정복하였고, 1503년에 구교도인 스페인의 페르디난드가 나폴리를 탈환하였다. 이탈리아는 프랑스와 스페인의 경쟁자들이 전쟁을 하는 비참한 전장이 되었다.

이런 상황에서 교황의 세속권력을 보존하고 확장시키는 것은 쉽지 않은 일이었지만, 교황들 중에서 가장 호전적인, 식스투스 4세의 조카인 율리우스 2세(1503-1513)가 이런 어려운 과업을 이루어냈다. 반목하던 오르시니 가문과 콜로나 가문이 화해하였으며, 케자레 보르지아는 이탈리아에서 추방되었고, 로마그나(Romagna)의 도시들이 정복자 베네치아로부터 해방되었고, 그가 유럽의 여러 국가들과 동맹을 맺어 잠시동안이나마 이탈리아로부터 프랑스를 몰아내었다. 이런 경쟁의 와중에 루이 12세가 피사에서 공의회를 어설프게 모방하여 공의회를 개최하자, 율리우스는 로마에서 제5회 라테란 공의회를 소집함으로써 이에 응수하였다. 라테란 공의회는 1512년부터 1517년까지 개최되었는데, 비록 개혁안들이 제정되기는 했지만 전혀 중요하지 않은 회의였다. 율리우스 2세는 분명히 위대한 재능을 지닌 통치자였다. 왜냐하면 그는 그의 병사들을 인격적으로 통솔하였고 그의 친인척들을 부유하게 하는 것보다 교황국가를 건설하려는 의욕으로 가득차 있었기 때문이다. 그는 역대 교황들 중에서 가장 유명한 예술의 후원자이자 건설가들 중 한 사람이었다. 성 베드로 성당을 새로 건축하는 일을 처음에 도나토 브라만테(1444-1514)의 지휘하에 시작한 것 이외에도, 그는 라파엘(1483-1520)에게 율리우스의 방들에 프레스코 벽화를 그리는 일을 맡겼으며, 미켈란젤로(1475-1564)에게 시스틴 성당의 천정화를 그리도록 맡겼다.

지오반니 드 메디치(Giovanni de Medici)가 율리우스 2세의 뒤를 이었는데, 그는 레오 10세(1513-1521)란 이름을 얻었다. 그는 자신이 자라났던 위대한 피렌체 가문의 모든 예술적 재능과 문학적 재능에다 놀기 좋아하고 무절제한 낭비를 연결시켰다. 율리우스 2세에 비해 전쟁을 아주 싫어했고 여전히 일부 전임 교황들의 개인적 비행을 답습했음에도 불구하고, 그는 교황국가를 확장하는 일과 교황국가의 이익을 위해 이탈리아 국내와 국외에 있는 여러 정파들의 조정하는 일을 그의 최우선 목표로 삼았다. 1516년에 프랑스의 프란시스 1세와 체결한 볼로냐 협정에 의해서 그는 이전의 부르제의 국본조칙(Pragmatic Sanction of Bourges) (V:4 참조)을 폐지시킬 수 있었다. 이 법은 모든 프랑스 고위성직자들을 임명할 수 있는 권리와 성직자에게 세금을 부과할 수 있는 권리를 군주에게 허용하지만, 성직취임 후의 첫 수입과 다른 유사한 세금들은 교황에게 바치게 하였었다. 그 다음 해에 독일에서 폭동이 일어났지만, 그 심각성을 레오는 결코 이해하지 못했다. 그러나 이 폭동은 유럽의 반을 로마 교황청의 지배로부터 벗어나게 하였다.

이상의 사람들이 이탈리아 르네상스를 대표한 교황들이었지만, 수백만의 사람들에게 현세에서의 평안과 내세에 대한 소망의 원천이었던 교회의 진정한 정신을 결코 실현시키지 못했다. 교황은 이탈리아의 권위있는 신앙생활을 대표하지도 못했다. 르네상스는 상층의 지식층에만 영향을 준 엘리트주의적 운동이었다. 대중들은 그들이 성인들의 속성을 발견할 수 있었던 전도자들의 모범과 회개를 외치는 그들의 호소에 응하였다. 14세기와 15세기 동안 라틴 기독교 국가에는 약 200명의 사람들이 복자와 성인의 칭호를 교회로부터 받았다. 이와 같이 거룩함이 실천되었고 존경받았다.

초기 르네상스 시기에 뛰어난 설교가는 스페인 도미니쿠스 수도회 수도사인 발렌치아 태생 성 빈센트 페레르(St. Vincent Ferrer, 1350?-1419)였다. 1399년과 1419년 사이에 그는 프랑스, 스페인, 북부 이탈리아, 스위스의 여러 지역들을 돌아다니는 위대한 선교여행을 하면서, 셀 수 없을 정도의 청중들을 향해 수많은 설교를 하면서, 종말이 임박했음을 선포하고, 믿는 자들에게 깨어 그들의 유일한 보증인 그리스도의 십자가를 믿으라고 외쳤다. 대분열 기간동안 아비뇽의 교황을 지지했었던 빈센트는 아비뇽 교황에게 복종하고 있었던 동료 도미니쿠스수도회에게 사도의 봉사라는 성 도미니쿠스의 원래 이상을 철저히 지켜야 한다고 일깨웠다. 그래서 중세 후기의 "(프란체스코파의) 원시회칙 엄수파의" 수도회 개혁운동은 그를 대단히 존경하였다.

아마도 유창한 프란체스코파의 설교자이자 개혁가인 시에나의 성 베르나르디노(St. Bernardino of Siena, 1380-1444)가 15세기 이탈리아에서 가장 큰 종교적 힘을 발휘하였던 것 같다. 그는 "거룩한 이름의 사도"로 알려져 있었다. (이러한 그의 상징적 이름은 사방으로 뻗어나오는 빛들로 둘러싸인 예수의 이름이었다). 그는 많은 이탈리아 도시들에서 도덕적 개혁을 이루었으며, 1438년에 이탈리아의 프란체스코파의 수도회규칙 엄수파의 총장이 되었다. 그는 프란체스코파의 규칙들을 개혁하는데 있어서 그의 제자 성 요한 카피스트라노(St. John Capistrano, 1386-1456)의 도움을 받았다. 성 요한 카피스트라노도 유창한 설교자로서 이탈리아, 스페인, 프랑스에 걸쳐서 선교를 행하였고, 1451년부터는 터키인들의 진출과 후스의 추종자들에 대항하기 위해 동부유럽에서 활약하였다.

또다른 매우 영향력 있었던 종교지도자는 빈센트 페레르와 동시대인이었던 시에나의 성 캐더린(St. Catherine of Siena, 1347-1380)이었다. 그녀는 중세 후기에 가장 유명했던 이탈리아 신비주의자였다. 그녀는 또한 실천적 지도자였으며, 가난하고 병들고 감옥을 갇힌 자들의 봉사자였으며, 가정분쟁의 치료자였으며, 교황으로 하여금 아비뇽에서 로마로 돌아오도록 설득한 장본인이었으며, 성직자들의 죄악을 두려움없이 비난한 자였으며, 교황과 다른 지도자들이 존경을 표하면서 경청했던 대사였다.

그녀의 제자들 중에 많은 도미니쿠스 회원들이 있었는데, 그 중 그녀가 이전에 고해신부로 삼았던 카푸아의 라이몬드(Raymond of Capua, 1300?-1399)가 있었다. 1380년에 라이몬드는 로마교황에 따르는 도미니쿠스 교단의 총장이 되어서, 1389년부터 시작해서 독일의 도미니쿠스 엄수파 수도회(Dominican Observants)의 수도원을 세움으로써 교단의 개혁에 착수하였다. 성 캐더린의 또다른 제자이자, 라이몬드의 열렬한 추종자였던 조안 도미니치(1356?-1399)는 이탈리아에서 개혁 성향의 수도회를 설립하였다. 1493년에 그는 이탈리아 도미니쿠스 수도회 엄수파 총장 대리가 되었다. 1407년에 그는 그레고리 12세에 의해 라루사의 대주교로 임명되었고, 1408년에 추기경으로 임명되었다. 그는 콘스탄스 공의회에서 그레고리 12세 교황의 사절로 참석했다. 요한이 개심시킨 사람들 중 하나인 피렌체의 성 안토니노는 피렌체에 유명한 산 마르코란 도미니쿠스파 수도회를 설립하였고, 1436년에 수도회 계율의 중심지로 만들었다. 1446년에 그는 피렌체의 대주교가 되었다. 피렌체와 (성 빈센트 페레르를 아직 기억하는) 산 마르코 수도회는 르네상스 후기의 가장 위대한 설교자들 중 한 사람인 **지롤라모 사보나롤라**(Girolamo Savonarola, 1452-1498)를 배출하였다.

페라라 출신인 사보나롤라의 가족들은 그를 의사로 키우려 하였지만, 파혼으로 인해 그의 생각이 성직자의 삶으로 향하게 되었다. 1474년에 그는 볼로냐에서 도미니쿠스 수도사가 되었다. 1482년에 그는 피렌체에 있는 산 마르코로 보내졌는데, 1491년에 그 곳에서 수도원 부원장이 되어서, 수도회로 하여금 다시 엄격한 규율을 준수하도록 하고 개혁교단들의 집회 중심지가 되게 하였다. 처음에는 다소 설교자로서 성공을 거두지는 못했지만, 그는 1490년에 회개와 회심을 외치고 모호한 계시적 언어로써 절박한 시련에 대해 경고하는 강력한 설교를 통해서 수많은 사람들의 관심을 끌기 시작하였다. 1494년에 프랑스의 침공이 그에게 신에게서 영감을 받은 예언자로서 고행수사의 지위를 확고하게 해 준 것 같은데, 이 침공 때문에 메디치가에 대항하는 대중혁명이 일어났으며, 사보나롤라는 피렌체의 실질적 통치자가 되었다. 그는 피렌체를 속죄의 도시로 만들고자 하였다. 피렌체의 많은 시민들이 수도사에 준하는 삶을 채택하였다.

1496년과 1497년에 있었던 사육제 기간 동안 사람들은 "허망한 것들을 불태워"버렸다. 카드, 주사위, 보석, 화장품, 가발, 음란서적, 음란한 그림 등이 모두 불태워졌다. 이 기간 동안 사보나롤라의 메시지는 주목할 만한 변화를 겪으면서, 보다 더 낙관적이 되고 피렌체가 "하나님의 도시"이자 "이탈리아의 심장이자 중심"임을 전달하고 있다. 분명히 피렌체 시민의 애국심에 대한 이런 호소는 그의 개혁 계획이 일시적으로나마 성공을 거둔 이유를 부분적으로 설명해준다. 그러나 그는 무서운 적대세력을 만들었다. 공직에서 추방된 메디치가의 지지자들은 그를 미워했으며, 그가 악한 성격과 실정에 대해 공공연히 비난을 가했던 교황 알렉산더 6세는 수사인 그의 친프랑스 정책 때문에 가공할 만한 적이 되었다. 교황청은 1497년에 그를 파문하였으며, 그의 처벌을 요구하였다. 친구들은 그를 어느 정도 지지해주었지만, 변덕스러운 대중은 그를 반대하기 시작했다. 1498년 4월에 그는 체포되어 잔인하게 고분받고, 5월 23일에 교수형 당하고 그의 시체는 시정부에 의해 태워졌다.

제노아(Genoa)에서 있었던 주목할 만한 한 귀족 출신 여성의 사역은 비록 소리없는 효과를 보았지만 대단히 극적이었다. 그녀는 제노아의 성 캐더린(St. Catherine of Genoa, 1447-1510)으로 알려진 카테리나 피에취 아도르노였다. 1474년에 황홀한 회심 경험에 따라, 그녀는 엄격한 내핍생활과 참회의 철야기도에 일생을 바쳤다. 그녀는 평신도의 몇 안되는 특권들 중 매일 성찬식을 할 수 있는 권리를 향유하였다. 짧게 신비경험을 기록한 그녀의 최대봉사는 가난한 자들과 제노아병워에 있던 절망적인 환자들을 돌보는 것이었는데, 그래서 세노아병원의 주임신부가 되었다. 그녀의 영향 때문에, 젊은 변호사인 에또레 베르나짜와, 그의 세 친구들이 1497년에 제노아에 신애회(Oratory of Divine Love)로 알려진 종교단체를 세웠다. 이 단체의 회원들은 공동헌신 행위와 자비와 사랑의 실천을 통해 인격적 성화를 이루는 삶을 추구하였다. 이 단체에 비견할 만한 많은 단체들이 이 시기에 다른 이탈리아 도시들에서 설립되었다.

이들 종교 지도자들과, 북부 유럽에 있었던 현대신심운동(Modern Devotion)(v:9 참조)과 같은 관련 운동들로부터 퍼져나온 영성과 개혁의 흐름은 16세기 가톨릭 종교개혁으로 알려진 종교부흥(VI:11 참조)이란 더 큰 흐름 속에 합류하였다. 중세 후기 교회의 하나의 비극은 그렇게 오랫동안 교황이 이들 개혁운동들의 외부에 머물러 있어서, 그 운동들에 대해 효과적 지도력을 전혀 발휘하지 못하고 르네상스 시기의 대부분 교황들의 경우에서 보듯이 "개혁적 성향의 지도자나 회원들"에게 철저하게 적의를 품은 삶을 보여주었다는 것이었다.

16. 새로운 민족 세력들

1450년부터 1500년까지의 반세기 동안, 서부 유럽의 왕국들에서 왕권과 민족의식이 놀랄 만하게 성장했다. 영국과의 백년전쟁(the Hundred Years' War, 1337-1453)에 의해 거의 파괴된 것 같았던 프랑스는 크게 강화된 군주정치를 가지고 나타났다. 봉건귀족들이 이 전쟁으로 몰락했기 때문이다. 전쟁의 마지막 단계에서, 환상을 본 농부의 딸이었던 성 잔 다르크(St. Joan of Arc, 1412-1431) — "오를레앙의 소녀" — 는 프랑스 사람들 가운데 새로운 민족의식을 불러일으켰다. 결과적으로 빈틈없고 거리낌없는 국왕 루이 11세(Louis XI, 1461-1483)는 봉건귀족들의 세력을 무너뜨리고 왕권을 위해 그 때까지는 가져 보지 못한 권위를 획득했다. 그의 아들 샤를 8세(Charles VIII, 1483-1498)는 막 중앙집권화된 국가를 유럽 정치에서 신기원을 열 이탈리아 원정으로 이끌 수 있었고, 전체 종교개혁 시대의 정치적 배경을 결정하게 될 경쟁들의 기원이 될 수 있었다. 이 왕들이 안으로는 중앙집권화하고 밖으로는 정복하면서 시도한 것은 그 이후에도 루이 12세(1498-1515)와 뛰어나면서 야심에 찬 프란시스 1세(Francis I, 1515-1547)에 의해 수행되었다. 프랑스는 이제 강한 — 중앙집권적인 — 군주국이었으며, 프랑스 교회는 대부분 왕권의 지배 아래 있었다. 볼로냐 협정은 1516년에 성직 임명, 성직자에 대한 징세, 그리고 교회법정 등에 대한 왕권의 지배를 강화했으며, 한편으로 교황에게는 그가 원하던 세금들을 주었다. 교황청은, 대분열이 끝난 이래로, 이탈리아에서의 자신의 정치적 지위를 확보하고 교회 공의회들에 대한 자신의 우위를 다시 얻기 위해, 교회에 대한 자신의 중앙집권적 통제를 암묵적으로 포기하는 대가를 지불하면서까지 그런 협약들에 기꺼이 협상했다. 종교개혁의 여명기까지 프랑스 교회는 여러 관점에서 하나의 국가교회였다.

영국에서는, 요크 가문과 랭카스터 가문 사이의 장미전쟁(1455-1485)은 왕권에 유리하게 고위 귀족세력의 몰락을 가져왔으며, 영국민들 안에 시민전쟁에 대한 두려움과 강력한 정부에의 열망을 퍼뜨렸다. 국회는 살아남았다. 그리고 국회를 통한 법의 지배 — 그러나 실제로는 헨리 7세(1485-1509, 튜더 왕조의 첫 국왕)의 권력 — 는 그 이전 일세기 동안의 어떤 영국 군주의 권력보다 더 컸으며, 그것은 그보다 더 유능한 아들 헨리 8세(1509-1547)에 의해 왕의 임명권의 거대한 망을 통해 매우 기술적으로 실현되었다. 영국 군주들은 종교개혁 전에 이미 교회문제들에 대한 상당한 수준의 권위를 얻었으며, 영국 교회는 프랑스 교회처럼 15세기의 말에는 대체로 국가적이었다.

이 민족주의화 과정이 스페인에서처럼 그렇게 잘 발전한 나라는 없었다. 스페인에서 그것은 종교적 각성의 성격을 취했다. 그 각성은 그 나라로 하여금, 궁극적으로 유럽의 절반을 정화된 로마 교회에 충성하게 할 개혁 방식의 전형을 만들게 했으며, 비록 아주 정확한 것은 아니지만 흔히 그것을 반동 종교개혁(Counter-Reformation)이라 불렀다. 스페인의 부흥은 15세기 말의 정치적인 경이적 사건이었다. 이베리아 반도는 중세 유럽생활의 주류로부터 거의 전적으로 떨어져 있었으며, 그것의 역사는, 711년에 지워진 회교도의 멍에를 벗어 넌시리는 길고 헌난한 십자군의 역사였다. 그 전쟁의 결과, 13세기에는 무어인들은 그라나다 왕국에 한정되었고 네 개의 기독교 왕국 — 카스틸(Castile), 아라곤(Aragon), 포르투갈(Portugal), 나바르(Navarre) — 을 세웠다. 이 국가들은 약했고, 왕의 권력은 무정부주의적 봉건 귀족들에 의해 제한되었다. 극적인 변화가 1469년에 일어났다. 반도의 가장 중요한 두 왕국들이 아라곤의 상속자 페르디난드(Ferdinand, 왕, 1479-1516)와 카스틸의 상속녀 이사벨라(Isabella, 여왕, 1474-1516)의 결혼으로 합쳐진 것이다. 그들의 공동 지배 아래서 스페인은 유럽 생활에서 새로운 자리를 차지했다. 제멋대로이던 귀족들이 억제되었고, 읍(town)들의 자치와 효과적인 왕권정치제도가 수립되었다. 1492년, 그라나다는 정복되어 카스틸에 합병되었다. 같은 해에, 콜룸부스는 이사벨라의 도움을 받아 신세계(the New World)를 발견했다. 그것은 곧 왕의 금고의 매우 상당한 수입원이 되었다. 프랑스의 이탈리아 침공(1494)은 스페인의 간섭을 가져왔다. 그로 인해 스페인은 1503년까지 나폴리에 확고하게 주둔했고, 곧 이탈리아 전체에 스페인의 영향력이 미쳤다. 페르디난드가 죽자(1516), 그 거대한 소유를 그의 손자 찰스 1세(Charles I)가 물려 받았다. 그는 이미 오스트리아와 네덜란드의 계승자로 곧 찰스 5세(1519-1556)로 황제 칭호를 입을 사람이었다. 스페인은 갑자기 유럽에서 첫째가는 세력이 되었다.

공동 통치자인 페르디난드와 이사벨라는 그들의 세속권위의 확장 못지 않게 교회의 지배와 개혁에도 헌신적으로 몰두했다. 확실히, 스페인과 같은 역사를 가진 나라는 교리의 변화를 원하거나 교황이 영적 머리가 되는 종교 체계에 덜 헌신적일 수는 없었다. 그러나 그 나라는 '행정적인 일들에 대한 교황의 행동들은 왕의 권위에 의해 제한되어야 하며, 동시에 교육을 받은 도덕적이고 열성적인 성직자들은, 같은 권위에 의해 격려되고 후원 받을 수 있다'고 믿었다. 이런 목표들은 독실한 이사벨라에게는 특별히 소중했으며, 그것들은 성공적으로 성취되어 "스페인의 각성"(Spanish awakening)은 "반동 종교개혁"의 모델이 되었다.

1482년, 그 공동 군주들은 교황 식스투스 4세(Sixtus IV)에게 고위 성직 임명권을 왕의 지배 아래 두는 협정에 강제로 동의하게 했다. 그렇게 시작된 정책은 곧 확장되어서 교황의 교서도 반포를 위해서는 왕권의 승인이 필요했고, 교회 법정은 감독 받았으며, 성직자들은 국가의 이익을 위해 납세하게 되었다. 페르디난드와 이사벨라는 스페인 교회의 중요한 지위들을 왕권의 이익에 충실하고 불굴의 경건과 훈련에 대한 열의를 가진 성직자들로 채워나갔나. 이러한 노력으로, 그들은 많은 유능한 사람들의 도움을 받았으며, 그중 곤잘레스(후에는 프란치스코 Francisco) 히메네스 데 치스네로스(Gonzáez Jiménez de Cisneros, 1436-1517)가 가장 뛰어났다.

가난한 하급 귀족의 부모에게서 태어난 히메네스(Jimenez)는 살라망카(Salamanca) 대학에서 법률과 신학을 배웠고, 그리고 나서 교황청에서 봉사하기 위해 로마로 갔다(1459). 스페인으로 돌아와서는(1465), 강인한 성품과 지성을 겸비한 행정가와 설교가로서의 그의 재능으로 인하여 영향력 있는 — 당시 시귀엔자(Siguenza)의 주교였고 후에 톨레도(Toledo)의 대주교가 된 — 페드로 곤잘레스 데 멘도자(Pedro Gonzáles de Mendoza)에게 천거되었다. 1480년경, 멘도자는 그를 시귀엔자 주교 교구의 주교 대리로 임명했다. 그러나 1484년, 히메네스는 자신의 영예를 모두 포기하고 프란체스코파 수도사가 되어 그 규율을 가장 엄격하게 준수했다. 이제 그는 "프란치스코"라는 이름을 가졌고 은자의 삶을 살기까지 했다. 그러나 그의 평판은 그라나다의 함락 이후인 1492년에도 마찬가지여서, 이사벨라 여왕은 그 금욕수도사를 자신의 개인 고해신부로 임명했다. 그 후에, 그는 성직계에서 빠르게 올라갔다. 히메네스는 1494년에 카스틸의 프란체스코회 엄수파(Franciscan Observants)의 총장 대리가 되었다. 1495년에는 그의 사절에도 불구하고 이사벨라의 강요로 멘도자 추기경을 계승해서 톨레도의 대주교이며 스페인 최고위 성직자가 되었으며 그와 함께 또한 여왕의 주된 국무장관이 되었다. 1507년, 그는 추기경과 종교재판소장으로 임명되었다. 그는 또한 두 번이나 페르디난드와 이사벨라를 위한 섭정으로 일했다. 여왕의 지원을 받아, 그는 자신의 고위직의 권력 모두를 재속성직자와 수도성직자의 개혁에 사용했다. 특히 프란체스코회 온건파(Franciscan Conventuals)를 개혁해서 그는 즉결로 온건파 소속 건물들을 엄수파(Observants)에 넘겨주었다. 스페인인들의 교회 생활 전체가 그의 엄격한 훈련 아래 놓여졌다.

히메네스는, 비록 훌륭한 학자는 아니었지만, 교육받은 성직자들의 필요성을 보았다. 1498년 그는 알칼라 데 헤나레스(Alcalade Henares) 대학을 설립하고, 거기서 자신의 교구 수입 대부분을 바쳤다. 그 대학은 1508년에 개교했으며, 히메네스는 저명한 학자들로 교수진을 구성했다. 알칼라 대학은 빠르게 스페인에서 기독교 인문주의의 중심이 되었다. 그 시대의 가장 뛰어난 스페인 인문주의자는 안토니오 데 네브리야(Antonio de Nebrija, 1444-1522)였는데, 히메네스는 그를 1512년에 알칼라로 데려왔다. 히메네스는, 평신도들의 일반적인 성경(Bible) 읽기를 반대하긴 했지만, 성서(Scriptures)가 성직자들의 주된 연구과목이어야 한다고 믿었다. 이 확신의 가장 훌륭한 기념물은 콤플루툼 대조 성서(Complutensian Polyglot Bible) (Complutum은 알칼라의 옛 이름이었다)였다. 결국 그것은 여섯 권으로 출판되었고, 히메네스는 그 노력을 1502년부터 1517년까지 감독했다. 구약은 히브리어, 그리스어, 그리고 라틴어로 되어있었으며 오경에는 아람어 타르굼(Targum: 아람어로 번역된 구약성서)이 추가되었다. 그리고 신약은 그리스어와 라틴어로 대조되었다. 신약은 1514년에 이미 인쇄되었다. 그러므로 히메네스와 그의 협력자들은 신약의 첫 그리스어 완역본을 인쇄하는 영예를 누렸다. 그러나 출판을 위한 교황의 허가를 1520년까지 얻을 수 없었다. 따라서 그리스어 신약의 제1판(*editio princeps*)은 에라스무스의 신약이었고, 그것은 1516년에 인쇄업자 요한 프로벤(Johann Froben)에 의해 바젤(Basel)에서 발행되었다.

히메네스에 의해 그렇게 시작된 지적 충동은 궁극적으로 아퀴나스 신학의 부흥을 가져왔다. 그것은 프란치스코 데 비토리아(Francisco de Vitoria, 1485?-1546)에 의해 살라망카 대학에서 시작되었고, 비토리아의 제자들에 의해 계속되었다. 그들이 곧 개신교와의 투쟁 초기의 위대한 로마 신학자들인 도밍고 데 소토

(Domingo de Soto, 1494-1560)와 멜키오르 카노(Melchior Cano, 1509-1560)다.

히메네스의 성품에서 덜 매력적인 면은 그가 그라나다의 정복된 무어인들에 개종을 위해 기꺼이 무력을 사용한 데서 보여진다. 1492년, 그들은 관대하고 평화적인 조건들을 인정받았으며, 그것에 의해 그들은 자신들의 종교와 옛 전통을 간직하도록 허용되었다. 이 조건들은 1499년까지 준수되었다. 이 때부터 무자비한 그들의 개종을 강요하는 조직적인 테러활동에 착수했다. 이것은 마지막으로 1502년에, 세례를 받지 않은 15세 이상의 모든 회교도들이 카스틸 밖으로 쫓겨날 때까지 계속되었다. 이미 그라나다의 함락 직후인 1492년에, 페르디난드와 이사벨라는 자인하는 모든 유대인들을 자신들의 영역에서 추방한다고 포고했다. 이 유대인과 무어인의 추방은 의심할 바 없이 스페인의 통합에 기여했지만, 많은 경험있는 상인들과 숙련된 기술공들을 잃는 대가를 지불해야 했다. 이는 스페인을 병들게 할 수 있는 손실들이었다. (유대인들이 이미 1290년에 영국에서, 그리고 1306년에 프랑스에서 추방된 것에 주목해야 한다.)

스페인 각성의 특징은 종교재판소(Inquisition)의 재조직이었다. 스페인인의 기질은 정통과 애국심을 불가분리의 것으로 보았고, 그래서 원상태로 돌아간 유대인, 회교도 개종자들(그들은 언제나 "위선"으로 의심받았다)뿐만 아니라 자인하는 유대인들과 회교도들도 교회와 국가에 똑같은 위험으로 간주했다. 따라서 1478년, 페르디난드와 이사벨라는 교황 식스투스 4세(Sixtus IV)로부터 '종교재판소는 철저히 왕의 지배 아래 세우며 종교재판관들은 왕권에 의해 임명된다'는 하나의 교서를 얻어냈다. 스페인에서는 그래서 종교재판소가 독특하게 "국가적인" 단체였다. 종교재판소는, 최고회의(Suprema)로 알려진 왕의 회의에 의해 감독받으며, 도미니쿠스파 종교재판장관 토마스 데 토르퀘마다(Tomas de Torquemada, 1420-1498)의 지도 아래서 처음으로 자신이 공포스런 기구임을 증명했다. 스페인 종교재판소는 필경 점점 신앙이 나빠졌을 유대교와 회교 개종자들(각각 Marranos와 Moriscos로 불렸다)을 제거하는 것과 국가와 교회의 모든 공직들에서 "혈통의 순수성"(*limpieza de sangre*)을 유지하는데 특별히 힘을 기울였다. 재판소는 또한 스페인 개신교도와 "루터주의"로 의심되는 모든 사람들을 잔인하게 다루게 된다.

스페인은 그렇게 해서, 15세기 말에, 모든 유럽 국가들 중에서 가장 독립된 국가교회를 가졌다. 도덕적이고 지적인 갱신 — 영속되도록 운명 지워지지 않은 — 이 다른 어디보다도 더 강하게 진행되었으나, 교리와 의식에서는 매우 중세적이었고 이단과 이견은 한치도 허용치 않는 나라였다.

독일에서는, 상황이 매우 달랐다. 국가의 중앙집권화 움직임이 없었고, 제국은 중앙집권적 정부의 어떤 진실한 성장도 없었다. 황제의 관 — 이론상으론 선거제 —

을 1438년부터 1740년까지 오스트리아의 합스부르크(Habsburg) 가문 사람들이 썼다. 그러나 황제들은 황권의 담지자로서가 아니라 그들의 세습 토지 소유자로서의 권력만 가졌다. 프리드리히 3세(1440-1493) 치세 아래서, 제후들과 도시들 간의 전쟁들, 그리고 실제로 매우 자주 노상강도로 연명하는 하층 귀족들의 무질서는 황제가 진정시킬 수 없을 정도로 그 땅을 소란하게 했다. 인기있는 막시밀리안 1세(Maximilian I, 1493-1519) 치세 아래서는 상황이 어느 정도 나아졌다. 일련의 시도가 제국에 더 강한 중심 권위를 주기 위해 옛 봉건 국회(Reichstag)의 잦은 회합에 의해 이루어졌다. 제국의 최고 법정(1495)과 제국 통치 기관(1500)의 설립, 그리고 공공의 평화를 더 잘 보존하기 위한 제국의 분할(1512)이 그것이다. 제국의 군대를 조직하고 제국의 세금을 거두려는 노력들도 있었다. 그러나 그 개혁들은 거의 생명력이나 지속적인 효과를 얻지 못했다. 그 법정의 결정들은 강요될 수 없었고 그 세금들도 거둘 수 없었다. 국회(Reichstag)는 실제로 종교개혁의 시기에 큰 역할을 하게 되지만, 그것은 삼원제 — 선제후들의 제1회의, 평신도 영주와 고위 성직자들의 제2회의, 제국의 자유 도시들 대표들의 제3회의 — 로 모이는 하나의 적당치 않은 의회였다. 하위 귀족들과 평민들은 국회에서 몫을 할당받지 못했다. 1461년 이후의 주목할 만한 한 특징은 제국에서 법적 관할권과 재정문제를 교황이 '독단적'으로 행사하는 것에 관한 외형상의 불평들(*gravamina*)이 수와 빈도에서 늘었다는 것이다.

16세기 초에 그 수가 약 85개에 달한 제국의 도시들은 황제의 무력한 지배 이외의 다른 더 큰 세력은 인정하지 않았다. 도시들은 근면하고 번성했으며, 몇몇은 인문주의 활동의 주도적 중심지들이었다. 그러나 15세기 말까지는 정치적이고 경제적 쇠퇴를 경험하고 있었다. 그들의 상업 정신, 그리고 무엇보다도 최고의 "신성한 공화국들"(sacred republics)로서의 그들의 전통적인 자기 이해는 그들로 하여금 성직자와 영주들의 가혹한 세금에 똑같이 저항하게 했다. 개신교 종교개혁자들의 종교적인 호소는, 평신도와 성직자의 영적 동등성이라는 그들의 급진적 교리로 인해, 그들의 시민적 권리와 자유들에 대해 매우 열정적이고 그들의 옛 주도권을 회복하려는 데 그렇게 골몰하는 이 도시들에서 특별한 매력을 갖게 된다.

농민, 그리고 사실 "평민"보다 더 큰 동요 상태에 있는 사람은 유럽 어디에도 없었다. 남서부 독일에서는 특별히 더 심했다. 거기서는 폭동이 1476년과 1493년에 일어났고, 1513년과 1517년 사이에는 반란의 물결이 뒤따랐다. 14세기 말 이래, 흑사병과 그로 인해 약해진 사람들에게 퍼진 큰 전염병들로 인한 인구의 대변동의 여파로, 농부들은 그들의 이주의 자유와 자유로운 혼인의 권리에 대한 늘어나는 제한들에 복종해왔다. 그 과정에서, 그들은 "소작인"(tenant)으로서의 이전 지위를 상실하고 평신도와 성직자 주인들의 "종"(subject) 또는 "농노"(serf)가 되었다. 주인들은 농민들을 가혹한 개인적 의존으로 자신들에게 묶음으로 그들 자신의 경제적이고 정치적인 이익들을 보호하기 위한 모든 노력을 기울였다. 그런 "주권"(lordship, *Herrschaft*)은 그것과 함께 더 높은 세금들, 공동자산(숲, 시내, 공유지)의 사용에 대한 속태우는 제한들, 그리고 전통적인 마을 자치권의 상실을 가져왔다. 16세기 말까지, 남부와 중부 독일 전체의 농민들은, 읍들과 시들에서 다수를 차지하는 기술공들과 열등한 장인(匠人)들이 그런 것처럼, 불만의 골이 깊어졌다. 그들도 농민들과 마찬가지로 소수 독재정치적 시의회와 제한적인 길드(guild) 정책들에 점점더 많이 복종하고 있는 자신을 발견했다.

그러나 전체로서의 독일의 국가적 삶이 그렇게 불안하고 불평들에 의해 분열되었다면, 독일의 큰 영지들은 점점 더 강하게 되고 그 안에서 반(半) 독립적인(semi-independent) 지역 국가적 삶을 발전시키고 있었다. 이는 오스트리아, 선제후령인 동시에 공작령인 작센(Saxony), 바바리아(Bavaria), 브란덴부르크(Brandenburg) 그리고 헤세(Hesse) 등에서 두드러지게 실현되었다. 그 곳들의 통치자들은 중앙집권적 행정 기구들을 빠르게 발전시키고 있었다. 그리고 그들은 주교들과 대수도원장들을 임명하고, 성직자들에 대해 과세하며, 그리고 교회의 관할권을 제한함으로써 교회 일들에서도 많은 권위를 행사했다. 이런 공국들에서 교회가 "지역적으로" 또는 "소유된 채" 존재함에도 불구하고, 로마교회의 세속적 권위는 유럽 어디에서보다 독일에서 더 막강하게 남아있었다. 이는 국토의 5분의 1 이상이 강력한 영주-주교들의 지배 아래 있었고 수도회들 역시 대지주들이었기 때문이다. 농민들과 자치도시 시민들(burghers)은 똑같이 이 성직자 주인들의 부당한 요구들이 특별히 부담이 됨을 발견했다.

종교개혁 직전의 몇 해 동안에, 종교개혁 시기의 정치적 배경에 매우 중요한 의미를 갖는 두 결혼이 오스트리아의 합스부르크 지배자들에 의해 있었다. 1477년에, 부르고뉴(Burgundy)의 야심적인 공작 샤를(Charles the Bold)의 죽음으로 그의 부르고뉴 지역들과 네덜란드는 그의 딸 마리(Mary)에게 상속되었다. 그녀가 그 해에 막시밀리안 1세와 결혼하자, 프랑스의 루이 11세는 불만을 품고 상부 부르고뉴를 점령했다. 결국 그녀의 결혼은 프랑스 왕들과 합스부르크 가계 사이의 싸움들의 씨앗을 뿌렸으며, 그 싸움들이 1756년까지 유럽정책들을 거의 결정짓게 되었다. 막시밀리안과 마리의 아들 필립은 다시 스페인의 페르디난드와 이사벨라의 상속녀 화나(Juana)와 결혼했다. 이로 인해 필립과 화나의 아들 찰스는 오스트리아, 네덜란드 그리고 유럽과 신세계에 널리 퍼져있는 스페인 영토들의 소유자가 되었다. 이는 샤를마뉴 이래의 어떤 단일 군주가 가졌던 것보다 더 큰 통치권이었다. 1519년에는 그에게 황제 칭호가 더해졌다. 찰스 5세는 합스부르크 가계와 프랑스 왕들 사이의 경쟁관계 역시 이어받았다. 그런 경쟁과 종교적 개혁을 위한 투쟁은 종교개혁 시대 전체를 통해 끊임없이 서로를 조절하는 상호작용을 했다.

17. 알프스 북부의 인문주의: 종교개혁의 전야에 있었던 경건

르네상스 인문주의는 알프스 산맥 북부에 있는 국가들에 늦게 나타났다. 이 국가들에는 중세의 사회 문화 전통이 이탈리아에 비해서 훨씬 더 공고하게 지켜지고 있었기 때문이다. "새로운 학문"은 15세기 후반부에 처음으로 북부 유럽에 자리를 잡았지만, 1490년대까지는 큰 영향력을 발휘하지 못했다. 르네상스 인문주의의 침투는 프랑스, 영국, 스페인보다 독일에서 더 일찍이 이루어졌다.

북부지역 학자들은 이미 15세기 전반부에 이탈리아 인문주의자들과 어느 정도 교류를 갖고 있었음이 분명하다. 그 중 대표적인 경우가 독일의 철학자이자 신학자인 쿠사의 니콜라스(1401-1464)였다. 원래 확고한 공의회주의자였던 쿠사는 1438-1439년에 있었던 페라라-피렌체 공의회에서 교황의 열렬한 지지자가 되어서, 1448년에 추기경으로 임명되고, 1450년에 브릭센(Brixen)의 대주교가 되고, 1451-1452년에 독일지역 교황대사로 봉사하였다. 그는 교황대사직을 이용하여 성직자와 수도사의 생활을 개혁하려고 시도하였다. 그는 젊은 시절에 파두아에서 교회법과 수학, 천문학을 6년 동안 연구하였다. 여기서 그는 인문주의자의 영향을 받고 그리스어와 고전 라틴어를 배우고 로렌조 발라(Lorenzo Valla)의 비판 정신을 지속적으로 동경하게 되었다. 하지만 비록 그의 저술들에서 그가 스콜라주의의 사유방식을 뛰어넘는 사유방식을 표현하고는 있지만, 우리는 그를 인문주의자로 거의 간주할 수 없다. 그의 저서들은 1490년에 슈트라스부르크(Strassburg)에서 처음으로 출판되었으며, 1505년에 밀라노에서 재출판되었다. 그의 저서들 중에서 가장 중요한 판은 프랑스의 지도적 인문주의자였던 자크 르페브르 데따플(Jacques Lefevre d'Etaples)이 준비한 것(3권. 1514년 파리)이다. 쿠사는 신플라톤주의적 신비주의 전통에 서 있으면서, 매우 독창적인 우주론과 철학적 신학을 발전시켰다. 그의 우주론과 철학적 신학의 중요성은 지오르다노 브루노(Giordano Bruno)와 라이프니츠, 독일 관념론자들의 견해들과 연관되는 근세에 와서야 비로소 드러나게 되었다.

쿠사의 중심사상은 그가 첫번째 철학논문인 「유식한 무지에 관하여」(*De docta ignorantia*, 1440)에서 밝힌 반대의 종합 내지는 일치(*coincidentia oppositorum*)란 생각이었다. 그는 신을 우주 속에 있는 모든 유한한 구분들과 반대들의 무한한 일치로 간주하였다. 신은 모든 사물들을 포함하기 때문에, 그는 모든 사물들의 "포괄자"(*complicatio*)이다. 이런 일치는 추론적 이성(*ratio*)에 의해 인식될 수 없고 직관이나 예지능력(*intellectus*)에 의해서만 인식될 수 있다. 일치를 이해하는 양태는 "유식한 무지"이다. 왜냐하면 유식한 무지는 신 속에 있는 모든 사물들의 일치가 우리 이성을 초월함을 깨닫기 때문이다. 이런 일치는 언어의 능력도 초월하기 때문에, 단지 (수학적) 기호들과 유추에 의해서만 표현될 수 있다. 쿠사의 철학적 보편주의는 그로 하여금 다양한 종교들 속에 있는 신앙의 일치를 찾도록 하였다. 1453년에 그는 「평화와 믿음의 조화에 관하여」(*De pace seu concordantia fidei*)란 제목의 논문을 플라톤 대화편과 같은 형태로 저술하였다. 이 논문에서 그는 기독교를 유대교, 이슬람교와 비교하고, 다양한 종교의식 속에 하나의 종교가 있으며, 하나의 진리가 그 다양한 모습 속에서 빛난다라는 주목할 만한 결론에 도달하였다. 후대 사상의 발전이란 측면에서 볼 때 쿠사의 니콜라스의 사상은 근세의 보편주의(universalism)와 개인주의(individualism)를 처음으로 표현한 사상들 중 하나로 해석될 수 있다. 하지만 그의 당대에는 그의 천재성을 깨닫지 못했기 때문에, 그는 그때에 인문주의와 연관되지 않았다.

이탈리아 인문주의가 점진적으로 북부 유럽에 유입된 것은 부분적으로 새로운 인쇄기술에 기인한다. 새로운 인쇄기술 덕분에 북부학자들은 고전문헌들 편집판을 포함해서 이탈리아 인문주의자들의 서서를 쉽게 접할 수 있었다. 또한 이탈리아 인문주의자들은 외교관, 교수, 교회밀사, 궁중서기관, 시의회 서기관, 사업가 등의 여러 가지 자격으로 북부 지역을 여행하였다. 그러나 북부 지역의 인문주의의 진정한 선구자들은 이탈리아에서 고전에 대해 애정을 갖게 되고 새로운 학문을 전파하겠다는 열정에 가득 차서 고향으로 돌아온 방랑학자들이었다. 그러나 독일에 있었던 선구자들을 대표하는 일부 학자들은 진지한 지성의 소유자들에게 인문주의를 전달하기에 부적합한 사람들이었다. 이렇게 평판이 나쁜 무리들 중 가장 유명한 사람은 게으른 방랑시인 페터 루더(Peter Luder, 1415?-1474)였는데, 그는 1454년 이후로 이 대학 저 대학을 떠돌아 다니면서, 교과과정 속에 고전수사학과 시학의 시간을 더 많이 배정시키기 위해 교수들과 논쟁을 벌였다.

그와는 아주 다른 또하나의 "사도"는 루돌프 아그리콜라(Rudolf Agricola,

1444-1485)였는데, 그는 이탈리아에서 10년 동안(1469-1479) 연구하였으며, 말년에 하이델베르크대학에서 명예교수가 되었다. 아그리콜라는 구세대의 독일 인문주의자들 중에서 가장 영향력 있는 사람이었는데, 독일과 네덜란드 중등학교에서 라틴어를 가르치는 데 커다란 기여를 하였다. 그의 제자인 알렉산더 헤기우스(Alexander Hegius, 1433-1498)는 1483년부터 1498년까지 데벤터(Deventer)에서 공동생활형제학교(the school of the Brothers of the Common Life)의 교장으로 있으면서 그 학교가 북부지역에서 중등교육을 지도하는 중심지로 만들었다. 에라스무스는 이 학교 학생들 중에서 가장 유명한 학생이었다.

하이델베르크에서 아그리콜라를 위한 환영회가 열린 사실에서 볼 수 있듯이, 인문주의는 독일대학에도 근거를 내리게 되었다. 아그리콜라의 또다른 제자인 콘라드 켈티스(Conrad Celtis, 1459-1508)는 독일 인문주의자들 중에서 가장 뛰어난 서정시인이었는데, 잉골슈타트(Ingolstadt)에서 잠시 동안 수사학 교수를 지냈다. 1497년에 막시밀리안 황제의 초청을 받아 그는 비엔나대학으로 가서 시와 수학을 가르치는 단과대학을 세웠다. 이와 같이 인문주의자가 대학에 처음 침투했지만, 스콜라학문의 구조는 대부분 손상을 입지 않았다. 왜냐하면 새로 들어온 인문주의자들이 일반적으로 자신의 교육을 고전어교육에 국한시켰기 때문이다. 그러나 1510년경 인문주의는 바젤대학, 튀빙겐대학, 잉골슈타트대학, 하이델베르크대학, 에르푸르트대학에로 더 공격적으로 압박해 들어왔다. 새로운 학문을 주장하는 사람들이 이제 신학자들의 영역 속으로 침범해 들어와서, 전통 신학 연구의 방법과 목표에 대해 도전하기 시작하였다. 또한 인문주의는 부유한 상업도시들, 특히 뉘른베르크, 슈트라스부르크, 아우그스부르크에서 많은 후원자들을 얻었다. 15세기 말엽에는 인문주의에 공감하는 사람들의 수가 많아져서 1491년에 마인츠에서 켈티스가 결성한 라인문학협회(the Rheinish Literary Association)와 같은 학회들이 결성되고 있었다. 학회 회원들은 서로 연락하고 서로의 저술들을 돌려 읽고 상호지원을 하였다. 1500년경에 인문주의는 독일 지성생활에 활력을 주는 요소가 되고 있었다.

북부 인문주의는 이탈리아 인문주의에 덕을 보기는 했지만 그럼에도 불구하고 이탈리아를 본으로 삼아 그대로 모방한 것이 아니었다. 북부 인문주의의 초기 대표자들은 고전학문과 성경(신약)의 경건을 독특하게 혼합시킴으로써 이탈리아 인문주의와 구분되었다. 이런 혼합은 "기독교 인문주의"란 이름 아래 수행되었다. 물론 이것은 이탈리아 인문주의가 이교도적이거나 반기독교적 내지 아류 기독교적이라는 이야기는 아니다. 대부분의 이탈리아 인문주의자들은 교회에 충실한 신자들이었다. 하지만 그리스 고전 문헌과 라틴 고전 문헌을 심도 깊게 연구한 바탕 위에 씌어진 문법, 수사학, 역사, 시가 등에 대한 그들의 문학 저술과 학문 저술에서 그들은 종교적이거나 신학적인 주제들을 분명하게 논의하는 것을 피하려는 경향을 띠었다. 이런 의미에서 그들 저술들의 색채는 분명히 "세속적"이었다.

이와 대조적으로 지노적인 북부 인문주의자들은 명시적으로 성경적 학문과 고전학문을 결합시켜서, 의도적으로 고대 고전 문헌들뿐 아니라 고대 기독교의 문헌들에로 돌아가고자 하였으며, 이런 "성스러운 글들"과 "인간적 글들"의 결합을 통해 대중적 경건과 신학적 교육을 재정립하는 것을 포함하여 교회와 사회를 개혁하려는 포괄적 계획을 형성하였다. 이런 개혁계획은 중세 신비주의와 르네상스 플라톤주의, 특별히 현대 신심 운동(*Devotio moderna*)(V:9 참조)으로부터 시작되는 "종교적 내면성" 전통에 근거를 두었다. 독일에서 기독교 인문주의는 로이힐린(Reuchlin)과 에라스무스라는 유명한 2명의 대표적인 사람들 속에서 가장 잘 나타났다. (에라스무스는 특정 국가집단과 동일시되는 것을 원하지 않았지만 독일 인문주의자들의 명목상의 지도자였다.)

요한네스 로이힐린(Johannes Reuchlin, 1455-1522)은 포르츠하임(Pforzheim)에서 가난한 환경 속에서 태어났다. 그는 일찍이 라틴어학자로서 그 지역에서 명성을 얻었으며, 1472년경에 파리대학에 있는 바덴 후작의 어린 아들의 말동무로 보내졌는데, 그 곳에서 그는 그리스어 연구를 시작하였다. 1477년에 그는 바젤대학에서 문학석사학위를 받고서, 그 곳에서 그리스어를 가르쳤다. 그가 졸업하기 이전에 그는 라틴어사전을 발간(1475-1476)하기까지 하여 매우 유명하게 되었다. 그는 그 다음에 오를레앙과 포아티에에서 법률을 연구하였고 말년에 여러 법률직에 종사하였지만, 그의 일차적 관심은 언제나 학문이었다. 뷔르템베르크(Würtemberg)의 백작 에버하르트(Eberhard)를 위한 봉사 때문에 그는 1482년에 피렌체와 로마에 가게 되었으며, 1490년과 1498년에 다시 그곳들을 방문하게 되었다. 피렌체에 그가 첫 방문했을 때조차 그의 그리스어 실력은 칭송을 받았다. 그 곳에서 그는 플라톤 아카데미 학자들을 만나서 그들로부터 영향을 받았다(V:15 참조). 그는 피코 델라 미란돌라(Pico della Mirandola)때문에 히브리 신비철학 이론들에 대한 관심을 가지게 되었는 데, 이 이론들이 독일에서의 그의 명성을 더하게 하였다. 로이힐린은 15세기 말엽 독일의 가장 유능한 그리스어 학자로서 간주되었으며, 그리스어 연구를 증진시키는 데 끼친 그의 영향은 큰 성과를 거두었다.

로이힐린은 원전에로 돌아가려는 인문주의적 욕구를 지니고 있었으며, 이런 점이 그로 하여금 독일에 있는 비유대인 학자들 중 최초로 깊이 있는 히브리어 연구를 하게 하여 그가 구약을 더 잘 이해할 수 있게 하였다. 20년에 걸친 이런 수고의 결과가 1506년에 발간된 히브리 문법책과 사전인 「히브리어 기초」(*De rudimentis Hebraicis*)이었는데, 이 책은 기독교 학생들에게 귀중한 히브리어 지식들을 전달해주었다. 평화를 사랑하는 로이힐린과 전 독일이 그의 히브리어 연구 때문에 빠져들게 된 괴로운 분쟁은 루터의 저항(VI:1 참조)의 직접적 선구자로서 다루어지는 데서 설명될 것이다. 로이힐린은 개신교도가 아니었다. 그는 점증하는 종교개혁에 동의하지 않았으며, 1522년에 그가 사망할 때까지 이를 증거하였다. 그러나 그는 성경학자들에게 상당히 중요한 봉사를 하였다. 그의 지적 상속자는 그의 조카아들인 필립 멜랑히톤이었는데, 그는 루터파 종교개혁자들 중에서 유명한 인문주의 학자였다.

데시데리우스 에라스무스(Desiderius Erasmus, 1466?-1536)는 사제의 사생아로서 로테르담(Rotterdam)이나 구다(Gouda) 둘 중 한 곳에서 태어났다. 1483년부터 알렉산더 헤기우스가 교장이었던 데벤터(Deventer)에서 그는 일찍이 수학하였는데, 이것이 그의 문학애를 일깨우고 그를 공동생활형제단의 "현대 신심운동"(modern devotion) 즉 내면적인, 그리스도 중심의 경건으로 이끌었다. 공동생활형제단은 헤르토겐보쉬(Hertogenbosch)에서 학교를 운영하고 있었는데, 에라스무스가 1484년에 그곳에 입학하였다. 1487년에 극심한 가난 때문에 그는 스테인(Steyn)에 있는 어거스틴파 수도원에 들어가게 되었다. 그곳에서 그는 6년을 머무는데, 이 시기에 그는 고전 저술가들과 이탈리아 인문주의자들을 연구할 기회를 얻었다. 그러나 그는 수도원 생활에 흥미를 느끼지 못했고, 1492년에 임명된 사제생활에도 흥미를 느끼지 못했다. 1493년에 그는 캄브레(Cambrai) 대주교의 비서가 되기 위해 수도원을 떠날 수 있었다. 1495년경 그는 파리에 있는 몽테이규 대학(College de Montaigu)에서 신학을 연구하고 있었다(이 대학은 존 칼빈과 이그나티우스 로욜라가 나중에 입학한 곳이었다). 파리에서 보낸 4년은 그에게 스콜라신학에 대해 여전히 혐오를 느끼게 하였지만, 그는 그 곳에서 법학교수이자 열렬한 키케로주의자인 로베르 가겡(Robert Gaguin, 1433-1501)과 같은 프랑스 인문주의자들과 교류를 가졌다.

그의 인생의 전환점이 된 1499년에 에라스무스는 영국을 방문하여, 존 콜레트와 토머스 모어를 포함하여 영국의 지도적인 인문주의자들과 사귀게 되었는데, 존 콜레트와 토머스 모어 둘다 그의 절친한 친구가 되었다. 그 때에 옥스퍼드에서 바울의 로마서를 강의하고 있었던 콜레트는 이제 에라스무스의 관심을 성경과 교부에 대한 진지한 연구에로 향하게 하였다. 이런 연구에는 콜레트가 지니지 못했던 그리스어 실력이 요구되었으며, 그래서 1500년에 에라스무스는 파리로 돌아와서 그 다음 6년 동안 파리와 베네룩스 3국에서 그의 그리스어 지식을 완벽하게 갖추었으며, 그의 문학적, 역사적, 철학적 학문능력의 바탕을 세웠고, 수많은 중요 저술들을 썼으며, 그의 시대를 이끌던 지성인들과 폭넓은 교류를 시작하였다. 그는 1506년 초에 영국을 잠시 방문하기 위해 돌아왔다가 그해 여름에 이탈리아에 3년 동안 체류하기 위해 영국을 떠났다. 1506년 9월에 그는 투린(Turin)대학교에서 신학박사 학위를 받았다. 그는 볼로냐, 피렌체, 베네치아, 파두아, 시에나, 로마 등을 방문하면서, 그의 그리스어 연구와 인문주의 연구를 추구하면서, 그가 가는 곳마다 이탈리아 학자들로부터 마음으로부터 우러나오는 환영과 사랑을 받으면서 그의 마지막 체류기간을 보냈다.

1509년에 에라스무스는 3번째이자 가장 장기간의 방문을 하기 위해 영국으로 돌아와서, 토마스 모어와 함께 지내면서 1511년부터 1514년까지 케임브리지대학에서 그리스어를 강의하였다. 1514년부터 1521년까지 그는 대부분의 시간을 바젤을 자주 방문하면서 네덜란드 특히 브뤼셀과 루벵에서 보냈는데, 그 곳에서 출판인 프로벤(Froben)이 신약성서 그리스어 편집판과 교부들의 저서 편집판을 포함하여 그의 저술들을 출판하였다. 그는 이 무렵에 일반적으로 인문주의 학자들의 왕자이자, 유럽 문학계에서 최고의 인물로 간주되었다. 그는 신학자들의 미움을 사서 1521년에 루벵을 떠나서, 다음 8년 동안 바젤에 머물게 되었다. 1529년 종교개혁이 바젤에 들어왔을 때, 그는 프라이부르크로 이사하였다. 그는 1536년 바젤을 방문하던 중에 사망하였다.

에라스무스는 무엇보다도 문학가였는데, 완벽한 재치와 필적할 수 없을 정도로 뛰어난 라틴 문체를 사용하여 그의 당대의 현안들에 대해 발언했으며, 사제들과 정치지도자들을 가차없이 비판하였고, 게다가 깊고도 성실한 목적 의식에 의해 움직이는 그런 사람이었다. 그는 비록 미신과 타락, 오류가 그의 당대의 교회를 지배하고 있으며, 내용도 없으면서 논쟁만 일삼는 변증술이 신학을 전복시키며, 수도생활이 많은 경우 너무 무식하고 무가치하다고 확신했지만, 그가 그렇게 자유롭게 비판한 교회와 충돌을 일으킬 의사는 없었다. 그는 너무 다투기를 싫어했기 때문에 루터주의자들의 혁명에 공감을 가질 수 없었다. 루터주의자들의 혁명의 폭력성에 그는 불쾌감을 느꼈다. 또한 그의 신앙에서 너무 비교리적이었기 때문에 전통적 교리에 대한 루터의 과격한 공격을 동의할 수 없었다. 그는 또한 당시 교회와 르네상스 교황의 심각한 죄악과 권력 악용을 보지 못할 정도로 시각이 분명치 않은 것도 아니었으며, 그것을 밝히지 못할 정도로 정직하지 못한 것도 아니었다. 그러므로 그의 인생 후반기에 터졌던 큰 분쟁에서 양쪽 어느 편도 그를 완전히 이해하지 못했으며, 그는 오랫동안 개신교와 가톨릭 양편의 저술가들에 의해 비난받게 되었다.

에라스무스는 그 나름대로의 건설적인 개혁 계획을 가지고 있었다. 그는 교육과 웅변을 통해, 특히 고대 성인들의 윤리적 지혜에로 뿐만 아니라 본래적인 기독교적 진리의 원천인 성경과 교부들에로 되돌아감을 통해서 그 진리를 유쾌한 논의에 의한 설득 기술을 통해 주입시켜서 교회와 사회를 혁신시키려는 꿈을 가지고 있었다. 무지와 미신, 부도덕성 또한 역설과 풍자를 통해서 밝혀지고 근절될 수 있었다. 그는 1500년부터 죽을 때까지 이런 목표를 이루기 위해 노력하였다. 1503년에 출판된 그의 「기독교 병사의 핸드북(단검)」(*Enchiridion Militis Christiani*)은 그리스도를 본받아 가시적이고 감각적인 사물들로부터 비가시적이고 예지적인 실재들에로 옮겨가는 것에 초점을 맞추어서 비의례적이고 비독단적인 기독교를 단순하지만 진지하게 제시해주었다. 그의 「우신예찬」(*Moriae Encomium*, 1509)은 전 유럽을 웃음바다로 만들었는데, 당시 교회와 국가가 저지른 죄악들을 신랄하게 풍자하였다. 그의 「친근한 자유토의」(*Colloquia Familiaria*, 1519)는 재치 있는 대화편들인데, 그 작품 속에서 성골과 순례, 유사한 외적 계율을 숭배하는 행위가 그의 뛰어난 펜의 과녁이 되었다.

그의 편집 작업은 가장 중요한 작업이었다. 1516년에, 새 라틴어 번역과 비평적 각주를 첨부한 제1판 그리스(헬라)어 신약성서가 출판되었다. 이 작업은 그리스어 텍스트 출판에 있어서 선구적이었다. 왜냐하면 아직 히메네스(Jimenez)의 책을 볼 수 없었기 때문이다(V:16 참조). 이런 작업에 뒤이어 제롬(Jerome), 오리겐(Origen), 키릴(Cyril), 크리소스톰(Chrysostom), 이레내우스(Irenaeus), 암브로시우스(Ambrose), 어거스틴(Augustine)과 같은 일련의 그리스 교부와 라틴 교부들의 저서가 출판되었다. 물론 그가 모두 출판한 것이 아니라, 그의 자극을 받아 출판된 것이었다. 그의 자극은 초기 기독교에 대한 학문적 지식을 새로운 차원에 올려놓았으며, 그래서 종교개혁에 커다란 도움을 주었다.

「핸드북」(*Enchiridion*)에서 에라스무스의 긍정 신학이 완전하게 제시되는데, 그는 그의 긍정 신학을 "그리스도 철학(*philosophia Christi*)"이라고 불렀다. 그를 기독교를 보편종교, 특히 윤리적 종교로 간주하고서, 고대 철학자들이 기독교를 예견하였으며, 기독교가 그리스도의 산상수훈에서 그 절정에 이른다고 묘사하였다. 이런 종교는 내면적이고 영적이어서, 세속생활의 가운데에 있는 "보이지 않는 예배"이다. 그리스도에 대한 사랑과 그의 발자취를 따르려는 결심이 이 종교에 생명력을 불어넣는다. 그래서 에라스무스의 사상은 근본적으로 "낙관주의적"이다. 왜냐하면 비록 신의 은총이 진리를 행하는 것을 도와주어야 하지만, 진리 인식은 진리를 행할 수 있는 능력을 함축하기 때문이다. "죄와 은총"과 인간 의지의 자유라는 중요한 현안에서 루터와 에라스무스간에 있는 분명한 차이 때문에 그들은 1524-1525년에 유명한 서신들을 서로 주고받았으며, 에라스무스적 인문주의와 루터의 신앙지상주의(solafideism)란 방법 차이로 갈라지게 되었다.

그러나 루터와 다른 개신교 종교개혁가들은 에라스무스와 기독교적 인문주의자들과 공통점이 더 많았으며 그들에게 많은 것을 빚지고 있었는데, 무엇보다도 그들이 스콜라 박사들에 대항하여 그들을 뛰어넘어서 교육과정에서 성경과 교부들을 더 선호한 점에 있어서 도움을 많이 받았다. 우리는 에라스무스의 영향을 츠빙글리(Zwingli)와 오이콜람파디우스(Oecolampadius)와 같은 종교개혁자들의 성례 신학에서도 볼 수 있다. 그들은 인문주의를 통해서 종교개혁으로 나아갔으며, 영혼의 생명은 그리스도의 신체를 포함하여 외적이고 물질적인 것들에 의해 살찌워지지 않는다는 에라스무스적 기본원리를 주장하였다(VI:3 참조). 더 나아가서 16세기 후반의 많은 가톨릭 종교개혁자들은 에라스무스의 개혁계획을 받아들이는 것이 불리했음에도 불구하고 그의 계획의 상속자들이었다. 그래서 비록 에라스무스가 자신이 사망할 무렵에 양편 모두에게 "이단자"가 되기는 했지만, 그의 지칠 줄 모르는 노력이 많은 성과를 낳았다.

비록 인문주의가 16세기 초엽에 알프스 산맥 북부 지역의 어느 다른 지방보다 독일에 더 큰 영향을 행사하기는 했지만, 다른 곳에서도 동일한 자극들이 영향을 주고 있었다. 스페인의 프란치스코 히메네스(Francisco Jimenez)는 이미 언급되었다(V:6 참조). 그러나 그의 인문주의적 학문 업적이 성격상 주로 문헌학적이어서, 스페인교회와 문화가 에라스무스 사상에 가장 비우호적인 만큼이나 전투적인 가톨릭 정통교리에 봉사하는 데 쓰여졌다는 사실을 하나 더 첨가해야 한다.

1490년대에 윌리엄 그로킨(William Grocyn, 1446?-1519)과 토머스 리나커(Thomas Linacre, 1460?-1524)가 영국에 그리스어와 고전에 대한 진지한 연구를 소개하였다. 그들은 둘 다 이탈리아에서 공부한 사람들이었다. 영국에서 기독교 인문주의의 지도자는 **존 콜레트**(John Colet, 1467?-1519)가 되었는데, 그는 그로킨과 리나커의 강의를 옥스퍼드대학교에서 들었다. 그들의 영향하에 그는 1493년에 이탈리아에 가서 거기서 피렌체 플라톤주의자들이 전달해주는 신플라톤주의적 신비주의에 대해 민감한 관심을 키웠다. 1496년에 영국으로 돌아오자마자 그는 옥스퍼드대학교에서 바울서신들에 대해 강의하기 시작하였고, 이 강의와 연관되어 에라스무스로 하여금 성경연구를 하도록 자극하였다. 콜레트는 뛰어난 고전학자는 아니었다. 그의 최대 공헌은 바울 텍스트들을 역사적 배경과 연관시키고, 텍스트들의 영적인 내용을 드러내기 위해 텍스트의 수사학적 구조를 검토하여서, 그 텍스트들을 해석하는 역사적이고 문학적인 방법을 도입한 것이었다. 그의 판단에 따르면, 스콜라신학자들은 "그리스도의 가르침"을 그들의 "세속철학"으로써 오염시켰다. 콜레트는 또한 성직자들의 교육과 도덕을 향상시키려고 노력하였으며, 이런 목표들 이루기 위해서 1508년에 런던에 성 바울학교를 설립하였다.

콜레트보다 훨씬 더 인문주의자이며 문학가인 사람은 그의 친구 **토머스 모어**(Thomas More, 1478-1535)이다. 그는 고전 라틴어뿐 아니라 그리스어에도 능통하였다. 에라스무스가 그의 「우신예찬」("모어의 예찬"으로도 번역가능)을 썼던 시기는 1509년에 모어의 집에 머무를 때였다. 모어의 「유토피아」(1516)는 영국 인문주의자들의 저서들 중 가장 유명한 것이었다. 그는 말년에 왕가에 봉사하고 종교적 분쟁에 참여하는 데 그의 대부분의 정력을 사용하였는데, 그 결과 순교를 당하였다(VI:9 참조).

프랑스에서 기독교 인문주의의 주요대표자는 **자크 르페브르 데따플**(파베르 스타풀렌시스:Faber Stapulensis, 1460?-1536)였는데, 그는 그가 활동한 대부분의 시기를 파리나 파리 근교에서 지냈다. 그는 겸손하고 친절한 사람이었지만, 그의 종교 사상은 쿠사의 니콜라스의 신플라톤주의(그는 니콜라스의 저서를 출판하였다)와 마르실리오 피치노(Marcilio Ficino, 그는 3번의 이탈리아 여행 중 한번 피치노와 동행하였다)에 의해서뿐 아니라 디오니시우스 아레오바고(Dionysius the Areopagite)와 성 빅토르의 리처드(Richard of St. Victor), 라몽 률(Ramon Lull)의 신비신학에 대한 그의 열정에 의해서도 풍부하게 되었다. 그는 중세 신학교수들의 비유적 주석과 개별 텍스트를 건너뛰는 그들의 변증법적 논변에 반대하는 문법적 방법에 의해 성서의 원래 의미를 회복시키려는 결심을 하고서 기독교 인문주의의 본류에 합류하였다. 1509년에 그는 5개의 상이한 라틴어판들을 문헌학적으로 비교하는데 근거를 두고서 시편을 비평적으로 주해한 「시편의 5개판들」(*Psalterium quincuplex*)을 출판하였다. 1512년에는 주석을 붙인 그의 바울서신 번역이 나왔다. 그는 그 주석에서, 선행의 공로를 정당화하는 것을 반대하고, 구원이 하나님의 자유로운 선물이라고 주장하였다. 나중에 그는 4복음서(1522)와 공동서신들(1524)에 대해 주석서를 저술하였다. 이와 동시에(1523-1525) 그는 신약성서와 시편의 불가타판을 불어로 번역하여 출판하였다.

르페브르는 비록 개신교 종교개혁자들의 초기 저술들에 매료되었고 종종 "루터주의자"로 의심받기는 했지만, 로마교회와 충돌할 의도가 없었다. 그는 주로 기존 교회의 틀 내에서 주로 성경에 기초한 종교개혁을 희망하였다. 그는 그 주위에 일군의 헌신적인 제자들을 모았는데, 그 제자들은 종교개혁 투쟁에 매우 다양한 방식으로 참여하게 되었다. 그 제자들은 모(Meaux)의 대주교가 된 기욤 브리소네(Guillaume Briconnet)와 그리스어 실력이 뛰어났으며 프랑스 대학을 창설하는데 기여한 기욤 뷔데(Guillaume Bude), 개신교 순교자가 된 루이 드 베르켕(Louis de Berquin), 스위스의 불어 사용 지역에서 대담한 종교개혁을 한 기욤 파렐(Guillaume Farel) 등 이었다.

부분적으로는 인문주의자들의 원전에 대한 강조의 결과이지만, 그보다는 인쇄기술의 발명의 결과로서, 15세기 후반부에 불가타판 성서와 번역본이 폭넓게 전파되었다. 1500년 이전에 불가타판이 92판 이상 인쇄되었다. 최초의 독일어 완역 성서는 1522년에 인쇄되었으며, 1522년까지 22판의 성서 완역본이 인쇄되었다. 신약성서는 1477년에 최초로 불어로 인쇄되었으며, 신구약성서 전체는 그보다 10년 후에 인쇄되었다. 스페인어 성서는 1478년에 인쇄되었으나, 금서가 되어 불태워졌다. 또다른 번역본이 1492년에 나왔다. 서로 독립적인 2개의 이탈리아어 번역판이 1471년에 인쇄되었다. 네덜란드에서 시편을 제외한 구약성서가 1477년에 인쇄되었으며, 뒤이어 1480년에 시편까지 인쇄되었다. 2종류의 체코어 성경이 1488년과 1489년에 인쇄되었다. 영국이 종교개혁 이전에 인쇄된 성경을 지니지 못했을지라도, 위클리프 성경의 많은 사본들이 회람되고 있었다.

중세는 성경의 모국어 번역이나 그 번역을 시제니 평신도가 사용하는 것을 보편적으로 절대적으로 금지하지는 않았다. 그러나 주교의 관할지역 수준에서 불가타판과 모국어 번역판들이 평신도들이나 제대로 교육받지 못한 사제들에 의해 읽혀지는 것을 종종 제한하였다. 왜냐하면 성서를 이렇게 "개인적"으로 사용하는 것은 이단이 생기게 하는 주된 원인이라고 간주되었기 때문이다. 그래서 종교개혁 이전 반세기 동안 점증하는 성서 읽기를 둘러싼 주요 현안은 성서의 권위 자체의 문제가 아니라 성서 해석의 문제였다. 중세교회는 그리스도인의 믿음과 생활에 있어서 성서의 규범적 권위를 부인하지 않았지만, 이런 권위는 교부들과 교회공의회, 해박한 박사들, 교황의 공식칙령에 의해 해석된 것으로서의 성서에 부여된 것이었다. 요컨대, 성서의 권위는 교회 가르침의 전통과 성서를 "올바로" 해석하고 사용할 수 있는 권위자로서의 교회 자체의 권위와 불가분적으로 결합되어 있었다. 사람들이 성경에 점차 친숙하게 되자 교회 가르침의 전통이 모든 점에 있어서 성서 자체에 충실하냐란 문제가 불가피하게 생겨나게 되었다.

기독교 인문주의자들은 성경의 문자적-역사적 해석과 "옛날 교부들"로 되돌아갈 것을 계획적으로 요구함을 통해서 스콜라박사들과 중세의 "유비적" 주석들의 해석의 권위를 효과적으로 무너뜨렸다. 루터와 개신교 종교개혁자들은 여전히 교회의 모든 가르침의 전통이 잘못을 저지를 가능성이 있으며, 실제로 종종 성서만의 가르침에 비추어볼 때 잘못을 저질렀다는 결론을 내렸다. 그래서 "오직 성서(*sola scriptura*)"라는 종교개혁자들의 급진성은 성서와 전통, 즉 성경과 오래된 교회의 권위있는 해석이 일치하고 모순이 없다는 가정을 파괴하는 것이었다. 은총에 의해 믿음을 통해서만 구원된다는 그 중심적 메시지가 아주 명료하게 있는 성경은 그 자체가 성서의 해석자라고 주장되었다.

인쇄된 성경은, 무엇보다도 모국어 성경과 시편, 복음서, 사도서신들의 부분적 편집판을 점차로 많이 사용하게 되었기 때문에 종교개혁자들의 급진적 입장이 많은 성직자들과 평신도들에게 호응을 얻을 수 있었다. 그들은 이제 스스로 성경을 읽을 수 있었으며, 성경의 "시금석"을 교회의 가르침과 실천에 적용할 수 있게 되었다. 성서를 전통적 "주석"에 의지하지 않고서 구절구절 청중들에게 설명해줌으로써, 사람들로 하여금 당대교회를 신약성서의 교회와 비교하게 하고 "순수한 말씀"에만 기초할 때 무엇이 "참된 기독교"인지를 결정한 종교개혁자들의 대중적 설교는 훨씬 더 영향력을 발휘하였다. 1520년대 초에 "재발견된" 성경은 혁명의 원동력이 되었다.

그러나 종교개혁 전야에 있었던 이러한 대중적 경건이 이미 로마교회에 반대하는 반역의 상태에 있었다고 결론을 내린다면 잘못일 것이다. 도리어 그 반대로, 이러한 경건은, 특히 독일에서의 경건은 "교회중심주의(churchliness)"에 충실하다는 면에서, 즉 중세교회의 교리와 제도, 성사에 충실하다는 면에서 반역과 달랐다. 더 나아가서 대중의 헌신은 주목할 만큼 강화되고 있었다. 중세 후기는 종교적 "각성"의 시대였다. 이런 대부분의 경건은 상당 정도 존재의 비참함과 죽음이나 악마에 대한 공포, 확실한 구원에 대한 갈망에 의해 자극 받아서 외적 형태의 종교에 열정적으로 몰두하는 특징을 보였음이 분명하다.

15세기 말엽 독일의 대중적 삶에 있는 많은 것들이 이해능력을 점차 발전시키는 경향이 있었다. 마술사의 속임수는 비록 결코 새로운 것이 아니었지만, 빠른 속도로 전파되었다. 이노센트 8세가 1484년에 내린 칙령은 독일이 마술로 가득차 있다고 선포했으며, 독일의 종교재판관인 야콥 슈프렝거(Jacob Sprenger)와 하인리히 크레머(Heinrich Krämer)는 1489년에 힘들게, 유명한 「악행자들의 망치」(*Malleus maleficarum*)라는 저서를 출판하였다. 일상생활에 공포를 더한 것은 미신이었는데, 로마의 반대자들 못지 않게 종교개혁자들도 미신을 지니고 있었다. 1490년부터 1503년까지는 독일에 기근이 든 시기였다. 터키의 위협이 점증되고 있었다. 전체적인 사회 불안은 이미 언급되었었다(V:6 참조). 이 모든 요소들이 종말이 실재하며 가까왔음과 하나님과 화해해야 할 필요성, 내세에서의 축복을 확보해야 할 필요성을 점차 느끼게 하였다. 이러한 사태는 면죄부 판매와 성자 숭배, 죽은 자를 위한 미사 집전, 순례여행을 아주 중요하게 여기게 된 까닭을 설명하는데 도움이 된다. 비록 외국의 가장 유명한 순례 여행지가 스페인의 콤포스텔라(Compostela)에 있는 성 야곱 성당이었지만, 소수의 상당히 부유한 순례자들은 성지로 여행하였으며, 그보다 많은 수의 순례자들이 로마로 여행하였다. 독일 성당들도 사람들로 붐볐다. 그래서 광범위한 유물 수집이 특히 작센 선제후 현자 프리드리히에 의해서 이루어졌다. 그는 나중에 루터의 보호자가 되었는데, 비텐베르크성에 있는 교회에서 그 유물들을 전시하였다.

이런 외부적이고 공로를 신뢰하는 종교적 정신과 발맞추어, 독일은 매우 다른 조류의 경건, 즉 고요한 내면성과 부드러운 단순성의 특징을 지니는 경건을 나타내 보였다. 이런 경건은 하나님과 개인의 관계 속에서 종교의 진수를 찾는 것이었다. 이러한 사조는 독일의 (도미니쿠스적) 신비주의 전통과 "현대신심운동"(*Devotio moderna*)에 기초하였다. 이것들은 15세기 중엽에 아주 큰 영향력을 발휘하였었다. 우리는 여기에서도, 지복이 경건한 행위를 많이 하거나 종교적 의식을 과할 정도로 행함에 의해서 얻어지지 못하며, 단지 겸손과 자비, 피할 수 없는 하나님의 의지에 대한 복종이란 내면적 덕목들을 배양함으로써 얻어지는 것이라는 사실 외에도, 사람들이 죽음과 하나님의 심판에 직면하여 구원의 확신을 매우 갈망하는 것을 발견하게 된다.

이 기간동안 교회의 복지에 대해 평신도들이 책임이 있다는 생각이 점차 증가하게 되었다 각 지역의 군주들과 시의회들은 사제의 자질을 향상시키고, 수도원들을 개혁하려고 하였다. 더 나아가서 독일과 스위스 연방의 자치도시들에서 지역교회 기관들에 대한 통제력을 확보하고, 재속 성직자와 수도원 성직자를 통제하고, 다른 여러 가지 방식으로 평신도들이 종교적 공동체 생활의 중심위치에 있는 것을 옹호하려고 오랫동안 시도하였다.

그래서 루터가 선포한 시대는 죽은 시대가 아니라, 종교적 헌신이 점증되고 종교적 위안에 대한 많은 갈망으로 몸부림치는 시대였다. 유럽 국민들은 전체적으로 여전히 로마교회에 충실하였지만, 또한 소용돌이치는 불안정과 묵시록적인 공포, 많은 해결되지 않은 문제들로 가득찬 시대에 그들의 가장 깊은 갈망을 충족시켜주고 효과적으로 지도해주기를 교회에 바라고 있었다.

제6기
종교개혁

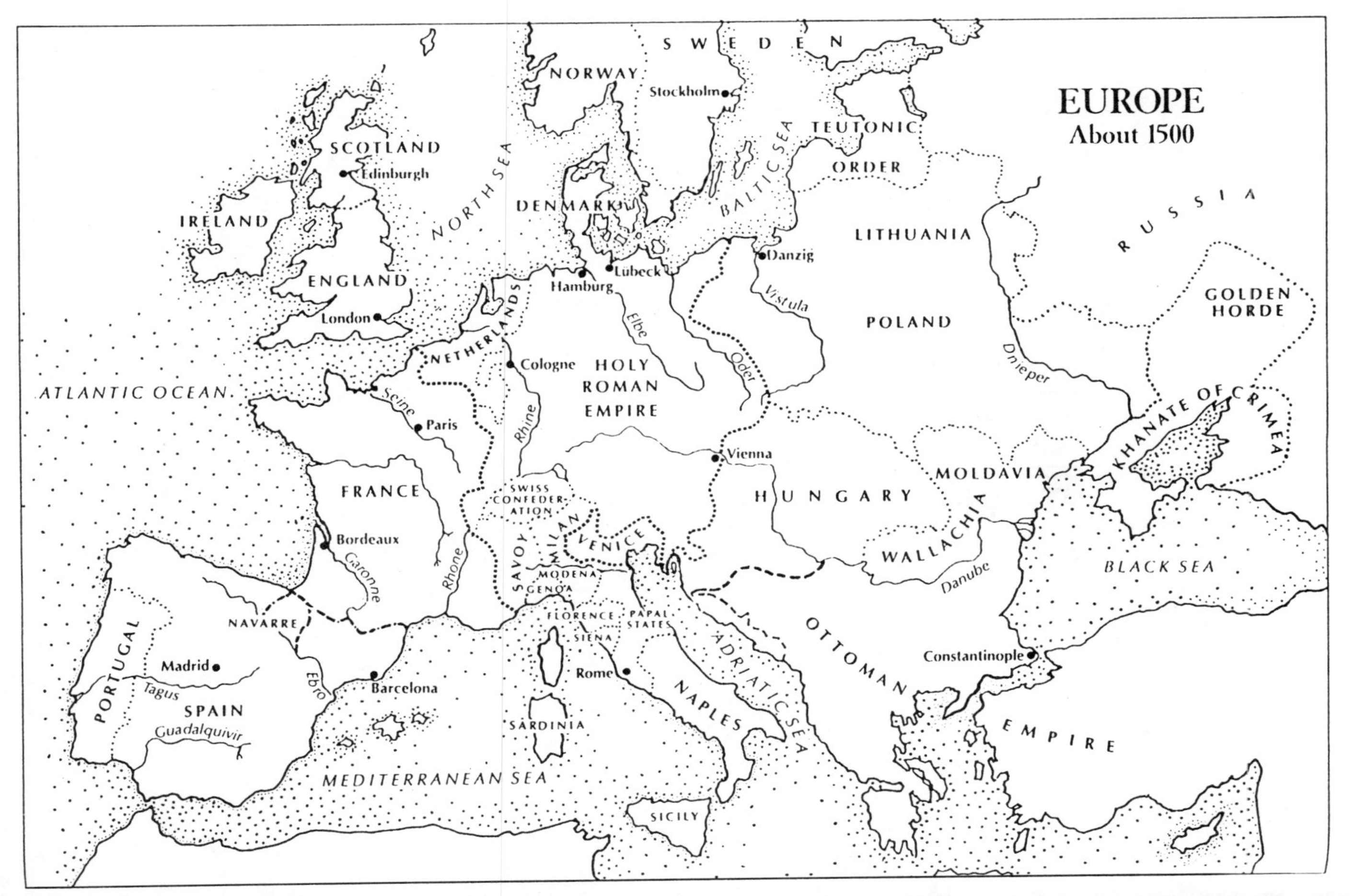
EUROPE
About 1500
SWEDEN
NORWAY
Stockholm
TEUTONIC ORDER
SCOTLAND
Edinburgh
NORTH SEA
BALTIC SEA
IRELAND
DENMARK
LITHUANIA
RUSSIA
Danzig
Lübeck
Hamburg
ENGLAND
London
GOLDEN HORDE
POLAND
Vistula
Elbe
NETHERLANDS
Cologne
HOLY ROMAN EMPIRE
Oder
Dnieper
ATLANTIC OCEAN
Seine
Paris
Rhine
KHANATE OF CRIMEA
Vienna
MOLDAVIA
FRANCE
SWISS CONFEDERATION
HUNGARY
SAVOY
MILAN
VENICE
WALLACHIA
Bordeaux
Garonne
Rhone
MODENA
GENOA
BLACK SEA
Danube
NAVARRE
FLORENCE
PAPAL STATES
SIENA
OTTOMAN EMPIRE
ADRIATIC SEA
PORTUGAL
Madrid
Constantinople
Rome
Ebro
Tagus
Barcelona
SPAIN
NAPLES
Guadalquivir
SARDINIA
MEDITERRANEAN SEA
SICILY

1. 루터의 발전과 종교개혁의 시작

16 세기에 접어들었을 때 독일은 여러가지 면에서 유럽의 나라들 중 가장 "교회적"이었다. 후기 중세기에 들끓던 이단들의 소요는 성공적으로 봉쇄되었다. 교회의 계층질서와 수도원의 종단들이 계속하여 광범위한 비판의 대상이 되기는 하였지만 적대적인 반(反) 성직자주의는 거의 찾아보기 힘들었다. 독일에서 교황의 권위는 이탈리아를 제외한다면 유럽의 다른 어느 주도적인 나라들보다 더 강력하게 유지되었다. 평신도의 경건과 헌신은 종종 과도하게 흐르기도 하였지만, 아직도 전통적인 채널을 통해 흐르고 있었다. 순례와 죽은 자들을 위한 미사가 어느 때보다 더 성행했다. 성자 숭배, 특히 성모 마리아와 그녀의 어머니 성 안나에 대한 숭배가 극적으로 번창했다. 성자 유골의 수집이 차고 넘쳤고 면죄부의 판매가 격증하였다. 많은 새로운 교회와 채플과 부속 예배당들이 세워졌다. 큰 도시와 시의 경건한 평신도들은 정규 설교를 강화하기 위하여 특별 설교직을 위한 재정을 뒷받침하였다. 종교단체에 참여하는 것이 그 절정에 달하였다. 정통적 경건문학이 날개돋친듯 팔렸다. 따라서 1500년의 독일이(혹은 이 일에 있어서 어떤 다른 유럽의 나라가) 로마 교회의 오랜 지배와 통치에 반항하는 혁명의 초기 상태에 있었다고 말할 수는 없다.

그러나 이러한 표면 아래에서는 강력한 불협화음과 불만이 있었다. 교회의 부패의 원인은 바로 교회의 재정 문제였다. 르네상스 교황들은 예외없이 분수에 넘치는 삶을 영위하였고 흔히 파산 직전에 있었는데, 그 이유는 적지않이 이탈리아에서 정치적 지위를 유지하기 위하여 막대한 자금이 필요했기 때문이었다. 교황청은 비용을 충당하기 위하여 새롭고 더 등골이 빠지게 하는 세금과 요금과 벌금들을 고안해냈다. 이것은 고위 성직자들에게 무거운 부담이 되었고, 이들은 다시 하위 성직자들에게 전가시켰고 그리하여 결국은 평민들이 이 짐을 짊어지게 되었다. 로마는 돈을 밝히고 탐욕스럽다 하여 특별히 독일에서 조롱거리가 되었다.

이러한 재정상의 문제는 이것과 함께 복합적으로 성직 매매, 친족 등용, 성직 겸직, 부재 성직자, 축첩 등과 같은 도덕적 파탄을 초래하였다. 특별히 교구 성직자는 아주 골칫거리였다. 교육 상태는 형편없었고 흔히 지독하게 가난하였으며 종종 첩과 동거하였고(이로 인해 그들은 매년 주교들에게 벌금을 내었다) 당연히 도덕 수준이 엉망이었다. 이러한 악폐와 잘못들은 유례가 없는 것도 아니고 전 시대보다 더 지독한 것도 아니었다. 그러나 교육 받은 평신도들이 이러한 것들을 더이상 참을 수 없는 것으로 자각하기 시작했다는 것이 심상치 않은 발전이었다.

12세기의 종교적 각성과 같이, 후기 중세기의 종교적 "각성"에 대한 기대가 점점 더 고조되었다. 제도적 교회는 세속주의와 종교에 대한 무관심에 의해 위협받은 것이 아니라 신약성서에 묘사된 "순수하고, 사도적인 교회"에 일치되어야 한다는 요구에 의해 도전받았다. 생각있는 사람들은 싸구려 종교가 아니라 "더 좋은" 종교를 원했는데, 이것은 보통 "보다 성서적인" 것을 의미했다.

15세기 초기의 공의회 운동까지 소급되는, "머리와 지체의 개혁"에 대한 오랜 갈망은 16세기에는 에라스무스에 의해 주도된 기독교 인문주의자들에 의해 새로이 제기되어 유포되었으며 힘을 얻게 되었다. 인문주의자들은 거룩한 문학과 인간적인 문학, 즉 성서와 인문 교양 서적을 지속적으로 가르침으로써 라틴 기독교계를 도덕적, 영적으로 혁신시킬 것을 꿈꾸었다. 이러한 기독교와 고전 문화의 "원천으로"(*ad fontes*)의 운동은 — 이것은 "회복을 통한 개혁"의 프로그램이었다 — 인문주의자들과 개신교 개혁자들에게 공통적인 것이었고, 또한 도시와 시의 교육받은 계층의 생각을 형성시켜 주었다. 새로운 종교적 헌신의 물결 가운데서 로마 교회가 상급 계층에 대해 도덕적, 영적으로 지도력을 발휘하지 못한 것과 개별 교구에서 움트는 평신도의 경건을 양육하고 지도하지 못한 것은 하나의 아이러니이다.

더욱이 종교개혁 직전의 대중적 신앙은 역설적 성격을 띠고 있었다. 그것은 바람직하기 보다는 진지한 것으로 보였다. 새로운 종교적 헌신은 마지막 일들에 대한, 점증하는 공포감을 드러냈다. 죽음과 연옥의 고통과 아무도 피할 수 없는 최후의 심판에 대한 생각은 개인 구원에 대한 병적인 관심을 불러 일으켰다. 교회는 개인의 영원한 운명이 결정되는 것은, 참된 공로를 미리 확보하기 위해 교회의 성례전의 은총을 어떻게 효과적으로 수용하는가에 달려 있다고 가르쳤다. 왜냐하면 사랑의 행위 안에 있는, 살아 있는 신앙만이 구원에 이르는 믿음이라고 하였기 때문이다.

그러나 이러한 은총과 공로의 전형적인 중세적 연결은 민감한 양심들을 다음과 같은 의심을 통해 더 괴롭혔다. '내가 실제로 하나님을 기쁘시게 할 만한 일들을 수행하였는가? 나는 하나님의 용납을 확신할 만큼 충분히 일하였는가?' 또한 교회의 모든 성례전 체계, 특히 중심이 되는 고해성사가 신실한 자들에 의하여 해방시키는 것보다는 더 억압하는 것으로 경험되었다는 강한 증거가 있다. 이것은 적지않이 교회에 의해 제공되는 영적 유익이 너무 자주 돈 문제와 정치적 목적과 결부되었기 때문이었다. 불안한 양심, 특히 교회의 악폐로부터 벗어나기를 소망하는 사람에 대한 신앙적 위로의 메시지가 광범위한 호소력을 가지게 되었고, 영적 물질적 이유로 인해 로마 교회에 의해 고통을 받은 많은 사람들을 각성시켰을 것이라는 것은 확실하다. 그러나 종교와 정치가 실질적으로 분리할 수 없는 사회에서 예상되는 대로 개신교 종교개혁의 지지자들이 혼합된 동기에서 참여한 것이 사실이기는 해도, 또한 확실한 것은 종교개혁이 진정으로 기독교의 위로를 갈망하는 많은 사람들의 욕구를 만족시켰거나 만족시킬 것이라는 약속을 주었기 때문에 큰 대중적 성공을 거둘 수 있었다는 것이다.

이러한 사람들은 만족을 모르고 불만만 늘어놓는 중세 교회에 대한 적대자들이 아니었다. 그들은 도움을 얻기 위해 교회를 찾는, 구원을 향한 진지한 추구자들이었다. 그들은 거기서 구원의 도움을 찾지 못하자, 사랑의 환멸에 의해 분노하면서 전통적 종교와 그 대표자들에게 등을 돌렸던 것이다.

독일 지성계에 있어서 종교개혁의 중요한 서막은 가장 평화를 사랑하고 존경받는 인문주의자 중의 한명인 요한네스 로이힐린(Johannes Reuchlin)이 개입된 싸움이었다. 1509년 최근 유대교에서 개종한 페퍼코른(Pfefferkorn)은 막시밀리안 황제로부터 유대교 서적을 몰수하라는 칙령을 받았다.

페퍼코른은 쾰른의 도미니쿠스회 종교재판관, 야콥 호흐슈트라텐(Jacob Hochstraten, 1460-1527)의 지지를 받았고, 반면에 로이힐린은 마인츠의 대주교의 심문에 대한 응답에서 유대교 문학이 약간의 예외는 있어도 바람직한 것이라고 옹호했고 히브리어를 보다 완전하게 알아야 한다고 촉구하였으며 유대인들의 책을 몰수하는 것 대신에 그들과 우호적으로 토론할 것을 주장하였다. 그 결과 폭풍 같은 논쟁이 벌어졌다. 로이힐린은 이단으로 고발되어 호흐슈트라텐에 의해 재판에 회부되었다. 이 소송 사건은 로마에 호소되어 1520년까지 끌다가 결국 그 해에 로이힐린에 대한 정죄가 결정되었다.

새로운 학문의 옹호자들은 이 전 과정을 학문에 대한 무지하고 부당한 공격으로 간주하고 하나로 뭉쳐 로이힐린을 지지하였다. 이러한 인문주의자 그룹에서 지금까지 발표된 풍자문 중 가장 성공적인 것 중의 하나인 「무명인의 편지」(*Letters of Obscure Men*)가 나왔다. 이 책은 크로투스 루비아누스(Crotus Rubianus, 1480?-1539?)와 울리히 폰 후텐(Ulich von Hutten, 1488-1523)에 의해 1515년과 1517년 사이에 출판되었다.

이 「편지」는 로이힐린과 신 학문의 적대자에 의해 쓰여진 것처럼 하였는데, 그 야만스러운 라틴어 문체와 시시한 일에 대한 천박한 집착과 무지를 이용해 많은 조롱을 일으켰다. 이것은 의심할 것 없이 로이힐린에 적대적인 쪽이 학문과 진보에 반대하고 있다는 인상을 주었다. 로이힐린 사건은 독일 인문주의자들을 연합시켰고 이들과 보수주의자들(주로 도미니쿠스회) 사이에 분열의 선을 그어 놓았다.

1517년 10월 31일, 최근 설립되어 별로 알려지지 않은 독일 대학의 한 수도사 교수가 특별하지도 않고 눈에 띄지도 않는 방법으로 교회의 악폐에 대해 항거한 것이 즉각적인 반응을 일으켜 기독교 교회사에 있어서 가장 위대한 혁명을 발진시켰던 것은 바로 이 로이힐린 논쟁이 절정에 달했던 기간의 일이었다.

이 항거의 주역인 마르틴 루터(Martin Luther)는 그의 저작으로 세계의 역사를 근원적으로 변경시켰다고 할 수 있는 몇몇 인물들 중의 하나이다. 그는 조직가나 정치가도 아니었고 결코 공공연한 혁명가도 아니었지만 심원한 종교적 신앙의 힘으로 사람들을 감동시켰고, 그 결과 하나님에 대한 흔들림 없는 신앙과 하나님과의 직접적이고 인격적인 관계를 가능케 하였다. 이것은 정교한 중세의 계층질서와 성례전적 구조에 대한 여지를 전혀 남기지 않는 구원의 확신을 가져다 주었던 것이다.

루터는 수세기 동안 로마 가톨릭의 비방자들에 의해 신랄한 공격의 대상이 되었지만, 오늘날은 진정한 신앙인(*homo religiosus*)과 가치 있는 신학적 대화의 상대자로 가톨릭권 안에서 널리 존경받고 있다. 이것은 현대 에큐메니칼 운동과 공정한 역사적 학문 연구로 인한 주목할 만한 변화이다. 그러나 존경받든 반대받든 마르틴 루터가 교회사에 있어 아주 탁월한 위치를 차지하고 있다는 것은 아무도 부인할 수 없다.

루터는 1483년 11월 10일 아이스레벤에서 태어났다. 그의 아버지는 거기서 구리 광산의 광부로 일했다. 그의 부모는 단순하고 인습적인 경건을 지니고 있었다. 그들이 자녀들을 가혹하게 다루었다거나 과도한 종교적 요구의 짐을 지웠다는 아무 증거도 없다. 농부 출신의 야심가였던 아버지는 마르틴이 태어난지 몇 달 후 그의 가족을 이끌고 만스펠트로 이사하였다. 거기서 그는 시민들의 존경을 얻었고 광산업에서 상당한 성공을 거두었으며 여덟 아이 중 둘째 아들인 마르틴에게 법률가 교육을 시키기로 작정하였다.

만스펠트, 마그데부르크, 아이제나하에서 예비 교육을 받은 후에 1501년 마르틴 루터는 에르푸르트 대학에 들어갔다. 거기서 그는 진지하고 붙임성 있고 음악을 사랑하는 학생으로 알려졌다. 그 당시 에르푸르트는 독일 대학 중 인문주의적으로 가장 발달되어 있었고 루터는 새로운 운동의 영향 아래 놓이게 되었다. 루터는 결코 완전한 의미의 인문주의자는 아니었다 할지라도 이 운동의 열정을 공유했는데, 이것은 고대 언어, 특히 그리스어 연구와 성서와 교회 교부들의 저작에 근거한 스콜라 신학의 비판에서 그러하였다.

젊은 루터는 당시 독일의 종교적 부흥의 기조를 이루고 있던, 죄성과 불안에 대한 깊은 의식을 강하게 느끼고 있었다. 1505년 1월 문학석사를 마치고나서 5월에 그는 법학부에 입학하였다. 그는 집에 갔다가 에르푸르트로 돌아오는 중에 번개로 인해 학교 친구가 갑작스레 죽고 자신은 가까스로 피하고 난 후 깊은 충격을 받았다. 그 결과 그는 성 안나에게 수도사가 되기로 서원하였나. 그의 아버지는 아주 화가 났지만, 그는 법학 공부를 그만두고 1505년 7월 17일 수도사의 생활이 그의 영혼의 구원에 가장 확실한 길이라고 확신하고는 에르푸르트에 있는 어거스틴 은둔 수도원에 들어갔다.

최근 안드레아스 프로레스(Andreas Proles, 1429-1503)에 의해 개혁되어 지금은 요한네스 폰 슈타우피츠(Johannes von Staupitz, 1460?-1524)의 감독 아래 있는, 어거스틴파 걸식 수도사들의 "독일 회중"(German congregation)은 일반 사람들로부터 상당한 존경을 받았고 최고 수준의 중세 수도원을 대표하는 것이었다.

어거스틴 수도원은 설교와 성서 연구를 중시하였고 14세기의 위대한 어거스틴 학자인 리미니의 그레고리(Gregory of Rimini)를 배출한 바 있는데, 루터는 그레고리를 펠라기우스주의에 오염되지 않은 유일한 스콜라 신학자로서 매우 높이 평가하게 되었다. 물론 또한 루터의 신학적 발전을 위해서 어거스틴 자신의 반(反)펠라기우스적 논문들도 중요했다. 그리고 루터는 심지어 후에 슈타우피츠가 종교개혁을 시작하였다고 인정할 정도로 특별히 그에게 많은 빚을 졌다.

루터는 수도원의 삶에서 빠르게 인정을 받기 시작했다. 그는 1507년 사제에 서품되었다. 다음 해 그는 그의 선임자의 명령으로 1502년 작센 선제후 현자 프리드리히 3세(Frederick III "the Wise")가 설립한 비텐베르크 대학에서 아리스토텔레스 윤리학을 강의하고 장차 교수직을 준비하기 위하여 비텐베르크로 갔다. 1509년 거기서 그는 신학 학사로 졸업하였으나, 같은 해 다시 에르푸르트에 돌아가서 sententiarius의 자격, 즉 중세의 가장 위대한 신학 교본인 피터 롬바르드의 「명제집」(*Sentences of Peter Lombard*)의 주석 자격을 얻기 위해 공부하였다.

그는 그의 수도원 일로 1510-1511년 겨울에 잊을 수 없는 로마 여행을 했다. 이후 그는 비텐베르크로 다시 돌아왔고 그후 계속하여 거기에 머물렀다. 거기서 그는 1512년에 신학 박사가 되었고 슈타우피츠의 후계자로서 대학의 성서학 교수가 되었다. 이후 그는 시편(1513-1515), 로마서(1515-1516), 갈라디아서(1516-1517), 히브리서(1517-1518)에 대한 연속적인 주석 강의에 착수하였다. 루터는 그의 박사 학위를 위한 연구와 그의 초기 강의의 준비 과정에서 자크 르페브르 데따플(Jacques Lefevre d'Etaples), 로이힐린, 에라스무스 등의 새로운 인문주의 학문 뿐만 아니라 모든 중세의 주석적, 신비적, 스콜라 전통에 익숙해졌다.

루터의 수도원의 영적 시험(Anfechtungen)에 대한 논의에서 흔히 간과되는 사실은 그가 최고 수준의 학자였고 탁월한 신학자였다는 것이다. 1515년 그가 수도원의 학문 연구 책임자로 임명된 것과 그의 종단의 11수도원을 관리하는 교구 주교 대리로 임명된 것은 그가 아주 능력있는 사람이었다는 것을 잘 보여준다. 그는 이보다 훨씬 더 일찍 설교 사역을 시작하였다. 처음에는 1511년 그의 수도원에서, 다음은 1514년 비텐베르크의 교구 교회에서 설교를 하였다. 그는 설교 사역에서 출발 때부터 탁월한 재능을 보였다. 따라서 그는 그의 수도원에서 보기 드문 경건과 학문과 헌신과 열성의 수도사로 인정을 받았다.

그러나 이러한 모든 열정적인 수도원의 삶에도 불구하고 루터는 영혼의 평안을 찾지 못했다. 거룩하고 의로운 하나님 앞에서 그의 죄 의식이 그를 압도했고, 그것은 고해성사와 금욕적 행위의 실천으로도 누그러들기는 커녕 오히려 악화되기만 했다. 슈타우피츠는 참된 회개는 심판하시는 하나님에 대한 두려움이 아니라 하나님에 대한 사랑에서 시작하는 것이라고 지적함으로써 그를 도와주었다. 그러나 비록 루터가 슈타우피츠가 복음에 눈을 뜨게 해주었다고 말할 수 있었음에도 불구하고 그의 통찰이 선명해진 것은 완만하고 점진적인 과정을 통해서였다.

1509년까지 루터는 후기 스콜라주의와 오캄, 다이(d' Ailly), 비엘 등의 유명론 신학자들(nominalists)에게 몰두해 있었다. 루터의 변증법적 기술, 계시의 한계를 넘어서는 사변신학에 대한 혐오, 구원의 유일한 토대로서 하나님의 의지에 대한 강조 등은 유명론 신학자들에게서 배운 것이다. 왜냐하면 유명론 신학자들은 죄인의 칭의의 전과 후에 공로적 행위의 자리를 확보해 두기는 하였지만, 궁극적으로는 그러한 공로적 행위의 구원 가치의 원천을 하나님이 죄인들을 아무 대가없이 용납하시는 절대 의지에 두고 있기 때문이다. 그러나 1510년까지는 루터의 어거스틴과 후기 중세 어거스틴파 연구는 그에게 새로운 전망을 열어주었고 그로 하여금 신학에서 아리스토텔레스의 지배와 "새로운 펠라기우스주의"인 유명론 신학을 빠른 속도로 증오하게 이끌었다.

루터는 로마서를 강의할 때에 이르러서는 구원이 어떤 인간의 행위의 공로가 아니라 그리스도로 인한 하나님의 죄 용서의 약속에 대한 절대적 신뢰에 근거한, 하나님과의 새로운 관계라고 확신하게 되었다. 거룩한 하나님 앞에서 거룩하게 살라고 단호하게 명령하는 하나님의 율법은 구원의 수단으로 주어진 것이 아니고 죄인들로 하여금 죄를 깨닫게 하고 교만한 자를 낮추고 자기 의를 부수기 위해 있는 것이다. 하나님이 행위가 아니고 믿음을 통하여 "불경건한 자를 경건하게 하신다"(롬 1:17; 4:5)는 과격한 메시지인 복음은 스스로 죄를 고백하는 죄인들을 일으켜서 하나님과 화해하게 한다.

따라서 구속받은 사람은 죄인인 것을 그친 것은 아니지만, 그래도 대가없이 완전하게 용서받은 것이고 그리스도 안에서 이러한 하나님과의 새롭고 기쁜 관계로부터 이제 하나님의 뜻에 기꺼이 일치하는 새로운 삶을 살게된다. 그리스도로 인한 하나님의 자비에 대한 마음의 견고한 신뢰(*fiducia cordis*)로 이해되는 신앙은 따라서 사랑의 행위 안에서 살아 움직인다. 이것은 구원이 그러한 행위에 의존하기 때문에 강제로 하는 것이 아니라, 구원이 이미 확신되기 때문에 감사로 행하는 것이다. 사랑은 믿음의 자발적인 열매이고 이웃의 유익을 향해 나간다. 그것은 하나님 앞에서 용납되는 조건은 아닌 것이다. 따라서 사랑이 아니라(스콜라적 의미의) 믿음이 영혼을 하나님께 연합시키는 끈이다.

여기서 루터는 바울처럼 구원을 본질적으로 하나님(즉 교회의 성례전의 "창조된 은총"이라기 보다는 "창조되지 않은 은총"으로서 하나님 자신)과의 올바른 인격적 관계라고 한 점에서 바울의 가르침의 가장 중요한 측면을 재강조한 것이다. 이러한 의로운 관계의 토대와 담보는 인류를 위한 그리스도의 고난에서 드러난 , 공로에 상관없이 주어진, 하나님의 자비이다. 그리스도는 우리의 죄를 담당하였다. 이제 그리스도 자신의 의가 우리에게 전가되었고 우리는 신앙 안에서 그와의 살아있는 연합으로 들어간다.

몇몇 독일 신비주의자, 특히 타울러(Tauler)는 그의 그리스도 중심적 신앙을 가지고 루터를 도와 다음과 같은 결론에 이르게 했다. 즉 이러한 변화시키는 신뢰가 , 타울러가 주장한 대로, 인간이 일 부분을 차지한 행위가 아니라 전적으로 자기를 낮추고 자기를 고발하는 죄인들에 대한 하나님의 선물이라는 것이다. 이러한 발전을 보인 루터는 1517년 9월 초 「스콜라 신학 논박」(*Disputation against Scholastic Theology*)을 준비하였다. 이것은 97개 조항으로 된 것으로 사실상 *via moderna*(오캄주의자, 직역하면 '새 길', '새 방식') 뿐만 아니라 *via antiqua*(토마스주의자와 스코투스주의자 〔Scotists-둔스 스코투스의 추종자〕, 직역하면 '옛 길', '옛 방식')까지 포함하는 중세의 전 스콜라주의에 대한 참으로 철저한 공격이었다.

그는 이제 facere quod in se est(본성의 상태에서 자신의 힘으로 온갖 선한 것을 행하는 사람들 안에 하나님은 틀림없이 은총을 주입하신다는 가르침, 직역하면 '자신 안에 있는 것을 행함')를 강조하는 유명론자들이 말도 안되고 펠라기우스적이고 사실은 펠라기우스보다 더 나쁘다고 선언했다. 그는 또한 의로워진 죄인이 은총의 상태에서 공로적 행위를 수행함으로써 그들의 구원에서 협력한다는, 초기 스콜라 신학자들의 가르침을 정죄했다. 루터에게 있어서는 칭의 문제에 있어서 "공로"에 대한 어떤 언급도 불경스럽고 이단적(펠라기우스적)이었다. 따라서 그는 교회의 전통적 가르침에 있어서 그가 행위 의라고 판단한 모든 것의 기초를 뒤엎어버렸다.

루터는 한번의 섬광 같은 통찰이나 조명 안에서 이러한 견해에 도달한 것은 아니다. 그의 소위, 학자들이 종종 정확하게 그 시점을 파악하지 못한 채 연대를 추정하고 있는, "복음적 혁신"(evangelical breakthrough)은 1513-1515년 사이의 시편 강의에서부터 1518년 말에 시작된 두번째 시편 강의까지 몇 년의 기간에 걸쳐 있다. 이 기간 동안 그의 입장은 점점 명확성과 확실성을 띠기 시작했는데, 이것은 적지않이 그가 면죄부 논쟁에 참여하고 교회 당국 앞에서 계속 재판을 받아서 그렇게 된 것이었다.

루터는 1515-1516년 사이에는 아직도 의롭게 하는 신앙을 겸손에 의하여 형성된 것으로 말할 수 있었지만 1519년 초에 이르러서는 일관되게 죄인이 오직 믿음만으로 — 즉 대가없는 용서의 복음, "하나님의 말씀"에 대한 절대적 의존과 신뢰에 의해서 — 하나님 앞에서 의롭게 된다(용납, 사면, 용서)고 가르치고 있다.

1517년에 접어들었을 때 루터는 이미 혼자가 아니었다. 성서 강의와 교회 교부들을 연구하면서 루터가 아리스토텔레스주의와 스콜라주의를 반대하자 그는 비텐베르크 대학에서 많은 공감을 얻었다. 그의 대학 동료, 즉 루터와 달리 *via antiqua*에서 교육받은 칼슈타트(Andreas Bodenstein of Karlstadt, 1480-1541) 그리고 니콜라우스 폰 암스도르프(Nikolaus Amsdorf, 1483-1565)는 이제 마음에서 우러나오는 루터의 지지자가 되었다. 이 대학은 곧 루터 종교개혁의 선봉이 되었다.

1517년 말 루터는 갈수록 심해지는 악폐에 대하여 반대 의사를 표명해야 할, 강한 부담감을 느꼈다. 교황 레오 10세(1513-1521)는 이미 브란덴부르크의 알브레흐트(1490-1545)에게 동시에 마인츠의 대주교직과 마그데부르크의 대주교직을 주고 또 할버슈타트의 주교직의 수행을 허용하는 승인서를 교부하였다. "겸직"을 금지하는 교회 규정에 대한 이러한 면제 조치로 인하여 알브레흐트는 거액을 지불했는데, 그는 이것을 아우그스부르크의 푸거 은행가로부터 빌렸다. 알브레흐트는 이러한 대부를 갚기 위하여, 현재도 로마의 빼어난 건축 중의 하나인 성 베드로 대성당의 신축을 위해 교황이 1506년 이래로 발행해 온 면죄부의 판매로부터 자기 구역 판매액의 절반을 차지하기로 허용받았다.

이러한 수금의 담당자는 웅변에 능한 도미닉 수도사, 요한 테첼(Johann Tetzel, 1470- 1519)이었는데, 그는 가능한 한 많은 수입을 위해 면죄부의 효력을 아주 거친 표현으로 과장하였다. 루터 자신은 알브레흐트와 교황 사이의 재정적 거래를 알지 못했다. 그가 돈 챙기는 것에 대해 반대한 것은 목회적이고 신학적인 이유 때문이었다. 면죄부는 거짓 확신감을 조장하고 그래서 마땅한 형벌로부터의 면죄가 아니라 그리스도와 그리스도인의 십자가를 선포하는 참된 기독교를 파괴한다고 보았기 때문이다.

테첼이 선제후령 작센에 다다르자 — 많은 비텐베르크 사람들이 면죄부를 사기 위하여 국경을 건너기는 하였지만, 그는 입국을 허락받지 못했다 — 루터는 면죄부의 악폐에 반대하는 설교를 하였고, 주목할 만한 "95개 조항"을 준비하여, 1517년 10월 31일 이것의 복사본을 비텐베르크를 관할하고 있는 마인츠의 알브레흐트 대주교와 브란덴부르크의 제롬 주교에게 보냈다. 루터가 그 날 이 조항들을 대학의 광고판으로 사용되던, 비텐베르크 성 교회의 정문에 붙였는지는, 그렇게 하였을 가능성이 많기는 하지만, 역사가들 사이에 논쟁거리이다.

95개 조항 자체를 보면, 이것이 어떻게 대폭발을 점화시킨 불꽃이 될 수 있었는지 의아하기까지 할 정도이다. 이것은 라틴어로 씌어졌고 학문적 토론을 위한 것이었다. 이것은 비록 루터가 이제 수지맞는 교회 수입의 원천을 공격하고 또한 교황의 권위라는 민감한 질문을 건드리고 있기는 하지만, 루터의 1517년 9월의 97개 조항보다 어조와 내용에 있어서 훨씬 덜 자극적이었다. 그래도 그의 논제들은 면죄를 수여하는 교황의 권리를 부정하지 않았다. 이 조항들은 면죄부가 연옥에 효력을 미친다는 것에 의문을 제기했고 현행 가르침이 허용한 악폐를 뚜렷이 부각시켰다. 그리고 교황이 내용을 소상히 알게되면 이 악폐들을 폐기할 것이라고 주장하였다.

그러나 이 조항이 루터의 모든 사상을 표현한 것은 아니었지만, 혁명적 의미를 내포하고 있을 수도 있는 어떤 원칙들을 보여주고 있다. 회개는 일회적 고해성사의 행위가 아니라, 평생에 걸친 마음과 지성의 지속적인 변화이다. 그리스도인은 하나님의 훈련을 회피하기보다는 추구한다. 교회의 참된 보화는 교황의 관리 아래 있는, 그리스도와 성자들의 잉여 공로가 아니라, 회개하는 죄인들에게 신실한 설교자에 의해 대가없이 주어지는, "가장 거룩한 영광의 복음과 하나님의 은총"이다(제62 조항). 불안한 독일의 정황에서, 비록 초라하기는 하지만 존경받는 한 종교 지도자가 고해성사와 관련된 목회적, 신학적, 경제적 악폐에 대해 대담하게 반대의 목소리를 낸 것은 대단히 중요한 사건이었다. 95개 조항은 몇 주 안에 독일어로 번역되어 제국 방방곡곡으로 퍼졌다. 이러한 확산의 주동자들은 독일 도시 안의 인문주의자 집단이었다. 이들 안에서 루터는 비텐베르크 밖에서 그의 초기 동역자들을 발견했다.

루터는 큰 반향을 기대하지 못했다. 곧 굉장한 적대자가 나타났다. 그는 잉골슈타트 대학의 신하 교수요 한때 루터의 친구였고, 아수 유능하고 논쟁적인 요한 마이어 엑크(Johann Maier of Eck, 1486-1543)였다. 그는 *Obelisci* 라는 제목의, 원고 상태로 유포된 논문으로 응답하였다. 루터는 이단으로 기소되었다. 그는 자기 입장을 "면죄부와 은총"이란 제목의 설교에서 옹호했고, 자신의 미발행 논문 *Asterici* 로 엑크에게 답변했다. 1518년 초에 이르러 루터에 대한 공식적인 고소가 대주교 알브레흐트와 도미니칸(도미니쿠스회 수사)들에 의하여 로마에서 제기되었다. 그 결과 어거스틴파 수도원의 수장, 가브리엘 델라 볼타(Gabriel della Volta)는 논쟁을 잠재우라는 명령을 받았고, 루터는 1518년 4월 하이델베르크의 종단 총회 앞으로 소환되었다.

여기 그의 중요한 "하이델베르크 논제"에서, 루터는 자유의지와 신학에서 아리스토텔레스의 지배를 반박하고, 그의 "십자가의 신학"의 주요한 특징의 윤곽을 잡았다. 여기서 그는 또한 새로운 지지자들을 얻었는데, 이들 중 가장 중요한 인물은 후일 슈트라스부르크의 개혁자가 된, 마르틴 부처(Martin Bucer, 1491-1551)와 뷔르템베르크의 개혁자가 된, 요한네스 브렌츠(Jahannes Brenz, 1499-1570)였다. 이 때 쯤해서 루터는 그의 출판자에게 면죄부에 대한 더 정교한 입장을 보냈는데, 이것이 곧 「해설」(*Resolutiones* or *Explanation*)이다.

루터는 교황과의 싸움을 원하지 않았다. 그는 교황이 자신과 마찬가지로 면죄부의 악폐를 알게 될 것이라고 믿은 듯하다. 그러나 사건의 과정은 그의 주장을 강하게 고수하든지 아니면 굴복하든지 하는 것 이외에는 어떤 선택도 불가능한 쪽으로 갔다. 1518년 6월 교황 레오 10세는 루터 책을 검열할 것과, 교황청의 도미니칸 실베스터 프리에리아스(Sylvester Prierias, 1456?-1523) 박사에게 루터에 대한 답변서를 작성하라고 명하였고, 그는 짧은 형식의 답변서를 작성했다.

프리에리아스는 "로마 교회는 대표의 형식으로 추기경 단이며, 그보다도 실제로는 최고 교황이다.", " 로마 교회가 면죄부에 관하여 실제 행하고 있는 것을 할 수 없다고 말하는 사람은 이단이다." 라고 주장했다. 루터는 이제 60일 이내에 로마로 출두하도록 소환되었다. 이 소환장과 프리에리아스의 답변서는 8월 초에 루터에게 도착했다. 만일 루터가 그의 영주, 선제후 프리드리히의 강력한 보호를 받지 못했다면, 그의 사건은 루터에 대한 재빠른 정죄로 끝났을 것이다.

프리드리히가 어느 때라도 루터의 종교적 신념에 대해 얼마나 많이 공감하였는지는 확실하지 않다. 그러나 어쨌든 그는 그의 비텐베르크의 교수를 대견스럽게 생각했고, 루터가 거기서 거의 정죄될 것이 확실한 로마에 그를 보내기를 거절하였다. 그의 정치적 수완에 힘입어, 루터는 아우그스부르크의 제국 의회에서 교황의 사절 앞에서 발언할 기회를 허락받았는데, 이 때 교황의 사절은 출생지(Gaeta)를 따서 카예탄(Cajetan)으로 알려진, 박식한 아퀴나스 주석가요 유럽의 유명한 신학자인 추기경 토마스 데 비오(Tommaso de Vio, 1469-1534)였다.

카예탄은 이미 교황으로부터 루터와 논쟁하지 말라는 비밀 지시를 받은 바 있고, 루터의 의견 철회에 실패하자 가능한 모든 수단을 통하여 그를 체포하려 하였다. 다음에 카예탄은 프리드리히의 압력을 받고는 교황청에 더 회유적인 정책을 취하라고 요구하였고 교황청의 허락을 받아 논쟁없이 루터에게 발언할 기회를 주었다. 두 사람은 1518년 10월 12일부터 14일까지 세 번 회동하였다. 카예탄은 루터에게 특히 면죄부에 대한 교황의 권한의 온전성에 대한 비판을 변경하라고 명하였다.

루터는 거부하였고, 10월 20일 교황에게 " 더 잘 알아 보기"를 호소하면서 아우그스부르크로 도피하였다. 루터는 이에 만족하지 않고 11월에 비텐베르크에서 장차 공의회를 열 것을 요청했다. 루터가 로마에서 그의 의견이 경청될 기회가 얼마나 없었는지는 같은 달 레오 10세에 의해서 발표된 교서에 의해 잘 드러난다. 그는 루터가 비판하는 의미 그대로 면죄부를 정의하고 있었다.

1518년 여름, 소장 학자요 로이힐린의 소카 아들인 필립 멜랑히톤(Philip Melanchthon, 1497-1560)이 비텐베르크의 희랍어 교수로 취임하였다. 그는 장차 루터와 특별하게 묶여 있게 된다. 이보다 더 큰 대조는 결코 없을 것이다. 멜랑히톤은 소심하고 내성적이었으나, 학문에 있어서는 최고봉이었다. 그는 루터의 인격으로부터 강한 감명을 받고는 거의 비텐베르크에 도착한 때부터 루터의 이념을 추진시키는 데 자신의 탁월한 능력을 바쳤다.

황제 막시밀리안은 이제 그의 생의 마지막을 향해 가고 있었다. 1519년 1월 12일 그가 죽자 그동안 논란이 많던 황제 선출의 문제가 현안으로 떠올랐다. 교황 레오 10세는 이탈리아 영주로서 스페인의 찰스나 프랑스의 프란시스가 후보로 나서는 것을 이탈리아에서 외국의 영향력이 증대하는 것으로 아주 불편하게 생각하고는 선제후 프리드리히의 호의를 구하였다. 그는 프리드리히가 선출되기를 바랐을 것이다. 따라서 프리드리히가 총애하는 교수를 고소할 틈이 없었다.

레오는 그의 시종, 작센 출신의 칼 폰 밀티츠(Karl von Miltitz)를 그의 사절로 선제후에게 보내면서 최고의 호의의 표시로 황금 장미를 선사했다. 밀티츠는 그가 교회의 분쟁을 치유할 수 있다고 자부하고 그의 소임을 훨씬 넘어서 일을 했다. 그는 스스로 테첼과의 관계를 끊고 1519년 1월 4-6일까지 루터와 대화를 가졌다. 루터는 그의 적대자들이 논쟁되고 있는 문제에 대해 침묵을 지킨다면 자신도 그렇게 하겠다고 동의했다. 그리고 가능하면 박식한 독일 주교들에게 이 사건을 맡기고 교황에게 겸손한 편지를 올리기로 하였다.

그러나 어떠한 진정한 합의도 불가능했다. 루터의 비텐베르크 동료인 안드레아스 칼슈타트는 1518년 엑크에게 반대하여 성경 본문이 전 교회의 권위보다도 우선되어야 한다고 주장했다. 엑크는 공개적인 토론을 요청했고 칼슈타트도 여기에 동의했으며, 루터도 곧 이 싸움에 끌려 들어와서 로마 교회의 수위권은 역사나 성경에 의해서 지지되지 못한다는 주장을 제안하였다. 1519년 6월과 7월 라이프치히에서 큰 토론이 벌어졌다. 정열적인 논쟁가 칼슈타트는 기민한 엑크에 대하여 약간의 성공만 얻었다.

진지한 루터는 훨씬 더 잘 해내었으나, 수완가 엑크는 루터로 하여금 그의 입장이 여러 점에서 얀 후스와 같다는 것과 후스를 정죄함에 있어서 존경받는 콘스탄스 공의회가 오류를 범했다는 치명적인 진술을 하도록 유도하였다. 엑크에게 있어서 이것은 법정상의 승리로 보였고 그는 자신이 승리하였다고 믿고는, 공의회의 무오성을 부정하는 사람은 "이단이고 세리"라고 선언했다.

사실 루터는 이로써 심각한 입장으로 이끌려 들어간 것이다. 그는 이미 교황의 무오성과 최종 권위를 거부한 바 있었는데, 이제 공의회의 오류를 선언한 것이다. 이러한 조처는 중세의 모든 권위 체제와 단절한 것을 의미했다. 엑크는 이제 논쟁 전체가 교황의 정죄 교서에 의하여 재빨리 종결되리라고 생각해서 정죄 교서를 확실히 확보하려고 노력하였다. 「대칙서」(*Exsurge domine*)는 1520년 6월 15일 자로 발표되었다.

루터는 이제 싸움의 한 가운데 있었다. 그 자신의 이념들이 급속하게 구체화되었다. 울리히 폰 후텐 같은 인문주의 지지자들이 그를 로마와의 민족적 분쟁을 이끌 사람으로 생각하고 그를 돕기 위해 모였다. 루터 자신은 물리적 힘을 포기하는 반면에, 그의 임무를 적그리스도라고 판단한 교황의 지배 체제로부터 독일을 영적으로 해방시키는 것으로 보기 시작했다.

그는 또한 이신칭의의 교리가 그리스도인의 사회에 대한 봉사의 삶에 대하여 직접적으로 함축하고 있는 바를 상론하였다. 1520년 5월의 그의 아주 중요한 논문, 「선행에 관하여」(*On Good Works*)에서 그는 오직 믿음만이 죄인의 양심이 하나님 앞에서 신뢰하게 하고 의지를 거짓없는 이웃 사랑으로 해방시키기 때문에, 그리스도에 대한 믿음을 "모든 선행 중에 최초의, 최고의, 가장 중요한 것"이라고 규정하였다. 그리고나서 그는 정상적인 장사와 모든 직업이 본질적으로 선하다고 선언하고, "선행을 좁게 규정하여 오직 교회에서의 기도와 금식과 자선으로 한정시키는" 사람들을 비난했다. 세상으로부터 도피한 수도원의 금욕적 삶이 아니라, 세상에서의 일상적 삶이 하나님을 섬기는 가장 좋은 영역이라고 옹호한 것은 고대와 중세의 "그리스도인의 완전"이라는 개념으로부터 가장 의미심장하게 벗어난 것 중의 하나일 뿐만 아니라, 루터가 개신교 사고에 가장 중요하게 기여한 것 중의 하나였다.

1520년 루터의 가장 위대한 업적은 획기적인 세가지 저서의 준비였다. 이 세 논문 중 첫번째 것은 8월에 출판된 「독일 귀족에게 고함」(*To the Christian Nobility of the German Nation*)이었다. 이것은 독일어의 거장에 의해 불타는 확신을 가지고 쓰여졌기 때문에, 곧 제국 전체에 퍼졌다. 이 논문은 이제 교황청의 보루였던 세 성벽이 무너졌다고 선언하였다. 영적 지위가 세속적 지위보다 우월하다는 주장은 근거없는 것이다. 왜냐하면 모든 신자들은 세례로 인하여 다 사제이기 때문이다. 이러한 만인사제직의 진리는 또한 교황만이 성서 해석권을 가지고 있다는 두번째 성벽을 넘어뜨린다. 또한 교황이외에는 아무도 개혁 공의회를 소집할 수 없다는 세번째 성벽도 무너뜨린다. 개혁을 위한 "참되고 자유로운 공의회"는 세속 당국자들에 의하여 소집되어야 한다.

다음 루터는 개혁 프로그램을 제시하였는데, 그의 제안은 신학적이라기보다는 실천적인 것이었다. 교황의 학정과 임명과 과세는 억제되어야 하고, 억압적인 직책은 철폐되어야 하며, 독일 교회의 관심사는 "독일 대감독"의 관할 아래 놓여져야 하고, 성직자의 결혼은 허용되어야 하며, 과다한 교회 축일은 산업과 절제를 위하여 줄여야 하고, 탁발 종단을 포함하여 걸식은 금지되어야 하며, 창녀촌은 닫혀야 하고, 사치는 억제되어야 하며, 대학의 신학 교육은 개혁되어야 한다. 루터의 글이 심원한 반응을 일으킨 것은 놀라운 일이 아니다. 그는 진지한 사람들의 오랜 갈망을 대변했다.

두 달 후, 루터는 라틴어로 「교회의 바벨론 유수」(*Babylonian Captivity of the Church*)를 출판하여, 가장 중요한 신학적 문제들 곧 성례전을 다루고 로마 교회의 가르침을 거침없이 공격했다. 루터는 성례의 이름을 "그것에 표징이 결부되어 있는 저 (죄 용서의) 약속들"에 국한시키면서, 성경은 오직 그리스도 자신에 의해 제정된 두 가지 성례, 즉 세례와 성찬만을 인정하고 있다고 주장하였다.

고해성사(회오, 고백, 사면)는 비록 외적 표징이 결여되어 있지만, 매일 세례로 돌아가는 것으로서 어떤 성례전적 가치를 가지고 있다. 루터는 사적 고백이 "비교할 수 없을 정도로 훌륭한, 억눌린 양심을 위한 치료"로서 유지되기를 원했다. 모든 성례에서 중심적인 것은 표징(*scramentum*) 자체가 아니라, 믿음에 의해 받아들여지는 하나님의 용서의 말씀(*res sacramenti*)이다.

이런 점에서 볼 때 수도원 서약, 순례, 공로의 행위 등은 세례 때 대가 없이 믿음에 약속된 죄의 용서를 대신하기 위한 인위적 대체물이다. 나아가 루터는 평신도에게 잔을 주지 않는 것을 비난했고, 화체설에 의심을 표시했으며, 특별히 미사가 하나님께 드리는 희생제사라는 교리를 거부했다. 그리고 견신례, 혼인성사, 사제 서품, 종유성사 등 다른 로마의 성례들은 성서에서 성례적 근거가 없다고 선언하였다.

교황의 정죄 교서가 독일에 공포되어 있는 동안, 루터가 이러한 강한 논쟁적 글들과 동시에 1520년의 세번째 위대한 글인 「그리스도인의 자유」(*The Freedom of a Christian*)를 작성하여 출판할 수 있었던 것은 그의 질풍노도와 같은 여정에서 하나의 기적이다. 그는 차분히 확신을 가지고 그리스도인의 실존의 역설을 진술했다.

"그리스도인은 모든 주인들 중에 가장 자유로운 주인이므로 누구에게도 예속되지 않는다. 그리스도인은 모든 종들 중에 가장 의무에 충실한 종이므로 모든 사람에게 예속되어 있다." 신자들은 믿음으로만 의롭게 되기 때문에 자유롭고, 더이상 행위의 율법 아래 있지 아니하며, 그리스도와의 새로운 인격적 관계 안에 있다. 신자들은 사랑에 의해 하나님의 뜻에 일치하게 삶을 영위하여야 하고 이웃을 도우며 살아야 하므로 종인 것이다.

교황 레오 10세에게 보낸 "공개 편지"인 이 글의 서문은 매우 기묘한 문서이다. 그것은 개인적으로 교황에게 경의를 표하면서도 교황청과 그것의 교황직 주장에 대해 혹평을 가하여, 교황이 "이리 떼 속에 있는 한 마리 어린 양같이 앉아 있는" 것으로 묘사되어 있다. 루터의 사상은 이후 더 명확해지고 확장되기는 했지만, 기독교 복음에 대한 그의 신학적 개념의 개요는 1520년에 사실상 완성되었다.

그동안 엑크와 기롤라모 알레안더(Girolamo Aleander, 1480-1542)는 교황의 사절로서 교황의 파문 교서를 가지고 독일에 왔다. 비텐베르크에서는 그것의 공포가 금지되었고, 독일 대부분의 지역에서 이 파문장의 수용은 미온적이거나 적대적이었다. 그러나 알레안더는 네덜란드에서 교서의 공포를 얻어냈고 루벵, 리에주, 앤트워프, 쾰른 등에서 루터의 책을 허가를 받아 불태웠다. 1520년 12월 10일 루터는 비텐베르크의 뜻을 같이 하는 학생과 시민이 함께 한 자리에서 교황의 파문장과 교회법전을 불태움으로써 이에 대응했는데, 시 당국은 관망만 하였다. 독일의 상당 부분이 교회적 반란에 가담한 것이 분명해졌고, 제국의 최고 당국자도 이러한 상황을 알아차려야 했다.

1519년 6월 18일 라이프치히 토론이 진행 도중에 막시밀리안의 손자 찰스 5세(1500-1558)가 신성로마제국의 황제에 선출되어 승계하였다. 이미 스페인, 네덜란드, 합스부르크 왕가의 오스트리아 령의 상속자이고, 상당 부분의 이탈리아와 대서양 건너 신대륙의 주권자이었던 찰스는, 황제로 선출됨으로 인하여 샤를마뉴 이래 유럽의 어떤 단일 통치자보다 더 광대한 영토를 가지게 되었다.

그러나 독일에서는 황제의 권위는 지역 영주들의 권력 때문에 크게 제한되어 있었다. 그러나 찰스는 젊고 알려져 있지 않았기 때문에 당시 종교적 싸움의 양 측은 서로 황제의 지지를 바랐다. 사실 그는 그의 할머니 카스틸의 이사벨라 유형의 진지한 가톨릭 신자였고, 그녀의 개혁적 견해를 같이 나눈터라 성직자 도덕과 교육과 행정을 개선하기를 원하였으나, 중세의 교리와 계층질서 체제로부터 이탈하는 것은 어느 것이나 반대했다.

독일의 통치를 조정하기도 하고 부분적으로는 이탈리아에서 벌어질 프랑스와 스페인의 세력 쟁탈 전쟁을 준비하기 위해, 찰스는 1521년 1월 보름스 국회를 소집했다. 다른 사무도 많았으나 다들 루터 사건이 가장 중요하다고 생각했다. 교황의 사절 알레안더는 특별히 1521년 1월 3일 교황의 파문장 「대칙서」(*Decet pontificem romanum*)가 내려진 후에, 재빨리 정죄할 것을 요청하였다. 루터는 이미 교황에 의하여 정죄되고 파문되었으므로 제국 의회는 이 판결을 유효하게 하는 것 이외에 달리 할 것이 없다는 것이다.

한편 루터는 일반 대중의 폭넓은 지지를 받고 있었고, 그의 통치자 선제후 프리드리히는 대단한 외교가로서 루터가 자기 의견을 발표할 적당한 기회를 갖지 못했다는 입장이었다. 프리드리히와 다른 귀족들은 제국 의회가 조치를 취하기 이전에 루터가 의회 앞에서 진술해야 한다고 믿었다. 찰스는 두 제안 사이에서 망설였다. 황제는 루터가 저주받을 이단자라고 확신했으나 독일인의 감정을 아주 날카롭게 거스릴 만큼 어리석은 정치가는 아니었다. 또한 프랑스와의 싸움에서 교황을 제국 편으로 끌어들이는 데 이단자의 운명을 지렛대로 이용할 수 있는 기회를 포기해 던져 버릴 만큼 어리석지도 않았다.

그 결과 루터는 제국의 안전 통행권의 보호 아래 보름스에 소환되었다. 루터는 비텐베르크에서 그리로 가는 여행 동안 대중들의 열렬한 환영을 받았다. 1521년 4월 17일 루터는 황제와 제국 의회 앞에 출두하였다. 그의 여러 책들이 그에게 제시되었고, 그는 책들을 취소할 것인지 질문받았다. 루터는 숙고할 시간을 요구했다. 하루가 그에게 허락되었고, 다음 날 오후 그는 한번 더 의회 앞에 섰다.

여기서 그는 논쟁의 열기 속에서 사람들의 감정을 상하게 하는 표현을 하였다는 것을 시인했으나, 그가 쓴 것의 내용은 "성서의 논증 혹은 명확한 추론에 의해" 잘못되었다는 확신을 얻지 않으면 철회할 수 없다고 하였다. 공의회의 무오성을 부인할 만큼 저렇게 뻔뻔스러울 수가 있을까 하고 거의 믿을 수 없던 황제는 토론을 중단시켰다.

루터가 "나는 달리 할 수 없다. 나는 여기에 서있다. 하나님 나를 도우소서. 아멘."이라고 부르짖었다는 것은 확실하지는 않으나 없음직 하지도 않은 것 같다. 적어도 이 말은 그의 흔들림 없는 결단의 내용을 표현하고 있다. 그는 그의 나라의 최고 법정 앞에서 그가 확신하고 있는 진리에 대한, 위대한 역사적 증언을 했다. 그는 자신의 불굴의 용기를 완전히 확증하였다.

방청자들의 판단은 나뉘었다. 그러나 그가 그의 강하고, 그들이 보기에는, 자기 고집적인 주장에 의해 황제와 고위 성직자의 감정을 상하게 하였다 할지라도, 그는 선제후 프리드리히를 포함하여 많은 독일 귀족들에게 호의적인 인상을 심어 주었다. 선제후는 루터가 너무 무모하다고 생각은 하였지만, 그 개혁자에게 아무 피해도 미치지 못하도록 하겠다고 결심했다. 그러나 결과는 루터의 패배였다. 루터가 귀로에 오른지 한 달 후, 비록 의회의 많은 구성원이 떠났을 때에서야 비로소 그는 정식으로 제국의 추방 아래 놓이게 되었다. 그는 체포되어 처형되고, 그의 책들은 소각되어야 할 운명이었다. 이 추방 선고는 공식적으로 폐지되지 않았고, 루터는 그의 나머지 생애를 이단과 반역자라는 제국의 정죄 아래 보냈다.

독일이 강한 중앙 정부에 의해 통치되었다면, 루터는 곧 순교자로 일생을 마쳤을 것이다. 그러나 심지어 제국의 칙령도 완강한 지역 통치자의 뜻을 어기고 집행될 수는 없었다. 현자 프리드리히는 한번 더 루터의 후원자로 도움을 주었다. 그는 루터의 옹호자로 공개적으로는 나서기를 원하지 않아서인지, 루터가 보름스에서 고향으로 돌아갈 때, 자기 사람들의 손을 빌려 루터를 납치하여 비밀리에 아이제나하 근처 바르트부르크 성으로 보냈다. 여러 달 동안 루터의 숨은 곳이 사실상 알려지지 않았으나, 그는 살아 있어 투쟁의 운명을 같이 나누었다는 것이 그의 즉각적인 저술에 의해 재빨리 드러났다. 로마 관습에 대한 그의 공격은 더 강해졌으나, 강요된 은거 생활 기간의 가장 영속적인 열매는 그의 신약성서 번역이었다. 이것은 1521년 12월에 시작되어 다음 해 9월에 출판되었다.

루터는 결코 성서를 독일어로 번역한 최초의 사람은 아니었으나, 그 이전의 번역들은 불가타로부터 온 것이고 어려웠고 표현이 어색했다. 루터의 작품은 에라스무스의 희랍어 신약의 번역일 뿐만 아니라 관용어를 사용해 읽기도 좋았다. 그것은 거의 장차 독일 문학의 특징을 보여주는 언어 형태를 결정하였다. 대중적 표현의 거장에 의해 만들어지고 닦여진, 당시 작센 법정의 형식을 결정한 것이다. 한 민족의 종교적 삶의 발전에 있어서 이 번역보다 더 큰 공헌은 지금까지 없었다.

루터는 성경을 씌어진 하나님의 말씀으로 받들었음에도 불구하고 자기 나름의 비평 기준이 없는 것은 아니었다. 이 기준은 성서가 그리스도와 이신칭의를 얼마나 명확하게 증거하는가 하는 것이었다. 그는 이러한 기준으로 판단해 볼 때 히브리서, 야고보서, 유다서, 계시록 등은 가치가 비교적 낮고 "신약성서의 참되고 확실한 주요한 책" 에 속하지 않는다고 생각했다. 성경 자체 안에서도 가치의 차이가 있다는 것이었다.

루터가 번역 작업을 시작하던 달에 비텐베르크에서는 멜랑히톤에 의한 「신학통론」(*Loci communes, Cardinal Points of Theology*)이 출판되었다. 이 작품과 함께 루터 신학의 조직적 진술이 시작되었다고 말할 수 있다. 이것은 이후 여러 판으로 증보, 발전, 수정될 것이었다.

2. 분리와 분열

루터가 바르트부르크에 은거하자 비텐베르크는 그의 강력한 지도력이 없는 상태였지만, 교회는 거기서 그의 동료들의 지도로 빠르게 변혁되고 있었다. 1521년 전반기에는 칼슈타트, 암스도르프, 멜랑히톤 등 대학의 초기 동료들 외에도 요한네스 부겐하겐(1485-1558), 유스투스 요나스(1493-1555) 등이 가세하였다. 지도력의 겉옷은 성급하고 충동적인 칼슈타트에게 떨어졌다.

루터의 활동은 아직 공중예배나 수도원의 삶의 변화를 가져오지 못했지만, 이것에 대한 변화의 요구가 곧 닥쳐올 것이었다. 1521년 10월, 루터의 열렬한 동료 수도사 가브리엘 츠빌링(Gabriel Zwilling, 1487?-1558)은 미사를 비난하고 성직자 서약의 철폐를 촉구했다. 그는 곧 특별히 비텐베르크의 어거스틴파 수도원에서 많은 추종자를 얻었는데 다수의 수도사들은 직책을 버렸다. 츠빌링은 같은 열성으로 성상을 공격하였다.

1521년 성탄 때, 칼슈타트는 도성 교회에서 사제 의복, 희생 미사의 헌물, 떡의 봉헌없이 그리고 평신도에게 잔을 주고 성찬식을 거행하였다. 비밀 참회와 금식도 폐기되었다. 칼슈타트는 모든 성직자가 결혼해야 한다고 가르치고, 1552년 1월 자신이 솔선하여 결혼하였다. 그는 곧 공중예배에서 성화, 오르간, 그레고리안 성가의 사용을 반대했다. 그의 지도 아래 비텐베르크 시 당국은 오랜 종교적 형제단들을 해체시키고 그 재산을 몰수했고, 예배는 독일어로 드릴 것을 명하고, 교회에서 성화를 정죄하고, 빈민구제는 시 예산으로 한다는 명을 내리면서 구걸을 금지시켰다. 1521년 12월 27일 츠비카우로부터 니콜라스 슈토르흐, 마르쿠스 토마스 슈튀브너, 토마스 드레흐젤 등 3인의 과격파 설교자들이 도착하자 도시는 소동에 휩싸였다. 이 "예언자"들은 신으로부터 직접적인 영감을 받았다고 주장했고, 유아세례를 반대했으며, 세상의 임박한 종말을 말하였다.

대중들의 성상 공격에 이은, 이러한 소요는 선제후 현자 프리드리히도 아주 싫어하고 독일 영주들과 제국 당국자로부터도 경고를 받았다. 시 정부는 루터의 귀환을 호소하였다. 선제후는 정치적 고려에서 명목상으로 그가 돌아오는 것을 반대하였으나, 루터는 1522년 3월 6일 다시 비텐베르크에 잠입하였다. 8일 동안의 설교에서 그는 그의 능력을 잘 보여주었다. 그는 복음이 죄를 깨닫는 것, 그리스도를 통한 용서, 이웃 사랑에 있다고 선언하였다.

소동을 일으킨 변화들은 단지 외면적인 것과 관계있는 것이었다. 이러한 변화는 연약한 이들을 고려하여 이루어져야 한다. 루터는 상황을 잘 수습하였다. 칼슈타트는 모든 영향력을 잃고 도시를 떠나야 했다. 당분간 많은 변화들이 취소되었고 옛 예배 의식도 거의 회복되었다. 이럼으로써 루터는 결정적으로 보수적인 태도를 보여주었다. 그는 지금까지 그랬던 것처럼 교황청을 반대했을 뿐만 아니라 그가 생각하기에 너무 급진적으로 변화를 일으키려는 혁명파도 반대했다. 개혁 세력 자체가 분리되기 시작했다. 그러나 루터가 지혜로웠던 것은 의심할 수 없다. 그의 행동으로 인하여 독일 통치자들은 그를, 비록 보름스에서 정죄되기는 했지만, 소란한 시대에 참 질서를 가져다 줄 사람으로 부드럽게 보게 되었다. 특별히 중요한 것은 그가 선제후의 호의를 계속하여 얻을 수 있었다는 것이다. 이것이 없었다면 루터의 이념은 당장이라도 재빨리 격퇴당했을 것이다.

그러는 동안 황제는 이탈리아 지배를 놓고 프랑스와 전쟁을 벌였다. 이로 인해 그는 1521년부터 1530년까지 독일을 떠나 있었다. 황제 쪽에서 종교개혁에 대한 효과적인 간섭은 불가능했다. 교황 레오 10세는 1521년 12월 죽었고, 찰스 5세의 오랜 가정교사 하드리아누스 6세가 교황직을 승계하였다. 그는 엄격한 중세적 정통의 사람이었으나 교황청의 도덕적 행정적 개혁의 필요성을 충분히 의식하고 있었다. 20개월 동안 그는 악폐들을 막기 위해 노력하였지만 헛수고였다. 그는 루터의 이단적 운동이 하나님의 심판이라고 믿었다. 작센 뿐만 아니라 독일 여러 도시들에서 루터에 대한 동조가 삽시간에 퍼졌다.

1522년 11월 하드리아누스는 교회 행정에서 많은 것이 잘못되었다는 것을 인정하면서, 뉘른베르크 제국의회 앞으로 루터에 대한 보름스 칙령의 실행을 요구하는 〈Breve〉와 함께 사절을 보냈다. 제국의회는 칙령 집행이 불가능하다는 선언으로 답하고, 1년 이내 독일 안에서 교회 개혁 공의회를 소집할 것을 요청한 후, 의회 기간 내에 오직 "참되고 순수하고 진정하고 거룩한 복음"만이 설교되어야 한다고 하였다. 교황의 학정에 대한 오랜 불평이 제국의회에 의해서 다시 터져나왔다. 형식상으로는 그렇지 못했으나 사실 루터와 그의 주장의 승리였다. 마치 종교개혁이 독일 민족 전체의 지지를 얻는 듯이 보였다.

이러한 유리한 상황에서 복음에 따라 개혁되어야 할 것을 주장하는 "복음주의적" 교회들이 독일 전역에서 급속히 형성되었다. 그러나 아직 교회법이나 예배 의식이 작성된 것은 아니었다. 루터는 이제 신자들의 연합체가 자기네 목사 임면권을 가지고 있다고 확신했다. 그러나 그는 또한 세속 통치자들이 기독교 공동체의 주도적인 지체로서, 따라서 "비상 주교"(emergency bishop)로서 복음을 증지시킬 의무가 있다고 주장했다. 루터의 농민 반란에 대한 체험과 광범위한 영역에서 실제 교회 조직의 필요성으로 인하여, 그는 곧 "자유 교회주의"(free churchism)로부터 국가에 더 의존하는 쪽으로 선회하였다. 비록 그가 영주의 영적 기능의 행사가 세속적 편의를 위한 것이라고 하였지만 말이다.

이러한 복음주의적 예배의 요구를 위해, 루터는 1523년 설교의 중심적인 위치를 강조하는 「공중예배 의식」(*Order of Public Worship*)을 발간하였다. 그리고 아직 라틴어를 사용하고 있기는 하지만 희생제사적 의미를 제거한 그의 「미사문」(*Formula of the Mass*)은 평신도에게 떡과 잔을 모두 주도록 하였고 예배자들이 대중 찬송을 부르는 것을 권장하였다. 또한 세례 의식을 위한 독일어 「세례서」(*Order of Baptism*)를 출판했다.

개인을 위한 미사와 죽은 자를 위한 미사의 폐지로 수입이 감소되어 목사의 생계가 심각하게 위협받게 되자, 루터는 시의 공공 기금으로부터 봉급을 주도록 했다. 루터는 "하나님의 말씀"이 중심적인 위치에 있는 한, 예배의 세부사항에서는 큰 자유가 허용되어 있다고 하였다. 그리하여 비록 독일어를 사용하는 경향이 급증하기는 했지만, 여러 개혁적인 회중들은 곧 상당한 다양성을 노출시켰다. 루터 자신은 1526년 「독일 미사」(*German Mass*)를 발행하였다. 루터는 주님의 성찬을 위한 그리스도인의 준비에서 개인 고백이 대단히 바람직하다고 보았다. 그러나 강제적인 것은 아니었다. 다른 곳의 종교개혁과 비교해 볼 때, 예배 문제에 있어서 루터의 태도는 아주 보수적이었다. 그의 원칙은 "성경에 위배되지 않는 것은 성서적"이라고 하는 것이었다. 따라서 그는 복장, 제단, 십자가 표시, 설명을 위한 성화의 사용 등과 같은 많은 전통적 관례를 그대로 썼다.

보름스 국회 다음 해, 종교개혁은 독일 거의 모든 지역, 특히 모든 도시와 시로 퍼졌다. 이 기간 동안, 모든 "혁명적인" 것은 혁명 세력과 가톨릭 대적자들 모두에 의해 바로 "루터란"(루터파)을 의미했다. 그러나 초기 복음주의 운동은 동질적인 것이 아니었다. 이 운동은 "루터란"의 설교, 예배 의식의 개혁, 정치적 행동이라는 이름 아래 깊은 차이를 숨긴 채 무질서하게 성장했다. 1524년과 1525년, 운동 내의 균열이 드러나기 시작했다. 그 결과 종교개혁은 제한되었고, 루터는 민족의 지도자라기보다는 한 당파로 전락되었다.

이러한 분열 중 최초의 분열은 그 안에서 루터가 초기 핵심 지지자들을 얻었던 인문주의자들 쪽에서 나왔다. 그들의 명망있는 지도자 에라스무스는 루터의 이신칭의 교리에 공감하지 못했다. 그는, 개혁은 교육과 미신의 거부와 기독교 진리의 원천으로 회귀함으로써 올 것이라고 생각했다. 그는 점점 더 루터의 폭풍 같은 저술과 대중의 소란에 염증을 내게 되었다. 일반적인 인문주의자들과 마찬가지로 그는 독일 대학에서 출석이 현저하게 주는 것에 놀랐다. 이것은 종교적 논쟁의 시작과 함께 순수 학문의 문제에 대한 관심의 퇴조에 의한 것이었다. 비록 자주 권면을 받았지만, 오랫동안 그는 루터를 공격하기를 꺼려했다.

그러나 드디어 1524년 가을 그는 구원 문제에 있어서 루터가 자유의지를 부정한 것을 공격했다. 그는 신중한 사유를 거친 「자유의지에 대한 비난」(*Diatribe de libero arbitrio*)에서 성서적 근거를 대며 종교의 교리적 해석이라기보다는 종교의 윤리적 해석을 논의했다. 그는 하나님을 향한 인간의 결정의 자유와 돕는 은혜의 필요성을 다같이 주장하는 후기 중세기 교회의 교리가 펠라기우스 뿐만 아니라 마니교를 피하고 있기 때문에, 극단적 예정론보다 낫다고 결론내렸다.

1년 후 루터는 「노예의지론」(*De Servo arbitrio*)이라는 글로 대답하였다. 그는 철저히 에라스무스의 개요를 따라 부분 부분 논박을 시도했다. 그가 명확하고 통일되어 있다고 생각하는 성경의 증거에 근거하여, 그는 모든 것을 다스리시는 전능하신 하나님에 대한 인류의 절대적 의존과 함께 대가없이 주어지는 하나님의 은총의 은사를 주장했다. 그는 자신이 예정론자라고 선언했으나 결정론에 가까운 교리를 선언하기에 주저하지 않았다. 루터와 에라스무스 사이의 결별은 회복될 수 없었다. 대부분의 옛 인문주의자들이 루터를 버렸지만, 다수의 젊은 인문주의자들은 계속 그의 편에 서서 각 지역의 복음주의 운동의 지도자들이 되었다.

독일 어떤 이들에게 루터는 반쪽 개혁자로만 보였다. 그런 과격파 중의 하나는 그의 옛 동료 칼슈타트(Karlstadt)였다. 그는 비텐베르크에서 모든 지위를 잃었지만 계속하여 더 과격한 견해와 실천으로 나아가, 오를라뮌데에서 많은 추종자를 확보하고 실제로 루터와 작센 정부를 거부하였다. 그는 교육의 가치를 거부하고, 농부 차림으로 농부와 함께 살고, 성상을 파괴하고, 성찬에서 그리스도의 육체적 임재를 거부했다.

훨씬 더 과격한 이는 환상과 꿈을 통한 즉각적인 계시를 주장한 토마스 뮌처(Thomas Müntzer, 1488?-1525)였다. 그는 로마 가톨릭과 루터파를 성서의 문자에 맹목적으로 의존함으로써 "내적인 말씀"을 억누르는 "서기관"이라고 싸잡아 호되게 비난했다. 전에 가톨릭 사제였던 그는 성서, 교회 교부들, 독일 신비주의자들을 광범위하게 연구하였고, 초기에는 루터의 추종자였다. 1521-1522년 사이에 그는 처음에는 츠비카우에서 다음엔 보헤미아에서 열렬한 복음주의적 설교자로 일하였다. 거기서 그는 교회가 오래 전에 학자와 사제의 배신으로 그 순수성에서 타락했다는 확신 아래 "새로운 사도적 교회"를 세우기를 희망하였다. 1523년 그는 알슈테트의 투링기안시에서 목사가 되어, 거기서 복음을 해석해 주었고 루터의 견해와 정면으로 부딪치는 개혁 프로그램을 제시했다.

뮌처는 성서를 종교적 체험의 테스트에 복종시키는 철저한 영성주의를 주창했다. 오직 성령을 소유한 사람만이 성경을 제대로 이해할 수 있다. 성령은 자기 절망의 심연을 통과함으로써 중생하고 또 스스로 "고난의 그리스도"의 십자가를 지는, 오직 선택된 자들에게만 주어진다. 따라서 성령의 내적 세례가 단 하나의 진정한 세례이다. 물을 통한 외적 세례는 불필요하다. 뮌처는 대단히 독창적인 인물이었다. 1523년 알슈테트에서 만든, 잘 짜여진 예배 순서는 최초의 개신교 모국어 예배의식이었다. 그는 저항하기 어려운 설교자로서, 새로운 사회 정의와 사랑의 질서를 가져올, 선택된 자의 "계약"교회를 세우려고 분투하였다.

그는 루터가 복음의 새로운 발견으로부터 도덕과 사회적 삶의 새로운 법을 추진하는 것을 거부한다 하여 그를 "비텐베르크의 안이한 게으름뱅이"라고 적대하면서, 필요하다면 사제와 영주의 부정의를 타도하기 위해 피의 혁명도 불사한다고 주장하였다. 때가 되어 그가 농민 반란 때 지도자의 자리를 차지한 것은 놀라운 일이 아니다. 루터는 뮌처와 칼슈타트와 그와 같은 사람들을 열광주의자(Schwärmer)라고 부르면서 격렬하게 반대하였다. 그들의 출현은 개혁 세력 내부에서 균열이 커져감을 의미했다.

훨씬 더 심각한 세번째 분열은 농민 반란이 일으켰다. 이것은 루터를 사회의 모든 혁명 세력과 노골적인 갈등 관계로 이끌었고, 대중 지도자로서의 명성에 큰 타격을 주었다. 후기 중세기 독일 농민은 섬섬 더 자유를 상실하고, 계속되는 불안에 시달렸는데, 특히 이웃 스위스의 보다 나은 생활에 불만을 품은 남부 독일이 심했다. 전통적 영적 권위에 대한 루터의 공격과 "그리스도인의 자유"와 "하나님의 정의"에 대한 복음적 설교가 농민 반란의 대의명분에 기여한 것은 분명했다.

1524년 5월과 6월 남부 독일에서 시작된 폭동은 다음해 봄 빠르게 엄청난 세력으로 형성되었다. 1525년 2월 슈바비안 농부들은 상당수의 가난한 부르조아와 장인들의 지지를 받아, 12조항을 제시했다. 그 요구 내용은 각 공동체의 목사 임면권, 곡식에 대한 큰 십일조로 목사와 다른 공동체 비용 충당, 가축에 대한 작은 십일조 폐지, 농노 제도 폐지, 사냥터 제한, 빈민의 삼림 사용권, 강제 노역 규제와 정당한 보수 급여, 정당한 소작료 확정, 새 법 제정 금지, 공동 토지 반환(본래 속했던 공동체로), 상속세 폐지 등이었다.

처음에 루터는 주로 양측의 잘못을 지적했다. 1525년 4월 「평화에의 권면」(*Admonition to Peace*)에서, 그는 12조항이 공평하고 정당한 것을 많이 포함하고 있다고 인정했다. 그리고 농부들은 영주와 지주들에게 불만을 품고 있다고 하고 영주와 지주들은 "야만적이고 독재적인 전제 군주"라고 비난했다.[1] 그러나 그의 눈에는 모든 정치적 혁명은 하나님에 대한 반역으로 보였고, 성경과 "하나님의 법"의 이름으로 농부들이 사회적 경제적 요구를 하는 것을 복음에 대한 "육적" 해석으로 간주하였다.

반란이 잘못 오도되어 과도한 폭력에 휩싸이고 무정부적으로 되자, 루터는 무장한 농민들에게 격렬한 소책자 「강도와 살인 떼, 농부들에 반대하여」를 보냈고 통치자들에게는 군대의 힘으로 진압하라고 촉구했다. 1525년 파비아 근처에서 제국 군대가 프랑스의 프란시스 1세를 격퇴하자, 독일 영주들은 폭동을 진압할 수 있었다. 농민 반란은 1525년 5월과 6월에 엄청난 피로 얼룩졌다. 루터가 모든 사태의 이데올로기적 지도자로 잘못 본, 뮌처는 약 6만 명의 농부들이 살해당한 프랑켄하우젠 전투 후에 체포되어 고문 후 참수되었다.

농민전쟁은 종교개혁 역사에서 제한없이 성장하는 기간에 종지부를 찍은, 하나의 분수령이었다. 이후 이 운동은 계속하여 세속 당국의 철저한 감독을 받게 되었는데, 이들은 운동을 억누르거나 자기 영토 안에 새로운 복음주의적 교회 질서를 세워야 했다. 그러나 종교개혁은 대중에게 호소력을 상실했음에도 불구하고, 계속하여 자발적인 대중 운동으로 남아 있었다는 것이 확실하다.

다음 10년간 독일의 많은 도시의 운동 흐름이 보여주듯이, 개혁의 주도권은 주로 도시의 "귀족"이나 관료들 자신으로부터 온 것이 아니라 평민들과 장인 길드에서 나왔다. 이 사실은 농민전쟁으로 인해 하층 계층이 루터의 이념으로부터 완전히 소외되었다는 오랜 믿음을 부인하는 것이다. 그럼에도 불구하고 1525년 말에 이르면 개혁자 대열 내부에서 분열의 선이 확실히 그어졌다. 종교개혁에 대한 반대가 강화되었다. 그 이유는 적지않이 "옛 신앙"의 옹호자들이 국내 폭동을 교회의 반란의 필연적 결과로 보았기 때문이었다. 이제 개혁의 진행은 귀족의 지지와 강제적 교회 직제와 연결되었다.

그 동안 교황 하드리아누스 6세가 1523년 9월에 죽고 갈리오 데 메디치(Giulio de' Medici)가 클레멘트 7세(1523-1534)로 교황직을 승계하였다. 그는 훌륭한 인물이었으나 종교 문제의 중요성에 대해 별 감각이 없었고, 정치적으로 주로 이탈리아의 세속 군주였다. 1524년 뉘른베르크 제국 의회에 클레멘트는 그의 특사로 유능한 추기경 로렌쪼 캄페기오(Lorenzo Campeggio, 1474-1539)를 보냈다.

캄페기오는 제국 의회에 별 영향력을 행사하지 못했다. 의회는 루터에 대한 보름스 칙령을 "가능한 한" 실시할 것을 약속하였고, "독일 국가 내의 공의회"를 다음 해가을 슈파이에르에서 열 것을 요구하였다. 불참했던 황제는 이 집회를 좌절시키는데 성공했다. 캄페기오는 의회 밖에서 더 성공을 거두었다. 1524년 7월 7일 레겐스부르크에서 그는 황제의 동생 페르디난드, 바바리아 공들, 많은 남부 독일 주교들을 포괄하여 친로마 연맹을 조직하였다.

이렇게 로마가 남부 독일에서 강화되는 반면에, 루터 진영도 중요한 지지들을 얻었다. 이들 중 가장 중요한 가담자는 1524년에 가입한, 루터파 영주들 중 가장 정치적으로 유능한 필립 헤세(1518-1567)였다. 동시에 튜튼족 기사단의 총수인 프러시아의 알버트, 브란덴부르크의 게오르그, 멕클렌부르크의 헨리, 만스펠트의 알버트 등이 복음주의에 결정적 관심을 보였다. 마그데부르크, 뉘른베르크, 스트라스부르크, 아우그스부르크, 에슬링엔, 울름 등 중요한 도시들과 다른 소도시들이 1524년까지 가담했다.

농민 반란의 암흑기 동안 루터의 신중한 보호자, 현자 프리드리히가 1525년 5월 5일 죽고, 그의 동생 "확고한" 요한(John 'the Steadfast', 1525-1532)이 계승하였다. 새 선제후는 확고부동한 열성적인 루터파였기 때문에 이러한 변화는 루터에게 유리했다. 또한 이 기간 동안 루터는 1525년 6월 13일 전에 수녀였던 카터린 폰 보라(1499-1552)와 결혼하였다. 이 결합은 앞으로 개혁자의 아주 훌륭한 성격을 보일 것이다.

농민 반란 진압 후 영주들과 도시들은 계속하여 독일의 실질 통치 세력이 되었다. 정치적 연합은 이제 종교개혁에 대한 찬성, 반대를 기준으로 형성되었다. 레겐스부르크의 가톨릭 연맹은 이미 언급한 바 있다. 독일 중앙과 북부의 또 다른 가톨릭 연맹은 작센의 게오르그 공과 다른 가톨릭 영주들에 의해 1525년 6월 데싸우에서 결성되었고, 이에 대한 응답으로 필립 헤세와 새 선제후 작센의 요한은 토르가우에서 루터파 연맹을 조직하였다. 그 이전 해 2월 파비아에서 승리한 황제군은 패배한 프랑스 왕 프란시스 1세를 포로로 잡았다. 전쟁은 결정적으로 황제에게 유리하게 전개되었고 1526년 1월 마드리드 조약으로 결실을 맺었는데, 이 조약으로 인해 프란시스는 풀려났다. 두 군주는 이단을 같이 박멸하기로 서로 맹세했다.

루터파의 전도는 사실 암담했다. 루터파가 이 위기를 모면한 것은 주로 교황 덕택이었다. 교회인이라기보다는 이탈리아 군주인 클레멘트 7세는 이탈리아에서 황제 세력의 확장에 당황하였다. 그는 황제에 대항하는 이탈리아 연맹을 형성하였고, 프랑스 왕도 1526년 여기에 가입하였다. 프란시스 1세는 마드리드 조약을 폐기하고 이제 코냑 동맹은 교황에 대항하여 프랑스, 교황, 피렌체, 베네치아를 가담시켰다. 파비아의 결과는 수포로 돌아가는 듯했다. 다시 전쟁이 일어나야 할 판이었다. 황제의 손은 독일의 종교적 투쟁에 개입하기에는 너무 분주했다.

그래서 1526년 여름 슈파이에르(Speyer)에서 새로운 제국 의회가 열렸을 때, 황제의 명령은 종교의 변경을 금하고 보름스 칙령의 실행을 명했지만, 루터파는 황제가 스페인에서 그런 명령을 내릴 때와는 사정이 달라졌다고 주장할 수 있게 되었다. 터키의 맹공격은 1526년 8월 29일 모하크에서 헝가리의 왕 루이스 2세를 참패시켰고 이에 따라 군사적 통일이 요청되었다. 따라서 제국 의회는 "공의회 혹은 국민 회의"가 있을 때까지 각 지역 통치자들은 "스스로 바라고 믿기에 하나님과 황제의 뜻대로 살고 다스리고 처신할 수 있다고 제정했다."[2]

이것은 분명히 단지 임시적 타협에 불과했으나, 루터파 영주와 도시들은 그것을 그들이 원하는 대로 교회 헌법을 제정할 , 완전한 법적 권리로 해석하였다. 지역교회를 조직하기 위한 몇몇 조치들은 1526년의 의회 이전에도 취해졌다. 제국 국경 너머 튜튼족 기사단 총수인 브란덴부르크의 알버트(1511-1568)는 1525년 폴란드 치하에서 세습 공국으로 개편하고, 그 땅을 루터교화하는 데 힘썼다. 선제후령 작센에서도 선제후 요한은 정부의 교회 통제를 강화하는 안을 세웠고, 루터는 1526년 「독일 미사와 하나님 예배 순서」(*German Mass and Order of Divinity Service*)를 제국 의회 전에 발표하였다. 의회의 칙령은 이러한 경향을 크게 강화하였다.

루터파 지역교회 건설의 전형이었던 작센에서, 선제후는 1527년 멜랑히톤에 의해 초안되어 다음 해 증보된 조항에 근거하여 성직자의 교리와 행위들을 심사하기 위하여 "관료"(visitors)들을 임명하였다. 주교의 옛 관할권은 폐지되었다. 영토는 구역으로 분할되었고, 각각 교구 목사에 대해 영적, 비행정적 우월성을 가지고 대신 선제후에게 책임을 지는 "감독"(superintendent) 아래 놓이게 되었다. 자격 없거나 불복종하는 성직자들은 쫓겨나고, 유사한 예배가 확정되고, 수도원 재산과 제단 장식과 유사 재단들이 몰수되어 부분적으로 교구 교회와 학교를 위해 사용되었으나 거의 선제후 금고로 들어갔다.

한 마디로 선제후령 내에서 모든 구성원이 세례를 받은, 루터 국교회가 옛 주교 통치의 교회를 대체하였다. 독일의 다른 복음주의 지역들도 비슷하게 조직되었다. 10년의 혼란으로 엉망이 된, 대중의 종교 교육을 돕기 위해 루터는 1529년 두 요리 문답을 냈는데, 그 중 「소요리문답」(*Small Catechism*)은 종교개혁의 가장 귀한 기념물 중의 하나이다.

이러한 지역교회들의 발전은 유리한 정치적 환경 때문에 가능했다. 황제는 이탈리아 지배를 위해 큰 전쟁을 벌였다. 그의 동생 페르디난드는 1527년 11월 3일 헝가리 왕이 된 이래, 터키와 싸워야 했다. 효과적으로 독일에 개입하는 것이 불가능했다. 그러나 1527년 5월 6일 많은 독일 군대를 포함한 황제군은 로마를 함락시키고, 교황 클레멘트 7세를 산트 앙겔로 성에 몰아 가두고, 도시를 노략했다. 1528년 전반부는 프랑스가 유리한 듯했으나, 그 해가 끝나기 전에 황제군의 우세를 보였다. 교황은 1529년 6월 29일 바르셀로나에서 황제와 강화조약을 체결해야 했고, 프랑스는 다음 해 8월 5일 깡브레 강화조약으로 전쟁을 포기했다.

1521년 이래 격렬했던 전쟁이 끝나고, 찰스 5세는 이제 그의 관심을 루터파 반란 진압에 돌릴 수 있었다. 루터파 지도자들은 전적으로 운이 좋은 것은 아니었다. 공작령 작센의 관리인 오토 폰 팍(Otto von Pack)에 속아 영주 헤세의 필립과 선제후 작센의 요한은 가톨릭이 침공하는 줄로 생각했다. 필립은 꾸며 지은 음모에 대비하기로 하고 1528년 군대를 일으켰다. 팍이 정보의 근거로 삼은 편지가 위조된 것임이 드러났다. "팍 사건"은 두 큰 교회 세력의 관계를 악화시켰다.

이런 상황에서 당연히 가톨릭 다수파는 1529년 2월 슈파이에르에서 다음 의회가 모였을 때 루터파 혁신자들에게 크게 적대적으로 나왔다. 의회는 다수의 결정으로, 더 이상 교회의 변화가 없을 것, 로마 교회 예배가 어디에서나 허용될 것, 모든 로마 당국과 종교적 종단이 이전의 권리와 재산과 수입을 회복할 것을 명하였다. 이것은 루터교 지역교회의 실질적 폐지를 의미하였다. 이러한 입법을 물리칠 수 없게되자, 의회에 참석한 루터파는 1529년 4월 19일 공식적인 항의에 들어갔다.

역사적으로 중요한 문서인 이 항의서(*Protestatio*)로 인해 이들은 "프로테스탄트"(Protestant)로 불리게 되었다. 선제후령 작센의 요한, 헤세의 필립, 뤼네부르크의 에른스트, 브란덴부르크-안스바하의 게오르그, 안할트의 볼프강과, 슈트라스부르크, 울름, 콘스탄스, 뉘른베르크, 린다우, 켐프텐, 멤밍엔, 뇌르들링엔, 하일브론, 이스니, 생 갈렌, 로이틀링엔, 바이센부르크, 빈츠하임 등의 도시들이 이 항의서를 지지했다.

개신교의 전망은 암담했다. 연합 방어가 요구되자 헤세의 필립은 동맹 조직에 착수했다. 이렇게 위험한 시점에서 종교개혁 운동은 작센과 스위스 개혁자들의 분리, 재세례파의 급성장에 의해 위협받았다.

3. 울리히 츠빙글리와 스위스 종교개혁

스위스는 명목상으로 신성로마제국의 일부였으나 사실 오랫동안 독립을 유지했다. 스위스 13주는 완만한 연방으로 연합되어 있었고 각각 자치 공화국이었다. 전반적으로 유럽에서 가장 자유로운 나라로 여겨졌다. 그 후손들은 군인들로 유명했고 특히 프랑스와 교황은 이들에게서 용병을 구했다. 일반 교육 수준이 낮았음에도 불구하고, 인문주의가 대도시에 침투하여, 16세기 초기 몇 십년간 바젤은 인문주의의 본산이 되었다. 스위스 종교개혁의 원천은 인문주의, 지역 자치, 교회 지배에 대한 저항, 특별히 수도원이 대지주로 있는 곳에서 수도원의 착취에 대한 분개 등이었다.

울리히 (훌드라이히) 츠빙글리〔Ulich(Huldreich)Zwingli〕는 독일어권 스위스의 주도적인 개혁자로 1484년 1월 1일 빌트하우스에서 태어났다. 거기서 그의 아버지는 마을의 행정관이었고 유복한 환경이었다. 베젠의 참사회장인 아저씨가 1496년부터 1498년까지 바젤과 베른에서 공부할 수 있도록 해주었다. 베른에서는 인문주의자 하인리히 뵈플린(루풀루스) 문하에서 공부하였다. 1500년부터 1502년까지 2년동안 츠빙글리는 콘라드 켈티스가 고전학 대가로 있었던 비엔나 대학에서 공부하였다. 1502년에서 1506년까지는 바젤 대학에서 공부를 계속하여 1504년 인문학 학사로 졸업하고 2년 후 서사 학위를 받았다.

바젤에서 그는 인문주의자 토마스 비텐바하(Thomas Wyttenbach, 1472-1526)의 가르침을 받았다. 츠빙글리는 그가 성서의 유일한 권위와 그리스도의 죽음이 죄 용서의 유일한 대가라는 것과 면죄부의 무용함을 가르쳐 주었다고 하였다. 이러한 가르침 아래 츠빙글리는 자연스럽게 기독교 믿음의 초기 원천으로 돌아갈 것을 열망하고 일반적으로 미신이라고 생각하는 것을 비판하는 인문주의자가 되었다.

1506년 츠빙글리는 글라루스 도시의 교구 사제로 임명되었다. 거기서 그는 10년 동안 머물렀다. 이 기간 동안 그는 헬라어를 공부했고 히브리어를 시작했고 에라스무스 작품에 몰두했다. 그는 열심히 고전, 성경(1516년부터 에라스무스 판 헬라어 신약성서), 교회 교부들을 공부했다. 그는 영향력 있는 설교자가 되었고 북부 소수 인문주의자 그룹의 존경받는 일원이 되었다. 그는 교황에 의한 용병 외에는 스위스 용병의 고용을 반대했다. 1513년 그는 교황으로부터 연금을 받았다. 그는 교구 젊은 이들의 군목으로서 여러번 이탈리아 전쟁에 종군했다.

츠빙글리는 애국적 입장에서 용병 제도가 도덕적으로 악하다고 확신했다. 그러나, 스위스 군인들을 쓰기 원하는 프랑스가 글라루스 교구 활동을 방해하여, 그는 자리를 사임하지 않은 채 1516년 순례지 아인지델른으로 활동 무대를 옮겼다. 여기서 그는 설교자와 학자로서 명성이 더 커졌다. 또한 여기서 그는 프란체스코회 수도사 베른하르트 잔존(Bernhard Sanson)에 의한 면죄부 판매에 완강하게 반대하였다.

이제 그는 진지한 히브리어 뿐만 아니라 알프스 북부의 최고 헬라어 학자 중의 하나가 되었다. 항상 루터에게 빚진 것을 인정하는 것을 꺼려 한, 츠빙글리는 후에 복음적 입장을 수용한 것을 이 아인지델른 체류 기간으로 돌렸다. 그러나 남은 증거들을 볼 때, 그는 에라스무스의 성서적 인문주의를 거의 넘어서지 못했다. 1518년 그는 곧 교황의 지도 신부 임명을 곧장 수락하였다. 게다가 당시 그의 사생활은 순결 서약을 깼다는 비난에서 벗어나지 못했다.

츠빙글리의 군대 외국 파병 반대와 설교자와 학자의 명성에 힘입어, 그는 1518년 취리히에 있는 대 민스터 교회의 유급 사제로 선출되어 1519년 1월 1일 취임하였다. 그는 곧 전혀 전통적(스콜라) 해석에 의지하지 않고 한절한절 마태복음부터 성서 주석을 시작하였다. 1519년 9월 그는 역병으로 거의 죽을 뻔하였는데, 이 체험은 진지한 자기 성찰을 촉발시켰고 하나님의 사명에 대한 강한 의식을 일으켰다. 그의 영적 생활은 1520년 사랑하는 그의 동생의 죽음의 사별을 통해 더 깊어졌고, 같은 해 그는 교황의 연금을 사절했다. 1521년 그는 루터 저작을 세세히 연구했다. 그는 계속 용병 제도에 대해 강하게 반대하는 설교를 했고 취리히 시 의회는 결국 1523년 1월 폐지시켰다.

이렇게 츠빙글리가 오랫동안 개혁 운동 방향으로 움직이고 있었지만, 그가 강력하게 개혁 활동을 시작한 것은 1522년이었다. 처음에 쟁점이 된 문제가 루터가 그러하듯이 개인의 구원의 확신에 대한 관심에서 생겨난 것이 아니라, 오직 복음적으로 해석된 성서만이 그리스도인에게 구속력이 있다는 확신으로부터 생겨났다는 것을 주목하는 것은 흥미로운 일이다. 그 해 3월 일부 시민들이 칭의에서 성서의 유일한 권위를 주장한 츠빙글리의 말을 인용하면서 사순절 금식을 지키지 않았다.

츠빙글리는 이제 설교와 출판으로 그들을 변호했다. 취리히를 관할하고 있던 콘스탄스 주교는 혁신을 억누르기 위해 사절을 보냈다. 주의 시 정부는 신약성서는 금식을 의무로 하지 않았으나 좋은 의식으로서 준수되어야 한다고 판결하였다. 이 타협안은 시 당국이 사실상 주교의 사법권을 거부하고, 취리히 교회를 수중에 장악했다는 의미에서 중요하다.

츠빙글리는 궁극적 교회 권위는 기독교 공동체(Gemeinde)이고, 신자들의 지역

교회는 그리스도의 유일한 주권과 그를 통한 구속을 증거하는, 하나님에 의해 영감된 성서의 주권 아래 있나고 믿었나. 이 권위는 공동체의 유익을 위하여 성서에 맞게 행동하는, 정당하게 조직된 시 정부의 기관을 통하여 행사된다. 오직 성서가 명하는 것이나 성서 안에 분명히 허락된 것만이 구속력이 있고 허용된다. 따라서 츠빙글리의 예배 의식과 옛 예배 순서에 대한 태도는 루터보다 훨씬 더 과격하다.

신뢰받는 성서 해석자요 타고난 대중 지도자인 츠빙글리가 취리히 주 정부가 제안된 종교 정책의 변화를 수용하면 그 권위가 더 강화될 것이라고 하며 설득하자, 주 정부는 그가 제시한 변화를 점차 도입하였다. 따라서 시 의회는 1523년 1월 성경만을 표준으로 하는 공개 토론을 명령했다. 이 토론을 위해 츠빙글리는 짧은 형식의 67개 조항을 준비했다.

이것은 복음이 교회로부터 아무 권위도 얻는 것이 아님과 구원은 믿음으로만 가능함을 확인하고, 미사의 희생제사적 성격, 선행의 구원적 효과, 중재자로서 성자의 가치, 수도원 서약의 구속성, 연옥의 존재 등을 부정했다. 그는 또한 그리스도가 교회의 유일한 머리임을 선언했고 성직자의 결혼을 옹호했다. 6백명 이상 참석한 토론 결과, 시의회는 츠빙글리가 로마의 대적자들에 대해 승리했다고 선언했다.

성서의 기준에 의해 판단해 볼 때, 그는 이단도 혁신자도 아니라고 하였다. 그리고 츠빙글리가 계속하여 설교를 할 것과 다른 모든 사람들은 복음과 성서에 의해 지지될 수 있는 것만 설교해야 한다고 명령하였다. 츠빙글리로서는 명확한 개인적 승리였고, 취리히로서는 비록 "공식적으로" 도입되지는 않았다 해도 효과적으로 종교개혁을 보장하는 것이었다.

몇몇 성상 파괴 폭동을 포함하여 도시 안에 긴장이 고조되자, 이제 츠빙글리와 그의 동료 목사 레오 주드(Leo Jud, 1482-1542)는 미사와 성상의 사용을 다루는 또 다른 공개 토론을 제의했다. 이 두번째 토론은 1523년 10월 심의회 형식으로 열렸는데 약 9백명이 참석하였다. 츠빙글리와 주드는 성상("우상") 숭배를 공격하고, 미사의 희생제사적 성격을 부인하고, 평신도에게 떡과 잔을 다 주는 것에 대한 성서적 근거를 주장하고, 모국어 예배를 요구하였다. 첫번째 토론과 같이 이 토론은 츠빙글리의 승리였으나 심의회는 신중하게 움직였다. 심의회는 라틴어 미사와 떡만 주는 것을 고수하고, 교회로부터 개인 소유 성상만 조용히 제거할 것을 허락했다.

또한 츠빙글리와 주드를 포함한 14인 위원회를 선출하여 문제를 심의하도록 했다. 츠빙글리 자신은 이 점진적 정책을 좋아했다. 그는 언젠가 주드에게 보낸 편지에서 "천천히 나아감으로써 우리는 우리의 목적을 성취한다"고 썼다. 그러나 더 과격한 개혁을 지지하는 다른 이들은 정부 관료들을 기다리지 않고 더 빨리 변화시킬 것을 원했다. 그래서 그들은 츠빙글리의 지도력에 실망을 느꼈다(참조. Ⅵ:4).

로마와 공개적으로 분리하게 된, 결정적 변화는 1524년과 1525년에 왔다. 1524

년 6월과 7월 일단의 노동자들은 시의회의 명령을 받아 강제로 성화와 조각과 유골을 시의 일곱 교회로부터 제거했고 대 민스터 교회에서 오르간을 벽으로 봉해버렸다. 그 해 12월 거의 저항없이 수도원들이 해체되었고 그 재산은 교육과 빈민 구제를 위해 쓰였다. 미사는 1525년 수난 주간까지는 계속되더니 결국 시의회의 소수 가톨릭 신자들로부터 강한 저항이 없었던 것은 아니지만, 역시 폐지되었다.

그 대신 최후의 만찬 기념으로 떡과 잔을 다 주는, 단순한 모국어 예배가 확립되었다. 변혁은 완전했다. 주교의 사법권은 폐기되었고, 예배는 독일어로 드려졌고, 설교가 중심이 되었으며, 옛 예배의 교리와 의식의 특징들이 제거되었다. 츠빙글리는 그의 주저 「참 종교와 거짓 종교 해설」(*The Commentary on True and False Religion*)에서 이러한 변화를 설명하고 정당화하였다.

그 동안 1524년 4월 2일 츠빙글리는 1522년 초 비밀리에 결혼한 바 있는 과부 안나 라인하르트와 공식적으로 결혼하였다. 이 기간 내내 교황은 시의 종교적 문제에 효과적으로 개입하지 못했다. 주로 스위스 주들 중 가장 큰 취리히의 군사적 지지가 필요했고, 지금까지 교황의 유일한 믿을 만한 용병 군대가 스위스 연방에서 충당되었기 때문이다.

물론 츠빙글리는 스위스 다른 지방과 인접 독일 지역의, 부침을 거듭하는 교회 개혁에 열정적으로 참여하여 힘껏 협조했다. 바젤은 주로 1522년부터 거기서 계속 활동한 요한네스 외콜람파디우스(Johannes Oecolampadius, 1482-1531)에 의해 점차 복음주의로 전향했다. 바젤은 1529년 미사를 폐지했다. 스위스 칸톤 중 가장 큰 베른은 복음주의의 많은 준비와 노력, 그리고 츠빙글리가 주도한 공개토론에 힘입어 1528년 개혁에 성공했다.

발디아누스(Valdianus, 1484-1551)로 알려진, 인문주의자 요아킴 폰 바트(Joachim von Watt)가 활동한 생 갈렌(St. Gallen) 역시 복음주의에 가담했다. 샤프하우젠과 글라루스 칸톤과 알사스의 콘스탄스와 뮐하우젠 시도 뒤따랐다. 베른이 츠빙글리파 개신교를 선택한 것은 대단한 의미가 있었다. 취리히와 츠빙글리를 스위스 연방 내의 고립으로부터 구했고, 가톨릭 교도인 사보이 공들의 지배로부터 제네바를 구함으로써 결국 칼빈의 사역을 가능케 하였다(Ⅵ:7 참조).

이에 못지 않게 중요한 것은 남부 독일의 도시 슈트라스부르크가 루터보다 츠빙글리 견해로 전향한 것이었다. 1521년 마튜 젤(Matthew Zell, 1477-1548)에 의해 시작된 이 시의 복음주의 운동은 1523년 볼프강 쾨펠 혹은 카피토(Wolfgang Kopfel or Capito, 1478-1541)와 유능하고 평화를 사랑하는 마르틴 부처(Martin Bucer, 1491-1551)에 의해 강하게 추진되었다. 그러나 1529년까지는 완성되지 않았다.

츠빙글리와 루터는 많은 문제에서 본질적으로 일치하였으나, 그들은 기질적으로

서로 달랐다. 루터는 후기 중세기 스콜라 학자, 어거스틴파 수도사, 대학의 성서 교수로 인생을 시작하여 수도원의 심오한 신앙적 투쟁 끝에 복음적 혁신에 이르렀다. 츠빙글리는 비록 그의 에라스무스적 인문주의가 꾸준하게 깊어져, 결국 바울과 어거스틴 연구와 개인적 죄성과 고난에 대한 체험에 의해 마침내 변화되기는 하였지만, 교구 사제, 도시 설교자로서 인문주의자들의 길을 걸었다. 그는 또한 루터의 초기 저작에서 많은 것을 배우기는 하였지만 루터와 강조점이 달랐다. 루터에 있어서 그리스도인의 삶은 죄 용서와 하나님과의 화해 안에 있는 자유의 삶이었다. 츠빙글리에게 있어서 그것은 더 나아가 성경에 제시된 하나님의 뜻에 일치하는 삶이었다.

기독교 교리에 있어서 츠빙글리가 루터와 가장 다른 점은 성만찬 해석이었다. 이러한 불일치는 결국 복음주의 진영을 갈라 놓았다. 루터에 있어 그리스도가 성찬에서 "이것은 나의 몸이다"고 한 말은 문자적으로 사실이었다. 그래서 그는 그리스도의 몸과 피가 "실제적으로" 혹은 "본질적으로" 봉헌된 떡과 즙에 임재하고, 떡과 즙에 참여하는 모든 이에 의해 — 죄 용서에 의해 구원에 이른 신자이든, 저주에 이른 불신자이든 — 진짜로 받아들여진다고 가르쳤다.

그러나 이미 1521년에 화란 법률가 코르넬리우스 호엔(Cornelius Hoen)은 "이것은 나의 몸을 의미한다"가 정당한 해석이라고 주장했다. 츠빙글리가 이 호엔의 주장을 들은 것은 1523년이었고, 이것은 이미 그러한 경향을 보이던, 츠빙글리의 말씀에 대한 상징적 이해를 강화시켰다. 그 때부터 그는 성찬에서 어떤 그리스도의 육체적 임재도 부정했다. 그리스도는 떡과 잔이 아니라 믿는 이들의 마음 속에 확실히 영적으로 임재하신다. 또 이 신자들만 성찬의 유익을 누린다. 따라서 떡과 즙은 이미 임재해 있는, 내적인 영적 은총의 외적 가시적 표지이고 그래서 "먹는 것"은 "믿는 것"과 같은 것이다(edere est credere). 성찬은 감사와 기념의 공동 식사이고, 주님에 대한 충성을 공동 증언함으로써 신자들을 연합시키는 것이다.

1526년 이러한 대립된 해석은 격렬한 문서 논쟁을 유발시켰다. 한 쪽엔 루터와 부겐하겐이, 다른 한 쪽엔 츠빙글리와 외콜람파디우스가 자기네 지지자들을 동반하여 참여하였다. 루터의 가장 중요한 작품은 1528년의 「그리스도의 성찬에 대한 고백」(〔*Great*〕 *Confession concerning Christ's Supper*)이었다. 어느 쪽도 관용을 보이지 않았다. 츠빙글리가 보기에 루터의 그리스도의 육체적 임재 주장은 불합리한 가톨릭 미신의 잔재였다. 육체적 몸은 오직 한 장소에만 있을 수 있고, 그리스도의 몸은 승천 이후 하늘에 있다. 게다가 육체적인 것들은 영적 실재를 담거나 전달할 수 없다.

루터에게 있어서 츠빙글리의 해석은 이성을 성서의 "단순한 말씀" 위로 높이고, 그리스도의 성육신 사실을 부정하는 죄스러운 것이었다. 그는 "속성 간의 교류"(*communicatio idiomatum*) — 편재를 포함하여 그리스도의 신성의 특질이 그의 인성에 전달된다는 — 라는 전통적인 기독론 교리에 호소하여, 그리스도의 육체적 임재가 수많은 제단에 동시에 임하는 것을 설명하려 하였다. 루터는 또한 신자가 신-인이신 그리스도 전체에 참여한다는 것을 주장하고, 그리스도의 인격의 분할을 피하려고 애썼다.

루터는 츠빙글리와 그의 지지자들이 그리스도인이 아니라고 선언했고, 츠빙글리는 루터가 로마의 대변자 요한 엑크보다 더 나쁘다고 주장했다. 츠빙글리의 견해는 독일어권 스위스 뿐만 아니라 남서 독일의 많은 지역의 동의를 얻었다. 로마 측은 복음주의 세력의 이러한 확연한 분열에 기뻐했고, 루터교 안의 가톨릭적("정통적") 요소를 강조함으로써 독일과 스위스 개신교도들 사이의 분열을 더욱더 조장하였다.

츠빙글리는 어떤 개혁자보다 정치적인 인물이고, 결국 실패했지만, 원대한 계획을 발전시켰다. 우리, 슈비츠, 운터발덴, 축 등의 오랜 시골 칸톤들은 아주 보수적이었고 취리히의 변화에 반대했다. 루체른도 그들 편에 서서 전체가 강력한 로마 교황청파를 이루었다. 1524년 4월 그들은 이단에 대항하는 연맹을 결성했다. 1526년 5월 스위스 연방은 바덴에서 종교 토론을 개최했다. 츠빙글리는 초청받았지만 참석을 거절했다. 대신 외콜람파디우스가 복음주의 입장을 잘 대변했다.

이 때 취리히를 제외한 모든 칸톤은 아직 공식적으로 가톨릭이었고, 토론 결과 가톨릭이 승리했다. 취리히는 당분간 고립되었다. 그러나 베른이 1528년 2월 공식적으로 개신교화하자 취리히, 콘스탄스, 베른 등 개혁파 도시들은 그 해 6월 "기독교 시민 동맹"을 출범시켰고, 이 강력한 연맹에 1528년 생 갈렌, 1529년 비엘, 뮐하우젠, 바젤과 샤프하우젠이 가담했다. 1530년 초 슈트라스부르크가 가입했으나, 이 연맹은 츠빙글리 계획에 훨씬 못 미쳤다.

이로 인해 스위스 연합이 분열되었다. 보수적인 로마 칸톤들은 "기독교 연맹"을 결성하여 대항했고, 1529년 오스트리아와 동맹을 맺었다. 적대 관계가 시작되었다. 그러나 오스트리아는 로마 측을 지원하지 못했고, 1529년 6월 25일 카펠에서 강화조약이 취리히와 츠빙글리파에게 매우 유리하게 체결되었다. 오스트리아와의 동맹은 폐기되었다.

취리히는 이제 그 세력이 절정에 달해 복음주의 운동의 정치적 리더로 널리 인정되었다. 그러나 평화는 단지 휴전에 불과했고, 1531년 취리히가 곡물 수송을 금지하며 로마 칸톤들에 복음주의 설교를 강요하자 전쟁이 재개되었다. 취리히는 츠빙글리의 권면에도 불구하고 전쟁 준비를 제대로 못했다. 로마 칸톤들은 신속히 움직였다. 1531년 10월 11일 그들은 카펠에서 취리히 군대를 대파했다. 츠빙글리 자신도 중상을 입었다. 그는 가톨릭 고해신부의 도움을 거절한 후 죽었는데, 그의 육체는 그의 재가 개신교 성자 유골로 수집되는 것을 막기 위해 능지처참되어 불에 태워진 후 똥과 함께 섞였다.

뒤이은 강화조약에서 취리히는 동맹을 포기했고, 각 칸톤에게 내부의 종교 문제를 규정할 완전한 권리가 주어졌다. 독일어권 스위스에서 종교 개혁의 진행은 영구히 중단되었다. 취리히 교회의 리더쉽은 츠빙글리의 정치적 야망에는 미치지 못하지만, 유능하고 화해적인 하인리히 불링거(Heinrich Bullinger, 1504-1575)에 의해 계승되었다. 전반적으로 스위스 종교개혁은 천재적 인물 존 칼빈에 의해 수정, 발전될 것이었다. 칼빈과 따라서 부분적으로 츠빙글리에 의해 영적 감화를 받은 교회들을 "개혁교회"(Reformed)라 하여 "루터교"와 구분하게 되었다.

4. 재세례파

칼슈타트를 논할 때, 루터의 일부 동료가 루터를 반쪽 개혁자로 생각했다고 말한 바 있는데, 츠빙글리의 경우는 더 심했다. 취리히 개혁에서 가장 과격한 자들 중에, 대(大) 민스터 성당 참사 회원의 아들인 펠릭스 만츠(Felix Manz, 1500?-1527)와 시 명문 가의 후손으로 츠빙글리처럼 비엔나와 바젤 대학에서 인문주의자로 교육받은 콘라드 그레벨(Conrad Grebel, 1498-1526)이 있었다. 이들은 1523년 말부터 츠빙글리가 취리히 종교 의식을 성서적 표준에 맞추지 못하고, 하나님의 말씀이 즉각 명령한 개혁을 실행하는 데 꾸물거리는 세속 당국에 동조했다 하여 거짓 예언자로 단정지었다. 이러한 과격한 요소는 1523년 10월 2차 대토론 기간에 성상과 미사의 즉각 폐지를 요구했을 때, 분명히 드러났다. 그러나 당국은 아직 이러한 조치를 취할 준비가 되어 있지 않았다.

10월 토론에 참여한 자들 중, 유능한 이는 잉골슈타트 대학의 신학 박사 발타자르 후프마이어(Balthasar Hubmeier, 1480?-1528)였다. 그는 그 대학에서 공부했고, 당시 루터의 대적자 요한 엑크의 동료였다. 1521년 후프마이어는 스위스 북단에 위치한 발츠후트의 설교자가 되었다. 그는 1522년 루터의 저작에 이끌려 복음주의자가 되어, 성공적으로 도시의 개혁을 부르짖었다. 그는 벌써 1523년에 유아세례에 의심을 품고 츠빙글리와 토론하였다. 후프마이어의 증언에 의하면 그 때 츠빙글리는 그에게 동조했다 한다. 그의 비판은 유아 세례에 대한 성서적 근거가 부족하다는 것이었다. 1524년 그레벨과 만츠는 동일한 결론에 이르렀으나 1525년 초에 가서야(혹은 후프마이어 혼자) 생각을 실행에 옮겼다.

그들의 비판으로 1525년 1월 17일 츠빙글리와 공개 토론을 하게 되었다. 그 결과 시 의회는 1월 18일 세례받지 않은 모든 아이들은 8일 이내에 세례받고 — 고의적으로 연기시키는 부모들이 있었다 — 또한 무자격 설교와 불법 예배 모임은 금지하라고 명령했다. 비국교도들에게 이것은 하나님의 말씀에 대적하는 세상 권력의 명령으로 보였다. 1525년 1월 21일 저녁, 한 무리의 사람들이 펠릭스 만츠의 어머니 집에 모였다. 기도 후, 결혼하고 사제직을 그만둔 게오르그 블라우록(George Blaurock, 1492?-1529)이 일어나 콘라드 그레벨에게 세례를 요청했다. 그레벨이 세례를 주자 블라우록은 다음에 다른 15명에게 세례를 주었다. 바로 그 시간에 시 의회는 그레벨과 만츠에게 설교 금지를 명했고, 비티콘의 사제 빌헬름 뢰우블리(Wilhelm Röubli, 1484?-1559), 루트비히 헤처(Ludwig Hätzer, 1500?-1529) 같은 취리히 시민이 아닌 이들에게는 추방 명령을 내렸다.

다음 주 이들은 이제 당국에 노골적으로 반항하여, 취리히 근처 촐리콘 마을에서 모임을 재개했다. 그들은 개인 가정에서 기도회를 열었다. 약 35명의 중생을 체험한 이들이 물을 뿌려 세례를 받았다. 이렇게 성인 세례를 제정한 후에, 그들은 간략한 성찬 집행으로 그리스도와의 교제 안에서 지체됨을 축하하였다. 1525년 부활절 주일 날 후프마이어는 발츠후트에서 뢰우블리에 의해 세례받았다.

이러한 운명적 행위를 통하여 비국교도들은 스스로 "참 신자"(genuine believers)의 "회중 교회"(gathered church)라는 독립 공동체를 형성했다. 대적자들은 그들을 "재세례파"라고 별명지었다. 이 명칭은 부정확하고 선입견에 의한 것이다. 왜냐하면 그들은 오직 하나의 세례, 즉 성인 세례만을 인정하고, 유아 세례의 타당성을 부정했기 때문이다. 그들은 스스로를 단순히 "형제"와 "자매"로 불렀다. 그러나 올바로 이해된다면, 이 전통적 이름을 이러한 종교개혁기의 현저한 운동에 붙이는 것이 편리하기도 하다.

츠빙글리는 이러한 초기 재세례파(오늘날은 스위스 형제단으로 불림)와 격렬하게 싸웠으나 그들의 입장에서 돌아서게 하는 데 거의 성공하지 못했다. 그레벨과 그 동지들은 기독교 신앙의 표준이 영적 중생 혹은 각성에서 체험되고 성도의 삶에서 드러나는, 그리스도의 제자도에 있다고 보는 점에서 그와 달랐다. 따라서 참된 하나님의 교회는 유아세례로 교회 구성원이 되어, 입술로만 고백한 이들로 구성된 것이 아니라, 성인으로서 신앙을 충분히 의식하고 세례받은 확신있고 이제 자기 삶에서 신앙의 명백한 열매를 보여주는 신자들로만 구성되어 있다.

그래서 재세례파는 츠빙글리가 취리히에 세우고, 종교개혁의 다른 중심지에서 발전된, 포괄적인 국가교회에 어떤 형태로든 참여하기를 거부했다. 오히려 그들의 믿음은 사유 공동체와 자신들의 특별모임으로 떨어져 나갔다. 따라서 그들은 교회와 국가의 완전 분리를 실천한 최초의 사람들이었다. 진정한 신앙은 자발적인 것이므로 종교 문제에 강제력을 사용하는 것은 정당하지 않다. 이것은 공공 질서와 평화를 유지하기 위해 오랫동안 종교의 통일을 요구하는 관례의 포기를 주장한 것이다.

그들이 박해를 받은 것은 바로 주로 이러한 불일치주의(nonconformism) 때문이었다. 그들의 종파주의는 — 적지 않이 그들이 산상수훈에 근거하여 맹세와 군대 복무를 거절하고 그럼으로써 당시 정치적 생활의 두 기둥을 절단하였기 때문에 — 사회 질서를 무너뜨리려는 것으로 보였다. 하지만 그들 생각에 그들은 단순히 츠빙글리의 성서주의를 논리적 결론까지 몰고간 것이고, 오직 원시 기독교의 회복을 이룬 것이었다.

1526년 3월 7일 취리히는 시 의회는 그들의 믿음을 희화화하여 재세례파를 익사시킬 것을 명했다. 결국 취리히 행정관은 4명에게 이 형벌을 가했다. 칸톤의 최초 재세례파 순교자는 펠릭스 만츠였다. 그는 1527년 1월 5일 림마트 강에서 익사당했다. 그레벨은 바로 얼마 전 역병으로 죽어 이 형벌을 모면했다.

그동안 후프마이어는 발츠후트에서 큰 재세례파 공동체를 모았고, 글로 자기 견해를 전파하여 상당한 성공을 거두었다. 그의 견해에 의하면, 성경이 교회의 유일한 법이고, 성경의 영적 표준에 따르면 그리스도인의 정당한 발전 순서는 말씀 선포, 회개, 믿음, 세례, 행위 — 이 마지막 행위는 성경의 법대로 사는 삶을 가리킨다 — 라고 했다. 그러나 발츠후트는 곧 농민 반란에 휘말려야 했고 그 운동의 붕괴와 운명을 같이 했다. 후프마이어는 도망가야 했고 시는 다시 가톨릭으로 되었다. 그는 취리히에서 투옥되고 고문받은 후, 아우그스부르크로, 다음에는 모라비아로 도망하여 거기서 재세례파 운동을 성공적으로 퍼트렸다.

이러한 박해로 인해 재세례파 이념이 독일, 스위스, 네덜란드 전 지역으로 퍼졌다. 곧 이 운동은 상당한 비율을 차지하였다. 아직도 가톨릭인 제국의 지역에서 재세례파는 사실 루터교의 위치를 대신했다. 처음에 지역 통치자들은 취리히처럼 금지 명령으로 이 운동을 저지하려 하였다. 오스트리아의 페르디난드는 그렇게 한 최초의 통치자였고, 그의 형 황제 찰스 5세는 1528년 1월 4일 그를 지지했다. 그러나 많은 이가 이러한 금지에 의해 희생당했지만, 재세례파는 점점 더 골머리를 썩게 했다.

그리하여 1529년 슈파이에르 국회와 1530년 아우그스부르크 의회에서 가톨릭과 개신교 양측의 독일 고위 당국자들은 로마의 옛 이단 법을 이들에게 적용했다. 그 결과 어떤 재세례파 단체에 참여해도 사형이었다. 로마 가톨릭 지역, 특히 오스트리아와 바바리아에서 이 새 법은 가장 잔혹하게 집행되었다. 복음주의 지역은 재세례파들을 이단이 아니라 치안을 방해하는 선동자로 다루었다. 기성 교회 질서에 순응하기를 거부하면 이민갈 기회를 주었다. 그렇게 하기를 거부하며 자기 신앙을 공적으로 드러내면, 그들은 평화의 교란자로 분류되어 투옥되거나 사형당했다. 오직 헤세와 뷔르템베르크와 슈트라스부르크만 그러한 "피-재판"을 모면했다.

재세례파 운동은 스위스, 남부 독일, 모라비아의 세 중심지에서 흘러 나갔다. 취리히가 억압을 시작했을 때, 초기 개종자들은 스위스의 다른 지역으로 자기들 신앙을 운반하였다. 재세례파 회중은 곧 알프스 고지대 여기저기에 확립되었다. 그들이 급속히 성장했다는 것은 공공 당국이 그들에게 취한 조치들에 의해 알 수 있다. 1529년 12월 29일 바젤의 시 의회는 복음주의 설교자와 재세례파 대변자 사이에 공격 토론을 마련했고 토론 결과 이 운동을 금지시켰다. 1530-1531년에 3신자가 처형되었고 다른 많은 사람이 추방되었다. 베른 칸톤에서는 23인의 재세례파와의 긴 토론이 1523년 7월 1-9일 초핑겐에서 열렸다. 여기서도 역시 공적으로 정죄되었다. 1529년과 1571년 사이에 40명의 재세례파가 처형되었다. 아펜젤과 아르가우 칸톤의 상황도 비슷했다. 스위스 재세례파 전파의 중심지는 그라우뷘덴과 그리고 츄르 주변 지역이었다. 여기의 중심 인물은 블라우록이었고 그는 1529년 9월 6일 티롤에서 화형당했다.

츠빙글리의 후계자 불링거의 편지에 나타났듯이, 재세례파 단체는 오랫동안 거기서 활동을 계속했다. 불링거는 재세례파에 대항한, 열렬한 문서 대적자 중의 하나였다. 이 종파들은 그라우뷘덴으로부터 모라비아와 상부 이탈리아 특히 베네치아의 친구와 동조자들과 항상 관계를 유지했다.

독일의 주요 중심지는 처음에 아우그스부르크였다. 여기서 후프마이어는 1526년 5월 한스 뎅크(Hans Denck, 1500?-1527)에게 세례를 주었다. 다음 뎅크는 곧 한스 후트(Hans Hut)에게 세례주었고, 후트는 귀족 가문의 사람들을 포함하여 신속히 성장하는 회중을 잘 조직하였다(1527년 3월 그는 아이텔한스 랑엔만텔을 세례주었다). 후트는 다음에 모라비아와 오스트리아에 선교사역을 시작했다.

1527년 8월 20일 남부 독일과 오스트리아의 수많은 재세례파들이 뎅크의 지도 아래 주로 후트의 묵시적 생각들을 다루기 위해, 아우그스부르크에서 총회(후에 "순교자 총회"라고 불림)를 열였다. 후트는 자신이 하나님에 의해 파송된 사도나 예언자라고 하면서, 성도의 박해 후 제국이 터키에 의해 망할 것과 성도들이 한데 모여 모든 사제와 자격없는 통치자들을 멸한 후 그리스도가 가시적으로 이 땅을 통치할 것이라고 했다.

대다수는 이 견해를 거부했고 후트는 자기 생각을 마음에 두기로 약속했다. 총회는 오스트리아, 바바리아, 보름스, 바젤, 취리히에 전도자를 파송하기로 결정했다. 그리로 파송된 모든 사람들은 거의 다 순교했다. 후트는 1527년 9월 아우그스부르크에서 투옥되었다. 그는 그의 감옥이 사고로 화재가 났을 때 불이 붙어 타 죽었다.

그의 육체는 다음 날 1527년 12월 7일 공개 화형당했다.

총회가 끝나고 뎅크는 울름과 뉘른베르크로 갔다가 바젤에 갔는데, 거기서 역병으로 죽었다. 그는 가장 탁월한 종파주의 인물 중의 하나였다. 인문주의 교육을 받고 그는 1524년 뉘른베르크에 있는 생 제발트의 유명한 학교 교장이 되었다. 그는 널리 존경받았으나, 1525년 뮌처의 신령파적 견해에 동조했다가 1525년 자리에서 쫓겨났다.

다음 그는 그리스도인의 제자도의 이상과 평화주의에 이끌려, 아우그스부르크의 재세례파와 합류하였다. 그러나 그는 사실 관상적 신령파(contemplative spritualist)였다. 그는 죽기 전 그리스도인의 삶의 모든 가시적 조직을 거부했기 때문에, 종파들과의 모든 연결을 끊은 듯하다. 그의 신앙에 의하면 내면의 빛이 모든 성서보다 우위에 있었다. 그는 그리스도 안에서 사랑의 최고 모범을 보았고 그리스도인은 죄없이 살 수도 있다고 주장했다. 그의 저작은 아름다운 기독교 내면성을 보여주고 있고 여기서 그의 사고가 기독교 플라톤주의와 신비주의, 특별히 "독일 신학"의 전통에서 자양분을 흡수한 것을 알 수 있다.

1526년부터 1533년까지 슈트라스부르크는 독일 재세례파 활동의 주요 거점이었다. 정원사요 평신도 설교자인 클레멘트 치글러에 의해 세워진, 토착 재세례파 공동체는 1524년 이래 존재했다. 전에 프라이부르크의 성 베드로 사원 수도사였고 1525년 말 취리히에서 추방된 미카엘 자틀러가 인도하는 스위스 형제단의 피난민 공동체도 1526년부터 거기에 있었다. 그는 대단히 경건하여 가는 곳마다 존경받았다. 슈트라스부르크 설교자들, 특히 카피토와 마튜 젤 그리고 그의 아내 카터린은 그에게 우호적이었다.

부처는 재세례파가 기독교 공동체의 통일을 위협한다고 보고, 설득하여 그들의 종파주의를 포기하게 할 것을 생각했다. 1526년 가을 뎅크는 아우그스부르크로부터 슈트라스부르크로 왔고 상당한 추종자를 얻었다. 12월 22일 부처는 그와 공개 토론을 벌였고, 그 결과 뎅크는 시 의회에 의해 추방 명령을 받았다. 그는 보름스로 갔다가 아우그스부르크로 다시 돌아와 거기서 1527년 순교자 총회에 참석했다. 그 후 곧 자틀러도 자발적으로 떠났다. 1527년 2월 24일 쉴라이트하임에서 자틀러는 운동 내부로부터 거짓 형제들의 이탈을 막고 밖으로부터의 도전에 저항하기 위하여 개최된, 스위스 형제단 총회를 주재했다. 총회는 주로 자틀러가 썼을 것으로 보이는, 7조항을 채택하였다.

이 "쉴라이트하임 신앙고백"(Schleitheim Confession) — 복음주의적 재세례파의 확신을 대변하는 문서 — 은 신자의 세례를 주장한다. 교회는 성찬에 함께 참여하여 그리스도의 몸으로 연합된, 세례받고 중생한 그리스도인의 지역 회중들로 구성된다. 교회의 유일한 무기는 출교(추방)이다. 어떤 "육체의 방종"도 절대적으로 거부되었다. 이것은 과격파 재세례파에서 나타나는 극단적 반(反)율법주의를 부정한 것이다. 로마, 루터교, 츠빙글리 교회의 예배 의식은 비기독교적인 것으로 거부되었다. 순회 전도자보다는 이제 정착한 목사로서 목사의 임무는 성경을 읽고 성경에 조명을 받아 가르치고 권면하는 것이다.

그는 기도회를 인도하고 성찬을 주관한다. 이러한 맥락에서 그는 교회의 이름으로 권징하고 제명시킨다. 세속 정부는 이 불완전한 세상에서 필요한 것이지만 그리스도인은 거기에 참여해서는 안된다. 그들은 무기 휴대, 강제력 사용, 맹세를 하지 않아야 한다. 이것은 후에 침례교회, 회중교회, 퀘이커파에 다양한 정도로 영향을 미쳤고, 이들을 통해 영국과 미국의 종교 발전에 깊은 영향을 주었다. 총회 후 자틀러는 곧 오스트리아 당국에 의해 체포되어 1527년 5월 21일 로텐부르크에서 화형당했다. 그의 아내도 8일 후 익사당했다.

슈트라스부르크의 재세례파 공동체는 주로 계속 새로 피난온 지도자들에 힘입어 흥왕했다. 한때 탁월한 지도자는 1528년 슈트라스부르크에 도착하여 많은 추종자를 얻은, 티롤 출신의 기계공 필그람 마르펙(Pilgram Marpeck, 1495?-1556)이었다. 1531년 12월과 1532년 1월 사이에 그는 부처와 구두와 서신으로 수차례 의견 교환을 했고, 그 후 추방 명령을 받았다. 당분간 그는 울름을 거점으로 하였다가 1544년 아우그스부르크로 이주해 계속 거기서 살았다.

마르펙은 1530년대 초기부터 1556년까지 죽을 때까지 남부 독일 재세례파의 주요 이론가요 조직가였다. 그는 최근에 다시 빛을 보게 된, 여러 권의 책에서 그의 신념을 피력했다. 여기서 그는 엄격한 성서주의에 근거하여 재세례파 교리를 정당화하려 했다. 1542년 그는 「권면 혹은 소세례서」(*Vermahnung oder Taufbüchlein*)라는 제목의 요리문답을 썼고, 생애 말년 동안 과격파 개혁자 중에 복음적 신령파의 주도적 대변자인 카스파르 슈벵크펠트(Kaspar Schwenckfeld, 1489-1561)에게 보낸, 거대한 「답변서」(*Verantwortung*)를 완성했다.

1533년부터 슈트라스부르크 당국은 멜키오르 호프만(Melchior Hofmann, 1495?-1543)이 환상적인 묵시론을 심었기 때문에, 종파주의자들에 대해 더 엄격한 조치를 취했다. 이 이상한 사람은 슈바비아에서 태어난 제혁업자로 1522년 루터의 감화를 받고 평신도 설교자가 되었다. 그는 발틱해 나라들, 스웨덴, 덴마크, 홀슈타인 등지를 돌아 다니며 끊임없이 로마 가톨릭 사제와 루터교 설교자들과 갈등을 일으키며 그의 혼합된 복음적 이념을 전했다. 1529년 6월 그는 슈트라스부르크에 와서 재세례파와 접촉하였고 다시 세례를 받았다. 이들이 지역 교회를 반대하는 것을 보고 그는 계시록과 관련지어 독특한 형태의 목시론을 발전시켰다.

그는 이제 루터를 유다 같은 "시작의 사도"라고 하고 자신은 "마지막의 사도"라고 선언하면서, 슈트라스부르크에서 온 세상으로 두루 퍼질, 최후의 심판이 1533년 있을 것이라고 예언했다. 그는 체포령이 내리자 1530년 4월 시를 탈출하여 엠덴을 향해 동 프리스란트로 갔다. 그는 거기서 많은 추종자(멜키오르파)를 얻어, 그들에게 다른 모든 사람들은 폭력에 의해 망하지만 자기들은 승리할 것이라는 기대로 채워주었다. 이 추종자들이 가톨릭 당국에 의해 심한 박해를 받자, 호프만은 2년 동안 신자 세례를 연기하고 1531년 말 "새 예루살렘" 슈트라스부르크로 다시 돌아왔다. 재차 체포령이 내려지고 1532년 초 그는 시를 떠났다. 그는 1533년 봄 다시 돌아왔고, 5월에 두번의 사법 청문회를 받고 가벼운 구금을 당했다. 다음 그는 결국 부처에 의해 1533년 6월 10-13일까지 슈트라스부르크 총회 기간 동안 심문받았다. 호프만은 종신 징역을 선고받았고, 그의 확신과 소망을 마지막까지 붙든채 1543년 감옥에서 죽었다.

재세례파는 모라비아에서 리히텐슈타인 영주들의 영토에서 피난처를 찾았다. 1526년 7월 발타자르 후프마이어는 니콜스부르크에 와서 독일어권 루터 교구를 재세례파 회중으로 변모시키는 데 성공했다. 주로 상부 오스트리아와 티롤에서 온 수천 명의 피난민들이 거기에 정착하여 몇몇 공동체를 형성했다. 후프마이어는 1527년 7월 그가 오스트리아 당국에 넘겨질 때까지 그들의 지도자 — "니콜스부르크의 대주교" — 역할을 했다. 그는 1528년 3월 10일 비엔나에서 화형당했고 며칠 후 그의 아내는 다뉴브 강에서 익사당했다.

모라비안 형제단도 많이 분열되었다. 1527년 5월 니콜스부르크에서 한스 후트와 후프마이어 사이에 주요한 논쟁이 열렸다. 후트는 1528년에 종말이 온다고 하고 과격한 평화주의를 옹호했다. 후프마이어는 세속 정부의 필요성을 역설하고, 군대 복무와 납세를 포함하여 복종을 주장했다. 그는 또한 그리스도인이 관료가 될 수 있다는 것과 정당한 전쟁과 사형을 옹호했다(이러한 점에서 후프마이어는 전형적인 재세례파는 아니었다). 후트의 주장에 호응한 형제단들은 야콥 비데만의 지도 아래 니콜스부르크를 떠나 1528년 아우스터리츠에 공동체를 건설하였다.

이것은 빠르게 성장하여 곧 수 천 명에 달하였다. 그들은 비록 사유재산 폐지라는 기준으로 인해 가는 것마다 박해를 받았음에도 불구하고, 공산주의적 사회 질서(재산의 공동 소유)를 발전시킨, 몇몇 재세례파 그룹 중의 하나였다.

이제 아우스터리츠 공동체는 티롤의 사도 야콥 후터(Jacob Hutter)가 그 1529년부터 1536년까지 그들을 강하게 조직할 때까지 많은 분열과 분리를 겪었다. 1536년 그는 인스브루크에서 화형으로 순교했다. 그러나 그가 "후터파 형제단"을 짜임새있게 잘 조직한 덕분에 그들은 모라비아에서 1622년까지, 헝가리에서 1685년까지, 우크라이나에서 1770년부터 1874년까지 건재했다.

1874년과 1877년 사이 후터파 단체는 러시아에서 북미로 이주하여 남부 다코타와 몬타나 그리고 후에 마니토바와 알버타에 정착하였다. 후터의 후계 주교들은 계속하여 열정적인 인물들로 이어졌다. 한스 아몬(1536-1542), 페터 리데만(1542-1556) — 그는 1540년 재세례파의 신앙과 행위에 관한, 가장 인상적인 저서 중의 하나인, 「설명」(*Rechenschaft, Account of Faith*)을 썼다 — 페터 발포트(1556-1578), 클라우스 브라이들(1585-1611) 등이 그의 뒤를 승계했다.

종교개혁기가 끝날 때, 재세례파 회중은 모라비아에서 멀리 떨어진 스위스, 팔라티네이트, 네덜란드, 프리스란트, 프러시아, 폴란드에 뿌리를 내렸다. 30년대와 40년대에는 주요 루터교 지역인 헤세와 작센에서도 활동했다. 헤세의 필립은 그들에게 관대하려 하였다. 체포되어 철회를 거부한 이들은 추방되었다. 그들에게 가해진 가장 큰 중형은 징역이었다. 헤세의 재세례파 중 가장 과격한 지도자는 전에 토마스 뮌처의 동지였던 멜키오르 링크였다. 그는 생애 마지막 10년을 감옥에서 보냈고 1540년 옥사했다. 헤세의 재세례파 사건 중 가장 주목할 만한 것은 부처가 영주의 명령을 받아 1538년 10월 30일부터 11월 2일까지 마르부르크에서 그들과 토론했던 것이었다. 이것은 재세례파가 그들의 적의 주장에 굴복하여 자기 신앙을 포기할 수 밖에 없었던 아주 드문 경우의 하나였다.

작센과 투링기아에서 재세례파는 잔인하게 억압받았다. 루터는 소위 그들 "광신자"가 행위와 율법에 의한 구원을 믿는, 신앙의 왜곡자이기 때문에, 칼슈타트와 뮌처와 동일하다고 보았는데, 이것은 부당한 판단이었다. 보통 평화적이었던 멜랑히톤도 그들에 대해 강력하게 대적했다. 그는 그들이 사회와 정치 질서의 적들이라고 생각했다. 재세례파에 대한 작센의 주요한 문서 대적자는 유스투스 메니우스였다. 1530년과 1544년 사이에 그는 그들에 반대하는 책들을 출판하였는데, 대표적인 것은 「성서로부터 논박된, 재세례파의 교리와 비밀」, 「재세례파의 영에 대하여」이었다.

제도권 개혁자들의 모든 후기 저서는 — 예를 들어 루터의 1535년 판 「갈라디아서 주석」, 칼빈의 「기독교 강요」 — 한편으로 로마 가톨릭에 대적하고 다른 한편으로는 재세례파와 대조하며 복음주의적 신앙을 설명해 갔다.

5. 독일 개신교의 확립

프랑스와의 전쟁을 성공적으로 끝내고 교황 클레멘트 7세와 화해한 찰스 5세는 1529년 결국 독일 내정에 간섭할 여지가 생겼다. 그 해 루터교의 발전과 재세례파의 확장에 당황하고 황제의 의도가 바뀐 것을 의식한 슈파이에르 의회는 루터교의 더 이상의 확장을 금지시켰고, 사실상 로마 주교 권위의 회복을 명하였다. 루터교 소수파는 항의했다. 이러한 위협적 상황에서 헤세의 필립은 독일과 스위스의 복음주의 세력으로 방어 동맹을 구축하려 하였다.

가장 힘든 장애는 양측의 교리적 차이였다. 그러나 필립은 그 차이가 회의에 의해 조정될 것으로 희망했다. 루터가 반대하였지만 결국 동의가 이루어졌고 1529년 10월 1일 루터와 멜랑히톤은 필립의 성채에서 츠빙글리와 외콜람파디우스와 얼굴을 맞대고 대좌하였다. 양측의 중간급 지도자들도 동석했다. 부처와 슈트라스부르크의 다른 대표자들도 참석했다. 며칠을 두고 "마르부르크 회담"이 계속 열렸다.

루터는 스위스파의 삼위일체와 원죄 교리에 대해서도 다소 의심스러웠으나, 진정한 차이점은 성찬에서 그리스도의 육체적 임재 문제였다(Ⅵ:3 참조). 루터는 "이것은 나의 몸이다"라는 말의 문자적 해석을 고수했다. 츠빙글리는 육체적 몸이 동시에 두 곳에 있을 수 없다는 낯익은 주장을 내세웠다. 일치는 불가능했다. 츠빙글리는 결국은 양측이 기독교 형제라고 주장했으나, 루터는 자신은 기본적 신앙 조항이 모두 일치되지 않으면 어떤 사람도 신앙 안의 형제로 받아들일 수 없다고 선언했다. 그러나 "당신은 우리와 다른 영을 가지고 있다"라는 그의 유명한 말은 츠빙글리가 아니고 부처에게 한 것이다.

그러나 필립은 공수 동맹의 희망을 버리지 않으려 했고, 루터를 설득하여 15개 신앙 조항을 초안하도록 하였다. 14개 항목은 일치했다. 15번째 항목은 성찬에 대한 것이었고 여기서도 그리스도의 임재의 본성에 대한 것을 제외하고는 모든 점에서 일치했다. 양측은 이제 "양측은 양심이 허락하는 한 다른 사람에게 그리스도인의 사랑을 보여야 한다"[1]는 단서를 달고 이 마르부르크 조항에 서명했다.

루터와 츠빙글리는 각자 자기가 승리자라는 확신을 가지고 마르부르크를 떠났다. 루터파는 이제 신앙고백의 일치라는 근거 위에서만 정치적 동맹에 가입하겠다고 결정하였다. 루터와 비텐베르크 신학자들에 의해 아마도 1529년 6월 준비되어 마르부르크에서 사용된 "슈바바하 조항"은 그러한 목적을 위한 것이었다. 작센의 선제후와 브란덴부르크-안스바하의 영주는 이제 이 조항을 정치적 동맹의 기준으로 삼았다. 오직 남부 대도시들 중 뉘른베르크만이 이 조항을 받아들였다. 필립이 꿈 꾸었던 복음주의 공수 동맹은 불가능했다. 루터교와 스위스파는 각자가 자기 길을 갔고 분열은 영구화되었다.

1530년 1월 황제는 이탈리아에서 교황에 의해 대관식을 갖고는 거기서 아우그스부르크 제국 의회를 소집했다. 그가 종교적 차이의 조정이 모임의 주 의제라고 선언하면서 모든 주장을 친절히 듣기로 약속한 것은 예기치 않은 호의였다. 비텐베르크 신학자들은 이미 1529년 여름 슈바바하 조항으로 그들의 신앙 진술서를 작성했고 소위 토르가우 조항으로 로마 관례에 대한 비판을 제시하였다. 이런 사전 조항에 의지하여 멜랑히톤은 아우그스부르크 신앙고백(Augsburg Confession)을 작성했고 이것은 1530년 6월 25일 황제와 영주들 앞에서 독일어로 읽혀졌다.

이것은 작센의 선제후 요한과 그의 후계자 요한 프리드리히, 브란덴부르크-안스바하의 후작 게오르그, 브룬스빅-뤼네부르크의 공작 에른스트와 프란츠, 영주들로서 헤세의 필립, 안할트의 볼프강, 뉘른베르크와 로이틀링엔의 대표자들의 승인을 얻었다. 의회가 폐회하기 전, 하일브르노, 켐프텐, 바이센부르크, 빈드샤임 도시들도 이 신앙고백에 서명했다.

아우그스부르크 신앙고백은 주로 온화하고 화해적인 멜랑히톤의 작품이었다. 황제의 정죄 아래 있던 루터는 사건의 추이를 잘 알고 있었기는 했지만 아우그스부르크에 오지 못하고 코부르크 성 근처에 머물러 있었다. 멜랑히톤은 신앙고백서 제출일까지 수정을 계속했다. 그는 분리를 치유할 목적으로 로마 교황청에 많은 양보를 하였다. 그러나 그가 화해적 의도만 있었던 것은 아니었다. 그의 목적은 루터교가 새로운 교리를 도입한 것이 아니라 중요하고 본질적인 점에서 가톨릭 보편 교회로부터 심지어 그 초기 작품에서 나타난 대로의 로마 교회로부터도 떠나지 않았다는 것을 보여주는 것이었다. 일치가 명백히 확인되었다.

많은 고대 이단들은 조심스럽게 거론되며 거부되었다. 한편 츠빙글리와 재세례파의 입장은 강력하게 거부되었다. 성서의 유일한 권위는 어디서도 명시되지 않았다. 교황직도 확정적으로 정죄되지 않았다. 만인사제직, 화체설, 연옥 등은 언급되지 않았다. 그러나 멜랑히톤은 전반적으로 신앙고백에 완전히 복음적 어조를 띠게 했다. 은총에 의한, 오직 신앙을 통한 칭의는 모든 교리와 삶의 시금석이었다. 교회의 복음주의적 표지가 명백했다. 성자에 대한 기도, 미사의 희생제사, 평신도에게 잔을 주지 않는 것, 수도원 서약, 금식 규정 등은 거부되었다. 루터는 자신이 멜랑히톤만큼 "그렇게 온화하고 부드럽게 나아갈" 수 없다고 하기는 하였지만, 신앙고백에 만족한다고 하였다.

츠빙글리는 황제에게 「신앙의 원리」(*Ratio Fidei*)에서 그의 견해를 강력하게 피력하여 보냈지만 별 관심을 끌지 못했다. 더 중요한 사건은 츠빙글리적 경향을 띤 남부 독일 도시(스트라스부르크, 콘스탄스, 멤밍엔, 린다우)가 7월 9일 연합 신앙고백 —「네 도시 신앙고백」(*Confessio Tetrapolitana*) — 을 제출한 것이었다. 이것은 주로 부처가 작성한 것으로 츠빙글리파와 루터파의 중간적 입장을 취하고 있다.

교황의 사절 추기경 캄페기오는 의회에 출석한 로마 신학자들에게 아우그스부르크 신앙고백을 검토하라고 건의하였다. 황제가 이것을 승인했고, 전문가 중에 주도적 인물은 루터의 숙적 엑크였다. 황제와 가톨릭 영주들이 가톨릭 신학자들이 준비한 반박서가 너무 논쟁적이라 하여 돌려 보내자 결국 더 부드러운 형식으로 고쳐져 8월 3일 국회에 제출되었다.

황제는 아직도 화해를 희망했고 교섭 위원회가 임명되었다. 그러나 그들의 노력은 헛수고였다. 루터의 단호함이 주요 원인 중의 하나였다. 1531년 4월 15일까지 순응할 것, 츠빙글리파와 재세례파에 대해 공동 조치를 취할 것, 교회의 악폐를 고칠 공의회를 1년 안에 열 것 등을 발표하였다. 재건된 황제의 법정은 세속 권력의 손에 있는 소송 사건을 가톨릭에 유리하게 결정하였다. 루터파는 항의했고 그들의 신앙고백이 반박되지 않았다고 하며, 멜랑히톤이 로마의 반박서에 응답하여 급히 작성한 「변증서」(*Apology*) 내지 신앙 옹호를 보라고 했다. 이 변증서는 다음 해 1531년 개정 출판되어 루터교 고전의 하나가 되었다.

이러한 상황은 공수 동맹을 요구했다. 황제를 폭력으로 대항하는 것은 죄라고 주장하던 루터도 이제 그러한 저항의 합법성을 법률가들의 결정에 맡겼다. 성탄절 날 루터교 영주들은 슈말칼덴(Schmalkalden)에 모여 동맹의 기초를 놓았다. 끊임없이 연합 노력을 해온 부처는 슈트라스부르크를 설득하여 아우그스부르크 신앙고백을 수용하게 하였고, 이것은 다른 남부 독일 도시들에 큰 영향을 끼쳤다. 결국 1531년 2월 27일 슈말칼덴 동맹이 완성되었다. 선제후령 작센, 헤세, 브룬스빅, 안할트, 만스펠트 등이 슈트라스부르크, 콘스탄스, 울름, 로이틀링엔, 멤밍엔, 린다우, 이스니, 비베라하, 마그데부르크, 브레멘, 뤼벡 시들과 함께 연합하였다.

찰스 5세는 겉으로는 완강한 입장을 보였으나, 사실은 이 연합 세력 앞에서 그렇지 못했다. 가톨릭 영주들 상호간에 그리고 영주와 황제 사이에 서로 시기가 있었다. 교황은 공의회를 두려워하였다. 프랑스는 아직도 방심할 수 없는 대상이었다. 그래서 위협한 결과가 일어나지 않은 채 운명적인 1531년 4월 15일이 지나갔다.

1531년 10월 카펠에서 츠빙글리가 전사하자, 스위스 복음주의는 강력한 수장을 잃었고, 남부 독일의 개신교는 비텐베르크에 더 붙었다. 1532년 봄 터키의 침공으로 제국 전체가 새로운 위협에 봉착했다. 1532년 7월 23일 황제와 슈말칼덴 동맹은 뉘른베르크 강화조약에 동의했고, 이로 인해 세속화된 재산에 대한 모든 기존 법률 소송은 취하되었고 다음 공의회 혹은 적어도 새로운 제국 의회까지 평화가 확보되었다. 얼마 안있어 찰스 5세는 독일을 떠나 이탈리아와 스페인으로 갔고, 1541년까지 돌아오지 않았다. 아직도 위험하기는 하였지만 개신교 위치는 크게 신장되었고, 개신교 지역의 교회간 연합은 빨리 진행되었다.

이제 루터교는 급속히 새로운 지역을 획득하였다. 1534년 안할트-데싸우, 메클렌부르크, 포메라니아, 하노버, 프랑크푸르트, 아우그스부르크를 얻었다. 1534년 헤세의 필립이 황제의 동생 페르디난드로부터 뷔르템베르크 공작령을 탈환하여 울리히 공을 복권시킨 것은 중요한 계기가 되었다. 이것은 합스부르크가에 대한 가톨릭 영주들의 시기에 의해 도움을 크게 받은 사건이었다. 1539년 게오르그가 죽은 후, 작센 공작령에서 루터교가 승리했고, 이어서 동년 선제후령 브란덴부르크는 조심스럽게 종교개혁에 접근하였다.

루터교 확장의 이유는 독일 내 재세례파를 약화시킨, 1534-1535년의 뮌스터 혁명의 비극적 사건에서도 찾을 수 있다. 재세례파는 일반적으로 평화롭고 신앙이 아주 진지하고 박해를 잘 견디었다. 전반적으로 뮌스터 사건은 전형적인 재세례파의 모습이 아니었다. 그들 중에 멜키오르 호프만(Ⅵ:4 참조) 같은 과격한 지도자들이 나타났다. 더욱이 1525년에서 1535년까지 10년 동안 평화로운 복음적 재세례파는 아직 혁명적 재세례파와 토마스 뮌처 같은 혁명적 신령파들과 분명하게 구분되지 못했다.

호프만의 묵시적 설교는 네덜란드에서 많은 제자를 얻었다. 그 중 하나인 할렘의 제빵업자 얀 마티스(Jan Mathys)는 자신을 예언자 에녹이라 하고, 네덜란드와 인접 독일 지역에 광신적 선전을 퍼뜨렸다. 하나님의 힘이 새 시대를 도래케 한다는 호프만과 달리, 마티스는 새 시대를 폭력으로 오게 하려 하였다. 민중들의 불만이 그에게 기회를 주었다.

루터교 설교자 베른트 로트만(Bernt Rothmann)이 1534년 1월 재세례파 견해를 받아들인 바 있는, 베스트팔리아의 뮌스터보다 이 가르침이 영향력 있는 곳은 없었다. 마티스가 곧 도착했고 라이덴의 양복상 얀 보켈손(Jan Bockelson)도 왔다. 이제 하나님이 불신앙 때문에 슈트라스부르크를 버리고 대신 뮌스터를 새 예루살렘으로 택했다고 주장했다. 과격파들이 그리로 모여 들어 큰 집단을 형성하였다. 1534년 2월 그들은 도시를 장악했고 새 질서를 받아들이지 않는 이들을 추방했다. 뮌스터 주교는 도시를 포위했다.

마티스는 4월 포위를 뚫다가 살해되었다. 라이덴의 요한(John of Leyden)은 왕으로 선포되었다. 일부다처제가 확립되었고, 재산 공유가 실시되고 반대자들은 살해되었다. 영웅적으로 싸우기는 했지만 싸움은 희망이 없었다. 가톨릭과 루터교 군대의 도움을 받은 주교는 1535년 6월 25일 도시를 함락시켰고, 살아 남은 지도자들은 지독한 고문 끝에 죽었다. 독일 재세례파에게 있어서 이것은 재난이었다. 광신주의가 재세례파의 일반적 특징으로 인식되어 치욕의 이름이 되었다.

재세례파 운동은 현명하고 평화를 사랑하는 메노 시몬스(Menno Simons, 1496-1561)의 지도로 과격주의에서 구출되고 정화되었다. 프리스란트에서 태어난 그는 1524년 가톨릭 사제로 서품되었다. 유아세례와 화체설에 대하여 점점 더 의심스러웠으나 그는 1536년 1월까지는 사제직을 계속했다. 1536년 뮌스터 참사로 인해 그는 잘못 인도된 멜키오르파들, 즉 "목자 없는 양들"에 대해 목회적 관심을 갖게 되었다. 그는 이 재세례파 목회를 떠맡아 1537년 초 안수받았다. 메노는 운동을 재건하고 흩어진 북부의 남은 자들을 모으는 데 힘을 쏟았다. 그와 "메노나이츠"(Mennonites)로 불린 그의 추종자들은 네덜란드와 북부 독일에 회중 공동체를 설립하는 데 성공했다. 여기서 초기 복음적 재세례파의 형태가 회복되었다. 그의 기본적 가르침은 그의 영향력 있는 1540년의 「기독교 교리의 기초」(*Foundation of Christian Doctrine*)에 요약되어 있다.

찰스 5세는 교회의 분열을 치유하고 개혁을 수행할, 공의회에 대한 희망과 노력을 그친 적이 없었다. 그는 클레멘트 7세 때부터 계속 실패했다. 바울 3세(1534-1549)가 클레멘트를 승계했고, 순전한 신앙인이 아니었음에도 불구하고 클레멘트보다 종교개혁의 심각한 상황을 잘 인식했다. 그는 곧 도덕과 교육과 행정의 개혁을 열망하던, 추기경 가스파로 콘타리니(Gasparo Contarini, 1483-1542), 야코포 사돌레토(Jacopo Sadoleto, 1477-1547), 레기날드 폴레(Reginald Pole, 1500-1558), 기안 피에트로 카라파(Gian Pietro Caraffa, 1476-1559)를 임명하여, 1537년 교황에게 광범위한 교회 개선책을 건의하게 했다.

바울 3세는 실제 1537년 만투아 공의회를 소집했으나 찰스 5세와 프란시스 1세 사이의 새로운 전쟁(1536-1538)이 불가능하게 했다. 찰스는 공의회를 계획하고 1537년 2월 슈말칼덴에 모인 개신교 지도자들에게 참석에 동의하라고 요청했다. 황제의 명령으로 그들은 난처한 처지에 놓였다. 그들은 오랫동안 공의회에 대해 말해왔고 루터는 1518년에 이미 공의회에 호소했었다. 그러나 그들은 투표에서 질 것을 분명히 알았고, 교황 주도로 이탈리아 도시에서 열리는 공의회의 참석을 거부했다.

찰스는 공의회가 당분간 불가능하다는 것을 깨닫고 이제 재통일 토의를 시도했다. 그것은 1540년 6월 하게나우, 같은 해 말 보름스, 1541년 4월 레겐스부르크(라티스봉)에서 열렸다. 개신교 측에서는 멜랑히톤, 부처, 칼빈 등이 회담의 하나 혹은 그 이상에 참석했고, 가톨릭 측에서는 엑크와 콘타리니 등이 참여했다. 한때 주요 쟁점인 칭의가 일치에 도달한 듯했으나, 착각에 불과했다. 차이점이 너무 커서 타협이 불가능했다.

찰스 5세는 화해의 길이 막혔고 개신교는 우선 군사적 정치적 힘이 약화되지 않는 한 공의회에 참석하지 않을 것이라는 것을 분명히 깨달았다. 개신교 연맹은 황제의 정치적 권위에 적지 않이 위험스러웠다. 그것은 제국의 모든 통일을 깨뜨리고 있었다. 따라서 찰스는 천천히 그리고 많은 망설임 끝에 그의 원대한 계획을 추진시켰다.

그는 공의회를 개최할 생각이었다. 힘으로 개신교 세력을 약화시킨 후 공의회를 최종 중재자로 용납하도록 할 속셈이었다. 공의회는 기독교 제국의 재통합을 위해 조금씩 양보하게 할 수 있을 것이고, 개신교와 가톨릭이 다같이 정죄하는 악폐들을 고칠 수 있을 것이다. 이 계획을 실현하기 위하여 그는 3가지 준비 단계를 밟아야 했다. 가능하면 그는 슈말칼덴 동맹을 정치적으로 분열시켜야 했고, 프랑스의 공격 위험을 저지해야 했고, 계속 위협해 오는 터키의 침공을 최소한 당분간이라도 줄여야 했다.

개신교를 분열시키려는 황제의 의도는 종교개혁사에서 가장 야릇한 사건 중의 하나에 의해 도움을 받았다. 슈말칼덴 동맹의 비범한 정치가 헤세의 영주 필립은 개신교 운동에 희생적으로 헌신해 왔음에도 불구하고 그 시대 대부분의 영주들처럼 사생활의 도덕 수준이 낮았다. 이미 작센의 게오르그 공의 딸과 결혼해 7아들을 두었지만 그는 그녀에게 사랑의 감정을 가질 수 없었다. 그는 계속 부정한 생활로 양심이 괴로와 1526년에서 1539년까지 성찬에 단 한번 참여하였다. 그는 사생활을 고치지 못한 채, 자기 영혼의 구원에 점점 더 불안해 했다.

몇년 동안 그는 이 곤경을 타개하기 위해 두번째 결혼을 생각했다. 구약성서의 인물들은 사실 다처였고 신약성서에도 금지가 없는데, 왜 해서는 안되는가? 이러한 생각은 17살의 매력있는, 누이의 궁정 시녀 마가렛 폰 살레의 딸과 친해지면서 더 강화되었다. 그녀의 어머니는 선제후, 작센의 공 및 몇몇 다른 사람들에게 진정한 결혼임을 알려야 한다는 조건으로 승락했고, 필립의 전처도 동의했다. 필립은 자기가 하는 일이 옳다고 확신했으나, 여론을 위해 비텐베르크 신학자들의 동의를 받고자 하였다. 그는 슈트라스부르크의 부처에게 사람을 보내, 반은 설득하고 반은 황제나 교황으로부터 허가를 구하겠다고 위협하여 자기 계획을 돕게 했다. 부처는 이제 루터와 멜랑히톤과 작센 선제후에게 필립의 사절로 가서 이름을 숨긴 채 막연한 의견교환을 했다.

1539년 12월 10일 루터와 멜랑히톤은 이렇게 의견을 제시했다. 일부다처제가 그리스도께서 승인하신 창조 질서의 기본 법칙에 어긋나지만, 그들이 필립의 경우일 것이라고 믿은, 양심이 크게 고통을 당하고 있는 경우에는 법과 판례가 철폐되지는 않더라도 초월될 수 있으며, 목회적 이유에서 예외가 있을 수 있다고 하였다. 따라서 간음이나 이혼보다는 필립이 제안한 대로 결혼하는 것이 좋을 것이라고 하였다. 그 대신 루터는 개인 고백에서 사적으로 충고한 것은 일반적으로 타당한 법이 될 수 없다는 것을 주장했고, 따라서 결혼은 절대 비밀리에 붙여서 두번째 부인이 첩인 양 해야 한다고 했다. 궁정 설교자가 결혼식을 거행했고 멜랑히톤과 부처와 작센 선제후의 대표가 증인을 섰다. 이것은 비밀리에 행해졌으나 곧 불가능함이 드러났다. 루터는 "단호한 선의의 거짓말"을 권면했으나, 필립은 절대로 "나는 거짓말을 하지 않을 것이다"라고 선언했다.

개신교와 가톨릭 양측에서 추문이 무성했다. 중혼은 제국 법에 의해 금지되어 있고, 중혼한 영주는 왕관을 박탈당해야 했다. 다른 복음주의 영주들은 필립 행위의 변호나 보호를 약속하지 않았다. 황제는 호기를 잡았다. 그는 1541년 6월 13일 사태의 악화 방지의 대가로 필립 개인이나 슈말칼덴 동맹의 대표로 외국과 동맹을 맺지 않을 것을 확인받았다. 황제에 맞서 슈말칼덴 동맹의 힘을 강화시켜 주었던, 프랑스, 잉글랜드, 덴마크, 스웨덴과의 협상은 취소되어야 했다.

더 나쁜 결과는 필립이, 찰스가 겔더스를 놓고 다투던 — 복음주의로 기울고 있던 — 클레브의 윌리엄 공을 돕지 않기로 약속한 것이다. 윌리엄은 작센의 선제후의 동서였고 선제후는 그를 도우려고 했기 때문에, 슈말칼덴 동맹 안에 심각한 분열이 생겼다. 그 결과 참혹하게도 황제는 1543년 윌리엄을 대패시키고 겔더스를 영구히 그의 소유로 하고 루터교를 포기하도록 했다. 이 패전 때문에 쾰른 대감독구를 바라던 개신교측 희망도 사라졌다.

찰스의 행운은 그의 나머지 계획에서도 계속되었다. 바울 3세를 설득시켜, 황제령이었으나 사실은 이탈리아 도시인 트렌트에서 1542년에 공의회를 열기로 하였다. 전쟁 때문에 연기되었으나, 결국 1545년 12월 회기를 시작하여 1563년까지 중단과 재개를 반복했다(Ⅶ:11 참조).

찰스는 1544년 슈파이에르 의회에서 모호한 약속을 해서 대 프랑스와 대 터키 전쟁에서 개신교의 수동적 지지와 약간의 적극적 지원을 약속받았다. 프랑스 전쟁은 짧았다. 황제는 잉글랜드의 헨리 8세와 연합하여 파리 교외까지 쳐들어 갔다. 그 때 황제는 어떤 승전의 대가도 포기한 채 프랑스 왕과 강화조약을 맺어 헨리를 당혹케 하고 유럽을 놀라게 했다. 그러나 사실상 그는 프랑스가 당분간 독일 개신교를 지원할 가능성을 제거했다. 페르시아와 전쟁 중이고 내전으로 시달리던 터키는 1545년 10월 황제와 휴전하였다. 모든 사건이 황제가 독일 개신교에 일격을 가할 수 있게 돕는 듯했다.

루터가 1546년 2월 18일 그가 고향 아이스레벤으로 여행 도중 죽은 것은 바로 개신교 운동의 전도가 암담하던 때였다. 그의 마지막 여생은 행복과 거리가 멀었다. 그는 오랫동안 건강이 안 좋았다. 루터도 적극 가담한, 개혁자들의 싸움은 그의 마음을 어둡게 했다. 자기 주위의 사회적 정치적 생활을 변모시키기 위하여 이신칭의를 순수하게 설교하지 못한 것이 그를 크게 괴롭혔다. 그는 행복한 가정 생활과 복음에 대한 완전한 신뢰에 의해서 위로를 받았다. 그가 시작했던 일은 아무리 능력 있는 사람이라 해도 혼자 통제하기에는 너무 멀리 나아가 있었다. 시대가 그를 더 필요로 하지 않았으나, 그는 교회 역사에서 가장 거대한 인물 중의 하나로 계속 기억될 것이다.

찰스는 전쟁에 착수하기 전, 개신교를 분열시키는 데 또 한번 성공했다. 공작령 작센은 헨리공(1539-1541) 때 완전히 개신교에 속했으나, 그의 통치는 짧았고 그의 젊은 아들 모리츠(Moritz, 1541-1553)가 승계했다. 정치적 수완가 중에서 모리츠는 평가하기 어려운 인물이었다. 왜냐하면 그는 종교적 동기에 의해 지배되던 시대에 종교 문제에 전혀 관심이 없이 그의 정치적 성취에 모든 것을 걸었기 때문이다. 그는 헤세의 필립의 사위요 작센의 선제후 요한 프리드리히의 사촌이었으나, 선제후와 싸우고 필립과 사이가 나빴다.

황제는 이제 1546년 6월 전쟁이 성공적으로 끝나면 그의 사촌의 선제후 자리를 그에게 양도하고 다른 중요한 것을 양보하겠다고 약속하고서 그의 지지를 비밀리에 확보했다. 드디어 준비가 끝나자 황제는 요한 프리드리히와 필립에게 제국에 대한 불충성 죄목으로 추방령을 내렸다. 찰스는 종교적 전쟁이 아닌 정치적 전쟁으로 하고 싶었다. 슈말칼덴 동맹은 아무 준비도 하지 못했다. 모리츠의 변절이 큰 타격이었다.

전쟁은 처음에 개신교에 유리한 듯했으나, 선제후령 작센이 1547년 4월 24일 엘베강 유역 뮐베르크 전투에서 대패했고 요한 프리드리히는 체포되었다. 필립은 희망이 없음을 보고 황제에게 항복했다. 두 영주는 구금되었다. 모리츠는 선제후 칭호와 그의 사촌의 영토의 반을 받았다. 정치적으로 개신교는 와해되었다. 오직 마그데부르크를 비롯한 북부의 몇몇 도시와 소영주들만이 계속 항쟁했다.

그러나 이상하게도 막 정치적으로 개신교를 분쇄한 황제는 교황과의 사이에서 전에 없었던 정도로 관계가 악화되었다. 바울 3세는 전쟁 초기에 그를 도왔으나 성공을 거듭하는 황제가 너무 강력해질까봐 한 걸음 물러섰다. 찰스는 개신교로 하여금 공의회를 인정하도록 할 때까지 트렌트 공의회를 서서히 진행시키려 하였다. 다음에 그는 공의회로 하여금 개신교의 선입견을 달랠 수 있는, 작은 양보를 하게 하고 싶었다. 교황은 공의회가 가톨릭 신앙을 빨리 규정하고 집으로 돌아가려 하였다.

1546년 4월 이미 신앙 문제에서 전통이 권위의 근원임을 밝힘으로써 일치가 어렵다는 것이 밝혀졌다. 교황은 황제의 영향력을 줄이기 위해 공의회를 1547년 3월 볼로냐로 옮긴다고 선언했다. 황제는 이러한 이전을 인정하지 않았고 이미 틀이 짜여진 트렌트의 결정을 거부했다. 찰스는 공의회에서 분열의 치유를 기대했고, 이 분열의 치유 때까지 독일이 인정하고 살 수 있는, 어떤 종교적 일치의 방법이 필요했다.

그래서 황제는 교회 위원회로 하여금 "잠정안"(Interim)을 초안하도록 했다. 이것은 비록 평신도에게 잔을 주고, 성직자의 결혼을 허용하고 교황의 권력을 약간 줄이기는 하였지만, 본질적으로 가톨릭적이었다. 가톨릭 영주들은 그것을 거절했다. 교황도 거부했다. 찰스는 그것을 세속적 재통합의 프로그램으로 하려는 희망을 포기했으나, 1548년 6월 30일 아우그스부르크 제국 의회에서 개신교도들에게 적용시켰다. 그는 이제 아우그스부르크 잠정안(Augsburg Interim)을 강하게 밀어부쳤다.

작센의 모리츠는 황제의 노력을 많이 도왔다 하여, 라이프치히 잠정안(Leibzig

Interim)으로 알려진 수정안을 허용 받았다. 이것은 이신칭의를 확정했으나 로마의 관례와 정치를 많이 재확립하였다. 멜랑히톤은 그 안에 있는 로마적 요소를 아디아포라(adiaphora) 혹은 비본질적인 것이라고 하면서 억지로 동의했다. 그는 이러한 약점 때문에 정복되지 않은 마그데부르크의 도전적 루터파, 특히 마티아스 플라키우스 일리리쿠스(Matthias Flacius Illyricus, 1520-1575)와 니콜라우스 폰 암스도르프(Nikolaus von Amsdorf, 1483-1565)로부터 호된 비난을 들었다. 특히 플라키우스는 이 암흑기 동안 대중적 루터교를 옹호하는 데 크게 공헌했다. 그러나 루터파 신학자 사이의 거센 논쟁이 시작되었다.

표면상 찰스는 그의 목적을 달성하는 듯했다. 교황 바울 3세는 1549년에 죽었고 황제에게 보다 유순한 율리우스 3세(1550-1555)가 승계하였다. 새 교황은 트렌트로 한번 더 공의회를 소집했고, 실제 1552년 몇몇 개신교 신학자들이 참석했다. 사실 독일은 불평이 가득했다. 개신교는 황제의 멍에 아래서 신음했고, 가톨릭 영주들은 찰스의 권력이 팽창하고 후일 스페인의 필립 2세가 될 아들에게 황제직을 물려주려는 시도가 성공하는 듯하자 황제를 시기했다. 작센의 모리츠는 그의 장인 헤세의 필립이 아직도 쇠사슬에 매여 있는 것이 불만이었다. 더욱이 그는 황제로부터 얻을 것은 다 얻었다고 생각했고, 그의 신하들이 강력한 루터파였기 때문에 황제에 맞서는 루터파 지도자가 되어야 자기의 끝없는 야망이 더 채워질 수 있다고 보았다.

저항하던 마그데부르크가 황제의 이름 아래 떨어지자, 이것이 모리츠에게 군대를 일으킬 구실을 주었다. 북부 독일의 루터파 영주들과 합의에 성공했다. 프랑스의 왕 헨리 2세(1547-1559)로부터 독일 국경의 도시 메츠, 툴, 베르덩을 양도하는 대가로 도움을 약속받았다. 찰스는 음모를 알았으나 대처할 적절한 조치를 취하지 못했다. 재빨리 일격이 가해졌다. 헨리는 로렌느를 침공했고 탐내던 도시들을 점령했다. 모리츠는 신속히 남쪽으로 진군하여 거의 황제를 체포할 뻔했고 황제는 인스브루크에서 도망했다. 찰스가 그렇게 공들여 쌓은 탑이 루터파 자체의 힘 때문이 아니라 영주들의 독립에 의해서, 장난감 집처럼 무너졌다. 1552년 8월 2일 파사우 조약으로 전격적으로 싸운 전쟁이 끝났다.

파사우 조약은 종교적 문제의 해결을 다음 제국 의회로 넘겼다. 제국 의회는 3년 후에나 모일 수 있었다. 영주들의 경쟁으로 독일은 혼란에 빠졌다. 모리츠는 1553년 브란덴부르크의 후작 무법자 알브레흐트와의 싸움에서 아내를 잃었다. 찰스는 내심 개신교를 용인하려고 하지 않았으나 어쩔 수 없는 형편이어서, 모든 처리권을 그의 동생 페르디난드에게 넘겼다. 페르디난드는 1558년에 비로소 황제로 선출되었다. 제국 의회가 아우그스부르크에서 모였다. 루터파는 그때까지 또는 그 후 세속화된 모든 교회 재산의 권리와 소유를 요구했다. 그들은 가톨릭 영토에서 루터교의 관용을 요구했으나 자기들 지역의 가톨릭에게는 거부했다. 이 극단의 요구는 당연히 거부되었고 타협이 이루어져 1555년 9월 25일 아우그스부르크 강화조약이 체결되었다. 이 협약에 의해 가톨릭과 루터파에게 제국 내에서 동등한 권리가 주어졌다. 다른 복음주의파들은 인정되지 않았다. 각 평신도 영주는 자기 영토 내의 신앙을 선택할 수 있고 — 그의 신하들은 선택권이 없었다 — 오직 하나의 신앙만이 해당 지역에 허용된다는 것이다(*cuius regio, eius religio*). 교회 영토와 재산은 파사우 조약이 체결된 1552년을 기준으로 하여 당시 루터파 소유는 그대로 유지되나, 그 후 개신교로 개종한 가톨릭 영적 통치자들의 지위와 소유를 몰수함으로써 가톨릭은 1552년까지 잃지 않은 영적 영토의 소유를 계속 보장받았다. 이것이 바로 "교회의 유보"였다.

지역의 신앙에 불만 있는 사람은 자유로이 이민가고 소유를 적당한 시가로 처분할 수 있었다. 이것은 이단에 대한 처벌보다 크게 진일보한 것이었으나, 선택은 오직 가톨릭과 루터교뿐이었다. 그래서 루터교는 완전히 법적으로 설립되었다. 독일은 영구히 나뉘었다. 독일 교회 전체를 정화하려는 루터의 꿈은 사라졌으나, 가톨릭의 가시적 일치의 개념도 마찬가지였다. 오래된 지도자들은 신속히 사라져 갔다. 루터는 9년 전에 죽었고, 멜랑히톤은 1560년에 죽었다. 찰스 5세는 1555년에 네덜란드를, 다음 해 스페인을 내놓고, 스페인의 산 유스테에 은퇴하여 1558년 거기서 죽었다.

6. 스칸디나비아 나라들

1397년 칼마르 연합(Union of Kalmar) 이래 덴마크, 노르웨이, 스웨덴 3국은 명목상 덴마크의 통치 아래 있었다. 슐레스빅-홀슈타인(Schleswig-Holstein) 역시 1460년부터 덴마크에 속했다. 어느 나라도 강력한 왕이 없었다. 고위 성직자들은 평판이 안 좋았고, 억압적이었으며, 종종 외국 출신이었고, 귀족과 경쟁했다. 이 지역의 종교개혁은 유럽에서 가장 정치적이었다. 종교개혁의 여명기에 르네상스에 동정적인 계몽 군주 크리스챤 2세(1513-1523)가 덴마크의 왕위를 차지했다. 그는 왕국의 주요 악이 귀족과 성직자의 권력 남용에 의한 것이라고 믿었다.

루터교 운동을 끌어들여 수교의 권한을 세한할 생각으로, 그는 1520년 루터교 설교자 마르틴 라인하르트를 초빙하였으나 별 효과가 없었다.

칼슈타트는 1521년 임시 고문으로 일했다. 조금은 칼슈타트의 조언에 의해 1521년에 법을 제정하여, 로마에 상소를 금하고 수도원을 개혁하고 주교의 권위를 제한하고 성직자의 결혼을 허용했다. 그러나 반대가 거세 실행치 못했고, 크리스챤 2세는 특권 계층의 적개심을 불러 일으킨 나머지 1523년 퇴위해야 했다. 그 대신 삼촌 프레데릭 1세(1523-1533)가 왕이 되었다.

프레데릭은 루터교에 호감을 가지고 있었지만 그를 왕위에 옹립한 세력에 의해 귀족의 특권을 존중하고 이단적 설교를 금하겠다고 약속했다. 그러나 루터교는 나라 안으로 파고 들었다. 한때 수도사였고 비텐베르크에서 공부한, 한스 타우젠(Hans Tausen, 1494-1561)은 1524년부터 인기있는 대중 설교자가 되어 루터교를 심었다. 같은 해 왕은 자기 나라의 주교 임명권을 장악하고 1527년 이것을 입법화하고 루터교를 관용하고 사제의 결혼을 허용했다. 이러한 변화는 귀족 대부분의 도움으로 이루어졌는데, 왕은 귀족들이 교회의 권리와 재산을 공격하는 것을 지지했던 것이다.

아우그스부르크 신앙고백이 있던 1530년, 타우젠과 그의 동료들은 덴마크 국회에 "43개의 코펜하겐 조항"을 제출했다. 한 해 전 덴마크어 번역 신약성서가 출판되어 열심히 읽혔다. 당시 어떤 결정에도 도달하지 못했으나 루터교는 1533년 프레데릭이 죽을 때까지 계속 성장했다.

프레데릭의 죽음으로 모든 것이 혼란에 빠졌다. 그의 두 아들 중 대부분의 귀족들은 철저한 루터교파인 장남 크리스챤 3세(1536-1559)를 지지하고, 주교들은 차남 한스를 지지했다. 내전의 혼란기를 거쳐 크리스챤 3세가 승리했다. 주교들은 투옥되었고, 그들의 권위는 폐지되었으며, 교회 재산은 왕이 몰수하였다. 그리스챤은 이제 비텐베르크에 도움을 청했다. 1537년 루터의 동역자 요한네스 부겐하겐이 왔고, 그 자신 비텐베르크의 감독인 독일 개혁자에 의해 7명이 새 루터교 감독으로 안수받았다. 그들은 왕에 의해 임명되었으나 "주교"의 칭호를 유지했다. 덴마크 교회는 이제 완전히 루터교로 재조직되었다.

노르웨이는 독립 왕국이었으나 칼마르 연합과의 관계로 덴마크 왕 아래 있었다. 프레데릭 1세의 통치 동안에는 거의 종교개혁과 접촉할 수 없었다. 뒤 이은 분쟁에서 노르웨이 성직자의 수장인 대주교 트론트하임의 올라프 엥겔브렉손(Olaf Engelbrektsson of Trondheim)이 일시적 타협파를 이끌었다가 크리스챤 3세가 왕위에 오르자 나라를 떠났다. 노르웨이는 덴마크의 한 지방이 되었고 명목상 덴마크의 새로운 루터교 종교 제도가 도입되었다. 그러나 크리스챤 3세는 노르웨이의 효과적인 설교와 감독에 별 관심을 기울이지 않았고, 그 결과 위로부터의 종교개혁은 대중의 지시를 얻기까지 오랜 세월이 필요했다.

멀리 떨어진 덴마크령 아이슬랜드도 마찬가지였다. 종교개혁의 물결이 그리로 천천히 스며들었다. 독일에서 교육받고 루터교에 동정적인 스칼홀트의 기서 아이나르젠(Gisser Einarsen of Skalholt) 주교는 1540년 루터교 개혁 운동을 보수적으로 시작했고, 같은 해 아이슬랜드 말로 번역된 신약성서가 출판되었다. 1548년 홀룸의 욘 아레젠(Jon Aresen of Holum) 주교의 지도로 가톨릭측은 덴마크의 멍에를 벗기 위해 반란을 일으켰다. 1554년 반란은 진압되었고, 대중의 지지를 얻기까지는 오랜 시일이 걸렸지만 루터교는 강하게 확립되었다.

스웨덴의 종교개혁은 거의 독립 운동과 함께 맞물렸다. 덴마크의 크리스챤 2세는 스웨덴 왕위를 유지하는 데 있어서 극심한 저항을 받았다. 그의 주요한 지지자는 웁살라의 대주교의 구스타프 트롤레(Gustaf Trolle)였다. 구스타프는 교황 레오 10세로부터 그의 대적자들을 파문할 권리를 받았으나, 그 대립은 순전히 정치적인 것이었다. 1520년 크리스챤 2세는 스톡홀름을 점령하고 스웨덴 왕위 대관식을 거행할 때, 아주 잔학한 행위를 저질렀다. 그는 의식에 참석한, 방심한 귀족들을 파문된 이단자라는 명목으로 처형해 버렸다. 스웨덴은 스톡홀름의 피비린내 나는 잔행에 분격하여 크리스챤 2세에게 반란을 일으켰고, 곧 강력한 지도자 구스타푸스 바사(Gustavus Vasa)가 반란을 이끌었다. 덴마크인들은 1523년 쫓겨났고 구스타푸스(1523-1552)는 왕으로 선출되었다.

그 동안 1519년 비텐베르크에서 공부하고 돌아온 두 형제, 올라프(Olaf, 1493?-1552)와 라르스 페터손(Lars Peterson, 1499-1573)이 루터교 교리를 가르치고 있었다. 그들은 슈트렝네스(Strengnas)에서 일했고 또 라르스 안더슨(Lars Andersson) 부주교를 개종시켰다. 1524년 구스타푸스 왕은 이 지도자들에 호의를 가졌다. 안더슨(Laurentius Andreae)은 그의 수상이 되었고 라르스 페터손은 웁살라 신학 교수가 되었다.

1524년 12월 27일 웁살라에서 스톡홀름의 설교자 올라프 페터손과 로마의 대변자 페터 갈레(Peter Galle) 사이에 열린 토론은 개혁자의 승리로 보였다. 1526년 올라부스 페트리(Olavus Petri)는 그의 스웨덴어로 신약성서를 출판하였다(그는 동생의 도움으로 구약성서도 번역하였고, 스웨덴어 성경 전체가 1541년 발행되었다). 왕이 개혁을 지지한 것은 아마도 반은 종교적 신념 때문일 것이지만, 적지 않은 부분은 왕의 비참한 궁핍 때문이었는데, 구스타푸스가 생각하기에 이것은 교회 재산의 대대적인 몰수에 의해서만 해결할 수 있었다.

1527년 6월, 왕은 결정적인 일격을 가했다. 베스테라스 국회(Diet of Vasteras)에서 구스타푸스는 퇴위하겠다고 위협하며 주교들로부터 다음과 같은 요구를 얻어내었다. 즉 왕이 본래의 종교적 일에 불필요하다고 생각하는 모든 교회와 수도원의 재산을 왕에게 귀속시킬 것, 1454년 이래 교회에 기증한 면세 땅들을 귀족들에게 되돌릴 것, "순수한 하나님의 말씀"을 설교할 것, 왕의 권위 아래 교회를 재조직할 것 등이었다. 구스타푸스는 스웨덴 교회의 수장이었고 교회 재산의 많은 부분의 소유자이긴 했으나, 종교상의 권한을 보수적으로 사용했다. 이전 고위 성직자들은 대부분 나라를 떠났다. 이제 왕에 의해 임명되었으나 주교의 직책은 유지되었다.

새로운 주교들이 1528년 옛 의식으로, 가톨릭 시절 그의 직책을 받았던 베스테라스의 주교 페터 마그니(Peter Magni)의 손에 의해 안수되었다. 스웨덴 루터교 주교단은 그를 통하여 사도적 계승을 이어갔다. 1529년 외레브로 총회(synod of Örebro)는 더 많은 개혁 조치를 취했다. 1529년 스웨덴 예배 의식이, 1531년 "스웨덴 미사"가 발표되었다. 1531년 라르스 페터손은 웁살라의 대주교가 되었다. 그러나 동료 주교에 대한 사법 관할권은 왕의 손 안에 있었다.

대부분의 하위 성직자들은 종교개혁을 받아들였고 그들의 지위를 유지했다. 그러나 왕에 의한 이러한 변화는 즉각적인 대중의 호응을 받을 수 없었고, 스웨덴이 완전히 복음주의 국가가 되기 위해서는 오랜 세월이 필요했다. 교리와 실천 면에 있어 스웨덴 루터교의 형태는 대단히 보수적이었다. 스웨덴의 개혁은 스웨덴 왕국의 일부인, 핀란드의 개혁을 가져왔다. 스웨덴 교회는 특별히 구스타푸스의 아들 요한 3세(1568-1592)의 통치 때 로마화의 반동을 거쳐야 했다. 그러나 1593년 이것이 끝났고, 웁살라 총회는 그 해 공식적으로 아우그스부르크 신앙고백을 스웨덴의 신조로 채택했다.

7. 칼빈 이전 프랑스어 사용 스위스와 제네바의 종교개혁

취리히는 스위스 북방에서, 베른은 남부에서 가장 강력한 세력이었다. 베른은 특히 제네바 호수 주변 프랑스어 사용 지역(Pays de Vaud)의 소유를 둘러싸고 사보이의 공작들과 끊임없이 경쟁하고 있었다. 1528년 2월 7일 베른이 개신교를 수용한 후, 베른 정부는 기욤 파렐(Guillaume Farel, 1489-1565)의 설교 사역을 부추김으로써 베른에 의존해 있는 이 지역들에 개혁 사상을 파급시키려 하였다.

파렐은 프랑스 도피네 지방의 가프(Gap) 태생이었다. 파리에서 공부할 때, 그는 인문주의 개혁자 르페브르(Jacques LeFevre d'Etaples)의 영향을 받았고, 1521년에는 모(Meaux)의 감독이며 온건한 개혁주의자인 브리소네(Guillaume Briconnet)의 비호 아래 설교했다. 불같은 열정, 격한 감정 그리고 사자후의 웅변가인 그는 곧 종교개혁을 선포하다가 프랑스를 떠나야 했다. 1524년 그는 바젤에서 개혁을 권유하였으나, 너무 격렬하여 다시 추방되었다. 다음 몇 달 동안 유랑의 기간에 그는 슈트라스부르크를 방문하여 부처와 친구가 되었다.

1526년 11월 에글(Aigle)의 프랑스어권 스위스에서 개혁 운동을 시작하였고, 베른 정부는 아직 완전히 종교개혁에 동의하지 않았음에도 불구하고 그를 비호하였다. 베른에서 새로운 사상이 완전히 승리하자, 파렐의 사역은 활기를 띠었다. 1528년 에글과 옹롱(Ollon)과 벡스(Bex)는 종교개혁을 채택하였고 성상 파괴와 미사 폐지를 단행하였다. 로잔을 개종시키려는 노력은 무산되었고, 1529년 11월 그는 뇌샤텔(Neuchatel)에서 맹비난하여 결국 종교개혁을 성사시켰다.

1530년에는 모라(Morat)가 뒤따랐다. 그러나 모라처럼 개신교의 베른과 가톨릭의 프라이부르크의 공동 지배 아래 있던 그랑송(Grandson)과 오르베(Orbe)에서는 두 가지 예배 형태가 용인되었다. 1532년 9월 그는 코티안 알프스(Cottian Alps) 고지대에 모인 발도파 종교 회의에 초청받아 참석하였다. 이 회의에서 발도파 대부분이 종교개혁을 수용했다. 그 후 파렐의 동료 올리베탕(Pierre Olivetan, 1506?-1538)이 발도파 사역을 수행했고, 1535년 그의 프랑스어 성서 번역이 출판되었다.

1532년 10월 파렐은 제네바에서 개혁을 설교하였으나 실패하였다. 그는 어디서나 불굴의 용기로 반대에 맞섰으며, 때때로 생명의 위험과 부상도 입었으나, 그의 분투하는 모습에 무관심할 수 있는 이는 아무도 없었다. 그의 중요한 동역자는 장차 로잔의 개혁자가 될 온건한 비레(Pierre Viret, 1511-1571)였다.

1532년 파렐이 도착했을 당시 제네바는 1520년대의 정치 혁명을 강화하고 있었다. 알프스 산맥을 넘는 주요 무역로 위에 위치한 제네바는 활력 있는 상업 도시로서 자유에 대해서는 예민하였으나, 많은 수도원과 교회 기관들의 수에 비해 도덕적 수준은 오히려 방만하였다. 제네바는 강력한 사보이 공의 침입에 대항하여 겨우 자유를 지켜 왔다.

16세기 초기 제네바와 그 인접 지방을 통치한 세력은 셋이었다. 주교, 도시 행정관(*vicedominus*) 혹은 세속 통치자, 그리고 시민이었다. 시민들은 매년 시민 총회(General Assembly)를 열어 "특별 평의원"(syndics) 4인과 회계 담당자를 선출한다. 총회 외에 그 해와 전년도 평의원들로 구성된 25인 소의회(Little Council of 25)가 있었고, 더 큰 정책들은 소의회가 지정한 60인의회(Council of 60)가 다루었다. 1527년 소의회와 소의회가 지명한 175인을 합하여 200인 의회(Council of Two Hundred)가 신설되었다. 호전적인 사보이 공들은 1290년 이래 행정관을 임명하고 1444년 이래로 주교직을 지배해왔다. 그러므로 분쟁은 주교와 행정관에 의해 나타난 사보이 사람들의 이익에 대한 제네바 시민들의 자유를 위한 것이었다.

1519년 서약단(Eidguenots, *Eidgenossen*, "confederates")으로 알려진, 대(對)사보이 스위스 동맹 편에 선, 일단의 혁명적 시민들이 가톨릭 프라이부르크와 동맹을 맺었다. 그러나 사보이 공 찰스 3세가 승리했고, 제네바의 애국자 베르트하일러(Philibert Bertheiler)는 참수당했다. 1525년 혁명파들은 제네바인 망명자 휘게(Besancon Hugues)의 지휘 아래 다시 힘을 결집하였다. 1526년 휘게는 베른, 프라이부르크와 동맹을 체결하였다. 시민 총회는 조약을 비준하였고, 제네바는 이제 스위스 정치 동맹 안에서 안전을 확보하였다.

1527년 8월 피에르 드 라 보옴(Pierre de la Baume) 주교는 그 도시를 지배할 수 없게되자 도시를 떠나 사보이 편에 붙어버렸다. 행정관의 권위는 부정되었고, 주교와 그의 대리인의 전통적인 권한은 소의회와 신설된 200인 의회가 인수하였다. 찰스 공은 이 용감한 도시를 공격하였으나, 베른과 프라이부르크는 1530년 10월 지원군을 보내었고, 찰스 공은 제네바의 자유를 존중할 것을 서약해야 했다.

제네바는 지금까지 종교개혁에 별로 관심이 없었으나, 베른은 제네바에 복음적 신앙이 확립되기를 열망하였다. 사실 베른은 제네바의 정치 혁명 뿐만 아니라 종교의 개혁도 좌우하려 하였다. 1532년 6월 교황권을 비판하고 교리의 개혁을 주장하는 현수막이 나붙자 개신교 소요가 시작되었다. 제네바의 또 다른 동맹국 프라이부르크는 철저하게 가톨릭이었고, 제네바 정부는 모든 "루터주의"적 경향과 단절하였다. 1532년 10월 전술한 대로 파렐과 그의 동역자 피에르 올리베탕과 앙뜨완느 소니에르(Antoine Saunier)가 베른의 등을 업고 제네바에 도착했다. 그러나 그들은 거기서 거점을 확보할 수 없어 떠나야 했다.

한 달 후 파렐은 그의 동료 앙뜨완느 프로망(Antoine Froment, 1508?-1581)을 제네바로 보내었다. 그는 거기서 학교 교장이 되어 그 위치에서 개혁 교리를 전파했다. 프로망은 많은 지지자를 모았고 1533년 1월 1일 용기를 얻어 공식적으로 설교하였다. 그 결과 폭동이 일어나 도망가야 했다. 다음 부활절 개신교도들은 성만찬 의식을 거행했다.

12월에 파렐이 돌아왔고, 역시 베른이 파송한 비레(Pierre Viret)와 힘을 합쳐 도미니칸 수도사이며 그 지역의 주요한 가톨릭 옹호자인 퓌르비티(Guy Furbity)

와 공개 토론을 벌였다. 토론은 폭동으로 끝났다. 3월이 되자 이제 상당한 세력을 이룬 파렐과 그의 추종자들은 설교하기 위해 수도원 예배당을 점거하였다.

제네바 정부는 난처한 입장에 빠졌다. 제네바의 가톨릭 동맹국 프라이부르크는 파렐을 침묵시키라고 요구했다. 제네바의 개신교 동맹국 베른은, 제네바인들이 베른의 앞잡이가 되었다고 비난한 퓌르비티를 체포하라고 아우성쳤다. 행정관은 퓌르비티를 체포하고 프라이부르크와의 관계를 끊었다. 이렇게 해서 베른만이 제네바의 유일한 스위스 동맹자가 되었다. 사보이 공에게 망명한 주교는 이제 군대를 모아 도시를 공격하여 포위하였다. 그의 행동으로 인하여 제네바의 반대가 격해졌고 파렐과 비레는 이 기회를 이용하여 개신교 종교개혁과 제네바 독립 투쟁을 연결시켰다. 1534년 10월 1일 제네바가 아직 개신교시가 아니었음에도 불구하고, 소의회는 주교직이 공석임을 발표하였다.

1535년 초 파렐은 평의원들을 설득하여 개신교 지도자와 가톨릭 사제 사이의 공개 논쟁을 공인해 주도록 유도하였으나, 주교는 가톨릭 측의 참석을 금하였다. 파렐과 비레는 거의 6월 내내 계속된 토론에서 몇몇 로마 대변인을 이겼다. 승리에 용기를 얻은 그들은 1535년 7월 23일 라 마델렌(La Madeleine)의 예배당을 점령했고, 8월 8일에는 성 베드로 대성당을 차지했다. 폭도들은 성상을 파괴하고 예배당을 약탈하였다. 8월 10일 시 정부는 미사를 폐지하였다. 대성당의 참사회원, 사제, 수녀, 수도사들 대부분이 시를 떠났다. 1536년 5월 31일 시민 총회의 투표에 의해 "이 거룩한 복음적인 율법과 하나님 말씀 안에 사는 것"과, 또한 "미사 전부와 교황의 다른 의식과 악폐, 성상과 우상들"을 폐지할 것을 결정함으로써 개혁이 일단락되었다.

그 동안 주교와 사보이 공이 제네바를 지독하게 괴롭혔다. 베른은 일시적으로 원조를 거절하였으나, 결국 1536년 1월에 이르러 강력하게 제네바를 도왔다. 제네바는 사보이의 위협에서 벗어났으나 베른의 통치 하에 놓이게 되었다. 그러나 제네바 시민들의 용기는 그 사태를 극복하였고, 1536년 8월 7일 베른은 제네바의 독립을 인정하였다. 이제 제네바는 자유를 얻었다. 제네바는 종교적 이유보다 정치적인 이유 때문이긴 하였지만, 종교 제도가 모두 새로 조직되어야 했다. 파렐은 자신이 이 일에 적합치 않다고 느꼈고, 1536년 7월 그 도시를 거쳐 지나가던 젊은 프랑스 친구에게 머물러서 도와달라고 강청했다. 이 친구는 바로 존 칼빈(John Calvin)이었다.

8. 존 칼빈

존 칼빈은 1509년 7월 10일 파리 북동쪽 약 60마일 거리의 피카르디시의 노용에서 태어났다. 그의 아버지 게라르 코벵(Gérard Cauvin)은 자수성가한 사람으로 노용 감독 비서관과 대성당 참사회의 법률 자문관이었다. 그는 또한 항게(Hangest)의 유력한 귀족 가문과 친하게 지냈는데, 그의 살아 생전에 항게 가는 두 명의 노용 주교를 내었다. 존 칼빈은 이 집안의 자제들과 잘 알았고 이로 인해 종교개혁자들 중 드물게 상류 사회의 생활 양식이 몸에 배게 되었다. 그는 아버지의 주선으로 노용과 근처 교회직으로부터 성직록을 얻었는데, 최초로 받은 것은 12살 이전이었다. 그는 결코 로마 사제로 안수받은 적이 없다.

이 수입으로 칼빈은 1523년 파리 대학에 들어갔고 처음에는 마르슈 문과 대학(College de la Marche)에서 공부했다. 그 곳에서 잠시 그는 코르디에(Mathurin Cordier, 1479-1564)로부터 훌륭한 라틴어 교육을 받아, 뛰어난 문장력의 기초를 닦을 수 있었다. 다음 그는 반(半)수도원적인 몽테이규 대학(College de Montaigu)에서 교양 과목을 배웠다. 거기서 칼빈은 스코틀랜드 철학자 마조르(John Major, 1470-1550)로부터 아리스토텔레스 철학과 유명론의 논리를 훈련받았고 1528년 석사로 졸업했다. 학생 시절 칼빈은 많은 친구들과 따뜻한 우정을 나누었고, 왕의 주치의요 인문주의의 열렬한 지지자인 콥(Guillaume Cop) 집안과 절친했다.

칼빈의 아버지는 그에게 신학과 사제 교육을 시킬 생각이었으나, 1527년 게라르 코벵은 노용 대성당 참사회와 다툰 후 아들에게 법률 공부를 시키기로 작정했다. 그래서 칼빈은 유명한 법학자 레스뚜알르(Pierre de l'Estoile, 1480-1537)가 있는 오를레앙 대학으로 갔으며, 1529년에는 알키아티(Andrea Alciati, 1493-1550)의 강의를 듣기 위해 부르제(Bourges) 대학으로 옮겼다. 그는 인문주의에 강한 매력를 느꼈고, 평생의 친구 독일 학자 볼마르(Melchior Wolmar, 1496-1561)의 도움으로 오를레앙과 부르제에서 그리스어를 공부했다. 그는 법률가 자격증을 땄다.

그러나 1531년 아버지의 죽음은 칼빈 스스로 인생 길을 결정하게 했고, 그는 이제 프란시스 1세가 1530년 파리에 세운 인문주의 성향의 프랑스 대학에서 헬라어와 히브리어를 배우기 시작했다. 이 때 칼빈은 그의 첫 번째 책인 「세네카의 관용론 주석」(*Commentary on Seneca's Treatise on Clemency*)의 저술에 열심을 내어 1532년 4월 출판하였다. 이 책은 경이로운 박식함과 심오한 도덕적 가치 감각을 보여 주었다. 그러나 이 안에서 칼빈은 그 시대의 종교 문제에 대해서는 전혀 관심을 표시하지 않았다. 그는 진지하고 박학한 인문주의자였다.

칼빈이 아직 (새 교리의) 논쟁에 연루되지 않은 것은 새 교리를 알 기회가 전혀 없어서 그런 것은 아니었다. 그의 교수 볼마르는 종교개혁에 헌신한 인물이었고, 칼빈의 친척이며 오를레앙에서 동료 학생이었던 로베르(Pierre Robert, 1506?-1538)도 마찬가지였다. 그는 학구열로 한밤중의 올리브유를 태워가며 공부했기 때문에 올리베탕(Olivetan)으로 불렸다. 또한 프랑스에서도 다른 곳처럼 인문주의자들이 개혁 운동을 추준하고 있었다.

오랫동안 가장 뛰어난 대표자는 르페브르(Jacques LeFevre d' Etaples, 1460?-1536)였는데, 그는 1507년 이 후 몇 해 동안 파리의 생 제르맹(St.-Germain des Pres) 수도원에 살며 그의 주위에 훌륭한 제자들을 모았다. 그의 제자들 중에는 프랑스 개혁파의 적극적인 지도자로 1516년부터 모(Meaux) 감독이 된 브리소네(Guillaume Briconnet, 1470-1534), 프랑스 대학을 설립하도록 왕을 설득시킨 뷔데(Guillaume Bude, 1467-1540), 칼빈의 히브리어 교사였던 바따블(Francois Vatable, ?-1547), 칼빈의 친구이며 후에 올레롱의 감독이 된 루셀(Gerard Roussel, 1500?-1550), 개신교 신앙 때문에 화형당한 베르켕(Louis de Berquin, 1490-1529), 그리고 이미 언급한 불 같은 개혁자 파렐 등이 있었다.

이들 중 마지막에 진술한 두 사람을 제외하고는 아무도 로마 교회와 결별하지 않았다. 칼빈이 파리에서 친분을 쌓았던 콥의 가문을 비롯하여 많은 인문주의자들이 이들과 공감대를 형성하고 있었다. 그들은 프란시스 왕의 누이 동생으로 명석하고 인기있으며, 1527년부터 나바르의 여왕이 된 마거리트 당굴렘(Marguerite d' Angoul me, 1492-1549)의 강력한 지원을 받았다. 그러나 그녀는 결국 개신교 신앙고백은 하지 않았다. 루터의 책들은 일찍 프랑스에 보급되었고 이 써클에서 읽혀졌다. 하지만 이 사태의 심각성을 깨닫거나 개혁의 대가를 치를 충분한 준비가 되어 있는 사람은 거의 없었다. 그러나 칼빈이 활동하였던 학문 써클 안에서는 문제가 되는 것이 무엇인지를 모르는 무식한 사람도 없었다.

칼빈은 1532년 봄 그의 첫번째 책의 출판과 1534년 봄 사이의 어떤 시기에 그가 후에 "급격한 회심"이라 부른 체험을 하게 되었다. (어떤 학자들은 이 회심 시기를 1528년에서 1530년까지 추정하는데, 이 경우 칼빈의 「세네카의 주석」에서 개신교도적 특징의 결핍을 설명할 필요가 있을 것이다.) 회심의 전후 상황에 관하여 확실하게 알려진 것은 아무 것도 없지만, 회심의 중심에 있는 것은 하나님이 그의 비밀스러운 섭리 가운데 칼빈의 인생 노정을 새로운 방향으로 돌리시고 그의 완고한 마음을 복종시키고 가르침을 받기 쉽도록 만드셨다는 확신이었다. 그 때부터 종교가 칼빈의 사고 속에 첫번째 자리를 차지하였다. 그가 당시 로마 교회와의 단절을 생각했는지는 분명치 않다. 그는 아직도 루셀과 자신의 친한 친구 니콜라스 콥이 지도자로 있는 파리 인문주의 써클의 일원이었다.

1533년 11월 1일, 콥은 파리대학의 새로 선출된 학장으로서 취임 연설을 하였다. 거기서 그는 에라스무스와 루터의 말을 빌어 개혁을 호소하였다. 칼빈이 그 연설문을 썼다고 종종 주장되어지는데, 그럴 가능성은 희박하다. 그러나 그는 확실히 그 연설문의 어조에 동감하였다. 큰 소동이 일어났고 프란시스 왕은 "루터파"를 금하였다. 콥과 칼빈은 피난처를 찾아야 했으며 칼빈은 앙굴렘의 친구 틸레 (Louis du Tillet)의 집으로 피했다. 칼빈은 이제 급격하게 옛 가톨릭 공동체와의 분리를 고려하게 되었다. 이런 생각으로 그는 1534년 5월 4일 노용으로 가서 성직록을 사양하였다. 그런데 특별히 1543년 10월 마르쿠르(Antoine Marcourt)가 무분별하게 미사에 반대하는 논제를 내붙인 후, 프랑스는 칼빈에게 너무 위험하게 되었다. 1535년 1월 칼빈은 개신교의 바젤에서 안전을 확보하였다.

마르쿠르의 현수막 사건으로 인해 극심한 박해가 재개되어, 파리의 상인이며 칼빈의 친구인 에스티엔느(Estienne de la Forge)도 희생되었다. 프란시스 1세는 찰스 5세와 대립해 있는 독일 개신교의 지원을 얻기 위해 눈 가리고 술수를 썼다. 그래서 프랑스의 박해를 설명하기 위해 1535년 2월 공개 서한에서 프랑스의 개신교가 어떤 정부도 참을 수 없는 무정부적 의도를 가지고 있다고 비난하였다. 칼빈은 중상받는 동료 신자들을 변호해야만 한다고 절감했다. 그래서 그는 앙굴렘에서 시작하였던 작업을 급히 완성하고 프랑스 왕에게 보내는 편지를 서문으로 하여 1536년 3월 「기독교 강요」(*Institutes of the Christian Religion*) 초판을 출판하였다 (본서 세계 기독교고전 ⑭로 역간 편집자주). 그 편지는 종교개혁기 문헌의 걸작 중의 하나이다. 그것은 정중하고 위엄있게 왕의 비방에 대항하여 개신교의 입장과 개신교도들에 대한 옹호를 아주 힘차게 제시하였다. 어떤 프랑스 개신교인도 아직 그처럼 명백하고 절도있고 힘있게 말하지 못했고, 이 저서로 인하여 26살의 저자는 일약 프랑스 개신교의 지도자가 되었다.

6장의 요리문답 형식으로 된 「기독교 강요」는 증보를 거듭하여 결국 1559년의 칼빈의 최종판에서 80장의 기념비적 저서로 되었다. 그러나 1536년에도 이미 종교개혁이 내놓은 것 중에, 교리와 기독교인의 생활을 가장 질서 정연하고 조직적이고 이해하기 쉽게 서술한 것이었다. 종교개혁 2세대 개혁자인 칼빈은 "창조적" 사상가가 되려고 하지 않았다. 그는 루터가 해놓은 수고가 없었다면 그의 작업은 이루어질 수 없었다는 것을 기꺼이 인정하였다. 그는 루터의 이신칭의와 하나님의 약속의 표로서의 성례라는 개념을 수용했다. 그는 부처로부터 많이 배웠다. 예를 들면 (만물이 하나님의 영광을 위해 창조되었다는) 하나님의 영광, 기독교인의 확신의 교리로서의 예정, 하나님의 선택의 결과로 하나님의 뜻대로 열심히 사는 삶을 위한 불굴의 노력 등에 대한 강조가 바로 그것이다. 그러나 이 모든 것을 조직화하고 명료하게 한 것은 칼빈 자신의 능력이었다.

칼빈에 의하면 사람의 최고의 지식은 하나님과 자신을 아는 것이다. 그것은 양심의 증언을 통하여 핑계할 수 없을 만큼 충분히 자연에서 얻을 수 있지만, 정확한 구원의 지식은 성경을 통해서만 주어진다. 이 성경을, 성령의 증거가 믿음으로 읽는 자의 마음에 바로 하나님의 음성으로 증언하는 것이다. 이 하나님의 말씀은 하나님은 선하시며 어디서나 모든 선한 것의 원천이라고 가르친다. 하나님의 뜻에 순종하는 것은 사람의 최고의 의무이다. 본래 창조된 대로의 인간은 선하고 하나님의 뜻에 순종할 수 있었다. 그러나 아담의 타락 때 선함과 순종할 수 있는 능력을 상실하였고, 이제는 스스로 절대로 선을 행할 수 없다.

따라서 어떠한 인간의 행위도 하나님 앞에서 공적이 될 수 없고, 모든 인간은 저주받을 수밖에 없는 파멸의 상태에 놓여 있다. 이 무기력과 절망 상태로부터 어떤 이들은 아무 공로없이 그리스도의 사역을 통하여 구원받았다. 그는 형벌을 당하심으로써 사람들의 죄값을 지불하셨고, 그들을 위해 대신 죽은 것이다. 그러나 이 대속의 희생과 용납은 하나님의 자유로운 행동이시며 그래서 하나님의 사랑이 그 원인인 것이다.

그리스도가 행하신 모든 것은 개인이 자기 것으로 삼지 않으면 효력이 없다. 이러한 수용은 성령에 의해서 효력이 있게 되는데, 이 성령은 원하시는 때, 원하는 방법대로, 원하는 곳에서 역사하시며 회개와 믿음을 창조하신다. 믿음은 루터의 주장과 같이, 신자와 그리스도를 연결시키는 살아 있는 연합이다. 이러한 믿음의 새로운 삶은 구원이다. 그러나 그것은 불의를 향한 구원은 아니다. 신자들이 이제 하나님을 기쁘게 하는 일을 수행하는 것은 그들이 그리스도와 살아있는 연합에 들어갔다는 증거이다.

"우리는 선행없이 의로와지는 것이 아니나, 선행에 의해서 의로와지는 것은 아니다."(We are justified not without works, yet not by works.)[1] 그리하여 칼빈은 비록 구원의 성취에 관하여는 로마 교회와 아주 달랐지만, 로마 교회에 못지않게 "선행"의 노력을 위한 여지를 남겨 놓았다. 기독교인 앞에 제시된 생활 표준은 성서에 포함된 하나님의 법인데, 이것은 구원의 기초가 아니라 이미 구원얻은 자들이 이루려 하는 하나님의 뜻의 표현이다. 이렇게 기독교인의 삶을 안내하는 율법을 강조한 것은 칼빈의 고유한 특성이다. 이로 인해 칼빈주의는 항상 인격(character)을 강조하게 되었다. 비록 칼빈의 개념 안에서는 사람이 인격으로 구원얻는 것이 아니라, 구원을 얻어 인격이 훌륭해지는 것이지만 말이다. 특히 기독교인의 생활은 기도에 의해 풍성해진다.

모든 선은 하나님에게 속한 것이고 죄인은 회심을 일으킬 수도 거부할 수도 없으므로, 어떤 사람은 구원받고 어떤 사람은 구원받지 못하는 유일한 이유는 하나님의 결정 즉 선택과 유기이다. 모든 것을 결정하는 하나님의 뜻을 넘어 선택의 이유를 묻는 것은 어리석은 일이다. 그러나 칼빈에게 있어서 선택(예정)은 사변적 문제가 아니라 항상 그리스도인의 위로의 교리였다. 하나님이 개인 한 사람 한 사람에게 구원의 계획을 가지고 있다는 것은 자기 자신의 무가치함을 통감하는 사람 뿐만 아니라 비록 사제나 왕 같은 적대 세력에 우겨쌈 당한 사람에게도 부동의 신뢰의 반석이었다. 이로 인해 신자들은 하나님의 뜻을 성취하는 데 있어서 하나님과 동역자가 되었다.

하나님은 그리스도인의 삶을 유지하기 위해 교회, 성례, 정부라는 3제도를 세우셨다. 교회는 결국 "하나님이 택하신 모든 사람들"[2]로 이루어져 있으나, 또한 "한 하나님과 그리스도께 예배할 것을 고백하는 인류의 몸 전체"[3]를 의미한다. 그러나 "거짓과 허위가 지배하는 곳"[4]에는 참된 교회가 없다. 신약은 교회의 직분으로 단지 목사, 교사, 장로, 집사만을 인정하였다. 그들은 봉사하는 회중의 동의를 받고 직무를 담당한다.

그들의 "소명"은 하나님의 비밀스런 이끄심과 "사람들의 동의"라는 이중적 측면을 가진다. 그럼으로써 칼빈은 교직 선택권을 회중에게 주었다. 비록 제네바의 사정으로 인해 시 정부의 의견을 존중할 수밖에 없었지만 말이다. 이와 비슷하게 칼빈은 권징(Discipline)을 위하여 출교까지 명할 수 있는, 완전하고 독립적인 교회의 사법권을 주장했다. 그것은 더 이상 앞으로 나아갈 수 없었으나, 다른 모든 종교개혁 지도자들이 국가의 감독에 내맡겨 넘겨 버린 자유를 보존한 것이었다. 그러나 시 정부는 교회를 돌보고, 그릇된 교리로부터 보호하며, 출교만으로는 불충분한 범죄인을 처벌하는 신적 의무를 가지고 있다.

칼빈은 세례와 성만찬의 두가지의 성례만 인정했다. 성찬에 있어서 주님의 임재에 대한 첨예한 문제에 관해서는 부처와 마찬가지로 루터와 츠빙글리의 중간에 서서, 형식에 있어서는 츠빙글리에, 영적인 면에 있어서는 루터에 가까왔다. 그는 츠빙글리처럼 그리스도의 어떠한 육체적 임재도 거부하였다. 그러나 비록 영적이긴 하지만, 실제적 임재를 믿음에 의해 받는다고 분명하게 주장했다. "그리스도의 실제 육체가 우리 안으로 들어오지는 않지만, 그의 육체적 본체로부터 그리스도는 우리 영혼에 생명을 불어넣고 실제로 우리에게 그분 자신의 생명을 주입하신다."[5]

1536년 봄 「강요」를 출판한 후, 칼빈은 자유롭고 관대한 같은 프랑스인 르네 공작부인과 함께 복음주의 운동을 추진할 수 있기를 바라면서 이탈리아의 페라라 궁정을 짧게 방문하였다. 그는 잠시 체류하였고, 그의 사업 문제를 해결하고 그의 형제와 자매와 함께 슈트라스부르크로 가기 위해 다시 프랑스를 잠시 방문했다. 1536년 7월 전쟁의 위험으로 인해 그들은 제네바로 우회하였고, 전술한 바와 같이 (VI:7 참조) 파렐의 불 같은 권유로 칼빈은 제네바에 머무르게 되었다.

제네바에서 칼빈의 일은 성경 강사로서 매우 소박하게 시작되었다. 그는 1년이 지나도록 설교자로 임명되지 못했다. 그러나 그는 파렐보다 더 큰 영향력을 발휘하였다. 그들의 첫번째 공동의 일은 베른의 영향 아래 있던 보오(Vaud)와 로잔에서 종교개혁을 효과적으로 실현하기 위하여 베른의 목사들과 시 당국을 돕는 것이었다. 로잔에서는 비레가 목사로 임명받아 1559년까지 일했다. 그는 칼빈과 가장 가까운 친구였다. 칼빈과 파렐은 이제 제네바에서 3가지 일을 달성하려 하였다.

1537년 1월 그들은 소의회 앞에 칼빈이 작성한 일련의 제안서를 제출하였다. 성만찬은 매달 시행한다. 성만찬을 더 잘 준비하기 위해 시정부는 시의 구역마다 "행실이 바른 특정한 사람들"을 지명하여야 하고, 이들은 목사와 연결되어 신앙 훈련을 위해 출교까지 할 수 있게 행실이 나쁜 사람들을 교회에 보고하게 한다. 이것은 제네바를 모범적인 공동체로 만들고, 고유의 영역 안에서 교회의 독립을 주장하려는 칼빈의 첫번째 시도였다. 두번째 것은 칼빈에 의해 준비된 요리문답의 채택이었고, 세번째 것은 아마 파렐에 의해 쓰여졌을 신조를 각 시민에게 강제 부과한 것이었다. 소의회는 이 제안을 상당히 수정하여 채택하였다.

칼빈의 일의 성공은 곧 위협을 받았다. 그와 파렐은 당시 로잔의 목사 카롤리(Pierre Caroli)에 의해 아리우스주의(Arianism)라고 부당히 비난받게 되었다. 그들은 자신들의 정통성을 곧 입증하였으나 이미 소문이 많이 나 있었다. 새로운 훈련과 개개인에게 새 신조에 동의하라는 요구로 인해 제네바에서 신랄한 반대가 일어났다. 강력한 반대로 인해 결국 1538년 1월, 성만찬은 누구에게도 거절되어서는 안된다는 것이 200인 의회의 투표로 확정되었다. 이리하여 칼빈의 권징 제도는 폐지되었다. 다음 달 반대파는 시 선거에서 승리하였고, 이 안을 실행하기로 결정하였다.

베른의 예배 의식은 제네바에서 확정된 것과는 다소 달랐다. 베른은 오랫동안 자기들의 예배 의식을 제네바에도 채택시키려 했고, 반대파들은 이것을 사용하기로 가결하였다. 칼빈과 파렐은 베른 의식과 제네바의 의식 사이의 차이가 별로 중요한 것이 아니라는 것을 인정했지만, 목사들과 상의없이 시 당국이 결정한 것을 교회의 자유에 대한 강탈이라고 보았다. 칼빈과 파렐은 고분고분 순응하기를 거부했고 1538년 4월 23일 그들은 추방되었다. 제네바에서 그들의 일은 완전히 실패인 듯이 보였다.

파렐은 스위스 개신교 당국의 중재로 제네바에 돌아오려다 실패한 후, 뇌샤텔에서 목회하였는데, 그 곳에서 여생을 살았다. 그리고 칼빈은 부처의 초청으로 슈트라스부르크로 피난했다. 칼빈은 그 곳에서 여러 면에서 그의 생애 중 가장 행복했던 3년을 보냈다. 그는 프랑스 피난민 교회의 목사요 신학 강사였다. 그는 시로부터 존경받았고, 찰스 5세가 개신교와 가톨릭 사이의 재통합을 위해 마련한 토론회에 시의 대표 중의 하나로 참여했고, 거기에서 멜랑히톤을 비롯해 다른 독일 개혁자들과 우정을 나누었다.

1540년 그는 이델레트 드 뷔레(Idelette de Bure)와 결혼하였고, 그녀는 1549년 죽기까지 칼빈의 충실한 반려자가 되었다. 그는 또한 슈트라스부르크에 있는 동안 「강요」 증보판 뿐만 아니라 그를 종교개혁 주석가의 전열에 서게 한 일련의 주석의 첫번째 것으로 「로마서 주석」을 저술하였고, 또한 개신교 원리를 탁월하게 제시한 뛰어난 작품 「사돌레토에 대한 반박문」(*Reply to Sadoleto*)을 썼다.

그 사이에 칼빈과 전혀 무관하게 제네바에서 정치적 혁명이 발발했다. 칼빈을 추방시킨 당파가 1539년 베른과 불평등 조약을 맺었다. 그러나 다음 해 이 당파는 전복되었고, 협상자들은 반역으로 정죄되었다. 칼빈에게 우호적인 당파가 다시 한번 더 권력을 잡았고, 그 지도자들은 그의 귀환을 요청했다. 그들은 아주 어려웠지만 칼빈을 설득해냈고, 칼빈은 1541년 9월 13일 실제 그의 요구를 제시하며 다시 한번 제네바에 돌아왔다.

칼빈은 곧 1537년 제안했던 것보다 훨씬 더 분명한 제네바 교회 헌법인 「교회 법령」(*Ecclesiastical Ordinances*)을 채택했다. 그러나 그의 성공적 귀환에도 불구하고, 칼빈은 그가 원했던 모든 것을 가질 수는 없었다. 「법령」은 그리스도가 그의 교회에 목사, 교사, 장로, 집사의 네 직분을 세우셨다고 하며, 각 직분의 의무를 규정하였다. 목사는 매주 모여서 보통 콩그레가시옹(Congregation)으로 알려진 곳에서 공개 토론, 목사 후보자 심사, 성서 주석을 한다. 교사들은 신자들에게 참된 교리를 가르치고, 칼빈이 시의 종교 훈련에 본질적이라고 생각한 제네바 학교 제도에서 가르칠 책임이 있었다. 집사는 빈민 구제, 병원 감독의 책임을 맡았다. 장로는 칼빈의 제도의 핵심이었다. 장로는 소의회가 선출한 12인의 평신도인데 소의회에서 2명, 60인 의회에서 4명, 200인 의회에서 6명을 선출하고 평의원 한명의 감독을 받았다.

그들은 목사들(1542년 9명)과 함께 "교회 법원"(Consistoire)을 구성하고 매주 목요일마다 회합하여, 교회의 권징 문제를 다루었다. 필요하면 그들은 회개하지 않는 자들을 출교할 수 있었고, 이보다 중죄이면 시 당국에 위탁할 수 있었다. 칼빈은 출교권을 교회의 독립을 위해 가장 중요한 권리로 생각하였고, 1555년 이 출교권이 확보될 때까지 이보다 더 큰 열정으로 투쟁해야 할 부담을 느낀 것은 없었다.

「법령」 이외에 칼빈은 새롭고 더 효과적인 요리문답을 준비했으며, 대개 독일 것을 번역한 슈트라스부르크의 프랑스 회중의 예배 의식에 근거한 예배 의식를 도입했다. 칼빈은 이것을 제네바에서 사용하기 위해 제네바의 관습이나 편견에 맞게 많이 수정하였다. 그것은 기도서 기도와 자유 기도를 적절히 통합하였다. (칼빈은 영국과 미국의 정신적 후계자들과 달리 고정된 형식에 대하여 아무 적개심도 가지고 있지 않았다.) 또한 그 예배 의식은 회중 찬송을 중심에 두었다. 성만찬 집행에 있어서 칼빈 자신은 매주 1회를 원했고, 「법령」은 적어도 매달 1회를 제안했으며, 의회는 1년에 4회를 규정하였다.

칼빈이 — 그는 1564년 19명으로 늘어난 시의 목사직 외에는 다른 어떤 공직도 맡지 않았다 — 교육과 무역의 개선을 위해 많이 지도하였으나, 모든 제네바인의 생활은 처음부터 끝까지 교회 법원의 감시 아래 있었다. 칼빈은 제네바를 완전한 기독교 공동체의 모델로 만들기를 원했다. 철저한 복음주의 운동으로 인해 주로 프랑스부터 많은 고위직과 지식층과 부유층의 피난민이 몰려 왔고 이탈리아 북부, 네덜란드, 스코틀랜드, 영국에서도 왔다. 이들은 곧 제네바 생활에 매우 중요한 요인이 되었다.

칼빈 자신뿐 아니라 그의 동료 목사들도 모두 외국인이었다. 사실 처음부터 그의 지도에 대한 반대가 있었고, 1548년에는 매우 심해졌다. 반대에는 두 가지 요소가 있었다. 하나는 칼빈의 훈련을 짜증스럽게 생각하는 자들로 인한 것이고, 더 강력한 것은 옛 제네바 시민 가족들이 칼빈과 그의 동료 목사와 피난민들이 영웅적 독립 전통을 가진 도시에 낯선 멍에를 강요하였다고 느끼는 옛 제네바 시민 가족들로 인한 것이었다. 자유파(Libertines)라 알려진 후자는 이전에 가장 신실하게 칼빈을 지지한 사람 중의 하나인 평의원 아미 페렝(Ami Perrin)의 지도 아래 있었다.

가장 강력한 투쟁 기간은 1548년부터 1555년까지, 즉 일부 옛 주민들이 피난민에 의해 정치적으로 압도당할까 두려워하기 시작한 때부터 시작하여 거의 모두 칼빈의 열렬한 지지자인 피난민들이 이 두려움의 내용을 성취하기까지이다. 피난민들로 인해 칼빈의 위치가 견고해졌다. 비록 제네바 밖에서는 명성이 계속 높아 갔지만, 칼빈은 이 기간 내내 제네바 사역이 전복될 절박한 위기에 서 있었다.

충돌 사건은 많았으나, 두 사건이 특별히 중요했다. 첫번째 사건은 전에 파리에서 갈멜 수도회 수도사였고 지금은 제네바 근처 베이지(Veigy)의 의사인 볼섹(Jerome Bolsec, ?-1548)이 일으킨 것이었다. 콩그레가시옹 모임에서 볼섹은 칼빈의 예정설을 비난했다. 예정론은 하나님을 죄의 원인으로 만든다는 것이다. 이것은 칼빈의 권위의 근거 자체를 공격하는 것이었다. 제네바에서 칼빈이 유일하게 의존할 수 있는 것은 그가 신뢰할 만한 성경의 해석자라는 것이었기 때문이다.

칼빈은 1551년 10월 시 정부에 볼섹을 고소했다. 그 결과 볼섹은 재판을 받게 되었다. 다른 스위스 정부에게 의견을 물어보았고, 그들은 명백히 칼빈만큼 예정론을 중요하게 생각하지 않았다. 칼빈은 어렵게 어렵게해서 볼섹을 추방시키는 데 성공했다. 이 사건으로 인해 그는 예정론을 아주 중요한 기독교의 진리로 더 많이 강조했다. 결국 볼섹은 로마 교회로 돌아갔고, 심하게 비방하는 전기를 저술하여 칼빈의 기억에 복수하였다.

1553년 2월 몇년 동안 균형을 이루어 오던 선거가 결정적으로 칼빈의 적대자들에게 유리해졌을 때, 칼빈은 그의 권한을 유지하기가 힘들었다. 그의 몰락은 필연적인 듯했다. 바로 그 때 그는 세르베투스(Michael Servetus, 1511-1553)와의 대립을 통해 회생했고 결국 승리했다. 그는 앞에서 언급한 것 중 두번째 경우에 해당된다. 세르베투스는 스페인 사람으로서 거의 칼빈과 같은 연령이었고 분명 이상하긴 하지만 위대한 천재적 인물이었다. 1531년 그는 「삼위일체의 오류에 관하여」(*De Trinitatis Erroribus*)를 출판하였다.

그는 어쩔 수 없이 그의 신분을 숨긴채 빌레뉴브라는 가명으로 파리에서 의학 공부를 하였고, 윌리엄 하비(William Harvey)의 피의 순환의 발견을 선취했다고 한다. 그는 프랑스의 비엔느에서 정착하여 거기서 크게 개업하고 대주교의 주치의를 지냈으나, 또한 「기독교의 회복」(*Christianismi Restitutio*)을 비밀리에 저술하여 1553년에 출판하였다. 그의 생각에 의하면 니케아의 삼위일체 교리, 칼케돈 기독론, 유아 세례가 교회 타락의 주요한 원인이었다. 그는 1545년에 이미 칼빈과 격앙된 감정의 서신을 교환하였다. 그는 칼빈의 「강요」를 경멸의 어조로 비판하였다.

세르베투스의 정체와 그가 문제의 저자였다는 사실이 칼빈의 친구 트리에에 의해 리용의 로마 교회 당국에게 폭로되었고, 트리에는 얼마 후 칼빈으로부터 얻은 증거를 더 제공했다. 세르베투스는 화형을 선고받았으나, 집행 전 비엔느의 감옥으로부터 탈옥하였다. 왜 그랬는지는 모르지만 그는 제네바로 갔고 거기서 1553년 8월에 체포되었다. 그의 정죄 문제는 이제 칼빈과 반대파 사이의 힘 겨루기 문제로 되었다. 반대파는 공개적으로 악명 높은 이단자를 옹호할 생각은 없었으나, 칼빈을 곤란하게 할 수 있는 일이면 무엇이든지 했다.

세르베투스 자신은 낙관적 결과를 기대하고 있었다. 그는 칼빈을 추방해야 하고 자기가 칼빈의 모든 소유를 가져야 한다고 요구했다. 재판 결과 세르베투스는 유죄판결을 받았고 1553년 10월 27일 화형당했다. 바젤의 세바스티안 카스텔리오(Sebastian Castellio, 1515-1563)을 비롯하여 약간의 저항이 있었지만, 대부분의 사람들은 "정당하게 행했다"는 멜랑히톤의 말에 동의했다. 재판과 그 비극적 종말이 아무리 혐오스럽다 하더라도, 칼빈에게는 큰 승리였다. 그것은 삼위일체 교리에 비정통적 요소가 주입되는 것으로부터 스위스 교회를 막아주었다. 반면에 칼빈의 대적자들은 그 시대의 일반 정서가 정죄한 사람의 처벌을 막으려 하다가 스스로 파멸했다.

칼빈의 지위의 향상은 곧 명백해졌다. 1554년 선거는 결정적으로 그에게 유리했고, 1555년 선거는 더욱더 그러하였다. 1555년 1월 정부의 간섭없이 출교를 시킬 수 있는 교회 법원의 권리를 영구적으로 승인받았다. 이제 거의 칼빈파인 정부는 같은 해 상당한 수의 피난민들에게 공민권을 제공함으로써 자신들의 위치를 공고히 했다. 1555년 5월 16일 저녁 칼빈 반대파가 약간의 반란을 일으켰으나 정복되었고 그 주동자들은 반역자로 처형되고 추방되었다. 그 이후 칼빈파는 제네바의 명실상부한 주인이 되었다.

베른은 여전히 적대적이었으나, 1557년 사보이 공 엠마누엘 필베르트(Emmanuel Philbert)가 생 켕땅(St.-Quentin)에서 프랑스를 누르고 스페인편의 승자가 되자, 당시 거의 프랑스가 가지고 있던 그의 공작령에 대한 권리를 주장했다. 베른과 제네바는 이러한 공동의 위험에 부딪치자 1558년 1월 "영원한 동맹"을 맺었다. 이로 인해 제네바는 처음으로 오랜 우방과 완전히 동등한 위치에 서게 되었다. 이리하여 안팎의 질실한 위험에서 벗어나자 칼빈은 1559년 "제네바 아카데미"를 창설함으로써 제네바 사역의 금자탑을 쌓았다. 이것은 실제 오래 전에 제네바 대학이 되었다. 그것은 곧 루터파와 구분되는, 개혁파 신학 교육의 중심지가 되었다. 이 위대한 신학교에서 수백 명의 목사들이 프랑스 뿐만 아니라 네덜란드, 잉글랜드, 스코틀랜드, 독일, 이탈리아 등으로 파송되었다.

칼빈의 영향력은 제네바를 넘어 멀리까지 미쳤다. 「기독교 강요」, 제네바의 교회 정치 유형, 아카데미, 주석, 끊임 없는 서신 왕래 등을 통해 그는 프랑스, 네덜란드, 스코틀랜드, 잉글랜드 청교도들의 사고를 형성하고 이상을 고취하였다. 그의 영향력은 폴란드, 헝가리에 스며들었고 그가 죽기 전 칼빈주의는 남서 독일에 뿌리를 내렸다. 그의 체계는 개인들을 강하게 훈련시켰다. 그들은 선택됨으로써 하나님의 동역자가 되어 그분의 뜻을 이룬다는 것을 강하게 신뢰하였고, 싸울 용기가 있었으며, 인격을 강조하였고, 하나님이 성경 안에서 인간의 옳은 행위와 올바른 예배를 안내하셨다는 확신이 있었다.

여러 나라에서 칼빈의 영적 제자들은 공동의 표를 가지고 있었다. 칼빈의 사역은 이렇게 마음을 얻고 정신을 지배하는 것이었다. 1564년 5월 27일 제네바에서 칼빈이 죽을 때 쯤에는 그는 "유일한 국제적인 개혁자"였다.

칼빈은 자기에 필적하는 후계자를 남기지 못했다. 일이 너무 커져서 어느 한 사람이 지도할 수 없었던 것이다. 그러나 제네바와 그 국경을 넘는 그 일대의 일에서 능력의 겉옷은 그만한 자격이 있는 테오도르 베자(Theodore Beza, 1519-1565)의 어깨에 떨어졌다. 그는 보다 화해적이고 온화한 방법을 가진 사람이었으나, 그가 헌신한 이상은 칼빈과 동일한 것이었다.

9. 영국의 종교개혁

영국의 종교 개혁사는 영국 교회와 영국 국민이 점진적으로 개신교화하는 이야기이고, 헨리 8세(Henry VIII, 1509-1547)와 그의 세 자녀와 계승자인 에드워드 6세(Edward VI, 1547-1553), 메리(Mary, 1553-1558), 엘리자베스 1세(Elizabeth I, 1558-1603)의 전 통치를 망라하는 과정이다. 충분한 원인은 아닐지라도 영국 종교개혁의 직접적인 원인은 헨리가 아라곤의 캐더린과 이혼하는 "큰 문제"였고 이 사건이 결국 영국을 로마에 불복하게 하고 교회의 부와 특권들을 과감하게 절단하는 결과를 가져왔다. 이러한 점에서 이 개혁은 거의 의욕적인 왕과 능숙한 성직자들과 잘 따라준 의회의 국가적 행동에 의해 이루어진 위로부터의 개혁이었다. 동시에 이 정치적 반란은 왕의 결혼 문제와 계획에 선행하는, 토착 교회 개혁 운동과 국민의 종교적 불만에 의해 부추겨졌고 결국 변모해 갔다.

헨리 8세 즉위 초기 영국 교회는 구조와 인사 면에서 많은 현저한 약점 투성이였다. 대체로 고위 성직자들은 왕에게 충성하고 유용한 도움을 주기 위해 임명된 왕의 신하들이었다. 교회 고위 직제의 수당은 왕실 재정으로 지급했던 것이다. 그들은 신학자라기보다 우선 세속 법률가로 길들여졌기 때문에, 헨리가 교황권에 반대할 때 사실상 만장일치로 헨리를 따랐다.

주교와 고위 성직자들의 "직업 의식"(careerism)은 왕의 후원과 세속 업무를 통해 승진과 축재를 추구하게 함으로써 자연히 성직 겸임, 부재 성직자, 성직 매매의 악폐를 조장하였고, 더욱 위험한 것은 교육 받지 못한 가난한 목사보(curates)들이 교구를 맡고 있는 현실이었다. 그래서 교구 성직자들은 가장 중요한 목회 사역인 가르치고 설교하는 일에서 준비가 되어 있지 못했다. 반면에 몇몇 예외를 제외하면 수도원 성직자들은 규칙의 엄격한 준수를 포기함으로써 더이상 평신도 영성의 모범이 되지 못했다.

헨리 즉위 초기 몇 년 동안 위클리프주의(Lollardy) (V:13 참조)의 부흥이 있어서, 국내에 만연되어 있는 강력한 반(反)성직자주의 흐름을 예리하게 하고 초점을 제공했다. 평신도들은 교회의 과중한 과세와, 영혼은 물론 재산까지 강제 사법권을 행사하는 데 매우 분개했다. 이리하여 신(新)위클리프주의와 반성직자주의는 개신교를 위한 도약대를 제공했다. 영국의 인문주의 또한 교회의 개혁에 대한 집요한 요구와 성경에 근거한 악폐의 비판으로써 그러한 역할을 담당하였다.

인문주의는 15세기 후반 영국에 들어와, 일부 고위 성직자와 귀족계와 법조계의 영향력 있는 인물들의 지지를 받았다. 1504년에 런던의 성 바울 학교의 교장이 된 존 콜레트(John Colet, 1467?-1519)는 이미 1496년 옥스퍼드에서 인문주의 정신으로 가득차서 바울 서신 강의를 했고, 1508년에 성 바울 학교를 다시 세웠다. 1512년에 그는 성직자 회의(Convocation of the Clergy)에서 성직자와 사제들의 세속적이고 세상적인 생활을 비난하고 개혁 프로그램을 제시한, 유명한 설교를 했다. 위대한 에라스무스도 1499년 1차, 1506년에 2차로 방문하여 1511년부터 1514년까지 케임브리지에서 강의하며 거기서 로체스터의 주교 존 피셔(John Fisher, 1459?-1535)와, 유명한 토머스 모어(Thomas More, 1478-1535) 경 같은 사람과 사귀었다.

그러나 교회와 국가를 점진적으로 개혁하려는 "에라스무스식" 개혁을 위한 광범위한 소망은 루터의 혁명적 작품이 영국으로 유입되어 이미 1519-1520년에 유포되자 곧 산산조각이 났고, 런던과 북독일과 무역을 하는 다른 항구들의 상인들은 물론 대학의 일부 젊은 학자들까지 전염되기 시작했다. 1520년 "작은 독일인"이라 불리는 일군의 케임브리지 학자들이 모여(White Horse Inn에서) 새로운 교리를 토론했다.

1520년대 초 이 케임브리지의 주도적 토론자 가운데서 영국 개신교 첫 세대 지도자들이 나왔다. 반스(Robert Barnes, 1495-1540), 빌니(Thomas Bilney, 1495?-1531), 라티머(Hugh Latimer, 1485?-1555), 프리스(John Frith, 1503?-1533), 커버데일(Miles Coverdale, 1488-1568), 크랜머(Thomas Cranmer, 1489-1556), 리들리(Nicholas Ridly, 1500?-1555), 파커(Matthew Parker, 1504-1575), 그리고 틴데일(William Tyndale, 1495-1536) 등이 바로 그들이었다. 이들 중 다섯은 주교가 되었고, 커버데일과 파커를 제외한 나머지는 순교했다.

이 초기 개신교 인사들 중에 가장 주목할 만한 인물은 부르셀 근처의 빌보드에서 순교한 틴데일이었다. 그는 1522년 경 신약을 영어로 번역하려 했지만 런던의 주교인 툰스탈(Cuthbert Tunstall)로부터 지원을 받지 못하자, 대륙으로 건너가 1524년에 루터를 방문하고 그 이듬 해 쾰른과 보름스에서 에라스무스의 헬라어 본문에 근거하고 루터의 독일어 성경에 상당히 의존하여 훌륭한 영역본을 출판했다. 1526년 그의 번역 복사본들이 영국으로 유입되었고 당국은 이것을 억제하려 하였지만 헛수고였다.

이것은 특히 런던의 상인들과 엄격한 "성서 종교"를 주장하는 많은 롤라드(위클리프파) 조직 가운데서 환영받았다. "구 롤라드주의"와 "신 루터주의"가 함께 만나자 영국 교회 지도자들은 루터의 가르침과 모국어 성경 모두에 대해서 적대감을 품게 되었다. 국내의 탁월한 에라스무스주의자들인 피셔와 모어는 곧 반(反)루터파의 선봉이 되었다. 그러나 앞으로 보겠지만 1530년대 내내 헨리 자신의 캔터베리 대주교와 국가의 주요한 성직자들은 루터주의와 대륙의 개신교에 강하게 공감하였고, 왕이 점점 더 보수주의와 반동적인 정책으로 나아갔음에도 불구하고 영국 교회의 온건한 개신교화를 주도해 갔다.

헨리 8세는 인상적인 지적 능력과 행정력을 갖춘 사람으로 독서를 많이 하고 항상 스콜라 신학에 관심 있었고 인문주의에 동조하였고 대중들에게 인기가 있었다. 그러나 이기적이고 고집 불통이고 악을 자행하는데 타고난 사람이었다. 그는 치세 초기에 뛰어난 외교관 울지(Thomas Wolsey, 1474?-1530)의 도움을 받았는데 그는 1509년 추밀원의 고문관, 1514년 요크의 대주교였고, 1515년 왕에 의해 대장상(lord chancellor), 교황 레오 10세에 의해 추기경으로 임명되었다. 1518년 교황은 그를 교황청의 대표 또는 특별 사절로 삼았다. 그리하여 울지는 자신의 것과 교황을 편드는 영국인의 재산을 사용한 것이기는 하지만 교회와 국가 양쪽에서 막강한 권력을 행사했다. 헨리는 자기가 교황청의 충실한 아들이라고 생각했다. 루터의 작품들이 영국에서 회람할 때, 그 책들을 금했고, 1521년 루터에 반대하는 「7성례 주장」(*Assertion of the Seven Sacraments*)을 출판하여 교황 레오 10세로부터 "신앙의 수호자"란 칭호를 얻었다.

1509년 헨리는 스페인의 페르디난드와 이사벨라의 딸, 명목상의 결혼이었지만 형 아더의 미망인인 아라곤의 캐더린과 결혼했다. 1503년 율리우스 2세가 형사취수 형식의 이 결혼을 공인(dispensation)하였다. 이 결합에서 여섯 아이가 태어났지만 메리 하나만 살아남았다. 헨리는 가장 일찍 잡는다면 1527년에 형의 미망인과 결혼하지 말라고 한 성서(레20:21)에 근거해서 그의 결혼이 유효한지 종교적인 양심의 가책을 느낀다고 말하였다. 어쨌든 관능적인 이유로 그렇게 한 것은 아니었다. 비록 그러한 이유로 했을지라도 그는 자신의 왕비들에 대해 만족하고 있었다. 1485년 장미전쟁이 끝났다. 그러나 헨리 사후 왕위를 계승할 적법한 남자 계승자가 없다면 아마도 새로운 내란이 일어날 것이었다. 캐더린이 더이상 아이를 가질 수 없어 보이자, 헨리는 다른 아내를 원했다.

울지가 왕의 이혼을 찬성한 것은 헨리가 프랑스 공주와 결혼함으로써 대륙의 정치 판도에서 스페인으로부터 프랑스 쪽으로 끌리기를 바랐기 때문이었다. 그러나 헨리는 다른 속셈이 있었다. 1525년 이래 그는 왕비 메리 볼레인의 여동생인 궁녀 앤 볼레인(Anne Boleyn)에게 점점 매료되었다. 다음 복잡하게 얽힌 협상에서 울지는 왕의 이혼을 성사시키기 위해 교황 특사로서의 권한을 다 사용하여 모든 노력을 다하였다.

반면에 캐더린은 잔인한 학대를 받았으면서도 위엄있고 확고하게 행동했다. 유럽의 정치 변동이 없었다면 교황 클레멘트 7세(1523-1534)로부터 결혼 무효 선언을 받아냈을 것이다. 그러나 전쟁의 승리자 찰스(카알) 5세가 교황으로 하여금 황제의 정책에 따르게 했다(VI:12 참조). 찰스는 그의 숙모인 캐더린을 옹호하기로 결심을 했다. 헨리는 교황의 사법권을 무마하는 데 실패한 울지에게 분노했고 1529년 여름 대장상 직위에서 해고시켰다. 그는 1530년 11월 29일 반역죄로 고발되어 런던으로 호송 도중 죽었다. 울지의 뒤를 이어 1529년 10월 토머스 모어가 대장상이 되었다. 그는 즉각 이단의 혐의가 있는 자들의 박해를 시작했고, 영국에서 최초의 개신교 순교자가 된 빌니(Thomas Bilney)와 존 프리스(John Frith)를 화형시키기까지 하였다.

아직도 이혼에 방해받고 있는 헨리는 유럽 대학의 여론을 조사해 보자는, 당시 케임브리지의 교수로 개신교에 강하게 기울은 크랜머의 제안을 좋게 받아들였다. 이 조사는 1530년에 행해졌으나 부분적으로만 성공했고, 심지어 반교황주의적 비텐베르크 대학조차 결혼이 적법하다고 했다. 그럼에도 불구하고 왕과 크랜머 사이의 우호적 관계는 지속되었고, 이것은 중대한 결과를 초래할 것이었다.

교황의 호의적 행동이 불가능해지자 헨리는 외국의 지배에 대한 국민의 적대감을 등에 업고, 그의 목적을 달성하기 위해 교황권과 완전히 결별하거나 교황의 지배권을 위협하는 협박 정치에 의지하기로 작정하였다. 1531년 1월에 그는 성직자들이 울지가 교황의 사절임을 인정하여 옛 교황존신죄(尊信罪, *Praemunire*, 1353:교황이 국왕보다 우월하다고 보는 죄 — 역자주) 법규를 위반했다 하여 성직자 전체를 고발하였는데, 사실은 자신도 인정하고 승인했었던 것이다. 그는 사죄의 대가로 거금을 강탈했을 뿐만 아니라 요크와 캔터베리의 대주교 회의(convocations)를 통해 자신이 "영국 교회와 성직자들의 유일한 보호자요 수장"이라고 선언했다. 여기에 성직자들의 주장으로 "그리스도의 법이 허락하는 한"이라는 구절이 덧붙여졌다.

다음 1532년 5월 15일 왕이 교회의 입법을 지배할 것을 국회(House of Commons)가 왕에게 탄원하자, 대주교 회의는 마지못해 소위 성직자의 복종(Submission of the Clergy)에서, 왕의 허락없이 새로운 교회법을 만들 수 없다는 것과 모든 현행 법규의 개정도 왕이 임명하는 성직자와 평신도 위원회에 자문해야 한다는 것에 동의했다. 그 다음 날 토머스 모어는 대장상직을 사임했다. 이후 1532년 의회는 왕의 동의없이 로마에 성직 임명세(annates)를 지불하는 것을 전면 금지하는 법안을 통과시켰다.

1533년 1월에 헨리는 앤 볼레인과 비밀리에 결혼했고 곧 임신을 했다는 것이 알려졌다. 다음 3월 의회는 세속적 문제 뿐만 아니라 영적인 문제를 로마에 호소하는 것을 금하는 결정적인 항소제한법(Act in Restraint of Appeals)을 통과시켰다.

이 법령은 사실상 영국에서 교황의 권위를 폐기하는 것이었다 한편 헨리는 크랜머를 캔터베리 대주교로 임명하는 것을 교황 클레멘트 7세로부터 승인받기 위해 성직임명세의 금지를 조건부로 하였다. 크랜머는 1533년 3월 30일 취임했고, 5월 23일 법정을 열어 캐더린과 헨리의 결혼이 무효라고 공식 선언하고, 5월 28일 앤 볼레인과의 결혼이 완전 적법하다고 선언했다. 6월 1일 새 왕비가 취임했고 9월 7일 공주 엘리자베스를 낳았다.

그 동안 클레멘트 7세는 1533년 7월 11일 헨리에 대해 파문을 위협하는 교서를 준비했다. 헨리는 이에 대응하여 1534년 의회를 통해 여러 법령을 통과시켰다. 교황에게 지불하는 것이 모두 금지되었고, 모든 주교들은 왕의 지명으로 임명되었으며, 교황에 대한 순종의 서약과 로마의 허락 기타 다른 모든 교황의 권위가 부정되었다. 1534년 5월 대주교회의는 공식적으로 교황의 수위권을 배척했다. 1534년 11월 3일 의회는 유보조항이 없이 헨리와 그의 계승자들이 "지상에서 영국 교회의 유일한 최고의 머리"이고 "이단"과 "악습"을 교정할 완전한 권력을 가지고 있다는 그 유명한 수장령(Supremacy Act)을 통과시켰다.

이 법령은 안수와 성례 집행 같은 영적인 권한들을 이동시키지 않았지만 사실상 그밖의 모든 것에서는 왕을 교황의 위치에 놓은 것이었다. 이로 인해 로마와 완전히 단절하게 되었다. 이러한 법규들은 어떤 면에서도 의미가 없는 것이 아니었다. 1535년 5월 영국에서 가장 존경받는 종단 중의 하나인 카르투지오 수도회(Carthusians)나 차터하우스(Charterhouse)의 많은 수도사들이 왕의 수장령을 부인했다 하여 아주 야만적인 상황 아래 처형당했다. 6월과 7월에는 피셔 주교와 퇴위한 대장상 토머스 모어 경이 동일한 죄목으로 참수당했다. 그러나 고위 성직자는 피셔만 순교하였고, 나머지는 놀라우리만치 유순하게 왕의 명령에 따랐다.

1529년에서 1536년까지 소위 종교개혁 의회(Reformation Parliament)의 주요한 입법 과정의 배후에는 토머스 크롬웰(Thomas Cromwell, 1485?-1540)이라는 두뇌가 있었다. 그는 비천하게 태어나 군인, 은행가, 상인을 전전하다가 울지에 의해 사업과 의회 활동의 대행자로 스카웃되었다. 크롬웰은 1531년 추밀원의 일원이 되었고, 1534년에는 왕의 수석 비서가 되었다. 1535년 헨리는 그를 교회 일을 위한 섭정보(viceregent)와 총 주교 대리(vicar general)로 임명했다. 교회와 국가에 대한 크롬웰의 견해는 파두아(Marsiglio of Padua)의 「평화의 수호자」(*Defensor pacis*)에서 많은 영향을 받았다(V:12 참조).

또한 그는 신앙적으로 진정한 루터주의적 성향을 가지고 있었고, 또 자국어 성경 번역에 특별한 열정을 보였다. 그는 어떤 의미에서도 "영국의 마키아벨리"는 아니었고 "냉소적이고 파렴치한 크롬웰"이라는 전통적인 견해와 달리 오히려 원칙적인 인물이었다. 비록 그가 종종 잔인했고, 우연히 더러운 사건의 도구로 자원하기도 했지만 말이다. 그는 왕에게 완전히 굴종하는 사람은 아니었고, 헨리를 절대적인 군주로 만들 생각도 없었다.

보통법(common law)에 익숙한 크롬웰은 최고의 의회 전략가였고, 항상 끊임 없이 국회를 통해서 그의 목적을 달성하려고 일했다. 영국의 정치가 주로 왕이 의회 안에서 또 의회를 통해서 행동하며 통치하는 나라로 변모한 것은 주로 그의 공적이다. 주도적인 헨리파 개혁자들은 그를 자기들의 주요한 후원자로 생각했고, 능력과 지위를 가지고 이론을 실천으로 바꿀 수 있는 갖추어진 사람으로 보았다.

크롬웰의 주요 계획 중의 하나는 왕에게 영구적으로 기증하게 하는 것이었는데, 이것은 교회의 재산들을 대규모로 몰수하는 것이었다. 종교개혁은 어디서나 교회 재산과 부의 몰수로 통했다. 더욱이 크롬웰, 크랜머, 그들의 동료 개혁자들은 신앙적인 근거에서 수도원 제도를 반대했다. 따라서 1535년 크롬웰은 사절단을 임명하여 수도원을 방문하고 그 상태를 조사하게 했다. 그 조사는 매우 서둘러서 시행되었고, 1536년 사실적인 근거가 없는 것은 아니지만 수도원의 부패와 타락을 일방적으로 묘사하여 의회에 보고하였다.

그러자 의회는 연수입 200파운드 미만의 수도원을 폐쇄하고 그 재산을 왕과 "그 계승자들에게 영원히" 넘긴다고 판결했다. 이리하여 폐쇄된 수도원의 수는 약 300개였고, 그 중 약 80개는 잠정적으로 면제받았다. 그러나 곧 거대한 수도원들이 "자발적으로" 해체했고, 1540년 마지막 수도원이 해체되었다. 1536년과 1540년 사이 영국과 웨일스에서 해체된 수도원의 총수는 약 800개였다. 약 9, 000명의 수도사, 수사, 수녀들이 뿌리가 뽑혔다.

이 해체로 인해 저항이 일어났지만 종단으로부터나 국민 전체로부터나 미미했다. 사실상 수도원 토지를 나누고 파는 일을 주도했던 왕의 관리들 자체가 탁월한 가톨릭 평신도들이었다. 1536년 후반과 1537년 초반 일괄하여 "은혜의 순례"로 알려진 4개의 반란이 북부 영국에서 발발했지만 곧 진압되었다. 종교적 보수주의와 관련되어 있었지만 대부분 경제적 기원과 세속적 목적을 가지고 있었다. 이 반란은 수도원이나 교황의 왕정을 위한 "종교적인 전쟁"은 아니었다. 이 수도원 해체가 인플레이션의 만연이나, 파괴적인 토지 종획운동, 착취적인 임대료 상승 등 거대한 사회적, 경제적 대 파국을 이끌었다는 확실한 증거는 없다. 1540년대 영국의 토지 위기의 원인은 수도원의 해체에 앞서 오래 전부터 있었다.

1536년 1월 아라곤의 캐더린이 사망하자 헨리는 부분적으로 찰스의 간섭 위협에서 벗어났다. 이 때 헨리는 앤 볼레인에게 권태를 느꼈고, 남자 상속자를 낳지 못하는 것을 용서할 수 없었다. 한편 크롬웰은 추밀원에서 볼레인의 당파를 의심하였다. 1536년 5월 앤은 간음 죄로 기소되어, 5월 18일 참수되었다. 5월 17일 크랜머는 그녀와 헨리의 결혼이 무효라고 선언했다. 5월30일 헨리는 제인 세이모어(Jane

Seymour)와 결혼했고, 그녀는 1537년 10월 12일 그렇게 바라던 아들을 낳아 에드워드라 이름지었다. 12일 후 제인은 죽었다.

헨리가 로마에 적대적으로 나올수록 개신교는 상류와 중류층의 상당한 소수 사이에 퍼졌고, 궁정에서도 조심스럽지만 강한 지지를 얻었다. 이것의 명확한 예가 헨리의 세번째 왕비의 집안인 세이모어 가문이었다. 1530년대 후반 영국의 종교개혁은 단순한 국가적인 행동을 넘어섰다. 또한 환경이 허락하는 한, 크롬웰과 크랜머는 적극적으로 개신교 운동을 권장하였다. 그러나 헨리의 종교적인 태도는 교황의 권위 대신 자신의 권위를 대체시킨것을 제외하면 가톨릭 정통을 유지한 것이었다. 1535년과 1536년 크롬웰은 영국을 슈말칼덴 동맹권에 넣을 목적으로 루터파 지도자들과 교리적인 토론을 위해 비텐베르크에 사절을 보냈다. 하지만 헨리는 신앙이 분명한 개신교 신앙 신조에 관계하려 하지 않았다.

1536년 교리를 규정해야 할 긴급한 요구를 충족시키기 위해 헨리는 몸소 개신교에 최고로 양보한 소위 10개 신조(Ten Articles)를 작성했다. 신앙의 권위있는 표준은 성서, 세 에큐메니칼 신조, 최초의 네 종교회의이다. 성례는 세례, 참회, 성만찬 등 세개만 인정한다. 다른 성례는 가부간 언급하지 않았다. 그리스도에 대한 믿음만으로 의로워지나, 고백과 사면과 자선 행위 또한 필요하다. 그리스도는 성찬에 육체적으로 임재하신다. 성상은 존중되어야 하나 예배의 대상은 아니다. 성자들에게 기도할 수 있으나, "주님보다 먼저 듣기" 때문은 아니다. 사자(死者)를 위한 미사는 바람직하나 "로마의 주교"가 연옥으로부터 영혼을 구출한다는 생각은 거부되어야 한다.

크랜머의 도움과 크롬웰의 열정적인 추진으로 이루어진, 이 시대 가장 중요한 일은 영어 성서의 번역이었다. 1535년 마일스 커버데일은 망명 생활 중에 영어 성서 번역을 처음으로 완성했고 아마 취리히에서 출판했다. 이후 영국에 들어와 그 해에 재출판되었다. 1537년 존 로저스(John Rogers, 1530?-1555)가 런던에서 모국어 성경을 출판하였는데, 이것은 로저스가 토머스 매튜(Thomas Matthew)라는 가명을 사용했기 때문에 "매튜 성서"라고 알려져 있다. 크랜머는 이 역본을 크롬웰에게 보였고, 크롬웰은 1537년 8월 왕으로부터 국내 판매를 허락받아 냈다. 곧 이어 그는 더욱 저렴한 커버데일 성경의 판매를 허락받았다.

1538년 크롬웰은 주교들에게 평신도 사이에 성경읽기를 진작시키라고 촉구했고, 감독에게 날짜를 정하여 교회 내에서 영어 성경을 공적으로 읽을 수 있게 영어 성경을 비치하도록 명령했다. 그 결과 1539년 4월 커버데일의 거작인 소위 대(大) 성서(Great Bible)가 출판되었다. 1540년의 제2판에 크랜머가 유명한 서문을 붙였다. 주로 당시의 교회를 초대 신약 기독교의 거울에 비추어 봄으로써 자국어 성경의 유용성과 강력한 호소력이 영국 종교개혁에 대단히 중요하다는 것을 입증했다.

자국어 성경 출판에 이어 1544년 크랜머가 준비한 영국 연도(English Litany)가 출판되었다. 이것은 그 후 왕의 명령에 의해 교회에서 사용되었다. 이 연도는 크랜머가 영국 기도서를 만들기 위해 세운 기획의 첫 부분이었다. 그는 1540년에서 1547년까지 이 일에 매달렸고, 다음 왕 때에 가서야 열매맺을 수 있었다.

1536년 초 이래 왕 헨리는 1536년부터 1538년까지 찰스(카알) 5세와 프란시스 1세가 전쟁 중이어서 외국의 간섭을 받지 않았다. 1538년 6월 평화 조약이 체결되자 헨리는 점점 더 위험해졌다. 교황은 왕의 반란에 대하여 프랑스와 스페인의 연합공격을 요청했다. 헨리의 외교와 프랑스와 스페인 상호간의 반목으로 인해 연합 공격은 모면하였으나, 헨리는 위험을 감소시키기 위하여 몇 가지 중요한 조치를 취했다. 그는 교황에 관한 것 이외에는 정통 가톨릭임을 세계에 보여 주고자 했고, 단 한번에 영국 교회의 신앙을 정착시키려 했다.

그리하여 1539년 6월 의회는 6개 신조(Six Articles Act)를 통과시켰다. 이것은 화체설의 엄격한 교리를 영국의 신조로 확정하였고 이것을 부인하는 자는 화형에 처했다. 교역자의 결혼과 성만찬에서 빵과 포도주의 이종배찬을 반대했다. 순결 서약을 엄격히 지킬 것을 명했고, 개인 미사와 비밀 참회를 권장했다. "6개의 현을 가진 피의 채찍"으로 알려진 이 법령은 헨리가 죽을 때까지 계속 유효했다. 정치적인 측면에서 크롬웰은 독일 개신교도들을 기쁘게 하고 찰스 5세의 대적자들과 연합하게 할 결혼을 통해 헨리의 입지를 강화하여야 한다고 제안했다. 작센의 선제후 요한 프리드리히 아내의 언니이며 윌리엄 클레브스(William of Cleves) 공의 누나인 앤 클레브스(Anne of Cleves)가 선택되었다. 결혼식은 1540년 1월 6일 거행되었다.

앤을 처음 본 순간 이후로 헨리는 그녀의 매력 없는 모습에 몹시 실망했다. 그는 결혼 관계를 지속할 수 없어서 짧은 시간 내에 이혼할 것을 요구했다. 그러나 크롬웰은 왕의 낙점이 추밀원의 가톨릭 다수파의 강력한 지도자인 노퍽(Norfolk)의 공작 토머스 하워드(Thomas Howard)의 질녀 캐더린 하워드(Catherine Howard)에게 떨어진 것을 알고 있었기 때문에 캐더린과의 결혼 주선에 늑장을 부렸다.

추밀원에서 노퍽의 주요 동맹자는 윈체스터의 주교 스테판 가디너(Stephen Gardiner, 1490?-1555)였다. 크롬웰은 이제 처음으로 왕과 보조를 맞출 수 없게 되었다. 더욱이 왕의 종교적 입장이 노퍽과 가디너의 권유로 점점 더 반동화되었다. 크롬웰의 몰락은 아주 순간이었다. 그는 1540년 6월 10일 체포되어 이단과 반역을 도모했다는 무고와 의회의 권리박탈법(bill of attainer)에 의해 재판없이 유죄판결을 받았다. 왕의 충복이 1540년 7월 28일 사형당했다.

이보다 앞서 7월 10일 크랜머는 앤 클레브스와 헨리의 결혼이 무효임을 선언했고, 퇴위당한 왕비는 왕실 토지로 충분히 보상받았다. 8월 9일에 헨리는 캐더린 하워드와 결혼했으나, 1541년에 새 왕비는 간통죄로 고발당했다. 이번에는 사실이었다.

1542년 2월 그녀는 참수당했다. 1543년 6월 헨리는 캐더린 파르(Catherine Parr)와 결혼하였다. 그녀는 운 좋게도 헨리보다 더 오래 살았다. 1547년 1월 28일 헨리가 죽고 그의 아들 에드워드 6세(1547-1553)가 그를 승계하였다.

헨리가 죽자 추밀원과 궁정의 개혁파는 상승세였다. 가톨릭의 마지막 정치적 보루인 하워드 가는 헨리의 다섯번째 왕비의 굴욕적인 종말을 통하여 특권을 상실하였고 헨리 하워드(Henry Howard)의 무모한 모험주의로 인하여 더 심한 불행에 빠지게 되었다. 서레이(Surrey)의 백작이며 노퍽 공의 아들인 헨리 하워드는 1547년 1월 19일 반역죄로 참수당했다. 노령의 공작 자신은 1월 28일 국왕 헨리의 죽음만 없었더라면 같은 날 참형을 당했을 것이다. 노퍽은 다음 통치 기간 내내 감옥에 있었다.

주교 가디너 또한 1548년 6월 투옥되었고 1551년 자신의 주교직을 박탈당했다. 개신교측 지도자는 제인 세이모어(Jane Seymour)의 오빠이며 새 왕의 삼촌인 허트포드(Hertford)의 백작, 에드워드 세이모어(Edward Seymour)였다. 이들은 또한 캐더린 파르의 지지와 에라스무스적 인문주의와 대주교 크랜머가 제안한 신중한 개혁 형태를 선호하는 그녀의 추종 세력의 지원을 받았다. 젊은 왕 에드워드의 종교개혁 신앙에 대한 헌신과 이 세이모어 일파의 집권으로 인해, 열성적 설교자들과 출판인들은 공개적으로 활동을 개시하여 영국 교회를 로마 가톨릭이나 헨리적 가톨릭으로부터 철저한 개신교로 전향시킬 수 있었다.

이 시기에 활동했던 열정적인 개신교도들 대부분은 루터와 루터파 신학자들보다는 스위스와 남 독일의 개혁자들 즉 부처, 츠빙글리, 불링거와 곧 이어 칼빈의 영향을 받았다. 에드워드 치세 말기까지 영국은 최소한 신앙과 관행(practice)의 공식적인 선언에 관한 한 개신교 국가가 되었다.

에드워드 6세가 등극할 때의 나이는 겨우 아홉 살이었다. 그래서 정부는 허트포드의 통제 아래 추밀원에 의해서 움직여졌다. 허트포드는 이제 호국경(protector) 칭호를 받았고 서머셋(Somerset) 공작으로 임명되었다. 군인으로서는 유능했지만 정치가로선 결단력이 부족했던 서머셋은 비록 현대적인 평가는 그의 삼킬 듯한 야심과 무정한 탐욕을 강조하지만, 전통적으로는 이상주의자요 소외자들의 친구로 묘사되었다. 어쨌든 그는 2년 동안 국가의 전제적인 통제권을 행사했다. 그 기간 동안 더 급진적인 개신교가 두각을 나타냈다. 1547년 의회는 옛날에 헨리가 반역법(treason law)에 첨가한 가혹한 조항들은 물론이고 현존하던 이단 법령도 폐기하였다.

그리고 6개 신조법(Six Articles Act)을 폐지하였다. 성서를 인쇄하고 읽고 가르치는 것에 대한 모든 제한들을 철폐하였고 평신도들에게 잔을 나눠주도록 명했다. 같은 해 교회 토지에 대한 마지막 대대적인 몰수가 있었다. 설립자들의 영혼을 위해 미사를 드리는 "부속 예배당"(chantries)이 해체되었다. 자유 예배당들과, 대학성당(collegiate church), 병원(구호소) 그리고 종교적 단체와 길드들의 재산도 몰수되었다. 1548년 초에는 교회에서 성화를 제거하도록 명령이 내렸다. 1549년 사제들의 결혼이 합법화되었다.

혼란은 곧 커졌다. 의회는 개혁을 진전시키며 동시에 질서를 확고히 하고자 하는 방편으로 1549년 1월 21일 일치령(Act of Uniformity)을 통과시켰다. 이것에 의하여 영어 공동 기도서의 보편적 사용이 요청되었다. 에드워드 6세의 제1 기도서라고 알려진, 이 책은 주로 크랜머가 중세기 영국의 예배 의식에 기초하면서, 추기경 페르난데즈(Fernandez de Quinones)가 1535년에 출판한 개정된 가톨릭의 일과기도서(breviary)를 약간 참고하였고, 1543년에 발행된 쾰른의 대주교 비드(Hermann von Wied)의 루터적 경향의 잠정적 「권면」(*Consultation*)을 약간 참고하여 만든 것이었다.

1549년판 기도서는 옛 예배에서 많은 세부적인 사항들을 보존시켰다. 예컨대 죽은 자를 위한 기도, 장례식 때의 성만찬, 세례 때의 기름 부음과 축귀 그리고 환자를 위한 종유 등이었는데 이것들은 곧 사라졌다. 성만찬 때 빵과 포도주를 참여자들에게 나눠줄 때 사용한 말씀들은 그리스도의 살과 피를 실제로 받음을 함축했다.

그동안 서머셋은 정치적 곤경에 휩싸였다. 스코틀랜드에서의 점증하고 있는 프랑스의 세력과 대항하기 위해 그는 영국왕 에드워드와 장차 "스코틀랜드의 여왕"이 될 공주 메리 스튜어트(Mary Stuart)의 결혼을 통하여 브리튼의(british) 두 가문이 연합할 것을 주장했다. 그는 스코틀랜드 침공으로 이 일을 이루려 하였다. 스코틀랜드는 1547년 9월 10일 핑키(Pinkie)에서 참패했다. 그러나 이로 인해 서머셋의 주된 목적은 좌절되었다. 분노한 스코틀랜드 지도자들은 서둘러서 메리를 나중에 프란시스 2세가 될 프랑스의 왕위 계승자에게 약혼시켰다. 이것은 스코틀랜드 내의 종교개혁에 있어서 중대한 사건이었다.

메리를 프랑스로 데려갔고 강력한 프랑스 군대가 영국의 북부 국경 지대를 점령하였다. 또한 서머셋의 무익한 스코틀랜드 원정으로 인해 막대한 재정이 지출되었고, 심각한 물가 상승과 농민의 불만의 시기였기 때문에 이것을 충당할 수 없었다. 비록 의회가 공유지가 사유지화(enclosure of common lands)되는 것을 감시하기 위해 약간의 노력을 하였으나, 1549년 일련의 농민 봉기들이 영국 남부를 진동시켰다. 가장 심각했던 봉기는 노퍽에서 케트(Robert Ket)라는 상인의 유능한 지도 아래 발생했다. 그의 병력은 결국 워익(Warwick) 백작 더들리(John Dudley)에 의해 진압되었다. 서머셋은 자신이 직접 출전하지 않는 실수를 범하여, 워윅을 시대적 인물로 부각시킨 격이 되었다.

1549년의 소요와 폭동들로 인해 서머셋 통치의 신뢰 기반이 무너지게 되었다. 실제 추밀원의 모든 구성원들의 지지를 상실함으로써 호국경은 1549년 10월 쿠데타에 의해 전복되었다. 이 모의의 주도자요 최종적인 수혜자는 워익 공작이었다. 그는

1550년 2월 서머셋을 계승했으나 후국경의 칭호를 받지는 못했다. 1551년 그는 노섬벌랜드(Northumberland) 공작이 되었다. 그의 성격은 신비로운 것으로 남아있다. 그는 쿠데타 때 서머셋을 사형에서 구조했으나 결국엔 1552년 그를 참수하도록 음모를 꾸몄다.

분명히 말해야 할 것은 부분적으로 서머셋이 그의 경쟁자의 권력을 무너뜨리려 했다는 점이다. 서머셋이 풍겨준 이상적인 인물상으로 인해 노섬벌랜드는 전적으로 무절제하고 탐욕적이며 전제적인 사람으로 보였다. 그러나 서머셋과 달리 그는 추밀원을 통하여 집단 지도 체제의 협력 통치를 추구하였으며, 그의 통치 체제는 중요한 행정적, 재정적인 개혁을 수행했다. 그러나 그는 국가에 대한 고려에서 뿐만 아니라 개인적인 확신으로부터 보다 철저한 종교개혁자들을 선호했던 것 같다. 철두철미한 개신교 왕에 의해 지지를 받은 그의 3년간의 통치로 말미암아 영국교회는 현저하게 개혁교회적(스위스적) 양상을 띤 개신교 체제로 변했다.

1549년판 기도서는 인기가 없었다. 1549년 데본(Devon)과 콘월(Cornwall)에서 있었던 반란에서 그것에 대한 보수적인 반대가 역력했다. 개신교도들은 그 기도서가 로마적 관행을 너무 많이 유지하고 있다고 느꼈다. 크랜머도 마찬가지였다. 이러한 비판들은 1547년 후반 이래 영국에서 환영받은, 대륙 출신의 저명한 개신교 피난자들에 의해서 지지되었다.

그들은 이탈리아인 베르미글리(Pietro Martire Vermigli, Peter Martyr, 1500-1562)와 오키노(Bernardino Ochino, 1487-1564), 폴란드인 개혁자 라스키(Jan Laski, John Lasco, 1499-1560) 그리고 누구보다도 영향력이 컸던 슈트라스부르크의 부처 등이다. 부처는 1549년판 기도서에 무엇이 잘못되었는지를 보여주기 위해서 1551년 「검열」(*Censura*)이라고 알려진 책 한권을 썼다. 이에 따라 크랜머와 그의 동료들은 기도서의 개정 작업에 착수했다.

그리고 그것은 1552년 4월 신일치령(new Act of Uniformity) 아래 재반포되었다. 이 제2기도서는 훨씬 더 많은 고대의 의식을 폐지하였다. 죽은 자를 위한 기도가 빠졌고, 제단 대신 성만찬대로 대체했다. 성찬에서 특별한 제병(wafer) 대신 보통의 빵이 사용되었다. 축귀와 기름부음은 부차적인 것이 되었다. 중세적 의복들은 명문으로 금지되었고, 단지 단순한 백의(surplice)만이 요구되었다. 그리고 성만찬의 빵과 포도주의 전달에서 츠빙글리적인 성만찬 개념과 조화를 이루는 새로운 조항이 도입되었다.

크랜머는 오랫동안 신앙 조항의 준비에 관여하였다. 1552년 이 조항들이 추밀원에 의해 6명의 신학자들에게 일임되었다. 그 중의 한 사람이 존 녹스(John Knox)였다. 그 결과로서 42개 조항(Forty-two Articles)이 나왔다. 이것은 1553년 6월 12일 (왕의 서거 한 달 조금 못되어) 왕의 서명에 의해 공인되었다. 그것은 비록 전통적인 가톨릭 뿐만 아니라 개신교 극단주의 특히 재세례파에 대하여 반대하였지만, 그 어조에 있어서 결정적으로 제2기도서보다 더 개신교적이었다. 또한 1552년 크랜머는 교회법(canon law)을 포괄적으로 개정하여 「교회법 개혁」(*Reformatio Legum Ecclesiasticarum*)을 출판하였다. 그러나 이 대단한 작품은 왕이나 의회로부터 공인받지 못하였다. 그 동안 1550년 이래 공석으로 있던 감독직은 진지한 개혁자들로 채워졌고, 그리하여 에드워드 시대의 감독제는 강력한 개신교 성격을 띠게 되었다.

노섬벌랜드는 그의 권력과 개인적 생존이 왕의 수명과 메리 튜더(Mary Tudor)를 왕위에 오르지 못하게 하는 데 달려있다는 것을 잘 알았다. 1553년 여름 병약한 에드워드가 결핵으로 죽어가고 있는 것이 명백해졌다. 노섬벌랜드는 이제 필사적인 계획을 채택했는데, 이것은 영국 교회를 확실히 개신교적으로 유지하기를 원하는 에드워드의 권고에 의해 가능했다. 헨리 8세의 최종 유언에 의하면 왕위는 에드워드, 메리, 엘리자베스 순이었고, 튜더 가문의 직계 자손이 끝난 후에는 그의 여동생 메리의 그레이 가 후계자들을(the Grey heirs) 보조 계승자로 명했다.

1553년 6월 11일 에드워드는 그의 이복 누이들의 상속권을 박탈하고, 노섬벌랜드의 장자 더들리(Guildford Dudley)의 아내이며 헨리 8세의 누이 동생 메리의 손녀인 레이디 제인 그레이(Lady Jane Grey)에게 왕위 계승권을 물려주었다. 크랜머는 주저하면서 이 무모한 계획에 동의했다. 1553년 7월 6일 에드워드 6세가 서거했다.

이 음모는 완전히 실패했다. 노섬벌랜드는 메리의 신변을 확보하지 못하는 터무니없는 실수를 범하였다. 그녀는 방해받지 않고 피신했다. 심지어 국내의 대다수의 개신교들도 메리 편을 들었다. 백성들은 분명히 평화와 일치와 내전의 합법적 계승을 원하였다. 메리는 곧 안전하게 왕위에 올랐고 노섬벌랜드는 참수되었는데, 그는 사형 틀 위에서 개신교를 포기했다. 가디너는 옥에서 풀려나 윈체스터 주교직에 복직되었고 대장상(lord chancellor)이 되었다. 크랜머와 지도적인 개신교 주교들은 투옥되었다.

1553년 후반 의회는 메리의 모친과 헨리 8세의 결혼을 합법화시켰다. 에드워드 6세 때의 교회 법령은 철폐되었고 공중 예배가 헨리 8세의 말년의 형태로 복원되었다. 그러나 1534년의 수장령(Supremacy Act)은 아직 철폐되지 않았다. 메리는 이것을 혐오하기는 했지만, 처음엔 그녀의 사촌 찰스 5세의 대사였던 레나드(Simon Renard)의 충고를 따라 조심스럽게 나아갔다. 황제는 메리가 곧 스페인의 필립 2세가 될 그의 아들 필립과 안전하게 결혼하기까지 경솔한 행동을 하는 것을 원치 않았다. 1554년 7월 25일 결혼식이 거행되었다. 이것은 메리에게는 소중한 것이었지만, 필립에겐 주로 왕조에 대한 의무일 뿐이었다. 대중은 이 결혼을 위협적인 외국이 지배로 생각하고 아주 싫어했다.

그 때까지 개혁파의 정서를 지닌 주교와 다른 성직자들은 제거되었지만, 로마와의 화해는 연기되었다. 1553년 후반과 1555년 중반 사이에 약 800명의 개신교 성직자와 평신도들이 대륙으로 피난했는데, 주로 독일과 스위스의 도시들 즉 엠덴, 프랑크푸르트, 슈트라스부르크, 바젤, 취리히, 제네바 등이었다. 그들은 그곳에서 개혁주의 개신교의 훈련을 받았다. 루터파 국가들은 그들의 성례전에 대한 믿음을 이단적인 것으로 보고 또한 정치적 반발을 두려워하여, 이 메리 치세의 망명객에게 매우 불친절하였다. 망명객들의 가장 중요한 업적 중의 하나는 소위 제네바 성경(Geneva Bible)의 출판이었다. 이것은 1560년 4월 제네바에서 출판되었다. 칼빈주의적 색채를 가지고 있는 이 혁신적인 성경은 엘리자베스 치세 동안 가장 광범위하게 사용되었고, 1611년의 흠정역이 출판되기까지는 경쟁할 만한 성서본이 없었다.

이렇게 영국의 종교개혁이 피난을 통해 존속한 반면, 본국에서는 메리적 가톨릭의 복원이 느리게 진행되었는데, 부분적으로는 압수된 교회 재산이 복원될지도 모른다는 광범위한 두려움이 이것을 방해했기 때문이다. 교황의 정책이 아닐 것이라는 확신 위에서 헨리 8세의 사촌인 추기경 폴(Reginald Pole, 1500-1558)이 교황 사절로서 영국 입국을 허락받았다. 의회는 교황의 권위의 회복을 투표로 결정했으며, 1554년 11월 3일 폴은 영국을 이단에서 풀어주었고 로마에 복종하도록 회복시켰다. 의회는 이제 이단에 대한 지나간 법들을 다시 법령화하였고 헨리 8세의 교회 법령들을 폐기시켰다. 이렇게 해서 이전의 교회 재산이 법령에 의해 현재의 소유자에게 귀속한다는 것을 제외하고는 교회가 1529년에 획득했던 그 위치로 교회를 회복시켰다.

곧 혹독한 박해가 시작되었다. 그 첫 희생자는 성서 번역자 존 로저스였다. 그는 1555년 2월 4일 런던에서 화형을 당했다. 백성들은 형장으로 가는 그를 위로하였고 이러한 백성들의 태도가 메리의 정책의 앞날에 어두운 징조를 드리웠다. 그럼에도 불구하고 그 해가 다가기 전 75명의 또 다른 사람들이 영국의 여러 곳에서 화형당했다. 이들 중 가장 유명한 사람은 전직 주교 우스터(Worcester)의 휴 라티머와 런던의 니콜라스 리들리였다. 그들은 10월 6일 옥스퍼드에서 불굴의 정신으로 죽음을 맞이하여 심원한 인상을 남겼다.

그 해의 또 다른 특출한 희생자는 글로스터(Gloucester)와 우스터의 주교직을 역임한 존 후퍼(John Hooper)였다. 그는 비타협적인 츠빙글리적, 스위스적 원칙으로 인해 후대 청교도의 원형으로 부각되었다. 메리와 가디너는 특히 개신교 성직자의 머리격인 대주교 크랜머를 치기로 결심했다. 크랜머는 양심적이고 원칙적인 사람이었으나 라티머, 리들리, 후퍼, 로저스 등이 갖춘 영웅적 자질은 갖추지 못했다.

그는 1555년 11월 25일 로마의 판결에 의하여 공식 파문되었다.

곧 이어 그 대신 폴이 캔터베리의 대주교가 되었다. 크랜머는 이제 견딜 수 없는 딜렘마에 빠졌다. 그는 헨리 8세 치하에서 임명된 이래, 주권자 왕이 영국 교회 내에서 최상의 권위라고 진지하게 주장해왔다. 그는 실제 개신교도였으나, 이제는 주권자가 로마 가톨릭 신자였던 것이다. 그는 교황 권위의 합법성의 인정을 선언하면서 비통스럽게 굴복하였다. 메리는 그녀의 모친을 음부라고 하고 자신을 사생아라고 선언하였던 사람을 살려둘 생각이 없었다. 크랜머는 죽어야 했다. 그러나 그가 죽으면서 개신교를 공개적으로 부인함으로써 종교개혁에 먹칠을 하는 것이 요망되었다. 그 바람은 거의 실현될 뻔 했다. 크랜머는 개신교를 전적으로 부인하는 철회안에 서명했다. 그러나 사형 집행일인 1556년 3월 21일 옥스퍼드에서 그의 용기는 되살아났다. 그는 그의 철회를 완전히 부정하고 개신교 신앙을 선언했으며, 방금 자신이 부인한 조항들에 한때 서명한 적이 있던 자신의 불온한 손을 들어 다 탈 때까지 불꽃 속에 집어넣었다.

필립은 1555년 9월 영국을 떠났다. 자식도 없고 필립도 떠나자, 메리는 괴로왔고 자신이 하나님의 심판을 충분히 만족시키지 못했다고 느꼈다. 그래서 1558년 그녀가 죽기까지 핍박은 감소되지 않고 계속되었다. 전체적으로 거의 300명이 화형을 당했고, 대부분은 영국 남동부 지역 출신이었으며, 노동자 계층이었다. 이 중에는 50명이상의 여성들이 포함되어 있었고 젊은이들이 많은 비율을 차지하였다. 네덜란드에서 피압박자들이 치른 대가에 비교해볼 때, 메리 치하의 순교자 총수는 적었다. 비록 영국 역사상 그러한 규모의 화형을 한 선례가 없고 영국인의 정서가 깊이 불쾌감을 갖긴 하였지만 말이다.

이 순교 사건들로 인해 — 곧 존 폭스(John Foxe, 1516-1587)의 대단한 인기 작품인 「순교사」(*Acts and Movements*, 1563)에서 기념되어질 것인데 — 반로마적 정서가 크게 확산되었는데, 아마도 지나간 모든 정부차원의 노력이 달성한 것보다 더 큰 성과였다. 그리고 이로 인해 흔히 생각하는 것보다 종교개혁이 평민들 속에 훨씬 더 깊은 뿌리를 내렸다는 것이 드러났다. 게다가 크롬웰과 크랜머의 주도로 1530년대 시작되고, 에드워드 6세 치하의 개신교를 견고하게 만든 신학적, 예전적 변화의 과정이 돌이킬수 없는 것임이 입증되었다. 메리는 시계를 되돌릴 수 없었다. 그녀의 정책은 점점 더 시대착오적인 면을 띠었다.

또한 그녀의 생애 말년에 대륙의 영국의 최후의 소유지이자 과거 민족의 위대함의 유력한 상징이었던 칼레(Calais)가 프랑스에 넘어갔다. 1558년 11월 17일 메리가 죽었고 몇 시간 후 폴도 죽었다. 그녀의 통치는 죽을 때까지 불신의 대상이었고, 엘리자베스가 왕위에 오를 때에는 아무런 위기도 뒤따르지 않았다.

엘리자베스 1세(1558-1603)는 비록 그녀의 왕위 계승의 위치가 헨리 8세 생전에 의회의 법령으로 보장되어지긴 했지만, 오랫동안 부적격자로 통했다. 그녀의 출생과 교육과 로마 측에 의한 모친의 결혼의 부정 등으로 인해 그녀는 필연적으로 개신교도가 되었다. 비록 그녀가 메리 치하에서 목숨을 위협받자 로마적 의식에 타협했지만 말이다. 그녀는 자기의 내면적인 종교적 확신을 비밀로 간직하면서 분명히 개신교 극단주의와 친분을 갖지 않은 반면에, 종교적 문제에 대해서는 처음부터 비가톨릭적으로 해결하기를 좋아했다.

스페인의 필립 2세는 그녀의 즉위를 지원했으나, 얼마 후 그녀와 철천지 원수가 되었다. 그는 진실한 가톨릭 교도이긴 했지만 아주 정치적이어서 프랑스, 영국, 스코틀랜드가 하나의 왕가의 부부에 의해 통치되는 것을 묵과할 수 없었다. 만약 엘리자베스가 영국의 여왕이 되지 못하면 스코틀랜드 여왕이자 1559년에 프랑스 왕 프란시스 2세가 될 황태자의 아내이기도 한 메리가 영국의 왕위에 임명될 상황이었다. 더욱이 엘리자베스가 왕위에 취임한 후 취한 첫 조처로 당시 영국이 낳은 가장 사려깊고 통찰력 있는 정치가 중의 한 사람인 윌리엄 세실(William Cecil, 1520-1598)의 도움을 받았다. 버글리 경(Lord Bughley)으로 더 잘 알려진 세실은 당장 그녀의 비서로 채용되었고 그녀가 죽을 때까지 수석 자문관이 되었다. 엘리자베스가 전적으로 영국인의 정서를 갖추었고 조국의 정치 경제적 야심에 깊이 공감하고 있었다는 것은 그녀의 아주 유리한 점이었다. 이 전형적인 성격으로 인해 종교적으로는 퇴짜 맞을 많은 사람들도 그녀의 정부와 공조할 수 있었다. 그녀가 영국을 가장 우선시한다는 사실은 누구도 의심하지 않았다.

엘리자베스는 신중하게 그녀의 변화를 전개해 나갔다. 그녀의 지나치게 신중한 태도는 사태가 바뀌자 여왕이 의도했던 것보다 더 신속하게 움직일 것을 요구한, 하원의 개신교 행동가들을 만족시킬 수 없었다. 1559년 4월 29일 의회는 상원에 있는, 메리 치하에서 임명된 주교들에 의한 강한 반대를 무릅쓰고 새로운 수장령을 통과시켰다. 이 법령은 교황의 권위와 교황에 대한 모든 지불과 호소를 부인했다. 그러나 엘리자베스 자신의 주장에 의해서 칭호상의 의미있는 변화가 나타났다. 가톨릭 교도에겐 아주 불쾌하고, 전통적인 개신교도에 의해서 더 잘 받아들여지지도 않던 이전의 수장(Supreme Head)이란 말 대신에, 그녀는 이제 영국 교회의 최고 통치자(Supreme Governor)라고 불렸다. 실제로는 동일한 사실을 지칭하면서도 이것은 훨씬 더 반대를 받지 않는 표현이었다. 이단 판단의 기준은 이제 성서와 최초의 네 공의회와 의회의 결정이었다.

그 동안 한 위원회는 에드워드 6세의 제2기도서의 개정 작업을 하고 있었다. 여왕 자신은 1549년판 제1기도서를 선호하는 듯했지만, 그녀는 불로 거룩하게 된 바 있는, 1552년 기도서의 수정판을 받아들이는 수밖에 달리 도리가 없었다. 도입된 수정 내용들은 여왕의 보수적 취향에도 맞았고, 온건한 가톨릭 신도들이 새로운 예배를 수용하기 쉽게 하였다. 교황에 대한 기도는 삭제되었다. 성만찬 때에 무릎을 꿇는 것이 경배를 함축한다는 선언도 — 존 녹스의 주장으로 1552년 기도서에 첨가되었던 "검은 전례"(Black Rubric)라고 알려진 선언 — 빠졌다. 성례전 때 그리스도의 육체적 임재에 대한 질문은 의도적으로 미해결로 남겨두었다. 단지 에드워드 시대의 두 권의 기도서에 있는 전달의 문구들(formulas of delivery)을 단순히 연결시켰을 뿐이다.

수장령 다음엔 곧 일치령(Act of Uniformity)이 뒤따랐다. 이것은 모든 예배를 1559년 6월 24일 이후로는 새로운 예배 의식에 입각해서 드리라고 명령하였다. 또 교회의 장식들이나 그 목사들의 의상은 에드워드 6세 즉위 두번째 해의 형식으로 하라고 규정하였다. 이렇게 전통적인 의상들을 고수한 "장식 전례"(Ornament Rubric)는 메리 여왕의 통치 때 망명한 자들의 단호한 반대를 받았다. 그들은 이제 영국으로 돌아왔고 그들 중에서 엘리자베스 치하의 지도적인 주교들이 선발되었다. 이 소위 의상 논쟁(Vestiarian Controversy)은 넓게는 교회와 교황(popery)의 예전을 순수하게 하고자 하는 노력으로 정의되는 청교도주의(Puritanism)가 영국 국교회 초창기의 강력한 요소였음을 보여주었다.

수위권의 서약(oath of supremacy)은 하급 성직자들 사이에서는 일반적으로 그 저항이 미약하여 뜻을 굽히지 않는 자들이 200명도 안되었으나, 메리 때 임명된 감독들 중에는 두 명의 모호한 구성원을 제외하고 모두가 거부하였다. 새로운 주교들이 임명되어야 했다. 엘리자베스는 한때 그녀의 모친의 궁정 목사였던 매튜 파커(Matthew Parker, 1504-1575)를 캔터베리 대주교로 선발하라고 지시했다. 크랜머와 마찬가지로 파커도 학구적이었으며 사교성이 부족했다. 망명자가 아니었던 그는 온건한 개신교도였다.

그의 성직 수임은 어려움을 초래했다. 왜냐하면 메리 치세 때의 주교들이 참가를 거절했기 때문이다. 그러나 영국 안에서는 헨리 8세와 에드워드 6세 아래에서 감독직을 수여받은 자들이 있었다. 1559년 12월 17일 파커는 그러한 네 사람의 손에 의해서 성직 수임을 받았다. 그들은 바로우(William Barlow), 스코리(John Scory), 커버데일(Miles Coverdale), 그리고 혹킨(John Hodgkin)이었다. 이렇게 시작된 새로운 영국 국교회의 감독제는 신속하게 제도화되었다. 기도서에 함축된 것 이외의 신조의 정의는 의도적으로 미루어졌다. 그러나 1563년에는 1553년판 42개 신조가 약간 개정되어서 이제는 39개 신조로서 영국 국교회의 신앙 선언이 되었다.

이렇게 해서 1563년까지 엘리자베스의 분쟁 해결 내지 정착(settlement)이 완성되었다. 그것은 두 가지 측면에서 위협을 받았다. 첫째는 로마의 위협으로서 교황이 1570년에 엘리자베스를 파문하고 그녀의 신하들에게 그녀를 폐위시키라고 종용한 것이었다. 둘째는 개혁을 더 추진하기를 원하고 곧 청교도라고 별명지워질 아주 진지한 개혁자들 쪽에서 오는 위협으로서 더 폭발적인 잠재력을 가지고 있었다.

영국 종교개혁의 주목할 만한 특징은 어떤 탁월한 종교적 지도자들 즉 루터, 츠빙글리, 칼빈, 녹스 같은 인물들을 배출시키지 않았다는 점이다. 또한 영국 종교개혁에서는 엘리자베스의 통치 이전에 모든 사회 계층의 사람들 사이에서 어떤 상당한 영적 각성도 나타나지 않았다. 영국의 종교 생활의 위대한 부흥은 곧 도래할 참이었다. 그 초기 역사는 엘리자베스의 통치와 동시대이지만 그녀에게 직접적으로 신세지고 있는 것은 아무 것도 없다.

10. 스코틀랜드 종교개혁

16세기가 밝았을 때, 스코틀랜드는 가난한 후진 국가였다. 봉건 사회에다가 왕권은 약했고 귀족들이 드세었다. 교회는 상대적으로 많은 땅을 가지고 있어서 약 국토의 반을 소유하고 있었으나, 성직은 귀족의 아들들에게 일 자리를 제공하는 용도로 쓰였고, 많은 교회 재산이 평신도 귀족의 수중에 있었다. 내내 미약한 왕은 교회의 힘을 빌어 평신도 귀족에게 대항했다. 15세기에 성 앤드류스, 글래스고, 애버딘에 대학이 세워졌지만 대륙의 학문 중심지에 비교가 되지 못했다. 수도원은 일반적으로 쇠퇴하고 있었고, 교구 교회는 조롱과 무시를 받으며 무식하고 가난한 주교대리 아래 있었다. 전반적으로 규율의 개혁과 "풍습과 도덕"의 개혁을 바라고 있었다. 1560년 스코틀랜드에서 종교개혁이 확립되었을 때, 첫째 관심은 교회 정치를 완전히 뜯어 고치는 것이었다. 신학과 예배 의식 문제는 이차적 관심사였다.

이 기간 스코틀랜드 정치사에 있어서 결정적 동기는 잉글랜드의 지배 혹은 병합에 대한 공포였다. 이것은 프랑스와 친선 관계를 맺게 했다. 플로덴(1513), 솔웨이 모스(1542), 핑키(1547)에서 잉글랜드에 3번 참패한 것 때문에 이러한 적대감이 강화되었으나, 힘에서 우세한 잉글랜드도 스코틀랜드를 정복할 수 없다는 것이 드러났다. 한편 스코틀랜드와 프랑스의 동맹은 잉글랜드에게 큰 위협이었는데, 잉글랜드가 교황과 단교하였을 때 더 심각했다. 따라서 잉글랜드와 프랑스는 스코틀랜드에 자기파 세력을 기르려고 하였다.

유력한 더글라스 가는 대체로 잉글랜드 편이었고 해밀턴 가는 프랑스 편이었다. 프랑스는 또한 스코틀랜드의 대주교인 성 앤드류스의 제임스 비튼(James Beaton, ?-1539)과 그의 후계자 추기경 데이비드 비튼(David Beaton, 1494?-1546)의 지지를 받았다. 왕 제임스 5세(1513-1542년 통치)는 헨리 8세의 조카이고, 그의 손자 제임스 6세는 1603년 잉글랜드의 제임스 1세가 되어 엘리자베스 사후 두 왕국을 통합할 것이지만, 그는 프랑스와 동맹을 맺어 프란시스 1세의 딸과 결혼했다가 그녀의 사후 유력한 프랑스 기즈의 가톨릭 가문의 로렌의 메리(Mary of Lorrainne)와 결혼했다. 스코틀랜드 역사에서 아주 중요한 로렌의 메리와의 결혼은 그 열매로 "스코츠의 여왕"(1542-1587) 메리를 낳게 된다.

개신교는 종교개혁이 진행된지 얼마 되지 않아서 시작되었다. 비텐베르크를 방문하고 마르부르크에서 공부한 패트릭 해밀턴(Patrick Hamilton, 1504-1528)은 루터의 교리를 설교하다가 1528년 2월 29일 화형당했다. 운동은 서서히 성장했다. 1534년과 1540년에도 처형이 있었다. 그러나 1543년 스코틀랜드 국회는 성서 읽기와 번역을 공인했다. 그러나 잉글랜드의 영향으로 잠정적인 것에 불과했다. 1544년 추기경 비튼과 프랑스파는 강하게 억압했다. 당시 유명한 설교자 조지 위샤르트(George Wishart, 1513?-1546)는 1546년 3월 2일 추기경 비튼의 명령으로 화형 당했다. 비튼 자신도 5월 29일 반은 위샤르트의 죽음에 대한 보복으로, 반은 그의 친프랑스 정책에 대한 반발로 잔인하게 살해되었다. 살해자들은 성 앤드류스의 비튼 성을 강점하고 그곳에서 동지들을 규합하였다. 1547년 확실한 개종자요 위샤르트의 분명한 친구로 전에는 특별히 눈에 띠지도 않던, 수배 중인 개신교 설교자가 그들에게 피난해 와서 그들의 영적 선생이 되었다. 이 사람이 스코틀랜드 종교개혁의 영웅이 될 존 녹스(John Knox)였다.

녹스는 1505년과 1515년 사이 해딩톤 혹은 그 근처에서 태어났는데, 그의 어린 시절은 분명치 않았다. 그는 사제로 서품받았으나 위샤르트가 구속되었을 때 그 순교자와 함께 있었고 그를 변호하려 하였다. 성 앤드류스 반란을 진압하기 위해 파견된 프랑스 군은 항복을 요구했고, 녹스는 프랑스로 잡혀가 19개월 동안 갤리선의 노젓는 노예 생활을 겪었다. 풀려난 후 1549년 당시 에드워드 6세 치하의 개신교 정부가 다스리던 잉글랜드로 건너와서, 궁정 목사가 되었고, 1552년 로체스터 주교직을 사퇴했다. 1554년 메리 튜더의 즉위 후 그는 도피해야 했다. 그러나 그가 프랑크푸르트에서 처음 만난 잉글랜드 피난민들은 그의 에드워드 기도서 비판 때문에 양분되었다. 그는 제네바로 가서 거기서 열렬한 칼빈의 제자가 되어 제네바 판 영어 성서 작업에 착수했다. 후일 영국 청교도들은 이것을 아주 높이 평가했다. 녹스가 칼빈의 생각과 달리, 불경건하고 우상숭배하는 통치자들에 대항하여 일반 국민이 군대를 일으킬 수 있는 권리가 있다는 혁명적인 견해를 발전시킨 것은 바로 이 추방 기간 동안이었다.

그 동안 1547년 핑키의 승전으로 인해 잉글랜드와 스코틀랜드의 관계가 그 어느 때보다 더 악화되었다. "스코츠의 여왕" 메리는 프랑스의 왕위 계승자와 약혼했고 1548년 안전상 프랑스로 보내졌다. 그 기즈가 사람 그녀의 어머니 로렌의 메리가 1554년 스코틀랜드의 섭정이 되었다.

스코틀랜드 귀족과 국민들은 대부분 프랑스에 의존하는 것을 영국에 복종하는 것만큼 싫어했다. 개신교와 국가의 독립은 함께 맞물려 있는 듯했고, 녹스가 지도자가 된 것은 바로 이러한 이중적 투쟁 상황에서였다. 녹스는 1555년 담대히 귀국하여 6개월 동안 설교했다. 그러나 아직 혁명의 때가 무르익지 않았다. 그는 제네바로 돌아가서 영어를 사용하는 피난민 교회의 목사가 되었다. 그러나 그는 유익한 씨를 뿌렸다. 1557년 12월 3일 스코틀랜드의 많은 개신교와 반프랑스파 귀족들은 "가장 복된 하나님의 말씀과 하나님의 회중을 세우자"는 언약을 맺었다. 여기서 "회중의 대표자들"(The Lords of the Congregation)이란 별명이 유래했다.

1558년 4월 24일 메리 스튜어트와 프랑스 왕자의 결혼은 이러한 비국교도 선언에 기름을 끼얹었다. 스코틀랜드는 이제 프랑스의 한 지방같이 보였다. 왜냐하면 그들이 아들을 낳으면 그는 두 나라의 통치자가 될 것이고, 당시는 비밀이었으나 메리가 후계자를 낳지 못하면 스코틀랜드는 프랑스에 속하게 된다는 것에 메리가 서명함으로써 프랑스의 지배력이 두 배로 강화되었기 때문이다. 1558년 말 엘리자베스가 잉글랜드의 여왕이 되자 스코츠의 여왕 메리는 그녀를 불법적 서출의 찬탈자라고 비난하며 자기가 영국 왕위의 정당한 계승자라고 선언했다.

이러한 상황에서 스코틀랜드의 독립 운동가들과 개신교도들은 신속히 성장하여 점차 한파로 뭉쳤다. 게다가 엘리자베스는 자신의 보호를 위해서라도 도와줄 것으로 기대할 수 있었다. 녹스는 때가 왔다고 보았다. 1559년 5월 2일 그는 스코틀랜드에 돌아왔다. 9일 후 그는 퍼스(Perth)에서 설교했다. 폭도들은 도시의 수도원을 파괴했다. 섭정은 당연히 이 행동을 명백한 반란으로 간주했다. 그녀는 휘하에 프랑스 군대를 가지고 있었고 양측은 신속히 전쟁을 위해 무장했다. 그들의 힘이 거의 동등하다는 것이 드러났고 결과는 무승부였다.

녹스가 진저리쳤지만 스코틀랜드 곳곳에서 교회가 파괴되고 수도원 재산이 약탈되었다. 1559년 7월 10일 프랑스의 헨리 2세가 죽고 대신 메리의 남편 프란시스 2세가 왕이 되었다. 프랑스 지원 부대가 신속히 스코틀랜드 섭정에게 파견되었다. 개신교에게 상황이 불리했다. 결국 1560년 1월 영국으로부터 도움이 왔다. 1560년 6월 11일 섭정이 죽고 그녀와 함께 그녀의 노력도 물거품이 되었다. 7월 6일 영-불 조약이 체결되어, 프랑스 군대가 철수하고 프랑스인은 정부의 요직에서 물러났다. 혁명은 잉글랜드의 도움을 입어 승리했으나 스코틀랜드의 국가 독립은 상실하지 않았고, 혁명의 영감을 고취시킨 사람은 녹스였다.

전승파는 그 승리를 스코틀랜드 국회로 옮겼다. 1560년 8월 17일 거의 녹스가 준비한, 칼빈주의적 신앙고백이 국가의 신조로 채택되었다. 1주 후 국회는 교황의 관할권을 폐기했고 미사를 금지시켰는데, 3번 위반하면 사형이었다. 프랑스에 있는 왕과 왕비는 승인을 거절했지만 국민 대다수가 지지했다.

녹스와 그의 동료들은 개혁 사업의 완수를 위해 매진했다. 1560년 12월 최초의 스코틀랜드 "총회"(General Assembly)로 간주되는 모임이 열렸다. 다음 해 1월 「제일 권징서」(*First Book of Discipline*)를 국회에 제출하였다. 이것은 비록 "장로교적" 체계가 아직 완전히 발전된 것은 아니었지만 칼빈이 만든 체제를 왕국 전체에 적용하려는, 아주 주목할 만한 문서였다. 교구마다 회중이 동의한 목사와 장로들이 있어야 한다. 목사와 장로가 규율 위원회를 구성했는데, 이것이 후일 출교권을 가진 당회(session)로 발전했다. 대도시의 토의 회의에서 노회(presbyteries)가 생겼고, 목사 단체와 회중 단체들 위에 대회(synods), 그 위에 "총회"(General Assembly)가 있었다. 시대적 요청과 초보적 교회 상태로 인하여 두 가지 제도가 더 생겼다.

목사가 없거나 일이 과중한 교회에 "독경사"(readers)를 두었고, 영적 권위는 없지만 교구 조직을 감독하고 교역자 후보를 추천하는 행정권을 가진 "감독"(superintendents)이 있었다. 이러한 교회 기구적 특징 외에도 「제일 권징서」는 국민 교육과 빈민 구제를 위하여 탁월한 계획을 수립했다. 녹스는 옛 교회 재산으로부터 교회, 교육, 빈민들을 도우려고 하였다. 그러나, 여기서 「제일 권징서」는 국회의 저항을 받았다. 많은 사람의 승인에도 불구하고 국회는 이 재정적 제안을 채택하지 않았다. 교회 헌법은 점차 실행에 옮겨졌으나, 귀족의 교회 토지 소유로 인하여 교회는 기독교 국가 중 가장 가난한 교회가 되었다. 그러나 이러한 상대적 가난은 교회에 민주적 성격을 각인시켜 놓았다. 이 민주적 성격이 스코틀랜드 교회를 귀족과 왕의 침해를 막아주는 국민의 방파제로 만들었다.

성서적 근거가 없는 모든 관습은 폐지되었다. 일요일은 유일하게 남은 성일이었다. 공공 예배의 인도를 위하여 녹스는 때때로 「녹스 예배의식서」(Knox's Liturgy)라고 불리는 「공동 예배의식서」(*Book of Common Order*)를 만들어 1564년 총회의 승인을 받았다. 이것은 주로 제네바 영어 회중의 예배의식서를 기초로 한 것이고, 후자는 칼빈의 것을 본딴 것이었다. 그러나 그것은 자유 기도를 더 많이 활용하도록 허락했고 주어진 형식은 하나의 모범으로 간주되었다. 예배의 일반적 순서와 내용이 아주 분명했지만, 이 모범을 강제로 엄격하게 적용할 필요는 없었다.

녹스는 곧 그가 성취한 것을 방어해야 했다. 1560년 12월 5일 프랑스 왕 프란시스 2세는 죽자 다음 해 메리가 귀국했다. 청상과부의 신분이 동정심을 자아냈고, 이것이 그녀의 개인적 매력을 크게 증가시켰다. 그녀는 더 이상 프랑스 여왕이 아니었고, 종교적 이유가 아니라 국가 독립의 열망에서 개신교를 지지했던 사람들은 당연히 부담스런 프랑스 지배의 위험이 — 이것이 종교적 혁명을 동조하게 했었다 — 사라졌다고 생각했다.

메리는 처음에 신중하게 행동했다. 그녀는 자신의 신앙을 숨기지 않았으나 — 그녀는 이제 에딘버러에 있는 성 자일스의 목사로 명망있던 녹스의 격렬한 비난을 들으면서 자기 궁정에서 미사를 드렸다 — 1560년부터 유효하게 된 종교적 협정에 간섭하지 않았다. 그녀는 잉글랜드의 왕위 계승권을 얻으려 하였으나, 엘리자베스는 그럴 의향이 조금도 없었다. 메리는 "회중의 대표자들"의 지도자였던 이복 동생 제임스 스튜어트(James Stuart, 1531?-1570) — 나중에 모레이(Moray) 백작이 됨 — 로부터 현명한 충고를 받고 있었다.

그녀는 능란한 개인적 대화를 통해 녹스의 마음을 사려고 하였으나 그는 어떤 제안도 거부하고 개신교 정신에 충실했다. 아직도 그의 앞날은 밝지 못했다. 메리는 친구들을 얻었다. 개신교 귀족들은 양분되었다. 미사가 점점 더 증가했다. 녹스는 메리가 막강한 외국 군주와 결혼함으로써 스코틀랜드가 가톨릭 왕을 갖게 될까 두려워할 충분한 이유가 있었다. 스페인의 필립 2세의 아들과의 결혼이 진지하게 거론되었다. 스코틀랜드와 잉글랜드의 개신교 운동을 훨씬 더 놀라게 한 것은 그녀가 1565년 7월 29일 사랑에 빠진 사촌 헨리 스튜어트(Henry Stuart), 단리 경(Lord Darnley, 1545-1567)과 실제 결혼한 것이다.

단리의 영국 왕위 계승권은 메리 다음이었다. 그는 잉글랜드의 가톨릭 사람들에게 인기가 높았다. 그는 잉글랜드에서 개신교도로 알려졌으나 이제 가톨릭으로 자처했다. 이 결혼은 국내에서 엘리자베스를 위협하게 했고, 스코틀랜드에서 가톨릭파를 강화시켰다. 모레이는 그것에 반대하다 궁정에서 쫓겨났고 곧 추방되었다. 반면에 메리는 차례로 모레이에게 동정적인 개신교 귀족들을 제압해 나갔다. 그럼으로써 그녀는 가장 현명한 고문을 잃었다.

지금까지 메리는 아주 약삭빠르게 행동했다. 그러나 이제 메리의 실수와 무절제가 스코틀랜드의 개신교를 구했다. 단리는 불쾌하고 악질적인 사람이었다. 그에 대한 그녀의 감정도 변했다. 한편 메리가 이탈리아인 다비드 리치오(David Riccio)에게 호의를 보이자 그가 시기하기 시작했다. 리치오는 메리가 고용한 외교 비서로 개신교 귀족들의 대적이었다. 단리와 많은 개신교 귀족들은 음모를 꾸며 메리 면전에서 리치오를 끌어 내어 1566년 3월 9일 홀리루드 궁에서 살해했다.

메리의 행동은 아주 교활했다. 그녀는 분노를 숨기고 단리로부터 동료 공모자들 명단을 빼내어, 실제 가담한 자는 추방시켰고 다른 사람들은 눈 감아주겠다고 하며 다시 호의를 보였다. 1556년 6월 19일 메리와 단리의 아들이 태어났다. 장차 스코틀랜드의 제임스 6세, 잉글랜드의 제임스 1세가 될 사람이었다. 메리의 스코틀랜드 왕위는 가장 견고해진 듯했다.

사실 메리는 남편을 용서치 않았고, 이제 위약한 남편과 달리 거칠고 방탕하지만 용감하고 충성스러운 군인인 개신교 귀족 제임스 헵번(James Hepburn), 보스웰(Bothwell) 백작을 사랑했다. 보스웰은 단리를 제거할 음모를 꾸몄다. 메리가 어느 정도 음모에 공모했는지는 아직도 논란이 있다. 천연두를 앓고 요양 중인 단리는 메리에 의해 글래스고에서 에딘버러 근처 집으로 옮겨졌다. 거기서 메리는 그와 마지막 저녁을 보냈다. 1567년 2월 10일 아침 일찍 집이 폭파되었고 단리의 시체가 근처에서 발견되었다. 여론은 보스웰이 살해했다고 하며 메리도 책임이 있다고 했다. 아무튼 그녀는 실소를 자아내게 하는 시도에 의해 무죄 석방을 얻어낸 보스웰에게 영예를 주었다. 4월 24일 보스웰은 메리의 여행 중 그녀를 만나, 그가 힘이 센 것을 과시함으로써 그녀를 매료시켰다. 사람들은 대개 그녀가 이것을 묵인했다고 믿었다. 그는 결혼한 몸이었으나, 5월 3일 그의 아내가 간음을 이유로 그와 이혼해 버렸고, 5월 15일 그와 메리는 개신교 의식으로 결혼하였다.

이러한 몰염치한 행동은 스코틀랜드 국민의 분노를 일으켰다. 그리고 잉글랜드와 대륙의 가톨릭 사람들의 동정도 일시 식었다. 스코틀랜드의 개신교와 가톨릭은 힘을 합해 그녀에 반대했다. 1567년 7월 24일 그녀는 강제 퇴위당하여 한 살된 아들에게 자리를 물려 주었고 모레이가 섭정으로 임명되었다. 그녀는 로크레븐 성에 투옥되었다. 7월 29일 존 녹스는 제임스 6세의 대관식에서 설교했다. 메리와 몰락과 함께 개신교의 승리가 왔다. 1568년 5월 메리는 로크레븐을 탈출하였으나 모레이는 신속하게 그녀의 지지자들을 무찔렀다. 그녀는 잉글랜드로 도망갔고 거기서 가톨릭 음모의 핵으로 남아 있다가 1587년 2월 엘리자베스 살해 음모 죄로 처형되었다.

녹스의 불같은 인생이 끝나갔다. 그는 스코틀랜드 역사에 있어 어떤 사람보다 종교 뿐만 아니라 국민성에 더 많은 영향을 준 후, 1572년 11월 24일 죽었다. 녹스의 사역은 제네바의 베자의 동료로 1568년부터 1574년 귀국할 때까지 가르쳤던 앤드류 멜빌(Andrew Melville, 1545-1623)에 의해 계승되었다. 그는 글래스고와 성 앤드류스 대학의 교육 개혁자였고 스코틀랜드에서 장로교 제도의 완성자였다. 그는 제임스 6세 때 왕과 주교의 침해에 맞서 강력히 장로교 제도를 수호하다가 제임스 6세에 의해 마지막 16년의 여생을 추방 생활로 보냈다.

11. 가톨릭 종교개혁과 반동 종교개혁

16세기 중반 개신교의 성장이 계속되고 때로는 현격해지자 로마 교회는 강력한 반응을 보였다. 바울 3세(1534-1549) 때부터 교황들은 개신교의 반란을 억제하고 가장 두드러진 교회의 악습들을 고치고 개신교 분파와 이단들에 대항하여 교회의 권위 있는 가르침을 법제화하기 위하여 범교회적인 노력을 기울였다. 개신교의 위협에 대한 이러한 방어적 반작용을 반동 종교개혁(Counter-Reformation)이라고 하는 것은 적절하다. 그러나 이러한 명칭은 사실 전체를 나타내는 데는 결코 적절하지 못하며, 별도로 다루어지면 일방적인 역사 서술을 하게 한다. 왜냐하면 개신교에 대한 이러한 소극적 반응에 병행하여 개신교 종교개혁보다 앞서거나 독자적으로 기원한 자발적인 가톨릭 개혁 운동이 있었기 때문이다.

이러한 운동은 전반적으로 '현대 신심'(*Devotio moderna*)의 신비주의, 공의회주의 운동, 기독교 인문주의, 참회 설교, 수도회 엄수파(Observantine)의 수도원 개혁 프로그램, 여러 종교 단체의 설립 등과 같은 현상에서 드러난, 후기 중세기 운동과 연속선 상에 있었다.

이것을 고려해 볼 때 "머리와 지체"의 온전한 개혁을 바랐던, 16세기의 가톨릭의 고유한 종교개혁에 관하여 논의하는 것이 타당하다. 그러나 만약 개신교 종교개혁이 광범위하게 교회에 심원한 충격을 주지 않았다면, 아마도 이러한 영적 갱신의 흐름은 교황과 고위 성직자들의 적극적인 지지를 얻지 못했을 것이고 "제도화"되지 못했을 것이다. 게다가 대개는 개신교를 수용하고 대적해야 할 긴급한 필요에 의해 이러한 흐름의 방향이 결정되었던 것이다. 따라서 가톨릭 종교개혁과 반동 종교개혁은 밀접한 연관이 있었다. 가톨릭 부흥의 두 중심적 근원지는 스페인과 이탈리아였다. 비록 이 두 나라의 영적 갱신이 적지 않게 네덜란드와 독일의 옛 영성 전통으로부터 영향을 받았지만 말이다.

루터가 로마와 충돌하기 한 세대 전, 스페인에서 여왕 이사벨라와 추기경 프란치스코 히메네스 데 치스네로스(Francisco Jimenez de Cisneros)가 강력한 개혁 운동을 일으켰다는 것은 이미 언급한 바 있다(V:16 참조). 이 운동은 교구 성직자의 도덕과 교육의 향상, 엄수파 전통을 따르는 수도원의 개혁, 기독교 인문주의 원리에 근거한 성서 연구 뿐만 아니라 전통적 정통에 대한 흔들림 없는 헌신과 스페인 종교재판소에 의한 이단의 억압을 함께 시도했다.

스페인의 영성 생활의 갱신은 또한 정적주의적 신비주의의 흥왕, 토마스주의의 부흥을 포함한 스콜라 신학의 혁신, 뒤에서 다룰 것이지만 신흥 종단들 중 가장 영향력 있는 예수회(Society of Jesus)의 창설 등에서 드러났다. 이러한 "스페인의 각성"은 가톨릭 종교개혁과 반동 종교개혁의 결정적 계기가 되었다. 그러나 가톨릭이 다시 활기를 찾는 데는 이에 못지 않게 이탈리아 본토의 종교적 부흥이 큰 기여를 하였다.

15세기 말과 16세기 초반 이탈리아에서는 많은 종교 단체와 수도회(oratories)가 설립되었다. 반은 평신도, 반은 성직자로 구성된 이러한 단체들은 철저한 개인 경건과 자선 사업, 특히 고아와 불치병자(매독이란 새로운 질병으로 고통받는)를 돌보는 데 헌신했다. 이러한 단체 중 가장 유명한 것은 성 캐더린(V:15 참조)의 제자로 그의 전기를 쓴, 에토레 베르나자(Ettore Vernazza)가 1497년 주로 평신도를 모아 제노아에서 창설한, **신애회**(하나님의 사랑 수도회, Oratory of Divine Love)였다. 베르나자는 1514년과 1517년 사이에 로마에 수도회 지부를 설립하였다. 이 로마 지부의 지도자에는 경건한 사제요 교황청 관리로 후에 성 카예탄(St. Cajetan)이 된 가이타노(Gaetano da Tiene, 1480-1547)와 키에티(Chieti)의 주교요 교황의 외교 사절로서 후에 교황 바울 4세(1555-1559)가 된 카라파(Gian Pietro Caraffa, 1476-1559)가 포함되어 있었다.

1524년 가이타노와 카라파는 로마 수도회의 다른 두 회원과 함께 로마에서 소위 **테아틴 종단**(Theatine Order)을 창립하였고, 카라파는 1526년 이 종단의 규칙을 작성하였다. 이것은 수도원 서약을 하고 수도원장 아래에서 공동 생활을 하며 자신들의 사제로서의 소명을 완수하고 일반 성직자의 삶의 수준을 향상시키기 위해 노력한, "수도원에 속한 성직자"(clerks regular)와 사제들로 구성되었다. 그들의 정식 이름은 "하나님 섭리의 수도원 성직자들"(Clerks Regular of the Divine Providence)이었으나, 보통은 카라파가 맡고 있는 키에티(라틴어로 Theate) 주교관구의 이름을 따서 "테아티네스"(Theatines)로 알려져 있다. 종단의 모든 첫 회원들은 그들의 재산을 포기하고 성직록을 사양했다. 청빈, 엄격한 금욕 생활, 병자와 극빈자를 위한 자선 사업 등으로 인해 그들은 아주 좋은 평판을 얻었다. 그들은 적은 숫자에도 불구하고 가톨릭 개혁의 온상지로서 엄청난 영향을 미쳤다.

이탈리아 가톨릭 부흥의 많은 초기 지도자들은 신애회와 테아티네스와 밀접한 관련이 있었다. 특히 베네치아의 원로원 의원이요 대사로서 1530년에서 1535년까지 카라파도 참여한 바 있는 베네치아의 열렬한 개혁 운동 — 1527년 로마 함락 후 테아티네스들은 베네치아로 이동함 — 의 일원이었던 가스파로 콘타리니(Gasparo Contarini, 1483-1542), 마기오레(San Giorgio Maggiore)의 베네딕트 수도원장 그레고리오 코르테세(Gregorio Cortese, ?-1548), 인문주의 학자요 헨리 8세의 사촌인 영국인 레기날드 폴(Reginald Pole, 1500-1558) 등이 이에 해당되는 대표적 인물이었다.

콘타리니는 이미 1516년에 주교의 직무에 관한 논문(*De officio episcopi*)을 썼는데, 이것은 당대의 가장 시급한 문제의 하나이고 결과적으로는 가톨릭 종교개혁의 초석이 된, 주교직의 영적 갱신의 방법들을 지적한 것이었다. 콘타리니의 이상은 테아티네스의 헌신적 지지자였고 1524년부터 죽을 때까지 베로나의 개혁적인 주교였던 지베르티(Gian Matteo Giberti, 1495-1543)에게서 구현되었다.

교황청에서 14년간 모범적으로 사역한 후, 1527년부터 주교 관구 안에서 거주한 지베르티는 철저한 감독을 수행하여 하위 성직자들로 하여금 신실하게 영혼들을 돌보도록 하였다. 그가 만든 규정은 트렌트 공의회의 많은 규정의 원형이 되었고, 1560년부터 밀라노의 추기경 대주교였고 트렌트 이후 가장 유명한 목회자였던 보로메오(St. Carlo Borromeo, 1538-1584)에게 영감을 주었다.

그러나 로마 수도회의 일원일 가능성이 높은 또다른 개혁 주교 사돌레토(Jacopo Sadoleto, 1477-1547)가 있었는데, 그는 제네바를 다시 로마 가톨릭 울타리 안으로 끌어들이려 하여 칼빈이 그에게 유명한「답변서」(*Reply*)를 쓴 바 있다(VI:8).

다른 두 수도사 성직자 종단이 테아티네스와 거의 같은 해에 이탈리아에서 설립되었다. 하나는 차카리아(St. Antonio Maria Zaccaria, ?-1539)와 그의 두 동료에 의해 1533년 밀라노에 세워진 "성 바울 수도사 성직자들"로 보통은 그들이 속한 밀라노의 성 바나바 교회 이름을 따서 바나바이츠(Barnabites)로 알려져 있다.

다른 하나는 아이밀리아니(St. Girolamo Aemiliani, ?-1537)에 의해 북부 이탈리아의 소마스카에 세워진 소마스키(Somaschi)이다. 테아티네스와 마찬가지로 바나바이츠와 소마스키들은 개인적 성화, 사제직의 개혁, 빈민과 병자 특히 북부 이탈리아의 전쟁에서 참혹하게 희생당한 이들에 대한 자선 활동 등에 의해 동기를 부여받아 활발히게 활동하였다.

여성들의 종교 단체들도 가톨릭의 종교개혁에 중요한 역할을 담당했다. 특히 안젤라 메리치(St. Angela Merici, 1474?-1540)의 지도 아래 1535년 브레스치아(Brescia)에서 모인, 일단의 결혼하지 않은 여성들과 일부 과부들의 모임이 대표적이었다. 소위 성 우르술라에게 헌신했다 하여 "우르술리네스"(Ursulines)라고 불리는 이들은 자기 집에서 살고 교구 교회에서 예배드리면서도, 상급자에게 순종하고 자선 활동 특히 소녀들의 신앙 교육을 위해 자기 부정의 삶을 살기로 서약했다.

브레스치아의 주교가 1536년 승인하자 이것은 북부 이탈리아 특히 밀라노에 두루 퍼졌고 후에는 프랑스에도 진출했다. 안젤라는 수도원 서약과 수도원 생활을 하지 않는 평신도 단체이기를 원했으나, 이것은 점차 완전한 서약을 하는 종단으로 변모하였다. 1546년 수녀복 착용이 규정되었고, 1572년 단순 서약(simple vows)과 공동 생활이 도입되었고, 1612년 파리의 우르술리네스는 수정된 성 어거스틴 규칙을 따라 엄격한 수도원 영내 생활과 엄숙한 서약(solemn vows)을 허용받았다.

우르술린 개종자들은 곧 특히 프랑스와 캐나다에서 크게 성장했고, 소녀들을 위한 교육에서 큰 성과를 거두었다. 이 종단에서 가장 유명한 사람 중의 하나는 1639년 퀴벡에 정착한 유명한 신비가 마리 기야르드(Marie Guiard, "Mary of the Incarnation", 1599-1672)였다.

16세기 이탈리아의 신흥 종단들 중 가장 중요하고 예수회 다음으로 영향력 있는 것은 카푸치오(capuccio)라는 네 갈래 뾰쪽한 후드를 가진 조야하고 독특한 의상을 입은 데서 유래한 **카푸친**(Capuchins, Capuccini)이었다. 이 종단은 1525년과 교황의 승인을 받은 1528년 사이에 마테오 다 바스치오(Matteo da Bascio, 1495?-1552)와 그의 세 동료, 루도비코와 라파엘레 다 포솜브로네 형제(Ludovico and Raffaele da Fossombrone)와 파올로 다 키오기아(Paolo da Chioggia)에 의해 세워졌다. 이들 네 명은 모두 문자적으로 성 프란체스코(V:4)의 본래의 규칙으로 되돌아가려 한 프란체스코회 엄수파였다.

따라서 그들은 절대적 청빈, 철저한 육체적 금욕, 짜임새 있는 기도 생활, 단순한 복음적 도덕적 성격의 순회 설교, 환자와 극빈자에 대한 자선 활동 등에 헌신하였다. 이 운동을 조직한 이는 루도비코였지만, 이런 삶의 양식을 최초로 결단하고 채택한 이는 마테오였다. 프란체스코회 엄수파 상급자들이 그들 중 가장 헌신적인 일꾼들을 잃을까 두려워하여 반대하였음에도 불구하고 카푸친들은 독립 조직을 얻었고 현저한 성장을 이루었다. 그들은 1535년 700명에 달하였고, 1550년에 약 2, 500명이 되었다. 이탈리아 밖의 창설이 허용된 1572년 후에는 급속하게 전 세계로 확장되었다.

비록 아드리안 6세(1522-1523)가 짧고 불행한 재위 기간 동안 효과는 없어도 진정한 개혁의 열정을 보였었지만, 주로 이탈리아와 스페인에서 용솟음친 이러한 종교 갱신의 힘은 바울 3세(1534-1549)의 교황 재직 기간에야 비로소 교황청 안에 중요한 교두보를 확보했다. 이와는 대조적으로 레오 10세(1513-1521)와 클레멘트 7세(1523-1534)는 상황의 심각성을 의식하지도 못했고, 그들의 정치적 야망과 이탈리아 영주로서의 군주적 관심보다 교회의 머리로서의 책임에 우선순위를 놓을 수도 없었다. 그러나 바울 3세는 사제 서품을 받기 전 도덕적 타락으로 인해 비난받았고 직권를 남용하여 자기 가족을 위해 축재하였지만, 그의 전임자들보다 교회가 안팎으로 직면하고 있는 위험들에 대해 훨씬 더 긴장하고 있었다.

그는 교황이 되자 곧 얼마의 진지한 개혁자들을 추기경 단에 임명했다. 콘타리니, 카라파, 사돌레토, 폴이 이 안에 포함되었고, 다음에 지베르티는 사양하였지만 코르테세는 임명되었다. 1536년 콘타리니의 권고로 바울 3세는 이들 모두와 세 사람을 더 추가하여 위원회에 임명함으로써 교회 전체 공의회에 대비하여 개혁을 제안하게 하였다. 1537년 위원회는 「교회 개혁안」(*Consilium de emendanda ecclesia*)이라는 정직한 보고서를 제출하였다. 이 보고서는 교황과 추기경들이 돈을 밝히는 것이 교회 타락의 주 원인이라고 하였다. 바울 3세는 교황청의 가장 심각한 악습들을 고치기 위하여 몇몇 제안을 채택하였다.

카라파가 중세 교의에 철저히 헌신한 사람인 반면에, 콘타리니와 폴은 어거스틴파 탁발 수도사 수장인 세리판도(Girolamo Seripando, 1492-1563)와 마찬가지로 루터의 이신칭의의 교리에 상당히 공감하고 있었다. 그러나 결국 그들의 칭의에 대한 조정적 견해는 트렌트 공의회에서 거부되었고, 사실 그들은 진정한 개신교의 이념과는 거리가 멀었다. 그러나 이탈리아에는 주로 종단의 회원, 귀족 가의 여인, 성직자 출신의 인문주의자들 사이에 이신칭의 교리에 훨씬 더 많이 공감한 이들이 상당수 있었다.

그들은 특별히 1530년 안토니오 브루치올리(Antonio Bruccioli)의 이탈리아 신약성서 번역과 1532년 성서 전부가 출판된 베네치아에 많았다. 르네 공작 부인의 비호 아래 페라라 지역에서 보여준 호의적 태도는 칼빈과 관련하여 이미 언급했다(VI:8). 이러한 그룹 중 가장 두드러진 것은 베네치아의 발데스(Juan de Valdes, 1500?-1541) 주변에 모인 것이었다. 발데스는 카스틸 출신으로 에라스무스 인문주의자였고 1529년 찰스 5세를 위해 일할 목적으로 로마로 와서 1534년 나폴리에 영구적으로 정착하였다.

그는 경건한 가톨릭 교도로 죽었지만, 성서와 교회 교부들의 유일한 권위를 강조했고, 교회의 의식과 성례에 본질적 중요성을 두지 않고 내면적, 신비적 경건을 추구했다. 1540년 그의 제자 만투아의 베네데토(Benedetto of Mantua)에게서 이 학파의 가장 유명한 저서 「그리스도의 죽음의 유익」(*The Benefits of Christ's Death*)이 나왔다.

발데스의 친구 중에는 피에트로 마르티레 베르미글리(Pietro Martire Vermigli, Peter Martyr, 1500-1562)가 있었는데, 그의 아버지는 사보나롤라의 열렬한 지지자였고 그 자신은 나폴리의 어거스틴파 성 베드로 수도원 부원장으로서 후에 슈트라스부르크와 옥스퍼드에서 개신교 신학 교수가 되었다. 또한 당대 이탈리아의 유명한 설교자였고 1538년부터 1541년까지 카푸친의 수장 대리였으며 후에 캔터베리의 개신교 성직록 수여자, 취리히의 목사였다가 결국 엉뚱한 의견으로 방황한 끝에 모라비아의 재세례파 회중으로 죽은 베르나르디노 오키노(Bernardino Ochino, 1487-1564)도 발데스의 친구였다(1542년 오키노의 배교는 카푸친 종단을 거의 붕괴시켰다).

이 그룹의 또 한 친구인 카라파의 조카요 비코의 후작인 갈레아초 카라키올리(Galeazzo Caraccioli)는 후에 제네바에서 칼빈의 절친한 동료가 되었다. 그러나 이 이탈리아 복음주의자들은 조직화되지 못했고 페라라 지역에서 매우 조심스럽게 도움받은 것을 제외하면 영주의 지원을 받지 못했으며, 일반 대중의 지지를 받지도 못했다. 이탈리아 복음주의자들은 외부인의 유입으로 성장하였고, 스페인의 소수 복음주의자들도 마찬가지였다.

교황 바울 3세는 교황의 사절로 레겐스부르크의 재통합 논의에 참여한 바 있는 콘타리니의 화해 조정의 방법과, 행정과 도덕의 개혁은 옹호해도 교리적 이탈을 강력하게 억압할 것을 주장하는 카라파의 방법 사이에서 한동안 머뭇거렸다. 마침내 그는 후자를 선택했고 그의 후계자들도 그의 정책을 고수했다. 바울 3세는 1542년 7월 21일 카라파의 절실한 호소로 주로 스페인의 모델을 따라 로마 종교재판소를 재조직하여 그 권위가 기독교 세계 전체에 미치게 하였다. 물론 세속 당국이 우호적으로 지지해준 곳에서만 실제 설립이 가능했지만 말이다. 이 앞에서 이탈리아 개신교의 미미한 싹은 곧 꺾이고 말았다. 이렇게 하여 반동 종교개혁의 주요 무기 중의 하나가 창설되었던 것이다.

이보다 더 중요한 것은 **선교열의 부흥**이었다. 스페인의 새로운 천재적 인물이 이 선교열로 가톨릭의 열정에 불을 붙이는 데 공헌하였다. 어떠한 관점에서 보든지 **성 이그나티우스 로욜라**(St. Ignatius Loyola, 1491-1556)는 종교개혁기의 탁월한 인물 중의 하나이다. 로욜라(Don Inigo de Onezy Loyola)는 스페인 북부의 기사 가문에서 태어났다. 그는 페르디난드 왕의 궁정에서 기사 견습생으로 일한 후 군인이 되었다. 1521년 팜플로나가 프랑스 군에 의해 포위되었을 때 그는 불굴의 용기를 발휘했으나 거기서 심한 다리 부상을 입었고 이로 인해 더이상 군대 생활을 할 수 없게 되었다. 그는 서서히 회복되는 동안 스페인어로 번역된 성자들의 전기와 루돌프 카르투시안(Ludolph the Carthusian)(V:2 참조)의 「그리스도의 생애」(*Life of Christ*)를 읽었다. 그는 그리스도와 마리아의 기사가 되기로 결심하였다.

다소 회복된 후 그는 1522년 3월 몬트세라트(Montserrat)의 마리아 성지를 순례하고, 그의 무기를 마리아 제단 위에 걸어 놓고, 기사 의복 대신 거지 옷차림으로 바꾸어 입었다. 다음 그는 만레사 인근 도시에 잠적하여, 거기서 1522년 3월부터 1523년까지 거의 1년 동안 체류하였다. 그는 거기서 토마스 아 켐피스의 「그리스도를 본받아」를 묵상하였고, 철저한 참회에 몰두하였으며, 일련의 특별한 황홀경과 환상을 체험하였다.

이그나티우스는 만레사에서 신비적 체험을 한 후, 곧 그의 「영적 훈련」(*Spiritual Exercises*)의 초고를 썼다. 이 놀라운 책은 1541년 로마에서 최종적으로 완성되었고, 1548년에는 이 스페인 원판의 라틴판이 로마에서 최초로 출판되었다. 이것은 종교적 교화를 목적으로 한 것이 아니라 영적 교사의 지도를 받으며 실험적으로 사용하도록 하여 새로운 삶의 양식을 선택하도록 하는, 의지적 행위를 목표로 하는 책이다. 따라서 그것은 하나님 아래에서 영원한 운명을 실현하도록 인도하는 책인 것이다.

그들은 자기 영혼의 구원과 하나님의 영광을 위하여 그리스도를 위하여 세심한 선택을 하고 죄들을 벗어버리고 세상의 모든 재화를 하나님의 영광을 위하여 사용하기 위하여 이 세상에 대해 "거룩한 무관심"의 태도를 취하도록 지도받는다. 즉 그리스도인들은 전적으로 하나님께 순종하도록 그리고 완전히 훈련받은 교회의 지체가 되어 무조건 순종함으로써 교회를 섬길 것을 결심하도록 훈련받는다. 따라서 이그나티우스의 영성에서는 고난받는 그리스도와 그의 (수직적 질서의) 교회에 대한 순종이 중심적 위치를 차지하게 되었다. 루터의 신앙에서는 십자가에 달리신 그리스도로 인해 공로없이 주시는 하나님의 긍휼을 믿는 신앙이 중심이었다. 여기서 개신교 종교개혁과 가톨릭 종교개혁 사이의 현격한 대조점이 드러난다.

1523년 이그나티우스는 예루살렘을 순례하고 회교도 선교사로서 그리스도를 섬기기로 작정하였다. 그러나 그가 합류하려고 한 현지 프란체스코 수사들은 그를 위험한 인물로 생각하여 귀환시켰다. 이그나티우스는 그가 하고 싶은 일을 하기 위해서는 교육을 받아야 한다고 확신하고서 1525년 바르셀로나의 소년 학교에 입학하였고 1526년에서 1527년까지 알칼라 대학, 1527년 살라만카 대학에서 공부하였다. 그는 타고난 지도자라 같은 뜻을 품은 동료들을 모아 그들과 함께 그의 "훈련"을 실천하였다. 이것은 스페인 종교재판소의 혐의를 사서 한동안 투옥되기도 하였다.

1528년 그는 칼빈이 그곳을 떠날 바로 그 때, 파리 대학교의 몽테이규 대학(College de Montaigu)에 입학하였다. 그는 거기서 아무 공적 활동도 하지 않았으나 얼마의 헌신적 친구와 제자들을 규합했는데, 피에르 르페브르(Pierre Lefevre), 프란시스 사비에르(Francis Xavier), 디에고 라이네즈(Diego Lainez), 알본소 살메론(Alfonso Salmeron), 니콜라스 보비딜라(Nicolas Bobadilla), 시몬 로드리게즈(Simon Rodriguez) 등이 바로 그들이다.

1534년 8월 15일 파리의 몽마르트르 작은 성당에서 이들은 터키인의 회심 사역을 위해 예루살렘으로 설교 선교를 떠나고 그것이 불가능해지면 교황의 처분에 따르기로 서약했다. 얼마 안 있어 세 명의 신입 회원, 곧 클로드 드 제이(Claude Le Jay), 파스카세 브루테(Paschase Broete), 장 코뒤르(Jean Codure)가 가담했다. 1537년 공부를 마친 후 10인의 동지들은 그들의 서약을 실행하기 위하여 베네치아에 모였다. 그러나 예루살렘으로 가는 길은 전쟁으로 막혔고 그래서 그들은 교황에게 헌신하기로 작정했다.

1539년 봄 이그나티우스는 그들을 로마로 불러 6월에 "예수회"를 발족시켰다. 예수회가 주로 하려고 한 것은 어린이와 문맹자들의 교육자, 대중 설교자, 병원 원목, 선교나 피정의 지도자 등으로 봉사하는 것이었다. 그들은 이미 몽마르트르에서 행한 순결과 청빈 서약 외에도 교황이 어디로 보내든지 가는, 교황에 대한 순종의 서약을 했다. (예수회가 특별히 개신교에 대적하기 위해 창설되었다고 생각할 수는 없다. 비록 1550년대에 이르면 이것이 본업이 되었지만 말이다. 이그나티우스의 환상은 본래 회교도 세계를 향한 것이었고 사비에르는 이미 인도 사역을 구상 중이었다.)

바울 3세는 교회 성직자들의 반대에도 불구하고 콘타리니의 호의적 태도와 이그나티우스의 일 처리하는 솜씨에 감동되어 1540년 9월 27일 「교회의 전투 부대」(*Regimini militantis ecclesiae*)라는 교서를 내려 예수회를 승인했다. 예수회의 조직은 전적으로 순종해야 할 머리가 있다는 것과 머리인 교황이 어디를 가라 해도 따라야 한다는 것 외에는 아직 분명한 것이 없었다. 1541년 이그나티우스는 종단의 초대 총장(general)으로 선출되어 1556년 7월 31일 죽을 때까지 이 직책을 수행했다.

예수회의 조직은 점차적으로 완성되었다. 사실 이그나티우스에 의해 주요한 특징이 잡혔지만 그가 죽은 후에도 다 완수되지 못했다. 절대적으로 순종해야 할 종신 총장이 머리에 있고 , 다시 그는 종단에서 선출된 네 명의 조력자의 감시를 받았는데, 필요한 경우 그들은 총장을 해임할 수 있었다. 관구마다 총장이 임명한 관구 책임자(provincial)가 있다. 예수회에 공식적으로 가입하기 위해서는 2년간의 엄격한 초심자 과정과 이어서 인문학, 철학, 신학 등을 연구하는 학문 연구 과정(scholasticate)을 밟아야 했는데 기간은 일정치 않았다.

이 과정에서 청빈, 순결, 순종의 단순 서약을 한다. 다음 예수회의 회원으로 받아들여지면 안수받고 이어서 또 한 해를 영적으로 준비하는 세번째 견습(tertianship)을 받는다. 이것을 마치면 순전히 영적인 일에만 종사하는 "훈련된 영적 협력자"(formed spiritual coadjutor)로 가입하든지, 아니면 전통적인 세 가지 서약을 엄숙하게 행하는 완전한 서원자로서 가입한다. 후자의 경우 때가 되면 교황에게 직접 개인적으로 순종한다는 네번째 서약을 할 수 있게 된다.

예수회의 행정 기구는 전원 "네번째 서약을 한 서원자들"(professed fathers of the fourth vow)이 담당하고 있다. 목회 사역을 방해받지 않기 위하여 예수회는 수도사들과 달리 일정한 예배 시간이나 의복 형태에 얽매이거나 하나님의 일을 일상적으로 반복하지 않아도 되었다. 이것은 수도원 전통에서 혁명적으로 단절한 것이었다. 회원들은 이그나티우스의 「영적 훈련」으로 훈련받았다. 훈련자는 고독과 침묵 속에서 오직 예배 의식과 교사의 대화 이외에는 어떤 간섭도 받지 않으며 4주 동안 기본적인 그리스도의 생애와 사역과 그리스도인의 영적 투쟁을 순서에 맞춰 묵상한다. 교사는 독자적으로 특별한 필요와 훈련자의 능력에 맞게 방법을 적용한다.

이그나티우스가 창설한 이 예수회는 전반적으로 볼 때 르네상스 개인주의 — 각 사람이 각자 특별한 일을 맡아 훈련받는 점에서 — 와 전체의 정신과 목적을 위해

의시를 희생하고 완진히 순종하는 대도를 결합한 놀랄 만한 기구였다.

예수회는 비록 프랑스와 독일에서는 더 느리게 발판을 확보했지만 이탈리아, 스페인, 포르투갈에서 급속히 퍼져나가 이그나티우스가 죽을 때에는 약 만 명에 달하였다. 16세기 후반에는 가톨릭 부흥의 유일하고 가장 강력한 세력으로서 반동 종교개혁의 전위대가 되었다. 주요한 임무는 설교, 고해, 소수 명문가와 부유층을 위한 일류 학교 운영, 외국 선교 등이었다. 예수회의 영향 아래 있는 가톨릭 국가에서는 고해성사와 성만찬을 더 자주 거행하는 것이 관례화되었다. 그리고 죄의 고백을 돕기 위해 예수회의 도덕 훈련이 주로 이그나티우스 사후 특별히 17세기 초반에 점차 발전하였는데, 그 방법이 개신교 뿐만 아니라 가톨릭 사람들로부터 비판을 받기도 하였다(VII:16 참조). 따라서 예수회는 자연스럽게 국제적 성격을 띠었고, 회원들은 상급자에게 정례 서신과 보고서를 올려야 했으며, 또한 신속하게 정치적 세력으로 급부상하였다.

트렌트 공의회는 예수회와 함께 가톨릭 종교개혁과 반동 종교개혁의 주요 기관으로 인정되어야 한다. 이 공의회는 교착된 역사로 점철되었다. 찰스(카알) 5세가 간절히 원하고 바울 3세가 마지 못해 소집한 끝에 결국 1545년 12월 트렌트에서 개최되었다. 1547년 3월 이탈리아 출신의 다수파는 공의회 장소를 볼로냐로 이전하여 거기서 1549년 9월까지 회의를 계속했다. 1551년 5월 다시 스페인 다수파가 계속 잔류해 있던 트렌트로 돌아왔다. 1552년 4월 25일 작센의 모리츠의 지휘 아래 개신교가 황제에게 성공적으로 반란을 일으킨 결과(VI:5 참조) 공의회가 연기되었다.

공의회는 1562년 1월이 되어서야 다시 열려 1563년 12월 4일까지 그 일을 끝마쳤다. 공의회는 세번의 주요 기간 동안 전부 25회 열렸다. 가장 중요한 교리가 결정된 첫 기간 동안(1545-1547)에는 겨우 72명의 투표자만 참여했다. 마지막 기간 동안(1562-1563)에는 200명이 넘었나. 두표권은 주교, 공단의 수징, 영향력 있는 수도원장에게 한정되었고 투표는 콘스탄스 공의회의 국가별과 달리 개인적으로 행해졌다. 따라서 항상 다수파는 이탈리아인들의 손에 있었고 개혁보다는 교리를 먼저 확정해야 한다는 교황의 주장을 대변했다.

한편 스페인 주교들은 믿음에 있어서는 동일하게 정통적이었지만 교리보다 개혁이 앞서야 한다는 황제의 의도를 절대적으로 찬성했다. 결국 교리와 개혁이 동시에 논의되기로 동의되었다. 그러나 모든 결정은 교황의 승인을 받아야 했고 따라서 교회에서 교황의 수위권을 강화시켰다. 공의회에서 교황의 전문 신학자들인 예수회의 디에고 라이네즈(1512-1565)와 알폰소 살메론(1515-1585)보다 더 영향력 있는 목소리를 내는 사람은 없었다. 그들의 영향으로 점차 반(反)개신교 정신이 강해졌다.

트렌트 공의회의 교리적 교령은 분명하고 단호하게 개신교 신앙을 거부했다. 종종 중세의 논쟁적 문제에 관해서는 결정을 보류하였지만 적어도 개신교적 입장이라고 생각되는 것은 분명하고 단호하게 거부하였다. 칭의는 믿음만으로 되지 않고, 사랑의 행위에 의해서 형성된 믿음에 의해서 이루어진다. 따라서 구원은 낯선 전가된 의가 아니라 획득되고 내재적인 의에 의존한다. 성서와 기록되지 않은 "사도적" 전통은 하나님의 진리의 동일한 원천이고 동등하게 존경받아야 한다. 교회만이 성서의 진정한 의미와 해석을 결정할 권리가 있다. 라틴 불가타가 신성한 정경적 본문이다. 성례의 수는 둘(혹은 셋)이 아니라 일곱이다. 고해성사는 회오와 죄 고백 뿐만 아니라 보속의 행위를 포함하고, 이에 따라 교회는 면죄부 발행권이 있다. 미사는 봉헌된 빵과 포도주의 화체를 포함하고, 그리스도가 자신을 희생 제물로 바친 것을 십자가의 제단 위에서 피 흘리지 않고 재현하는, 진정한 만족을 주는 희생제사이고 , 살아 있는 신자들 뿐만 아니라 연옥에 있는 죽은 신자들의 영혼에도 유익을 준다. 따라서 "개인 미사"가 장려된다. 잔은 평신도에게는 주지 않고, 라틴어를 예배 의식의 언어로 계속 사용하도록 한다.

이러한 관련 교령에서 공의회는 외관상 중세 교리가 보였던 어떤 타협이나 수정에 대해서도 완전히 문을 닫고 주요한 개신교 교리를 즉각 거부하였다. 그러나 보다 최근의 연구에 의하면 트렌트 교령은 조심스럽고 신중하게 형성되었고, 오랫동안 믿어온 만큼 개신교에 완강하게 적대적이지는 않으며 에큐메니칼 대화와 신학적 화해가 가능한 해석에 열려 있다고 한다. 그러나 본문을 직접 보면, 교령은 거대한 두 교파 사이의 화해 가능성을 완전히 차단한 것으로 보였다.

트렌트의 개혁이 로마 교회의 많은 사람의 바람을 실현시키지는 못했지만, 이 개혁으로 인하여 교회의 목회 사역과 교회의 영적 삶의 갱신을 위한 견고한 기반이 확립되었다. 이 중에 주요한 개혁은 주교의 목회적 직무를 분명하게 서술하고 주교 관구의 효과적인 감독권을 주교에게 회복시킨 것이었다. 이제부터 주교는 그의 관구에서 "사도직의 대리 사절"(delegate of the Apostolic See)이었고, 적어도 이론상으로는 중세 교회의 병폐였던, 주교의 통제에서 벗어나 있던 많은 것들을 다스리고 교황청과 교황의 사절이 휘두르는 과도한 권력을 제어할 충분한 권위를 소유하게 되었다.

이러한 권위는 주교가 정규 지방 공의회를 열고 연례적으로 지방을 순시함으로써 강화되었다. 게다가 주교들은 정기적으로 설교해야 했고 자기 관구 내에서 살아야 했으며 하나의 주교직 이상을 가질 수 없게 되었다. 마찬가지로 교구 성직자도 구원에 필요한 것을 명료하게 가르치고 영혼의 신실한 목자의 모델이 되어야 했다.

이러한 목적을 위해 공의회는 아마 가장 중요한 조문에서 "하나님을 예배하기 위한 항구적인 사역자 양성소"인 신학교를 설립할 것을 규정하였다. 관구 내에 대학이 없는 모든 주교는 사제를 제대로 훈련하기 위하여 신학교를 설립해야 했다. 종단을 위한 개혁 입법과 비밀 결혼 방지 규정 외에도 공의회는 또한 1557년 바울 4세가 만든 예를 따라 교황이 마련한 금서 목독을 승인했다. 이 조치에 이어 1571년 비오 5세(1566-1572)가 로마에서 금서 목록성(Congregation of the Index)을 만들어 출판물을 검열하게 하였다.

트렌트에서 영향력 있던 스페인 도미니칸 신학자 **멜키오르 카노**(Melchior Cano)는 그의 사후 3년만에 출판된 「신학 주제 12권」(*De locis theologicis libri XII*」에서 가톨릭 입장을 탁월하게 변호하였다. 그는 신학은 권위에 근거한다고 가르쳤다. 성서의 권위는 교회의 선별하고 승인하는 권한에 근거한다. 교회는 무엇이 성서이고 무엇이 성서가 아닌지 결정한다. 그러나 모든 기독교 교리가 성서 안에 들어있지 않기 때문에, 교회에 의해 선별되고 전승되어온 전통이 권위있는 또 하나의 기초이다. 카노는 살라만카 대학의 프란치스코 데 비토리아(Francisco de Vitoria, 1485?-1546)의 제자였다가 후에 그의 후계자가 되었다. 따라서 그는 피터 롬바르드의 교의학 「명제집」이 아니라 토마스 아퀴나스의 교의학 「신학대전」을 신학 기본 교재로 삼고 교의 신학과 도덕 신학에서 고도의 사변적인 모든 요소를 제거하고 직접 성서와 교회 교부들에 근거하려 한, 비토리아에 의해 시작된 "신스콜라주의"의 대표적 인물이었다.

이러한 모든 영향에 힙입어 1565년에 이르면 진지하고 분투적인 가톨릭이 교회의 삶의 모든 수준과, 가장 중요하게는 고위 성직자에 있어서 부흥되었다. 로마는 르네상스 시대보다 더 우중충하고 교회적인 도시가 된 반면에, 교황은 이제 압도적으로 절도있는 삶과 개혁의 열정을 가지게 되었다. 개신교에 맞서고 보수적 신학을 깊이 있게 고수하고 광범위하게 행정을 개혁하고 신앙을 위해서 기꺼이 싸우고 고난을 감수하려는, 새로운 정신이 만연했다. 이러한 갱신된 열정에 직면하여 개신교는 새로운 정복을 멈췄을 뿐만 아니라 라인란트와 남부 독일에서는 상당한 타격을 받았다. 가톨릭은 잃었던 모든 것을 회복할 것을 바라기 시작했다.

가톨릭의 확신감의 회복은 특히 학문의 수준에서, 1560년 예수회에 가입하고 1576년 로마 대학의 교수가 되었고 1599년에 추기경이 된, 위대한 예수회 논쟁가 투스카니인 **로베르토 벨라미노**(Roberto Bellarmino, St. Robert Bellarmine, 1542-1621)의 작품에서 두드러졌다. 그의 「우리 시대의 이단에 대한 논박」(*Disputation against the Heretics of Our Time*, 3 vols., 1586-1593)은 역사적이고 이론적 토대 위에서 개신교 종교개혁에 대항하여 트렌트 가톨릭을 가장 인상적으로 방어한 저서이다.

이에 못지 않게 로마 가톨릭의 역사적 정통성을 변호한 것으로 유명한 이는 성 필립 네리(St. Philip Neri)의 로마 수도회의 회원으로 후에 수도원장이 된 카이사르 바로니우스(Caesar Baronius, 1538-1607)인데 그는 1596년 추기경이 되었고 1597년 바티칸 사서가 되었다. 그의 「교회 연감」(*Annales Ecclesiastici*, 12 vols., 1588-1607)은 루터교 신학자 마티아스 플라키우스 일리리쿠스(1520-1575)와 여섯 명의 동료가 공동 저작한 「마그데부르크 세기들」(*Magdeburg Centuries*) — 각 권마다 한 세기의 교회 역사를 싣고 있다 — 로 알려진 「그리스도의 교회의 역사」(*Historia Ecclesiae Christi*, 13 vols., 1559-1575)를 의식하여 특별히 집필한 것이다. 이 두 기념비적 작품은 편견으로 기울어 있고 조야하게 편집되어 있었으나 바로니우스가 바티칸 문서고를 이용하여 새로운 많은 자료를 제시하고 마그데부르크 세기학파의 많은 잘못들, 특히 원문을 다루는 데 있어서의 부정확성을 밝혀내었다.

가톨릭 종교개혁 기간 내내 계속 부각된 주제는 성직자의 자질을 높이는 것이었다. 16세기 초기 가이타노 다 티에네와 테아티네스가 이 목적에 고무된 바 있었고 16세기 말 필리포 데 네리(Filippo de' Neri, St. Philip Neri, 1515-1595)와 그의 "수도회원"(Oratorians)의 사역도 이것을 중심 주제로 다루었다. 사보나롤라의 기억이 아직도 살아 있는(V:15 참조) 산 마르코 수도원에서 도미니칸에 의해 교육받은 피렌체 출신 네리는 1533년 로마로 와서 은둔 철야 기도와 순례자와 환자를 위한 자선 사업에 헌신했다. 1551년 그는 사제에 서품되었고, 고해 신부와 "오라토리"(oratories)로 알려진 정기 정오 기도회의 지도자로서 활동을 계속하자 곧 대중으로부터 "로마의 사도"라는 평판을 얻게 되었다.

그의 이러한 활동으로부터 서약하지 않고 공동 생활을 하는, 세속 사제들의 종단인 오라토리의 회중이 생겼고 교황 그레고리 13세(1572-1585)는 1575년 정식으로 승인했다. 오라토리 회원들은 기도, 설교 사역, 고해, 적지 않게는 매력적인 음악 등을 통하여 사람들을 하나님께로 인도하려 하였다. 그들의 헌신적 사역에서 불려진 찬송가(*laudis spirituali*)에서 다음 세기의 "오라토리오"가 발전하였다. 이러한 많은 찬송가의 작곡자이고 가톨릭 교회 음악의 개혁자인 지오반니 팔레스트리나(Giovanni Palestrina, 1525?-1594)도 네리에게 고해하는 사람 중의 한 명이었다.

1611년 프랑스의 오라토리안 회중은 피에르 드 베륄(Pierre de Bérulle, 1575-1629)에 의하여 파리에 세워졌다. 그것은 곧 프랑스와 네덜란드로 퍼졌다. 필립 네리의 로마 오라토리가 독립된 지회들로 구성되었던 것에 반해, 교황 바울 5세(1605-1621)에 의해 1613년 "예수 그리스도의 오라토리"(Oratory of Jesus Christ)라는 이름으로 정식으로 승인된, 베륄의 프랑스 오라토리는 대장에 의해 다스려지는 중앙집중적 조직을 가지고 있었다. 그것은 특별히 트렌트의 결정에 따라 설립된 신학교에서 사제 교육에 헌신했다. 베륄 자신은 그의 예수의 인성과 성육신하신 하나님으로서의 그리스도에 대한 열렬한 헌신으로 유명했는데, 이것은 그의 아주 유명한 책 「예수의 위대함」(*Les Grandeurs de Jesus*, 1623)에 잘 나타나 있다.

가톨릭의 부흥은 더 나아가 새롭게 꽃핀 신비적 경건에 의해서 특징지어진다. 이것 역시 다른 것과 마찬가지로 스페인이 주도했다. 이러한 영성의 주요한 특징은 자기 부정의 정적주의인데, 하나님의 사랑이나 내적 계시의 황홀경 안으로 연합된 것이 믿어질 때까지 하나님에 대한 관상(묵상)과 소리 없는 기도 속에서 영혼을 고양시키는 것이다. 기도는 오직 자기 포기의 토대 위에서 전적인 몰아 상태에서만 가능하다. 왜냐하면 하나님은 자기 속에 피조된 모든 것을 비운 영혼만을 채울 수 있기 때문이다. 이러한 경건의 탁월한 대표자는 아빌라의 테레사(Teresa de Jesus, St. Teresa, 1515-1582)와 그녀의 제자 폰티베로스의 후안 데 라 크루즈, 즉 십자가의 성 요한(Juan de la Cruz of Fontiveros, St. John of the Cross, 1542-1591)이었다.

테레사는 「완전에의 길」(*The Way of Perfection*, 1565), 「내면의 성채」(*The Interior Castle*, 1577)에서 산만하기는 하지만 기도생활을 포괄적으로 묘사하였다. 반면에 십자가의 성 요한은 「갈멜산 등정」(*The Ascent of Mount Carmel*), 「영혼의 어둔 밤」(*The Dark Night of the Soul*), 「영혼의 노래」(*The Song of the Spirit*), 「살아있는 사랑의 불꽃」(*The Living Flame of Love*) 등의 서정적 작품에서 신비주의 교리의 모든 면과 대가다운 문학성을 보여주었다. (그의 작품은 최초로 1618년 알칼라에서 일부 삭제된 채 출판되었다. 비평을 거친 진정한 본문은 1912-1914년에 출판되었다.)

이 두 위대한 스페인 신비가는 관상 생활과 실천적 행동을 결합시켰다. 이들의 영향으로 스페인의 갈멜 종단이 개혁되어 곧 전적으로 원래의 규칙대로 엄격한 금욕생활을 하는 탁발 수도사와 수녀들로 구성된, 맨발의 갈멜 수도회〔Discalced (barefoot) Carmelites〕 지회들이 설립되었다.

테레사의 신비주의는 프랑스에서 주로 베륄에 의해 퍼졌으나, 또한 1602년부터 제네바의 명목상의 주교였고 제네바 근처 사보이의 일부를 가톨릭으로 돌리는데 기여한 살레(Francois de Sales, St. Francis of Sales, 1567-1622)와 그의 제자 샹탈(Jeanne Francoise Fremiot de Chantal, St. Jane of Chantal, 1572-1641) 또한 이것의 대변자였다.

살레의 유명한 「경건한 삶의 소개」(*Introduction to the Devout Life*, 1609)는 수도원 바깥의 관상적 경건을 택하였고, 인간의 의지의 능력에 대한 낙관적 견해에 근거하여 종교적 완성은 수도사나 수녀에 못지 않게 일반 평신도도 할 수 있다고 선언했다. 여기서 가톨릭 경건의 새로운 특징, 즉 교회의 성례에 의해 도움받고 특별히 성만찬을 자주 거행하고 능력 있는 영적 교사에 의해 인도받음으로써 경건한 삶을 비교적 용이하게 성취할 수 있다고 하는 새로운 강조점이 나타났다.

1610년 살레와 샹탈은 아넨시(Annency)에 방문 종단(Order of the

Visitation, Visitandines or Salesian Sisters)을 세웠다. 그것은 본래 병자와 빈민을 방문하는 일에 종사하는 관상적 여인들의 회중이었다. 그러나 1618년 엄숙한 서약을 하는 종단으로 정식 설립되어 소녀들의 교육을 위해 일했다.

가톨릭 열정은 또한 외국 선교에서 대단한 열의를 보여 큰 성과를 거두었다. 이것은 주로 탁발 종단 특히 도미니쿠스회와 프란체스코회의 노력이었고, 예수회가 창립 때부터 동참했다. 남미, 중미, 일부 북미의 기독교는 이 종단들의 수고에 빚지고 있다. 그들은 또한 필리핀인들을 개종시켰다. 이 선교사들 중 가장 유명한 이는 이그나티우스의 처음 동료인 프란시스코 사비에르(Francisco Javier, St. Francis Xavier, 1506-1552)였다. 포르투갈 왕 요한 3세의 요청으로 이그나티우스에 의하여 인도 선교사로 임명된 후, 그는 1541년 4월 7일 리스본을 출항하여 1542년 5월 고아(Goa)에 도착하여 열정적 활동을 전개하기 시작했다. 고아을 활동 거점으로 한 후 그는 남부 인도, 말라야(Malaya), 몰루카스 군도(the Moluccas)에서 설교했다. 1549년 그는 일본에 들어가 1614년 현지 통치자의 잔인한 박해가 있을 즈음에는 상당한 지역에 이르게 되었다. 사비에르는 1552년 중국에 입국하려 하다가 죽었다. 그의 사역은 성과보다는 탐색의 의미가 있었다. 그러나 그는 많은 문을 열었고, 그의 모범은 광범위한 영향을 끼쳤다.

사비에르가 바라던 중국 선교는 1583년 예수회원 마테오 리치(Matteo Ricci, 1552-1610)에 의해 시작되었다. 그러나 그의 "모든 사람에게 모든 것"이 되고자 하는 소망은 그를 조상숭배와 타협하게 만들었고 다른 가톨릭 종단 선교사들, 특히 도미니칸들이 강하게 반발한 느슨한 상태로 이끌었다. 인도의 최초의 개종자는 거의 전부 계층에서 소외된 자나 낮은 계층 출신이었다.

예수회원 로베르토 데 노빌리(Roberto de' Nobili, 1577-1656)는 1606년 만두라에서 특권 계층의 특징을 인식하고 다른 면에서는 인도 사회 체제에 적응하면서 상류 계층의 선교를 시작했다. 그는 분명한 성공을 거두었으나 그의 방법이 많은 비판을 불러일으켰고, 비록 1623년 로마는 노빌리를 정죄하는 것을 거부하였지만 결국 1744년 교황이 금지시켰다.

예수회 선교 중 가장 유명한 실험은 아마 1583년에 시작된 파라과이 사역일 것이다. 1610년 그들은 동일한 기획에 따라 현지인들을 특정 장소(reductions)나 마을에 모아 들여놓고 거기서 평화롭게 살며 신앙과 산업 교육을 받으며 살게 했다. 그러나 엄격하게 어린 아이처럼 선교사에 의존하는 방식이었다. 이 체제는 1767년 예수회의 추방과 함께 붕괴하였고 항구적인 결과를 얻지 못했다.

여러 종단끼리의 경쟁과 선교 사역의 효과적인 감독을 위해 교황 그레고리 15세(1621-1623)는 1622년 신앙 전파회(Congregatio de Propaganda Fide)를 세웠는데, 이것에 의해 로마는 전 선교 현장을 개관하고 감독할 수 있게 되었다.

12. 프랑스, 네덜란드, 잉글랜드의 신앙고백적 투쟁

정치와 군사적으로 영향력을 행사하던 프랑스와 스페인 왕조의 경쟁 관계로 인하여 종교개혁은 성장할 기회를 얻었고, 독일은 쉽게 루터파와 가톨릭으로 분열되었다. 이 분열은 1555년 아우그스부르크 평화협정에서 명시되었고, 이 조약은 칼빈파(그리고 재침례파)의 자리를 보장하지 않은 불안정한 미봉책이었다. 프랑스에서는 앙리 2세 (1547-1559)가 프란시스 1세를 계승했고, 반면에 찰스(카알) 5세는 그의 아들 필립 2세(1556-1598)에게 스페인, 네덜란드, 이탈리아에 있는 스페인 영토 그리고 신대륙을 물려 주었다. 그러나 오래된 라이벌 관계는 계속되었다.

필립은 처음에 전쟁에서 그의 아버지보다 더 유능함을 입증했다. 1557년 8월 생켕땅(St.-Quentin)과 1558년 7월 그라벨리네스(Gravelines)에서 승리한 후 프랑스로 하여금 1559년 4월 2일 카토-캉브레시 조약(Treaty of Cateau-Cambresis)에 서명하게 했다. 이 조약은 유럽 역사에서 미래를 예측케 하는 시점이었다. 프랑스는 이탈리아에서의 오랜 주도권 싸움을 포기했고, 10년간의 시민봉기와 종교전쟁을 거쳐 국가 운명의 급격한 쇠퇴를 경험했다. 스페인은 유럽의 최강국이 되었고, 약화되고 전쟁에 만신창이가 된 프랑스를 자국의 이권에 따르게 하거나 최소한 잠식시키지 못하게 하였다.

비록 1559년 이후 합스부르크 왕가와 발로아(Valois) 왕가 사이의 오랜 투쟁이 줄어들었다고 해도, 유럽은 평온을 누릴 수 없었다. 오히려 국제 관계는 신앙고백의 분열과 논쟁 특히 투쟁적인 칼빈주의와 힘을 재충전한 가톨릭과의 첨예한 투쟁으로 인해 새롭게 악화되어 갔다. 1559년 제네바 아카데미(VI:8 참조)가 설립되었고, 이 학교를 통해 수백 명의 헌신된 목회자와 복음 전도자들이 유럽 특히 프랑스, 네덜란드 등으로 파송되었다. 따라서 제네바는 칼빈과 베자 아래 국제적인 개신교 선교의 중심지가 되었고, 아직 "회심하지 않은" 유럽인을 개혁(Reformed) 신앙으로 변화시키고 "교황주의"와 "우상주의"에서 벗어나게 하려 하였다.

그러나 이 투쟁적인 개신교는 전보다 더 일치되고 대적하기 힘든 가톨릭과 맞서야 했다. 이 반종교개혁 가톨릭의 우두머리는 스페인의 필립 2세였다. 엄격하고 교양있으며 규칙적이고 근면하며 인내심이 강한 필립은 유럽에서 스페인-합스부르크 왕가의 우위와 그의 왕국 내에서 절대 주권을 유지하는데 모든 노력을 기울였다. 트렌트 공의회 이후의 교황들은 어쩔 수 없이 스페인 군주에 의존해 있는 것에 대해 짜증을 내고 있었다. 필립은 이 교황들과 불편한 동맹 관계를 맺은 후, 가증스런 개신교 "이교도"들을 그의 영토에서 근절시키고, 프랑스에 이들이 놀랍게 침입해 들어오는 것을 막고, 기독교 세계를 전체적으로 "진정한" 가톨릭 신앙으로 회복하는 것이 신이 맡긴 임무라고 여겼다.

그 다음 30년간의 "스페인 우위"의 시대는 막 태어난 프로테스탄트의 역사에서 중대한 위험의 시기였다. 가장 큰 위험의 고비는 아마도 1559년 7월 앙리 2세 사후 프랑스 왕위가 프란시스 2세(1559-1560)에게 넘어간 때였다. 그의 아내는 스코츠의 여왕 메리인데 그녀는 자신이 또한 잉글랜드의 여왕이라고 주장했다. 그러나 필립의 열렬한 가톨릭 신앙도 한 쌍의 통치자 아래 프랑스, 스코틀랜드, 잉글랜드가 통합되는 것만큼 스페인에 위험한 통합을 그냥 두고 볼 수는 없었다.

칼빈의 영향력은 점차 프랑스를 파고 들었고 프랑스 개신교도 위그노들은(1552년 이후에 알려진) 심한 박해에도 불구하고 수가 증가되었다. 1559년 그들은 파리에서 첫 총회(general synod)를 개최할 만큼 강해졌고, 여기서 앙뜨완느(Antoine de la Roche Chandieu)에 의해 작성된 강력한 칼빈주의적 신조를 채택했고, 칼빈의 교회론에 근거한 장로교 헌법을 채택했다. 1560년대 초 약 2, 000개 정도의 위그노 회중이 있었고, 약 1백 50만이나 되는 많은 추종자가 있었다(비록 그러한 추측들은 아주 다양하지만 말이다). 이들 대다수는 장인이나 전문 직종의 계층 출신이었는데, 거주지역은 주로 프랑스 남부의 대도시나 중소도시였다. 일부 고위 귀족들을 포함하여 귀족들의 참여로 이들의 정치적 힘이 당당해졌다.

앙리 2세의 죽음과 프란시스 2세의 즉위로 인하여 새 여왕의 삼촌 기즈(Guise)가(家)는 궁정에서 강력한 힘을 가지게 되었다. 기즈 가는 로레인 출신이고, 많은 프랑스 귀족들은 그들을 외국인으로 여겼다. 열정적인 가톨릭 집안이었고, 두 형제, 즉 로레인의 추기경이며 랭스(Reims)의 대주교로 프랑스 성직자의 수장인 샤를(Charles)과 기즈의 공작이며 가장 뛰어난 군인으로 유명한 프란시스(Francis)가 주도했다. 기즈 가에 대립한 집안은 부르봉(Bourbon) 가였는데, 서열상의 우두머리는 "혈통상 첫째 영주" 로 나바르(Navarre)의 명목상의 왕이며, 유약하고 우유부단한 방도므의 앙뜨완느(Antoine of Vendome)였고, 그의 동생으로 더 유능한 콩드(Conde)의 영주 루이(Louis)가 있었다.

샤틸롱(Chatillon) 가 또한 기즈 가와 맞서 있었다. 샤틸롱 가는 해군 대장 콜리니로 알려져 있고 훌륭한 인격의 소유자이며 칼빈주의 신앙에 헌신한 가스파르(Gaspard de Coligny, 1519-1572)가 이끌었다. 이들 귀족들은 왕권의 권력 집중에 대적하기 위해 대개는 개신교를 받아 들였다. 그럼으로써 이들은 자신들의 전통적 자유를 침해하는 왕실에 대한 옛 봉건귀족의 적대감을 표출하였다.

1560년대에 프랑스 귀족의 절반 정도가 로마에 대한 충성을 포기한 것으로 추산된다. 어쨌든 많은 프랑스 귀족들과 보다 비천한 중산층 칼빈주의자들은 이해 관계가 일치하여 이 상태가 지속되어서는 안된다고 생각했다. 특히 기즈 가가 지배하는 프란시스 2세의 통치 하에서 박해가 강화되었을 때 더 그러하였다. 최초로 혁명이 일어난 것은 1560년 3월 젊은 왕을 사로잡고 정부를 부르봉으로 이전하려는 악랄한 "앙브와즈의 음모"가 실패하였을 때였다. 이 음모에 연루된 콩드는 1560년 12월 5일 프란시스 2세가 죽지 않았다면 처형되었을 것이다.

선왕의 동생 샤를 9세(1560-1574)가 즉위하자 새로운 세력이 혼란한 투쟁에 끼어들었다. 기즈 가는 궁정에서 힘을 많이 잃었으나, 아직도 국내에서 가톨릭 세력의 대표로 남아 있었고 스페인의 필립 2세와 비밀 협상을 하여 칼빈주의에 대항하는 국제적인 성전을 주도해 줄 것을 촉구했다. 이 계획은 필립은 정색으로 응할 수 없었지만, 모험심이 강한 나바르의 앙뜨완느(Antoine of Navarre)를 가톨릭 편으로 돌아오게 했다.

새 왕은 아직 11세였고 그의 어머니 캐더린(Catherine de' Medici, 1519-1589)이 주로 영향력을 행사했다. 그녀는 민첩하고 비양심적이며 어떤 종교에도 열정이 없었지만 그녀의 살아 남은 세 아들에게서 실현된 발로아 왕조를 보전하는 데 전력을 기울였다. 피흘리는 내란을 피하고 왕위를 유지하기 위해, 종교적으로나 정치적으로 화해 정책을 추진했다. 그녀는 1560년에 프랑스의 재상이 되었으며 마음이 넓고 평화적인 식견을 가진 미셸(Michel de L' Hopital, 1507-1573)의 도움을 받았다.

캐디린은 이제 두 귀족 파벌간의 화해를 추진하여, 콩드를 석방하고 가톨릭과 개신교 사이의 신학 토론을 허용했다. 이 토론은 1561년 9월 뿌아시(Poissy)에서 열렸는데 베자의 활약이 컸다. 1562년 1월에는 위그노에게 성 벽 바깥의 예배 집회와 성 안의 사적 집회를 허락하는 칙령을 발표했다. 뿌아시 회담과 관용 법령으로 인하여 프랑스의 개신교는 최고 수준에 달하였다. 가톨릭측은 이러한 중용 정책에 순응하느니 차라리 전쟁을 일으키기로 하였다.

1562년 3월 1일 기즈 공은 무장하고 파리로 가는 길에 부하들로 하여금 샹파뉴의 벽이 쌓인 도시 바시(Vassy)에서 예배하는 위그노들을 공격하게 했다. 100명이 넘는 위그노들이 죽고 부상당했다. 이 "바시의 대학살" 때문에 위그노와 가톨릭간에 3차례의 야만스런 전쟁을 치러야 했다(1562-63, 1567-68, 1568-70). 그 사이에는 불안한 휴전도 있었다. 나바르의 앙뜨완느는 부상으로 죽고(1562), 기즈의 프란시스 공은 개신교 자객에 의해 암살당했고(1563), 콩드는 포로로 잡혔다가 곧 죽었다(1569). 콜리니는 위그노의 우두머리로 남았다.

대체로 위그노들은 자신들의 세력을 지켰고 스페인의 영향력에 대한 경계심으로 인하여 도움을 받았다. 그래서 1570년 8월에 생 제르멩 앙 라이예(St-Germain-en-Laye)에서 평화 협정이 체결되었고, 이 조약에 의해 귀족들에게는 완전한 예배의 자유가 주어지고 위그노 평민들에게는 프랑스 각 통치 구역마다 두 곳의 예배 처소가 허락되었다. 그리고 이것을 보장하기 위해 무장한 4개의 도시 즉 라 로쉘(La Rochelle), 코냑(Cognac), 몽또방(Montauban), 라 샤리테(La Charite)가 위그노 수중에 들어왔다. 위그노들은 사실상 국가 안에 있는 무장 국가가 된 것이다.

이러한 위기에서 프랑스는 네덜란드의 여러 사건으로 인해 더욱 복잡해졌다. 이 지역의 불안의 근원은 원래 종교적이라기보다 정치적이고 경제적인 데 있었다. 비록 투쟁이 계속되면서 종교문제가 점점 두드러지게 되었지만 말이다. 네덜란드는 1555년 아버지 찰스 5세에서 스페인의 필립 2세에게 넘어왔다. 17개의 주로 구성되어 있었고, 지방의 권리가 강했으며, 상업과 제조업이 우세했고, 기존의 관습이나 무역을 방해하는 어떤 것에도 반항하는 기질을 갖고 있었다.

루터파가 일찍 들어왔으나, 하층 계급은 재세례파로 대치되었다. 1561년 구이 드 브레(Guy de Bres)에 의해 벨기에 신앙고백(the Belgic Confession)이 초안되었을 때, 칼빈주의는 중산층 사이에서 개종자를 늘려가고 있었는데 특히 남부지방의 산업도시(Artois, Hainault, Brabant, Flanders)에서 두드러졌다. 그러나 아직 귀족 계층에는 영향을 주지 못했고 1562년에는 아직도 소수에 불과했다.

찰스 5세는 개신교의 침투에는 적극 저항했으나, 저지대 국가들의 전통적인 권리와 지방 귀족과 통치 계급의 특권을 존중했다. 필립 2세는 그렇지 않았다. 그는 스페인에서처럼 이 곳에서도 정치적 종교적 통일을 확보하려 했다. 1559년 그의 이복누이인 파르마의 공작 부인 마가렛(Margaret, 1522-86)을 섭정에 두고 3명의 고문 위원을 임명했는데, 이 중 주도적 인물은 그의 충성스런 장관이며 추기경 그랑벨레(Granvelle)로 잘 알려진 앙뜨완느 페레노(Antoine Perrenot, 1517-86)였다. 이 위원회는 실제 고위 귀족들이 누리고 있던, 옛 국회의 권한을 빼앗았다.

1560년 필립은 교황에게서 네덜란드 교구의 재편성을 허락받아, 11개의 새 교구와 3개의 대교구를 신설했다. 이 계획은 원래 4개의 네덜란드 교구를 랭스와 쾰른 대주교에 의한 외국의 감독으로부터 자유케 했으나, 귀족들이 이 수익이 좋은 여유있는 자리에 자기 자식들을 임명하는 오랜 관습에 익숙해 있었던 반면에, 새 고위 성직자가 필립이 임명한 사람들이었기 때문에 격렬한 반대를 불러일으켰다. 더욱이 이제 필립은 이단을 심판하기 위한 지방 종교 재판소를 포함하여 모든 권한을 사용하였다. 이 과정에서 주로 평민들 특히 상인들의 강한 반발을 샀다. 왜냐하면 이것이 무역을 방해하고 노동자를 추방하여 이민을 가게 하였기 때문이다.

그래서 귀족과 상인 계급 모두 점점 더 저항하게 되었다. 이들 저항 세력의 지도자는 3명의 유명한 귀족들이었다. 즉 에그몬트(Egmont)의 가톨릭 백자과 호른(Horn)의 가톨릭 백작 그리고 네덜란드의 가장 뛰어난 유력자 나싸우의 윌리엄(William of Nassau), 오렌지 공(1533-84)이었다. 오렌지 공(Prince of Orange)은 루터파로 태어나, 다음 최소한 명목상의 가톨릭 신자였고, 1573년에 칼빈주의자가 되었고, 네덜란드 독립의 영웅이 되었다. 1564년 이들은 힘을 써 그랑벨레를 해고시켰고, 필립은 이들이 그의 계획에 대한 주요한 방해꾼임을 알게 되었다. 그는 관용 조치 대신 트렌트 공의회의 법령의 집행과 이단에 대한 더욱 엄격한 처벌을 요구했다.

이 때 오렌지 공 윌리엄의 동생 나싸우의 루이(Louis of Nassau, 1538-74)를 포함하여 보다 낮은 신분의 귀족들이 행동에 돌립했다. 종교정책에 변화를 요구하는 항의문을 만들어 1566년 4월 5일 섭정에게 제출했다. 이때 붙여진 "거지들"(Beggars, les Gueux)이라는 경멸스러운 별명은 나중에 반대당의 존경받는 이름이 되었다. 게다가 바로 이 때 악화된 경제 사정과 기근으로 인해 시민 폭동이 일어났다.

칼빈주의 설교가 남쪽 대도시와 도시에서 공개적으로 행해졌고 1566년 8월 초에 성상 파괴 폭동이 일어났다. 6주 내에 전국으로 퍼졌고 수 백의 교회들이 습격당하고 파괴되었다. 보통 칼빈주의 목사들의 뜻에 반하여 자행된 이런 고도한 난행은 온건한 여론을 일으키고, 가톨릭과 개신교 귀족 모두를 자극해 스페인 정권에 대한 반대를 철회하게 했다. 오렌지 공 윌리엄은 가톨릭, 칼빈파, 루터파로 구성된, 평민과 귀족의 느슨한 연합을 더 이상 유지할 수 없었다. 그는 1567년 4월 독일에 있는 그의 집으로 은퇴했다. 반란은 시작하자마자 끝나는 듯했다.

파르미의 마가렛은 다시 권력을 잡았다. 외견상 지독한 억압이 필요하지도 바람직하지도 않았다. 그러나 필립에게는 이 사건들이 정치와 종교적으로 참을 수 없는 반역이었다. 그래서 유능하지만 야만적인 스페인 장군, 알바 공 페르디난드 알바레즈(Ferdinand Alvarez, 1508-82)와 9천 명의 정예 부대를 파견했다. 알바는 1567년 8월 브뤼셀에 도착하여 네덜란드를 즉시 "재 정복"했다. 중도 노선을 충고하던 마가렛은 그해 말 파르마로 돌아갔다. 6년 동안의 알바의 통치 기간(1567-73)에 에그몬트와 호른(1568. 6. 5)을 포함하여 1,000명 이상의 반란자들이 처형되었다.

1568년 5월 추방된 오렌지 공 윌리엄이 독일에서부터 네덜란드 침략을 개시했으나, 알바는 이를 쉽게 물리쳤다. 알바는 통치를 강화하여 1569년에 판매와 수출에 10%를 영구 부과하는 세제를 포함하여 과도한 과세 제도를 도입했다. 경제적 핍폐를 예측하게 하는 이 과세 제도는 상인 계층을 완전히 소외시켰다. 알바의 억압 조치는 다시 민족주의에 불을 당겼다. 그러나 알바의 승리는 완전한 듯이 보였고, 네덜란드는 명백히 굴복하라고 위협받았다.

이에 반대하고 나선 것은 1568년 이래 네덜란드로 오는 스페인 해운을 노략한 네덜란드, 플란더즈, 프랑스의 해적들인 "바다의 거지들"(Sea Beggars)이었다. 이들은 명목상으로는 나싸우의 루이의 명령을 받았고, 독일에서 아직도 개신교 영주들의 도움을 얻으려 시도하던 오렌지의 윌리엄에 의해 1570년 반정도는 합법적인 지위를 보장받았나. 이 바다의 거지들은 1572년 초까지 영국 항구에서 불확실한 피난을 허용받았다. 1572년 3월 영국 항구에 배치되어 있던 바다의 거지들은 4월 무방비의 브릴 항을 습격 점령하였다. 그들은 곧 플루쉥을 점령했고, 몇 달 안에 홀란드와 제란드 지방을 손에 넣었다. 비록 호전적인 칼빈파와 오렌지파 동조자들의 지원을 받았지만 말이다.

알바의 공포 정치에 대한 분노로 인하여 일반 대중들은 최소한 수동적인 지지를 보였다. 7월에 홀란드, 제란드, 프리스란드, 위트레흐트 등의 주요 도시들은 오렌지의 윌리엄을 총독으로 추대했다. 북부 지방은 거의 무방비 상태였다. 왜냐하면 나싸우의 루이와 동맹군이 프랑스의 위그노 군대와 함께 남부의 하이놀(Hainault)을 침공하자 알바가 그의 수비대를 남쪽으로 이동시켰기 때문이다. 한편 오렌지의 윌리엄은 독일에서 브라방으로 진격했다. 1572년 8월 초 프랑스의 샤를 9세(Charles Ⅸ)는 위기에 몰린 알바를 향해 15만의 대군을 파견할 준비를 끝냈다. 스페인의 네덜란드 통치는 중대한 위험에 직면하였다.

1570년 생 제르맹 평화 협정 이후, 프랑스의 위그노와 스페인 반대파들은 프랑스를 스페인의 동맹국보다는 경쟁자 위치로 회복시켜줄, 옛 정책들을 부활시키기 위해 노력하였다. 네덜란드 영토 일부를 프랑스에 주는 대가로 네덜란드 반란자들을 적극 지원한다는 계획이 시작되었고, 샤를 9세에게 대단한 영향을 미치고 있던 콜리니가 이것을 위해 가장 큰 활약을 보였다. 프랑스 당파간의 화해를 강조하기 위해 샤를 9세의 누이 동생 발로아의 마게릿(Marguerite of Valois)과, 고인이 된 나바르의 앙뜨완느와 나바르의 여왕 잔 달브레(Jeanne d' Albret)의 아들로 경건한 칼빈파인 나바르의 앙리(Henry of Navarre)사이의 결혼이 준비되었다.

1572년 8월 18일 이 결혼식을 위해 위그노와 가톨릭의 귀족들은 그들의 추종자들을 대동하고 열광적인 가톨릭 도시 파리에 모였다. 캐더린은 콜리니가 그의 아들인 왕에게 강력한 영향을 미치는 것을 점점 싫어하였다. 아마 어머니로서의 시기도 작용했을 것이고, 특히 콜리니가 샤를을 스페인과의 전쟁에 끌어넣음으로 인하여 프랑스 왕위를 위태롭게 할지도 모른다고 우려했을 것이다. 명백히 그녀가 처음에 의도한 것은 콜리니의 살해였다. 이 일에 있어 그녀는 살해된 프란시스의 아들 기즈 공 앙리와 의견이 일치했다.

앙리는 1563년 부친 암살의 혐의를 엉뚱하게 콜리니에게 두고 있었다. 1572년 8월 22일 암살 시도를 하였으나 콜리니는 부상만 입었다. 암살 실패로 인해 캐더린은 당황했다. 위그노들은 이제 그들의 지노사가 세거되지 않은 채 소외되었다. 그녀와 지지자들은 대학살을 계획했고, 기즈파와 광신적인 파리 사람들이 많은 재원을 제공했다. 8월 24일 성 바돌로매 축일에 참극이 자행되었다. 콜리니가 살해되었고, 매우 다양하게 추산되기는 하지만 최소한 3천명이 파리에서 희생당했고, 프랑스 전역에서 그 몇 배의 숫자가 죽었다. 나바르의 앙리는 개신교를 포기함으로써 목숨을 건졌다.

이 소식에 마드리드와 로마는 기쁨으로 환호했고 가톨릭은 큰 위기를 면했다. 프랑스의 정책은 역전되었다. 네덜란드 파병 계획은 취소되었다. 그러나 캐더린과 가톨릭 강경파들은 국내에서 아무 유익도 얻지 못했다. 왜냐하면 1572년 8월 사태의 결과로 새로운 시민 전쟁이 예고되었기 때문이다. 제 4, 5, 6, 7차의 위그노 전쟁들(1572-73, 1574-76, 1577, 1580)이 파괴와 처참으로 끝났으나, 위그노의 세력은 전멸되지 않았다. 1574년 샤를 9세가 죽고, 괴팍하고 우유부단한 동생 앙리 3세(1574-89)가 계승했다. 가톨릭 내에서도 분리의 조짐이 보였다.

오래 전부터 가톨릭 교도이었지만 질질끄는 내란이 국토를 황폐케 하고, 외세 특히 스페인의 음모에 구실만 줄 뿐이라고 생각하는 계층이 상당수 있었다. 폴리티크(Politiques)로 알려진 이 그룹은 위그노와 평화 기반을 마련해야 하며 이것은 불가피한 일이라고 확신했다. 다른 한편 종교를 가장 우위에 두고 가톨릭이 승리한다면 스페인의 속국이 되어도 좋다고 하는 자들은 가톨릭 교회를 유지하기 위해 상당한 기간 동안 프랑스 여러 지역에서 조직을 결성하고 있었다.

이 움직임은 1576년 가톨릭 대 동맹(general Catholic League) 혹은 "신성동맹"(Holy Union)으로 발전했고, 기즈의 앙리가 이끌었으며 스페인과 교황의 지원을 받았다. 이들의 존재는 폴리티크로 하여금 더욱 위그노와 손잡게 하였다. 위그노들은 1576년 개신교 신앙을 재 천명한 나바르의 앙리를 정치적 수장으로 하였다.

성 바돌로매 축일의 대학살은 알바를 구해 주었고, 스페인 군대를 하루 속히 몰아내려는 오렌지의 윌리엄의 소망을 깨뜨렸다. 그 다음 2년간 극심한 투쟁이 벌어졌고, 윌리엄이 반대파의 핵이 되었다. 장군으로서 알바의 능력은 처음에 천하무적인 듯했다. 몽스(Mons), 미쉴렝(Mechlin), 추트펜(Zutphen), 나르덴(Naarden), 할렘(Haarlem) 등이 모두 스페인군에게 패했으나, 1573년 10월에 알크마르(Alkmaar)는 정복되지 않았다. 알바는 자원하여 소환되었고, 11월에 루이스 데 레케센스(Luis de Requesens, 1525?-1576)가 대신했다. 그의 통치 아래서 스페인의 정책은 근본적으로 변하지 않았다.

1574년 4월 나싸우의 루이가 반란군을 격퇴하고는 니즈메겐(Nijmegen) 근처 모크(Mook)에서 전사했다. 그러나 10월 라이덴이 영웅적으로 방어에 성공했고, 이것으로 인해 당시 스페인의 가용 병력으로는 주로 바다를 장악할 수 없었기 때문에 네덜란드 북부를 점령할 수 없음이 판명되었다. 1576년 3월 레케센스(Requesens)

가 죽고, 그 해 11월 4일 지도자 없는 스페인 군대는 거칠어졌고 앤트워프(Antwerp)를 약탈했다. 7천 명이 넘는 시민과 군인이 11일 동안의 약탈과 학살에 희생되었다.

스페인과 관련된 모든 것에 대한 반감으로 인해, 1576년 11월 8일 북부와 남부의 주들은 겐트의 평화조약(Pacification of Ghent)으로 연합하였다. 이 조약은 스페인군의 추방, 필립 2세의 이단 칙령의 정지, 칼빈파 영토 밖에서 반(反)가톨릭 활동을 억제하는 조건으로 홀란드와 제란드(Zeeland)에서 칼빈파의 예배의 자유 등을 요구했다. 스페인의 새 사령관인 필립의 이복 동생 돈 존(Don John of Austria, 1547-1578)은 평화조약을 받아들이는 것 외에 다른 방도가 없었다. 1577년 3월 스페인군이 철수했으나 종교적 평화를 가져오지는 못했다.

칼빈주의는 브라방과 플란더스의 여러 도시에서 절대적인 지지를 받았고, 1577년과 1578년 열정적인 칼빈주의 설교가 대중의 사회 불만과 결합되어, 1566년의 성상 파괴 폭동을 연상시키는 일련의 폭동으로 남부의 주들을 진동시켰다. 프랑스어를 사용하는, 남부의 왈롱(Walloon) 주들의 지배 계층들은 이제 네덜란드 북부의 지도자들과 열정적인 칼빈주의 설교가들을 불신하고 심지어 경멸하였다. 1579년 1월 왈롱의 주들은 가톨릭 신앙을 보호받고 사회 질서의 유지를 위해 아라스 연맹(League of Arras)에 가입하였다.

같은 달 북부의 주들은 위트레흐트 동맹(Union of Utrecht)으로 대응했다. 개신교도는 수천명이나 남부를 떠나 북으로 갔고, 반면에 많은 가톨릭인들은 남으로 향했다. 통일 네덜란드를 향한 오렌지의 윌리엄의 계획은 종교적 당파주의와 불관용에 부딪쳐 무너지고 말았다. 그 동안 돈 존(Don John of Austria) 은 1578년 10월에 실망하고 격분한 채 죽었다. 그의 뒤를 이은 이는 그의 조카이며 파르마의 마가렛의 아들인 알레산드로 파르네제(Alessandro Farnese, 1545-1592)이었는데, 영주이며 후에 파르마의 공작이 되었고 장군이며 지도력있는 정치인이었다.

상황이 스페인에 유리하게 전개되었다. 기민한 외교와 군사적 성공을 통해 파르마는 여러 왈롱 주에서 왕의 권위를 확보했고, 이 지방을 네덜란드에서 스페인 세력을 회복하는 토대로 삼았다. 결국 그는 스페인과 가톨릭을 위해 남부 10개의 주를 획득했고, 현대의 벨기에는 그의 공적이다. 홀란드, 제란드, 위트레흐트, 헬더란드(Gelderland), 프리스란드(Friesland), 오베리셀(Overijssel), 흐로닝엔(Groningen) 등 북부의 7주와 플란더스(Flanders)와 브라방(Brabant)은 1581년 스페인으로부터 독립을 선언했다.

비록 플란더스와 브라방이 4년 안에 파르마에 의해 재정복되었지만, 북부의 주들은 1584년 7월 10일 열광적 왕당파에 의한 오렌지의 윌리엄의 암살을 포함하여 많은 위험 속에서도 성공적으로 자유를 유지했다. (1580년 필립 2세는 윌리엄을 법의 보호에서 추방했고 그의 머리에 상금을 걸었다.) 이런 투쟁의 와중에서 네덜란드의 칼빈주의 교회가 형성되었다. 1571년 첫 전국 대회(national synod)가 네덜란드 영토 밖 엠덴(Emden)에서 열렸다. 2년 후 오렌지의 윌리엄이 칼빈주의를 받아들였다. 1575년 라이덴에 대학을 세웠고, 곧 신학과 과학으로 유명해졌다.

네덜란드 개혁교회는 프랑스의 개혁교회와 마찬가지로 장로교의 조직을 가졌고, 국가 통치에서 독립한 정도에 따라 오랫동안 논쟁거리였었고 또 지방마다 달랐다. 국가 독립을 위한 극심한 투쟁, 우호적인 모든 이로부터 도움을 받으려는 마음, 중상주의 정신 등으로 인하여 17세기 초 개신교의 네덜란드는 그 당시 기독교 세계의 다른 나라보다 더 많은 관용을 베풀었다.

가톨릭은 공중 예배나 정치적 직책을 허락받지 못했으나, 거주와 취업의 권리는 있었다. 1577년 오렌지의 윌리엄은 재세례파에게 예배의 권리를 인정했다. 부분적이기는 하지만 이러한 관용 때문에 네덜란드는 종교적으로 압박받는 자들의 피난처가 되었고 국가의 힘이 팽창하였다. 그러나 지도자 오렌지의 윌리엄이 죽자 네덜란드는 큰 위험에 봉착했다. 그들은 혼자서 자립할 수 없음을 깨닫고 처음에는 프랑스의 앙리 3세, 다음에는 영국의 엘리자베스 1세에게 주권을 넘기려 했으나 거절당했다.

1585년 2월 브뤼셀은 파르마에게 항복했고 8월에는 앤트워프가 무너졌다. 스페인의 성공에 놀란 엘리자베스는 1585년 12월 총애하는 레스터(Leicester) 백작의 지휘 하에 네덜란드에 군대를 파견했다. 그녀의 허락없이 레스터는 총독(governor general) 의 칭호를 얻었으나 외교와 군사 양쪽에서 모두 실패하고, 1587년에 영국으로 귀환하였다. 장군으로서 파르마의 능숙한 자질이 반란을 일으킨 모든 주들을 진압할 것 같이 보였지만, 바로 이 때 필립은 그에게 더 큰 일을 부탁하였다. 스페인 왕은 영국 정복을 작정했던 것이다.

필립은 정치적인 이유에서 엘리자베스 통치 초기에 그녀를 도왔으나 그 이유는 곧 없어졌고, 그녀가 개신교의 우두머리로서 "영국의 이사벨" 임을 알고는 그녀의 적이 되었다. 그는 개신교 타도를 자신의 과제로 알고 있었다. 엘리자베스의 통치 초기에는 가톨릭 신하들로 인한 어려움은 없었다. 그러나 스코츠의 여왕 메리는 왕위 계승자였고 1568년 영국으로 도망온 이후 줄곧 음모의 중심이었다. 1569년 잉글랜드 북부에서 스페인의 후원으로 가톨릭 반란이 일어났으나, 곧 진압되었다.

1570년 2월 25일 교황 피우스 5세는 엘리자베스의 파문과 퇴위를 명하는 대칙서(*Regnans in excelsis*)를 발표하였다. 1571년에 리돌피 음모(Ridolfi Plot)가 — 잉글랜드에 거주하는 이탈리아 은행가 이름을 따서 — 발각되었다. 이 음모의 내용은, 엘리자베스를 암살하고 메리는 국내의 최고 귀족인 노퍽(Norfolk) 공과 결혼하게 한다는 것이었다. 이 음모는 완전히 실패했다. 의회는 엘리자베스의 인격이나 정통성이나 왕위 자격을 공격하는 것을 모두 대 반역이라고 응답했다. 노퍽 공은 1572년 처형되었다.

엘리자베스 통치 초기에 영국의 가톨릭은 로마와 대륙의 가톨릭으로부터 놀랍게도 아무 영적 도움이나 지도를 받지 못했다. 이 상황을 개선하기 위해 유능한 영국인 망명가이며 1587년에 추기경이 된 윌리엄 알렌(William Allen, 1532-1594)은 영국에 선교사 사제를 파송하기 위한 목적으로 1568년 플란더스의 두아이(Douai)에 신학교를 세웠다. 그의 학생들은 곧 영국으로 몰려 들어갔고, 1585년까지 250명을 넘어섰다. 이들의 사역은 주로 영적인 일이었으나, 당국자들은 적의를 가지고 이들을 바라보았다.

1580년 예수회가 로버트 파슨스(Robert Parsons, 1546-1610)와 에드문드 캄피온(Edmund Campion, 1540-1581)의 지도 아래 소규모 선교를 시작했을 때, 갈등이 심화되었다. 캄피온은 정치적 운동을 의도하지 않았음에도 불구하고 체포되어 처형당했다. 그러나 파슨스는 대륙으로 도망했고 알렌의 도움을 얻어 스페인의 영국 침공, 가톨릭의 현지 봉기, 엘리자베스의 살해나 퇴위를 성사시키려는 음모를 꾸미기 시작했다. 그의 시도는 그의 동료 가톨릭 교인들에게 아주 불행한 결과를 가져다 주었다.

지금은 영국에서 일하는 대부분의 사제들이 반역 음모에 가담하지 않은 것으로 알려져 있으나, 당시에는 그렇게 생각되지 않았다. 영국 정부는 그들 모두를 공공의 적으로 간주하여 스파이가 발견해 내는 대로 그들을 즉시 처형하였다. 그들의 사역으로 인해 영국에서 로마 교회가 보존되었으나, 굉장한 대가를 치러야 했다. 엘리자베스 통치 기간 동안 183명의 사제와 평신도가 처형되었다.

1586년에 엘리자베스의 목숨을 노리는 새로운 음모, 즉 바빙톤 음모(Babington Plot)가 계획되었는데, 당국은 스코틀랜드의 여왕 메리가 여기에 개인적으로 연루되었음을 발견했다. 그 결과 엘리자베스 쪽에서 오랫동안 망설였지만 1587년 2월 8일 메리는 참수되었다. 필립은 이제 영국 침략을 결심했다. 오랫동안 엘리자베스와의 전쟁을 주저했지만, 1585년 프란시스 드레이크 경(Sir. Francis Drake)이 엘리자베스의 승인 하에 카리브해나 멕시코만의 스페인 정착지를 약탈한 반해적 행위 뿐만 아니라 같은 해 레스터 지휘 하의 영국의 네덜란드 침공 행위로 인하여 아주 분개하였다. 게다가 메리는 처형되기 전 필립을 영국 왕위 계승자로 지명했고, 필립은 이제 순교한 여왕의 복수자와 정통성의 수호자로 나설 근거를 갖게 되었다. 그리고 영국을 정복하면 잉글랜드와 스코틀랜드의 가톨릭이 회복될 것이고, 파르마가 네덜란드의 반란을 성공적으로 진압할 수 있을 것이고, 자신도 자유로이 프랑스에 결정적으로 개입할 수 있을 것이다.

필립의 계획은 이러했다: 리스본에 대규모 함대를 모은다. 이들은 네덜란드의 항구로 나아간다. 그 곳에서 파르마의 정예 무대와 합류 후 출항한다. 영국의 침공을 위해 해협을 건너는 데까지 호송해준다. "무적 함대"(Great Armada)는 1587년에 출항할 예정이었으나 그 해 4월 드레이크가 그의 유명한 카디즈 기습을 감행하여 많은 배와 물자를 파괴함으로써 1년간 지연되었다. 마침내 1588년 5월 28일 130척과 3만 명의 "무적" 함대는 리스본을 출발했다. 이 전투는 신, 구 해군 전술의 대결이었다.

스페인의 전략은 적함을 갈고리로 끌어당겨 승선하는 것이었다. 그들의 배는 느리고 기동이 어려웠고, 대포는 중포였으나 사정거리가 짧았다. 영국 함대는 더 길고 빠르고 기동하기 쉬웠으며, 대포는 경포였으나 정확하고 사정거리가 길었다. 그래서 영국 함대는 스페인 함대의 접근과 승선을 피할 수 있었고, 육중한 스페인 함대에 살인적 포화를 퍼부을 수 있었다. 7월 31일 전투는 플리머스(Plymouth) 앞에서 시작되었다. 1주간 해협에서 싸웠다. 스페인 함대는 사정없이 추격받느라 플레미쉬 해안의 파르마 군대에 접근할 수 없었다. 왜냐하면 네덜란드에는 스페인 함선을 수용할 정도로 깊은 항구가 없었기 때문이다(이것이 파르마의 지혜로운 충고에도 불구하고 감행한 필립의 계획의 치명적인 실수였다).

8월 8일 스페인 함대가 칼레(Calais)에서 박살난 후, 남은 배들은 그라벨리네스(Gravelines) 앞에서 훨씬 더 많은 영국 함대와 결전을 벌였다. 처절하게 패배한 후 남은 스페인 함대는 스코틀랜드와 아일랜드로 도피하기 위해 북으로 향했으나, 퇴각하는 동안 폭풍으로 인해 난파되었다. 함선 절반과 군인들 2/3가 돌아오지 못했다. 영국은 필립의 제국주의적 기도와 가톨릭 회복의 꿈을 산산조각낸 바위였다. 그의 함대는 영국의 포술과 항해술 앞에서 무너졌다. 그러나 또한 필립이 기대했고, 알렌이나 파슨스 같은 사람들이 자신 있게 예언했던 가톨릭의 봉기가 전쟁 중 영국에서 일어나지도 않았다.

필립의 소망들은 거의 1588년에 깨어졌지만, 프랑스에서 개신교를 뿌리 뽑고 이 나라를 계속 약하게 하고 분열시키려는 계획은 여전했다. 1584년 앙리 3세의 유일한 형제였던 앙주(Anjou)의 공이 죽자, 위그노인 나바르의 앙리 부르봉(Henry Bourbon of Navarre)이 왕위 계승을 기대할 수 있게 되었다. 이 계승을 저지하기 위해, 필립과 가톨릭 연맹은 1585년 1월, 앙리 3세가 죽으면 나바르의 앙리의 삼촌인 샤를, 즉 추기경 부르봉이 왕위에 오르도록 한다는 밀약을 맺었다.

1585년 7월 앙리 3세는 가톨릭 연맹의 강요로 위그노의 모든 권리를 박탈하였고, 그 해 9월 교황 식스투스 5세(Sixtus, V, 1585-1590)는 교서에서 나바르의 앙리가 왕위를 계승할 수 없다고 선언했다. 그 결과 여덟번째의 마지막 위그노 전쟁(1585-1589)이 일어났다. 이 전쟁이 바로 앙리 3세, 가톨릭 동맹의 우두머리인 기즈의 앙리, 나바르의 앙리 등 "세 명의 앙리의 전쟁"이다. 파리는 완전히 기즈 가의 앙리 편이었다. 1588년 5월 12일 파리 시민들은 앙리 3세로 하여금 파리를 떠나도록 강요했다. 이 유약한 왕은 가톨릭 연맹과 그들의 오만한 우두머리의 요구에 저항할 방도가 없었다.

그 해 12월 23일 그는 기즈의 앙리를 반역죄로 처형시켰고, 13일 후 캐더린이 죽었다. 기즈의 앙리의 동생, 메옌느(Mayenne)의 공, 샤를이 가톨릭 연맹의 수장이 되었다. 앙리 3세는 이제 나바르의 앙리와 조약을 맺었고 둘은 함께 파리를 포위했다. 이 때 발로아의 마지막 왕, 앙리 3세는 광신적인 수도사의 칼을 맞아 다음날 1589년 8월 2일 사망했다. 그러나 나바르의 앙리, 프랑스의 앙리 4세(1589-1610)의 새 왕위는 아직 확보하지 못했다.

가톨릭 연맹은 1590년 3월 이브리(Ivry)에서 패했으나, 파르마와 그의 군대는 이번에는 프랑스를 "구하기" 위해 네덜란드에서 다시 소환되었다. 그들로 인해 앙리는 1590년의 파리 점령이나 1592년의 루엥(Rouen)의 점령을 할 수 없었다. 그 동안 스페인 군대는 브리타니(Brittany)와 랑게독(Languedoc)을 침공했다. 1592년 12월 3일 파르마가 죽고나서야 앙리 4세는 진정한 군주가 될 수 있었다. 순전히 정치적 이유로 해서 앙리는 이제 가톨릭 교인임을 선언했고, 1593년 7월 25일 가톨릭 교회가 그를 받아들였다. 비록 2년 후에나 교황과 관계를 맺었지만 말이다.

이 조치는 아무리 도덕적으로 비난받을 만하다 할지라도, 프랑스 국민 대다수를 기쁘게 했고 사분오열된 나라에 평화를 가져다 주었다. 앙리는 그의 과거 동료들을 결코 잊지 않았다.

1598년 4월 낭트칙령(the Edict of Nantes)이 발표되었고, 이로 인해 위그노에게 모든 공직이 개방되었다. 파리, 랭스, 투르즈, 리용, 디종을 제외하고는 1597년 그대로 공중 예배가 허용되었다. 위그노의 자녀들에게 강제로 가톨릭 교육을 강요할 수 없게 되었다. 위그노들은 또한 보증으로 요새화된 성읍을 보유했다. 1595년 앙리 4세에 의해 선포된 프랑스-스페인 전쟁이 근본적으로 1559년의 카토-캉브레시 조약과 동일한, 1598년 5월의 베르빙 조약(Treaty of Vervins)으로 종결되었다.

1598년 9월 13일 필립 2세는 71세의 나이로 죽었다. 그는 영국 정복에 실패했을 뿐만 아니라 프랑스의 군사 개입으로 인해 오렌지의 윌리엄의 아들 나싸우의 모리스(Mauricc of Nassau, 1567-1625)의 지휘 아래 네덜란드 반란군이 재기할 수 있게 했다. 그들은 여러 주들의 연합을 견고하게 했고 네덜란드의 독립을 확실하게 했다.

낭트 칙령 후에 위그노 교회들은 최고의 번영기를 맞이했다. 그들의 조직은 완성되었고, 세당(Sedan), 소뮈르(Saumur), 몽또방(Montauban), 니므(Nimes), 기타 지역의 위그노 학교들은 번성했다. 그들은 국가 안에 무장된 정치 연합체를 갖고 있었다. 그들은 루이 13세(1610-1643) 시대의 유명한 재상, 주기경 리쉴리외(Richelieu)의 중앙집권화 정책과 충돌하게 되었다. 1628년 14개월의 저항 끝에 라 로셸(La Rochelle) 요새를 빼앗겼고, 이들의 반 정치적 독립 상태는 끝났다. 1629년의 니므의 칙령(Edict of Nimes)에 의해 이들의 종교적 특권은 보전되었으나, 17세기 내내 예수회와 다른 가톨릭의 영향으로부터 점점 더 많은 공격을 받았다. 1685년 루이 14세(1643-1715)가 낭트 칙령을 폐기하자 위그노들은 박해받는 순교자의 교회가 되었고, 프랑스 혁명 전까지 법적인 보호 밖에 방치되어 있었다. 이 때문에 약 30만 명 이상의 위그노들이 망명 길에 올라 잉글랜드, 홀란드, 프러시아, 미국 등에 큰 이익을 주었다.

13. 독일의 종교 논쟁과 30년 전쟁

"순수한 교리"의 일치 외에는 각 지역의 대표들 사이를 묶어줄 연합의 끈이 없었다는 것과 교리 이해의 차이로 인해 그리스도인의 교제가 단절되었다는 것은 루터파의 불행이었다. 그리스도로 인하여 하나님이 대가 없이 약속하신 자비를 마음으로 강하게 신뢰하는 것이라는 루터의 원 신앙 이해는 멜랑히톤이 전에 발전시킨 바 있는, "신앙의 모든 신조를 다 받아들이는 동의"라는 더욱 지적인 신앙 이해로 변화되는 경향을 보였다. 그 결과 점차 신 프로테스탄트 스콜라주의가 발전되었다.

1530년대 멜랑히톤은 루터 자신보다 신학적으로 더 광범위하고 깊숙하게 영향력을 행사했다. 반면 멜랑히톤의 제자들도 2세대 루터파에 결정적인 영향을 끼쳤다. 인문주의 사고의 영향을 받아, 멜랑히톤은 점점 루터와의 본래의 일치에서 벗어나 강조점이 달라졌다. 그는 1535년판 「신학통론」(*Loci communes*)에서 루터의 노예의지론을 수정하고, 구원의 믿음이 선포된 말씀과 성령 그리고 인간 의지의 공동 작용의 산물이라고 가르쳤는데, 보통 신인협동설(synergism)로 불린다.

그는 또한 선행은 구원의 기초가 아니라 구원의 필수불가결한 증거로서 "영생에 필요한 것"이라고 주장했다. 비록 제자들이 이 입장을 받아들였지만, 그는 후에 이 주장을 철회했다. 성만찬에 관하여는 루터가 예수 그리스도의 실제적 임재를 성례의 빵과 포도주에 너무 밀접하게 묶어 놓았다고 생각하고, 칼빈의 입장까지 가지는 않았으나(VI:8 참조) 예수 그리스도는 "빵 안에 계시는 것이 아니라 빵과 함께 계신다"고 말함으로써, 물질적 수용보다는 영적 수용을 강조했다.

이러한 멜랑히톤의 새로운 사상은 1540년판 아우그스부르크 신앙고백, 소위 변경판(Variata) 혹은 개정판에 반영되었다. 이런 차이가 루터와 불화를 일으키지는 않았다. 왜냐하면 루터가 그의 젊은 친구에 대해 관대한 애정을 보이기도 했고, 멜랑히톤이 표현에 주의를 기울이기도 했기 때문이다. 비록 이러한 차이로 인하여 멜랑히톤은 루터의 말년 동안 루터의 면전에서 가끔 불편을 겪었지만 말이다. 이 차이가 루터교 안에 많은 말썽을 일으켰다.

이후 악감정이 생긴 주요한 이유는 멜랑히톤이 1548년 라이프치히 잠정안(Leipzig Interim)에 주저하면서도 동의했기 때문이다. 멜랑히톤에게 있어서 재도입된 많은 로마의 관습들은 "비본질적인 것"(adiaphora)이었다. 마그데부르크에서 안전하게 있던 마티아스 플라키우스 일리리쿠스(Matthias Flacius Illyricus)와 니콜라우스 폰 암스도르프(Nikolaus von Amsdorf)에게는 그러한 시대에 "비본질적인 것"은 아무 것도 있을 수 없었다. 그들은 멜랑히톤을 신랄하게 비난했고, 남 독일에서 잠정안 반대 운동을 주도한 요한네스 브렌츠(Johannes Brenz, 1499-1570)가 이끈 "아디아포라 논쟁"에 합류했다.

멜랑히톤이 비텐베르크에 체류함으로써 이제 약탈자 모리츠 아래 있게되자, 폐위된 늙은 작센 선제후 계통의 영주들은 그가 그를 신실하게 지원해 준 가문을 배신했다고 느꼈고, 이로 인하여 이러한 틈이 더 벌어졌던 것이다. 이들은 예나의 학교를 확장하여 1558년 대학으로 만들고 플라키우스를 대학교수진에 포함시켰다. 예나 대학과 쾨니스베르크 대학은 멜랑히톤과 그를 지지하는 "필립파"(Philippist)에 반대하는, "순수 루터파"(Gnesio-Lutheran)의 중심지가 되었다.

"오시안더 논쟁"과 "마요르 논쟁"을 비롯하여 다른 신학 논쟁들도 일어났다. 오시안더(Andreas Osiander, 1498-1552)는 칭의가 죄인이 "의롭다고 선언되는 것"뿐만 아니라 신적인 그리스도가 실체상으로 내주하심으로 인하여 실제로 "의롭게 되는 것"이라고 가르침으로써 루터파와 칼빈 모두의 반대를 일으켰다. 마요르(Georg Major, 1502-1574)는 멜랑히톤의 초기 입장에 동의하여 선행이 믿음으로 얻은 칭의를 유지하는 데 필요하기 때문에 선행없이 구원받는 것은 불가능하다고 주장했다. 1552년 그는 선행은 구원에 해를 끼친다고까지 주장한 암스도르프에 의해 심한 공격을 받았다.

같은 해 요아킴 베스트팔(Joachim Westphal, 1510-1574)은 멜랑히톤의 성만찬 교리를 "크립토 칼빈주의"(crypto-Calvinism) 즉 슬며시 들어온 칼빈주의

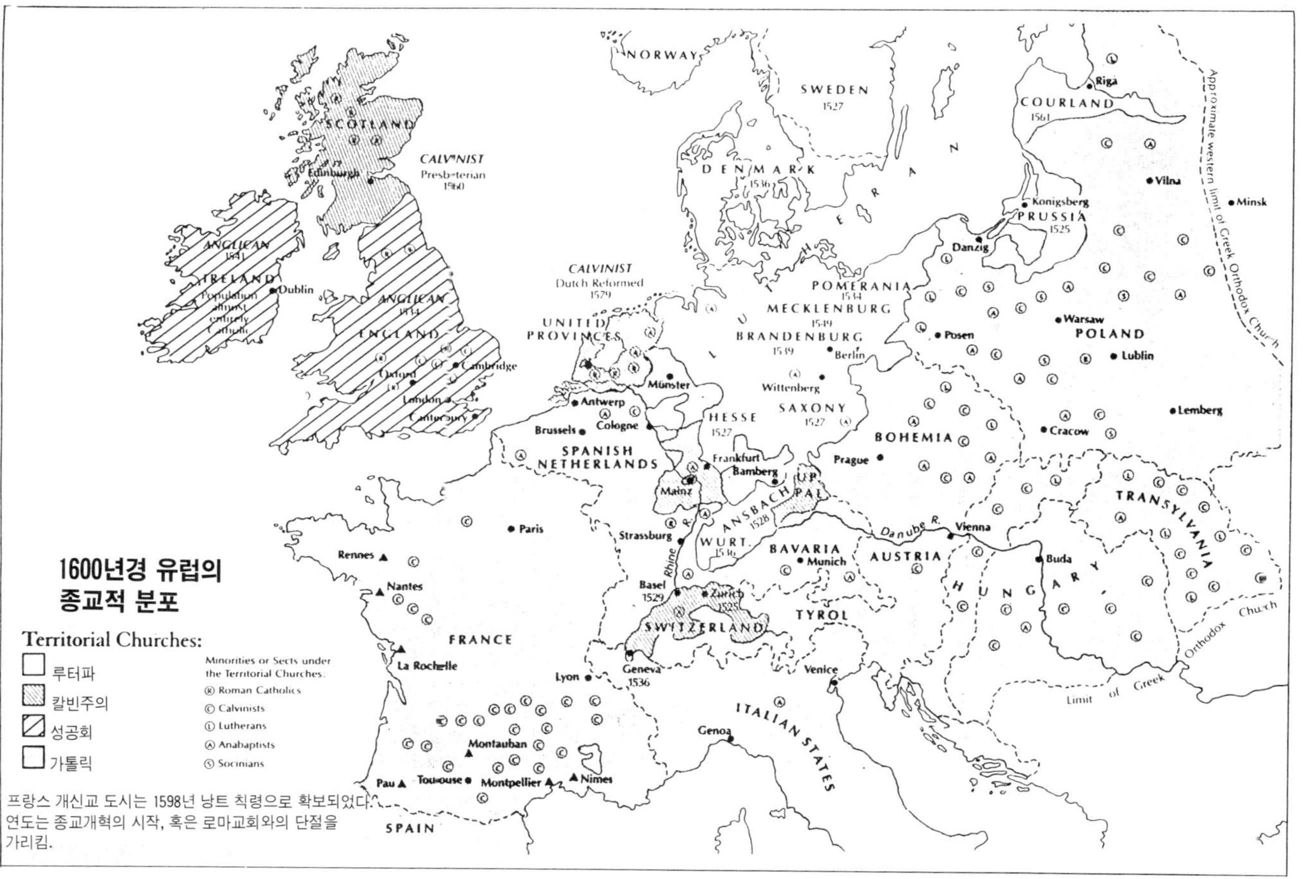

1600년경 유럽의 종교적 분포

프랑스 개신교 도시는 1598년 낭트 칙령으로 확보되었다. 연도는 종교개혁의 시작, 혹은 로마교회와의 단절을 가리킴.

라고 맹렬히 공격했다. 1560년 4월 19일 임종 직전에 멜랑히톤이 "신학자들의 분노"(*rabies theologorum*)를 피하기 위하여 죽고 싶다고 말한 것은 놀라운 일이 아니다.

독일의 개신교는 남서 지방으로 승승장구 진출하는 칼빈주의로 인해 심하게 동요하였다. 필라딘의 닥월한 선세후 프리드리히 3세(1559-1576)는 1559년 선제후에 선출되었을 때 성만찬에 관한 토의 연구에 의해 칼빈 입장을 택하게 되었다. 젊은 신학자 올레비아누스(Olevianus)와 우르시누스(Ursinus)는 1562년 그의 영지 주민을 위해 뛰어난 하이델베르크 요리문답(Heidelberg Cathecism)을 작성했는데, 이것은 칼빈주의를 가장 호의적이고 솜씨 있게 표현한 것이었다. 1563년 선제후는 이것을 채택하였다.

그러나 칼빈주의는 1555년 아우그스부르크 평화 협정에서 보호받지 못했고, 가톨릭 뿐만 아니라 루터교도 칼빈주의에 대한 관용에 반대했다. 루터파 내부의 논쟁이 계속 심화되었다. 1573년 작센의 선제후 아우구스트(Elector August of Saxony, 1553-1586)는 멜랑히톤을 대적하는 "순수 루터파"들이 많았던 작센 공작령에서 그곳의 젊은 영주들에 대한 감독을 강화하고, 과격파 순수 루터파들을 추방했다. 비텐베르크 대학과 라이프치히 대학을 가지고 있는 선제후령 작센은 지금까지 멜랑히톤 혹은 "필립파" 전통를 따랐다. 드디어 1574년 선제후 아우구스트는 그의 영지 내에서 칼빈의 성만찬 교리가 이제 틀림없다는 것을 발견했다고 믿었다. "필립주의"와 "슬며시 들어온 칼빈주의"는 심하게 억압받았다.

그러나 이러한 심각한 투쟁을 통하여 1577년 루터교 신조의 최후의 걸작인 「일치 신조」(*Formular of Concord*)가 탄생했다. 그것은 튀빙겐의 안드레아(Jacob Andrea, 1528-1590), 브룬스빅의 쳄니츠(Martin Chemnitz, 1522-1586), 라이프치히의 젤네커(Nicholas Selnecker, 1532-1592)를 비롯하여 평화적인 신학자들에 의해 작성되었다. 1580년 6월 아우그스부르크 신앙고백 50주년에 「일치 신조 편람」(*Book of Concord*)이 출판되었는데, 이 안에는 「일치 신조」가 다른 루터교 신조 혹은 신앙고백들 즉 3개의 고대 에큐메니칼 신조, 아우그스부르크 신앙고백(비변경판), 아우그스부르크 신앙고백 변증서(*Apology*), 슈말칼덴 조항, 대소 요리문답 등과 함께 실려 있었다.

이 책은 51명의 영주와 35개 도시의 대표자들과 8,000명 이상의 목사들로부터 승인을 받았다. 루터교 영주와 도시들 중 「일치 신조」에 서명하기를 거부한 이들도 많았으나, 그것은 의심할 것없이 독일 루터교 다수파를 대표하는 것이었다. 그것은 모든 논쟁점에 대해 보다 철저한 루터적 해석을 고수한 반면에, "순수 루터파"와 "필립파" 양자의 극단적 입장을 모두 거부했다. 이 「일치 신조」는 루터의 사상과 본질적으로 일치하기는 했지만, 그 방법과 논쟁 양식에 있어서 루터 자신의 신학 작품보다 훨씬 더 "스콜라적" 경향을 보였다. 따라서 이 「일치 신조」로 인하여 루터교 고등 정통주의의 시대가 도래하였다고 말할 수 있다. 루터교 정통주의는 변증법적 방법을 광범위하게 사용한 것으로 유명한, 게르하르트(Johann Gerhard, 1582-1637)의 기념비적인 「신학 주제들」(*Loci theologici*, 9vols., 1609-1622)에서 고전적으로 해명되었다.

억압을 받은 "필립파"들은 점차 칼빈파로 전향하고 칼빈주의는 독일을 잠식해 들어갔다. 1577년 나싸우, 1581년 브레멘, 1597년 안할트, 같은 기간에 헤세의 일부가 팔라티네이트에 붙었다. 브란덴부르크의 선제후 집안은 비록 주민의 대부분이 루터파였지만 1613년에 칼빈파가 되었다. 이러한 변모는 종종 아우그스부르크 신앙고백을 고수하면서 이루어졌다. 그러나 이러한 독일의 "개혁"(Reformed) 교회가 교리와 예배에 있어서 칼빈파가 되었지만, 그들 사이에 칼빈의 특징적 권징(discipline)은 거의 찾아볼 수 없었다.

1555년 아우그스부르크 평화 협정 때, 독일은 압도적으로 개신교 나라였다. 로마 가톨릭 교회는 대부분의 지역에서 사라졌고 절망적 상황에 처해 있었다. 사실 대부분의 세속 통치자들은 개신교도가 되었으나, 제국 의회의 성직자 영주 3분의 2는 황제와 함께 여전히 가톨릭이었고, 그들은 독일과 제국에서 가톨릭의 부흥을 위한 정치적 토대를 제공하려 하였다. 독일의 개신교는 더욱이 1566년 경에 영토 확장에 있어서 최고조에 달했다. 이 때 이후부터는 이 물결이 서서히 낮아지기 시작했다. 반동 종교개혁으로 재기한 가톨릭은 예수회의 주도와 바바리아 공들 같은 진지한 가톨릭 영주들의 지지에 힘입어 점차 공격적으로 되었다. 신앙고백과 정치적으로 분열된 개신교는 연합하여 저항하는 것이 불가능했다.

바바리아에서 공작 알베르트 5세는 지역에 따르는 신앙(cuius regio, eius religio) 원리를 철저하게 적용하여 자기의 개신교 귀족과 수민을 분쇄하였다. 풀다의 대수도원장도 1572년 비슷하게 그의 수도원 영지에서 개신교의 억압을 시도했다. 한동안 반대를 받다가 그는 1602년 후 이 일에 성공했다. 비슷한 방법으로 가톨릭은 주민들이 복음적 입장을 가지고 있는 여러 주교 관구에서 예수회의 지도 하에 성공을 거두었다. 개신교는 곧 마인츠, 트리에르, 쾰른의 세 대주교 관구에 속한 지역에서도 억압을 받았다.

이 세 지역의 영주-주교들(prince-bishops)은 7명의 황제 선제후에 속해 있었다. 가장 치열한 경쟁이 벌어진 곳은 대주교 트룩제스(Gebhart Truchsess)가 1582년 결혼하기로 하고 개신교를 수용하였던 쾰른이었다. 그는 개신교 영주들에게서 거의 도움을 얻지 못했다. 1583년 그는 전략적으로 중요한 위치를 차지하고 있던 그의 주교직에서 쫓겨났고, 이 지역은 다시 가톨릭으로 넘어갔다. 오스트리아와 보헤미아에서 상황은 개신교에게 점점 불리해졌다. 제국의 다른 지역과 마찬가지로 거기서도 예수회의 전도 활동이 많은 회심자를 얻었다. 예수회의 활동은 공격적이었으며 최후의 승리를 장담했다. 개신교와 가톨릭은 항상 긴장 관계에 있었다.

1606년과 1607년의 한 사건이 사태를 악화시켰다. 작은 제국 도시 도나우뵈르트는 거의 전부 루터파였으나 베네딕트 수도원이 살아남아 있었는데 이 수도사들이 그 도시를 가톨릭 울타리 안으로 되돌리기로 결심했다. 1606년 그들의 한 종교적 행렬이 폭동을 야기시켰다. 바바리아의 유능한 가톨릭 공 막시밀리안은 황제의 명을 받들어 도시를 점령하고 복음주의적 예배를 탄압하기 시작했다. 1608년 레겐스부르크 제국 의회에서 가톨릭 대표들은 1555년 이래 빼앗긴 모든 교회 재산의 회복을 요구했다. 그들은 이 주장의 근거로 아우그스부르크 평화 협정의 법 조항을 문자 그대로 내세웠다. 그러나 많은 지역들이 두 세대가 지난 지금, 주민 대부분이 개신교인 경우가 많았다.

이러한 상황에서 많은 개신교 영주들이 1608년 5월 4일 팔라티네이트의 선제후 프리드리히 4세(1583-1610)의 주도로 방어 "동맹"(union)을 형성했다. 곧 이에 맞서 1609년 7월 10일 바바리아의 막시밀리안이 이끄는 가톨릭 영주들의 "연맹"(league)이 결성되었다. 북부 독일의 강한 루터교 지역들은 동맹에 참여하지 않으려 했고, 황제도 연맹에 가담하지 않았다. 프랑스의 앙리 4세가 살아 있었다면, 아마 바로 그 때 전쟁이 발발했을 것이다. 왜냐하면 이 프랑스 왕은 스페인령 네덜란드를 공격하기 위해 "동맹"과 제휴하고 있었기 때문이다. 그러나 1610년 앙리 암살과 독일의 불확실한 황제 승계로 인하여 당분간 연기되었다.

소위 30년 전쟁(1618-1648)은 실제 보헤미아에서 시작되었다. 1609년 당시 거의 개신교 지역이었던 이 나라는 반미치광이 왕, 황제 루돌프 2세(1576-1612)로부터 고도의 종교 관용을 허락하는 "칙령"(Letter of Majesty)을 얻어내었다. 루돌프는 황제와 왕직을 모두 동생 마티아스(왕, 1611-1619; 황제, 1612-1619)에게 물려주었다. 그러나 마티아스는 자식이 없었고, 1617년 반동 종교개혁의 철저한 대변자인 그의 사촌 슈티리아의 페르디난드가 보헤미아의 귀족 계층으로부터 마티아스의 후계자로 인정받는 데 성공했다.

가톨릭의 "칙령" 위반이 급증했고, 1618년 5월 23일 한 무리의 불만이 쌓인 개신교 귀족들이 부재 황제 마티아스를 대표하는 두 명의 가톨릭 섭정을 프라하의 라드카니(Hradcany) 성채의 높은 창문 밖으로 내동댕이쳤다. 이 소위 프라하의 창문투척 사건(Defenestration of Prague)으로 인하여 보헤미아는 반란을 일으켰고, 전쟁이 시작되었다. 전쟁 초기는 보헤미아 반란자들이 유리하였다. 1619년 마티아스의 사후 그들은 팔라티네이트의 칼빈파 선제후 프리드리히 5세(1610-1632)를 왕으로 선출했다. 같은 주간에 슈티리아의 페르디난드도 페르디난드 2세(1619-1697)로 황제에 피선되었다.

프리드리히는 보헤미아 바깥에서 거의 지지를 얻지 못했으나, 페르디난드는 바바리아의 막시밀리안과 네덜란드의 스페인 군대로부터 도움을 얻었다. 이 가톨릭 연합군은 왈룬 장군, 틸리의 백작 체르칼레스(Jan Tserkales, 1559-1632)의 지휘 아래 1620년 11월 8일 프라하 근처 흰 산 전투(Battle of White Mountain)에서 보헤미아군을 압도했다. 프리드리히는 도피했다. "칙령"은 폐지되었고, 보헤미아의 개신교 재산은 거의 다 몰수되어 예수회 손에 들어갔고, 보헤미아와 모라비아에서 반동 종교개혁이 강력하게 시행되었다. 몰수 재산의 획득으로 부자가 된 사람 중에 발렌슈타인(Albrecht von Wallenstein, 1583-1634)이 있었는데, 그는 이후의 전쟁 역사에서 중요한 역할을 하게 될 인물이었다. "동맹"은 해체되었다. 유사한 개신교 억압이 이제 오스트리아에서 일어났다.

그동안 스피놀라(Ambrosio Spinola) 휘하의 스페인 군대는 1620년 팔라티네이트를 침공했고, 곧 틸리와 가톨릭 "연맹"군이 합류하였다. 나라가 정복되고 가톨릭이 강화되고 1623년 프리드리히의 선제후 칭호가 상당 부분의 팔라티네이트령과 함께 1623년 바바리아의 막시밀리안에게 넘어갔다.

아우그스부르크 평화 협정 이후 많은 주교구가 개신교화한 북서 독일이 이제 전쟁의 위협을 받게 되었고, 이미 많은 재난이 개신교에 발생하자 외국의 개신교 국가들이 들고 일어났다. 그러나 덴마크의 크리스챤 4세(1588-1648) 외에는 별로 효과를 낼 수 없었다. 영국과 개신교 네덜란드는 그에게 약간의 도움을 보냈다. 덴마크 왕의 적대적 태도는 페르디난드 황제에게 위협적으로 보였고, 그래서 그는 발렌슈타인에게 황제군 총사령관으로서 새로이 군대를 일으킬 것을 위촉했다. 개신교 태생인 이 대단한 모험가는 명목상의 가톨릭 교도였고 이제 보헤미아의 최고로 부유한 귀족이었다. 타고난 지도자인 그는 종족이나 신앙에 상관없이 전투 능력과 자기에 대한 충성만을 보고 군대를 모집했다. 그는 곧 굉장히 효율적인 군대를 소유하게 되었다.

1626년 4월 25일 발렌슈타인은 엘베 강 위의 데싸우 다리에서 만스펠트의 에르네스트 백작이 이끄는 개신교군을 격파하였다. 그는 패주하는 개신교 군대를 추격하여 실레지아를 거쳐 헝가리까지 내몰았다. 개신교군은 황제의 적인 트란실바니아의 칼빈파 영주 가보르(Bethlen Gabor)와 연합하여 효과적으로 저항해 보려는 헛된 의망을 가지고 그리로 퇴각했던 것이다. 1626년 8월 27일 덴마크의 크리스챤 4세는 틸리와 가톨릭 연맹군에 의해 루테르에서 패배하였다.

1627년과 1628년에도 가톨릭은 이러한 성공을 거두었다. 하노버, 브룬스빅, 실레지아가 정복되고 이어서 홀슈타인, 쉴레스빅, 포메라니아, 멕클렌부르크가 넘어갔다. 그러나 발렌슈타인은 스웨덴의 지원을 받는 슈트랄순트의 발틱 항을 정복하는 것이 불가능함을 보고, 또 유능한 스웨덴 왕 구스타푸스 아돌푸스(Gustavus Adolphus, 1611-1632)가 개입하기 전에 평화 협정을 맺는 것이 현명하다고 판단하였다. 따라서 크리스챤 4세는 1629년 5월의 조약으로 독일 내정에 더이상 간섭하지 않는다는 조건으로 그의 영토를 유지할 수 있었다.

가톨릭은 승리의 열매를 거두어 들이기로 작정하였다. 1629년 3월 6일 페르디난드 황제는 1552년 이래 개신교 수중에 들어간 교회 재산의 가톨릭 회복, 가톨릭 영토에서 개신교도의 추방, 루터교를 제외한 모든 개신교의 불허용과 이에 따른 칼빈파의 모든 권리 박탈 등을 명하는 "반환령"(Edict of Restitution)을 발표하였다. 다음 몇 년간의 사건으로 인하여 이것이 완전히 실행되지는 못했으나, 5개의 주교구와 100개의 수도원과 수백 개의 교구 교회가 당분간 환원되었다. 가톨릭의 성공이 계속되고 가톨릭 내부의 전리품 싸움이 없었다면 더 많이 이전되었을 것이다. 이러한 전리품 싸움과 발렌슈타인에 의한 황제 권력의 증가를 우려하는, 바바리아의 막시밀리안을 비롯한 "연맹"의 시기로 인해 "연맹"은 발렌슈타인을 퇴위시키도록 성공적으로 압력을 넣었다. 1630년 9월 황제는 그의 유능한 장군과 결별해야 했다.

발렌슈타인의 퇴위 전에도 비록 그 결과가 즉각 나타나지는 않았으나, 아주 중요한 사건이 하나 발생했다. 스웨덴의 구스타푸스 아돌푸스가 1630년 6월 적은 군대를 이끌고 독일 해안에 상륙하였다. 두 가지 동기가 그를 전쟁에 개입하게 하였다. 그는 의심할 것 없이 개신교 신앙의 투사로서 왔다. 그러나 그는 또한 발틱해를 스웨덴의 호수로 만들고 싶었고, 황제의 독일 발틱 항구들에 대한 공격에서 자신의 왕국에 대한 직접적인 위험을 감지했다. 이 항구들이 적대 국가에 넘어가면 스웨덴은 큰 위험에 처할 것이었다. 구스타푸스는 곧 포메라니아로부터 황제군을 몰아내는 데 성공했으나, 적당한 동맹 세력을 찾을 수 없어서 서서히 움직였다.

그러나 1631년 1월 당시 루이 13세의 재상, 아르망 뒤 플레시(Armand du Plessis) 즉 추기경 리쉴리외(Richelieu)의 탁월한 지도력 아래 있던 프랑스와 조약을 체결했는데, 그에 의해 상당한 재정을 보조받았다. 리쉴리외는 스페인과 오스트리아의 합스부르크 왕가에 대한 프랑스의 역사적 적대 관계를 재개시켰고, 프랑스 군주의 정치적 이익을 위해서라면 비록 적들이 개신교라고 하더라도 그 적들을 원조하는 프랑스의 오랜 정책을 반복했다. 구스타푸스의 다음으로 중요하고 어려운 과제는 비록 개신교 땅이었으나 황제와 중립적인 작센에 속한 브란덴부르크와 동맹을 확보하는 것이었다. 1631년 5월 20일 틸리는 마그데부르크를 함락시켰다. 주민들은 잔혹하게 피해를 입었고 도시는 사실상 불로 파괴되었다.

개신교의 요새가 상실된 후 6월, 구스타푸스와 브란덴부르크 선제후 사이에 동맹이 체결되었고, 8월에는 작센이 중립을 포기하고 스웨덴에 가세했다. 1631년 9월 17일 구스타푸스는 작센인들로부터 작지만 진지한 도움을 받아 라이프치히 근처 브라이텐펠트에서 틸리에게 승전을 거두었다. 황제군은 북부 독일에서 붕괴되었고, 스웨덴 왕은 파죽지세로 라인 지방으로 진격하여 마인츠에 진을 쳤다. 그동안 작센군은 프라하를 점령했다. 벼랑에 몰린 황제는 발렌슈타인에세 군대 모병을 다시 부탁했고, 1632년 4월 이 장군은 가공할 만한 대군을 모았다.

이제 구스타푸스는 바바리아의 막시밀리안을 향해 진격했고 도나우뵈르트 근처 전투에서 틸리를 격퇴하고 사령관 틸리에게 치명상을 입혔다. 바바리아의 수도 무니히는 스웨덴 왕에게 항복해야 했다. 그동안 발렌슈타인은 작센군을 프라하로부터 몰아내고 구스타푸스와 싸우기 위하여 진격했다. 몇 주 동안 두 군대는 뉘른베르크 근처에서 서로 맞붙었으나 승부가 나질 않았다. 발렌슈타인은 작센을 치기 위해 북쪽으로 행군했다. 구스타푸스는 그를 추격하여 1632년 11월 16일 라이프치히 근처 뤼첸에서 격렬한 전투 끝에 그를 무찔렀다. 이 싸움에서 구스타푸스는 전사했다. 그는 불후의 업적을 남겼다. 그는 북부 독일에서 반환령을 사문화시켰고, 독일 개신교는 그에 대한 기억을 소중하게 간직하고 있다.

비록 이제 능력 있는 개신교의 장군은 작세-바이마르의 베른하르트(Bernhard of Saxe-Weimar, 1604-1639)였지만, 스웨덴 국정은 유능한 재상 악셀 옥센스테르나(Axel Oxenstjerna)가 통제하였다. 1633년 11월 베른하르트는 중요한 남부 독일 도시 레겐스부르크를 점령하고 개신교에게 다뉴브 길을 열었다. 그동안 발렌슈타인은 보헤미아에서 비교적 관망하는 자세로 칩거하고 있었다. 그는 남부 독일에 파견된 거대한 스페인군을 시기하기도 했고 작센, 스웨덴, 프랑스와 음모를 꾸미기도 했다. 그의 의도는 불명확하나, 그가 보헤미아의 왕이 되려 했다는 것이 가장 그럴 듯한 가정이다. 그가 레겐스부르크의 해방에 실패하자, 드디어 황제는 갑자기 적대적 혐의를 강하게 품게 되었고, 그는 1634년 2월 25일 황제의 음모에 의해 몇 명의 자기 휘하의 장교에 의해 살해당했다.

1634년 9월 5-6일 베른하르트와 스웨덴군은 뇌르들링엔에서 황제와 스페인 군대에 의해 크게 패배했다. 전투는 거의 3년 전의 브라이텐펠트에서처럼 대세에 결정적이었다. 이로 인해 가톨릭이 북 독일을, 개신교가 남 독일을 정복할 수 없다는 것이 판명되었다. 전쟁은 이제 끝나야 했다. 1635년 6월 15일 황제와 작센이 프라하에서 평화협정을 체결했다. 1627년 11월 12일이 결정적인 기준일로 채택되었다. 모든 교회 재산은 40년 동안 그 당시 소유권자에게 속하고, 최종적으로는 가톨릭과 개신교 동수의 판사로 구성된 법정에서 판결하기로 하였다. 칼빈파의 권리에 대해서는 아무 언급이 없었다. 몇 주 안에 대부분의 독일 개신교가 이 평화협정에 동의했다.

그러나 이 불행한 땅은 어떤 평화도 소유하지 못할 운명이었다. 지금까지의 어떤 전쟁보다 더 야만적으로 13년이나 더 계속되었다. 사실상 본래의 목적은 망각되었고, 스페인과 프랑스와 스웨덴이 세력 확장을 위해 독일 내 정파의 도움을 받으며 독일 땅에서 싸우는 싸움이 되었다. 여기서 프랑스가 가장 큰 이익을 챙겼다. 페르디난드 2세는 그의 아들 페르디난드 3세(1637-1657)에 의해 승계되었으나, 이것이 실제적 상황의 변화를 가져오지는 못했다. 독일은 딱 한 명 브란덴부르크의 "위대한 선제후"(Great Elector) 프리드리히 빌헬름(Frederick William, 1640-1688)을 제외하고는 능력 있는 지도자가 없었다. 그는 그의 영토를 늘려가는 데 성공하였지만, 전쟁의 흐름을 잡기에는 너무 젊었다.

결국 수많은 협상 끝에 1648년 10월 27일 베스트팔리아 평화협정(Peace of Westphalia)이 체결되었다. 스웨덴은 독일의 발틱 해안을 영토로 얻었다. 알사스의 대부분은 프랑스로 넘어갔다. 오랫동안 유지되어 온 스위스의 독립이 공식적으로 인정되었다. 브란덴부르크는 포메라니아 일부를 스웨덴에 양도하는 대가로 마그데부르크의 대주교구와 할버슈타트와 민덴의 여러 주교구를 받았다. 바바리아의 막시밀리안은 선제후 칭호와 팔라티네이트 일부를 계속 가지게 되었고, 반면에 나머지 팔라티네이트는 불행했던 프리드리히 5세의 아들 칼 루트비히(Karl Ludwig)에게 회복되었고 그를 위해 새로운 선제후 칭호가 신설되었다. 더 중요한 것은 종교적 해결이었다.

여기서 "위대한 선제후"의 능력에 의해 칼빈파가 루터파와 함께 가톨릭의 상대가 되는 한 당파로서 포함되었다. 독일의 칼빈파는 결국 완전한 권리를 확보했다. 반환령은 완전히 폐지되었고 1624년이 기준이 되었다. 교회 재산은 그 때에 가톨릭, 개신교 어디에 속하든 속한 대로 유지되어야 했다. 평신도 주권자는 자기 신하들의 신앙을 결정할 수 있는 권리를 계속 가지는 반면에, 1624년 양파의 예배가 다 드려지던 영역에서는 당시 비율대로 계속 예배를 드릴 수 있다는 조항이 추가되었다. 루터파와 칼빈파는 평화협정일을 기준으로 하고, 평신도 통치자가 다른 형태의 개신교로 바꾸더라도 그 후 신하들에게 영향을 줄 수 없다고 동의하였다. 한편 황제의 주장에 의해 오스트리아와 보헤미아의 개신교도에게는 어떤 특권도 주어지지 않았다.

어느 쪽도 평화협정에 만족하지 못했다. 교황은 그것을 거부했다. 그러나 모두 전쟁에 지쳤고, 이 평화 조약은 가톨릭과 개신교 사이에 거칠지만 현 상태에 적절한 금을 잘 그었다. 그 구분선은 본질적으로 영구적임을 입증했고, 그것과 함께 대륙의 종교개혁의 시기는 막을 내린 것으로 간주될 수 있다. 30년 전쟁은 독일에게 회복될 수 없는 지독한 재앙이었다. 그 땅은 처음부터 끝까지 한 세대 동안 불법과 약탈을 일삼는 군대에 의해 짓밟혔다. 인구는 천 육백 만 명에서 육 백만 명이하로 줄었다. 상업과 제조업이 파괴되었다. 특히 지적 생활이 침체하였고, 도덕이 거칠게 타락하였으며, 종교가 통탄할 만큼 불구가 되었다. 전쟁이 끝난지 1세기가 지나서도 참상은 다 회복되지 못했다. 이 무서운 전쟁 기간 동안 영적 생활의 증거는 어디서도 찾아볼 수 없었다. 그러나 대부분 이 고통 중에서 마음으로부터의 경건의 신뢰를 반영하는 파울 게르하르트(Paul Gerhardt, 1607-1676)의 찬송가 작품이 있었다. 그는 아마도 가장 위대한 루터교 찬송가 작가일 것이다. 전쟁 초기에는 영향력

있는 개신교 신비가 괴르리츠의 야콥 뵈메(Jacob Böhme, 1575-1624)가 주로 활동하였다.

14. 소지니주의(Socinianism)

종교개혁 시대에는 그리스도의 인격과 사역에 대한 정통적 교리에서 벗어난 가르침도 많았다. 재세례파 전체가 그런것은 아니지만, 그들의 초기 주장은 루트비히 헤처(Ludwig Hätzer)와 한스 뎅크(Hans Denck) 같은 인물에게서 나타났다. 세르베투스의 과격한 주장과 비극적 운명은 이미 언급하였으나(Ⅵ:8), 이러한 사상가는 제자와 학파를 두지 못했다. 이 시대의 주요한 반(反)삼위일체론자들은 이탈리아에서 나왔는데, 여기는 재세례파와 영성주의의 요소가 이탈리아 인문주의의 합리주의 정신과 결합하여 정통적 기독교 교리에 과격하게 의문을 제기한 곳이었다. 1550년대 많은 주도적 이탈리아 과격파들은 제네바나 그 근처에 살았는데, 바로 이곳에 현저하게 큰 이탈리아 개신교 망명객들의 회중이 있었다.

이 이탈리아 디아스포라 구성원 중에는 1553년 세르베투스의 처형으로 인해 불안에 떨고 다양한 정도로 그의 견해에 공감한 이들이 있었다. 파두아 대학의 유명한 민법 교수로 후에 튀빙겐과 그레노블에서 가르쳤고 칼빈이 1553년 공개적으로 그의 잘못을 비난한 바 있는 마테오 그리발디(Matteo Gribaldi, 1506?-1564), 1556년 제네바에 와서 1558년 이단적 견해로 투옥되었다가 세르베투스의 운명에 겁먹어 굴욕적으로 공개 취소하였고 1562년부터 1564년까지 폴란드를 유랑하다가 1566년 베른에서 참수당한 지오반니 발렌티노 겐틸레(Giovanni Valentino Gentile, 1520?-1566)가 바로 그들이다.

피에드몬트의 의사 죠르지오 비안드라타(Giorgio Biandrata, 1575?-1588)는 보다 더 중요한 인물이었다. 그는 이탈리아 회중의 장로로서 제네바에서 1년을 보내었으나, 1558년 폴란드로 떠나는 것이 현명하다고 판단하고 폴란드와 트란실바니아를 통치하는 가문의 의사로 일했다. 이들은 1571년 헝가리의 요한 2세 지기스문트

(John II Sigismund of Hungary, 1540-1579)의 칙령에 의해 법적 지위를 확보했는데, 이것은 유럽의 종교 관용의 역사에서 획기적인 일이다. 이 놀라운 일에서 비안드라타의 동료는 루터파의 감독, 칼빈주의자, 트란실바니아의 유니테리언을 차례로 겪은 프란시스 다비드(Francis David, 1510?-1579)였다. 그는 1565년 삼위일체 교리에 반대하는 설교를 공개적으로 하기 시작했다.

막 시작한 삼위일체 운동에 이름을 부여한 사람은 두명의 소지니, 삼촌과 조카였다. 렐리오 소지니(Lelio Sozzini, 1525-1562)는 유력한 시에나의 법률가 집안 출신으로 자신도 법학도였다. 그는 1540년대 초 개신교로 개종한 후, 유럽 여행으로 많은 시간을 보냈다. 그는 1년간 비텐베르크에서 그의 성례에 대한 "영적" 입장에도 불구하고 멜랑히톤과 우정을 나누면서 살았다. 그는 바젤과 제네바에서 융성한 대접을 받았으나 결국 취리히에 정착하여 거기서 죽었다. 세르베투스의 처형으로 인하여 그는 삼위일체 문제에 관심을 돌렸으나, 그의 성찰은 살아 생전에 공개되지 않았다.

훨씬 더 영향력 있는 그의 조카 파우스토 소지니(Fausto Sozzini, 1539-1604)는 역시 시에나 출신으로 1561년에서 1563년까지 리옹에서 머물렀는데 1562년에는 제네바와 취리히를 여행하기도 하였다. 그는 취리히에서 죽은 삼촌의 원고를 수집하여 이것의 영향 아래 요한복음 서문의 「해설」(*Explicatio*)을 썼다. 1563년에서 1574년까지 그는 이탈리아에서 겉으로는 로마 교회에 순종하며 살았다. 1574년 그는 바젤에 정착하였고 여기서 그의 중요한 논문 「종이신 예수 그리스도에 관하여」(*De Jesu Christo Servatore*, 1578, 폴란드어 출판은 1594년)를 썼다.

초기의 「해설」에서와 같이 이 작품에서도 파우스토는 승천시 성부가 성자에게 주신 신성과 세계 통치권을 주장하고, 하나님의 의롭고 고난받는 종의 "직무"를 부각시키기 위하여 그리스도의 "본성적" 신성을 거부했다. 1578년 그는 비안드라타의 권유로 트란실바니아로 갔다. 당시 비안드라타는 다비드가 그리스도는 예배와 기도의 대상이 아니라고 주장하는 바람에 그와 아주 사이가 좋지 않았다. 1580년 파우스토는 당시 유럽의 가장 관용적인 국가 폴란드로 가서 1604년 죽을 때까지 거기서 살았다.

파우스토 소지니와 폴란드의 다른 여러 사람 덕택에 소위 준 개혁교회(Minor Reformed Church), 반삼위일체 개신교는 상당한 발판을 확보했고 라코비안 요리문답으로 그들의 믿음을 효과적으로 표현했다. 이 요리문답은 1605년 이것의 이름이 유래하고 "폴란드 형제단"의 본부가 있는 라코우(Rakow) 시에서 파우스토의 몇몇 제자에 의해서 작성되었다. 이것은 합리주의적 사유와 초자연주의를 놀랍게 결합시킨 작품이었다.

진리의 기초는 하나님에 의해 영감된 성서이지만, 신약성서는 이 선포에 동반되는 기적, 특히 기적 중의 기적인 부활에 의해서 신뢰할 수 있다. 이렇게 초자연적으로 입증된 신약성서가 구약성서를 보증한다. 두 성서의 목적은 인간의 오성에 영생의 길을 보여주는 것이다. 이 안에는 이성을 초월하는 문제들이 있기는 해도, 반이성적인 가치는 없다. 인간의 자유의지는 강하게 주장되었고, 원죄와 예정은 부정되었다.

교회의 삼위일체 교리는 성서적이지도 합리적이지도 않다. 성서가 요구하는 유일한 신앙은 하나님이 계신 것과 그가 상 주시고 심판하시는 분이심을 믿는 것이다. 인간은 본래 죽을 운명이고 스스로는 영생의 길을 발견할 수 없다. 그래서 하나님이 그들에게 성서와 그리스도의 삶과 모범을 주셨다. 그리스도 자신은 죽을 존재였으나, 우리와 똑같은 인간은 아니었다. 그는 처녀 마리아로부터 기적적으로 출생함으로써 하나님의 유일한 아들이 되었고 그래서 하나님의 지혜와 힘을 부여받았다. 그는 하나님의 뜻을 완전하게 계시하였고, 완벽한 도덕적 삶의 모범을 보여 주었고, 죽음으로 입증하였다. 그리하여 하나님이 그를 죽음에서 일으키셨고, 승천시 양자관계의 신성을 부여하셨고, 세상의 공동 통치자로 만드셨다.

그러므로 그리스도는 이제 예배와 기도의 대상이다. 그리스도인의 삶은 하나님 안의 즐거움, 기도와 감사, 세상 부정, 겸손, 인내에 있다. 그 결과 죄사함과 영생이 있게 된다. 성만찬 집행은 그리스도의 죽음을 기념하는 행위이다. 세례는 중생의 가치는 없고, 유아에게는 적당치 않으며, 기껏해야 기독교 개종자가 주님이신 그리스도에게 접붙임 받은 것을 공표하는 의미의 의식이다.(파우스토는 기독교 가정에서 태어난 이들의 세례의 효용을 부정했다. 그러나 그가 죽은 후, 침례에 의한 성인 신자의 세례가 소지니주의의 특징이 되었다.)

따라서 소지니주의는 신자의 도덕적 삶에 그 중점을 두고 있다. 구원은 믿음으로만이 아니라 성서에 규정된 영생의 길에 대한 정확한 지식과 책임적 준수에 의해서 이루어진다. 즉 예수 그리스도에 의해 계시되고 최고의 모범이 나타난 하나님의 율법을 적극적으로 순종해야 한다. 소지니주의는 시식으로시의 믿음을 강조하여 루터파와 개혁교회의 정통주의와 유사성을 보여주었다. 반면에 전통적인 삼위일체와 기독론 교리를 거부하고 이미 몇 십년된 이신칭의의 교리를 부정한 점에서 고전적인 종교개혁의 기독교와 결정적으로 다르다. 소지니주의는 주로 예수회의 노력에 의해서 1658년 폴란드에서 추방되었으나, 홀란드에서 지지자를 얻었고 영국에서는 상당한 영향력을 행사하였다.

15. 아르미니우스주의(Arminianism)

16세기 마지막 10년과 17세기 초 네덜란드 (연방) 개혁교회는 예정 문제와 교회와 국가의 바른 관계에 대한 격렬한 논쟁으로 분열되었다.

한 쪽의 철저한 칼빈파는 창세 전 예정과 유기의 무조건적인 예정 교리를 고수하며, 국가에 안전 보호와 질서 유지 기능을 맡기면서도 교회의 전적인 자율권을 주장했다. 그리하여 이 "고등" 칼빈주의자들은 영적인 문제에 있어서 관권의 "불간섭" 원칙을 택한 제네바 교회의 입장을 지지했고, 신학에 있어서는 주로 테오도르 베자(Theodore Beza, 1519-1605)의 견해를 따랐다. 베자는 제네바의 칼빈 후계자로 칼빈의 예정론을 전수받아 발전시켰는데, 칼빈 자신에게는 없었던 논리적 엄격성과 조직적 구조를 부여하였고 이 예정론을 신학 체계의 중심으로 부각시켰다. 이러한 제네바 경향의 칼빈주의자들은 대부분 남부 네덜란드 출신의 피난민들이었고, 스스로 참된 "개혁" 신앙이라고 생각하는 것에서 조금이라도 벗어나면 용납하지 않는 경향이 있었다.

다른 한 쪽의 "아르미니우스" 파는 예정이 창조 전의 인간이 아니라 타락 상태의 인간에게만 해당되며, 하나님의 선택과 유기의 작정(decree)은 개인의 행위에 대한 하나님의 예지에 근거한다고 주장했다. 또한 기독교 관료들은 교회의 세속적 문제에 못지 않게 영적인 것도 잘 돌볼 수 있는 자질을 부여받았고, 그래서 교회 정책에 관한 법을 입법할 수도 목사의 임명과 감독에 참여할 수도 있다고 주장하였다.

후자에서 싸움을 주도할 능력을 갖춘 지도자는 야콥 아르미니우스(Jacob Harmenszoon, Jacobus Arminius, 1559/1560-1609)였다. 그는 종종 인문주의자 혹은 합리주의자로 알려져 왔으나, 그에 대한 가장 올바른 평가는 그가 제네바 칼빈주의에서 아무 영향을 받지 않은 네덜란드 본토 개신교 개혁자의 전통에 서 있다는 것이다. 이들은 정확한 신조의 규정이나 "사변적" 신학에 얽매이지 않는 포괄적인 교회를 선호하고, 기독교 관료를 모든 교회 생활의 지도자로 생각했다. "정화된" 신앙과 성서적 경건에 의해 훈련된, 이 오래되고 비교리적인 네덜란드 개혁자들 중에 코른헤르트(Coornhert, 1522-1590)와 콜하이스(Caspar Coolhaes, 1534-1615)가 있었다.

홀란드의 우데바티 출신 아르미니우스는 위트레흐트에서 아마 15세기 공동생활 형제단에 의해 설립된 성 제롬 학교에서 초기 교육을 받았다. 1575년 그는 우데바티가 스페인 군대에 의해 노략당할 때, 어머니와 형제 자매와 친척들을 잃었다. 친구들의 주선으로 마르부르크 대학에서 공부하였고 1576년부터 1581년까지 라이덴 대학에서 공부하였다. 라이덴 대학은 1575년 오렌지의 윌리엄에 의해 건립되었고, 아르미니우스는 1회 졸업생이었다. 다음 그는 암스테르담 성인 길드의 도움으로 제네바로 유학 갔고 여기서 1582년부터 1586년까지 베자 — 그는 처음부터 그의 입장에 동의하지 못했다 — 밑에서 공부하였고, 1583년부터 1584년까지 1년간 바젤에서 공부하였다.

이탈리아 여행 후, 1587년 그는 네덜란드로 귀국했고, 다음 해 목사가 되어 설교자와 평화적 정신을 가진 목회자로 15년간 암스테르담에서 일했다. 그는 교구 주민들과 암스테르담 관료들로부터 크게 존경받았지만, 그의 견해는 곧 그의 동료요 네덜란드 동인도 회사의 지도 제작자로 명성과 부를 얻은 철저한 칼빈주의자 플란키우스(Petrus Plancius, 1552-1622)의 분노를 일으켰다. 1603년 아르미니우스는 존경받았던 유니우스(Franciscus Junius, 1545-1602)의 뒤를 이어 라이덴의 신학교수로 선출되어 죽을때 까지 사역했다.

라이덴에 도착한 지 1년도 안되어 아르미니우스는 신학 동료 호마루스(Franciscus Gomarus, 1563-1641)의 공격을 받아 신랄한 논쟁에 휘말렸다. 호마루스는 "타락 후"(sublapsarian or infralapsarian) 예정론과 대조를 이루는, "타락 전"(supralapsarian) 예정론의 극단적 대표자였다. 이 문제는 하나님의 예정의 "작정 순서"에 관한 것이다. 하나님은 영원 전부터 개개인의 선택과 유기를 미리 결정하시고 다음에 절대적 뜻을 실현할 수 있는 수단으로 타락을 허용하셨는가(*supra lapsum*)? 아니면 하나님은 타락이 일어나는 것을 허용하고 다음에 오직 개개인의 선택과 비선택을 작정하셨는가(*sub* or *infra lapsum*)?

칼빈 자신은 이 문제를 자세히 언급하지 않았고 "작정의 순서"(order of the decree)를 명확히 제시하지도 않았다. 이 일은 베자의 몫이었다. 그는 호마루스와 마찬가지로 하나님이 타락한 인간은 말할 것도 없고 본래 창조된 인간에 상관없이 구원과 유기를 작정하셨다고 주장했다. 하나님의 영원한 절대적인 작정은 — 모든 것을 결정하는 그의 주권 — 모든 다른 신학적 인간학적 문제에 우선하고 이들 문제에 답을 제공해 준다.

아르미니우스 자신은 타락전 예정론자도 타락후 예정론자도 아니었고, 이것이 "고등 칼빈주의"(high Calvinism)와 크게 다른 점이었다. 전자의 입장은 그의 판단에 의하면 하나님을 죄의 조성자로 만들었고 또한 양자 모두 결정적인 것을 밝히는데 실패했다. 그는 오히려 하나님은 처음에 예수 그리스도를 죄로부터의 구속주와 구원자로 임명하시고, 신자들을 오직 그리스도 안에서만 구원으로 예정되게 하셨다고 가르쳤다. 따라서 하나님의 최초의 절대적인 작정은 그리스도만을 대상으로 한 것이고, 예정론은 오직 이 기독론적 맥락안에서만 논의되어야 한다. 따라서 개개인의 예정은 절대적인 것이 아니고 그리스도를 영접하느냐 거부하느냐에 달려있다. 즉 하나님은 그리스도를 믿고 신앙 안에서 견인할 것을 미리 아신 자들을 구원하기로 결정하셨다. 반면에 믿지 않고 불신앙을 지속하리라고 미리 아신 자들은 저주하시기로 하셨다. (따라서 하나님의 예지가 예정의 기초이지 그 반대 명제는 성립하지 않는다.)

이러한 상황에서 아르미니우스는 인간의 선택에 여지를 두어야 했다. 즉 구원될 개인의 편에서는 믿는 행위, 반대로 저주받은 측에서는 하나님의 구원 제공을 거절한 행위를 위한 자리를 마련해야 했던 것이다. 그러나 믿는 행위는 오직 하나님의 은총에 의해서만 가능한 것이지 공로적인 것으로 생각될 수 없다. 그러나 은총을 떠나서는 인간의 의지는 죄의 노예이고 그래서 그것만으로는 성령에 저항하고 복음 안에 제공된 하나님의 은총을 거부할 수밖에 없다. 그리하여 은총으로 인해 개인은 신앙하는 행위에서 협력하게 되나, 그러한 협력은 성령에 의한 중생의 결과이지 중생의 수단은 아닌 것이다. 이러한 "협력 은혜"(cooperating grace)의 개념은 아무리 제한한다 하더라도 엄격한 칼빈주의 안에서는 설 자리가 없으나, 후기 필립 멜랑히톤의 "신인협동설"(synergism)과는 비슷하다.

1609년 아르미니우스의 사후 "아르미니우스"파의 지도력은 그의 친한 친구요 궁중 설교자인 위텐보가르트(Johannes Uitenbogaert, 1557-1644)와 그의 학생이었다가 곧 라이덴 신학 교수가 된 비스콥(Simon Biscop, Episcopius, 1583-1643)에게 넘어갔다. 1610년 이들과 다른 43명의 목사들은 홀란드 연맹의 사전 요청에 대한 응답으로 "항의서"(Remonstrance)라는 이름으로 신앙 성명을 작성하여 "항의파"(Remonstrants)라는 이름을 얻었다. 항의서는 칼빈주의의 절대적 예정론에 반대하여, 예정이 개인의 은총의 수단을 어떻게 할 것인지를 아시는 하나님의 예지에 근거한다고 가르쳤다. 또한 제한 속죄론에 반대하여, 그리스도는 모든 사람을 위하여 죽었다고 주장하였다. 비록 신자 외에는 아무도 그의 죽음의 유익을 받지 못하지만 말이다.

개개인 스스로는 회개와 믿음에 이를 수 없고 모든 사람이 은총에 의존한다는 점에서는 칼빈주의와 일치하였다. 그러므로 아르미니우스주의자들은 거듭 펠라기우스주의자들이라고 비난받았지만 사실 그렇지는 않았다. 또한 불가항력적 은총이라는 칼빈주의의 교리에 반대하여, 은총은 거부될 수 있다고 가르쳤고, 개인이 한번 받은 은총을 상실할 수도 있다고 하면서 칼빈주의의 견인 교리를 불확실한 것으로 선언했다.

1604년 말 아르미니우스파 논쟁은 시작부터 그 학문적이고 난해한 성격에도 불구하고 신학과 정치의 밀접한 관계로 인해 개신교 네덜란드 전역을 들끓게 했다. 아르미니우스파는 홀란드의 시민 지도자요 총연방의 주도적 인물인 올텐바르네벨트(Jan van Oldenbarneveldt, 1547-1619)와 저명한 법률학자요 역사가인 그로티우스(Hugo Grotius, 1583-1645)의 지지를 얻었다. 그로티우스는 자기에게 "국제법의 창시자"의 칭호를 얻게 해준 「전쟁과 평화의 법에 관하여」(*De jure belli ac pacis*, 1625)와 새로운 속죄론을 피력한 「기독교 종교의 진리에 관하여」(*De veritate religionis christianae*, 1622)라는 유명한 책을 저술했다.

올텐바르네벨트, 그로티우스, 아르미니우스파는 종교와 신학적으로는 관용, 정치적으로는 공화주의, 교회와 국가의 관계에 있어서는 관료들의 교회의 사법 관할권 행사(시민법적인 것을 말할 것도 없고)를 주장했다. 그들은 또한 계속되는 북과 남 사이의 싸움에서 스페인과의 휴전을 원했다. (1609년 사실 '12년의 휴전'이 서명되었다.) 그들은 오렌지의 윌리엄의 아들로 연방의 뛰어난 군사 지도자인 총독 나싸우의 모리스(Maurice of Nassau, 1587-1625)에 의해 반대를 받았다. 그는 북부의 통치자가 되어 남부를 스페인으로부터 재탈환할 생각이었다.

칼빈파(반-항의파) 거의 대부분이 그의 전쟁 목적을 지지하여 모리스와 손을 잡았다. 이들은 단호하게 가톨릭에 반대했고 중앙집권 체제를 원했고 장로교적 교회 정치를 주장했다. 1618년 7월 모리스는 의용군을 일으켜 홀란드 주요 도시에서 쿠테타를 일으킨 후, 항의파 계통 관료들을 반(反)항의파 쪽 관료들로 교체하였다. 올텐바르네벨트는 반역죄로 기소되어 1619년 5월 13일 참수되었다. 그로티우스는 종신형을 선고 받았으나 아내의 도움으로 1621년 탈옥하였다.

그동안 이제 아르미니우스주의의 영향에서 벗어난 국회(States General)는 논쟁 종식의 목적으로 국가 대회(synod)를 소집했다. 회의는 1618년 11월 13일부터 1619년 5월 9일까지 도르트(지금의 도르트레흐트)에서 열렸다. 네덜란드 대표 이외에 잉글랜드, 스코틀랜드, 팔라티네이트, 나싸우, 헤세, 브레멘, 스위스 대표들이 참여하였다. 항의파들은 오직 피고의 신분으로 참석했을뿐 의석이 없었다. 예측대로 도르트 회의(Synod of Dort)는 아르미니우스주의를 정죄하고, 93개의 엄격한 칼빈주의적 "조항"(Canons)을 채택했다. 이것은 벨기에 신앙고백과 하이델베르크 요리문답과 함께 네덜란드 개혁교회의 교리적 기초가 되었다. 1619년 4월 23일 다섯 부류의 조항이 채택되었다.

특히 아르미니우스주의에 대한 내용으로 (1) 절대적 무조건적 선택, (2) 제한 속죄, (3) "자연적 인간"의 전적인 타락, (4) 은총의 불가항력성, (5) 선택된 자의 최종적 견인 등 칼빈주의의 "다섯 요점"(five points)을 확인하였다.

도르트 회의 결과 아르미니우스파는 설교를 금지당했고, 나라를 떠난 이들도 많았다. 그러나 1625년 모리스가 죽고 항의파를 지지하는, 그의 동생 프레데릭 헨리(Frederick Henry, 1625-1647)가 총독을 계승하자 그들에 대한 조치는 사문화되었다. 많은 항의파들이 귀환하였다. 그러나 1795년까지는 그들의 신앙이 공인되지 않았다. 네덜란드에서 종교단체는 서서히 성장했다. 이것이 오늘날 항의파 형제단(Remonstrant Brotherhood) 혹은 항의파-개혁교회(Remonstrant-Reformed Church)로 존립하고 있다. 이것의 경건 유형은 고국에서 아주 지적이고 윤리적이었고, 약간은 소지니주의의 영향을 받았다. 아르미니우스주의는 고국보다 영국에서 훨씬 더 큰 영향을 주었고, 기독교 믿음의 해석이 제공할 수 있는,

따뜻하고 감정적인 경건 형태와 결합할 가능성을 존 웨슬리의 인격 안에서 입증할 수 있었다.

16. 영국의 성공회, 청교도주의, 자유 교회들과 스코틀랜드의 감독제와 장로교주의

통치 초기 영국 여왕 엘리자베스 1세는 대단히 어려운 상황에 처해 있었다. 그녀와 로마 가톨릭의 관계는 이미 고찰한 바 있다(VI:12 참조). 백성들의 신앙이 뿔뿔이 흩어지고 국내외 정적들의 음모가 산재한 상황에서, 그녀는 단지 고도의 정치력을 통해서만 이 과정을 성공적으로 이끌어갈 수 있었다. 통치 초기 그녀의 반(反)로마적 입장에 동조한 사람들 사이에 분열이 있게되자 그녀의 어려움은 가중되었다. 시간이 흐를수록 국민의 종교 생활이 자극받으면서 이러한 어려움은 심화되었다. 헨리 8세, 에드워드 6세, 메리 여왕 치하에서는 그렇게 변화를 겪으면서도 영적으로는 냉담했던 것과 대조적이었다.

엘리자베스는 의도적으로 그녀의 종교적 분쟁 해결을 가능한 한 쉽게 수용하게 했다. 교회는 교역자와 예배에 있어서 개신교적 정서가 허용하는 한, 충분히 이전의 예배를 따랐다. 일부 교구 성직자를 제외한 모든 성직자들이 순응했고, 엘리자베스는 그들이 잠잠하기만 하면 교구 안의 활동을 모르는 척 보장해 주었다. 비록 종종 그들이 진심으로 개신교를 받아들였는지는 회의적이며, 그들의 설교 역량과 영적인 진지함도 의심스러웠지만 말이다. 정치적인 관점에서는 그녀의 정책은 현명했다. 영국은 프랑스와 독일을 황폐화시킨 그러한 전쟁을 피할 수 있었다.

그러나 처음부터 여왕은 훨씬 공격적인 개신교와 부딪혔다. 이들은 광범위하고 민족적이며 포괄적인 교회라는 여왕의 견해가 충분히 "개혁적"이라고 생각하지 않았다. 메리 여왕 치하에서 망명하였던 많은 이들이 제네바, 취리히, 프랑크푸르트의 영향을 받고 철저한 개신교에 대한 열망으로 가득차서 고국에 돌아왔다. 그들은 신양적으로 아주 진지했다. 엘리자베스는 로마와의 갈등에서 그들에 의존해야만 했다. 그러나 여왕은 만약 그들이 원하는 변화를 시도한다면, 그들은 겨우 어렵사리 평화를 유지하고 있는 현 상황에 혼란을 초래할 것이라고 생각했던 것이다.

종교적인 관점에서 이러한 사람들의 욕망은 아주 쉽게 이해될 수 있다. 그들이 볼 때는 성서가 기본적인 권위이며, 이로 인해 교회가 권위있는 전통의 해석자나 보관자라는 주장이 무산되는 것이었다. 그들은 로마적인 미신의 잔재라고 생각하는 것을 예배에서 제거시키고, 모든 교구에서 진지하고 영적인 설교를 하는 목사를 영입하려 하였다. 특별히 그들은 규정된 성직 의상에 반대하였다. 그것이 대중의 마음 속에 교직을 특별한 권능을 지닌 영적 신분으로 생각하도록 고정시키기 때문이며, 또한 모든 신자의 제사장직과도 일치할 수 없기 때문이었다. 그들은 주의 성만찬을 받을 때 무릎꿇기를 거절하였는데, 이것이 육체적으로 현존하는 그리스도를 숭배한다는 것을 함축하기 때문이었다. 또한 그들은 결혼식에서 반지를 사용하는 것에 반대하였는데, 이로 인해 혼인을 계속 성례로 평가하게 하기 때문이었다. 그리고 세례 시 십자가 표시를 하는 것을 미신적이라고 생각하며 이에 반대하였다.

그들이 이렇게 교회를 정화시키고자(purify) 했기 때문에 그들은 1560년대 초에는 이미 청교도(Puritans)라고 불리게 되었다. 1563년 그들은 대다수 영국 교회의 입법 기관인 캔터베리 지방의 성직자 회의(convacation)를 통하여 개혁 프로그램을 이루려고 시도하였으나, 단 한표 차이로 패배하고 말았다.

많은 청교도들은 이미 예배와 의상에 있어서 그들 나름대로 보다 더 단순한 관행을 채택했다. 옥스퍼드의 막달렌 대학(Magdalen College) 학장인 험프리(Laurence Humphrey, 1527-1590)와 옥스퍼드의 그리스도 교회(Christ Church)의 학감(dean)인 샘슨(Thomas Sampson, 1517-1589)은 메리 여왕 때의 망명자들이었는데, 이들의 주도로 규정된 의상의 사용에 관하여 청교도들이 열띤 토론을 벌였다. 이것이 "엘리자베스 의복 논쟁"(Elizabethan Vestiarian Controversy)이다.

케임브리지 대학은 주로 청교도들에게 동정적이었다. 그러나 이 문제에 있어서 여왕의 정책은 수정하는 것을 강력히 반대하였다. 1566년 대주교 매튜 파커(Matthew Parker)는 그의 "통고문"(Advertisements)[1]을 발표했다. 모든 설교자들은 주교들로부터 새로운 권한을 얻도록 요구되었고, 논쟁적인 설교들이 금지되었고, 성만찬 때에 무릎을 꿇는 것이 요구되었고, 성직 의상은 상세히 규정되었다. 이 규정들로 인해 수많은 청교도들이 지위를 박탈당하였다. 샘슨도 여기에 포함되었고, 한동안 투옥되기도 하였다.

대륙의 개혁주의 중심지에서 배운 사람들은 성서적 근거를 찾을 수 없는 예배는 신적 위엄에 대한 모독이라고 생각했다. 이것은 더 나아가 성경에 규정되어 있지 아니한 의복과 의식들을 사용하는 것을 거부한 목사들을 면직시킨 교회 체제가 과연 교회를 위한 하나님의 의도에 부합하는 것인지 여부를 질문하게 했다. 게다가 신약성서를 제네바적 안경을 통하여 읽은 일부 청교도들은 거기서 영국에 존재하는 것과 전혀 다른 교회 정치(church government)의 유형을 보았다.

여기서는 장로들에 의해 효과적인 권징(discipline)이 유지되고, 교역자들은 회중의 동의에 의해 직분을 맡으며, 칼빈의 말대로 성경은 "주교와 장로와 집사"를 언급함에 있어서 "그 단어들을 동의어로 사용하기"[2] 때문에 그들 사이에는 본질적인 영적 동등성이 있었다. 스코틀랜드의 장로교주의를 자극하여 감독제(prelacy) 즉 감독제 교회 정치(episcopal church government)와 오랜 투쟁을 하게 만든 것은 바로 이 영적 직책을 맡은 자들의 본질적인 동등성에 관한 동일한 확신이었다.

카트라이트(Thomas Cartwright, 1535?-1603)는 청교도주의 내부의 이러한 발전의 대표자요 지도자였다. 케임브리지 대학 신학부에서 레이디 마가렛(Lady Margaret) 석좌 교수로 있을 때, 그는 각 교구 내에서 훈련을 위한 장로들의 임명, 회중에 의한 목사 선택, 대주교좌나 부감독좌의 폐지 그리고 성직을 본질적으로 동등한 것으로 환원할 것 등을 주장했다. 그것은 실질적인 장로교주의였다. 그리고 더욱 과격한 청교도들은 이 때부터 장로교적인 방향으로 나아갔다.

카트라이트의 주장들은 초기 청교도들의 최대의 적으로 나타난 휘트기프트(John Whitgift, 1530-1604)의 반대를 불러 일으켰다. 카트라이트가 장로교주의가 하나님의 법에 의한(jure divino) 것이라고 주장한 반면에, 휘트기프트는 감독제에게 그러한 권위를 대지는 않았다. 그에게는 그것이 최선의 교회 통치였다. 그는 어떤 정확한 유형이 성서 안에 제시되어 있다는 주장을 부인하고, 많은 부분이 교회의 판단에 맡겨져 있다고 주장했다. 1572년 휘트기프트는 거의 2년 전에 교수직에서 해임된 카트라이트에게서 결국 모든 동료 관계를 끊어버릴 수 있었다. 그 후 카트라이트는 끈질기게 대륙에서 대부분의 시간을 장로교적 청교도 운동의 추진에 바치면서 유랑과 핍박의 삶을 살았다.

카트라이트가 제시한 변화들은 극단적이기는 하지만 대중적 효과가 있는 「국회에 드리는 충고」(*An Admonition to the Parliament*)라는 팜플렛 안에 제시되었다. 이것은 런던의 두 목사 필드(John Field, ?-1588)와 윌콕스(Thomas Wilcox, 1549?-1608)에 의해 1572년에 씌어졌다. 이것에 대하여 휘트기프트가 답변하자 다시 카트라이트가 이에 답변했다. 몇몇 청교도들은 카트라이트보다 더 온건하였으며 현존하는 교회 구조를 상대적으로 적게 변화시키는 것이 요청된다고 느꼈다. 역겨운 의식들은 폐지하고, 기도서는 개정되고, 교구마다 장로들이 임명되고, 주교들은 대회(synod)로 조직된 각 주교구의 교회들의 교직자들을 주재하도록 "동등한 자 중의 최고"(*primi inter pares*)로서 보존될 수 있었다.

그러나 장로교적 정신은 성장했고 1570년대에는 다양한 장로교적 실험들이 기존 질서의 틀 안에서 시도되었다. "예언들"(prophesyings)이란 명칭으로 불린, 설교와 토론을 위한 목사와 경건한 평신도들의 모임들이 시도되었다. 어떤 경우에는 1572년 런던 근처 원즈워스(Wandsworth)에서 처음 있었는데, 회중들이 자발적으로 일종의 장로교 교구(parochial presbytery)를 조직했다. 장로교적인 입장은 1574년에 케임브리지의 학자였던 트래버스(Walter Travers, 1548?-1635)에 의하여 「교회 권징에 대한 완전하고 평이한 선언」(*A Full and Plain Declaration of Ecclesiastical Discipline*)이라는 팜플렛이 발행됨으로써 진전되었다.

에드먼드 그린달(Edmund Grindal, 1519?-1583)이 1576년에 사망한 파커를 계승하여 캔터베리의 대주교가 되자 장로교 입지가 더 강화되었다. 에드먼드는 청교도들에게 공감했고, 예언(prophesyings)을 금하는 여왕의 명령들을 양심적으로 반대하다 정직되었다. 카트라이트와 그의 동료 청교도들은 영국 교회로부터 분리하는 것에 반대하였다. 그들의 생각은 가능한 한 많은 청교도 규율과 관행을 도입하고서 정부가 그것을 심도있게 개혁하기를 기다리는 것이었다. 그러한 희망은 헛된 것으로 보이지는 않았다. 한 세대 안에 그 땅의 교회의 헌법과 예배가 네 차례 개정되었다. 청교도들에게 더욱 성서적인 모델이라고 여겨지는 형태로 다섯번째 변화가 곧 일어나지 않을까? 그들은 흥분 속에서 기다릴 터였다. 이것이 일반적인 청교도들의 계획으로 지속되었다.

그러나 이러한 지연을 부당하다고 보는 사람들도 있었다. 그들은 그들이 생각하기에 성서적인 것을 당장에 실현하려고 하였다. 이들은 분리주의자들(separatists)로서 이들 중에 회중적인 정책의 지지자들이 나타났다. 1567년 7월 19일 런던 당국은 결혼식을 가장하여 예배에 모였던 분리주의적 회중 중 몇 명을 체포하여 투옥시켰다. 이들은 영국 국교회의 체제 안에서는 더 이상 자유로운 하나님의 말씀을 따를 수 없다고 판단하고 피츠(Richard Fitz)를 목사로 하여 자신들의 교역자들을 선출했다. 이 "배관공의 홀"(Plumber's Hall) 집단 이외에도, 다른 비타협주의(nonconformist) 단체들이 있었다. 그러나 초기 청교도의 분리주의적 행위들은 도피적이고 잠정적인 성격을 띠었다.

영국에서 최초의 실제적인 탁월한 분리주의적 견해의 주창자는 로버트 브라운(Robert Browne, 1550?-1633)이었다. 그는 카트라이트가 잠깐 교수직에 있으면서 고통받던 시절에 케임브리지에서 수학 중이었고 1572년에 졸업하였다. 처음에는 진보적인 장로교적 청교도였던 그는 1580년 경 분리주의적 원리들을 수용하게 되었고, 그의 친구 로버트 해리슨(Robert Harrison)과 함께 1581년 노르위치(Norwich)에 독립회중교회(an independent gathered congregation)를 설립하였다.

그는 설교로 인해 몇 번 감옥에 가야했다. 그와 그의 회중은 네덜란드의 미델부르그(Middelburg)에서 피난처를 찾았다. 여기서 브라운은 1582년 세 개의 소논문을 담고 있는 상당한 부피의 책자를 발간했다. 그 중 하나는 영국 교회 내에 머무르려고 하는 청교도들에게 쓴 것인데 그 제목이 그 요지를 담고 있다. 그 제목은 「어떤 것을 위해서도 늑장을 부리지 않는 종교개혁에 관한 논문, 정부 관리가 명령하고 강요하기 전까지는 개혁하려고 하지 않는 설교자들의 사악함에 관한 논문」(*A Treatise of Reformation without Tarying for anie, and of the Wickednesse of those Preachers which will not reforme … till the Migistrate commaunde and compell them*)이었다. 또 다른 것은 「모든 진정한 그리스도인의 삶과 태도를 보여주는 책」(*A Booke which sheweth the Life and Manners of all true Christians*)인데, 진정한 교회는 자발적으로 모여든 신자들로 구성된다고 했다. 브라운에 의하면, 유일한 교회는 그리스도 안에 있는, 즉 자발적인 계약에 의하여 그리스도와 함께 또한 상호간에 연합된, 경험할 수 있는 신자들의 지역적인 단체이다. 그러한 교회는 그리스도를 직접적인 머리로 하여 그리스도가 임명한 교역자와 법에 의하여 다스려진다. 각 교회는 자치적으로 신약 성서가 지정한 대로 목사, 교사, 장로, 집사 및 과부들을 선출한다. 그러나 각 회원은 전체의 복지를 위한 책임을 진다. 어떤 교회도 다른 교회에 대한 권위를 갖지 않는다. 그러나 각 교회는 다른 교회에 대하여 형제의 도움을 주어야 한다.

브라운의 회중교회적 접근은 어떤 점에서는 재세례파의 견해와 비슷하다(VI:4 참조). 그러나 영국은 다음 세기까지는 어떠한 조직적 재세례파도 없었다. 브라운은 의식적으로 재세례파의 영향에 대해 언급하지 않았고, 유아 세례를 부인하지도 않았다. 영국의 분리주의는 주로 청교도 운동에서 발생했다. 브라운은 아주 오랫동안 분리주의의 기수가 되지는 않았다. 그가 홀랜드에서 체류한 기간도 짧았다. 그의 교회는 소란스러웠고 스코틀랜드에서 일정 기간을 보낸후 영국으로 돌아왔다. 귀국한 후 그는 최소한 외면적으로는 1585년 10월 제도 교회에 순응했고, 1591년에서 1633년까지 긴 여생을 목회직을 수행하면서 보냈다.

그 동안 그린달이 주교직에 있는 동안, 제도 교회 안에 남아 있던 많은 청교도 목사들이 전체적으로든 부분적으로든 기도서 사용을 중단했다. "거룩한 규율"(Holy Discipline)의 확립이 강조되었고, 트래버스는 청교도 관행을 위한 안내서로서 이 주제에 관한 두번째 작품을 준비했다. 그러다가 1582년부터 1604년까지 휘트기프트가 그린달을 계승하여 캔터베리 대주교가 되었다. 휘트기프트는 신학적으로 칼빈주의자였는데, 규율 면에 있어서는 철저한 사람(martinet)이었고, 이 점에서 그는 청교도 운동에 대해 무조건 적대적이었던 여왕의 전폭적인 지지를 얻었다. 그는 즉각적으로 기도서의 승인과 사용을 요구하고, 성직 의상을 규정하고, 모든 사적인 종교 모임들을 금지하는 조항을 발표하였다.[3]

이로부터 청교도들에게 견디기 힘든 탄압이 시작되었다. 이 적대감은 주교들을 풍자한 비밀 출판물에 의해 한층 더 악화되었다. 이것은 거칠고 편파적이었지만 극단적인 재치와 과장이 넘쳤고, 청교도측에서 작성된 것이 분명했지만, 청교도들은 대체로 이것을 싫어했다. 1588년에서 1589년 사이 마틴 마프레리트 책자(Martin Marprelate Tracts)란 이름으로 출판되었으나 그 저자는 충분히 밝혀지지 않았다. 혹자들은 웨일스의 팜플렛 업자인 펜리(John Penry, 1559-1593)를 의심했으나, 청교도 평신도인 트록모튼(Job Throckmorton, 1545-1601)일 가능성도 높다.

청교도와 분리주의자들이 그들의 체제가 신적 성격을 가지고 있다고 주장하자, 이제 반대 세력인 국교도 지도자들은 급속도로 태도를 변화시키기 시작했다. 휘트기프트의 후계로 대주교에 취임하게 될 밴크로프트(Richard Bancroft, 1544-1610)는 1589년 런던의 바울의 십자가 교회(Paul's Cross)에서 행한 자신의 설교에서 청교도를 비난했을 뿐만 아니라 감독제가 신적인 법에 기초한(*jure divino*) 것이라고 주장하였다.

영국에 정착한 왈룬인(Walloon) 신학자 사라비아(Adrian Saravia, 1531-1613)는 다음 해 역시 똑같은 견해를 주장하였고, 곧 이어서 윈체스터의 주교가 될 빌슨(Thomas Bilson, 1547-1616)도 1593년에 「그리스도 교회의 영원한 정치 구조」(*Perpetual Government of Chrit's Church*)에서 동일한 주장을 했다. 후커(Richard Hooker, 1547-1616)는 1594년판과 1597년판 「교회 정치의 법」(*Laws of Ecclesiastical Polity*)에서 그보다 덜 과격한 견해를 표명했다. 그는 감독제가 성경에 기초하고 있다고 믿었으나, 감독제의 본질적인 합리성 때문에 청교도의 극단적 성서주의에 반대하여 감독제를 선호한다고 하였다. 고교회(high-church)의 기초가 놓여진 것이다.

청교도주의와 분리주의자를 박해하는 데는 고등위원회(High Commission) 법정의 힘이 컸다. 이것은 헨리 8세 시대부터 일반 법 소송에 얽매이지 아니하면서 심문하고 판결할 수 있도록 임명된 위원들(commissions)을 통하여 왕이 교회 사건이나 인물들을 통제하는 편리한 도구였다. 위원회의 체계는 점진적으로 형성되었다. 엘리자베스는 더 발전시켜서 더욱 영속적으로 만들었다. 그러나 그것이 교회의 위원회로서 아주 효율적으로 된 것은 1587년 밴크로프트가 그 일원이 되면서부터였다. 1592년에는 그 권한이 정점에 달하였다. 피고에 대하여 죄를 추정하는 것이 가능했고, 증거에 대하여 본질적 규정이 없었다. 그것은 영국 어디서나 심문하고 투옥할 수 있었고, 감독의 권위의 오른팔이 되었다.

분리주의는 브라운이 영국 교회로 귀의한 후 쇠퇴하였으나, 곧 다시 등장했다. 1587년 런던의 변호사 바로우(Henry Barrow, 1550?-1593)와 성직자 그린우드(John Greenwood, ?-1593)는 런던에서 분리주의 집회를 인도한 혐의로 체포되었다. 그들은 감옥으로부터 원고를 밀반출시켜 홀란드에서 출판되게 하였다. 이것은 국교도와 청교도를 동시에 공격하면서 브라운의 원리보다 더 급진적인 엄격한 분리주의적인 원리들을 천명하였다. 청교도 목사였던 존슨(Francis Johnson, 1562-1618)을 비롯하여 많은 사람들이 설복당했다.

1592년 한 분리주의 회중교회가 존슨을 목사로, 그린우드를 교사로 하여 공식적으로 런던에 조직되었다. 이듬 해 4월 6일 바로우와 그린우드는 교회 문제에서 여왕의 수위권을 거부함으로써 교수형에 처해졌다. 같은 해 의회는 교회에 대한 여왕의 권위에 도전하고, 교회 출석을 거부하고, 합법적인 예배 이외의 다른 예배를 사용하는 특별집회(conventicle)에 참석하는 자들에게 추방을 선포하는 법령을 통과시켰다.[4]

이것으로 인해 런던의 회중교회는 대부분 암스테르담으로 피난하였다. 존슨은 감옥에서 풀려난 후 이 곳에서 그들의 목사로 일하였고, 에인스워스(Henry Ainsworth, 1571-1623)는 그들의 교사가 되었다.

엘리자베스의 통치 말년에 유력한 칼빈주의의 반격이 시작되었다. 1595년 케임브리지에서 논쟁이 벌어졌는데, 여기에서 바로(Peter Baro, 1534-1599)는 아르미니우스의 자유로운 교리들을 지지하였다. 이 토론으로 인해 휘트기프트의 후원 아래 강력한 칼빈주의적인 램버드 신조(Lambeth Articles)[5]가 출판되었다. 그러나 칼빈주의를 비판하는 경향이 다시 강화되기 시작했고, 성공회는 점점 더 청교도들을 전적으로 반대하게 되었다.

엘리자베스의 오랜 통치는 1603년 3월 24일 막을 내렸고 스코틀랜드의 여왕 메리의 아들인 제임스 1세(1603-1625)가 그 뒤를 계승했다. 그는 이미 1567년 이래 제임스 6세로서 스코틀랜드를 다스리고 있었다. 영국의 모든 종교적 파벌들은 그의 등극을 희망 가운데 응시하고 있었다. 가톨릭 교도들은 그의 태생 때문에, 장로교계 청교도들은 그의 교육에 근거하여, 국교도들은 그의 신적 권한에 대한 고교회파적 개념과 장로교식 치리에 대한 적대감에 의해 기대감을 가졌다.

스코틀랜드의 왕권 유지를 위한 투쟁 기간 동안 제임스 1세의 장로교적 치리에 대한 적대감은 굳어졌다. 국교도만이 왕의 마음을 바로 읽었다. 그는 "주교 없이는 왕도 없다"(No bishop, no king.)는 표현을 좋아했다. 그는 주장이나 행동에 있어서 엘리자베스와 마찬가지로 독단적이지 않았다. 그러나 영국은 미움받고 품위없고 대표성이 없는 주권자에게서 분개하였던 많은 것을 이 인기있고 존경받는 통치자로부터 감수해야 했을 것이다.

제임스 1세는 1603년 4월 런던으로 가는 도중 일천 명 청원서(Millenary Petition)[6]를 받았다. 이것은 천 명 이상의 영국인들을 대표한다고 공언하고 있기 때문에 붙여진 것인데, 아무런 서명도 첨부되지 않았다. 이것은 청교도의 소원을 담은 매우 온건한 성명서였다. 그 결과 1604년 1월 햄프턴 궁정(Hampton Court)에서 주교와 청교도 사이의 연석 회의가 왕의 임석하에 열렸다. 왕 자신 이외에 주도적인 성공회 논쟁가는 당시 주교였던 밴크로프트였다. 청교도들이 바랐던 중요한 변화는 아무 것도 실현되지 않았고, 단지 새로운 성서 번역으로 1611년판 흠정역(King James Version)이 나왔다.

그들은 순응하라는 명령을 받았다. 국교회의 승리 후, 주교 회의는 청교도들이 반대하던 많은 선언들과 관행들을 교회법으로 격상시키는 일련의 법들을 법제화하고 왕의 승인을 받았다. 이 일의 정신적 지도자는 밴크로프트였는데, 곧 휘트기프트를 계승하여 캔터베리 대주교가 될 사람이었다. 청교도들은 이제 초긴장 상태였다. 그러나 밴크로프트는 이전의 선언이나 행위에 비하면 행정 면에 있어서 보다 신중했다. 상대적으로 적은 수의 목사들만이 면직되었다. 국교회는 또한 성직자의 교육과 열정에 있어서 점진적으로 개선함으로써 힘을 얻었다. 휘트기프트와 밴크로프트는 이것을 위해 많은 일을 했고, 1605년 치체스터(Chichester)의 주교가 된, 박식하고 경건한 웅변가 랜스롯 앤드류스(Lancelot Andrews, 1555-1626)는 이 일의 모범적 인물이었다.

대주교 밴크로프트의 후임은 단호한 칼빈주의자 조지 애버트(George Abbot, 1611-1633)였다. 그는 성직자 단으로부터 인기를 얻지 못했고, 감독직의 후반에 이르러 실제 불명예를 겪었다. 국교도들이 느끼기에 더 이상 휘트기프트나 밴크로프트 같은 강력한 인물들이 없었다. 이러한 상황에서 청교도주의 뿐만 아니라 분리주의도 결정적인 진전을 보았다.

분리주의 운동 중 끝까지 널리 영향을 미친 것은 제임스 1세 통치 초기에 시작된 것이었다. 제도 교회의 성직자 스미드(John Smyth, 1570?-1612)가 분리주의적 원리들을 채택하고 게인스버러(Gainsborough)에 있는 회중교회의 목사가 되었다. 곧 인접 시골 지역에서 지지자들이 모여, 두번째 회중교회가 스크루비(Scrooby)에서 브루스터(William Brewster, 1566?-1644)의 집에서 회합했다. 브래드포드(William Bradford)는 이 스크루비 모임의 젊은 회원이었다.

여기서 유식하고 온화한 성격의 존 로빈슨(John Robinson, 1575?-1624)이 지도자로 활약하였는데, 그는 스미드와 마찬가지로 전직 국교회 성직자였고, 분리주의를 유일한 논리적 대안으로 믿었다. 그들에게 강한 박해가 가해지자, 스미드가 이끄는 게인스버러의 회중교회 회원들은 암스테르담으로 망명하였는데, 1608년으로 추정된다. 스크루비 회중교회는 로빈슨과 브루스터의 지도력 아래 역시 같은 길을 택하여 홀란드로 갔고, 결국 1609년 라이덴에 정착했다.

암스테르담에서 스미드는 프란시스 존슨과 논쟁을 벌였고, 자신의 신약 연구에 기초하여 교인들을 교회의 교제로 받아들이는 사도적 방법은 하나님을 향한 회개의 고백과 예수 그리스도에 대한 신앙에 근거한 세례에 의한 것임을 확신하였다. 그래서 1608년 혹은 1609년에 그는 그 자신과 교회의 다른 지체들에게 물을 쏟아서 세례를 베풀었다. 비록 홀란드 땅에서이긴 하지만 최초의 영국 침례교회가 생겨난 것이다. 스미드는 또한 아르미니우스주의자가 되어 그리스도는 택한 자 뿐만 아니라 모든 인류를 위해서 죽으셨다고 믿었다. 그는 새로운 강조점으로 인해 제세례파 입장에 근접했고, 그의 회중의 일부는 결국 홀란드의 메노나이트들과 제휴하였다. 비록 스미드 자신은 영국으로의 귀국이 완수되기 전 1612년에 결핵으로 죽었지만 말이다. 그러나 남은 회중은 헬위스(Thomas Helwys, 1550?-1616?)와 머튼(John Murton, ?-1625?)의 지도 아래 영국 침례교회의 입장을 고수했다. 그들은 1611 혹은 1612년에 영국으로 귀국했고, 영국 땅에 최초의 영속적인 침례교 회중교회가 되었다. 아르미니우스적 견해를 가진 그들은 "일반 침례교"(General Baptists)로 알려졌다. 그들은 종교적 관용을 열정적으로 옹호했다.

이 기간 동안 한때 라이덴의 로빈슨 회중교회의 한 일원이었던 제이콥(Henry Jacob, 1563-1624), 홀란드로 망명한 저명한 신학자 에임스(William Ames, 1576-1633), 주도적 청교도 작가 브래드쇼(William Bradshaw, 1571-1618) 등에 의해 새로운 청교도 입장이 형성되었다. 이들은 독립적, 비분리주의적 혹은 회중교회적 입장을 표방했고, 여기서 현대의 회중교회주의(congregationalism)가 직접 유래했다. 영국 국교회에서 분리하지 않은채, 그들은 제도화된 회중교회적 교회들의 범국가적 체제를 이루려고 노력했다. 제이콥은 1616년 사우스워크(Southwark)에서 한 교회를 설립했고, 이것은 최초로 회중교회주의 교회(congregational church)로 존속되었다.

그러나 1630년대에 제이콥의 교회에서 갈라진 일부 그룹은 신자의 세례가 성경적 규범이라고 확신하게 되었다. 제이콥의 회중교회와 분리된 이들은 영국에서 제 2의 침례교 노선을 시작하였다. 이들은 특수 혹은 칼빈주의적 침례교(Particular or Calvinistic Baptists)라고 불렀는데, 그 이유는 피택자에게 국한된 특수 혹은 제한 속죄를 믿었기 때문이다. 아마도 1641년 그들은 침례(immersion)를 세례의 정당한 형태로 받아들였고, 그 때부터 이것이 영국의 모든 침례교에 퍼져나갔다.

라이덴 회중교회의 역사에서 중요한 사건은 보다 활동력 있는 소수의 사람들을 아메리카로 파송할 것을 결정한 것이다. 제이콥과 에임스에 의해 비분리주의적 회중교회의 입장에 거의 설복당할 뻔했던 로빈슨은 주저하면서 다수파에 잔류하였다. 1620년 많은 지리한 협상 끝에 "순례자들"(Pilgrim Fathers)들은 장로 윌리엄 브루스터의 영적인 지도 아래 메이플라워(Mayflower)호를 타고 대서양을 횡단했다. 12월 21일 그들은 플리머스(Plymouth) 식민지의 기초를 놓았으며, 윌리엄 브래드포드는 곧 현명하고 헌신적인 총독(governor)이 되었다. 그리하여 회중교회주의가 뉴 잉글랜드(New England)에 처음 이식될 때, 비분리주의적 흐름과 분리주의적 흐름이 함께 유입되었던 것이다.

그러는 동안 애버트(Abbot)의 침체된 행정 치하에서 청교도주의는 옛 "예언"(prophesyings)의 후신인 "가르치는 직무"(lectureships)를 발전시키고 있었다. 교회의 법적 목사가 적대적이거나 설교를 하지 않으려거나 설교할 수 없는 교구에서, 청교도들은 강한 청교도 경향을 가진 오후 설교자들(afternoon preachers)을 위해 재정을 뒷바침했다. 이것은 규정된 방식으로는 성례를 양심적으로 집행할 수 없는 설교자들로 하여금 그들의 메시지를 선포할 수 있게 해준, 효력이 입증된 청교도들의 방책이었다.

청교도주의는 항상 주일 성수를 강조했는데, 그 안식일주의적 경향은 1595년 바운드(Nicholas Bownde, ?-1673)가 「안식일 교리」(*Donctrine of the Sabbath*)를 출판함으로써 증대되었다. 이것은 엄격한 유대적 특성으로 제 4계명의 영속성을 주장하였다. 따라서 1618년 제임스 1세가 유명한 「오락서」(*Book of Sports*)를 발행하여, 옛날 유행하던 오락과 댄스로 일요일을 보내라고 추천하자, 청교도들은 대주교 애버트와 함께 크게 분노하였다. 청교도들은 이것을 하나님의 뜻에 불복하라는 왕명으로 보았다.

정치적 이유들로 인해 청교도주의는 더욱 성장하였다. 국회를 왕이 독단적으로 취급한 것, 왕이 30년 전쟁의 개막 전투에서 억압받는 독일 개신교도들을 효과적으로 지원하지 못한 것, 무엇보다도 왕이 자기 후계자와 스페인 공주의 결혼을 주선하다 실패한 것 등으로 인하여 백성은 점점 더 분노하게 되었고, 하원은 점점 더 청교도주의와 정치적 공감대를 갖게 되었다. 이것은 국교도들이 거의 왕의 정책과 동일시되었기에 더욱 그러하였다. 1625년 그의 통치가 끝났을 때, 전망은 어두웠다.

제임스의 정책으로 인해 북쪽 왕국도 불평 불만으로 들끓었다. 제임스의 유년기 동안 섭정 머튼(Morton)은 교회 토지를 획득하기 위해 1572년 명목상으로 감독제를 지속시켰다. 그래서 스코틀랜드에는 명분상 주교들이 있었다. 그들의 권력은 미약했다. 1581년 멜빌(Andrew Melville)의 지도 아래 총회(General Assembly)는 장로회(presbytery)에 교회 법정의 권위를 충분하게 부여했으며, 장로교 성향의 「제2 권징서」(*Second Book of Discipline*)를 비준했다. 제임스는 반대했지만, 왕과 스코틀랜드 의회는 1592년 이 장로교적 체계를 합법적인 것으로 인정할 수 밖에 없었다.

그러나 제임스는 대체로 자치적인 장로교주의 대신 왕권으로 통제된 감독제를 확립하기로 작정했다. 그는 명목상의 주교들을 지배하고 있었다. 1597년 그는 자신만이 총회를 소집할 권한을 갖는다고 주장할 수 있을 만큼 강력하였다. 그리고 점점 더 장로교주의를 침식해 들어갔다. 멜빌과 다른 지도자들은 추방되었다. 1610년 왕권이 강력하게 신장되었다. 제임스는 영국과 비슷하게 스코틀랜드에서 교회 소송을 위해 두개의 고등위원회 법원(high commission court)을 설치하였다. 그 수반은 각각 대주교였다. 그리고 그는 영국의 주교를 통해 감독직을 봉헌받았고, 이제껏 비정상적이었던 스코틀랜드의 감독제에 사도적 계승을 확보해 주었다.

1612년 혼합 의회(packed Parliament)는 주교들에게 완전한 교구 관할권을 부여함으로써 절차를 마무리했다. 이 때까지 예배에는 아무 변화도 없었다. 그러나 9년 후 왕은 총회를 협박하고 의회를 동원하여 성만찬에서 무릎 꿇을 것, 주교의 손에 의한 견신례, 큰 교회 축일의 준수, 사적인 성만찬, 사적인 세례 등의 조항을 강요하였다. 제임스 사후 스코틀랜드는 종교적 불만으로 비등했다.

제임스는 영국과 스코틀랜드에서 찰스 1세(1625-1649)에 의해 계승되었다. 그는 부친보다 더 인격적인 위엄을 지녔고 순수한 가정 생활과 진지한 종교를 향유했다. 그는 제임스만큼 왕권신수설로 스스로를 높였고, 행동에서 전제적이었으며, 대중적 정서의 동향을 이해할 역량은 없었다. 그는 또한 쉽사리 이중거래와 부정직의 혐의에 노출되는 약점을 보였다. 처음부터 그는 당대의 가장 특출난 인물 중의 하나인 로드(William Laud, 1573-1645)의 사귐과 지지를 받았다.

제임스 치하에서 로드는 젊은 국교도의 지도자였다. 그는 칼빈주의에 대해 열정적으로 대적했고, 일찍이 1604년에 "주교 없이는 진정한 교회가 있을 수 없다"는 주장을 폈다. 1622년 예수회 회원 피셔와의 대결에서 그는 로마 교회가 하나님의 진정한 교회이며 보편적인 공교회(Catholic church universal)의 한 갈래라고 하면서, 영국 국교회가 이 공교회의 가장 순수한 부분이라고 주장했다. 많은 점에 있어서 그는 후의 앵글로-가톨릭(Anglo-Catholic) 전통의 선구자였다. 그러나 당시에는 그러한 견해가 신기한 것이었고, 청교도들과 로마 당국은 모두 내심 그가 로마 가톨릭 신자라고 믿었다. 그는 두 차례 추기경 자리를 제의받았다. 그러나 그를 그렇게 분류하는 것은 그의 진정한 입장을 공정하게 다루지 못하는 것이다.

로드는 의식과 의상 그리고 예배에 있어서 일치를 꾀했다. 그는 근면하고 양심적이었으나 거친 말과 오만한 태도 때문에 많은 정적을 만들었다. 로드는 청교도들이 증오하는 모든 것들의 상징처럼 되었다. 그는 무정하였으나 본심은 랜스롯 앤드류스(Lancelot Andrews) 유형의 진정한 경건을 소유하고 있었다. 비록 매력적인 것은 아니었지만 말이다. 1628년 찰스는 로드를 런던의 청교도가 강한 교구의 주교로 임명하였다. 그리고 1628년에는 캔터베리의 대주교로 임명하였다. 그는 1628년에 버킹검의 공작(Duke of Buckingham)이 살해된 후에는 어느 모로 보나 정치적인 문제에서도 찰스의 주요한 자문관이었다.

하원의 중추 세력인 시골 출신의 향신층(country gentry)은 강렬한 칼빈주의자들이었다. 그래서 그들은 의회의 동의없이 자의적으로 부과하는 과세에 대해 정치적 분노를 터뜨리려 하였다. 찰스는 곧 두가지 실정으로 인기를 상실했다. 로드의 안내로 찰스는 아르미니우스파를 교회 고위직에 기용했다. 1628년 그는 칼빈주의적 토론을 방지하고자 39개 신조 서두에 아무도 어떤 항목에 대해서도 "자기의 의미를 첨가"하지 못하며 그것을 "문자적이며 문법적인 의미로만 받아들여야 한다"[7]고 발표했다. 의회는 이러한 행위에 분노했다.[8] 찰스는 또한 강제 세금 징수에까지 손을 뻗쳤고, 납세 거부자는 투옥되었다.

궁정 목사 맨워링(Roger Manwaring, 1590-1633)은 왕은 하나님의 대리자로 통치하고 있기 때문에 왕이 부과한 세금을 거부하는 자는 저주의 위험에 처하게 된다고 주장했다. 1628년 의회는 맨워링을 벌금형과 구금에 처할 것을 판결했으나, 찰스는 그를 사면하고 주교로 승진시켰다. 종교 문제 뿐만 아니라 세금 문제에 있어서도 근거를 밝히지 않은 채 투옥할 권리가 왕에게 있는가라는 의구심으로 인해 왕과 의회의 관계가 악화되었다. 1629년 의회를 해산시킨 후, 왕은 의회의 도움없이 통치하기로 결정하였다. 의회는 1640년까지 개최되지 않았다. 국교도가 왕의 자의적인 정책을 자신들과 동일시한 것은 그들의 큰 약점이었다.

로드는 왕의 지지를 등에 업고 강력한 수단으로 타협을 강요했다. 청교도 설교자들은 침묵해야만 하였다. 「오락서」가 재배부되었다. 이런 상황에서 많은 청교도들은 종교적, 정치적 전망이 어두워 절망하기 시작하였다. 그들은 플리머스 식민지 건설자들이 했던 것처럼 아메리카 이주를 계획했다. 그들은 모든 사람을 위한 자유를 찾아 간 것이 아니라 오히려 그들이 성경을 따라 믿는 바대로 선포하고 조직할 수 있는 자유를 찾아나섰다. 1628년 매사추세츠 이민이 시작되었다. 1629년 매사추세츠를 위한 왕의 허가장(royal charter)이 확보되었고 살렘에 교회가 생겼다. 1630년 윈스롭(John Winthrop, 1588-1649)의 지도 아래 많은 이주민들이 도착했다. 곧 거기서 매사추세츠 만 주위에 강력한 교회들이 생겼다.

그 목회 지도자들 중에는 보스턴의 코튼(John Cotton, 1584-1652), 도르체스터의 매더(Richard Mather, 1596-1669) 등이 가장 두드러졌다. 1636년 코네티컷 식민지가 건설되었고, 하트포드에 있는 후커(Thomas Hooker, 1586-1647)가 그 대표 목사(chief minister)였다. 뉴 헤이번 식민지는 데이븐포트(John Davenport, 1597-1670)의 영적 인도 아래 1638년에 세워졌다. 이 사람들은 영국 제도권 내의 성직자들이었다. 그들은 분리주의를 결코 좋아하지 않았다.

그러나 그들은 철두철미한 청교도들이어서 성서를 교회 조직의 유일한 법으로 보았다. 그들은 성서가 회중교회적인 정책을 가르치고 있다고 확실히 믿었다. 그들은 뉴잉글랜드에서 비분리주의적 회중교회주의자들이 옛 영국 땅에서 행하고자 했던 바를 실행할 수 있었다. 국가의 법 아래 그들의 회중교회적 체제를 유일한 제도 교회로 세울 수 있었던 것이다. 1640년 뉴잉글랜드의 청교도 물결은 충일하였고, 최소한 2만 명이 대서양을 건넜다.

찰스가 의회 없이 통치하던 기간은 영국이 상당한 번영하던 시기였다. 그러나 유명한 선박세와 같은 세금은 대개 불법이라고 믿어졌고, 강요된 종교적 일치는 불안을 고조시켰다. 그러나 폭풍은 스코틀랜드에서 터졌다. 제임스 1세는 장로교주의를 붕괴시킬 때, 주로 교회 토지를 귀족들에게 양도하고 그들의 지지를 확보함으로써 성공하였다. 찰스는 통치 초기에 무례하긴 하지만 정당하게 취소 행위를 통하여 이 토지의 회복을 명하여 스코틀랜드 교회에 지속적인 이득을 가져다 주었다. 비록 이 명령은 불완전하게 실행되어졌지만 말이다. 그러나 이로 인해 정치적으로는 교회 토지와 십일조 소유자들이 주로 불만에 찬 장로교인들 편으로 돌아서게 되었다. 이제는 제임스가 자신의 이익을 도모하여 조장했던 분열 대신에, 상대적으로 연합된 스코틀랜드가 존재하게 되었다.

제임스 1세가 미친 변화는 거대했지만 그는 감히 공중 예배는 대부분 바꾸지 않았다. 그러나 1637년 찰스는 로드의 자극을 받고, 아둔하게 일치를 갈망하여, 본질적으로 영국 국교회 풍의 예배의식을 도입하라고 명령했다. 7월 23일 에딘버러에서 그것을 시행하자 소요가 일어났다. 스코틀랜드는 저항의 불길로 타올랐다. 1638년 2월 참된 종교를 지키고자 하는 국민 언약(National Covenant)이 광범위한 서명을 받아 성취되었다. 12월에는 총회가 주교를 면직시키고 제임스와 찰스가 임명한 전 교직 구조를 거부했다. 이것은 반역이었다. 찰스는 이것을 진압하기 위해 군대를 일으켰다. 스코틀랜드의 태도가 하도 기세등등하여 1639년의 조약으로 일단 휴전시켰다. 그러나 1640년 찰스는 스코틀랜드인들을 항복시키기로 작정했다. 그는 다가오는 전쟁 비용을 충당하기 위해 결국 영국 의회를 소집할 수밖에 없었다. 그는 1640년 4월 의회를 소집했다. 옛날의 의회 정치와 종교 분야의 불만들이 동시에 터져나왔다. 찰스는 재빨리 이 '단기 의회'(Short Parliament)를 해산시켰다. 그러나 연이은 짧은 기간의 전쟁에서 스코틀랜드인들은 영국 침입에 성공하였다.

찰스는 조약이 완결될 때까지 스코틀랜드 군대의 작전 비용을 지불해야 했다. 물론 영국 의회는 다시 소집될 수밖에 없었다. 1640년 11월 '장기 의회(Long Parliament)'가 활동을 시작했다. 즉시 장로교계 청교도들이 다수를 차지했다. 로드는 감옥에 갇혔다. 1641년 7월 고등위원회는 폐지되었다. 1642년 1월 다섯 명의 하원 의원을 반역죄로 기소하여 체포하려던 왕의 시도 때문에 내전이 발발했다. 대개 북부와 서부는 왕을 지지했고 남부와 동부는 의회 편이었다.[9]

의회는 1643년 초 그 해 안으로 감독제를 폐지한다는 법령을 통과시켰다. 교회의 신조와 행정을 위해서 규정이 있어야 했다. 그래서 의회는 121명의 성직자와 30명의 평신도로 구성된 회의를 소집하여, 법제정의 권한을 장악한 의회에게 자문을 할 수 있도록 했다. 이렇게 소집된 웨스트민스터 회의(Westminster Assembly)는 몇몇 회중교회주의자와 감독제주의자를 포함하고 있었다. 그러나 압도적 다수는 장로교계 청교도이었다. 그 와중에 전쟁은 의회 측에 불리해졌다.

의회는 1643년 9월 스코틀랜드의 도움을 확보하기 위해 잉글랜드, 스코틀랜드, 아일랜드 내에서 종교 문제의 최대한의 일치를 약속하고, 감독제를 반대한다는 내용의 신성 동맹과 계약(Solemn League & Covenant)을 채택했다. 이것은 18세 이상의 모든 영국인들에게 부과되었다. 스코틀랜드인 위원들은 웨스트민스터 회의에서 투표권은 없었지만 강력한 영향력을 행사하였다. 총회는 1644년 의회에 예배 지침(Directory of Worship)과 전적인 장로교 교회 정치 체제를 제출했다. 이듬해 1월 의회는 기도서를 폐지하고 예배 지침으로 대체시켰다. 이것은 실질적으로 수 세대동안 보수적인 장로교측과 회중교회주의적 교회에서 사용되었던 예배 순서를 제시하고 있었다. 그것은 규정된 예배의식과 낡아빠진 기도 사이의 균형을 깨뜨렸다. 의회는 장로교 정치를 제도화하는 데 주저하였으나, 결국 1646년과 1647년에 부분적으로 그것을 명령했다.

그러나 그 일은 대단히 불완전하게 실행되었다. 1645년 1월 로드는 권리 박탈의 기소장으로 처형되었다. 이것은 분명히 보복적인 행위였다. 총회는 다음으로 그 유명한 신앙고백[10]을 준비하여 1646년 후반 의회에 제출했다. 이것은 1647년 8월 27일 스코틀랜드 총회에 의해 받아들여졌고, 이후 스코틀랜드와 미국 장로교의 기본적인 표준이 되었다. 영국 의회는 1648년 6월에야 승인을 허락했으나 몇 부분을 수정하였다. 1647년 회의는 두 개의 요리문답을 완성했다. 대요리문답은 설교 해석을 위한 것이고 소요리문답[11]은 우선 아동의 교육을 위한 것이었다. 이 둘은 영국 의회와 스코틀랜드 총회에 의해 1648년 승인되었다.

웨스트민스터 신앙고백(Westminster Confession)과 요리문답서 특히 소요리문답은 항상 칼빈주의의 가장 유명한 해설서로 분류되었다. 일반적으로 이것들은 익숙한 대륙의 유형을 답습했다. 하나님의 작정(decree)의 문제에 있어서 이들은 타락후예정설(infralapsarian)이었다(VI:5 참조). 주된 특색 중 하나는 "모든 인류의 뿌리"인 최초의 부모로부터 원죄를 도출시키는 익숙한 견해 외에도 "행위의 계약"(covenant of works)과 "은혜의 계약"(covenant of grace)을 강조한다는 것이다. 전자에서는 아담이 인류 종족의 대표이다. 하나님은 그에게 그의 후손들을 포함하는 분명한 약속들을 하셨다. 그리고 아담은 그의 후손의 대표로서 자신의 불순종에 의해서 자신을 위할 뿐만 아니라 그들을 위한 언약을 상실해버렸다. "행위의 계약"이 실패한고로 하나님은 그리스도를 통하여 새로운 "은혜의 계약"을 제공하셨다.

이 계약 신학(covenant, or federal theology)의 근원은 불링거(Bullinger)의 저작들 속에서 발견할 수 있다(VI:3 참조). 그러나 그 완전한 해석은 프라네커(Franeker)와 라이덴의 신학 교수 코케이우스(Johannes Coceius, 1603-1669)의 작품 속에서 나타날 것이었다. 그것은 죄를 인간 자신의 행위로 분명히 설명하고자 하며 인간의 파멸에 대한 인간의 실제적인 책임을 나타내려 하였다. 이러한 신조의 또 다른 특성은 이 교리의 청교도적 발전에 상응하여 안식일을 강조한 것이다.

이러한 신학적, 교회적 토론들이 진행되고 있는 동안 내란은 그 초기 단계를 넘어서고 있었다. 1644년 7월 3일 왕의 군대는 요크 근처 마스턴 모어(Marston Moor)에서 패배했는데, 주로 적은 전투 경력을 보유한 의회 의원 올리버 크롬웰(Oliver Cromwell, 1599-1658)의 전술에 의한 것이었다. 그는 능력을 다 동원하여 "신앙의 용사들"(religious men)로 구성된 엄선된 군대 병력을 조련시켰다. 1년이 채 못되어 1645년 6월 14일 크롬웰은 네이즈비(Naseby) 근처에서 왕의 최후의 야전 부대를 대파하였다. 이듬 해 찰스는 스코틀랜드에 투항했다.

스코틀랜드는 곧 그를 영국 의회에 인도했다. 크롬웰에 의해 창안된 "신형" 군대는 종교적 열광주의자들의 집단이었다. 그 안에는 신조의 세세한 구분은 문제가 되지 않았다. 로마와 "감독제"를 반대하기만 하면 모든 계열의 청교도들은 환영을 받았다. 독립파들(Independents)이 압도적인 그룹으로 나타났다. 침례교와 종파주의자들(sectaries)도 더욱 더 분명한 세력으로 나타났다. 그러나 의회 다수파의 장로교 엄격파는 이전의 주교들의 통치와 마찬가지로 군대에게 혐오의 대상이 되었다. 크롬웰은 이 느낌을 충분히 공유하였다. 군대는 곧 광범위한 신앙의 관용을 요구하였다. 청교도주의는 성서와 경험에 호소하였고, 이제 영적 순례의 길 위에 있는 사람들은 ― 그들 중 많은 이가 군대에 있었다 ― 그들의 확신을 따를 수 있는 자유를 요구하였다.

군대의 이러한 태도는 의회가 허락한 장로교주의의 완전한 제도화를 방해했다. 이것은 스코틀랜드인들을 불쾌하게 만들었다. 찰스는 이 상황을 이용하여 스코틀랜드와 내통하여 장로교주의를 지지하겠다고 하고 스코틀랜드 군대의 영국 침입을 유도했다. 1648년 8월 17일과 20일 사이 스코틀랜드 군대는 침입해 왔으나 박살났다. 이 승리로 인해 군대는 영국에서 최고 세력이 되었다.

12월 6일 "교만의 숙청"(Pride's Purge)은 의회에서 장로교 회원들을 내쫓고 "잔여 의회"(Rump Parliament)를 남겨 놓았다. 그리고 나서 찰스 1세는 재판에 회부되어 반역과 배반의 죄목으로 유죄 판결을 받았다. 그는 1649년 스스로 위엄을 갖추고서 참수당했다. 크롬웰은 다음 1649년 아일랜드를 정복했고 그 다음 해에

스코틀랜드를 진압하였다. 1651년에 우스터(Worcester) 근처에서 나중에 찰스 2세(1660-1685)가 될 찰스 1세의 아들을 격퇴시켰다. 모든 지역의 반대 세력이 진압되었다.

크롬웰은 비록 전적으로 특정 계통의 청교도로 파악되지는 않아도 독립파의 경향을 띠고 있었다. 그의 호국경 통치 아래에서 광범위한 종교의 자유가 허용되었다.[12] 온건한 감독제적 청교도, 장로교주의자, 독립파, 약간의 침례교도들은 광범위한 제도권 내로 포함되었다. 그러나 전쟁이 시작된 이래 약 2,000명의 감독제주의 성직자들이 파면되고 큰 고난을 당했다. 그럼에도 불구하고 초기나 후기의 변화와 마찬가지로 대다수의 성직자들은 방해를 받지 않았거나, 새로운 사태의 상황에 적응하였다. 크롬웰은 유능하고 양심적이며 정치가다운 면모가 있긴 하였지만, 그의 통치는 군사적 권위로 가득찼고, 그 자체로서 환영받지 못했다. 반면에 경쟁하는 종교 집단들 사이의 자잔한 논쟁들은 아직까지는 하나의 제도화된 신앙 형태밖에 생각할 줄 모르는 대다수 영국 백성들에게는 똑같이 거슬리는 것이었다. 크롬웰이 모든 불평을 잠재울 수 있던 것은 그가 1658년 9월 3일 죽기 전까지만 가능했다.

올리버 크롬웰의 뒤를 이어 그의 아들이 호국경이 되었다. 그러나 새 통치자는 무력하여 실제적인 무정부 상태를 초래했다. 이제는 왕당파와 장로교파가 왕정을 복고하기 위하여 연합하였다. 1660년 4월 14일 브레다(Breda)에서 찰스 2세는 "원만한 양심의 자유"를 선언했다.[13] 그리고 5월 29일 런던에 입성했다. 그러나 장로교인들이 새로운 종교적 해결에 포함되리라고 기대하였다면 그들은 쓰라린 실망을 겪어야 했다.

찰스 2세는 국교회 내에서 장로교인들을 포용하려고 의도하였다. 레이놀즈(Edward Reynolds, 1599-1676)는 결정적인 청교도로서 노르위치의 주교가 되었다. 장로교측의 가장 유명한 사람 중의 하나인, 경건한 리처드 백스터(Richard Baxter, 1615-1691)는 주교좌를 제의받았으나 정중히 거절했다. 1661년 사보이 궁에서 정부 당국에 의해 주교들과 장로교도들의 회의가 개최되었다.[14]

그러나 결과는 미약했다. 찰스 2세는 사려깊지 못하였고 부도덕하며 허약하고 종교에 무관심했다. 그의 약속은 거의 신뢰할 수 없었다. 그러나 비록 그가 더 훌륭하고 더 강한 인물이었다고 하더라도, 그가 청교도주의에 대한 민족적인 반격의 흐름을 저지했을지는 의심스럽다. 그가 복권한 후에 열린 첫번째 의회는 지독히 왕당파적이고 국교회적이었다. 1661년 캔터베리와 요크에서 주교 회의가 개최되었고 기도서를 600여 군데나 개정하였으나 어느 것도 청교도적 성향은 없었다.

1662년 5월 새로운 통일령(Act of Uniformity)이 왕의 동의를 얻었다. 개정된 기도서에 기재된 것과 다른 예배 형식을 사용하면 과중한 벌금을 내야 했다. 모든 성직자는 8월 24일 이전까지 이 "통일령 안에 실려있고 규정된 모든 것들에 대하여 거짓없이 동의하고 찬성하는" 맹세를 하도록 요구되었다. 그리고 "어떠한 구실로도 왕을 대적하여 무기를 드는 것은 불법이라"는 맹세도 요구되었다.[15]

이러한 조항들은 청교도들을 교회에서 밀어내었고, 그 자체로서 영향력이 있었다. 약 1,800명의 목사들이 규정된 맹세를 하지 않고, 자기들의 직위를 버렸다. 청교도측은 이제 이전과 달리 영국 국교회 밖에 자리잡았다. 비타협(nonconformity)은 비국교도(Dissent)가 되게 했다. 장로교인과 독립파들은 제도권 밖으로 밀려났다. 후자는 이제 회중교회 노선을 따라서 조직되었다. 약간은 복구된 왕정에 대하여 반역을 일으킬까 하는 두려움 때문에 더 엄격한 법령들이 제정되었다.

제1 비밀집회법(First Conventicle Act, 1664)에 의해서 기도서와 일치하지 않는 예배에 같은 가족 식구가 아닌 다섯 이상의 사람들이 참석하는 경우에는 벌금, 감금, 추방 등의 형벌이 가해지게 되었다. 이듬 해 "5 마일 법"(Five Mile Act)에 의하면, "거룩한 질서 또는 외양만의 거룩한 질서 안"에 있는 사람, "비밀집회"에서 설교하는 사람, 왕에 대항하는 무장 저항을 저주하는 맹세와 "교회나 국가의 통치에서 개정"의 어떤 시도도 하지 않겠다는 맹세를 하지 아니한 사람은 누구를 막론하고 결코 도시 공동체 5마일 이내에서 살수 없고, 또 그의 이전에 목회지 5마일 이내의 지역에서 살 수 없었다.[16]

그러한 사람들은 또한 대개 해직된 목사에게 기꺼이 개방되어 있던 유일한 직종인 학교에서 가르치는 것이 금지되었다. 소위 클라렌던 법전(Clarendon Code)이라고 불리는 이러저러한 법령들은 그대로 시행하는 것이 불가능했으나, 비국교도들에게 큰 박해를 가져다 주었다.

제2 비밀집회법(Second Conventicle Act, 1670)은 비국교도적인 예배에 불법적으로 참석한 것을 덜 심하게 처벌하였으나, 교묘하게도 설교자나 청중에게 부과된 벌금이 가난때문에 전혀 지불할 수 없는 경우에는 다른 어떤 참석자로부터도 징수될 수 있다고 규정하였다.[17] 그러나 이러한 억압에도 불구하고 비국교도 설교와 회중 모임들은 지속되었다.

찰스 2세는 실제 종교적 인간은 아니었지만 로마 가톨릭 신앙에 공감을 하고 있었고, 임종 때 가톨릭 신앙을 고백하고 죽었다. 후에 제임스 2세가 된 그의 동생은 1672년부터 신앙을 인정받은 진지한 가톨릭 신자였다. 게다가 찰스는 프랑스의 강력한 가톨릭 신봉자인 루이 14세로부터 비밀리에 연금을 받고 있었다. 1672년 3월 15일 가톨릭 교도를 돕고 이를 위한 비국교도들의 호의를 얻기 위해 찰스는 자기의 권위로 신교 자유령(Declaration of Indulgence)을 발표했다.

이로 인해 개신교 비국교도에게 공중 예배의 권리가 주어졌고, 가톨릭 교도에 대한 형법이 완화되었고, 개인 가정에서도 그들의 예배가 허용되었다. 의회는 이것을 위헌적인, 로마에 대한 호의로 보았다. 의회는 1673년 신교 자유령의 취소를 강요하였고 테스트 법(Test Act)을 통과시켰다. 이것은 가톨릭 교도를 겨냥한 것이긴 하지만 개신교 비국교도에게도 무거운 짐이었다. 런던에서 30마일 이내에 살고 있는 모든 군대나 민간의 관리직을 보유한 자들은 (몇 가지 사소한 예외가 있긴 하지만) 영국 국교회의 의식에 따라서 성만찬을 받거나 아니면 자신들의 직책을 포기하라고 요구되었다.[18] 이 법령은 1828년에 가서야 폐지되었다. 그래서 비국교도에 대한 탄압은 찰스 2세가 죽은 1685년까지 지속되었다.

제임스 2세(1685-1688)는 가톨릭 제도 안에서 그의 주된 목표를 보았다. 그 목표를 성취하기 위한 그의 수단들은 열정적이긴 하나 분별없는 것이었다. 그는 테스트 법을 무시하고, 가톨릭 교도들을 군대와 민간의 고위 공직에 임명했다. 그는 예수회 원들과 수도사들을 끌어들였다. 그는 1686년 고등법원(Court of King's Bench)을 윽박질러 "특별한 경우에 있어서 모든 형법을 면제할 수 있는" 권한을 승인받았다. 그는 고등 위원회(High Commission Court)를 부활시켰다. 1687년 4월 4일 그는 신교 자유령(Declaration of Indulgence)을 발표하여 완전한 종교적 자유를 허락했다.[19] 이것은 그 자체로는 듣기 좋고, 현대적 관점으로 보면 칭찬받을 만한 행위였다. 그러나 그 동기는 뻔한 것이었다. 이것의 궁극적인 목표는 영국을 다시 한번 로마 가톨릭 국가로 만들어 보려는 것이었다. 모든 개신교가 충격을 받았고, 반면에 정부의 헌정 질서를 생각하는 이들은 자의적인 왕의 의지가 의회 권한을 강탈하는 것으로 보았다. 비국교도 대다수 다수파는 그것을 지지하기를 거부하였고 국교도와 공동전선을 폈다. 비록 이러한 왕의 조치로 말미암아 답답한 무기력에서 벗어나긴 하였지만 말이다.

1688년 4월, 제임스 2세가 신교 자유령을 모든 교회에서 읽도록 명령했을 때, 7명의 주교들이 항의했다. 그들은 재판에 회부되었으나, 무죄 방면되었다. 이것은 개신교도들을 기쁘게 했다. 제임스는 국민의 감정을 너무 상하게 하였다. 제임스의 딸 메리와 결혼한 네델란드 총독 오렌지의 윌리엄(William of Orange, 1650-1702)이 반(反)제임스 운동의 수반이 되어달라며 초청을 받았다. 혁명은 성공했다. 1689년 2월 13일 윌리엄 3세와 메리는 영국의 공동 주권자로 선포되었다.

왕정복고 시대의 성직자들은 왕정복고를 미화하기 위하여 너무 오랫동안 왕권신수설과 왕의 권위에 대한 수동적 복종의 교리를 주장했다. 샌크로프트(William Sancroft, 1617-1693)를 수반으로 한 7명의 주교들은 새로운 주권자에 대한 충성 서약을 거부했고, 약 400명의 성직자들도 그들과 합세했다. 그들에게 있어선 제임스 2세가 아직도 여전히 주님의 기름부음 받은 자였다. 이전의 국교도들과 비국교도들이 그러했던 것처럼 그들도 해직당하고 동등한 용기로 견뎌냈다. 그들 중 많은 이들은 진지하고 경건한 사람들이었다. 그들은 선서 거부파(Nonjuror Party)를 결성하였고, 그 일부는 스코틀랜드로 피난하여 거기서 감독 교회의 예배의식에 진정으로 기여하였다.

1688년의 혁명 상황에서 개신교 비국교도들에 대한 신앙의 자유는 더 이상 거부될 수 없었다. 1687년 5월 24일, 관용법(Toleration Act)에 의해서 윌리엄과 메리에게 충성의 서약을 맹세하거나 주장한 사람, 교황의 사법권, 화체설, 미사 그리고 동정녀와 성인들의 탄원을 부인하는 사람, 또한 39개 조항의 교의적 입장에 서명한 사람들은 모두 다 예배의 자유를 부여받았다.[20)]

30년 전쟁 후 독일이 지역적으로 종교 관용을 적용한 것에 반하여 영국에서는 개인적인 신앙의 자유가 보장되었다. 이제는 다양한 형태의 개신교 예배가 사이좋게 공존할 수 있게 되었다. 비국교도들은 세 개의 옛 "교파들"인 장로교, 회중교회 및 침례교회들 사이에 나뉘어서 영국 인구의 1/10까지 늘어났다. 그들은 아직도 제도교회에 십일조를 바쳐야 했고, 여러 면에서 자격 제한이 많았으나, 본질적인 종교적 자유를 얻었던 것이다. 조만간 그들은 영국 자유교회들로 알려지게 되었다. 그러나 이들이 획득한 특권은 삼위일체를 부정하는 이들이나 로마 가톨릭 교도들에게는 부여되지 않았다. 이들에 대한 실제적인 구원은 1778년과 1791년에 가서야 시작되어 1829년에 가서야 완성되었다.

스코틀랜드는 왕정복고 시대가 거대한 소요와 고통의 시기였다. 1661년 의회는 1633년 이래 내려오던 장로교 교회에 우호적이던 모든 법령을 폐지하였다. 그래서 찰스 1세 때처럼 감독제가 복원되었다. 1661년 9월 4명의 주교가 임명되었다. 그 중 대표적인 인물은 성 앤드류스 대주교 샤프(James Sharp, 1618-1679)였다. 안수는 영국 주교들에 의해 이루어졌다. 샤프는 장로교 목사였다가 그의 당파와 교회를 떠났다. 의회는 모든 공직자에게 1638년과 1643년의 계약(covenants)을 부인하라고 요구했다.

1663년 의회는 이제 감독제 형태로 치리되는 교회에 출석하지 않으면 중한 벌금에 처한다고 입법화하였다. 그러나 감히 예배의식을 도입하지는 않았다. 많은 장로교 목사들이 이제 면직되었는데 특히 남서부 스코틀랜드에서 그랬다. 그들의 교구민들이 새로 임명된 자들이 집례할 때 결석하면 그들은 벌금을 부과했으며 만약 지불이 준비되지 않으면 군인들이 그들을 샅샅이 수색했다. 1664년 고등 위원회는 탄압의 수단들을 부여받았다. 2년 후 1638년과 1643년의 계약들을 지지하는 핍박받는 몇 사람들 혹은 계약자들이 펜트랜드 봉기(Pentland Rising)에 가담했다. 그것은 무자비하게 진압되었고 장로교인들은 이후 아주 가혹하게 다스려졌다.

1679년 5월 3일 뒤늦은 보복으로 샤프는 피살되었다. 이로 인해 계약자들이 급속하게 무장봉기하였으나, 6월 22일 반란은 보스웰 다리(Bothwell Bridge)에서 진압되었고, 사로잡힌 폭도들은 지독한 가혹 행위를 당했다. 6개월 후 왕의 형제 제임스(나중의 영국의 제임스 2세)가 사실상 스코틀랜드 사태를 맡았다. 극단적이고 비타협적인 장로교인들은 이제 인권을 박탈당한 채 쫓기는 신세가 되었다. 이들이 카메론파(Cameronians)라고 불리는 이유는 그들의 지도자 하나가 카메론(Richard Cameron, 1648?-1680)이었기 때문이다.

제임스 2세(스코틀랜드에서는 제임스 7세로 명명됨)의 등극은 처음에는 카메론파들에 대한 탄압을 강화시켰다. 그의 첫 해는 "살인적인 시기"였다. 1685년 의회는 "비밀집회" 참석에 대한 형벌을 사형으로 강화하였다. 그러나 제임스는 곧 영국과 똑같은 경로를 밟았다. 그는 그의 추밀원(council)을 가톨릭 교도로 채웠으며 1687년에는 예배의 자유를 부여하는 종교 자유령(Letters of Indulgence)을 발표했다. 영국에서와 마찬가지로 가톨릭 교도들을 이런 식으로 형벌에서 풀어주자, 모든 개신교도들의 적대감을 유발시키고 말았다.

감독제주의자와 장로교주의자들이 똑같이 반대하였다. 윌리엄과 메리가 영국 왕위에 올랐을때 그들은 북쪽 왕국에도 많은 친구를 가지고 있었다. 그러나 스코틀랜드는 영국보다 더 분열되어 있었다. 스튜어트가는 스코틀랜드계였다. 감독제주의자들이 제임스의 가톨릭주의를 싫어하긴 했으나 그들은 화란의 윌리엄이 신봉하는 칼빈주의도 불신했다. 반면 장로교도들은 그를 좋아했다.

그러나 결국 혁명은 성공했고 1689년 5월 11일 윌리엄과 메리가 스코틀랜드의 통치자가 되었다. 1690년, 의회는 1661년 이래로 파면당한 모든 장로교 목사들을 복직시켰다. 그리고 웨스트민스터 신앙고백을 합법화시켰다. 장로교주의를 정부가 인정한 형태로서 선포했다. 장로교 교회의 이러한 합법적 제도화는 카메론파 평신도들의 반대를 받았다. 그들은 계속해서 세속 권위에 의해 교회가 지배되는 것에 적대감을 표현했고, 계약 갱신의 실패를 비난하였다. 북부 스코틀랜드에서 강력했던 감독제주의자도 장로교 교회의 제도화를 반대하였다.

1707년 잉글랜드와 스코틀랜드가 대영제국(Great Britain)이라는 한 왕국으로 통합되었다. 그러나 스코틀랜드 교회의 독립적인 권한들은 안전하게 보장되었다. 앤(Anne) 여왕의 치하에서 1712년 두 개의 중요한 법령이 의회에서 통과되었다. 하나는 감독제 교회에 관용된 공동체(tolerated communion)의 지위를 주는 것이었고, 이후 북부 스코틀랜드에서 확고하게 자리잡았다. 다른 하나는 대개 후원자(patrons)인 군주나 공작들에게 장로교 목사 임명권을 준 것이었다. 이것은 적대적인 교구 주민들이 있을 때도 상관없이 시행되었고, 그래서 무한한 문제 발생의 소지가 되었다(VII:7 참조).

17. 퀘이커 교도들

1640년대와 1650년대 영국이 소요 사태에 휘말렸을 때, 분파(sect) 운동의 수효도 증가하였다. 수평파(Levelers)와 땅 파는 자들(Diggers)처럼 일부는 종교적-정치적 분파였다. 강력한 천년왕국적 강조점을 드러내는 분파도 있었다. 특히 제5왕국의 사람들(The Fifth Monarchy Men)이 그러했다. 이들 운동 중에서 가장 의미있는 것 중의 하나로, 내란 기간 중 가장 탁월한 열매의 하나는 "친우회"(Society of Friends)였다. 이들은 주로 퀘이커 교도(Quakers)로 알려졌는데, 이것은 그들이 주님 앞에서 떨었기(quake) 때문이었다.

조지 폭스(George Fox, 1624-1691)는 영국 역사에서 몇 안되는 종교적 천재 중의 한 명이었다. 그는 페니 드레이튼(Fenny Draton)에서 직조공의 아들로 태어나, 진지하고 심각한 마음을 가지고 자라났다. 그는 결코 "남자나 여자를 부당하게 대하지 않았다." 17세 때 몇 명의 명목상의 그리스도인에 의해 초대받은 술자리로 인해 그는 실천과 고백 사이의 큰 차이에 혐오감을 느꼈고, 그 후 영혼의 고통을 받으며 영적인 실재를 찾는 일에 착수하였다. 그는 모든 종류의 속임수를 싫어했다. 1646년, 폭스를 변화시킨 중요한 체험이 있었다. 여기서 만인은 주님으로부터 어느 정도의 빛을 받았다는 것과 이 "내면의 빛"(inner light)을 추구하면 그것은 분명히 생명의 빛과 영적인 진리로 이끌어 주리라는 확고한 신념을 갖게 되었다. 성서가 하나님의 진정한 말씀이기는 하나, 계시는 성서에만 한정되지 않고 모든 진실한 제자들을 조명해 준다. 하나님의 영은 그들에게 직접 말씀하시며, 그들에게 메시지를 주시고, 그들을 봉사(service)하도록 일깨우신다.

폭스는 1643년 그의 폭풍같은 목회를 시작했다. 내면의 빛이 신적 의지에 의해서 주어지기 때문에, 진정한 목회는 하나님이 사용하고자 계획한 모든 남자나 여자의 사역이라고 믿었다. 직업적인 목회는 거부되어야만 했다. 성례전은 내적이고 영적인 참된 실체이다. 외적인 요소들은 불필요할 뿐만 아니라 잘못 인도하기까지 한다. 맹세란 그리스도인의 진실한 말에 대한 불필요한 확증이다. 언행에 있어서의 노예적 굴종은 인간 대 인간이라는 기독교적 진실이 타락한 것이다. 폭스는 왕이나 판사 같은 법적 호칭들은 거부하지 않았으나, 인위적인 명칭들은 거부되었다.

그리스도인들에게 전쟁은 불법적인 것이며, 노예제는 가증한 것이다. 모든 기독교는 확실히 변화되고 성별된 삶 속에서 자신을 나타내야만 한다. 폭스의 신념의 심각성과 영적인 신지함, 그의 형식주의적 느낌이 나는 모든 것에 대한 혐오, 그리고 내적인 영적 체험에 대한 그의 요청은 대단히 매력적인 힘들이었다. 그는 다양한 청교도 계파들로부터 그리고 청교도적 토양 위에 만연해 있던 분파들로부터 추종자들을 얻었다. 1652년 북부 영국의 프레스톤 패트릭(Preston Patrick)에 최초의 퀘이커 공동체가 모였다. 2년 후 "친우회"는 런던, 브리스톨 및 노르위치까지 퍼졌다. 폭스의 가장 저명한 초기 개종자는 마가렛 펠(Margaret Fell, 1614-1702)이었다. 그는 그녀가 과부가 된 후, 그녀와 결혼하였다. 그녀의 집인 스워스모어 홀(Swarthmore Hall)은 전도자를 위한 본부로 제공되었다.

영국적 삶의 정황 속에서 그러한 운동은 격렬한 반대에 부딪쳤다. 1661년, 폭스를 포함하여 3, 000명 이상의 "친우회" 회원들이 감옥 생활을 했다. 선교적 열정이 처음부터 넘쳐서 퀘이커 교도들은 예루살렘, 서인도 제도, 독일, 오스트리아 및 화란 등의 먼 곳까지 그들의 신앙을 선포하였다. 1656년 그들은 매사추세츠에 들어갔다. 거기서 1661년까지 4명이 교수형을 당했다. 정당화하는 것은 아니지만, 많은 초기 퀘이커교도들의 엉뚱한 행동에서 이러한 가혹한 탄압의 이유가 있다고 할 수 있다. 이것은 어느 시대에서나 경찰의 간섭을 불러올 것이다.

이러한 엉뚱함들은 성령의 직접적인 영감에 대한 신앙에 의한 것이기도 하지만 초기의 조직 부재로 말미암은 것이기도 했다. 폭스는 질서의 필요성을 보았다. 1666년까지 비록 상당한 반대에 부딪히기는 하였지만, 퀘이커 훈련의 주된 특색들이 상세하게 계획되었다. "월례회"(Monthly Meetings)가 설립되었고, 이것에 의하여 각 회원의 삶과 행동에 대해 엄격하게 감시를 하였다. 1691년 폭스가 죽기 전, 이 단체는 그 때 이래로 독자성을 부여해주고 구분시켜 주는 건전한 특성들을 받아들였다.

왕정복고 시대에 비국교도들에 반대했던 법들은 퀘이커교도들에게 특별히 엄하게 적용되었다. 왜냐하면 그들은 장로교인들이나 회중교회주의자들과는 달리 자신들의 집회를 숨기려는 시도를 하지 않았으며, 적대적인 당국자들 앞에서도 의연하게 집회를 계속했기 때문이다. 약 400명이 감옥에서 죽음을 맞았으며 많은 이들이 결국에는 중한 벌금으로 파산하였다. 그러나 이 시기에 그들의 가장 저명한 승리의 기념비와 그들의 위대한 식민지적 실험이 있었다.

해군 제독 윌리엄 펜 경(Admiral Sir William Penn)의 아들 윌리엄 펜(William Penn, 1644-1718)이 1661년 일찍이 퀘이커 교도로 기운 후에 1666년에 이 신앙을 완전히 받아들였다. 그리고 그 신앙의 가장 저명한 설교자요 문서 변호인이 되었다. 그는 아메리카에서, 영국에서 거부된 퀘이커들의 자유를 찾고자 결심했다. 펜은 1677년과 1678년에 약 800명의 퀘이커 교도들을 뉴저지로 보내는 것을 도운 후, 1681년에 찰스 2세로부터 왕이 그의 부친에게 진 빚의 대금으로 펜실베이니아를 받았다. 1682년 필라델피아가 건설되었고 많은 식민지적 실험이 시작되었다.

1689년의 관용법은(VI:16 참조) 다른 비국교들과 마찬가지로 퀘이커 교도들을 더욱 압박해오던 자격 박탈로부터 구제해 주었고, 그들에게 예배의 자유를 주었다.

제7기
근대 기독교

1. 근대 과학과 철학의 시작

종교개혁이 중세기로 평가되어야 할지 근대사로 편입되어야 할지에 대한 질문은 큰 논쟁거리였다. 양쪽 입장을 지지하는, 상당히 많은 주장이 있을 수 있다. 외적인 권위에 의해 종교가 유지되는 것, 모든 교육과 문화적인 생활을 종교가 지배하는 것, 적어도 특정 지역 내에서는 하나의 예배 형태만을 허락한 것, 원죄, 악령과 마법, 신이 세계를 직접 마음대로 지배하는 것, 종교의 내세적 관점 등의 개념은 종교개혁을 중세기와 연결시킨다. 그래서 앞에서 논의한 문제들은 그 설명이 중세기의 특징과 아무리 다르다하더라도 본질적으로 중세적이다. 터툴리안까지는 아니더라도 어거스틴의 시대 이후로, 죄와 은총은 라틴 신학의 중심 문제였다. 이것은 종교개혁에 있어서도 마찬가지였다. 루터 자신이 아무리 아리스토텔레스를 거부하였다하더라도, 초기의 개신교 철학은 완전히 아리스토텔레스적이었다. 수도원주의가 거부되었다 하지만, 칼빈주의는 세상에 대한 금욕적 견해를 하나도 폐기하지 않았다.

반면에 종교개혁은 기독교 신앙이 의미를 새롭게 파악한, 하나의 종교적 운동이었다. 그것은 수 백년 동안 기독교를 지배했던 성례 제도의 권위를 깨뜨렸다. 세례와 성만찬은 보존되었고 높이 평가받았다.

그러나 이제 이것들은 은총의 배타적 수단이 아니라 오히려 하나님의 약속에 대한 인침(seals)으로 이해되었다. 성령은 의심할 바 없이 신비한 방법을 통해 이 세례와 성찬을 은총의 목적을 위해 사용하시지만, 다른 수단을 배제하지는 않는다. 우리는 기록된 하나님의 말씀이나 선포된 말씀을 통해 신앙에 이른다. 구원은 하나님이 일으키시는, 살아계신 그리스도의 현존을 신자에게 체험케 하는, 직접적이며 인격적인 관계이다. 사죄와 권능으로 경험되는, 그리스도에 대한 신앙은 하나님의 선물이다. 하나님에 대한 인간의 관계는 채무와 채권, 씻어내야 할 죄악과 획득해야 할 공로의 대차관계가 아니라 자연스럽게 선행의 열매를 맺게하는 화해의 상태이다.

개신교는 인생의 정상적인 관계와 직업들을 하나님께 대한 최상의 봉사 영역으로 평가하였는데, 이것은 중세로부터 아주 과격하게 이탈한 것이었다. 이러한 특성들은 종교개혁을 근대 세계와 연결시킨다. 사실 그것들은 적지 않이 근대의 형성에 기여하였다. 그러나 대차대조표로 결산을 하고, 인본주의의 세속적 경향이 얼마나 심하게 종교개혁에 의해 억압되었는지를 기억해보면, 종교개혁 시대의 첫 150년은 대체로 중세의 연속으로 평가되어야 한다. 이 기간 이후, 큰 교파들은 더 이상 같은 분위기 속에서 움직이지 않았다. 비록 이 교단들이 여전히 종교개혁의 어투를 사용하며 그 때부터 갖게 된 이름들을 가지고 있었지만 말이다.

이 변화의 경계선을 정확히 긋는 것은 불가능하다. 그 변화는 지도자 한 사람이나 지도자들의 집단에 의한 것이 아니었다. 그것은 똑같이 수정한 것은 아니지만 철저하게 기독교 사상을 수정했다. 아주 다양한 원인들이 이 변모에 작용하였다. 이 중의 하나는 17세기 중반 이후 지속적으로 진행된, 문화의 세속화였다. 중세와 종교개혁의, 교회가 국가와 사회를 지배하는 유형은 종교적으로 중립적인 문명을 갈망하게 하였다.[1] 또 다른 중요한 요인은 전문직과 상인과 노동 계층의 신분상승이었다. 이들은 교육과 정치 면에서 계속 영향력을 확대해 왔다. 종교개혁 시대에는 주도적 사상가나 관료가 적었으나, 근대에는 그들의 숫자와 독립성이 지속적으로 확대되었다. 이러한 성장으로 인해 국가의 관용 정책이 확대되었고, 거꾸로 국가의 관용 조치의 확대로 인해 사상가와 관료의 성장이 도움을 받기도 하였다. 이것은 개신교의 무수한 종파 분열을 야기시켰고, 기존 종교와 직접적인 연관이 없거나 적대적인 사상가 그룹의 출현을 가능하게 하였다.

이러한 변화의 분위기에 영향을 미친 가장 강력한 도구들은 새로 태동한 근대 과학과 철학이었다. 이것은 우주와 그 안의 인간의 위치에 대한 전망에 있어서 거대한 필연적 변화를 가져왔고, 뒤이어 사상과 제도를 검증하고 해석하는 역사적 방법론을 발전시켰다.

초기 종교개혁기는 우주를 프톨레마이오스적 유형으로 파악했다. 태양과 별들이 지구를 중심으로 그 주위를 공전한다고 생각했다. 르네상스는 이탈리아에서 희랍적인 사상에 입각한 태양중심적 체계를 재생시켰다. 이것은 폴란드의 토르닌(Thornin) 출신인 **니콜라우스 코페르니쿠스**(Nicolaus Copernicus, 1473-1543)에 의해서 정교하게 발전되어, 그가 죽던 해에 출판되었다. 당시 그것들은 미미한 관심, 그것도 주로 비우호적인 주의를 불러 일으켰다. 그러나 천문학은 진보했다. 티코 브라헤(Tycho Brahe, 1546-1601)는 코페르니쿠스의 체계를 부분적으로 받아들였지만 관찰 기록을 축적하였다. 코페르니쿠스주의자인 요한네스 케플러(Johannes Kepler, 1571-1630)는 이 관찰 기록들을 탁월하게 일반화시켰다. 이 두 사람은 프란시스 베이컨 경(Francis Bacon, 1561-1626))에 의해 직접 영향을 받지는 않았어도 그의 새로운 방법론을 따르고 있었다. 이것은 귀납적 실험이 가설적 일반화의 토대가 되는 방법이었다. 피사의 갈릴레오 갈릴레이(Galileo Galilei, 1564-1642)는 온도계를 만들었고, 진자 원리를 밝혔으며, 역학을 실험에 의한 새로운 기초 위에 세웠고, 무엇보다도 망원경을 천체 연구에 응용하였다. 코페르니쿠스의 이론이 실제 승리를 거둔 것은 갈릴레오에 의한 것이었다. 그러나 특히 1632년 그가 「대화」(*Dialogue*)에서 이것을 설명했을 때, 그는 철학과 교회의 격렬한 반대에 부딪혔다. 이듬 해 그는 종교재판에 의해 그것을 취소하도록 강요받았다. 그러나 코페르니쿠스 이론을 대중적으로 입증한 것은 아이작 뉴턴 경(Issac Newton, 1642-1727)의 작품이었다. 1687년의 「원리」(*Principia*)는 유럽에 큰 소동을 일으켰고, 수학적 증명을 사용하여 천체들의 운동을 중력에 의해 설명할수 있다는 것을 보여주었다. 뉴턴의 결론이 가져온 영향은 심대했다. 사상가들에게 있어서 물리적인 우주는 더 이상 자의적인 신적 행위의 장(場)이 아니라, 설명이 가능한 하나의 법칙의 영역으로 드러났다. 이것은 기계적 원인과 결과라는 엄격한 조건 아래에서, 당대의 과학의 결론이었다. 지구는 더 이상 만물의 중심이 아니라 오히려 광대한 천체들의 영역 속에 있는 하찮은 알갱이에 불과했다. 뉴턴 자신은 심오한 경건과 신학에 깊은 흥미를 가진 인물이었지만, 어떤 사람들은 그의 과학적 발견들을 기독교를 평가절하하는 수단으로 이용하였다.

이와 같이 과학이 새 하늘과 새 땅을 밝히는 동안, 철학도 이에 못지 않게 이성의 이름으로 기존 권위에 열정적으로 도전하고 있었다. 르네 데카르트(René Descartes, 1596-1650)는 프랑스 태생의 경건한 가톨릭 신자로서 그의 활동적인 지적인 생활을 대부분 네덜란드에서 보냈다. 거기서 그는 「방법서설」(*Discourse on Method*, 1637), 「제일원리」(*First Philosophy*, 1641) 그리고 「원리」(*Principia*, 1644)를 저술했다. 그의 사상에 의하면, 마음(mind)이 전적으로 이해하는 것만이 실제 지식이다. 단순히 박식하게 아는 것은 이해(intelligence)가 아니다. 마음에 나타나는 대상과 사상들은 긴밀하게 연관되어 있고 서로 의존하고 있으므로, 그것들은 단순하게 분석되고 분리되어서 실제로 이해되어야 한다. 그래서 모든 지식의 출발은 의심이며, 의심될 수 없는 기초 또는 출발점이 발견될 때까지는 어떤 실질적 진보도 이루어질 수 없다. 데카르트는 이것을 어거스틴처럼 생각하는 존재로서 자기 자신의 실존 속에서 발견했다. 의심하고 있는 중에도 "나는 생각한다. 그러므로 나는 존재한다." 우리가 만약 이 "생각하는 자아"의 내용을 검토해 본다면, 우리는 그 안에서 그것이 그 자체로부터 기원할수 있는 것보다 더 큰 관념을 발견한다. 그리고 적합한 원인이 없이는 아무 것도 존재할 수 없으므로, 그것들을 산출하기에 충분히 위대하고 충분히 실제적인 원인이 있어야 한다. 그래서 우리는 하나님의 존재와 하나님이 우리의 모든 사고에 관련되어 있음을 확신하게 된다. 하나님 안에서 사고(thought)와 존재(being)는 일치된다. 우리의 개념은 명쾌하고 분명하며 기하학의 증명 같은 논리적 명확성을 가질 때에만, 참이며 신적이다(Godlike). 물질은 마음과 동등하게 하나님 안에서 그 원인을 가지지만, 모든 것 안에서 마음의 반대이다. 결국 그것은 단지 외연(extension)을 가지며, 순전히 기계적인 동작은 하나님에 의해서 그것에 부여된다. 그래서 동물들은 단지 기계들이다. 인간의 육체와 마음 사이의 관계는 데카르트에게 큰 혼란을 야기시켰다.

그런데 비록 데카르트 철학이 영향력이 있긴 했으나, 대중의 사고에 심오한 영향을 미친 것은 그 세부 사항들이 아니라, 증명될 때까지는 모든 개념들을 의심해봐야 한다는 주장과 제대로 증명되려면 수학적 증명의 확실성을 가져야 한다는 주장이었다. 이 두 원칙은 앞으로 중대한 결과를 가져올 것이었다.

네덜란드계 유대인 **바룩 스피노자**(Baruch Spinoza, 1632-1677)는 데카르트의 원칙 쪽에 강력한 영향을 미쳤다. 그후 수 백년 동안 경건주의자와 낭만주의자들은 일원론적이고 범신론적인 경향을 띤, 스피노자의 작품에 의존하였다. 그의 가르침에 의하면, 만물은 무한한 실체(infinite substance)이며, 만물은 하나님 혹은 자연이며, 사고와 외연(thought and extension)이라는 두 양태 혹은 특성으로 알려져 있고, 모든 유한적 인격들이나 속성들은 이것의 표현이다. 그러나 당시 논쟁에서 스피노자의 공헌은 성장일로에 있던 합리주의를 강화시켰다.

그런데 인간은 어떻게 인식하는가? 하나의 유력한 해답이 독일의 수학자, 역사학자, 정치가이면서 철학자인 **고트프리트 빌헬름 라이프니츠**(Gottfried Wilhelm Leibniz, 1646-1716)에게서 나왔다. 그는 인생의 마지막 40년을 하노버에서 사서로 있었고, 가톨릭과 개신교의 재통합을 진지하게 추구하였다. 우주 안에서 하나의 실체만을 본 스피노자와는 달리, 라이프니츠는 실체들이 무수히 많다고 보았다. 각각의 실체는 나뉠 수 없는 힘의 중심인 단자(monad)이다. 각각의 단자는 우주를 반영하고 있다. 비록 서로 다른 단자들 안에 있는 의식의 정도가 실제 무의식에서부터 최상의 행위에 이르기까지 다양하지만 말이다.

그 의식이 더 크고 명확할수록, 그 단자는 신적인 것에 더 가까이 접근한다. 신은 원초적인 단자이며, 신의 지각에서는 만물은 명백하다. 모든 관념은 단자 안에 싸여져 있고, 생득적이며, 명확하게 드러날 필요가 있다. 여기에 다시 데카르트와 스피노자가 제시한 바 있는, 특징적인 진리의 표준이 있다. 어떠한 단자도 다른 단자에 영향을 주지 않는다. 서로 영향을 주는 것으로 보이는 모든 것은 마치 똑같은 시간을 가리키는 완벽한 시계들과 같이, 예정된 조화(pre-established harmony)에 의한 것이다. 또한 물체를 구성하는 단자들의 집합이 실제로 공간을 점유하는 것도 아니다. 각 단자는 수학적인 점과 같고, 단자들의 집합체는 시간과 공간 아래 인식되므로, 시간과 공간은 이에 필요한 단순한 외양들인 것이다. 신은 세계를 창조하여 그의 완전성을 드러내었다. 그러므로 신은 가능한 한 최선의 세계를 선택하였다.

악으로 보이는 것은 불완전, 신체적 고통, 한계이고, 그렇지 않으면 도덕적 잘못이다. 그럼에도 불구하고 그것은 신이 이보다 더 나은 세계를 만들 수 없었을 것이라는 의미에서 필요한 것이다. 그러므로 라이프니츠의 해답은 인간은 자신의 타고난 생득적 관념을 해명함으로써 인식한다는 것이었다.

이와 다른 대답을 한 이는 17세기 말과 18세기 초 가장 영향력 있던 영국인 사상가인 **존 로크**(John Locke, 1632-1704)였다. 그의 유명한 「인간오성론」(*Essay Concerning Human Understanding*, 1690)에서, 로크는 본유적 관념의 존재를 부인했다. 마음은 하얀 종이이고, 그 위에 감각이 그것의 인상을 기록하고, 이 인상을 마음이 성찰을 통해 관념으로 결합하고, 단순 관념이 결합하여 복합 관념이 된다. 로크의 목적은 지식이라고 주장되는 모든 것이, 경험에 근거한 이성(reason based on experience)에 의해 판단 받는, 지식의 합리성(reasonableness)에 관한 비판에 정당하게 종속되어 있다는 것을 보이는 것이었다. 이러한 검증을 통해, 그는 신의 존재가 원인과 결과의 논증에 의해 증명되는 것을 발견한다. 즉 도덕성은 수학의 진리들과 마찬가지로 증명이 가능하다. 종교는 본질적으로 합리적이어야 한다. 그것은 초이성적이고 초경험적일 수 있으나, 이성에 모순될 수는 없다.

로크는 이러한 견해들을 「기독교의 합리성」(*Reasonableness of Christianity*, 1695)에서 전개했다. 성서는 기적에 의해서 증언되는 바대로 독자적인 이성의 능력을 넘어서는 메시지를 담고 있다. 그러나 그 메시지가 이성에 반대될 수는 없으며, 이적 또한 본질적으로 비이성적인 어떤 것을 증언할 수 없다. 그래서 로크는 비록 진지한 기독교인이었지만, 종교의 신비를 거의 참아내지 못했다. 그에게는 예수를 메시야로 아는 것과 도덕적 미덕을 실천하는 것으로 충분했다. 이 도덕은 예수가 신포한 것이고, 계몽된 상식과 거의 구분될 수 없는, 이성의 명령에 근본적으로 일치하는 것이었다.

로크는 종교 관용의 주창자요 모든 종교 억압의 반대자로서 적지 않은 영향력이 있었다. 종교의 고유한 유일한 무기는 본질적 합리성이다. 또한 로크는 이에 못지않게 영국과 미국의 정치 이론도 형성시켰다. 그로티우스(Grotius, 1583-1645), 홉스(Hobbes, 1588-1675), 그리고 푸펜도르프(Pufendorf, 1632-1694) 등은 다양한 방향에서 그의 분야의 선구자들이었다. 로크는 「통치론」(*Treatise on Government*, 1690)에서 인간은 생명과 자유와 재산에 대한 자연적 권리가 있다고 주장했다. 이 자연권을 보호하기 위하여, 정부는 피지배자들의 동의에 의해 설립되었다. 그러한 국가에서는 다수의 의지가 통치하여야 하며, 그 의지가 수행되어지지 않을 때 혹은 근본적인 권리들이 침해당할때 인민들은 혁명권을 갖는다. 입법 기능과 행정 기능들은 신중하게 분리되어야 한다. 입법부가 우월하다. 이러한 이론이 국가의 기원을 역사적으로 설명함에 있어서 아무리 부적절하고 공상적인 생각이라고 하더라도, 이것이 영국과 미국의 정치 이론의 발전에 끼친 영향은 아주 지대한 것이었다.

도덕 이론에서 중요한 의미를 지닌 것은 **샤프츠베리 백작**(Earl of Shaftesbury, 1671-1713)이 그의 「인간의 특성」(*Characteristics of Men*, 1711)에서 전개시킨 견해였다. 홉스는 인간의 성격에서 도덕성의 기초를 찾으려 하였으나, 순전한 이기심 외에는 아무 것도 없었다. 로크에게는 이성이 발견하는 기초가 신의 법이다. 도덕성은 비록 전적으로 합리적인 것이었지만, 신적인 명령으로서 여전히 긍정적인 것이었다. 이제 샤프츠베리는 이렇게 가르쳤다. 인간은 개인적 권리와 사회적 관계를 소유하고 있는 존재이므로, 덕은 이기적 목표와 이타적인 목표들 사이에 적절하게 균형잡는 것에 있다. 이러한 조화가 성취되고, 행위의 가치가 결정되는 것은 내적인 "도덕 의식"에 의해서 이루어진다. 이리하여 샤프츠베리는 옳고 그름의 근거를 하나님의 의지가 아닌 인간 본성 자체의 근본 성격에서 찾았다.

이것은 신의 존재를 거부했던 사람들도 — 샤프츠베리는 그렇지 않았지만 — 그럼에도 불구하고 도덕적 행위를 유지해야 하는 이유를 제공한다. 그것은 도덕적 행위를 위한 제일의 동기로서 보상의 기대나 처벌의 두려움을 제거했다. 무신론자와 도덕의 거부자는 이전과 달리 더 이상 동등한 용어가 아니었다.

과학과 철학의 이러한 발전은 18세기를 특징지었던 운동인 계몽운동의 기초를 마련했다. 계몽운동은 개인 생활과 사회 생활의 다양한 측면들에 이성의 법칙을 적용하고자 하는 의식적인 노력이었다. 그것의 근본적인 원칙들 — 자율, 이성, 예정된 조화 — 은 근대 세계의 사고와 행동에 심대한 영향을 미쳤고, 그 안에서 기독교가 움직이는 분위기를 지배하였다.

2. 기독교의 아메리카 이민

아메리카의 기독교는 주로 구세계로부터 유입된 것이다. 서구의 식민지 개척에 유럽의 많은 나라들이 참여했듯이, 역시 다양한 유형의 유럽의 기독교가 아메리카에서 재생되었다. 남중미에서처럼 이민자들이 거의 동질적이고 원주민들에게 그들의 문명을 강요한 곳에서는, 단일한 기독교 유형으로서 전형적인 로마 가톨릭이 지배적이었다. 비록 가톨릭의 지배가 세속적 영향력들과 치열하게 경쟁하였지만 말이다. 북미에서처럼 많은 민족들로 인구가 구성되어 있는 곳에서는, 큰 다양성을 보였고 상호 관용이 필수적이었다. 비록 식민지 초기에는 도처에 하나의 유형의 기독교가 지배적이었지만 말이다. 이것은 완전한 종교 자유가 시작되는데 크게 기여하였다.

중남미와 북미 전체에서 기독교의 이식은 일반적으로 유럽 기독교 세계 발전의 연장의 일부분으로 볼 수도 있다. 그러나 새로운 환경으로 이전하면서 도입된 미묘한 변화들로 인해 독특한 형태의 기독교가 태동하여 발전하게 되었다. 특히 북미에서는 많은 개신교 교파들이 유럽의 모교회들로부터 독립하면서, 기독교 전통의 "미국화"와 "캐나다화"가 드러났다.

스페인의 중남미 정복의 의미있는 모습은 로마 가톨릭의 국교화였다. 정교한 수직적 계층 질서 안에서 일하는 세속 사제들(secular priests)이 유럽인 정착민들을 위해 사역하였다. 원주민들의 개종은 주로 수도원 종단들의 사역이었다. 이들은 스페인 왕권의 강력한 지지를 받았고, 포루투갈인들은 브라질에서 활동하였다. 수도사들은 인디언들의 노예화에 성공적으로 저항하면서 선교 체제를 발전시켰다. 이론상으로 교회와 문화의 확장의 기구들은 곧 수직적인 구조, 다소 온정주의적 체제에 의해 대치되었지만, 종종 장기간 동안 유지되었다. 프란체스코회, 도미니쿠스회 및 예수회들은 중남미의 개종 사역에 있어서 특히 활발한 활동을 하였다.

16세기 중엽 프란체스코회는 베네주엘라, 멕시코, 페루 그리고 아르헨티나에서 사역에 착수했다. 그들은 브라질에서 사역한 최초의 그룹이었다. 16세기 말까지 그들은 오늘날의 뉴 멕시코와 텍사스 지역에 기독교 공동체들을 설립했다. 1770년 프란체스코회는 캘리포니아에 광범위한 선교 중심지를 세웠다. 그곳에서 그들의 사역은 반 세기 동안 번창했다. 프란체스코회의 훌륭한 경쟁자는 도미니쿠스회였다. 도미니쿠스회는 1526년 멕시코에 이어 곧 콜롬비아, 베네주엘라 및 페루에 나타났다. 예수회의 활동은 훨씬 더 광범위하였다. 그들은 1549년부터 브라질에서 광범위한 사역을 전개했다. 콜롬비아는 곧 그들이 가장 성공을 거둔 지역 중의 하나가 되었고, 그들은 1568년에 페루에 진출했다. 1572년 멕시코에서 사역을 시작했으며, 17세기에는 에쿠아도르와 볼리비아와 칠레에서 사역을 확장시켰다. 파라과이에서는 가부장적으로 다스린 인디안 촌락들이 많이 있었는데, 이것은 많이 논의되었다. 이들 수도원 출신 선교사들은 그들이 철저히 헌신해온, 스페인식 로마 가톨릭 기독교를 충실하게 재생산했다.

1551년 리마와 멕시코시티에 대학들이 세워졌다. 이들이 신세계 고등교육의 가장 오랜 전통의 학교였다. 기초 교육은 최소한의 수준에서 유지되었고, 그 결과 스페인 통치 기간 동안 특히 원주민들 사이에 줄곧 광범위한 문맹이 존재하였다.

프랑스령 캐나다는 1604년에 시작되었다. 처음에는 위그노가 상당한 영향력이 있었으나, 그것은 곧 거의 가톨릭에 의해 대체되었다.

예수회의 주도로 인디언을 개종시키려는 진지한 노력들이 여러 종단들에 의해서 이루어졌다. 그들의 영웅적 행위와 희생 정신의 이야기는 선교사의 고전 중의 하나이다. 1673년 예수회 선교사 자크 마르케트(Jacques Marquette, 1637-1675)는 미시시피 강을 발견했다. 미시시피 계곡을 따라 일련의 선교 전진기지들이 위치해 있었는데, 남쪽으로는 루이지애나까지 이르렀다. 남미와 달리 원주민들은 농업 공동체의 정착을 거절했다. 그리고 그들은 질병과 음주와 종족간 전쟁에 의해서 황폐화되었다. 뉴 프랑스의 교회 성장은 이민의 결과였다. 프랑스령 캐나다에 로마 가톨릭을 심은 이는 퀴벡의 첫 주교 프랑수아 드 라발(Francois de Laval)이었다.

신세계에 있었던 스페인과 프랑스의 식민지에서는 이와 같이 하나의 지배적인 종교 전통이 유입되었다. 그러나 영국령 식민지들에는 많은 교단들이 유입되었다. 영국 국교회는 1607년 버지니아에 영속적으로 설립되어 이식되었고, 식민 시기 내내 법에 의한 국교회로 남아 있었다. 그러나 전체 식민 시기 동안 줄곧 거주하는 주교가 없어서 교회는 많은 어려움을 당했다. 제대로 감독할 수 없는 경우, 평신도 교구위원회가 종종 해당 교구의 치리권을 취했으며 지역의 귀족의 이익을 위해 이 권리를 행사하는 경향이 있었다. 런던의 주교가 식민지 제도에 대해 행사한 사법권은 명목상의 것이었고, 주교 대리들(commissaries)을 임명함으로써 이 책임을 일부 수행하려 하였다. 제임스 블레어(James Blair, 1656-1743)는 1685년부터 죽기까지 버지니아에서 주교 대리로서 봉사했다. 그의 가장 탁월한 업적은 1693년에 윌리엄 메리 대학(William & Mary College)을 설립한 것이다. 그러나 주교 대리들은 실질적 권한은 많이 결여되어 있었고, 교회는 무능하고 자격없는 성직자들로 인해 큰 고통을 겪었다. 게다가 어떤 교구는 그 영역이 너무 컸고, 대개는 모두를 채울 만큼 충분한 성직자들이 없었다. 그래서 국교회는 강하지 못했고, 비국교도들의 확장을 효과적으로 저지할 수 없었다.

버지니아의 북쪽에 인접한 메릴랜드는 현재의 미국 안에 있는, 최초의 영국 독점 식민지로서 1632년 로마 가톨릭 교도인 발티모어 경(Lord Baltimore)에게 특허권이 부여되었다. 그는 영국의 주권 아래 주로 동료 신앙인을 위하여 피난과 자유의 공간을 확보하고자 노심초사하였기 때문에, 종교의 관용을 제도화하였다. 개신교인들은 초기부터 가톨릭 교도들보다 많았다. 1691년 메릴랜드는 왕실 직할 식민지가 되었고 1702년에는 주로 주교 대리 토머스 브레이(Thomas Bray, 1656-1730)의 노력을 통해서 영국 국교회가 법적으로 제도화되었다. 브레이는 실제 식민지에는 몇 달밖에 있지 않았다. 그러나 그는 주로 기독교 지식 진파회(Society for Promoting Christian Knowledge, S.P.C.K., 1699)와 외지 복음 전파회(Society for the Propagation of the Gospel in Foreign Parts, S.P.G., 1671)의 설립을 통해서(VII:9 참조) 아주 귀중한 사역을 하였다. 그러나 국교회는 주민 대부분으로부터 호감을 받지 못했고, 퀘이커, 장로교 및 침례교가 지속적으로 퍼졌다. 로마 가톨릭은 다른 식민지와 마찬가지로 법적 무자격 상태였다. 가톨릭 역사에서 18세기부터 독립 전쟁까지는 형벌의 시기였다.

1689년 이후 영국은 가능한 모든 곳에서 국교회를 세우려고 노력하였다. 이 정책의 첫 열매는 메릴랜드 법이었다. 다음 1706년 사우스 캐롤라이나에, 1715년 노스 캐롤라이나에 각각 국교회가 설립되었다. 위그노, 스코틀랜드-아일랜드 장로교, 침례교 그리고 퀘이커를 포함하여, 주민들의 다양한 종교의 혼합으로 인해 이들 국교회들은 무력하게 되었다. 비록 외지 복음 전파회(S.P.G.) 선교사들이 국교회를 위해 잘 섬기고, 찰스턴의 교구 목사들이 그 직책을 훌륭하게 승계하였지만 말이다. 1733년 조지아 식민지 건설과 함께 조지아에 영국 국교회가 설립되기 시작했으나, 1758년까지는 국교회 건설의 효과가 없었다. 종교 자유의 정책은 초기부터 다양한 다른 개신교 그룹들을 그곳으로 유치시켰고, 국교회는 대개 명분뿐이었다.

1620년 시작된 영국 필그림과 청교도들의 뉴 잉글랜드 정착과 1620년과 1638년 사이에 전개된 개척 사업, 그리고 플리머스, 매사추세츠 만, 코네티컷 및 뉴헤이번의 회중교회 식민지의 정착들은 이미 언급한 바 있다(VI:16 참조). 메사추세츠 만의 유능한 지도자들의 주도로 성경의 "단순한 법"에 견고하게 근거한, 거룩한 공화국(holy commonwealth)을 지상에 건설하고자 하는 노력이 진지하게 착수되었다. 그들은 무역 회사 허가장을 실제로는 국가의 헌법으로 만들면서, 반세기 이상 동안 성서적 신정국가를 세우기 위해 일하였다. 그들은 교육받은 목사들이 성서를 정확하게 읽었다고 믿고, 서둘러 하버드 대학(1636)을 설립하였다. 그 결과 교육받은 지도자들이 부족하지 않게 되었다. 인디언의 개종을 위한 노력도 무시되지 않았다. 1646년에 시작된 존 엘리어트(John Eliot, 1604-1690)의 사역으로 인하여 1649년 영국 최초의 선교사 협회, 뉴잉글랜드 복음 전파회(Society for the Propagation of the Gospel in New England)가 창설되었다(VII:9 참조).

이러한 초기의 뉴 잉글랜드의 회중교회주의자들은 신학적으로 대영제국의 그들의 형제 청교도들과 다르지 않았다. 그들은 웨스트민스터 신앙고백(VI:16 참조)의 승인을 환영했고, 그것을 실제 받아들였으며, 언약 혹은 계약 신학을 강조했던 것이다. 처음 1세기 동안 그들의 논쟁은 교리 문제가 아니라 교회 정치의 발전에 관한 것이었다. 1631년 매사추세츠에서 그리고 다른 청교도 식민지에서 빠르게 회중교회가 법적으로 국교화하였고, 이에 따라 종교의 일치를 강력하게 주장하고 모든 반대 파들을 억제하고 배척하는 "비분리파 회중교회"의 완전한 의미가 분명해졌다. 청교도 식민지들의 국교화는 어떤 다른 식민지보다 더 오래 지속되었다. 1662-1665년 코네티컷과 뉴 헤이번이 합병되었고, 1691년 매사추세츠 만과 플리머스가 합병되었으며, 1680년 뉴 햄프셔는 매사추세츠로부터 독립하였다(VII:10 참조).

그러나 기성 교회 질서로부터 나온 비국교도들이 곧 나타났다. 매사추세츠 식민지에는 거의 초기부터 침례교가 잠정적으로 있었고, 정부의 억압에도 불구하고 1665년 보스턴에 교회를 조직하고 서서히 뉴잉글랜드에 퍼졌다. 1556년 매사추세츠 만에 퀘이커 교도들이 도착하였고, 청교도 국가 교회에 반대하려 하였다. 5년 안에 4명이 보스턴 공원에서 교수형을 당했는데, 결국 찰스 2세가 이것을 금지시켰다. 왕정 복고 정부는 완고한 청교도들을 제어하려 하였고, 마침내 1684년 매사추세츠 만 특허장을 취소시켰다. 영국 국교회가 왕의 지배를 등에 업고 1687년 보스턴에서 시작하여 결국 뉴잉글랜드에 항구적인 발판을 마련했다. 1691년의 새 특허장은 신앙별 참정권 제한을 폐지하고 재산별 참정권 제한을 택하였다. 그리고 종교적 소수파에 대해 관용 조치를 취했다. 비록 국교회에 세금을 내는 것 같은, 여러 가지 기분 나쁘게 하는 것은 계속되었지만 말이다. 매사추세츠와 코네티컷에서는 1727년부터 1729년까지 약간의 조건을 달고서 일부 회중교회에 세금을 면제해 주었다.

청교도들의 단일한 신정국가의 꿈이 시들게된 데는 외부적 요인만 작용한 것은 아니었다. 종종 개척자들의 열정이 그들의 자녀나 손자 손녀들에 의해 계승되지 못하였다. 청교도의 본래의 희망은 선택된 이들, "증명된 성도"(proved saints)만의 교회였으나, 그 기준이 절반 계약(Half-way Covenent, 1657-1662)에 의해 낮추어져야 했다. 17세기 말 하버드에 자유주의적 흐름이 나타났다. 1699년 보스턴의 과격한 브래틀 스트리트 교회(Brattle Street Church)의 설립은 청교도 정착민들의 후손들이 본래의 신앙에서 얼마나 멀리 떠나버렸는지를 잘 보여주었다. 유사 장로교 입장으로 움직이던 코네티컷 회중교회는 매사추세츠의 이러한 물결에 의해 큰 고통을 당했다. 1701년 예일 대학의 설립은 부분적으로 이들에 대처하기 위한 것이었다. 그러나 비국교도들 역시 코네티컷을 괴롭혔다. 침례교, 퀘이커, 로저파(Rogerences)로 불린 과격한 토착 제7일 종파가 움직이기 시작했던 것이다. 감독교회(Episcopalians)는 1707년 스트랫포드에서 교두보를 확보하고 1722년 화려하게 전진했다. 1722년 몇몇 회중교회 지도자들이 예일 대학 학장 티머시 커틀러(Timothy Cutler, 1684-1765)와 오늘날 콜럼비아 대학의 초대 학장 사무엘 존슨(Samuel Johnson, 1696-1772)의 주도로 감독교회로 넘어갔다. 영국 국교회의 성장은 외지 복음 전파회(S.P.G.)의 활동에 의해 큰 도움을 받았다. 이들은 감독교회가 아주 약한 식민지에 대부분의 선교사를 파송했다.

뉴잉글랜드의 아주 독특한 발전은 로드 아일랜드의 개척이었다. 프로비던스(Providence)는 1636년 **로저 윌리엄스**(Roger Williams, 1604?-1683)에 의해 시작되었다. 당시 그는 매사추세츠에서 추방된 상태였고, 신학적 원칙에 근거하여 종교획일주의에 반대하였었다. 로드 아일랜드는 종교의 표현의 자유를 찾는 이들의 피난처가 되었다. 1639년 미국 최초의 침례교회가 설립되었다. 윌리엄스는 얼마간 이 교회의 일원으로 있었고, 참된 교회를 추구하는 "구도자"로 여생을 보냈다. 극도의 개인주의로 인하여 많은 내부 문제가 발생했지만, 로드 아일랜드의 창설 취지인 폭넓은 종교 자유의 원칙은 잘 유지되었다. 특히 퀘이커들이 이곳에서 안식처를 찾았다. 윌리엄스는 그들을 아주 싫어하고 불신하였지만, 국가의 힘을 사용하여 그들을 제어함으로써 그의 원칙들을 깨뜨리는 행위는 피하였다.

이리하여 남부 식민지에는 영국 국교회, 뉴잉글랜드에는(로드 아일랜드를 제외하고) 회중교회가 법적으로 설립되었다. 비록 곧 남부와 북부에 반대파들이 나타났지만 말이다. 그러나 중부 식민지들에서는 초기부터 광범위한 종교적 다양성이 드러났고, 종교의 국교화는 생각할 수도 없었다. 뉴네덜란드는 1624년 네덜란드의 무역 중심지로 자리 잡았다. 1628년 최초의 네덜란드 개혁교회가 맨해튼 섬의 뉴암스테르담에 세워졌는데, 미국 최초의 장로교 교회 정치를 대표하는 것이었다.

요나스 미카일리우스(Jonas Michaelius, 1584-?)가 홀란드에서 와서 최초의 교역자가 되었다. 이 개혁교회와 다른 개혁교회들이 법적으로 국교회로 설립되었으나, 1644년 맨해튼의 종교 분포는 또한 루터교, 메노파, 영국 청교도, 로마 가톨릭 등을 망라하는 것이었다. 총독 피터 슈퉈베잔트(Peter Stuyvesant, 1647-1664)는 그가 다스리는 동안 홀란드 개혁교회 이외의 다른 예배를 금지하려는 시도를 하였다. 이 때 장로교 경향의 청교도는 허용해 주었지만 말이다. 특히 퀘이커 교도들이 억압의 주요 대상이었다. 1664년 네덜란드의 지배가 끝나고, 식민지는 영국으로 넘어갔고, 뉴욕으로 개칭되었다. 1693년 영국 지도자들은 교역 법령을 통과시켰고, 이후 이에 근거하여 뉴욕에 영국 국교회를 설립하려 하였다. 그러나 이 법령이 효력을 발휘하는 영역은 제한되어 있었고, 남부 식민지의 국교회와 같은 의미의 감독 교회는 설립되지 못했다. 몇몇 교회, 특히 1697년 시작된 트리니티 교회는 수 년 동안 이 법에 의해 성직자 생활비를 지불하기 위해 공금을 받았다. 반면 네덜란드 개혁교회는 자유 특허장에 의해 보호를 받았고, 더 많은 관용이 베풀어짐에 따라 다른 교파들에게도 기회가 제공되었다. 1709년 팔라티네이트로부터 식민지로 대대적인 독일 개혁교회의 이민이 전개되었다.

퀘이커 교도는 1656년 선교사로 미국에 처음 발을 디디어, 가는 곳마다 박해를 받았다. 그러나 그들은 곧 관용을 얻었고 점차 발전하기 시작했다. 1672년 조지 폭스가 식민지를 방문하여 이 운동의 정착을 도왔다. 곧 중부 식민지는 퀘이커의 주요 발전 지역이 되었다. 퀘이커가 처음으로 통치를 시도한 곳은 웨스트 저지였다. 이곳에서는 1677년의 "법, 양보와 일치"(Laws, Concessions and Agreements)라는 헌장으로 인해 종교의 자유가 성취되었다. 이스트 저지는 초기에 영국 청교도 경향의 장로교, 네덜란드 개혁교회, 스코틀랜드의 장로교가 정착하였다. 그것은 얼마동안 퀘이커의 손에 넘어 갔다. 비록 장로교가 가장 강한 세력으로 남아 있었지만 말이다. 이 두 저지는 1702년 뉴저지로 통합되었고, 퀘이커는 지배력을 상실했다.

1681년 윌리엄 펜에게 펜실베이니아가 하사되었고, 다음 해 퀘이커의 정착이 시작되었다는 것은 이미 언급한 바 있다(VI:17 참조). 퀘이커의 종교 자유의 정책은 다른 유형의 신앙인들을 끌어들였다. 그리하여 펜실베이니아만큼 다양한 종교 분포를 가진 식민지가 없었다. 영국과 웨일스 출신 침례교도들이 곧 다른 어느 식민지보다 이곳에 더 많이 살게 되었다.

1707년 필라델피아 침례교 연합이 조직되었는데, 이것은 장차 식민지 전체에서 중요한 역할을 하게될 것이었다. 독일과 스위스에서 온 메노파들은 피난처를 찾아 펜실베이니아로 몰려들었다. 독일 침례교회(1708년 설립된 Dunkers) 같은 다양한 독일 교파들이 이 매혹적인 피난지로 이민하였다. 18세기 독일 루터교가 대규모로 들어왔다. 미국 최초의 루터교 그룹은 스웨덴인이었다. 이것은 스웨덴이 델라웨어 강 유역에 식민지를 건설하려 한 것과 관련이 있다. 루터교 발전의 제2기는 뉴욕 일대를 중심으로 한, 네덜란드인들에 의한 것이었다. 그러나 18세기 펜실베이니아를 중심으로 한, 독일 루터교의 이민은 식민지의 루터교의 가장 두드러진 요소가 되었다. 독일 개혁교회 역시 이민해 왔다. 그들은 네덜란드 개혁교회 지도자들과 밀접한 관계를 유지했다.

18세기 초기에 장차 종교적, 경제적, 정치적으로 아주 중요한 의미를 지니게 될, 또 다른 이민의 물결은 스코틀랜드-아일랜드 정착민들의 중부 식민지와 기타 다른 식민지 정착이었다. 북부 아일랜드에 이민했던 스코틀랜드인들인 스코틀랜드-아일랜드인들은 당시 이민왔던 스코틀랜드인들처럼 헌신된 장로교인들이었다. 그들을 지도하고 조직한 이는 프란시스 마케미(Francis Makemie, 1658-1708)였다. 그의 주도로 미국의 최초의 노회(presbytery)가 1706년 필라델피아에서 열렸다. 이 노회와 다른 장로교 모임들에서 청교도 경향의 영국 장로교인들이 스코틀랜드와 스코틀랜드-아일랜드의 칼빈 추종자들과 예배를 함께 드렸다.

혁명(미국 독립전쟁)이 발발할 때까지, 스코틀랜드-아일랜드인의 이민은 그치지 않았고, 그 결과 거의 모든 식민지가 그들의 영향을 받게 되었다. 이들 중 많은 사람은 개척지로 몰려갔고, 이들의 힘으로 오늘날의 사우스 캐롤라이나 대부분과 앨라배마 뿐만 아니라 웨스트 버지니아, 노스 캐롤라이나 서부, 켄터키, 테네시 등이 개석되있던 것이다. 첫 노회가 조직된지 10년만에 대회(synod)가 조직될 정도로 이들은 빨리 성장하였다. 이 대회는 롱 아일랜드(후의 뉴욕), 뉴 캐슬(델라웨어), 필라델피아를 포함하였다.

감독교회(성공회)의 사역은 18세기 초 이전 중부 식민지에서 시작되었다. 그곳의 감독교회의 확장은 주로 외지 복음 전파회(S.P.G.)선교사들에 의한 것이었다. 그리하여 18세기 초기 25년간, 중부 식민지는 특별히 아주 다양한 종교 분포를 보여 주었다. 비록 모든 식민지에서 교파의 다양성이 드러났지만 말이다. 어느 하나의 교파도 식민지 전체에서 우위를 보이지 못했다. 특정 교파가 특정 식민지에서 확고히 자리잡고 있기는 하였지만, 어느 교회도 식민지 전체를 석권할 수 없었다. 미국에 퍼진 교회는 분명히 이식된 교회였다. 그러나 새로운 환경에서, 특별히 유럽에서 국교회였으나 식민지에서는 그렇지 못한 교회들의 경우, 혼란과 주저함이 있었다. 왜냐하면 낯선 예배 의식과 절차에 적응하기 어려웠기 때문이었다. 구대륙에서 신앙이 좋았던 많은 교인들이 신대륙에서 신앙의 끈을 계속 붙들지 않았거나, 거리상의 이유로 그렇게 할 수 없었다. 국교회 교파들은 또한 구성원의 열의가 식기도 하고 반대자들이 확산됨으로써 곤란을 겪었다. 더욱이 합리주의와 이성의 시대의 이신론의 효력이 교회 안에서 감지되기 시작했고, 교회 바깥의 많은 사람들은 종교에 무관심하거나 적대적 태도를 보이기까지 하였다. 이민에 의해 교회는 성장했지만, 점점 더 많은 주민들이 종교와 아무 상관이 없게 되었다.

18세기 캐나다의 삶은 북부 지역을 둘러싼, 프랑스와 영국의 지속적인 투쟁의 영향을 받았다. 결국 영국이 승리했다. 1713년 앤 여왕의 전쟁(유럽에서는 스페인 왕위 계승 전쟁)이 끝났을 때, 프랑스는 허드슨 만, 뉴펀들랜드, 노바 스코티아 대부분을 영국에게 양도했다. 그러나 항구적인 개신교회들이 세워진 것은 1749년 할리팍스가 설립된 이후부터였다.

다음 몇 십 년 동안 영국 국교회, 루터교회, 회중교회, 장로교회, 감리교회, 침례교회들이 설립되었다. 프랑스와 인디언의 전쟁(7년 전쟁) 동안 퀘벡시는 영국의 수중에 들어갔고, 일년 후에는 몬트리올이 함락되었다. 1763년 파리 조약은 북미 대륙에서 프랑스의 모든 소유를 종식시켰다. 퀘벡 주를 영국화하려는 시도는 곧 포기되었다. 1774년 영국 의회는 퀘벡 법령에 의해 프랑스 출신 캐나다인들이 그들 고유의 유사봉건적 제도를 유지하는 것을 허락했고, 로마 가톨릭 교도에게 시민권과 공직 피선거권을 주었으며, 교회가 신자들에게서 십일조를 걷는 권리를 허용하였다. 퀘벡은 압도적으로 가톨릭 도시였으나, 메리 통치 때 불어와 영어를 모두 사용하는 주들은 점점 더 북미의 종교 생활의 특징이 되어가는, 종교 다원주의의 유형에 적응해야 했다.

3. 이신론과 그 반대자들과 회의주의

17세기 말과 18세기 초 계몽주의 정신(VII:1 참조)의 확산의 중요한 결과 중의 하나는 종교에 있어서 합리주의의 발전이었다. 뉴턴의 우주관은 "제 1원인"에 의해 창조되어 기계적으로 질서있게 움직이는 법칙의 세계였다. 역사가 오랜 문명과 타종교에 대한 새로운 지식으로 인하여 사람들의 시야가 넓어졌고 기독교와 다른 문화에 접촉하게 되었다. 로크의 진리의 표준은 상식에 일치하는 의미의 합리성이었다. 그는 도덕성을 종교의 주요 내용으로 보았다. 종교적 합리주의를 발전시킨 강력한 힘은 종교 전쟁의 광기와 잔인함에 대한 도덕적 반발이었다. 이러한 모든 영향력으로 인하여 영국의 종교적 사고에서 합리주의가 태동하게 되었다. 그 온건한 유형은 "초자연적 합리주의"로서 나타났으나, 주로 완전한 기독교 이신론의 형태였다. 반면에 그 과격한 좌파는 기성 종교에 반대하는 반(反) 기독교 이신론으로 발전하였다.

이신론의 선구자는 **에드워드 허버트**(Edward Herbert of Cherbury, 1583-1648)였다. 그는 이미 1624년 원시적 단순 상태 그대로 온 인류가 다 믿는 자연 종교의 신조라 하여 다음과 같이 발표하였다: 하나님이 존재하고, 그를 예배해야 하고, 덕은 그의 진정한 봉사이고, 사람은 잘못을 회개해야 하고, 사후에 보상과 형벌이 있다는 것이었다. 그러나 17세기의 합리주의자들은 거의 그렇게 멀리 나가지 않았다. 로크 자신도 기독교 해석에서 계시의 자리를 유보했다. 비록 그가, 계시된 것은 근본적으로 단순하고 항상 합리적이라고 주장했지만 말이다. 유명한 설교자요 캔터베리의 대주교요 영국 국교회 광교회파(Latitudinarian) 지도자였던 존 틸롯슨(John Tillotson, 1630-1694)의 합리적 초자연주의의 신앙도 크게 다르지 않았다. 그에 의하면 도덕에 신의 제재가 필요하기 때문에, 자연 종교는 계시에 의하여 보완되어야 한다.

그러나 존 톨란드(John Toland, 1670-1722)는 아직 신의 계시를 위한 공간을 남겨 두기는 하였지만, 완전한 이신론의 입장으로 나아갔다. 1696년에 출판된, 그의 주저 「신비하지 않은 기독교」(*Christianity Not Mysterious*)는 영국에서 이신론 논쟁의 장을 열었다. 계시의 개념을 고수한 이들은 계시가 예언과 이적에 의해 증명되었다고 주장했다.

그러나 1713년 안토니 콜린스(Anthony Collins, 1676-1729)는 「자유 사상론」(*Discourse of Freethinking*)에서 예언을 통한 증명을 공격했고, 토머

스 월스턴(Thomas Woolston, 1699-1733)은 기적에서 비판점을 찾았다. 1730년 출판된 매튜 틴달(Matthew Tindal, 1657-1733)의 「창조만큼 오래된 기독교」(*Christianity as Old as the Creation*)는 이신론의 성경이었다. 이들의 저작에서 이신론적 입장의 주요한 특징이 나타났다. 그들은 이성을 초월한 것으로 인정되는 모든 것은 실제로 증거 없는 믿음이라고 주장했다. 미신 제거는 자유이므로, 유일한 합리적 사상가는 자유로운 사상가이다. 인류의 최악의 원수는 사람들을 미신의 속박에 묶은 자들이고, 그 주요한 예는 모든 종류의 "사제"들이다. 계시에서 가치있는 모든 것은 이미 자연적 합리적 종교 안에 제시되어 있다. 따라서 "기독교", 즉 기독교의 가치있는 모든 것은 "창조만큼 오래된" 것이다. 소위 "계시"라 하는 것 중에 애매하거나 이성 위에 있는 모든 것은 미신적이고 무가치한 것이며, 그렇지 않으면 해로운 것이다. 기적은 계시의 진정한 증거가 아니다.

기적이 증명하는 것의 모든 가치는 이미 이성이 소유하고 있으므로, 기적은 불필요한 것이다. 또는 기적은 이 세계를 완전한 역학 법칙에 의해 움직이게 하신 후 이제는 간섭하지 않으시는 창조주의 완전한 솜씨에 대한 모욕이다. 따라서 이신론은 모든 역사적 기독교와 계시의 권위를 파괴하는 듯했다. 그것은 무신론이라고 비난받았으나, 그것이 아무리 파괴적이라 하더라도 무신론은 아니었다. 이신론 주창자들의 사고에 의하면 그것은 종교를 미신적인 것에 대한 속박에서 구출하고, 원시적 자연의 소박함과 순수성으로 돌아가려는 것이었다.

그 후의 관점에서 보면 이신론의 약점은 뚜렷하다. 이신론의 원시적, 보편적, 합리적 종교는 18세기에 그처럼 소중하게 여겨졌던, 오염되지 않은 자연 상태의 아이의 원시적이고 순수한 사회적 정치 상태만큼이나 가상적인 허구였다. "존재하는 모든 것", 즉 자연적인 모든 것이 "옳다"는 주장은 천박한 낙관주의였다. 그것은 종교의 역사적 발전의 실재적 사실에 대한 감각이 없었다. 그 하나님은 멀리 떨어져 있는 존재, 즉 단번에 어떤 종교적 원칙들 주로 도덕 법칙들을 확립해 놓고 이렇게 놀랍게 설계된 기계적 구조의 세계를 작동시키신 후 이제는 상관하지 않으시는 존재였다. 자명한 진리에 견고하게 근거해 있다는 주장에도 불구하고, 이신론 역시 믿음의 입장에 근거해 있었다. 그럼에도 불구하고 그것의 장점은 일반적으로 고도의 윤리적 각성과 인도주의적 관심에 기여했다는 것이었다.

이신론은 많은 반박을 불러 일으켰고, 그 영향력도 대단했다. 이것은 이신론자들이 대부분 상대적으로 평범한 인물들이었음에도 불구하고 그 대부분의 반대자들이 합리적 논증으로 이신론에 대처하려 시도하였고, 종종 그 결과는 그러지 않았지만 그 방법론은 상당 부분 채택했다는 점에서 잘 드러났다. 어떤 일부의 사람들은 종교의 영역에서 이성의 힘을 싹 무시함으로써 이신론에 맞섰다. 윌리엄 로오(William Law, 1686-1761)는 틴달에 대한 반박서로 「이성의 진상」(*The Case of*

Reason, 1732)을 썼다. 로오는 이성이 종교의 진리를 발견할 수 없을 뿐만 아니라 "우리 감정의 혼란과 마음의 타락의 원인이라"고 주장했다. 하나님은 인간의 이해력을 초월하신다. "그분의 뜻은 지혜이고 지혜는 그분의 뜻이다. 그의 선은 그분 뜻대로이다."

이신론에 대해 직접 반박한 것은 아니지만 모든 "무신론"을 파괴하는 것으로 믿은 것은 **조지 버클리**(George Berkeley, 1685-1753)의 철학이었다. 그는 아주 관대한 사람으로서 버뮤다에 미국 인디안의 복음화를 위해 선교 대학을 설립하려 하였고, 얼마 동안 로드 아일랜드에서 살았으며, 1734년 아일랜드의 클로인(Cloyne)의 주교가 되었다. 버클리의 사고에 의하면, 마음(minds)과 관념(ideas) 이외에 참으로 존재하는 것은 없다. 소위 물질에 대한 지식은 우리 마음 속의 인상 이외의 다른 어떤 것이 아니다. 오직 같은 것만이 같은 것에 영향을 줄 수 있으므로, 우리 마음은 반드시 다른 마음에 의해서만 영향을 받게 된다. 관념은 보편적이고 항구적이기 때문에, 보편적이고 영원하고 쉬임없이 일하는 마음(mind)이 우리 마음(minds) 안에 만들어 놓은 것이어야 한다. 그러한 마음이 하나님이고, 우리의 모든 관념은 그에게서 온다. 그러나 관념은 우리의 마음 안에 주관적으로만 존재하는 것은 아니다. 어떤 의미에서 소위 자연이라 하는 것은 분명하고 영속적인 질서로 우리 마음에 인상지워진, 하나님의 마음 안에 있는 일련의 관념들이다. 그 관념들은 우리의 마음 속에 지각함으로써만 존재하지만 말이다.

이렇게 물질의 실재를 부정함으로써 버클리는 세계를 거대한 메카니즘 즉 큰 시계로 보는 견해를 파괴하고자 하였다. 이신론은 전지하신 조물주가 단번에 만들어 놓으시고 이제는 관여하지 않는다고 주장했던 것이다. 그는 이것 대신에 신의 보편적이고 항구적인 영적 활동을 내세웠다. 이러한 버클리의 개념은 항상 철학적으로 아주 존경을 받았지만, 너무 정교하고 상식에 위반되어서 보통 사람은 이해할 수 없었다.

당시 철학적 특징과 항구적 가치에서 훨씬 떨어지지만 더 유명했던 이는 **조셉 버틀러**(Joseph Butler, 1692-1752)였다. 그는 장로교인으로 태어나 일찍 영국 국교회에 들어갔고 1738년 브리스톨, 1750년 더햄의 주교가 되었다. 그의 「종교의 유추」(*Analogy of Religion*, 1736)는 공평하고 주도면밀한 노작이었다. 이신론자에 대한 반박에서 그는 이신론자와 그들의 반대자들이 다같이 주장하는, 하나님이 존재하시고 자연은 일정한 길로 움직이고 인간의 지식은 제한되어 있다는 전제들로부터 출발했다. 하나님은 명백히 자연을 만드신 분이다. 계시에 대해서와 마찬가지로 자연의 코스에 대해서 해명이 곤란한 동일한 난점이 제기된다면, 양자는 동일한 이가 만들었을 가능성이 크다. 그들의 실증적 유사점도 동일한 결론을 내리게 한다. 적어도 불멸의 가능성은 아주 크다. 현재의 행복과 불행이 행위에 의존하듯이, 미래의 운명도 그러할 것이다.

버틀러의 견해에 의하면 모든 사람은 지금 이생을 어떻게 활용하는지 "시험"(probation) 보는 상태에 있다. 또한 각자 미래의 운명에 대해서 "시험" 보고 있을 것이다. 자연에 대한 우리의 지식은 제한되어 있기 때문에, 계시가 일어날 법하지 않다고 말할 수 없다. 하물며 계시가 일어날 수 없다고 확언하는 것이랴? 실제 계시가 있었는지 여부는 기적과 예언의 성취에 의해서 증명되어야 할, 역사적 질문이다. 그의 저서는 당시 이신론에 대한 완벽한 반박이라고 널리 믿어졌고, 아주 오랫동안 영미 대학에 필독서였다. 그러나 버틀러가 면밀하게 시도한 개연성의 균형은 근대의 문제들을 해결하는 데 완전히 실패했고, 문제를 해결하는 것보다 새로 일으키는 것이 더 많다는 비판을 받았다. 그것의 가장 매력적인 특징은 도덕적 열정이었다. 하나님이 인간의 행위보다 양심을 더 지배한다고 강력하게 주장했던 것이다.

이신론과 이에 반대하여 기독교를 옹호한 많은 것들을 동시에 강하게 공격한 이는 18세기 영국의 예리한 철학자 데이비드 흄(David Hume, 1711-1776)이었다. 그는 에딘버러에서 태어나 거기서 죽었다. 그는 몇년 동안 프랑스에서 살았고, 공직 생활도 했고, 대중적이지만 수준 높은 토리(Tory) 입장의 「영국 역사」(*History of England*)를 썼고, 정치 경제학자로서 상당한 명성을 얻었다. 그는 말년에 고향 도시의 문학과 지성계의, 호의적이고 친절한 거장으로 인정받았다. 그의 철학 체계는 「인간 본성론」(*Treatise of Human Nature*, 1739)에 잘 나타났으나, 이 초기 작품은 거의 주목을 끌지 못했다. 동일한 사상을 실은 「철학 에세이」(*Philosophical Essays*, 1748)와 「종교의 자연적 역사」(*Natural History of Religion*, 1757)가 나왔을 때는 사정이 아주 달랐다. 철학적으로 흄은 로크의 토대 위에 서 있었으나 로크의 이론을 과격하게 파괴적으로 비판하고 종교적 회의주의로 일관한, 가장 예리한 추론가 중의 한 명이었다. 경험이 우리에게 모든 지식을 제공하나, 우리는 그것을 각각의 고립된 인상과 관념으로 받아들인다. 원인과 결과로 연결되거나 기초적 실체에 의해 연합되고 지탱되는, 우리의 정신적 인상들 사이의 모든 관련은 단순히 상습적이기는 하지만 근거는 없는, 우리의 정신적 습관의 관점들이다. 그들은 우리의 마음이 그렇게 하는 데 익숙하게 된 방법들이다. 우리가 실제 지각하는 것은 우리의 제한된 관찰 안에서 특정 경험들이 서로 연관되어 있는 것이다. 우리는 그들 사이에 인과관계가 있다는 결론으로 비약한다. 그래서 실체 또한 "가상"이다. 그러므로 인과관계의 가능성이 부정된다면, 거기에 근거한 하나님 존재 증명은 근거 없는 것이 된다. 실체의 부정은 자기의 경험 배후에 진정한 영속적인 자아를 허용하지 않고, 불멸의 철학적 근거를 허락하지 않는다. 흄은 또한 역사에 의하면 인간이 다신론에서 일신론으로 발전하였고, 이신론이 본래부터 인정한 신이나 이신론자들이 주장한 소박하고 원시적이며 합리적인 자연 종교가 존재한다는 것을 입증할 수 없다고 주장하였다. 이렇게 하여 역사적 비평이 그에게서 동터 올랐다. 흄의 비판은 대부분 너무나 미묘하고 과격하여, 이신론자도 그들의 정통적 대적자들도 이해할 수 없었다. 흄은 양자 모두를 비판했지만 말이다.

흄이 일으킨 가장 큰 충격은 당시 계시와 기독교를 방어하는 주요 수단이었던 기적을 비판한 것이었다. 그의 논거는 이중적이다. 경험은 모든 우리의 지식의 근원이다. 우리의 경험에 의하면 자연의 불변성이 인간의 무오류보다 더 강력하다. 따라서 기적이 오류, 실수, 기만에 의해 보고될 가능성이 아주 커서, 자연의 일정한 행로가 실제 방해받을 가능성보다 더 큰 것이다. 그러나 증거에 의해 특별한 사건들의 발생이 증명된다 하더라도, 그 사건들이 신에 의해 특별한 목적을 위해 일어났다는 것이 증명되지 않는 한, 그 사건들이 무엇을 확정한다는 것은 증명될 수 없다. 이것은 훨씬 더 힘든 과제이다. 이러한 입장은 지속적인 효력을 미쳤다. 이제 기적을 주장하는 사람들도 18세기가 그러하였듯이, 기적을 기독교의 최고의 증거로 보지 않게 되었다. 오히려 계시가 기적 안에 신앙을 가져다 주는 것이지, 기적을 지지하는 것이 아니라고 생각되었다. 기적을 인정하는 이들은 이제 주로 계시를 초자연적이고 신적인 것으로 여겼고, 그 결과 기적을 계시와 함께 일어나는 것으로 생각했다. 흄의 비판 이래, 기적 문제는 점점 더 아주 골치 아픈 문제의 하나로 간주되었다. 흄의 작품은 영국의 이신론 논쟁의 산물 중 가장 강력하게 표현된 것이었다. 그로부터 회의주의가 도래한 것이다.

역사가 에드워드 기본(Edward Gibbon, 1737-1794)은 그의 「로마 제국의 쇠퇴와 멸망의 역사」(*History of the Decline and Fall of the Roman Empire*, 1776)의 제 15, 16 장에서 기독교 초기 역사에 대해 회의적으로 비판하여 주목을 끌었다. 이것은 그 내용이 중요해서가 아니라 그것이 당대의 사고에 논쟁을 촉발시키고 빛을 던져 주었기 때문이었다. 기본은 기독교 확장의 원인으로서 유대교로부터 물려받은 열정, 불멸에 대한 가르침, 기적의 은사에 대한 주장, 엄격한 도덕성, 효율적인 조직 등을 들었다. 아마 현대의 역사가라면 누구나 이러한 설명 중 어떤 것도 반대하지 않을 것이다. 그들이 의아하게 생각하는 것은 그의 설명이 기독교든 다른 종교든 종교의 본성과 종교의 정복력에 대한 이해가 전혀 없다는 것이었다. 그러나 이러한 무지는 18세기에 기본을 비평한 이들에게도 해당되었다. 통상의 정통적 설명에 의하면 최초의 제자들이 기적에 의해 복음의 진리를 확신하고나서 그것을 위해 기꺼이 생명을 걸었다는 것이었다. 반면 기본의 피상적인 설명은 직접 초자연적 원인을 찾지 않고, 다른 데서 기독교 확장의 원인을 찾아 주었기 때문에, 흥미를 유발시켰다. 이로 인해 성서와 기독교의 근원에 대한 역사적 탐구가 자극을 받게 되었다. 이것은 주로 19세기에 대대적으로 이루어질 일이었지만 말이다.

18세기 말 당시의 일반적 태도와 영국에서 정통적 기독교 진술마저 합리화되는 경향은 윌리엄 팔리(William Paley, 1743-1805)의 작품에 잘 나타나 있다. 그의 「기독교의 증거에 대한 견해」(*View of the Evidence of Christianity*, 1794)와 「자연 신학」(*Natural Theology*, 1802)은 아주 명쾌한 문체와 논리적 사유로 쓰여졌고 오랫동안 인기를 누렸다. 그는 이렇게 주장했다. 우리는 시계로부터 제작자를 추론한다. 우리는 또한 인간의 몸, 눈, 손, 근육의 놀라운 조화로부터 전능하신 설계자를 추론한다. 따라서 이러한 논증을 통해 하나님의 뜻을 인간 행동의 규칙으로 만드시고 그것을 세상에 계시하신 하나님의 존재가 증명된다. 계시의 목적은 "미래에 보상과 형벌을 받을 것을 증명하는 것"이다. 이 계시가 그리스도에 의해서 주어졌고, 이 계시의 최초의 제자들을 설득한 힘은 계시에 수반되는 기적에 있었다. "이 운동에서 활동하고 고난받은 사람들은 기적을 위해서 활동하고 고난받은 것이다." 다음 팔리는 계속하여 이렇게 정의를 내린다. "덕은 하나님의 뜻을 따라 영원한 행복을 위해 인류에게 선을 행하는 것이다." 이렇게 덕에 대한 신중하고 자존적인 평가는 팔리 시대의 특징이다. 비록 그가 진화론 이후 거의 힘을 상실한, 기적의 분명한 증거와 신적 존재의 기계적 증명을 강조하기는 했지만 말이다. 그러나 흐뭇하게도 "인류에게 선을 행한다"는 사고로 인해 팔리는 노예 제도와 치열하게 싸우게 되었다.

여러가지 방법으로 이신론은 기독교 변증을 자극하기도 하고 다른 한편으로는 그 직접적인 영향으로 회의주의 사고를 촉발시킴으로써 아주 심원한 영향을 행사했다. 영국 이신론은 주로 상류층에 영향을 미친, 전반적으로 신중한 기독교적 이신론이었다. 그러나 거의 지지를 받지 못했지만, 기성 기독교를 공격한, 과격한 반(反)기독교적 이신론도 있었다. 피터 안네트(Peter Annet, 1693-?)는 무모하고 성상파괴적인 성서 비평을 사용하여 기독교를 공격했다. 세기 말 영국 퀘이커의 후예 토머스 페인(Thomas Paine, 1737-1809)은 그의 호선적이고 열정적인 작품에서 반기독교적 이신론을 강하고 평이하게 주장하였다. 그의 「상식」(*Common Sense*, 1776)은 미국 혁명에 크게 기여하였고, 「인간의 권리」(*Rights of Man*, 1791) 역시 이에 못지 않게 프랑스 혁명의 기조 원칙들을 성공적으로 옹호하였다. 그의 「이성의 시대」(*Age of Reason*, 1794-1796)는 가장 공격적인 반기독교적 이신론의 대명사격이었다.

영국 이신론은 다른 지역 특히 독일에서 합리주의의 발전에 공헌하였으나, 많은 추종자가 있었고 상류층 사이에서 크게 유행한 프랑스에서 가장 직접적인 영향을 주었다. 프랑스 이신론의 대가는 자칭 볼테르(Voltaire)라 부르는 프랑수아 마리 아루에(Francois Marie Arouet, 1694-1778)였다. 그는 1726년에서 1729년까지 영국 여행 동안 이신론을 알게 되었고, 피터 안네트의 작품에서 영향을 받았다. 볼테르는 18세기 프랑스에서 가장 번뜩이는 기지를 보인 인물이었다. 그는 허영기 있고 자기 중심적이었지만 전제정치를 지독히 미워하고 특별히 종교 박해를 혐오한 철학자였고, 어느 누구보다도 더 사정없이 기성 종교를 조롱하였다. 이러한 싸움은 필연적이었고, 영국에서보다 프랑스에서 날카롭게 전개되었다. 영국은 어느 정도 종교의 관용이 이루어졌고, 종교 해석의 다양성이 크게 허락되었다. 프랑스는 교조적인 로마 가톨릭이 지배하고 있었기 때문에, 싸움은 이신론 혹은 무신론 대 한 기지 획일적 형태의 기독교의 싸움이었다. 볼테르는 진정한 이신론자였다. 그는 신의 존재와 단순한 도덕성에 그 본질이 있는 원시적 자연 종교의 존재를 믿었고, 성서나 교회의 권위에 근거한 모든 것을 거부했다. 그의 작품이 프랑스인들의 마음을 프랑스 혁명의 방향으로 움직이는 데 막대하고 중요한 영향을 미쳤다는 것은 의심의 여지가 없다.

이신론은 18세기에 광범위한 영향을 주었다. 그것은 프러시아의 프리드리히 대제(Frederick the Great, 1740-1786)와 오스트리아 신성로마제국의 황제 요셉 2세(Joseph II, 1765-1790)와 당대의 위대한 포르투칼 정치가 폼발(Pombal)의 후작의 신조였다. 이후 영국의 북미 식민지에서 이신론 논쟁이 흥미있게 전개되었고, 세 가지 주요한 합리주의 입장이 나타났다. 매사추세츠의 목사 에벤에젤 게이(Ebenezer Gay, 1696-1787)와 조나단 메이휴(Jonathan Mayhew, 1720-1766)는 근본적으로 합리적 초자연주의자였다. 반면에 벤자민 프랭클린(Benjamin Franklin, 1706-1790)과 토마스 제퍼슨(Thomas Jefferson, 1743-1826)은 본질적으로 이신론자였다. 반기독교적 이신론은 미국 독립전쟁의 장군, 「이성, 인간의 유일한 신탁」(*Reason the Only Oracle of Man*, 1784)의 저자인 에탄 알렌(Ethan Allen, 1737-1789)과 소경 십자군 엘리후 팔머(Elihu Palmer, 1764-1806)에 의해서 주장되었다.

4. 영국과 미국의 유니테리언주의

대륙에서 반(反)삼위일체파의 견해가 몇몇 재세례파(VI:4 참조)와 소시니주의자들(VI:14 참조)에 의해 대변되었다는 것은 이미 지적한 바 있다. 이 두 유형은 영국으로 침투하였다. 엘리자베스 여왕 때 네덜란드에서 온 "아리우스 침례교파"(Arian Baptists)는 1575년에 화형당했다. 제임스 1세 때 비슷한 견해를 가진 바돌로뮤 리게이트(Bartholomew Legate, 1575?-1612)와 에드워드 위트만(Edward Wightman, ?-1612)은 그들의 신앙 때문에 화형당한 최후의 영국인이었다(1612). 내전 기간의 논쟁으로 인해 반삼위일체론자들의 견해는 점점 더 명확해졌다. 존 비들(John Biddle, 1615-1612)이 옥스퍼드를 졸업했을 때, 소지니주의(socinianism)는 지적으로 대변할 수 있는 거장을 얻었다. 그는 감옥 생활을 많이 했다. 위대한 청교도 시인 존 밀튼(John Milton, 1608-1674)은 말년에 아리우스주의(Arianism)로 기울었다. 비들이 개종시킨 주요한 인물은 토머스 피르민(Thomas Firmin, 1632-1697)이었다. 그는 반삼위일체론 책자를 많이 출판한 런던의 평신도였다.

18세기 초 정통적 그룹과 이신론 그룹은 모두 합리화 경향과 종교의 본질을 도덕에서 찾으려는 경향을 보였는데, 이로 인해 반삼위일체론 입장이 매우 강화되었다. 장로교 목사인 토머스 엠린(Thomas Emlyn, 1663-1741)은 1702년에 「예수 그리스도의 성서 평가에 대한 탐구」(*Inquiry into the Scripture Account of Jesus Christ*)를 발표하여 많은 독자층을 확보했다.

웨스트민스터의 성 제임스 교회의 교구 사제이며, 성공회 성직자 중 가장 철학적이라고 인정받는 사무엘 클라크(Samuel Clarke, 1675-1729)는 「삼위일체에 대한 성서의 교리」(*Scripture Doctrine of the Trinity*)를 발표했다. 이 곳에서 그는 신약 성서를 조사하여 아리우스적 견해를 입증하려 했다. 그러나 반삼위일체론이 큰 지지를 얻은 것은 비국교도들 특히 장로교파와 일반 침례교파(General Baptists) 사이에서였다. 1717년 조셉 할렛(Joseph Hallet, 1691?-1744)과 익스터의 장로교 목사인 제임스 피어스(James Peirce, 1674?-1726)는 정통과 아리우스주의의 중도적 입장을 추구하려 했다. 매우 학식있는 18세기 비국교도 나다니엘 라드너(Nathaniel Lardner, 1684-1768)도 비슷한 견해를 갖고 있었고, 이러한 운동은 확산되었다. 하지만 전반적으로 회중교회주의자들과 특별 침례교파(Particular Baptists)는 거의 영향을 받지 않았다. 그들은 세기 내내 계속 증가하여 장로교를 능가했다. 이전의 관용법 시대에는 장로교파가 가장 큰 비국교도였는데 말이다.

아리우스의 물결은 영국에서 독자적으로 조직된 유니테리언주의의 발전에 길을 닦아 놓았다. 이 운동은 유니테리언 입장을 택한, 국교회 성직자 테오필루스 린제이(Theophilus Lindsey, 1723-1808)가 성직자로 하여금 성서에만 충실하도록 하기 위하여 39개 신조에 대한 서명 의무를 폐지해달라는 탄원서를 돌려서 약 250명의 서명을 받아냄으로써 더 가속화되었다. 1772년 의회는 이것의 승인을 거절했다. 1773년 린제이는 국교회에서 추방되었고, 다음 해 런던에 유니테리언 교회를 조직했다. 린제이와 친분 있던 비국교도 성직자 조셉 프리스틀리(Joseph Priestley, 1733-1804)는 저명한 화학자로서 산소를 발견했으며, 미국과 프랑스 혁명에 동조했고, 생애 마지막 10년을 펜실베이니아에서 보냈다. 1779년 의회는 관용법을 수정하여 39개 신조의 교리 수용 대신, 성서에 대한 신앙고백으로 대체하였다. 그리고 1813년 삼위일체를 부정한 사람을 처벌하는 형법을 폐지했다. 이런 오래된 영국의 유니테리언주의는 형식적이고 지성적이며 "인간이 만든 신조"들을 명백히 거부하였고, 인격에 의한 구원(salvation by character)을 강조했다. 그것은 종종 지적으로는 우수했으나, 일반 대중의 신앙 생활에는 거의 영향을 미치지 못했다.

영국 유니테리언주의는 뉴잉글랜드에서 비슷한 운동을 태동시켰다. 비록 그것이 18세기의 일반적인 이성적 경향에서 성장했지만 말이다. 프리스틀리와 윌리엄 해즐릿(William Hazlitt, 1737-1820)이 식민지에 온 후, 이로 인해 그것은 독립 운동의 양상을 띠게 되었다. 제임스 프리먼(James Freeman, 1759-1835) 목사의 지도 아래, 뉴잉글랜드에서 가장 오래된 국교회 교회인 왕의 교회(King's Chapel)가 1787년 최초로 공개적으로 유니테리언 교회가 되었다. 많은 회중교회주의자들이 유니테리언주의에 동조했다. 대각성 운동(VII:8 참조)에 대한 반발로 인해 아르미니안의 영향력이 확산되어 갔고, 반삼위일체 경향이 조심스럽게 몇몇 동조자를 얻었기 때문이었다. 그러나 회중교회는 법적으로 설립되어 있었고, 또 어떤 신학 논쟁이 터지는 것을 두려워 하였다. 왜냐하면 점차 자유가 진전하는 시대에 종교를 국교회화하는 것이 옹호되기 어려웠기 때문이다. 정통과 자유파 사이에 공개적으로 논쟁이 시작되고 유니테리언 분파(VII:15 참조)가 생긴 것은 19세기에 가서야 일어난 일이었다.

5. 독일의 경건주의

스콜라적 루터교의 발전은 이미 논의한 바 있다(VI:13 참조). 이것은 비록 성서를 기본으로 삼았지만, 경직되고 엄격하고 지적 순응을 요구하는, 고정된 교리적 해석 체계를 취했으며, 순수한 교리와 성례가 기독교인 생활의 필수 조건이라고 강조했다. 루터가 가르친 신자와 하나님 사이의 생동적 관계는 주로 교리 전체를 수용하는 데 필요한 신념으로 대치되었다. 평신도의 역할은 매우 수동적이었다. 교리가 순전하다고 믿고 확신으로 받아들이는 것, 설교자의 강론을 경청하는 것, 성례전이나 교회 의식에 참가하는 것 등이 기독교인 생활의 전부였다. 그 무렵의 찬송 가운데 일부가 깊은 경건을 나타낸다는 점으로 보아, 진실하고 내적인 종교 생활을 영위하는 모범적 개인들도 분명히 많이 있었을 것이다. 그러나 일반적 경향은 외적이고 교의적이었다. 이른바 "죽은 정통"이었다. 이 표현은 단지 부분적으로만 타당하지만 말이다. 한편 이 개신교 스콜라주의(Protestant Scholasticism)는 합리주의 사조에 맞서 투쟁하면서도 무의식적으로 이 정신의 영향을 받았기 때문에, 어떤 면에서는 중세 스콜라주의보다 더 편협했다. 그래서 성격이나 방법론 모두가 새로운 합리주의 사조와 비슷했다. 그리하여 그것은 합리주의에 대한 반동이 있을 때, 함께 배척받았다.

경건주의는 이러한 스콜라적 경향에서 벗어났는데, 기독교적 체험과 감정의 우월성을 주장하며, 평신도에게 기독교적 삶의 형성에 능동적으로 참여할 것을 요구하였고, 세상에 대한 엄격한 금욕 자세를 강조했다. 이러한 경건 운동의 원인은 많지만, 그 모두를 규명하는 것은 어렵다. 경건주의 부흥의 배경과 본질을 이해하기 위한 최선의 접근 방법은 중심 인물인 필립 야곱 슈페너(Philipp Jacob Spener, 1635-1705)를 아는 것이다. 그는 17세기의 가장 탁월한 신앙인 중의 하나로서, 그의 가르침과 모범에서 경건주의가 직접 유래했다. 슈페너는 알사스 상부 라폴츠바일러(Rappoltsweiler)에서 태어나서 슈트라스부르크에서 교육받았다. 그는 거기서 성서 해석에 정통하게 되었고, 그곳의 교회 훈련과 교리 교육에 대한 관심이 대부분의 루터교의 관행보다 훨씬 앞서 있음을 발견했다. 바젤과 제네바에서 더 연구한 결과 개혁교회의 강조 사항을 잘 알게되었으나, 루터교와 결별하지는 않았다.

그의 정신과 영성의 발달에 영향을 준 것은 다음과 같은 많은 요인들이었다. 슈트라스부르크에서 그는 루터 신학을 주의 깊게 연구했다. 특히 신비적 성향을 띤 요한 아른트(Johann Arndt, 1555-1621)의 저작 「진정한 기독교」(*True Christianity*, 1605-1609)에서 자극을 받았다. 파울 게르하르트(Paul Gerhardt, 1607-1676)의 신앙시가 그에게 얼마나 많은 감동을 주었는지는 분명하지 않다.

그리고 테링크(Willem Teelink, 1579-1629), 부트(Gisbert Voet, 1589-1677), 로덴슈테인(Jodocus van Lodensteyn, 1620-1677) 등이 주도한 "네덜란드 경건주의자"(Dutch Pietist) 혹은 "네덜란드 청교도"(Dutch

Precisianist, 법형식주의자)로 불리는 개혁교회의 운동에서 얼마나 많은 영향을 받았는지도 정확히 알려져 있지 않다. 이 운동은 흔히 영국 청교도와 동일시되었는데, 그것은 영국 청교도가 이 운동을 풍요롭게 해 주었기 때문이다. 그러나 특히 루이스 베일리(Lewis Bayly, ?-1631)의 인기서 「경건의 실천」(*The Practice of Pietie*)의 독일어 번역판과 리처드 백스터(Richard Baxter, 1615-1691)의 일부 번역서 등과 같은 청교도 작품에서 영향을 받았다는 것은 분명하다.

슈페너는 1666년 번영하는 상업도시 프랑크푸르트의 수석 목사가 되었다. 그는 교회 훈련의 필요성을 느꼈으나, 모든 권한이 시 당국에 있기 때문에 즉각 실행할 수는 없었다. 그는 자신에게 허용된 지도권한 아래 교리 교육의 질을 신속히 높여나갔다. 최초의 눈에 띄는 쇄신 운동은 1670년에 일어났다. 개인의 영적 생활의 심화에 주목적을 두고, 자택에서 몇몇 동료들을 모아 소규모 모임을 결성하고 성경 읽기, 기도, 주일설교에 대한 토론 등을 시행했다. 그 모임은 경건의 모임(*collegia pietatis*)이라고 불리었는데, 여기서 경건주의(Pietism)라는 말이 나왔다.

슈페너는 1675년 자신의 저서 「경건한 열망」(*Pia desideria*) (본사 기독교고전 24번으로 역간-편집자주)에서 교인에게 경건 생활을 고취시키기 위한 계획을 발표했다. 여기서 그는 정부의 간섭, 일부 성직자의 비모범적인 통속적 생활, 신학의 논쟁적 해석, 술취함, 부도덕, 평신도의 이기적인 자기 추구 등의 시대악을 지적했다. 그리고 개혁의 방편으로 성경을 읽고 — 모든 신자는 사제이므로(이러한 루터의 주장은 사실상 잊혀진지 오래였다) — 서로 돌보고 돕기 위한 다양한 회중의 모임(교회 안의 작은 교회, *ecclesiolae in ecclesia*)을 조직할 것을 제안했다. 기독교는 지적 지식이기보다는 오히려 삶이다. 논쟁은 유익하지 않다. 성직자에게 더욱 개선 훈련이 필요하다. 즉 체험적 신앙과 그에 부합하는 생활이 요구된다. 바로 청중들의 기독교적 삶의 형성을 위한 참신한 설교를 해야 하지, 논쟁 능력을 과시해서는 안된다. 삶에서 드러나는 것이 진정한 기독교이다. 정상적이라면 그런 생활은 영적 변화 즉 의식적인 중생에서 시작한다. 또한 슈페너는 영국 청교도와 같은 금욕 성향을 보여서, 음식과 술과 의복에 대한 절제를 주장했으며, 당시 루터파는 "비본질적 사항"으로 여겼던 극장, 춤, 카드 등을 금지했다.

슈페너의 노력은 심한 반대에 부딪쳤고 엄청난 논쟁을 불러 일으켰다. 그는 이단으로 고발되었다. 이것이 그가 루터교의 표준에서 고의적으로 이탈했다는 것을 가리킨다면, 그것은 잘못된 것이다. 그러나 그의 정신과 사상이 당시 루터교 정통 신앙과 상당 부분 같지 않다는 의미라면 이것은 옳은 것이다. 그는 강조점을 신조에서 성서로 옮겼다. 또한 마음이 바르기만 하면, 해석에 대한 지적 견해의 차이는 부차적 문제라고 하는 그의 생각은 "순전한 교리"를 강조하는 자들로부터 신랄한 비판을 받았다. 그는 성서와 대중 사이의 벽을 허물어 주었고, 성서가 가르치는 궁극적 논리적 형태였던 신앙고백의 기준의 권위를 약화시켰나. 그리고 성시 연구의 결과 성서의 본질 및 역사에 대한 연구의 길을 열었다. 또한 슈페너는 청년층의 종교 교육을 전면 개선하였다. 이렇게 해서 보다 활기차고 진지하며 성서적으로 윤택한 기독교인의 생활을 대중에게 소개하려는 그의 목적은 달성되었다.

슈페너의 만류에도 불구하고 프랑크푸르트의 일부 제자들은 기성 교회의 예배와 성례전에서 이탈했다. 결국 슈페너의 집회는 경찰의 반대에 부딪쳤고, 그는 1686년 드레스덴(Dresden) 궁정 목사직의 요청에 기꺼이 응하였다.

그 동안 경건주의 운동은 라이프치히 대학에도 확산되어서, 1686년 소장파 교수의 한 사람인 아우구스트 헤르만 프랑케(August Herrman Francke, 1663-1727)와 몇몇 동료들은 성서 연구를 위한 '책을 사랑하는 이들의 모임'(*collegium philobiblicum*)을 교내에 설립했다. 처음에는 회원들이 교수들로 구성되었기 때문에 연구 방법이 학술적이었으며 대학 당국의 승인도 받았다. 그러나 프랑케는 1687년 뤼네부르크(Lüneburg)에 있는 동안 스스로 하나님에 의한 중생이라고 판단되는 것을 경험하고, 요한복음 20장 31절을 주제로 설교문을 썼다. 그가 경건주의를 완전히 수용한 것은 드레스덴에서 슈페너와 함께 두세 달 체류하는 동안이었다. 1689년 프랑케는 라이프치히에 돌아와 많은 학생과 시민들에게 설교하여 많은 추종자를 얻었다. 곧 라이프치히에 큰 소동이 벌어졌다. 선제후는 곧 시민들의 "사적 특별집회"(conventicles)를 금지하는 칙령을 내렸다. 프랑케의 강연을 듣고 일부 학생들이 다른 연구를 등한히 하고, 비판적 태도를 취하게된 것은 분명했다. 라이프치히 대학의 신학 교수 카르프조프(Johann Benedict Carpzov, 1639-1699)가 주동한 결과, 대학 당국은 프랑케의 활동을 제한했다. 카르프조프는 슈페너의 가장 집요한 적대자 중의 한 명이 되었다. 프랑케의 입장이 아주 난처해졌다. 그래서 1690년 에르프르트의 "부목사직"(deacon) 조정을 수락했나.

한편 슈페너도 드레스덴에서 평화롭지 못했다. 작센의 교직자들은 그를 이단자로 취급했으며, 작센 지방의 라이프치히와 비텐베르크 대학도 그를 반대했다. 그의 영적 성장을 위한 모임은 비판의 표적이 되기 시작했다. 선제후 요한 게오르그 3세(John George III, 1647-1691)는 그의 주벽에 대한 슈페너의 목회적 책망으로 인해 감정이 크게 상했다. 그래서 나중에 프러시아의 왕 프리드리히 1세(Frederick I, 1701-1713)가 될 브란덴부르크의 선제후 프리드리히 3세(Frederick III, 1688-1701)가 베를린으로 초청하자 그는 기꺼이 응하였다. 비록 슈페너는 그의 새 통치자를 경건주의로 끌어들이지는 못하였지만, 프리드리히로부터 많은 후원을 받았다. 죽을 때까지 머무른 베를린 생활은 그의 생애 중 가장 행복하고 성공적인 기간이었다. 베를린에 있는 동안 슈페너는 경건주의에 최고로 기여할 수 있었다.

한편 토마지우스(Christian Thomasius, 1655-1728)는 1690년 동료 신학자들의 적대적 감정으로 인해 라이프치히 대학에서 쫓겨났다. 그는 로크적 의미의 합리주의자, 당대의 시시한 신학적 궤변에 대한 비판자, 독일 법학 창시자, 대학 교육 언어를 라틴어에서 독일어로 바꾼 최초의 인물, 종교의 자유 옹호자, 마술 회의론자 그리고 고문의 법적 사용 반대자였다. 그러나 학생들 사이에 인기는 대단했다. 그는 결코 경건주의자는 아니었다. 그러나 그는 경건주의자들에 대한 박해를 혐오했고, 라이프치히 대학 당국과 싸우고 있는 프랑케를 힘껏 도왔다. 오랫동안 자기 소유의 대학을 염원해온 브란덴부르크 선제후는 할레(Halle)에 대학을 설립할 목적으로 토마지우스의 추방을 하나의 기회로 삼았다. 그 대학은 1694년에 공식 개교했고, 토마지우스는 작고할 때까지 거기서 법학부를 이끌었다.

그 동안 프랑케는 에르푸르트에서 정열적으로 경건주의 운동을 소개했으나, 그 도시의 목사들로부터 심한 반발을 샀다. 카르프조프는 그에게 계속 적의를 품었고, 결국 그는 1691년 추방되었다. 슈페너는 선제후를 설득하여 할레 대학에 경건주의에 공감하는 동료들을 교수로 앉혔을 뿐만 아니라 프랑케에게 할레 대학의 교수직과 인근 마을 글라우카(Glaucha)의 목회직을 주선했다. 프랑케는 할레 대학에 가서 처음부터 신학 방법과 교육에 두각을 나타내었다. 비록 1698년까지는 신학 교수직에 공식 임용되지 않았지만, 그는 할레 대학을 경건주의의 중심지로 만들고 유지시켰다. 프랑케는 지칠 줄 모르는 정력가인 동시에 천재적인 조직가였다. 글라우카 교구는 신실한 목회의 모범이었다. 대학 강의는 주로 성서 주석과 경험에 의한 것이었으며, 강의실과 교구 목회를 조화시킨 결과 학생에게 큰 도움을 주었다. 1695년 그는 빈민 아동을 위한 학교와 얼마 안있어 예비 학교인 파이다고기움(Paedagogium) 그리고 라틴어 학교를 세웠다. 이러한 교육 기관들은 경건주의 정신으로 운영되었고 큰 명성을 얻었다. 프랑케가 작고할 무렵, 2천 2백명의 어린이들이 그곳에서 교육을 받고 있었다. 그는 또한 고아원을 세웠다. 그가 죽을 때 여기서 134명의 아이들이 살고 있었다. 이 기관들은 거의 자금이 없이 시작했는데, 현재까지도 그 명맥을 잇고 있다. 프랑케는 그것들이 기도에 대한 응답으로 유지된다고 굳게 믿었기 때문이다. 독일 전역에서 도움이 쇄도하였다.

프랑케의 믿음의 응답을 의심하는 것은 아니지만, 그가 또한 친구들의 협력을 얻고 명성을 얻는 기술을 터득했다는 점은 분명하다. 그의 사업 찬조자 중에는 명사들이 매우 많았다. 또 다른 사업 하나도 거의 독자적인 노력으로 성취했는데, 성서 연구소(The Bible Institute)가 바로 그것이다. 그 기관은 1710년 성경 출판 및 염가 보급을 위해, 자신의 친구 힐데브란트(Karl Hildebrand)와 칸스타인(Freiherr von Canstein, 1667-1719)의 도움을 받아 설립했다. 그 연구소는 지금까지도 빛나는 역사를 간직하고 있다.

할레에서 두드러진 특징의 하나는 선교열의 고조였다. 개신교가 아식 선교를 의무로 받아들이지 못할 때, 프랑케와 그의 동료는 선교 활동에 눈을 돌렸다. 덴마크의 프레데릭 4세(Frederick IV, 1699-1730)가 1706년 인도의 트랑크바르(Tranquebar)에 개척한 덴마크령 식민지에 최초로 개신교 선교사를 파견하기를 원했을 때, 그는 할레의 프랑케의 제자, 치겐발크(Bartholomäus Ziegenbalg, 1683-1719)와 플뤼차우(Heinrich Plütschau, 1678-1747)를 보냈다.

18세기 동안 적어도 60명의 해외 선교사들이 할레 대학 및 관련 기관에서 배출되었다. 가장 유명한 이는 슈바르츠(Christian Friedrich Schwartz, 1726-1798)로 그는 1750년에서 죽을 때까지 인도에서 활동했다. 프랑케는 탁월한 선교 지도자로 기록될 충분한 자격이 있다.

경건주의는 라인 상부 지역의 독일 개혁 교회에도 전달되었다. 이곳에서는 개혁교회 경건주의와 루터교 경건주의가 서로 융합되었는데, 운터레이크(Theodore Untereyck, 1635-1693)와 네안더(Joachim Neander, 1650?-1680)가 그 대표적인 인물이었다. 경건주의의 누룩은 노르웨이, 스웨덴, 덴마크 등지의 루터파 교회에 스며들어 그곳의 신앙적 열정을 자극했다. 그리고 이미 미국으로 건너간 독일 이주민들 가운데 많은 수가 이미 이 운동에 깊이 영향을 받은 상태였다.

독일에서는 1727년 프랑케의 별세를 정점으로 하여 경건주의가 쇠퇴하기 시작했다. 경건주의는 더이상 슈페너와 프랑케 같은 거장들을 내지 못했다. 비록 그 후에도 뷔르템베르크의 요한 알브레흐트 벵겔(Johann Albrecht Bengel, 1687-1752)의 탁월한 지도력으로 운동이 확산하는 등 독일 안에서 계속 확산되었지만 말이다. 경건주의자들이 루터파 교회에서 이탈하지 않았기 때문에 통계적 추정은 어렵지만, 분명 경건주의는 독일에 매우 광범위하고 지속적인 영향을 미쳤다. 그것은 더욱 생동감 있는 형태의 경건을 조성시켰다. 그리고 교직자의 영적 자질, 설교, 그리고 젊은이를 위한 기독교 훈련을 크게 개선했다. 그것은 교회 생활에서 평신도의 역할을 확대시켰다. 그리고 성서를 대중화시켜서, 성서의 헌신적인 연구를 고조시켰다.

한편 경건주의에서 부정적인 사항들도 있었다. 하나님 나라에 들어가기 위한 유일한 규범적 방법으로서 오직 투쟁을 통해 의식적으로 회개하는 것만을 고집한 것, 프랑케가 그의 기관의 아이들에게 놀이를 엄격하게 금한 것에서 드러나듯이 세상에 대해서 과도하게 금욕적 태도를 취한 것, 경건주의자가 아닌 사람은 비신앙적이라는 식으로 편협하게 판단한 것, 신앙의 지적 요소를 무시한 것 등이 바로 그것이다. 그러나 전반적으로 볼 때, 긍정적인 평가를 내릴 수 있다. 경건주의는 독일 개신교 신앙 생활에 아주 가치 있는 기여를 하였다.

가장 진보적인 경건주의자의 한 사람인 고트프리드 아르놀트(Gottfried

Arnold, 1666-1714)의 교회사 해석은 경건주의의 열매로서 주목할 만하다. 그는 슈페너의 친구이며 기센(Giessen)에서 잠시 교수 생활을 하다가 나중에 퀘들린부르크(Quedlinburg)에서 은둔 생활을 했다. 종교개혁 이래 교회사는 논쟁적이었고, 당대의 교회가 배척한 사상가는 누구나 배척되어야 할 것으로 생각되었다. 그러나 아르놀트는 그의 1699년과 1700년 작품인 「비당파적 교회와 이단의 역사」(*Unparteiische Kirchen und Ketzer-Historie*)에서 새로운 개념을 도입했다. 그는 고대의 이단에 대해 깊이 이해하고 나서, 그의 시대가 그를 이단으로 간주했다고 해서 오늘날도 그를 당연히 이단이라고 생각할 수는 없다는 결론을 내렸다. 사상가는 자기 자신의 공과에 따라 판단되어야 하는 것이다. 이른바 이단이라 불리는 견해일지라도 기독교 사상사에서 나름대로의 위치를 가진다. 그러나 건실한 사상을 가진 사람에게도 항상 위험성이 잠재해 있는 것처럼, 아르놀트도 그의 결론을 극단 쪽으로 몰고 갔다. 정통보다는 이단에 더 많은 진리가 있다는 것이었다. 그러나 그는 분명히 교회사 발전에 주목할 만한 자취를 남겼다.

6. 진젠도르프와 모라비아주의

경건주의적 각성에서 가장 탁월한 결과 중의 하나는 형제단(Unitas Fratrum) 혹은 일반적으로 알려진 대로 모라비아 형제단(Moravian Brethren)의 재편이었다. 비록 이것이 경건주의자들에 의해 일반적으로 승인되지는 않았지만 말이다. 이것은 니콜라우스 루트비히 폰 진젠도르프(Nikolaus Ludwig von Zinzendorf) 백작이 주도했다. 진젠도르프는 1700년 5월 26일 드레스덴에서 출생했다. 부친은 작센 선제후 궁정의 고위 관리였으며 슈페너의 친구였다.

진젠도르프의 부친은 그가 태어나기 바로 전에 죽었고, 모친은 재혼했으며, 고독하고 내면적인 소년은 경건주의자인 조모 게르스도르프(Henrietta Catherine von Gersdorf) 남작 부인에 의해 양육되었다. 소년 시절부터 그의 신앙

생활은 그리스도에 대한 열정적인 인격적 헌신으로 두드러졌다. 열 살에서 열 일곱 살까지는 할레에 있는 프랑케의 '파이다고기움'에서 수학했다. 처음에는 교육의 엄격함에 반발했으나 점차로 프랑케의 열정을 긍적적으로 평가했고, 급기야 1715년 첫 성만찬에서 그의 경건성의 불이 당겨졌다. 그는 공직으로 나아가길 바라는 가족의 뜻을 따라 1716년에서 1719년까지 비텐베르크에서 법학을 공부했다. 그는 단호한 경건주의자였지만, 비텐베르크의 경험으로 인하여 전보다 더 정통적 루터교에 대하여 관대한 마음을 품게 되었다. 1719년과 1720년에는 홀란드와 프랑스로 장기간 여행을 떠났고, 여행 중 많은 명사들과 교제를 나누면서, 재치있지만 아주 명백하게 자신의 종교적 원칙들을 설명하였다.

카스텔(Castell)을 지나 돌아오는 여행 길에서 사촌 누이와 사랑에 빠졌으나, 하인리히 29세(Heinrich XXIX von Reuss) 백작이 누이에게 더 적당한 사람이라고 생각하고 사랑을 포기했다. 그리고는 하나님이 이 일을 통해서 그가 해야 할 어떤 일들을 가르쳐주었다고 믿었다. 그는 결국 1722년 하인리히 백작의 누이 동생 도로테아(Erdmuth Dorothea)와 결혼했고, 그녀는 그를 가장 잘 이해해주는 아내가 되었다. 그는 친척들의 뜻에 따라 1721년 드레스덴에서 선제후를 위해 봉직했다. 그러나 그는 주로 드레스덴의 친구 사이에서 경건주의적 의미의 "마음의 종교"(heart-religion)를 함양하는 일에 관심을 쏟았다. 그러한 관심은 드레스덴에서 동쪽으로 70마일 가량 떨어진 베르텔스도르프(Berthelsdorf) 영지에서도 드러났다. 거기서 그는 후원자(patron)로서 뜻을 같이 하는 친구 로테(Johann Andreas Rothe)를 목사직에 임명했다. 그 곳에서 생각지도 않던 평생의 과업이 진젠도르프를 기다리고 있었다.

보헤미아와 모라비아의 형제단은 박해를 받고 있었다(V:13 참조). 일부는 폴란드로 피난해서 연명은 했으나, 어려움은 가중되었다. 베를린의 프리드리히 3세의 칼빈파 궁정목사 자블론스키(Daniel Ernst Jablonsky)는 가문으로나 실제상으로나 형제단과 연고가 있었는데, 1699년 폴란드 형제단원들은 그를 설득하여 감독직 안수를 수락하게 했다. 30년 전쟁은 체코 개신교에게 파괴적인 결과를 가져왔고, 보헤미아와 인접 모라비아 지역에서는 도피와 박해 상황이 계속되었다. 그러던 중 1722년 모라비아 북부에 거주하고 독일어를 사용하는 형제단의 생존자들은 목수 다비드(Christian David, 1690-1751)의 지도 아래 작센으로 피난하기 시작했다.

진젠도르프는 자신의 베르텔스도르프 영지에 촌락 건립을 허용했다. 이들은 이곳을 헤른후트(Herrnhut)라고 이름지었고, 이리로 많은 난민들이 모여들었다. 본토의 많은 독일 경건주의자와 다른 열정적 신앙인들이 합류했다. 처음 진젠도르프는 피난처만 제공했을 뿐, 이 정착자들에게 거의 관심을 기울이지 않았으나, 1727년부터 영적 지도자의 역할을 떠맡기 시작했다. 처음 그 일은 힘들었다. 피난민들은 분열되었고, 분리 교회를 추구했다. 반면에 진젠도르프와 로테는 작센의 루터교 국가교회에 속하기를 원했다. 비록 슈페너의 경건의 모임(*collegia pietatis*)의 구상처럼 별도의 모임을 가지더라도 말이다. 한편 지방 관습법에 의하면 각 촌락 공동체는 세속적 조직을 갖추고 스스로 통치자를 세울 수 있었고, 헤른후트는 1727년 이에 따라 자체의 세속적 문제를 처리하기 위해 "원로"(elders)들을 선출했다. 이 영지의 영주 진젠도르프는 무한정의 지도권을 가지고 있었고, 이것은 1727년 8월 13일 베르텔스도르프에서 그러한 영적 권한을 가진 성찬 예배에 의해 확증되었다. 그날은 현재 흔히 모라비아 교회라고 부르는 형제단이 다시 태어난 날로 기념되고 있다.

헤른후트 마을의 지도 기관들은 처음에는 세속적 조직이었으나 곧 종교적 조직으로 발전하였다. 1730년 원로회(eldership)에서 4인의 실행 위원회를 발족시켜 행정기능을 담당하게 했다. 1734년 총원로회(general eldership)가 구성되었고, 초대 회장에 도버(Leonhard Dober, 1706?-1766)가 취임했다. 그는 직무를 맡기 위해 선교지에서 되돌아왔다. 진젠도르프는 헤른후트 공동체를 국내와 해외에서 그리스도의 뜻을 추진하는, 그리스도의 군사들의 한 몸으로 생각했다. 서원이나 독신제도는 없었지만, 주님께 대한 일상적 기도와 예배를 의무로 하는, 새로운 형태의 개신교 수도원주의(Protestant monasticism)였다. 1728년부터 젊은 남녀를 각각 일상 가정 생활에서 분리시켜, 각 반 별로 엄격히 감독했다. 어린이도 할레의 고아원을 본따서, 부모와 떨어뜨려 양육했다. 심지어 공동체가 결혼 상대를 선택해주기까지 했다. 그들의 목표는 세상과 분리되어 있으나 그리스도의 왕국을 위해서라면 어디든지 가는 병력을 파송할 준비가 되어 있는 공동체였다. 이러한 두 경향은 발전에 혼란을 가져왔다. 모라비아파 구성원은 옛 형제단을 완전 재현한 분리 교파를 설립하려 했다. 그러나 진젠도르프는 교회 안의 작은 교회(*ecclesiola in ecclesia*)라는 경건주의적 발상을 고수했다.

그는 모라비아파가 국가교회 안에 더욱 열렬한 영적 생활 즉 "감정적 신앙"을 배양하는, 루터파 국가교회의 일부분, 그 안의 특별한 모임으로 존재하기를 바랐다. 그러나 그 운동은 헤른후트의 유별난 특색과 분리주의적 성향 때문에, 곧 정통 루터파뿐 아니라 경건주의자들로부터 많은 반대를 받았다. 그리스도를 위한 일이라면 어디든 기꺼이 가려 하는 모라비아인의 자발성은 선교 운동에 강력한 추진력을 제공하여 결코 잊을 수 없는 강렬한 인상을 남겼다. 개신교 어느 교파도 이들만큼 선교 의무를 절실히 느끼지 못했고, 그 어느 단체도 수에 비하여 그렇게 크게 선교 사역에 헌신한 적이 없었다.

진젠도르프는 덴마크의 크리스챤 4세(Christian IV, 1730-1746)의 대관식에 참석하기 위해 코펜하겐에 갔다가, 거기서 덴마크령 서인도 제도와 그린란드의 원주민들을 만났다. 진젠도르프는 선교열에 불타 헤른후트로 돌아왔다. 그 결과 1732년 도버(Leonhard Dobber)와 니취만(David Nitschmann, 1696-1772)이 처음 서인도 제도로 선교를 떠났고, 1733년 다비드(Christian David) 등은 그린란드로 떠났다. 2년 후 슈팡겐베르크(August Gottlieb Spangenberg, 1704-1792)가 이끄는 대규모 선교단이 조지아에서 활동했다. 이렇게 해외로 확장되는 선교 사업 때문에, 니취만은 1735년 자블론스키로부터 감독 안수를 받았다. 그는 근대에 들어 모라비아인으로는 최초로 감독 계승권자가 되었다. 그 동안 진젠도르프와 작센 정부의 관계는 긴장되고 있었다.

오스트리아 당국도 그가 시민들을 현혹한다고 근거없이 불평했다. 교회도 불평을 재개했다. 결국 1736년 3월 20일 그는 작센에서 추방되었다. 진젠도르프는 서부 독일 로네부르크와 발틱 지방에서 다시 운동을 전개할 기회를 잡았다. 1737년 그는 베를린에서 자블론스키로부터 감독 안수를 받고, 1738년과 이듬해 서인도 제도를 여행했다. 1741년에는 영국에 갔는데, 이미 그 곳에는 여러 해 동안 모라비아 교도들이 활동을 전개하고 있었다. 1741년 12월에는 뉴욕으로 갔고, 성탄 전야 때 조지아에서 온 모라비아 교도들이 펜실베이니아에 건설한 정착촌을 베들레헴이라고 이름지었다. 이 마을은 후에 모라비아 운동의 미국 본거지가 되었다.

진젠도르프는 미국 여행 동안 많은 활동을 벌였다. 그는 펜실베이니아에 흩어진 독일 개신교 세력을 "성령의 하나님 교회"(Church of God in the Spirit)라는 영적 연합체로 집결시켰다. 그는 인디언에게 선교하기 시작했고, 일곱 혹은 여덟 개의 모라비아 교회를 설립했으며 학교도 세웠다. 페터 뵐러(Peter Böhler, 1712-1775)를 감독으로 한 순회 단체(itineracy)도 설립했다. 1743년 1월 진젠도르프는 유럽으로 건너갔고, 1744년 12월 슈팡겐베르크가 미국 사역을 총괄 감독하는 책임을 맡았다. 인디언 선교에 가장 유명한 인물은 자이스베르거(David Zeisberger, 1721-1808)로 그는 1740년부터 조지아의 크릭스(Creeks)에서, 그리고 1743년부터 죽을 때까지 이로쿠아(Iroquois)에서 사역했다.

이제 헤른후트는 선교 활동의 중심지가 되었다. 선교는 수리남, 가이아나, 이집트 그리고 남아프리카에서도 시작되었다. 1771년 거듭된 노력 끝에 라브라도르(Labrador)에 상임 선교단이 설립되었다. 초기 선교지에서는 모라비안들의 노력이 특징적으로 잘 드러나 있다. 그 지역들은 대개 각고의 인내와 헌신이 필요한 험난한 오지였으며, 이러한 선교 방향은 지금까지도 모라비아 선교 사역의 특징이다.

그 동안 진젠도르프가 분리주의를 혐오했음에도 불구하고, 이제 모라비아 교회는 더 완전히 교회가 되어 갔다. 1742년 프러시아 당국이 이를 인정했다. 1745년 모라비아 교회는 감독, 장로, 집사를 세워 조직을 완성하였다. 그 행정 조직은 지금까지도 감독교회적이라기보다는 장로교회적이다. 영국 의회는 1749년의 법령에 따라 모라비아 교회를 "고대 개신교 감독교회"(ancient Protestant Episcopal Church)로 승인했다. 그러나 진젠도르프는 그의 '교회 안의 교회' 이론을 포기하지 않았다. 1747년 작센 당국과 협상한 결과 진젠도르프의 추방이 취소되었다. 다음해 모라비아 교회는 아우그스부르크 신앙고백(Augsburg Confession)을 받아들여, 1747년 작센 국가교회 안에서 특별 봉사를 담당하는 일부분으로 승인 받았다. 이때 모라비아 교회는 매우 심미적인 예배와 충만한 성가를 발전시켰다. 모라비아 교회는 표면적으로는 소규모로 남아있었지만, 유럽에 산재한 "디아스포라"라는 창구를 통해 그 영향력을 널리 전파하였다. 그리고 모라비안의 후원을 받는 종교 단체들은 정규 국가 교회 안의 많은 사람들에게 영향을 주었다.

진젠도르프는 추방 기간 동안 몇몇 모라비아인과 함께 신학과 문화적으로 유별난 특징들을 발전시켰고, 이로 인해 비판을 받을 만했다. 그는 그리스도의 대속적 죽음을 강조하면서 십자가에 못박힌 그리스도의 피와 상처에 대한 병적인 집중과 언어유희에 초점을 맞춤으로써 왜곡된 방향으로 흘렀던 것이다. 이러한 환상적이고 감정적인 성향은 베테라비아(Wetteravia)의 모라비아인들에 의해 고취되었는데, 그의 추방 기간 동안 이 지방의 운동 중심지는 로네부르크(Ronneburg), 마리엔보른(Marienborn), 그리고 헤른학(Herrnhag)이었고, 진젠도르프의 아들 레나투스(Christian Renatus, 1727-1752)가 지도했다. 그리스도인이 하나님 나라에 들어가려면 어린 아이처럼 되어야 한다는 진젠도르프의 주장으로 인하여, 많은 유치한 내용들이 표현되었다. 1747년에서 1749년 사이에 그들의 유별난 특징은 그 절정에 이르렀으나, 그 후 그들은 자체적으로 상당히 수정했다.

진젠도르프 자신도 그들에게서 벗어났다. 모라비아인들은 이 시기를 "여과기(the sifting time)"라고 부른다. 이러한 경향은 아무리 그래도 "나는 하나의 열정을 가지고 있다. 바로 그분(주님)이다"라고 말할 수 있는 사람이 거의 없을 때, 그리스도에게 헌신을 작정한 사람(진젠도르프)의 인격 위에 있는 오점에 불과한 것으로 간주되어야 한다.

진젠도르프는 1749년에서 1755년까지 대부분의 시간을 영국에서 보냈다. 그는 전재산을 모라비아 교인들을 위해 남김없이 사용해서, 거의 파산지경에 이르렀다. 당연히 모라비아 교회가 그의 채무를 맡았고 점차로 변제해 갔다. 이런 재정상의 문제로 모라비아파의 제도가 발달하기 시작했다. 단체의 이사회가 설립되었고, 그것이 모라비아의 업무를 감독하는 조정국이 되었다. 여러 교회들은 운영비를 분담하기로 했기 때문에, 정기적으로 개최되는 총회(general synod)에 각 교회의 대표단을 보내는 제도가 시행되었다.

진젠도르프는 생애의 말기에도 주로 목회 활동을 하면서 지냈다. 마침내 힘이 다 소진했고, 아내와 외아들을 잃었다. 그는 1760년 5월 9일 헤른후트에서 별세했다.

생전에 그렇게 열심히 개선하고 정신을 고취시켰던 형제단은 이제 모라비아 교회가 되어 굳건히 터전을 잡았기 때문에, 그가 사망했어도 심각한 단절은 없었다. 그렇지만 그 실제상의 지도력이 슈팡겐베르크에게 돌아간 것은 다행이었다. 그는 1762년 미국에서 헤른후트로 돌아와서, 30년 후 죽을 때까지 지도자로서 계속 활동했다. 그는 진젠도르프처럼 천재적이거나 열정적이지는 않았으나 차분한 헌신, 대단한 현실 감각 그리고 뛰어난 조직력이 돋보이는 인물이었다. 그는 강력하고도 지혜로운 지도로 모라비아파를 강화하고 개선했다. 전에 비난받던 유별난 특징들도 일반적으로 포기했다. 그의 활동은 조용하게 진행되었고, 기이하지도 않았지만 매우 유용하였다. 모라비아 교회는 기독교계에서 공인된 위치를 차지했으며, 선교열과 모라비아인 디아스포라 사역을 통해 광범위한 영향력을 발휘했다.

7. 영국의 복음주의적 부흥, 웨슬리와 감리교

18세기 초 영국의 종교적 사상과 생활의 경향은 이미 기술한 바 있다(VII:3 참조). 17세기의 투쟁 상황이 끝났을 때, 영국 국교회와 비국교도는 모두 전체적으로 영적 무기력 상태에 빠져 있었다. 합리주의는 모든 부류의 종교 사상에 침투하였다. 그래서 정통 신앙조차도 기독교는 신의 재가를 받아 지탱하는 도덕 체계에 불과한 것이라고 생각했다. 버틀러(Joshep Butler, VII:3 참조)는 그런 주장을 하는 전형적인 인물이었다. 그의 딱딱한 개연성 논리는 일부 지성인들에게 확신은 줄 수 있었을지 모르나, 행동으로까지 이끌 수는 없었다. 유능한 설교가는 있었지만, 당시의 특징적인 설교는 한결같이 도덕적 덕목에 관한 건조한 에세이 형식이었다. 교회 바깥의 사람들에 대한 전도 사업은 거의 전무했다. 하층민은 영적 결핍 상태에 있었다. 대중의 오락은 저속했고 문맹이 만연했다. 법은 무자비하게 집행되었고, 감옥은 질병과 불법의 저장소였다. 술취함은 영국 역사 그 어느 때보다 더욱 기승을 부렸다.

더구나 영국은 18세기 말 나라를 농업국가에서 공업국가로 변화시킬 산업혁명의 전야를 맞고 있었다. 1769년 와트(James Watt, 1736-1819)는 최초로 고성능 증기기관을, 1770년 하그리브스(James Hargreaves, ?-1778)는 방적기를, 1768년 아크라이트(Richard Arkwright, 1732-1792)는 방직기를, 1784년 카트라이트(Edmund Cartwright, 1743-1823)는 동력 직조기를 발명하고 고안했다. 그리고 1762년 이후 웨지우드(Joshia Wedgwood, 1730-1795)는 스태포드셔(Staffordshire) 도자기 제품 공장을 가동했다. 산업과 사회의 변화와 그 변화에 수반된 문제는 극히 다방면에 중요한 영향을 미쳤다. 그 결과 종교도 극히 실제적으로 재조정 과정을 겪었다.

18세기 초에도 개선을 기대하는 사람이나 운동이 없었던 것은 아니었다. 윌리엄 로오(William Law)는 이신론의 열렬한 반대자일 뿐만 아니라 그의 명저 「경건한 삶으로의 진지한 부름」(*Serious Call to a Devout and Holy Life*, 1728)은 존 웨슬리에게 깊이 영향을 미쳤으며 지금도 영국 권면 문학(hortatory literature)의 기념비적 작품의 하나로 남아있다(본사 기독교고전 6번으로 역간-편집자주).

회중교회 교인 와츠(Isaac Watts, 1674-1748)는 신학자로는 오랫동안 알려지지 않았지만 근대 영국 찬송가의 시조로는 잘 알려져 있다. 그의 작품「찬송」(*Hymns*, 1707)과 「신약 언어로 표현한 다윗 시편」(*The Psalms of David, Imitated in the Language of the New Tastement*, 1719)은 당시 대서양 양쪽의 비감독교회적(nonprelatical) 영어 사용 회중 사이에서, 성경의 운율적 구절만을 골라 찬송에 사용하던 편견을 깨뜨렸다. 그 찬송들은 깊고 생동감있는 경건을 표현하고 있다.

또한 좀더 열정적인 신앙 생활을 위해 힘을 합쳐 무언가 의미있는 일을 해보려는 노력이 있었다. 소위 "신앙 단체"(religious societies)들이었는데, 1678년 일단의 런던의 젊은이들이 기도, 성경 읽기, 신앙 생활 함양, 빈번한 교제, 빈민 구제와 군인, 선원, 죄수들 돕기 그리고 설교 권장 등의 목적으로 최초로 신앙 단체를 세웠다. 이런 단체들은 급속히 확산되었다. 1700년 런던에만 거의 100개가 있었고, 영국의 다른 여러 지역과 아일랜드에도 있었다. 존 웨슬리의 부친 사무엘 웨슬리가 1702년 엡워드(Epworth)에 설립한 것도 이런 단체 중의 하나였다. 이러한 단체들은 여러 면에서 슈페너의 '경건의 모임'(VII:5 참조)과 유사했으나, 슈페너와 같은 유력한 지도자가 없다는 점에서 크게 달랐다. 그들은 거의 예외없이 기존 국교회의 교인들로 구성되어 있었다. 많은 성직자들이 그 운동을 "열정적" 혹은 오늘의 말로 "광신적"이라고 생각했다. 1710년 이후 이 단체들은 눈에 띄게 쇠퇴하였다. 비록 감리교 초기에도 계속 지속되었고 중요한 요인으로 작용했지만 말이다.

이러한 노력들은 기껏 국지적이고 부분적으로 영향을 미쳤을 뿐이었다. 영국 대중은 영적 무기력 상태에 빠져 있었다. 그러나 죄를 맹목적으로 의식했고, 미래에 상과 벌이 실제 있을 것이라고 확신했다. 그리스도에 대한 충성, 그를 통한 구원, 그리고 변화시키는 현재의 믿음 등에 대한 감동이 없었다. 그들은 분별있는 사고, 냉정한 논리적 논증보다는 오히려 마음의 확신을 위해 생생한 영적 열정에 호소하는 것이 필요했다.

드디어 심원한 변화가 영국에서 일어났다. 그 변화는 일차적으로 "복음주의적 부흥"(evangelical revival)의 결과였으며, 이 복된 흐름이 넘쳐 흘러 모든 영어 사용 국가로 스며 들었던 것이다. 각성의 조짐은 18세기 초에 처음 나타났다. 스코틀랜드에서 두 형제 에벤에젤 어스킨(Ebenezer Erskine, 1680-1754)과 랄프 어스킨(Ralph Erskine, 1685-1752)의 지도 아래 복음주의 운동이 일어났다. 1714년 에벤에젤은 청중이 너무 많아 교회 근처 야외에서 설교해야 했다. 3년 후 1717년 열정적인 대중 설교가 에트릭의 토머스 보스턴(Thomas Boston of Ettrick, 1677-1732)은 17세기 청교도 에드워드 피셔(Edward Fisher)의 작품으로 짐작되는 「근대 신학의 정수」(*The Marrow of Modern Divinity*)를 재출판했다. 1722년 국회의 견책에도 불구하고, 열렬한 복음주의 정신을 가진 그 "정수파"(Marrow men)는 많은 공감을 얻었다.

그들은 슈페너의 '경건의 모임'을 새삼 연상 시키는 "기도 단체들"을 조직했다. 1735년 경 웨일스에서는 해리스(Howel Harris, 1714-1773)와 로우랜즈(Daniel Rowlands, 1713-1790)가 부흥 운동을 지도했다. 그러나 세 명의 위대한 지도자 존과 찰스 웨슬리(John and Charles Westley) 형제와 조지 휘트필드(George Whitefield)가 등장했을 때에야 비로소 복음주의 부흥 운동이 거대한 물줄기로 등장했다. 이 운동은 40년간 뚜렷이 구분되지만 서로 밀접히 연관된 세 조류 안에서, 모두 영국 국교회와 관련을 맺고 발전했다. **웨슬리 형제의 감리교**(Methodist societies), **휘트필드의 칼빈주의적 감리교**(Calvinistic Methodists), 그리고 좀더 전통적인 교구의 흐름을 따르는 **영국 국교회 복음주의 교회**(Anglican Evangelicals)가 바로 이것이다. 영국 국교회에서 공식적으로 분리된 것은 1779년의 일이었다.

웨슬리 형제의 부모는 모두 비국교도 선조를 두었다. 부모의 조부들은 1662년 일련의 사태 때 목사직에서 쫓겨났다. 부친 사무엘 웨슬리(Samuel Wesley, 1662-1735)는 오히려 국교의 성직을 선호하여 1696년부터 죽을 때까지 거친 시골 엡워드의 교구 목사로 봉직했다. 그는 열정적인 신앙심을 가졌으나 다소 비현실적이었다. 그는 「시로 쓴 그리스도의 생애」(*Life of Christ in Verse*)와 욥기 주석을 저술했다. 모친 수잔나(*Susanna, Annesley*)는 아주 강한 성격의 부인이었으며, 남편처럼 독실한 국교회 신자였다. 형제는 부모의 영향을 많이 받았는데, 아마 모친에게서 더 큰 영향을 받은 것 같았다. 비록 8명이 유아 때 사망했지만 19명의 자녀가 있는 가정의 가계 사정상 고된 일과 궁핍한 살림이 일상화되었다. 존은 열다섯번째, 찰스는 열 여덟번째였다.

존 웨슬리는 1703년 6월 17일 생이며, 찰스 웨슬리는 1707년 12월 18일 생이었다. 둘은 모두 1709년 불에 타고 있는 목사관에서 극적으로 구출되었다. 그 화재 사건으로 인해 존의 마음에는 지울 수 없는 인상이 심겨졌고, 그 이후로 자신을 문자 그대로 "불에서 꺼낸 그슬린 나무"로 생각했다. 1714년 그는 런던의 왕립 학교(Charterhouse School)에 입학했고, 찰스는 이 년 후 웨스트민스터 학교(Westminster School)에 각각 입학했다. 두 소년은 공부에서 두각을 나타내었다. 1720년 존은 옥스퍼드의 그리스도 교회 대학(Christ Church College)에 입학했고, 육년 후 찰스도 형의 뒤를 따라갔다. 존은 지적 능력이 뛰어나 1726년 링컨 대학(Lincoln College)의 특별 연구원(fellow)으로 선발되었다. 이 명예스런 직위에 지원하기 위하여 그는 성직에 있어야 했고, 1725년 9월 25일 집사(deacon)로 안수받았다. 안수와 함께 영적 갈등이 시작되었고, 이것은 1738년 그의 회심 때까지, 아마 어떤 의미에서는 그 이후까지 계속될 것이었다.

1726년에서 1729년까지 존은 대부분 부친을 도우며 지냈다. 그는 1728년 10월 22일 사제로 안수받았다. 1729년 봄까지 존이 옥스퍼드에 없는 기간 동안, 찰스는 동료 학생인 커크햄(Robert Kirkham)과 모건(William Morgan)과 함께 작은 모임을 결성했다. 이것은 처음에는 공부를 위한 것이었으나, 곧 도움이 되는 책을 읽고 자주 교제하게 되었다.

존 웨슬리가 1729년 11월 옥스퍼드로 돌아오자마자, 그가 모임의 지도자가 되었고, 모임은 다른 학생들을 끌어들였다. 이 모임은 존의 지도 아래 윌리엄 로오의 경건하게 헌신된 삶의 이상을 실현하려 하였다. 1730년 8월 모건의 영향으로, 옥스퍼드 감옥의 죄수들을 방문하기 시작했다. 회원들은 금식일을 지켰다. 그들은 고교회적이었다. 그들은 대학에서 조롱을 받았다. 그들은 "신성 클럽"(Holy Club)이라고 불렸는데, 마침내 어떤 학생들이 "메쏘디스트"(Methodists, 방법론자, 격식주의자)라는, 정곡을 찌르는 별명을 생각해냈다. 바로 이 호칭이 19세기에 많이 통용되었다. 그들은 아직은 장차 "메쏘디스트"가 보일 모습과는 전혀 달랐다. 그들은 여전히 자신의 영혼 구원을 위해 고통스럽게 노력하는 단체에 불과했다. 사실상 그들은 역사상의 감리교보다 19세기의 앵글로-가톨릭(Anglo-Catholic) 운동에 더 유사했다.

1735년 초기 **조지 휘트필드**(George Whitefield)의 가입은 중요한 의미가 있었다. 그는 1714년 12월 16일 글로스터의 가난한 여관 주인의 아들로 태어나, 빈곤 속에서 성장했고, 1733년 옥스퍼드로 왔다. 그는 1735년 봄 중병을 앓고서 결정적인 종교 체험을 했다. 이 경험으로 인해 그는 하나님과 함께 하는 평화와 환희에 잠기게 되었다. 1736년 6월 휘트필드는 원하던 감독 안수를 받았고, 곧 비록 젊지만 설교가로서 놀라운 생애를 시작했다. 18세기의 어떤 앵글로 색슨 사람도 그러한 설교의 능력을 보여주지 못했다. 그는 교파 의식이 강할 만한 그런 나이인데도 교파의식을 갖지않았고, 길이 열리는 대로 어느 곳 어느 강단에서나 기꺼이 설교했다.

가끔 자신의 체험과 다른 신앙적 체험의 진정성에 대해서 지나치게 까다롭기도 했지만, 그의 본성은 아주 단순하고 이타적이었다. 그의 메시지는 하나님의 용서하시는 은총과 믿음으로 그리스도를 영접할 때 오는 평화의 복음과 그에 따른 즐거운 헌신 등이었다. 그의 몇몇 설교문으로는 그의 능력을 거의 알 길이 없다. 극적인 감각과 표현력이 놀랍게 풍부한 목소리를 가지고 그는 양 대륙의 청중을 수없이 감동시켰다. 그의 교역의 대부분은 미국에서 이루어졌다. 1738년 그는 미국 조지아에서 체류했다.

1739년 그는 미국으로 다시 돌아와서 1740년 뉴잉글랜드에서 설교했는데, 여기서 미증유의 최고 영적 지각변동이 일어났다. 중부에서도 그에 못지 않은 성공을 거두었다. 그러나 중부나 뉴잉글랜드에서는 휘트필드의 사역에 대해 과연 그것이 영구한 영적 가치가 있는가 하는 큰 분열 감정이 있었다. 1744년에서 1748년 사이 다시 미국에 갔고, 1751년에서 1752년, 1754년에서 1755년에도 미국을 방문했다. 1763년에서 1765년 기간의 방문은 여섯번째 입국이었다. 1769년 마지막으로 와서 설교 여행을 했고, 1770년 9월 30일 매사추세츠의 뉴베리포트에서 별세했다. 그는 모든 미국 개신교 교회를 위해 아낌없이 헌신했다. 그는 조직가가 아니었다. 자신의 이름을 간직하는 파벌을 남기지 않았지만 수많은 사람을 각성시켰나.

메쏘디스트 클럽의 어떤 지도자도 오랫동안 옥스퍼드에 남아있지 못했고, 그 운동도 대학에 큰 영향을 미치지 못했다. 대학은 학문과 신앙 모두 침체 상태였다. 1735년 4월 25일 부친이 별세하자, 웨슬리 형제는 집안에 얽매이지 않아도 되었다. 1733년 두 형제는 오글쏘프(Oglethorpe) 장군이 이민을 개시한 이래 영국의 신 식민지가 된 조지아에 선교사 자리를 얻었고, 1735년 8월 미국으로 출발했다. 항해 중에도 그들은 동승자들을 위해 끊임없이 경건한 예배와 봉사를 베풀었다. 그런데 그 배에는 니취만(David Nitschmann) 감독이 인솔하는 26명의 모라비아 교도 일행이 있었다. 이 일행이 풍랑 속에서도 용기를 잃지 않고 즐거워하는 것을 보고, 존 웨슬리는 모라비아 교도들이 자신은 아직 가지지 못한 하나님에 대한 신뢰심을 가졌다고 확신했다. 그는 그들로부터 많은 것을 깨달았다. 사바나에 도착 직후, 존 웨슬리는 슈팡겐베르크(VII:6 참조)를 만났는데, 그는 곤란한 질문을 했다. "당신은 예수 그리스도를 아십니까?" 웨슬리가 대답했다. "그분이 구세주이신 것을 알고 있습니다." 슈팡겐베르크는 대꾸했다. "그렇습니다만 당신은 그분이 당신을 이미 구원하신 것을 알고 있습니까?"

웨슬리 형제는 조지아에서 분투했으나, 사역은 실패였다. 1736년 찰스 웨슬리는 실의에 빠지고 건강이 악화된 채로 귀향했다. 그러나 존은 계속했다. 그는 독어, 불어, 이탈리아어 통역 업무에서 언어 능력을 발휘했다. 1736년 사바나에서 진지한 신앙 생활을 위해 작은 모임을 만들었다. 그는 지칠 줄 모르고 일했다. 그러나 그는 남들에게 거의 마음의 평화나 안식을 줄 수 없었다. 그는 격식에 치우친 고교회인이었다. 그는 재치가 부족했다. 이러한 성향은 소피 홉키(Sophie Hopkey)와 벌인 사건에서 분명히 드러났다. 홉키는 여러 면에서 그의 아내로서 적합한 여자였다. 그는 자신의 혼인의사가 진지하다는 것을 믿도록 그녀와 그녀의 친구들에게 모든 호의를 다 베풀었다. 그러나 한편으로는 성직 독신제와 마음만 먹으면 가능한 결혼 사이에서 선택을 망서렸다. 그에게는 항상 미신적 기질이 남아 있었고, 펼칠 성경의 첫 절에 무엇이 적혔는가에 따라, 아니면 제비뽑기로 중대사를 결정하려 했다. 결국 제비뽑기를 채택했다. 제비는 반대 쪽으로 나왔다.

당연히 웨슬리는 젊은 여인과 그녀의 친척들의 분노를 샀다. 그녀는 화가 나서 급히 다른 상대와 결혼해 버렸다. 그 남편은 그녀가 웨슬리가 주도하는 신앙 토론에 참가하는 것을 금지했다. 웨슬리는 그녀가 모임 출석도 부진하고 마땅히 성찬 준비도 하지 않는다고 생각해서, 그녀가 성례전에 참여하는 것을 거부했다. 그녀의 친구들은 이것이 이전의 구혼자가 불만을 품고 자행한 짓이라고 비난했다. 이제 조지아에서 웨슬리의 영향력은 끝장이 났다. 그에게 비난이 일기 시작했다. 식민지를 떠나기로 결정했다. 1738년 2월 1일 존 웨슬리는 영국 귀환 길에 나섰다. 전에 미국행 항해 때처럼, 귀향 길의 항해에서도 죽음이 두려웠다. 실망의 비통에 젖어 다음과 같이 말할 수밖에 없었다. "나는 활짝 개인 여름 날의 신앙을 가지고 있구나(I have a fair summer religion)." 그러나 존 웨슬리는 뛰어난 능력을 가진 설교자였다. 그는 몸을 아끼지 않고 일했다. 많은 잘못도 범했지만 그것은 기독교적 헌신이 부족해서가 아니었다.

존 웨슬리가 귀향한지 일주일도 지나지 않았을 때였다. 마음의 고통을 겪던 웨슬리 형제는 다행히 모라비아 사람 페터 뵐러(Peter Böhler)와 대화하게 되었다. 뵐러는 조지아로 가는 길이었는데, 5월까지 런던에 체류했던 것이다. 그는 완전한 자기 포기의 신앙, 즉각적 회심, 신앙 생활의 환희를 가르쳤다. 그는 출항 전 "페터-레인 협회"(Fetter-Lane Society, 좁은 길 회)의 전신격인 한 단체를 조직했는데, 존 웨슬리도 창립 회원이었다. 형제는 아직도 마음이 평안하지 않았다. 찰스 웨슬리는 1738년 5월 21일 중병을 앓고 있는 동안 하나의 경험을 체험했는데, 그는 이것을 자신의 "회심"이라고 불렀다. 5월 25일 존 웨슬리도 변화를 체험했다. 그의 기록에 의하면, 그날 저녁 뜻밖에도 런던 올더스게이트(Aldersgate) 거리에서 개최된 국교회의 한 "모임"에 참석해서, 루터의 「로마서 주석」 서문을 듣게 되었다. "아홉시 15분전 쯤, 그가(루터) 하나님께서 그리스도에 대한 믿음을 통해 마음에 역사하시는 변화를 묘사하고 있었을 때, 내 마음이 이상하게 뜨거워진 것을 느꼈다. 나는 구원을 위해서 그리스도, 오직 그리스도만을 믿는다고 절감했다. 확신이 주어졌다. 즉 그 분은 내가 지은 죄인데도 내 죄를 이미 도말하시고 죄와 사망의 법에서 나를 구원하셨다는 것이다."

이 체험이 얼마나 큰 의미를 갖는지는 의심할 바 없다. 그리하여 이 체험은 기독교적 삶에 입문하는 정상적 모습에 관한 웨슬리의 신앙을 규정하였다. 체험은 그의 모든 신학적 통찰의 빛이었다. 그러나 두려움에서 완전히 벗어나 신앙 생활에서 완전한 기쁨을 누리게 된 것은 체험 후에도 설교를 하고, 다른 사람의 유사한 체험을 관찰하고, 하나님과 교제하는 동안, 점차 이루어진 것이었다.

존은 그렇게 심오한 체험을 하도록 도와 주었던 모라비아 교도들을 더욱 깊이 알아보기로 작정했다. 회심 후 3 주일도 되기 전에 독일로 떠났다. 그는 마리엔보른(Marienborn)에서 진젠도르프를 만나서 헤른후트에서 2 주 동안 체류한 후, 1738년 10월 런던으로 돌아왔다. 즐거운 여행이었다. 많은 것이 부럽기도 했다. 그러나 전적으로 만족한 것은 아니었다. 그는 진젠도르프 개인이 너무 숭배되며, 모라비안의 경건이 너무 주관적인 것을 느꼈다. 그는 모라비안들로부터 많은 도움을 받았지만, 그의 신앙적 자세가 너무 능동적이고, 비신비주의적이고, 어려운 사람들에게 너무 광범위하게 손을 뻗치고 있었기 때문에 완전한 모라비아 교도가 될 수는 없었다.

웨슬리 형제는 기회가 닿는 대로 설교했다. 그러나 많은 교회 강단이 그들의 "열광주의"를 차단했고, 그는 주로 런던과 그 주변의 "모임"(societies)에서 설교했다. 1739년 초 휘트필드는 브리스톨에서 사역을 개시했고, 2월 7일에는 그 곳 킹스우드의 석탄 광부에게 옥외 설교를 했다. 휘트필드는 1736년 이래 웨일스의 사역에서 대성공을 거두고 있던 평신도 설교가 하웰 해리스(Howel Harris)와 친교를 나누었다. 그는 웨슬리를 브리스톨로 초청했다. 웨슬리는 "옥외 설교(field preaching)"를 망설였지만, 가난한 이들에게 복음을 선포하는 것에는 저항할 수 없었다. 1739년 4월 2일 브리스톨에서 웨슬리는 힘을 다해 사역을 시작했다. 이것은 그가 앞으로 50년 이상 습관처럼 할 일의 시작이었다. 동생 찰스도 형의 모범을 따랐다. 휘트필드 같은 극적인 능력은 없었지만, 존 웨슬리는 진지하고 실제적이고 담대한 대중적 설교가로서 그를 필적할 사람이 없었다. 특히 사역 초기에는 폭도의 습격을 받아 곤경에 처해 있었으나, 어느 위험도 그를 위압할 수 없었고, 어느 방해도 그를 제지할 수 없었다. 설교할 때는 휘트필드의 경우처럼 감격한 청중들이 신체적 흥분 상태를 보이기 일쑤였다. 남자나 여자나 울부짖고 실신하고 경련으로 몸이 찢어질 듯했다. 두 설교자는 이런 현상들을 성령의 역사가 아니면 반대로 성령에 저항하는 악마의 활동이라고 생각했다. 두 설교가들은 정규 성직자로부터 많은 반대를 받았는데, 그 원인은 그들의 설교에 동반되는 흥분 현상 때문이고, 정규 성직자들이 이것을 혐오했기 때문이었다.

존 웨슬리는 조직가의 재능을 탈월하게 발휘했다. 그러나 감리교는 환경에 점진적으로 적응해 나가는 과정을 거쳐 창설되었다. 1739년 그는 브리스톨에 최초의 진짜 감리교회를 창립했다. 그리고 1739년 5월 12일 그곳에 최초의 예배소를 건립하기 시작했다. 연말에는 런던의 오래된 "주물 공장(Foundery)"을 확보해서 거기에 런던 최초의 감리교 예배소를 만들었다. 런던에서는 감리교인들이 모라비아 교단의 "페터-레인 협회"에도 깊이 관여했으나, 웨슬리는 모라비아 교단에서 그들을 분리시킬 것을 생각했다. 그런 상황에서 1739년 8월 최근 진젠도르프와 접촉한 바 있는 몰터(Philipp Heinrich Molther, 1714-1780)가 페터-레인 협회 안에서 발표한 의견 때문에 분리가 증가했다. 그는 만일 어떤 사람이라도 의심을 가졌다면 그는 참 믿음을 가진 것이 아니며 하나님께서 그의 경건한 소망을 새롭게 하실 때까지 조용히 기다리면서 성례전과 기도에 불참해야 한다고 주장했다. 그러나 이러한 그의 가르침은 웨슬리의 끊임없는 활동성을 공감할 수 없었다.

결국 페터-레인 협회는 분열되었다. 웨슬리와 그의 동료들은 탈퇴해서 1740년 7월 23일 주물 공장에서 순수한 감리교 "연합회"(Methodist "United Society")를 세웠다. 웨슬리는 일부 모라비아 교단 사람들과 친교를 계속했으나, 결국 두 운동은 서로 다른 길을 갔다. 웨슬리는 영국 국교회와 분리할 생각이나 의도가 조금도 없었다. 그래서 그는 따로 교회를 설립하지 않았다. 오히려 오랫동안 존속해온 대로 단지 회심한 사람들로 구성된 신앙 단체를 구상했을 뿐이다. 그 단체의 모임들은 그리스도인들 상호간에 신앙 생활을 도모하도록 처음부터 "밴드"(band)라는 소단위로 나누었다. 이것은 모라비안의 방식과 비슷했다. 그러나 곧 웨슬리의 조직이 실제로 더 효과적이라는 것이 판명되었다.

브리스톨의 모임이 조직된 후 곧 웨슬리는 기발한 계획을 구상했는데, 그가 보기에 충분히 정회원이 될 만한 사람에게는 "정회원권(society ticket)"을 주고, 그 밖의 사람들은 정회원이 되도록 노력해야 할 학습자(on trial)로 남겨두는 것이었다. 정회원권은 분기별로 갱신하기 때문에 모임을 "여과"하기에 용이했다. 브리스톨 예배소의 채무로 인하여 오히려 더욱 중요한 조직의 정비를 하게 되었다. 1742년 2월 15일 모임은 약 20명으로 구성된 "속회"(classes)로 나누고, 각 속회는 매주 각 속회원으로부터 일 페니를 모금할 책임을 맡은 "속장"(class leader)의 지도를 받았다. 이 제도는 3월 25일 런던에 도입되었다. 곧 속회 제도는 재정적 장점보다는 오히려 영적 감독과 상호 돌봄의 장점들을 보였다. 속회보다 오래된 "밴드" 조직들도 오랫동안 존속했지만, 속회 제도야말로 감리교의 고유한 특징이 되었다.

웨슬리는 안수받은 사람이 설교하는 것을 적극 원했으나, 의무적으로 안수를 받아야 하는 성직자들은 감리교 운동에 거의 동조하지 않았다. 평신도 설교가 험프리스(Joseph Humphreys)는 일찌감치 1738년에 그를 도왔다. 그러나 1742년 맥스필드(Thomas Maxfield)를 최초의 평신도 설교자로 임명하였고, 곧 정식으로 대규모 평신도 설교단이 구성될 것이었다. 이러한 평신도 운동의 발달로 다른 평신도 직분도 정비했다. "집사"(stewards)는 재정 관리, 교사는 학교, "병자 심방인"(visitors of the sick)은 그에 맞는 직무를 각각 수행했다. 처음에는 웨슬리가 주로 런던과 브리스톨 지역에 있는 모임을 일일이 방문했다. 그러나 그 일의 규모가 너무 커졌다. 1744년 그는 런던에서 설교자들이 자신을 방문하도록 지시했다. 이것이 최초의 "연회"(annual conferences)였다. 이 년 후 교구(field)를 "순회 교구"(circuits)로 나누었고, 순회 설교가와 더욱 더 정적으로 "한 장소를 주로 담당하는" 담임 지도자를 구별했다.

다음 후에 "감리사"(superintendent)라고 불릴 지도자(assistant)는 각 "순회 교구"를 맡았다. 웨슬리는 평신도 설교자의 지적 성장을 돕기 위해 적절한 책을 출판하였으며, 될 수 있는 한 연구의 시간을 내었다. 그는 평신도 설교자가 감독에게 안수를 받을 수 있도록 주선했으나 실패했다. 그래도 그는 안수받지 않은 사람이 성례전을 집전하는 것을 좀처럼 허용하지 않았다.

웨슬리는 신학적으로 복음주의적 교리 전통을 공통 기반으로 삼아, 감리교 모임을 영국 국교회의 일부로 간주했다. 그러나 두개의 논의가 상당한 논쟁을 일으켰다. 첫째는 완전(perfection)에 관한 것이었다. 웨슬리는 그리스도인이 하나님과 이웃에 대한 사랑이라는 올바른 지배적 동기를 얻는 것이 가능하다고 믿었다. 그때에야 비로소 죄에서 벗어난다는 것이다. 웨슬리의 신중하고 균형잡힌 판단에 따르면, 비록 몇몇 그의 추종자들에게 된 듯이 보인다 할지라도, 이것은 빈번히 완성되는 성취라기보다 오히려 목적이었다. 구원은 하나님의 뜻에 적극적으로 진지하게 복종하는 생활에서 자명하게 드러난다는 것을 그보다 더 긍정하는 사람은 없다.

둘째 논의는 예정에 관한 것이었다. 웨슬리는 당시의 영국 국교회처럼 아르미니우스파였다. 그러나 이것은 칼빈주의가 도덕적 노력을 무산시키는 것처럼 보인 나머지 그것에 대해 부모 때부터 내려온 특별한 적대감 때문이었다. 휘트필드는 칼빈주의자였다. 1740년과 1741년 두 복음주의자는, 교제관계를 곧 회복하긴 했지만, 격렬한 서신 논쟁을 벌였다.

휘트필드는 1748년 셀리나(Selina)에서 헌팅던(Huntingdon, 1707-

1791) 백작 부인을 후원자로 만났다. 그 부인은 부유한 미망인으로, 감리교로 개종했으나, 너무 지배 성향이 강해 웨슬리의 엄격한 지도권에 복종할 수 없었고, 자신이 웨슬리처럼 되려 했다. 헌팅던 부인은 1761년 브라이튼에서 시작하여 웨슬리처럼 모임과 예배소들을 창립하고 감독하기 시작했다. 이것이 "헌팅든 부인 교파"(Lady Huntingdon's Connection)의 시작이었다. 그는 휘트필드를 자신의 목사(chaplain)로 삼았다. 그녀의 "교파"는 칼빈주의적이었다.

1769년 예정론자들은 새로운 강도로 논쟁을 재개했다. 1770년 연회에서 웨슬리는 강력히 아르미니우스주의 입장를 고수했으며, 충실한 제자인 스위스 출신 플레처(John William Fletcher, 1729-1785)가 옹호하였다. 플레처는 영국으로 이민해서 국교회를 받아들여, 마들레이(Madeley)에서 뛰어난 사역으로 명망 높았다. 이러한 논쟁에서 웨슬리파 감리교가 분명히 아르미니우스주의를 표방한다는 것을 확인할 수 있었다. 그러나 칼빈주의적 감리교인 "헌팅든 부인 교파"는 적대적 운동이라기보다는 병행적 운동으로 간주해야 한다. 그 기본 정신은 근본적으로 웨슬리적 감리교회와 같다.

웨슬리 감리교 운동은 엄청나게 성장했다. 존 웨슬리는 많은 동지와 보조자를 가졌지만 막상 책임을 분담할 측근은 거의 없었다. 동생 찰스는 오랜 행로에 동참했지만, 형의 무쇠같은 체질은 가지지 못했다. 1756년 이후 찰스는 순회 설교에 거의 나서지 않았다. 그는 브리스톨에서 일했으며 1771년부터 1788년 3월 29일 작고할 때까지 런던에서 설교했다. 그는 항상 형보다 보수적, 국교회적이었다. 찬송가 작가로서 그는 감리교 뿐만 아니라 영어권 기독교계에 위대한 업적을 남겼다. 1751년 존 웨슬리는 미망인 메리 바제일(Mary Vazeille)와 분별없이 혼인했는데, 결혼 생활은 불행했다. 대신 그는 더욱 아낌없이 그의 사역에 몰두할 수 있었다. 그는 감리교의 엄청난 양의 제반 업무에서 현명하고도 절대적으로 권위를 행사했다. 모임 규모가 늘어나고 설교자가 증가함에 따라, 당연히 감리교 자체적으로 성례전을 집행하자는 분리의 압력이 생겼다. 웨슬리는 오랫동안 반발했다. 또한 국교회에서 안수받은 사람도 거의 없었다. 웨슬리는 감리교가 국교회 범위 안에 있다고 주장하였지만, 상황은 그 '압력'을 불가항력적으로 만들었다.

웨슬리는 영국 국교회 잔류에 초점을 맞춘 '국교회 복음주의자(Anglican evangelicals)'들에게서 많은 동조를 얻었다. 그들은 회심, 확신의 믿음, 그리고 다른 사람을 위한 실천에서 표명되는 신앙 생활 등 웨슬리의 강조 사항에 전적으로 찬성했다. 반면 웨슬리 특유의 신학 방법론은 거의 채택하지 않았다. 일반적으로 그들의 신학은 아르미니우스주의라기보다는 온건한 칼빈주의였다. 휘트필드는 그들의 영적 아버지였고, 비록 치밀하게 조직하지는 않았어도, 영국 국교회 안에 복음주의파를 발전시켰다. 이러한 복음주의파의 선구자는 하워드 교구목사(vicar) 그림셔

(Willian Grimshaw, 1708-1763)였다. 그는 1734년 회심을 체험하고, 복음주의의 길을 걸었다. 그는 웨슬리나 휘트필드와 우호적 관계를 유지했다.

뉴톤(John Newton, 1725-1807)은 복음주의자 가운데 이채로운 사람이었다. 한때 노예선 선장이었으나 회심해서, 뛰어난 설교자의 한 사람이 되어, 처음에는 올니에서 사역했으나 그 뒤 런던 세인트 메리 울노트(St. Mary Woolnoth)의 목사직을 맡았다. 그의 찬송은 그의 기쁨과 굳은 믿음을 표현한다. 「만세 반석」(Rock of Ages)의 작시자 톱레이디(Augustus Toplady, 1740-1778)도 찬송으로 유명했다.

스코트(Thomas Scott, 1747-1821)는 올니에서 뉴톤의 후임이 되었는데 그의 「관주 가정 성경」(*Family Bible with Notes*)은 영국과 미국의 대중에게 엄청난 인기를 끌었다. 세실(Richard Cecil, 1748-1810)은 그의 만년에 런던에서 가장 영향력있는 설교자 중 한 사람이 되었다. 조셉 밀너(Joseph Milner, 1744-1797)는 훌(Hull)을 복음주의의 요새로 만들었고 「그리스도 교회의 역사」(*History of the Church of Christ*)라는 저서로 영향력을 얻었다. 그 책은 기독교의 논쟁보다 기독교 인물에 대한 전기적 전개에 중점을 두었다. 그의 사후 그 책은 동생 아이작 밀너(Issac Milner, 1750-1820)에 의해 증보되었다. 아이작은 케임브리지 대학에 오랫동안 교수로 있으면서 대학을 복음주의적으로 만드는 데 일조했다. 그 일은 시므온(Charles Simeon, 1759-1836)이 계속 계승했다.

성직자적 계열이 아닌 다른 분야의 몇몇 사람도 복음주의 전파에 헌신했다. 쿠퍼(William Cowper, 1731-1800)는 18세기 말의 가장 위대한 영어 시인으로 뉴톤의 친구였다. 복음주의 옹호자 모어(Hannah More, 1745-1833) 부인은 런던의 문학, 예술, 극장계에 정통했으며, 소책자와 소설의 인기 작가였고, 관대하고 자기를 희생하는 박애심을 가졌다.

국교회파 복음주의자들은 영국 국교회에 남아 있었다. 그러나 두 감리교 교파는 결국 떠났다. 1779년 헌팅던 백작 부인과 측근들은 영국 국교회를 떠났다. 결국 그 모임은 웨일스 감리교회(Welsh Methodist Church)가 되었다. 그러나 웨슬리파 감리교도들은 점진적으로 떠났으며, 1791년 동료들의 국교회 이탈을 반대한 웨슬리가 작고한 후에야 결국 분리했다. 그러나 이미 1784년에 두 가지 중요한 조치가 있었다. 그 해 2월 28일 웨슬리는 "선언 실천"(Deed of Declaration)에 착수했다. 그것의 취지는 재정을 관리하고 운동의 지도를 담당할 100인 "총회"(Conference)의 의원을 지명해서, 웨슬리 사후에 대비하는 것이었다. 그것은 감리교 행정에서 자치로 가는 첫 걸음이었다. 10월 1일 웨슬리는 영국 국교회 장로들과 동맹해서 여러 명의 장로들과 한 명의 미국 감독(VII:10 참조)을 안수받게 했다. 웨슬리는 그렇게 생각하지 않았지만, 이것은 정말 영국 국교회와의 단절을 의미하는 것이었다. 웨슬리파 감리교회의 최종 분리는 1795년에 발표된 "평화의 계획"(Plan of Pacification)에 아마 가장 잘 나타나 있을 것이다. 그 계획은 갓 독립한 감리교회를 안정시켰다. 웨슬리는 끝까지 정력적으로 활동하다가, 1791년 3월 2일 런던에서 별세했다. 그는 영국 하류층과 중류층의 신앙 환경을 크게 개혁하는 과업을 성취했고, 그 결과는 다시 미국에 더욱 큰 영향을 미쳤다.

한편 스코틀랜드 국교회파 장로교회(the established Prebyterian)에서는 "목사 추천권"(patronage) 즉 파송권 제도 때문에 영국보다 일찍 실제 분리가 일어났다. 그 제도에 따르면 후원자(patron)는 회중이 원하지 않아도 강제로 어떤 성직자를 교회로 보낼 수 있었다(VI:6 참조). 1733년 스털링의 어스킨(Ebenezer Erskine of Stirling)은 교회 권력이 목사 추천 문제에 제한을 가하는 것에 반대했다. 그는 소속 대회(synod)에서 견책받았다. 그리고 1740년 그를 비롯하여 그의 여러 동료들이 총회에서 면직되었다. 이러한 견책과 면직 등 일련의 징계 과정이 끝나기도 전에 그와 그의 동료들은 분리 교회(Secession church)의 전신인 스코틀랜드 자유교회(Scottish free church)를 창립했다. 그것은 급성장했으나 곧 동요를 겪었다. 그 이유는 스코틀랜드 자치 도시의 시민이 과연 스코틀랜드의 "법률로 승인한 … 참 종교" 즉 국교를 지지하는 서약을 해야 하는가에 대한 찬반 결정 문제 때문이었다.

1747년 분리파 교회는 반 서약파(Anti-Burgher or Nonjuror section)와 서약파(Burgher section)로 분리되었다. 하부 단위로 분열은 계속되었지만, 1820년 대부분의 반 서약파와 서약파는 연합 분리 교회(United Secession church)로 통합했다. 파송권의 문제는 계속 불화를 일으켰다. 카르녹의 길레스피(Thomas Gillespie of Carnock, 1708-1774)는 원하지 않는 교회에 목사로 취임하는 것을 거부했다. 결국 1752년 총회에서 면직됐다. 1761년 동조하는 목사들과 구조 교회(Relief church)의 전신 조직을 결성했다. 이러한 다양한 분파들은 특히 더욱 신앙적 열성을 가진 사람들을 비롯해서, 많은 대중들의 지지를 받았다. 1765년 분리파의 교세는 120개 교회에 신자 10만 명에 이르렀다.

이러한 상황에서 국가 교회는 많은 영적 권위를 빼앗겼다. 18세기가 지나면서 같은 시대의 영국과 독일처럼, 합리주의가 스코틀랜드를 관통했다. 흄(Hume)의 사상(VII:3 참조)이 영향을 미치지 않을 수 없었다. 그 결과 18세기 말에 지배적이었고 19세기에도 영향력을 행사했던 이른바 중도주의(Moderatism)가 자라났다. 일반적으로 중도파(the Moderates)에게 있어서 기독교는 강한 체험이나 교의라기보다 오히려 주로 윤리였다. 과거 교회 회중들은 복음주의적 목사들을 선택했지만, 이제는 중도파를 선호하기도 했다.

스코틀랜드의 분리 교회 모두가 진정한 각성 정신을 가진 것은 아니었기 때문이다. 또한 국가 교회 안에는 강력한 복음주의적 성격을 가진 "대중적"(Popular) 부류가 있었다. 후에 프린스턴 대학 학장(1768)이 된 위더스푼(John Witherspoon, 1723-1794)은 중도파에 극구 반대하는 풍자문「교회적 특성」(*Ecclesiastical Characteristics*, 1753)을 저술했다. 그러나 18세기 말, 수 십년 동안 스코틀랜드 국가 교회를 지배한 것은 바로 이 중도파였다. 어떤 면에서 분리파들은 단지 중도파의 주장을 강화시켰을 뿐이었다.

8. 대각성 운동

18세기 미국의 종교 생활에서 가장 광범위한 변혁 운동는 대각성 운동(The Great Awakening)이었다. 이 부흥 운동은 여러 국면을 거치면서 반 세기 이상 계속되었다. 이것은 이전의 기독교 전파 방식이 별로 효과를 보지 못하고 합리주의와 문화적 혼란이 확산될 때 일어났다. 그래서 기독교의 삶에 큰 자극을 주었을 뿐만 아니라 특히 신앙의 시작 내지 입문에 대한 개념에 일대 전환을 일으켰다. 이런 관점에서 대각성 운동은 독일의 경건주의와 영국의 복음주의적 각성과 유사하다. 대각성 운동은 교회에 들어오는 규범적 방법으로 중생의 변화인 "회심"(conversion)을 강조했다. 교회론도 회심을 체험한 그리스도인의 모임이라는 의미가 강조되었다. 기독교 교육에 일차적 관심이 주어지지 않았던 것이다. 엄격한 도덕과 열정적인 경건이 이 운동의 전반적 특징이었다. 대각성 운동은 직접 영향을 받는 교회 뿐만 아니라 다른 교파에도 복음주의적 신앙을 일깨웠다. 비록 이것이 어디서나 논쟁을 불러 일으켰지만 말이다. 대각성 운동은 개신교 사회에 새로운 신앙 이해와 행동 원리를 제공함으로써, 개신교가 새로운 현실에 적응하는 데 기여했으며, 합리적 종교의 도전에 맞서 새롭게 신앙을 변증했다. 이 운동의 영향 아래 교육 생활이 자극을 받았고, 새로운 대학들이 건립되었다. 한편 대각성 운동은 식민지가 서로 긴밀한 관계를 갖게 함으로써 직접 미국 혁명 즉 독립전쟁을 위한 길을 예비해 주었다.

대각성의 초기 징조는 1720년대 뉴저지의 라리탄 계곡(Raritan Valley)에 있는 네덜란드 개혁교회에서 보이기 시작했다. 형식주의와 무기력이 당시 개혁교회의 문제였다. 많은 네덜란드인들은 교회를 그들의 국적과 전통의 상징으로 생각하는 데 그쳤다. 그러나 네덜란드에서 청교도의 사상을 배우고 교육받은 후 안수받았던, 젊은 목사 프렐링후이젠(Theodore J. Frelinghuysen, 1691-1748)은 교인들에게 보다 깊고 체험적인 기독교 신앙을 권면하였다. 그의 각성가 내지 부흥사(awakener) 역할이 전적으로 긍적적인 것만은 아니었지만, 그의 교회에서 부흥 운동이 일어났고 많은 관심을 불러 일으킨 것은 사실이다. 그는 여러 곳에서 설교 초청을 받았고, 일부 설교자들은 부흥을 주제로 설교하여 많은 결신자를 얻었다. 그러나 부흥 운동의 격렬함과 감정주의(emotionalism)를 싫어해서 반대하는 이들도 많았다. 특히 뉴욕의 목회자들이 들고 일어났다. 그러나 일부의 반대에도 불구하고 부흥 운동의 물결은 여러 해 동안 네덜란드 개혁 교회에 계속 영향을 미쳤다.

부흥 운동에 매력을 느낀 사람들 중에는 장로교회 지도자들도 있었다. 청교도 신앙을 가지고 있는 테넨트 1세(William Tennent Sr., 1673-1745)은 그의 네 아들 중 셋을 포함하여 많은 젊은이에게 목회자 양성 훈련을 시켰다. 1736년 북부 필라델피아(Philadelphia)에 설립된 로그 대학(Log College)은 그의 교육 활동의 확장 결과였다. 이 대학은 프린스턴대학의 전신 중의 하나였다. 그의 아들 길버트(Gilbert, 1703-1764)는 부흥 운동의 방법을 택하여, 뉴브런즈윅의 장로교회 목사로 있을 때, 자신의 교파 안에서 각성 운동의 중심이 되었다.

장로교 안에는 강력한 두 가지 흐름이 있었다. 하나는 영국 청교도처럼 체험적 신앙에 관심을 두었고, 다른 하나는 스코틀랜드-아일랜드 계통처럼 순수한 교리 정립에 치중했다. 테넨트파는 청교도적 성향이었으나, 반대 견해가 지배적인 지역에 있었고, 그래서 1738년 뉴브런즈윅 노회를 조직했다. "구파"(Old Side)는 이 "신파"(New Side) 노회를 총회(synod)에서 축출했다. 이렇게 해서 1745년부터 장로교는 청교도와 부흥 운동에 역점을 두는 뉴욕 총회와 교역자의 웨스트민스터 신앙고백 서명을 강력히 고수하는 스코틀랜드-아일랜드계의 필라델피아 총회로 분열되었다. 시대 상황은 신파의 성장에 유리했다. 미국을 여행 중인 휘트필드(VII:7 참조)의 강렬한 설교는 부흥사들에게 많은 도움을 주었다. 1758년 장로교가 재통합했을 때, 각성 운동파는 자신의 극단적인 주장을 일부 철회했으나, 교회 활동에서 매우 견고한 지위를 확보했다. 그리하여 각성 운동은 여러 해 동안 교파를 분열시킬 만큼 논쟁을 불러 일으켰지만, 결국 교회에 항구적인 자취를 남겼다.

대각성 운동이 뉴잉글랜드에 도착한 것은 1734에서 1735년까지 부흥 운동의 물결이 매사추세츠의 노스햄프턴 마을들을 휩쓸 때였다. 특히 각성 운동 지도자요 노스

햄프턴 회중교회 목사인 조나단 에드워즈(Jonathan Edwards, 1703-1758)는 부흥주의의 고전인 「많은 영혼의 회심에 나타나는 놀라운 하나님의 역사에 대한 믿을 만한 이야기」(*A Faithful Narrative of the Surprising Work of God in the Conversion of Many Hundred Souls* … , 1737)에서 대각성 운동에 관한 글을 써서 많은 관심을 불러 일으켰다. 1739년 부흥 운동이 다시 폭발하여, 뉴잉글랜드에 널리 전파되었다. 회중교회 지도자들은 테넨트와 휘트필드의 도움을 받았다. 당시 휘트필드의 열정적 사역은 그 절정에 달했다. 어디를 가든 그의 설교를 들으려고 군중들이 쇄도하였다. 그가 설교하면 실신과 고함이 수반되었다. 각성 운동이 전파되면서, 많은 사람들이 회심했다. 많은 공동체들의 영적 상태가 변모하였다. 그러나 뉴잉글랜드의 각성 운동은 중부 식민지만큼이나 많은 반론을 받았다.

휘트필드는 종종 자신에게 동의하지 않는 사람에게 회개하지 않았다고 비난을 퍼부었으며, 그의 감화를 받은 사람 중 일부는 오히려 전보다 더 비판적이거나 무자비해지기도 했다. 무책임한 설교자 데이븐포트(James Davenport, 1716-1757)는 분열을 조장함으로써 부흥 운동을 곤경에 빠뜨렸다. 그는 장시간 동안 준비없이 야단 치는 설교를 했는데, 이 때 지도적인 교역자들을 지명하며 회심하지 않았다고 공격하기도 했다. 분리파 회중교회가 형성되었다. 이에 맞서 보스턴 제일교회 목사인 촌시(Charles Chauncy, 1705-1787)가 지도하는 "옛 빛파"(Old light)가 "새 빛파"(New Lights)를 공격했다. "새 빛파"는 부흥 운동 안에서 하나님의 역사를 보았다. 각성에 대한 반동으로 인하여 아르미니우스주의와 나중에는 회중교회 안에 있는 유니테리언 사상이 확산되었다. 18세기 중반을 넘으면서 각성 운동은 기존 회중교회에서 더 이상 유력하지 못하였는데, 주로 각성에 대한 반동 때문이었다. 그러나 침례교에서는 각성 운동이 계속되어 교세가 크게 증가했으며, 뉴잉글랜드 전역으로 급속히 퍼졌다.

대각성은 또한 남부 식민지로 확산되었고 비국교도 교회의 성장에 공헌했다. 1740년대와 1750년대에 장로교는 특히 데이비스(Samuel Davies, 1723-1761)의 강렬한 설교 덕분에 버지니아와 남부로 급속히 확장되었다. 곧 이어 1750년 이후 뉴잉글랜드 각성자들의 주도로 버지니아 침례교가 부흥되었다. 이 부흥사들은 정식(Regulars) 침례파가 각성 운동을 반대할 때, 많은 분리파 침례교회를 형성시켰다. 이들 부흥 운동가들은 고도의 정서적 열광주의를 조장했다. 식민지 당국의 박해는 단지 이 운동의 불길을 부채질 하는 것이었다. 독립전쟁의 기운이 감돌며 모든 관심이 독립에 쏠릴 때 전식민지적 현상으로서의 대각성 운동은 종결된 것이 사실이지만, 침례교와 감리교권에서는 여전히 각성 운동의 동기가 강하게 지속되었다.

감리교는 미국에 늦게 도착하여 1766년에야 비로소 사역을 개시했다. 엠버리(Philip Embury, 1728-1773)와 스트로브리지(Robert Strawbridge, ?-

1781) 등은 거의 동시에 뉴욕과 메릴랜드에서 각각 감리교 활동을 시작했다. 영국군 대령 웨브(Thomas Webb, 1724-1796)는 열렬한 초기 평신도 설교자였다. 1769년 웨슬리는 공식적으로 지명한 8명의 제 일차 평신도 선교사단을 미국에 파송했다. 그 중 애스베리(Francis Asbury, 1745-1816)는 독립전쟁 기간 동안과 그 후도 미국 감리교에 남아 활동했다. 1770년대 내내 감리교는 모국에서처럼 영국 국교회와 어느 정도 느슨한 관계를 유지하고, 사회 운동의 성격을 띠면서 주로 메릴랜드와 버지니아에서 급속히 성장했다. 1773년 필리델피아에서 제일차 미국 감리교 연회(conference)가 열렸다. 감리교는 독립전쟁 기간 중에도 계속 성장했고, 많은 현지의 평신도 설교자들이 그 운동에 헌신했다.

감리교회는 예외이지만 감독교회(Episcopal church)들은 각성 운동에 거의 관심이 없었다. 남부는 합리주의의 조류가 강했고(Latitudinarianism, 광교회파 자유주의), 북부도 영국 국교회 외지복음전파회(The Society for the Propagation of the Gospel in Foreign Parts) 선교사들의 고교회적 성향 때문에 부흥주의 조류를 수용하지 않았다. 가장 두드러진 감독교회의 복음주의자는 버지니아의 교구 목사 자랫(Devereux Jarratt, 1733-1801)이었다. 그는 "새 빛파" 장로교인의 설교에 의해 회심했으나, 웨슬리와 휘트필드를 추종하여 영국 국교회에 가입한 일이 있었다. 그는 감리교회가 1784년 독립 교회로 분리되기 전까지 감리교회에 많은 도움을 주었다.

루터파 교회들은 대각성의 영향을 직접 심하게 받지 않았다. 이 기간동안 그들은 주로 독일 이민의 유입으로 성장했다. 그러나 그들 가운데 상당한 경건주의적 감정이 있었다. 탁월한 지도자 뮬렌베르크(Henry Melchior Muhlenberg, 1711-1787)는 할레의 지도자들의 권고로 식민지로 왔다. 그는 경건주의와 정통 신앙 사이의 조화를 주장했다. 그리고 새로운 독일 루터파 교회들을 조직하는 일에 열심을 내었다. 이들은 18세기 중반 펜실베이니아의 가장 큰 종교 집단이 되었다. 1748년 그는 교파의 항구적 존속 기반이 확보된 것을 축하하기 위해 제일차 루터교 총회를 소집했다. 보다 작은 독일 교회들은 경건주의 정신이 현저했다.

대각성 운동의 논쟁으로부터 18세기의 최고의 미국 신학이 뉴잉글랜드에 등장했다. 바로 조나단 에드워즈(Jonathan Edwards)와 그의 학파의 작품이었다. 에드워즈는 1703년 코네티컷의 목사 집안에 태어나, 1720년에 예일 대학을 졸업했다. 1727년 노스햄프턴에서 부목사가 되었고, 그의 조부 스토다드(Solomon Stoddard, 1643-1729)가 별세했을 때 담임 목사가 되었다. 그는 지적으로 뛰어나 그 시대의 철학이나 과학 서적들을 두루 섭렵하였고, 특히 로크와 아이작 뉴턴의 작품에 매력을 느꼈다. 일찍이 하나님의 주권과 구원의 예정을 강조하는 고전적 칼빈주의에 확신을 가지는 한편, 최근 이성의 시대의 발견들을 완전히 소화하여 분명한 신학적 입장을 성립하였다. 그는 부흥 운동의 지도자로서 신앙에서 모든 감정주의를 거부하는 자들과 반대로 감정주의를 남용하는 자들에 대항해서, 그가 진정한 부흥 운동, 곧 하나님의 역사라고 느낀 것을 주장했다. 1746년 그는 진정한 부흥 운동의 신학적 변증서 「신앙적 감정에 대한 논문」(*A Treatise Concerning Religious Affections*)을 출판했다. 여기서 그는 일부 로크의 심리학적 통찰을 사용했다. 그는 목회자와 성직자로서 교인들에게 고결한 삶을 살 것을 요구했다. 이것은 그가 오직 성도 즉 진정한 선택자만 성만찬에 참여해야 한다고 믿었기 때문이다. 그는 더 이상 방만한 견해를 따르지 않고, 이 원칙에 따라 행동하였다. 그러나 그는 결국 1750년 강단에서 쫓겨났다. 1년 전에 「성만찬 참여 자격」(*Qualifications Requisite for Full Communion*)이라는 글에서 이 문제를 조심스럽게 다루었지만, 이로 인해 사표를 써야 했다.

에드워즈는 매사추세츠 스톡브리지의 선교사로 파송되었다. 거기서 그는 아르미니우스주의에 대항하여 칼빈주의를 옹호하는 데 자신의 신학적 철학적 역량을 발휘할 수 있었다. 그는 아르미니우스주의로부터 18세기 자유 신학 사조의 특성을 밝혀냈다. 그는 「의지에 관한 논문」(*Treatise on the Will*)에서 이렇게 주장했다. 모든 사람은 하나님께로 돌이킬 수 있는 본원적 능력이 있지만, 그렇게 할 만한 도덕적 능력 즉 성향(inclination)은 결여되어 있다. 결단하는 성향이 없다는 것은 죄에 대한 변명이 될 수는 없지만, 결단하는 성향은 하나님의 은총의 변화시키는 은사이다. 한편 조직신학자인 그는 자신의 모든 입장을 체계화할 광대한 작업을 구상했다. 초기의 일부 논문이 분명히 그의 조직신학 체계에 포함되지만 말이다. 1765년 사후에 출판된 「참된 덕의 본질」(*The Nature of True Virtue*)도 이러한 조직신학적 단편 중의 하나였다. 에드워즈의 생각에 의하면, 덕은 지적 존재(intelligent Being)에 대한 보편적인 사랑이다. 그러나 하나님은 존재의 가장 큰 부분을 무한히 가지고 있다. 그분은 한이 없이 가장 위대한 존재이다. 그래서 참된 덕은 본래 근본적으로 하나님께 대한 지고한 사랑에 있는 것이다. 그러한 참된 덕은 이성이나 오성을 통해 발견될 수 없다. 왜냐하면 그것은 감정과 성정(affections and disposition)에 속하기 때문이다. 그것은 자애(self-love)를 넘어서 지고의 열정과 사랑으로 승화될 때 일어난다. "사심 없는 자선"은 참된 덕의 표준의 하나이고, 완전히 하나님의 은사이다. 그러나 에드워즈의 체계적 연구는 미완에 그쳤다. 프린스턴대학 학장 취임의 요청을 받았을 때 마침 천연두가 유행했는데, 그는 우두 접종을 받았다가 감염되어, 불과 취임 후 몇 주만에 세상을 떠났던 것이다.

에드워즈의 사상은 벨라미(Joseph Bellamy, 1719-1790), 홉킨스(Samuel Hopkins, 1721-1803), 에드워즈 2세(Jonathan Edwards Jr., 1745-1801), 에몬스(Nathaniel Emmons, 1745-1840) 등 일단의 추종자들이 이어받았다. 이 에

드워즈 학파는 수십 년 동안 뉴잉글랜드에서 신학적 논의의 모범을 보였다. 그들은 언약 혹은 계약 신학(federal or covenant theology)을 따르는 구칼빈주의자(Old Calvinist)와 논쟁하면서, 에드워즈가 제기한 문제를 계속 검토했다. 에드워즈 학파 신학자들은 유능한 학자이며 근면한 연구자였지만, 막상 스승이 지녔던 시적 통찰력과 넓은 시야는 가지고 있지 못하였다. 특히 홉킨스는 에드워즈 학파의 일부 주장을 논리에 맞지 않게 다루었다. 그러나 "사심 없는 자선"이라는 주제를 강조한 점에 있어서, 그는 무의식적이지만 19세기 신학 변동의 길을 예비했다고 할 수 있다. 에드워즈 학파는 대각성 운동이 뉴잉글랜드 회중교회에서 전성기를 경과한 후에 나타났지만, 이후의 미국 발전에 큰 영향을 준 복음주의적 칼빈주의를 소개하고 옹호했다(VII:15 참조).

미국의 대각성 경험은 캐나다에도 얼마간 영향을 주었다. 카나다의 대각성 운동은, 대규모로 미국 북부 지방에 이주했던 코네티컷 분리파 회중교회와 역사적으로 연결되어, 1770년대 노바 스코티아(Nova Scotia)에서 그 모습을 보였다. 어릴 때 그곳에 정착한 로드 아일랜드 출신 헨리 앨린(Henry Alline)이 각성 운동을 이끌었다. 그는 복음주의적 청교도 작품에 서술된 회심의 고전적 설명에 능숙했고, 1775년 확신을 체험하자마자 즉각 설교하라는 부르심에 응하였다. 그는 독특한 "각성 신학"(awakening theology)을 창안했다. 그는 이것을 순회 설교 여행 때 선포했는데, 특히 노동자 계층이 강렬한 반응을 보였다. 앨린의 교회관은 결정적으로 분리파 회중교회의 영향을 받은 것이었다. 그러나 그의 부흥 노력으로 생긴 새 빛파 교회들은 안정되지 못했다. 그 중 일부는 후에 코네티컷에 있는 유사 분리파 회중교회와 마찬가지로 침례교회로 바꾸었다. 그래서 뉴잉글랜드에서처럼 노바 스코티아에도 침례교인들이 대각성 운동의 열매를 거두었다.

9. 복음주의적 부흥의 영향과 근대 선교의 발흥

영국의 복음주의적 부흥 운동은 이에 직접 참여하지 않은 사람들에게도 영향을 주었다. 정도의 차이는 있지만 오래된 비국교도파 교회들이 큰 자극을 받았다. 18세기 초반 비국교도 교회들은 침체 상태였다. 처음에 그들의 지도자들은 웨슬리와 휘트필드를 미심쩍은 눈으로 지켜 보았다. 그러나 부흥 운동이 진행됨에 따라, 소장파 목사들이 이 운동의 열정을 이어 받았다. 특히 회중교회 대부분이 이 운동으로 인해 유익을 얻었다. 그들의 설교가 뜨거워졌고, 열정이 다시 살아났으며, 교인도 증가했다. 감리교에서 은혜를 받았으나 감리교의 훈련에 번거로움을 느낀 사람들이 많이 회중교회로 왔다. 또 국교회의 교구로부터도 온 사람들도 많았다. 1700년과 비교해 볼 때, 1800년의 회중교회는 영국 내에서 현저히 다른 위치를 차지하게 되었다. 특별 침례교회(Particular Baptist Church) 역시 다분히 아리우스적이었음에도 불구하고 일반 침례교회(General Baptist Church)와 마찬가지로 성장하였다. 1770년 유니테리언 경향에 반발하여 한 복음주의 일파가 일반 침례교 신파(General Baptist New Connection)로 분리하였다. 한편 장로교는 거의 영향을 받지 않았다. 장로교는 아리우스주의와 소지니주의가 우세를 보였고, 교인 수도 차츰 감소했다. 퀘이커들도 큰 변동이 없었다. 부흥운동은 그들의 영혼에 깊은 인상을 심기에는 너무 이질적이었다.

감리교 운동은 박애적 동정심을 실천하는 데 있어서 긴 안목을 가지고 있었다. 복음주의자들도 동참했다. 감리교에서는 웨슬리의 지도 아래 재정적으로 빈민 교인들을 돕고, 일자리를 제공하고, 병자를 돌보고, 학교를 세우고, 염가의 책들을 공급하고 그리고 하층민의 거칠고 잔인한 삶을 개선하기 위해 노력하였다.

새로운 인도주의 정신의 탁월한 예는 과묵하고 경건한 시골 지주인 존 하워드(John Howard, 1726-1790)였다. 그는 학교와 모범 농가에 관심이 많았고, 회중교회와 침례교회에서 예배를 드렸다. 1773년 하워드는 베드퍼드의 고등 행정관(high sheriff)에 선출되었다. 그는 감옥이 도덕적 물질적으로 아주 불결한 것에 큰 충격을 받았다. 교도관들은 봉급이 아니라 죄수에게서 갈취한 것으로 생계를 유지하고 있었던 것이다. 죄수들은 제대로 분류되지도 않았고, 벌금을 내지 못하면 무죄 판결을 받더라도 석방되지 않았다. 그는 자신의 공적 책임을 완수했을 뿐만 아니라 실제 영국의 모든 감옥을 방문하여 1774년 그 끔찍한 결과를 국회에 보고했다. 다음 그는 스코틀랜드, 아일랜드, 유럽 대륙에서도 비슷한 봉사를 했다. 그는 다른 업적도 많지만 특히 "감옥 개량의 아버지"라고 불릴 만하다. 말년에는 흑사병 전염 방지법을 개발하는 데 희생적인 노력을 기울였다. 결국 그는 이 일로 인해 남부 러시아에서 생명을 잃었다.

허더스필드의 교구 목사 헨리 벤(Henry Venn, 1725-1797)과 그의 아들이요 클라팜의 교구 목사인 존 벤(John Venn, 1759-1813)을 중심으로 선행에 뜻을 두고 헌신하기를 원하는 일단의 사람들이 모였다. 그 모임에는 주로 부유한 국교회 복음주의자 평신도들이 가담했으며, **"클라팜파"**(the Clapham Sect)라는 명칭이 붙었다. 그들은 특히 영국 및 연방의 노예제도 철폐에 영향을 미쳤다. 그 악한 제도는 존 웨슬리의 극심한 질책을 받았으며, 퀘이커 교도들에 의해 강력한 반대를 받았다. 19세기 초 클라팜파는 노예제도 폐지 운동을 성공적으로 추진했다. 역사가를 아들로 둔 매콜리(Zachary Macaulay, 1768-1838)는 직접 참상을 목격하려고 한 때 노예선에 승선한 일도 있었다. 이 운동에서 가장 영향력 있는 지도자는 탁월한 복음주의파 평신도의 한 사람인 **윌리엄 윌버포스**(William Wilberforce, 1759-1833)였다. 그는 부유하고 명망있는 국회의원이었고, 1784년 아이작 밀너(Isaac Milner)를 통해 "회심" 했다. 1797년 그는 「진정한 기독교와 대조를 이루는, 국내 중상 계층의 자칭 기독교인의 일반적 신앙 체계의 실상」(*Practical View of the Prevailing Religious System of Professed Christians in the Higher and Middle Classes in this Country Contrasted with Real Christianity*)을 출판했다. 이것은 복음주의 저작 중 가장 인기 있는 것의 하나였다. 1787년 그는 노예제도와 평생에 걸친 전투를 시작했다. 그 결과 1807년에는 노예 거래가, 1833년에는 노예제도 자체가 온 영국 및 영연방에서 폐지되었다.

다양한 형태의 복음주의자들은 신앙적이고 인도적이며 자선을 베푸는 사업을 수행할 때, 흔히 **자원 단체**(voluntary societies)를 통해 함께 일했다. 부흥 운동은 기독교 문학의 확산에도 큰 영향을 주었다. 웨슬리는 1699년 설립된 기독교지식 권장협회(Society for Promoting Christian Knowledge)를 통해 끊임없이 책을 출판했다(VII:6 참조). 1799년 런던에서 초교파적인 종교소책자협회(Religious Tract Society)가 설립되었다. 경건주의는 이미 1710년 할레의 칸슈타인 남작 재단(Baron Canstein's foundation)을 통해 대대적인 성서 출판과 염가 보급의 모범을 보인 바 있다(VII:5 참조). 유사 단체들이 곧 아일랜드, 스코틀랜드, 미국 등에 설립되었다(VII:5). 이들의 사역으로 인해 성경의 대중화가 가능하게 되었다.

어린이 신앙 교육의 형태는 아마 종교가 시작될 때부터 있었을 것이고 종교개혁 시대는 교리 교육을 중요시하였다. 이전에도 그러한 시도가 있었지만, 빈민과 무학자를 위한 조직적이고 성공적인 대규모 기독교 교육 사업은 1780년의 주일학교(Sunday school)였다. 이것은 국교회 복음주의파 평신도인 **로버트 레이크스**(Robert Raikes, 1735-1811)에 의해 창설되었다. 공교육이 없던 때, 그는 아이들이 딱 하루 쉬는 일요일에 선생들에게 월급을 주어가며 3R(Reading, wRighting, Reckoning)과 기독교의 기초를 가르쳤다. 교회 출석도 요구하였다. 레이크스는 자신이 운영하는 「글로스터 저널」(*Gloucester Journal*)에 이러한 활동 상황을 실었다. 이 사업은 급속도로 확장되었다. 웨슬리와 비국교도들도 호의적 반응을 보였다. 1785년 런던에 주일학교족진회(A Society for Promoting Sunday Schools)가 조직되었다. 1791년 필라델피아에 유사 단체가 설립되었다. 이 운동은 지속적인 만큼 빠르게 성장했다. 성직자들의 반대가 없었던 것은 아니었다. 부분적으로 주일학교가 생소하기도 했고 주일에 대한 "신성모독"(desecration)이라고 생각되었기 때문이다. 비종교적인 보통 교육은 급속히 줄어들었고, 유급교사는 자원 교사로 바뀌었다. 어떤 기독교 기관도 주일학교만큼 근대 교회의 생활에 뿌리내리지는 못하였다.

복음주의적 부흥의 가장 중요한 결과의 하나는 **근대 개신교 선교의 발흥**이었다. 종교개혁기의 로마 가톨릭의 선교는 급속하게 발전하여 큰 성과를 거두었다(VI:11 참조). 그러나 개신교는 내부 문제와 오랜 신학적 확신과 아울러 지리적 약점으로 인하여 이에 상응하는 선교의 노력을 기울이지 못했다. 그러나 17세기 네덜란드의 정복 활동에 따라 실론, 자바, 포르모사에서 선교 사역을 개시했다. 매사추세츠 인디언에게 선교하던 존 엘리엇(John Eliot)의 노력으로 1649년 국회의 법에 의해 영국 최초의 해외 선교 기관인 뉴잉글랜드 복음전파회(Society for the Propagation of the Gospel in New England)가 설립되었다. 이 기관의 비용으로 엘리엇의 인디언 성경과 다른 작품이 출판되었다. 1701년 외지복음전파회(The Society for the Propagation of the Gospel in Foreign Parts)가 설립되었다(VII:2 참조). 독일 경건주의는 1705년 이후 할레-덴마크(Halle-Danish)선교단을 낳았다(VII:5 참조). 1732년 모라비아 교단이 괄목할 만한 사역을 시작했다(VII:6 참조). 퀘이커 교도들도 또한 선교 활동을 했다.

쿠크 선장(Captain James Cook, 1728-1779)은 1768년부터 죽을 때까지 정부의 지원으로 지리상의 발견을 위해 태평양을 항해했는데, 이로 인해 영국 안에서 미지의 비기독교인에 대한 관심이 고조되었다. 구두공으로 후에 침례교 설교자가 된 **윌리엄 케리**(William Carey, 1761-1834)는 지리상의 발견에 자극을 받아, 꺼지지 않는 선교적 열정을 보여 주었을 뿐만 아니라 언어학자와 식물학자로서 탁월한 재능을 발휘했다. 그는 자기의 사상을 「이방인을 회심시키기 위한 수단을 사용할 기독교인의 의무에 대한 연구」(*Enquiry into the Obligation of Christians to use Means for the Conversion of the Heathens*, 1792)에 기술하였다. 이 책과 이사야서 54장 2절을 주제로 한 케리의 설교에 영향을 받아 침례교이교도복음전도협회(Baptist Society for Propagating the Gospel among the Heathen)가 결성되었다. 케리는 그 기관의 최초의 선교사였으며, 그의 인도에서의 편지는 다른 선교 활동에 강력한 자극을 주었다.

1795년 런던선교협회(London Missionary Society)가 초교파적 사업으로 설립되었다. 주 공헌자는 가스포트의 회중교회 목사 보그(David Bogue, 1750-

1825)와 알드윙클의 복음주의파 교구 목사 하웨이스(Thomas Haweis, 1734-1820) 등이었다. 그 기관 최초의 선교사들은 1796년 타히티(Tahiti)로 파송되었다. 이것은 후에 회중교회 선교국이 되었다. 선교에 대한 부담감이 증가하면서 1799년 국교회 복음주의파를 대표하여 교회선교협회(Church Missionary Society)가 창설되었다. 주 공헌자는 클라팜 교구 목사인 존 벤과 「가정 성경」(*Family Bible*)의 편집자 토머스 스코트였다. 영국 웨슬리파 감리교 선교협회(Wesleyan Methodist Missionary Society of England)는 1817년에서 1818년 사이에 설립되었다. 스코틀랜드에서는 이미 1796년에 소규모의 국지적 선교 활동이 시작되었고, 1825년에는 스코틀랜드교회 선교국(Church of Scotland Mission board)이 설립되었다. 영국의 선교 의식이 깊어지자 다른 나라도 많은 관심을 갖게 되었다. 19세기 초 미국과 유럽 대륙에서는 광범위한 교파적 초교파적 선교회가 설립되었다(VII:14, 15 참조).

10. 미국 독립 전쟁 시대

18세기 말 미국 혁명기 동안 북미 13주의 영국 식민지들은 영국의 지배에서 벗어나 하나의 독립 국가를 형성했다. 그 동안 사람들은 장기간에 걸친 일련의 정치적, 군사적 사태로 인하여 대각성의 특징인 신앙에 대한 열정적 관심에서 돌아섰다. 식민지와 영국 본국 사이에 마찰이 증가했고, 결국 1775년 독립전쟁이 발발했다. 1776년에 독립을 선포했고, 1783년까지 파괴적인 전쟁이 계속되었다. 한편 새 국가 체제는 끈질긴 토의 과정을 거쳐 마침내 1789년 합중국 헌법에 따라 통치되는 정부의 수립으로 결정되었다. 혁명기의 철학은 종교에 대해 합리주의적 태도를 취하는 경향이었고, 따라서 교회의 특권을 최소화했다. 많은 정치 지도자들은 영국이나 프랑스 이신론의 영향을 받았다(VII:3 참조). 그래서 한 세대 이상 동안 사람들은 혁명기적 사고와 행동에 휩싸였고, 종교는 전보다 일반적 관심을 덜 끌었다.

이 시기에 미국 종교계의 최대 사건은 신앙의 자유의 성취였다. 이것은 혁명적 진보았으며, 천년 이상 서방 문화를 특징시었던 획일성과 국교회(uniformity and establishment)의 원칙에서 근본적으로 벗어난 것을 의미했다. 네덜란드나 영국 등 일부 유럽 국가에서도 주목할 만한 신앙의 자유가 허용된 일이 있었지만, 신앙의 자유를 국가 원리로 수용한 것은 새로운 것이었다. 물론 그 성취 과정에는 많은 복합 요인이 작용했다. 바로 종교 단체의 다양성으로 인해 한 특정 교회가 독점 성장해서 인구 대부분을 그 교회의 지지자로 확보하는 것이 저지되었다. 지리적으로는 대양을 사이에 두고 유럽과 격리되었기 때문에, 유럽 국가교회가 식민지 지교회와 원활한 관계 유지가 곤란했다. 그리고 미대륙의 광활함 때문에 국가 교회 제도를 운영하기 어려웠다. 또한 노동자가 귀한 식민지에서 경제적 번영의 욕구가 증가하자 교파간의 신앙적 견해 차이가 무시되었다. 1662년 영국의 찰스 2세가 매사추세츠 만의 관리들에게 퀘이커 교도에 대한 교수형 집행을 중단할 것을 명령했을 때처럼, 영국에서 일어난 신앙의 자유의 움직임은 엄격한 획일성을 유지하려는 종교적 노력을 저지했다. 또한 종교 개혁 좌파인 메노파(Mennonites)와 덩커교도(Dunkers) 그리고 청교도 좌파인 침례교와 퀘이커에서 유래한 많은 신앙 단체들의 증거도 아주 중요했다. 이들은 신앙적 원리 위에서 신앙의 자유를 신봉했다. 영국 내전의 격동기에 일부 청교도에서는 광범위한 정통적, 고전적 기독교 원리에 근거한 신앙의 자유를 강력히 요구했다. 로드 아일랜드와 펜실베이니아에서는 이러한 견해를 가진 대표단이 자신들의 생각을 실행에 옮겨, 신앙적 획일성 혹은 국교회 제도 없이도 질서있는 시민 국가가 유지될 수 있다는 것을 입증할 기회를 얻었다. 대각성 운동은 신앙 자유에 대한 욕구를 더욱 촉진했으며, 실제로 비국교도 교회의 성장에 막대한 공헌을 했다. 마지막으로 합리주의적 종교관의 대변자들이 신앙의 자유를 확신했다. 그들은 흔히 비국교화 운동의 지도자로 활동했다.

이러한 다양한 요인들은 다양한 지역에서 다양한 방식으로 복합되어 신앙의 자유를 확보했다. 강력한 국가교회가 존속했던 곳에서는 주의 차원에서 투쟁이 격렬하게 일어났다. 버지니아에서는 장기간 정치적 논의를 거친 후 1785년, 그 투쟁에 가담한 합리주의자이며 비국교도인 토머스 제퍼슨(Thomas Jefferson)이 초안한 버지니아 종교자유법(Virginia Statute for Religious Freedom)을 통과시켰다. 뉴잉글랜드에서는 비국교회의 교세 확장과 때를 맞추어 종교 자유에 대한 정서가 고조되어, 1818년 코네티컷, 1819년 뉴햄프셔, 1833년 매사추세츠에서 각각 회중교회 국가교회를 폐기했다. 국가적 차원에서는 복합적인 요인으로 인해 처음부터 종교 자유를 성취했다. 헌법 제 6조는 "합중국의 공직이나 공적 신임을 위해 종교적 자격 심사를 부과할 수 없다"고 명시했다. 제 1차 헌법 수정 조항(1791)은 "국회는 국교에 관한 법률이나 종교의 자유로운 활동을 금지하는 법안을 제정할 수 없다 … "고 선언했다. 이리하여 종교의 국교회화와 획일성이 포기되었고, 최후의 국가 교회가 사라짐에 따라 모든 교회는 법 앞에 평등한 자발적 단체로 존속하게 되었다.

미국의 독립 쟁취는 모든 교파에게 새로운 과제를 안겨 주었다. 유럽 국가 교회들의 지교회였던 일부 교회는 이제 모교회에서 독립해서 교회를 재구성할 필요를 느꼈다. 미국의 어떤 교회도 영국 국교회 계통의 감독교회만큼 독립전쟁의 여파 때문에 그렇게 심한 고통을 겪지는 않았다. 특히 북부에서는 대부분의 교역자와 구성원들이 영국 본국에 동조했고 그 성향이 전쟁에서 돌출했지만, 결국 영국의 패배로 파멸에 이르렀다. 바로 그 이름만으로도 비애국적인 것처럼 인식되어서, 1780년 11월 메릴랜드의 성직자 평신도 합동 회의에서 "개신교 감독교회"(Protestant Episcopal)라는 이름을 택했다. 2년 후 필라델피아 그리스도의 교회(Christ's Church) 교구목사이며 미국 독립의 열렬한 지지자인 윌리엄 화이트(William White, 1748-1836)는 미연방과 영국의 교회 간섭에서 벗어나서 성직자 뿐만 아니라 평신도도 포함한 대표단으로 미국 개신교 감독교회(American Protestant Episcopal church)를 조직하는 계획을 밝혔다. 그는 먼 훗날에야 미국 감독직을 확보할 수 있을 것으로 생각했다. 화이트의 제안에 따라 1784년 10월 뉴욕시에서 8개 주 대표자원 회의가 열렸고, 1785년 9월 필라델피아에서 제 일차 총회를 개최했다. 그러나 코네티컷 감독교회 성직자들은 가담하지 않았다. 그들은 따로 시베리(Samuel Seabury, 1729-1796)를 감독으로 선출했고, 1783년 6월 그는 감독직 안수를 위해 영국으로 갔다. 시베리는 의회의 동의없이 영국 감독(episcopate)에게 안수 받을 수 없다는 것을 알고, 1784년 11월 애버딘(Aberdeen)에서 비서약파 스코틀랜드 감독들로부터 안수를 받았다.

1785년의 총회는 화이트가 대부분 작성한 미합중국 개신교 감독교회(Protestant Episcopal Church in the United States) 헌법을 채택했으며, 영국 감독들이 미국 감독 교회를 위해 감독을 안수해줄 것을 호소했다. 시베리가 스코틀랜드에서 받은 안수도 타당할 수 있으나, 어디까지나 모교회인 영국 교회에서 성직이 계승되기를 바랐던 것이다. 여러 주의 지역 감독교회 회의에서 감독 선출을 요청했다. 1786년 다시 모인 총회에서는 다음과 같이 보고할 수 있었다. 영국 감독들이 영국의회로부터 성직부여조례(enabling act)를 얻어냈고, 이에 따라 윌리엄 화이트가 펜실베이니아 감독으로, 프로부스트(Samuel Provoost, 1742-1815)가 뉴욕 감독으로 각각 임명되었다고 말이다. 두 지역 감독들은 1787년 2월 4일, 영국 캔터베리의 대감독으로부터 안수를 받았다.

독립전쟁 당시 서로 반대편에 가담했고 서로 다른 성직권의 전통을 가진, 시베리 감독과 화이트, 프로부스트 감독 사이에는 처음에 약간 반목이 있었다. 코네티컷에서는 아직도 총회에 참가하지 않았으며, 자체 회의에 감독회(House of Bishops)와 대표회(House of Deputies)를 설치하자는 결정으로 교직자와 평신도 모두를 만족시켜서, 난국을 조정할 방도를 마련했다. 드디어 1789년 총회에서 모든 분파를 통합했고, 미국 형편에 맞도록 기도서를 개정하여, 미합중국 개신교 감독교회(the Protetant Episcopal Church in the United States of America)를 설립했다.

미국 감리교에서도 독립전쟁 말에 독립 교회 조직의 기대가 성숙했다. 감리교의 영국 의존은 더 이상 바람직한 일이 아니었다. 특히 기존의 교회가 없는 개척지에서 주로 활동하는 감리교회는 급속히 이동하는 경우가 많아 감독교회의 규례대로 교회에서 성례전을 베풀기가 어렵거나 불가능했다. 그래서 감독교회와 종속 관계를 유지하는 것은 유망하지 않았다. 웨슬리는 1780년에 미국의 교직자들이 런던 감독에게 안수를 받을 수 있도록 노력했지만 헛수고였다. 그는 전부터 고대 교회에서 감독과 장로가 동일 직제라고 확신했다. 그래서 장로인 자신은 필요할 때에는 언제나 안수할 수 있는 권한이 있다고 생각했다. 1784년 9월 1일 브리스톨에서 그는 코크(Thomas Coke, 1747-1814), 크레이튼(James Creighton, 1739-1820) 등 국교회 장로들과 함께 화트코우트(Richard Whatcoat)와 베이지(Thomas Vasey)에게 집사직을 안수했다. 이튿날 그 집사들을 미국의 장로직에 안수했다. 또 그 날 웨슬리는 다른 안수 목사들의 도움을 받아 코크를 감리사(superintendent)로 구별지었다.

웨슬리는 독립전쟁 내내 미국 감리교에서 맹활약한 애스베리를 코크와 함께 감리사로 지명했다고 미국 감리교회에 일방적으로 통고했다. 그러나 애스베리는 미국적 기질을 알고 있었다. 그는 우선 평신도 설교자들이 웨슬리의 감리사 지명 계획을 놓고 논의한 후 그와 코크를 감리사로 선출해야 한다는 것을 알고 있었다. 그래서 1784년 12월 24일 발티모어의 "성탄절 회의"(Christmas Conference)에서 그렇게 실행했다. 그 결과 감리교 감독 교회(Methodist Episcopal Church)가 설립되었다. 애스베리는 매일 연속하여 집사, 장로 , 감독에 서품되었다. 12명의 다른 설교자들도 장로 안수를 받았다. 이렇게 해서 하나의 규율을 정했다. 웨슬리가 난처하게도 곧 코크와 애스베리는 자신들을 "감독"(주교, bishop)으로 부르기 시작했다. 그러나 결국 1787년에 가서야 공인되었다. 1792년에 개최된 제1차 총회에서는 급속히 성장하여 완전 독립한 새로운 감리교회의 모습을 보여 주었다.

네덜란드와 독일 개혁교회의 네덜란드 의존도는 오랫동안 감소하고 있었다. 따라서 각각 1792년과 1793년의 단절은 형식적 절차에 불과했다.

물론 **로마 가톨릭 교회**들은 독립하지 않았다. 그 대신 로마와 관계를 재정의하고 국가적 조직을 이루었다. 그들은 미국 독립 당시에도 여전히 보잘 것 없는 소수였다. 그러나 종교 자유의 전통이 증가하고, 독립전쟁에서 보인 애국적 활동의 결과로 지위가 많이 향상되었다. 그들은 런던 교황 사절 대리가 관할하고 있었는데, 독립과

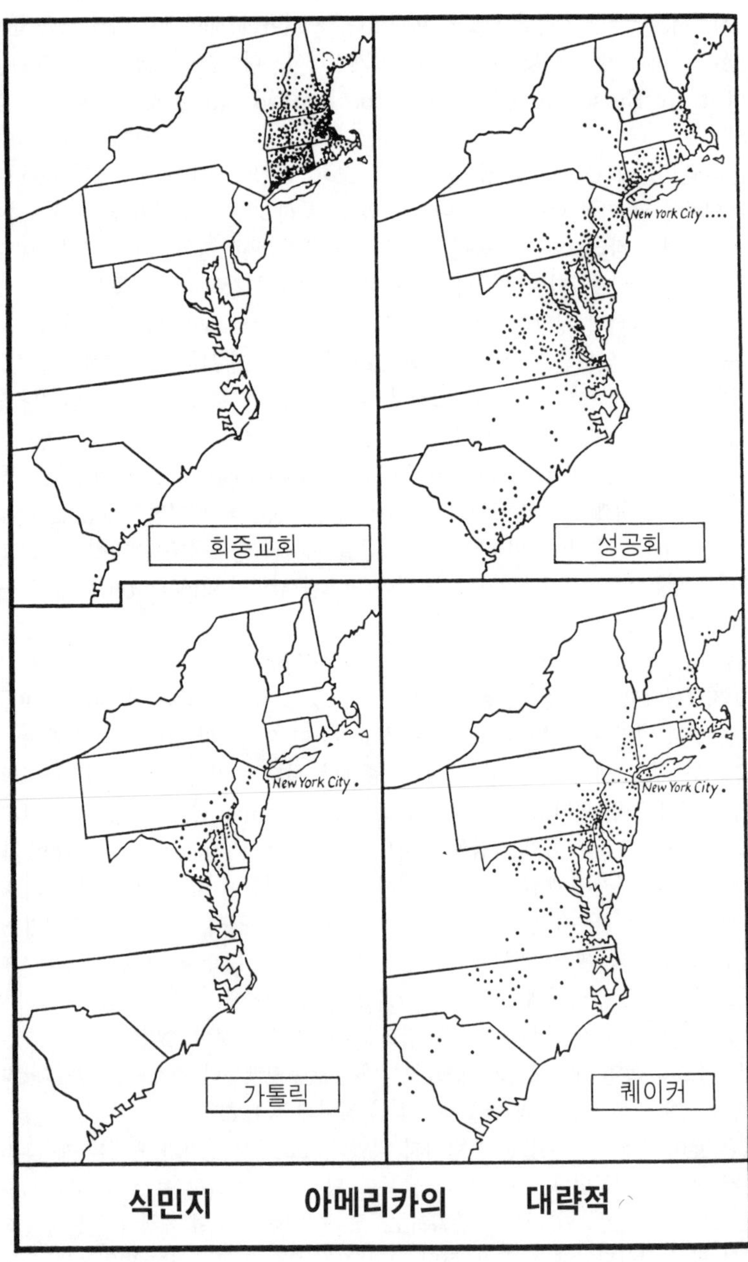

식민지 아메리카의 대략적

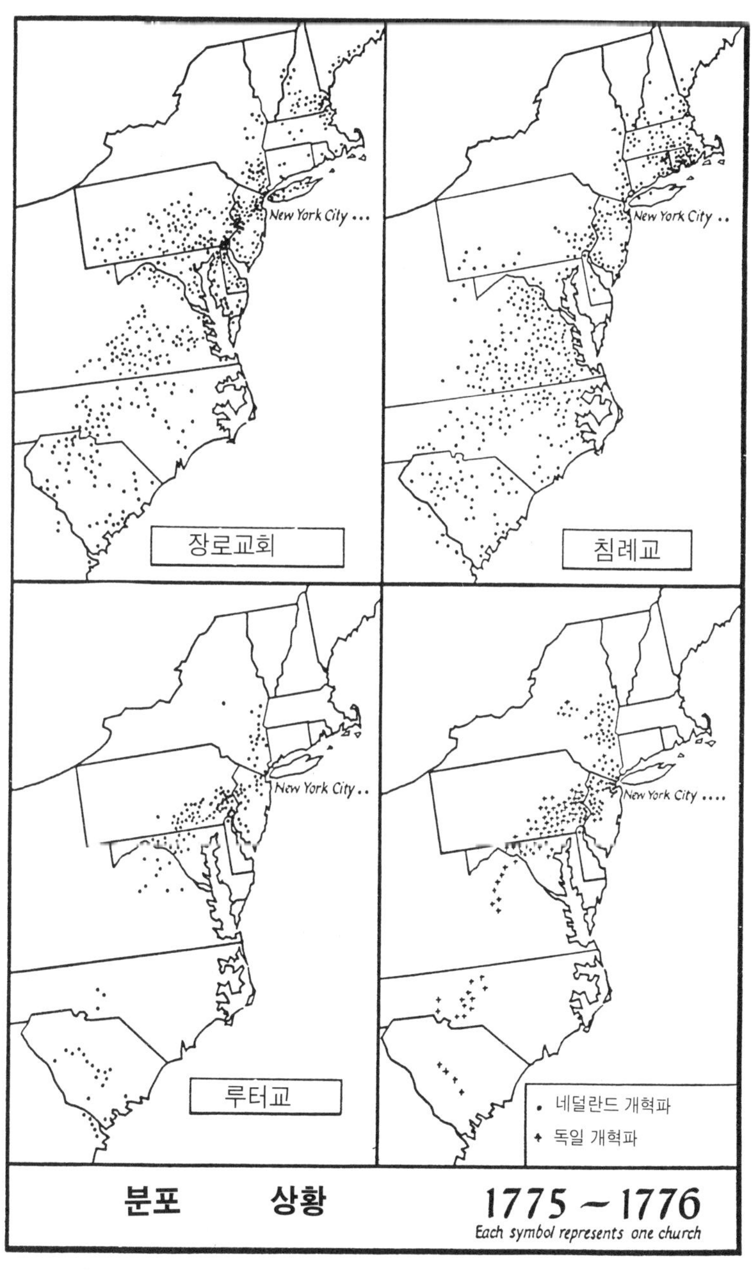
New York City
장로교회
New York City
침례교
New York City
루터교
New York City
• 네덜란드 개혁파
+ 독일 개혁파
분포 상황
1775 ~ 1776
Each symbol represents one church

더불어 더 이상 관할이 용이하지 않았다. 1784년 많은 존경을 받는 메릴랜드의 존 캐롤(John Carroll, 1735-1815)이 피우스 6세(Pius VI)의 임명으로 미합중국 교황사절로 선출되었다. 미국내 다른 교파 확장에 비추어 볼 때, 주교(bishop)직을 보유해서 미국 가톨릭 교회의 권위를 높이는 것이 아주 바람직하게 되었다. 그러나 미국 가톨릭은 외국 주교에게 속하는 것을 매우 두려워 했다. 그래서 미국 주교 선출권을 미국 신부들에게 달라고 로마에 청원했다. 이것이 허락되어 1790년 캐롤이 영국에서 발티모어의 주교직에 안수되었다. 1791년 주교좌 도시 발티모어에서 제1차 로마가톨릭 합중국회의(Roman Catholic synod In the United States)를 개최했다. 1808년 캐롤의 집전으로 발티모어에 대주교좌가 만들어졌고, 뉴욕, 보스턴, 필라델피아, 바즈타운(켄터키)에는 주교좌가 설치되었다. 캐롤이 작고할 무렵 이미 미합중국 내 로마 가톨릭의 기반이 튼튼해졌고, 교세를 엄청나게 증폭시킬 이민의 입교가 아직 장래의 일인데도, 신부가 백명을 넘어섰다.

모라비아 교도들도 그들의 중심인 유럽 헤른후트와 긴밀한 관계를 유지하고 있었다. 1775년 새로운 중앙 집중화 정책을 채택해서, 미국 모라비아 교도들은 더욱 바다 너머의 통제를 받게 되었다. 그것은 불운한 움직임이었다. 해외 지도자들은 유럽적 국가교회 사고 방식을 고수해서, 미국에 있으면서도 미국 독립에 따라 부여된 신앙의 자유의 기회를 활용하지 못했기 때문이었다. 모라비아 교단의 영향력은 곧 쇠퇴하였다. 19세기까지도 미국의 모라비아 교회는 자율적이지 못했다.

회중교회, 침례교, 퀘이커 등 일부 교단들은 이미 혁명 전에 독립했으며, 독립전쟁의 직접적 영향을 받지 않았다. **장로교회**도 또한 독립적으로 운영되고 있었지만, 재조직의 기회를 잡았다. 장로교회는 1789년 필라델피아에서 처음 개최된 총회의 지도 아래 장로교회의 완전한 기틀을 마련할 새로운 헌법을 작성했다. **루터교**도 자율적이었지만 독립전쟁 동안 조직적으로 발달하기 시작했다. 뮬렌베르크(VII:8 참조)가 1762년 자신의 필라델피아 교회에 제출한 헌법안에 따르면 모든 공직들은 교회 자체 내에서 선출되었다. 지역 교회에서는 회중교회적이고, 대회(synod)의 목사 지위에 대해서는 장로교회적인 것이 미국 루터교 교회 정치의 두 가지 기본 특징이었다. 대회의 체제는 서서히 전파되었다. 1786년 뉴욕 성직자 회의로 모인 제2차 대회가 조직되었다. 곧 이어 제 3차 대회가 노스 캐롤라이나에서 조직되었다. 1820년 총회(general synod)가 형성되었다. 그러나 단지 일부 루터교만 그것을 지지했다. 독일 국적 의식과 신학적 긴장 때문에 루터교는 전반적인 국가 통합(national unity)의 조류와 거리가 있었다.

만인구원 교회(Universalists)는 독립전쟁 기간에 발달한 새로운 국내 종교단체였다. 18세기에 만인 구원에 대한 신앙은 다른 곳과 마찬가지로 미국에서도 가끔 출현했는데, 조직된 만인구원론은 존 머레이(John Murray, 1741-1815)가 시조였다. 그는 조국인 영국에서 휘트필드의 설교와 렐리(James Relly, 1722?-1778)의 저서에 의해 크게 감화받았다. 렐리는 휘트필드의 설교단의 일원이었다가 나중에 만인구원론 옹호자가 되었던 인물이었다. 1770년 미국으로 건너와 주로 뉴잉글랜드에서 순회 전도 활동을 할 때 머레이는 바로 렐리의 제자로서 그렇게 한 것이었다. 온건 칼빈주의자인 머레이는 다음과 같이 가르쳤다. 그리스도는 한정된 선택자 집단의 죄가 아니라 만인의 죄의 대가를 완전히 치렀으며, 심판 때에는 하나님의 자비로 모든 불신이 사라지므로 하나님의 직접적 은총이 만민에게 임할 것이라고 믿었다. 완전히 믿는 사람에게는 하나님이 약속한 은총이 지금 시작된다.

또 다른 추진력이 만인구원론에 보강되었다. 1780년 필라델피아 침례교 목사인 윈체스터(Elhanan Winchester, 1751-1797)는 머레이와 독립적으로 만인구원론 사상을 채택하고 유창하게 변론했다. 머레이와 달리 그의 전반적 사상은 아르미니우스주의였다. 구원은 궁극적으로 만인의 하나님께 대한 자유의지적 복종에 근거하지만, 회개하지 않은 자들은 영원하지는 않지만 끈질긴 고통을 거쳐 영혼이 정화된 후에 비로소 구원을 얻는다는 것이다. 보스턴에서 오랫동안 목회를 한 발로우(Hosea Ballou, 1771-1852)도 매우 유력한 인사였다. 머레이와 윈체스터는 삼위일체론자(Trinitarians)이지만 그는 아리우스주의자(Arian)였다. 미국 만인구원론은 이러한 유니테리언 방향으로 발로우의 뒤를 따랐다. 이에 의하면 구속의 목적은 하나님이 인간에게 주는 사랑을 설명하기 위한 도덕적인 것이었다. 죄는 이 세상에서도 저 세상에서도 인간이 죄에서 하나님께로 돌이킬 때까지 벌을 유발한다.

1790년 만인구원론자들은 필라델피아에서 회의를 개최할 만큼 교세를 확보했다. 3년 후 뉴잉글랜드에서 회의를 개최했고, 1803년 뉴햄프셔의 윈체스터 회의에서 신교파의 기본 교리를 설명하는 간단한 신조를 채택했다. 늘 그런 것은 아니었지만, 초기에는 빈민 계층에서 만인구원론 개종자가 많이 나왔다.

독립전쟁은 종교에서 중대 국면이었다. 대각성 운동에 자극받은 생활과 사상의 조류는 바로 미국 독립전쟁 시대에 또 다른 힘과 합류해서 신앙의 자유로 이행할 수 있었다. 신앙의 자유는 교회에 새로운 배경이 도래한 것을 의미했다. 이제 모든 교회들은 자발적으로 생존과 성장 방식을 채택해야 했다. 약 14세기 동안 기독교 세계를 특징짓던 공적 국교제도는 국가 차원에서 폐기되었다. 그 빈 자리는 이른바 "생생한 실험"이 차지했으며, 그것은 신생 독립국 미국 뿐만 아니라 그 범위를 훨씬 넘어서 신앙 생활에 중대한 결과를 초래하였다.

11. 독일 계몽주의

감리교가 발흥하기 전 영국에서는 이신론, 합리주의 그리고 유니테리언주의 등이 발달하고 있었다. 오랫동안 두 가지 흐름이 나란히 병행하였다. 복음주의적 각성은 신학적으로 옛 교리 사상으로 복귀하는 성향도 있었지만 그보다는 영국민에게 강렬하고 깊은 신앙적 감정을 호소하는 것이었다. 독일에서는 감정을 강조하는 경건주의가 계몽주의에 앞서 일어났으나, 계몽주의가 진개될 때 경건주의도 계속 병행했다. 경건주의는 신앙고백적 정통의 우위를 파괴했다. 그러나 옛 교의적 신학자의 위치를 대신할 만한 지도적인 신학자를 배출하지 못했다. 결국 18세기의 비판적 합리적 정신, 영국 이신론자와 그 반대자의 활동, 프랑스에서 이신론의 급진적인 대중적 수정 등 — 이 모든 것이 독일에 침투하였고, 독일의 지적 분야가 황폐한 것을 발견했다. 그 결과 독일 계몽운동(German Enlightenment, Aufklärung)은 그 이름(빛을 비춤)대로 급속히 확장되었다. 계몽주의는 아주 합리적이었기 때문에 아주 다양한 의견들에게 관용의 피난처를 제공해 주었다. 계몽주의는 영국이나 프랑스 이상으로 그 파괴하고 건설하는 작업을 통해, 심각한 신학 변동의 길을 예비해 놓았고, 이것은 19세기 개신교 국가 전체에 널리 확산될 것이었다.

라이프니츠의 사상은(VII:1 참조) 나중에 강력한 영향력을 미쳤지만, 너무 깊어서 자신의 세대에는 강력한 영향력을 행사하지 못했다. 토마지우스(VII:5 참조)는 합리주의 정신을 전파했으나 체계화하지 못했다. 그는 마음 자세의 개선에 영향을 주었다. 그래서 "계몽운동의 선구자"라고 불러도 잘못된 말이 아니다. 그러나 계몽주의의 위대한 주인공은 바로 **크리스챤 볼프**(Christian Wolf, 1679-1754)였다. 창조적인 천재는 아니었으나, 당시의 미숙한 사상을 구체화하고 표현해서, 두 세대에 걸쳐 독일 국민에게 철학과 신학의 지도자가 되었다. 그의 시대나 이전 시대나 철학자 대부분이 그렇듯이, 수학에 능통해서 1707년 할레에서 수학 강의를 시작했다. 라이프니츠의 심오한 사상을 파악하지는 못했으나, 할레에서 라이프니츠 철학에 몰두했고, 그의 철학은 급속히 발전했다. 볼프는 수학처럼 논리적으로 확실하게 증명할 수 있는 것만이 진리라는 주장을 했다. 그러므로 진리는 마음의 본유적 내용 즉 순수 이성에서 합리적으로 연역해야 한다. 경험에서 획득되는 모든 것은 단지 우연적이고 확증하는 역할을 할 뿐이다. 세계는 라이프니츠의 단자들(monads, VII:2 참조)의 모든 성질을 갖추지는 않았지만, 개별적으로 힘을 부여받은 무한 다수의 단순 실체들로 구성된다. 물체는 이런 실체들의 집합이다. 세계는 기계론적 법칙이 지배하는 거대한 기계이다. 영혼은 우리 안에서 자신과 다른 대상들을 인식하는 것이다. 영혼은 지식과 욕망의 능력을 부여받았다. 그 용량의 충족, 충만이 쾌락이다. 불만이 고통이다.

그에 의하면 세계는 우연한 것이므로, 어떤 원인이 존재해야 한다. 그러므로 하나님이 존재하고, 세계를 창조하고 섭리해 왔다. 모든 합리적 사고와 행동 법칙들은 우리에게 신적 속성을 부여한다. 완성이 모든 존재의 지고한 목적이고, 우리들 자신과 다른 사람의 완성에 목적을 두는 모든 것이 덕이다. 따라서 옳은 행동의 원리나 법칙은 신이 지정한 인간의 근본적 구조 안에 구현된다. 볼프는 계시의 존재를 부인하지 않았다. 그러나 계시는 이성과 일치하지 않는 어떤 것도 포함할 수 없다고 선언했다. 그럴 것 같지는 않지만 기적은 가능하며 기적은 자연 질서의 중단과 기적 사건 후의 자연 질서로의 복귀라는 두 단계에 각각 동등한 힘이 작용해서 일어날 것이라고 생각했다. 볼프의 인간관은 낙천적이었다. 인간은 개인적이나 사회적으로 더욱 원대한 충족을 향해 계속 진행한다. 볼프의 사상은 이전의 정통주의 신학과 경건주의 신학 모두에 반발하는 한편, 포괄적인 논리적 증명을 그 시대에 소개했다. 볼프가 보기에 종교적으로 관심을 기울여야 할 대상은 신, 자연종교, 본유적 도덕성, 개인과 인류의 완전을 향한 진보, 초자연적이지 않은 계시 혹은 죄와 파멸로부터의 초자연적이지 않은 구원 등이다. 비록 그가 계시나 기적에 대한 여지를 거의 남기지 않고 있지만 말이다. 인간은 옛 신학에서 말하는 것처럼 소망없고 혹은 무력한 존재가 아니다.

볼프의 견해는 할레의 경건주의적 동료들의 반감을 일으켰다. 1723년 그들은 왕 프리드리히 빌헬름 1세 (Frederick William I, 1713-1740)에게 볼프의 추방을 건의하여 성공했다. 왕의 선고는 추방 건의를 한 동료들조차 놀랄 만큼 무거웠다. 볼프는 대학을 48시간 안에 떠나야 하며, 그렇지 않으면 교수형에 처한다는 명령을 받았다. 그는 마르부르크로 도피했다. 1740년 프리드리히 대제(Frederick the Great)는 할레로 명예 복귀할 것을 명했다. 그러나 복귀 후 볼프의 활동은 통속적 속성을 띠게 되었고, 작고하기 전 14년 동안 거의 추가한 업적이 없었다. 그는 독일 사상에 큰 획을 그었다. 할레에서 경건주의의 지배가 끝났던 것이다.

헬름슈테트와 괴팅겐의 교수였던 모샤임(Johann Lorenz von Mosheim, 1694?-1755)은 덜 과격하였지만 독일 사상의 새로운 태도에 기여하는 데 영향을 미쳤다. 그는 당시 가장 존경받는 설교자였고, 독일어와 라틴어 문체에 능통한 재능있는 사람이었는데, 기본적 입장은 합리적 초자연주의였다. 그는 정통 교의주의에 동조하지 않았다. 경건주의는 그를 전혀 "각성"시키지 못했으며, 볼프의 극단적 합리주의도 지지할 수 없었다. 모샤임은 대부분의 종교 사상 분야를 두루 섭렵했기 때문에, 학계 전체에 계몽운동을 확산시킬 적임자였다. 그의 주 전공은 역사학이었다. 그는 1726년 「교회사 강요」(*Institutiones Histoiae Ecclesiasticae*)를 처음 출판해서, 1755년 최종판을 내었는데, 거기서 교회의 전 역사를 기술했다. 그는 1753년 「콘스탄티누스 전의 기독교 사건 해명」(*Commentarii de rebus Christianorum ante Constantinum*)에서 폭넓게 초기 기독교 역사를 다루었다. 모샤임은 "근대 교회사의 아버지"라는 명예를 받을 만하다. 그는 모든 파당적 편견에서 벗어나길 원하여 상당한 성과를 거두었다. 비록 그 대신 약간 무미건조해졌지만 말이다. 그의 저작은 방어할 의도없이 즉 선입견 없이 모든 사건을 사실 그대로 서술하는 데 목적을 둔 최초의 교회사였다. 또한 그 학문성과 문체의 탁월성 때문에 그의 사후에도 오랫동안 탐독되었다.

독일에서 더욱 극단적인 합리주의를 대표한 사람은 **라이마루스**(Hermann Samuel Reimarus, 1694-1768)였다. 그는 젊을 때 영국 여행 중 이신론을 받아들였다. 오랫동안 함부르크에서 매우 명망 높은 동양어 교수였으며, 학계의 지도자였다. 이신론을 지지하는 작품을 많이 남겼다. 그 단편들은 그의 사후인 1774년에서 1778년 사이에 레싱(Lessing)이 볼펜뷔텔 도서관에서 발견해서 「볼펜뷔텔 단편집」(*Wolfenbüttel Fragments*)으로 출판했다. 책이 출판되자 이것은 끝없이 토론을 불러 일으켰다. 이신론자들의 주장처럼, 모든 진리는 지혜로운 창조자의 존재, 원초적 도덕성, 불멸성 등을 가르치는 자연 종교, 즉 이성으로 확인할 수 있는 모든 것이라고 했다. 세계 자체가 유일한 기적이며, 유일한 계시이다. 다른 것으로는 설명 불가능하다. 성서 기자들은 정직한 사람들이 아니다. 그들은 사기와 이기적 태도로 성서를 기술했다. 라이마루스의 저작들은 널리 비판받았음에도 불구하고, 일부 사람들에 의해 그가 유물론과 무신론에 대항해서 종교를 수호했다고 높이 평가되었다. 이것은 당시 독일 사상의 상황을 잘 설명해 주는 기이한 평가이다.

라이마루스에게 전적으로 동조하지는 않았지만, 유작 출판을 맡았던 **고트홀트 에프라임 레싱**(Gotthold Ephraim Lessing, 1729-1781)은 뛰어난 극작가, 문학 및 예술 평론가였으며, 괴테나 쉴러 등과 어깨를 나란히 했던 독일 고전 작가였다. 그는 1780년 「인류의 교육」(*Education of Human Race*)에서 매우 그럴듯한 이론을 제시했다. 개인과 마찬가지로 개인의 모임인 인류도 연속해서 유년기, 청년기, 장년기를 거친다. 각 시기별 필요들을 충족하기 위해 하나님이 성서를 제공했다. 유년기에는 상과 벌에 따라 직접 행동한다. 이 시기에 필요한 것은, 복종하면 장수와 잠정적 축복을 약속하는 하나님의 훈련서인 구약이다. 청년기에는 장래의 성공과 행복을 위해 현재의 평안과 경미한 재물을 희생할 준비가 되어있다. 이 시기에는 현재의 자기 부인과 영원한 보상이 담긴 신약이 적당한 인도자이다. 그러나 장년기에는 보상의 소망이나 벌에 대한 공포가 행위 동기가 아니라, 의무적으로 움직인다. 하나님이 이성을 보조하도록 계시를 좀더 보낼지는 몰라도, 이 시기에는 이성이 인도자이다. 레싱의 견해는 독일 지식층에 수용되어 역사적 기독교는 인간 발달 단계의 과거(유년기)에 속하며 현재(청년기)보다 열등하다는 정서를 널리 확산시켰다.

계몽운동은 기적이나 초자연적인 것들을 배제하고, 성서에서 오직 가치있는 것은 자연종교 및 도덕성의 진리라는 견해를 널리 확산시켰다. 예수는 신앙의 인격적 중심이라기보다는 도덕 교사였다. 이것은 합리주의였다. 합리주의는 1800년 경 독일에서 가장 강력한 신학적 사고였으며, 19세기 동안에도 위력적으로 존속했다. 이 합리주의와 함께 신앙고백적 정통 신앙과 경건주의가 계속 있었다. 비록 그것에 대한 지적 호소력이 감소했지만 말이다. 또한 준합리주의(semirationalism)라고 불릴 수 있는 많은 것이 계속 존속했다. 한편 그 시대에는 미신을 반대하는 활발한 논쟁, 자발적이고 대중적인 자선 사업의 발달 그리고 대중 교육의 제공 등의 특징이 있었다.

18세기 독일에는 성서의 본문 및 역사 연구가 현저하게 발달했다. 그 연구들은 근대 성서 비평의 전거를 마련했다. 영국 학자 존 밀(John Mill, 1645-1707)은 세심한 사본 대조에 근거해서 그가 작고하던 해에 헬라어 성경을 출판했다. 클럭(Jean le Clerc, 1657-1736)은 제네바에서 성장했고, 1684년에서 별세할 때까지 암스테르담에서 지낸 아르미니우스주의자였다. 그는 본문 증명에 목적을 둔 것이 아니라 성서에서 실제 의미를 찾아내려는 연구 태도를 견지했기 때문에, 교리적 선입견 없이 성서의 가르침을 설명하는 주석가로 명성을 얻었다. 요한 벵겔(Johann Albrecht Bengel, VII:5)은 뷔르템베르크의 덴켄도르프 신학교에서 오랫동안 학장을 지냈으며, 경건주의적 학식이 풍부한 사람이었다. 그는 신약 사본들을 가족 관계에 따라 분류할 수 있다는 것을 인식한, 그리고 보다 난해한 독법이 우선권을 가져야 한다는 일반적 비평 기준을 세운, 최초의 인물이었다. 그의 명저 「신약 색인」(*Gnomon*, 1742)은 매우 탁월한 주석서였다. 그는 어떤 것도 성서 안으로 가지고 들어가서 읽어서는 안되며, 가장 엄격하게 문법을 적용하여 제거할 수 있는 것이라도 일단 성서에 포함되어 있는 것은 성서에서 생략될 수 없다고 선언했다. 웨슬리는 벵겔의 주석서를 자신의 「신약주석」(*Notes upon the New Testament*, 1755)의 기본서로 삼았다. 동 시대 바젤과 암스테르담의 베트슈타인(Johann Jakob Wettstein, 1693-1754)은 거의 평생의 작업으로 1751년에서 1752년 사이에 「다양한 읽기를 가진 헬라어 신약」(*Greek New Testament with Various Reading*)을 출판하였다. 그리하여 본문 비평과 건전한 주석이 큰 진전을 보였다.

파리대학 의학 교수이며 왕립학술원 회원인 아스트룩(Jean Astruc, 1684-1766)은 그의 「창세기 해석」(*Conjectures of Genesis*, 1753)에서 창세기의 복합적 성격을 주장했다. 1781년 그의 이론은 후에 괴팅겐에서 합리주의 교수가 되었고, 흔히 "구약 비평의 창설자"로 불려진 아이히호른(Johann Gottfried Eichhorn, 1752-1827)에 의해 절대적 지지를 받았다. 그러나 19세기 말이 지나서야 아스트룩의 이론이 일반화되었다.

1742년부터 라이프치히의 교수를 지낸 에르네스티(Johann August Ernesti, 1707-1781)는 독일 민족의 스승이었다. 그는 고전 사상과 이념에 대한 자각을 주창하여 18세기 말 독일의 지적 생활에 큰 영향을 미쳤다. 그는 고전 문학에 적용하는 해석 원리를 신약 해석에 도입했다. 어떤 분야의 문법적, 역사학적 방법으로 다른 분야의 의미를 규명할 수 있다고 했다. 한편 1778년 레싱이 출판한 일곱번째 라이마루스 유작 단편집에서 라이마루스는 처음으로 통상적으로 역사학에 사용하는 엄격한 사료 편찬 방법을 그리스도의 생애에 적용했다. 초자연성, 신비주의, 전설적 요소에 대한 전적 배제는 너무나 보잘 것 없는 결과를 만들었다. 그 뒤에 그는 지금까지도 논란이 되고 있는 자신의 연구에서 도출된 방법과 결론에 깊은 의문을 제기했다.

1752년부터 할레의 교수로 재직한 제믈러(Johann Salomo Semler, 1725-1791)는 원래 경건주의 훈련을 받은 사람이었다. 비록 어른이 되어 보수적 합리론자가 되었지만 말이다. 그의 중요성은 연구 결과보다 연구 방법에 있었다. 그는 성서에서 영원한 진리와 여러 책들의 기록에 영향을 주었던 시대적 요인을 구별했다. 그는 성서 전체가 동등한 가치를 지니고 있다는 것을 부정했다. 그는 계시는 성서 안에 있으나 성서 전부가 계시는 아니라고 가르쳤다. 교회의 신조는 성장의 산물이다. 교회사는 발전이다. 특별히 그는 초대교회에서 유대적 당파인 베드로와 반유대적 당파인 바울 사이를 구분했는데, 그것은 이후의 논의에 있어서 큰 역할을 하게 될 것이었다.

12. 19세기 독일 개신교 사상

18세기 초반의 특징은 단연 "이성" 혹은 상식의 지배였다. 이 시대는 비감정적이고 지적이었다. 그것은 전승에 대한 의문 제기, 옛 미신과 악폐의 일소, 권위의 타당성 요구 등에서 상당한 성과를 거두었다. 그러나 그것은 차갑고 일방적이었다. 18세기가 지나면서 이것은 엄청난 반대에 부딪쳤다. 감정이 중요하게 되었고, 이에 대한 요청으로 "자연으로 돌아가자"는 주장이 높아졌는데, 여기서 자연은 흔히 상상에 의한 것이었다. 한편 감정의 요청에 따라 고전성과 중세 정신이 재평가되었고, 종교에서 초자연적인 것에 대한 감각이 부흥하였다. 그리하여 흔히 모호하고 불분명하지만 완전히 다른 분위기가 조성되어 순수한 사고보다는 감정을 더 우선시하게 되었다.

이것의 가장 유능한 초기 사도는 **장 쟈크 루소**(Jean Jacques Rousseau, 1712-1778)였고, 이 운동은 프랑스 뿐만 아니라 온 유럽에서 전개되었다. 특히 독일에서 가장 현저했다. 레싱도 이에 참여했다. 이 운동의 탁월한 대표적 문호는 요한 볼프강 폰 괴테(Johann Wolfgang von Goethe, 1749-1832)와 요한 크리스토프 프리드리히 폰 쉴러(Johann Christoph Friedrich von Schiller)였다. 옛 합리주의가 완전히 무대에서 사라진 것은 아니지만, 보통 "낭만주의"라는 총칭적 용어로 불리는, 근본적으로 다른 유형의 생활과 사고 방식이 보다 공정한 조건에서 주도권을 다투게 되었다.

18세기 철학은 출구가 없는 듯했다. 라이프니츠는 모든 지식은 단자들 안에 본유적으로 내포된 것을 해명하는 것이라고 가르쳤다. 볼프는 확실성을 제공할 수 있는 순수이성의 힘만 확신했다. 한편 로크는 모든 것은 경험으로 파악된다고 가르쳤다. 흄은 원인과 실체에 근거한 모든 결론들을 회의론으로 몰아갔지만, 로크와 마찬가지로 모든 지식이 경험에 근거한다고 생각했다. 영국과 독일의 사조는 분명히 서로를 파괴하는 것이었다. 현대 철학의 기점이 될 새로운 기초 위에서, 이 두 사조를 종합하고 대신하며, 과거 어느 학파도 의식하지 않았던 감정에 가치를 부여한 것이 바로 칸트(Immanuel Kant, 1724-1804)의 작업이었다. 칸트는 한편으로는 합리주의적 계몽 종교의 절정이며, 완성이었다. 그러나 다른 한편으로 그는 계몽주의의 비판자로서 이 운동의 약점과 한계를 노출시켜서 그 기반을 흔들었고, 19세기 초에 정당하게 인정받은 새로운 접근방식의 필요성을 보여주었다.

칸트는 쾨니히스베르크에서 태어나 거기서 평생을 보냈다. 그의 생각에 그의 부계는 스코틀랜드 계통이었다. 그가 처음 영향을 받은 사조는 경건주의였다. 1755년 쾨니히스베르크 대학에서 가르치기 시작했다. 그의 발전은 더디었다. 처음에는 라이프니츠와 볼프 학파에 가담했다. 그는 흄을 깊이 연구하면서 라이프니츠와 볼프 학파의 철학이 타당한지 의심하게 되었다. 비록 그가 흄의 제자가 되지는 않았지만 말이다. 루소는 "깊이 숨겨진 인간 본성의 발견"으로 칸트에게 심오하게 영향을 미쳤다.

1781년 칸트의 획기적 대작 「순수이성비판」(*Critique of Pure Reason*)이 나왔다. 그것은 주로 당대의 주도적 볼프 철학에 대한 일격이었다. 칸트의 철학 체계를 형성하는 후속 논문들이 계속 발표되었고 그의 사상은 곧 독일에서 강력하게 되었다. 1797년 그의 정신과 신체의 힘이 쇠퇴하기 시작하여 가련한 노후로 끝을 맺었다. 그는 왜소했고 독신이었으며 도덕적으로 철저히 정직하였고, 경탄할 만한 단순성과 성실함으로 철학에 전념했다.

칸트의 체계는 여러 모로 보아 인식론이었다. 로크와 흄처럼 칸트는 우리의 인식에는 어떤 것, 혹은 어떤 자극 즉 "지각 표상"(percept)이 외부에서 마음으로 들어온다고 주장했다. 한편 라이프니츠와 볼프처럼 정신(mind)은 경험으로 획득될 수 없다는 의미에서 초월적인 어떤 직관적 속성을 가지고 있고, 이것이 외부에서 들어오는 것을 조건지우고 형식을 부여한다고 주장했다. 시간과 공간은 지각된 것들을 질서대로 정렬하는 틀을 구성하고 있다. 정신은 밖에서 들어온 것들을 자신의 법으로 분류한다. 이것이 바로 범주(categories)이다. 그러므로 지식은 두 가지 요소, 즉 외부에서 들어온 것이 지각되고, 이에 정신의 법칙이 형식을 부여함으로써 이루어진다. 이 요소들은 우리에게 경험은 제공하나, 존재하는 사물 자체에 대한 지식은 주지 않는다. 단지 외부에서 들어온 것에 우리의 정신이 작용하여 이루어진 지식만을 제공할 뿐이다. 볼프처럼 "순수이성"으로 신, 자연 종교, 우주의 구조 등을 증명하는 것은 지적으로 불가능하다. 우리는 있는 그대로의 이들 존재의 본성을 설명할 수 없다. 자연은 엄격한 법칙의 영역으로서 연구 대상이 될 수 있으나, 법칙은 단지 우리 자신의 사고의 영역에 있는 것이다.

경험 너머에 있는 것에 대한 절대 지식은 순수한 지적 과정으로는 얻을 수 없지만, 우리는 무엇을 해야할 것인가 자문할 때, 도덕적 의무감을 의식한다. 이 문제가 바로 칸트가 「실천이성비판」(*Critique of Practical Reason*, 1788)에서 탐구한 주제이다. 우리는 행위에 대한 의문에 대답할 때, 말 그대로 무조건적인 "지상 명령"(categorical imperative)을 느낀다. 행동의 원리가 보편적 법칙의 원리가 되도록 그렇게 행동하여야 하는데, 한 마디로 "당신의 의무를 행하라"이다. 내면의 도덕법은 인간의 소유 중 가장 고귀한 것이고, 이것이 사람을 기계가 아닌 인격으로 보게 한다. 이러한 지상 명령에는 세 가지 전제(postulate)가 불가분리하게 통합되어 있다. 첫째 가장 분명한 것은 만일 도덕적 의무를 완수하기를 원한다면, 그렇게 할 수 있다는 것이다. 따라서 그들은 자유를 가지고 있어야 한다. 그리고 자유는 초감각적 영역의 도덕의 목적, 즉 도덕적 질서의 영역을 단번에 보게 한다. 두번째 전제는 불멸성이다. 이것은 자아가 지고선에 도달할 수 있도록 충분한 기회를 제공한다. 세번째 전제는 이것과 밀접한 관계가 있다. 덕(virtue)은 행복을 가져올 것이나 경험상 덕과 행복은 일치되지 않는다. 그러므로 그 둘을 통합할 수 있는 힘이 있어야 한다. 따라서 세번째 전제는 신이다. 이 신이 존재는 순수이성에서는 단지 가정에 불과하나, 실천이성의 요청(postulates)에서는 확신이 된다.

칸트가 이론적인 순수이성보다는 실천이성에 근거해서 자신의 종교 사상을 설명했을 때, 그것은 이미 설명한 바 있는, 익숙한 합리론적 계몽주의 신앙이었다. 그는 「이성의 한계 안의 종교」(*Religion within the Bounds of Reason Only*, 1793)에서 도덕성이 실천이성의 주요 내용인 것을 강조하였고, 실제로 종교를 유신론적 윤리로 환원시켰다. 악과 지상 명령은 인간을 복종시키기 위해서 경쟁한다. 도덕적 선의 원리 즉 지상명령을 받아 행동하는 사람은 하나님이 기뻐하는 하나님의 자녀이다. 이런 점에서 그리스도가 최고의 모범이다. 비가시적(무형) 교회는 도덕법에 복종하는 모든 사람들의 이상적 연합이다. 가시적(유형) 교회는 이러한 복종을 발달시키기 위한 연합이며, 그것의 완전한 성취는 하나님의 나라일 것이다. 기독교 신학에 대한 칸트의 공헌은 교리를 합리화하는 해석에 있는 것이 아니라, 종교에 대한 실천적 확신과 도덕적 행위의 근거가 바로 가장 심오한 인간의 감정인 것을 선포한 데 있었다. 낭만주의자들은 곧 이러한 통찰을 칸트보다 더욱 다양한 방향으로 전개했다.

낭만주의 운동의 열렬한 지지자이며, 역사학적 성서 해석에 결정적으로 영향을 미친 **헤르더**(Johann Gottfried von Herder, 1744-1803)는 청년기에 괴테와 친분이 있었고, 나중에 칸트와 친밀한 교제를 나누면서 영향을 받았다. 1776년에서 작고할 때까지 바이마르 궁의 목사였다. 그는 「히브리 시의 정신」(*Spirit of Hebrew Poetry*)은 1782년에서 1783년 사이, 「인류사의 철학」(*Philosohpy of History of Mankind*)은 1784년에서 1791년 사이에 각각 출판했다. 종교 특히 기독교는 인류의 감정 안에 있는 가장 깊은 것을 구현한 것이다. 성서는 각 책을 기록한 시대의 사상과 감정의 빛으로 이해해야 한다. 성서는 본질적으로 종교 문학이다. 성서 안에 있는 진실하고 영원한 것을 일시적이고 국지적인 것과 구별해야 한다.

프리드리히 다니엘 에른스트 슐라이에르마허(Friedrich Daniel Ernst Schleiermacher, 1768-1834)는 낭만주의 운동이 낳은, 가장 영향력있는 19세기 독일 신학자이며, 그의 저서는 지금도 국경을 넘어 종교 사상을 형성시켰다. 프러시아 군목의 아들로 태어나 모라비아 교도에게 교육을 받고, 볼프와 제믈러의 사상에 심취했으며, 플라톤, 스피노자, 칸트 그리고 낭만주의에 큰 감명을 받았다. 1796년 그는 당시 계몽 운동의 중심지였던 베를린의 병원 원목이 되었다. 1799년 그는 거기서 종교를 "멸시하는 지식 계층"(cultured despisers)을 겨냥하여 역저 「종교론」(*Addresses on Religion*)을 출판했다. 여기서 그는 낭만주의 조류에 깊은 영향을 받은 자신의 근본 사상을 설명했다. 1804년에서 1807년 사이 할레의 교수로 재직했으며, 베를린으로 재이주한 뒤 삼위일체 교회(Trinity Church)의 목사가 되었다. 1810년 베를린 대학 설립 때, 신학 교수로 임명 받아, 별세할 때까지 봉직했다. 1821년에서 1822년 사이 그는 「복음주의 교회 원리에 따른 기독교 신앙」(*Christian Faith according to the Principles of the Evangelical Church*)을 통해 그의 원숙한 사상을 설명했고, 결정적인 제2판은 1830년에 발간했다.

슐라이에르마허의 근본적 중요성은 그 이전의 사조를 자신의 체계에 흡수해서 새로운 신학 기초를 마련했고, 당시에는 거의 무시한 그리스도의 인격에 의미를 부여했다는 점이었다. 그런데 정통 신앙이나 합리주의는 모두 종교를 지적 체계와 외적으로 권위있는 행동 원리를 수용하는 것으로 만들었다. 정통주의자의 종교는 계시의 진리에 대한 동의와 하나님의 뜻에 대한 복종에 근거하고 있었고, 합리론자들의 종교는 자연 신학 및 이성으로 확인된 보편적 도덕을 수용하는 것이었다. 18세기의 정통 신앙과 합리주의는 모두 종교와 도덕성을 행복한 영생(불멸)을 얻기 위한 최고의 수단으로 간주했다. 칸트에게 있어서도 종교는 도덕적 행동의 한 유형이었다. 슐라이에르마허의 견해에 의하면, 종교는 "느낌(feeling)"의 영역에 속하는데, 이것은 감정(emotion)이 아니라 무한을 향한 감각, 취향, 직관 등을 의미하는 것이다. 비록 신앙과 행위 모두가 종교에서 나오는 것은 사실이나, 종교 그 자체는 계시나 이성으로 확인되는 교리 일체도 아니며, 행위의 체계도 아니다.

슐라이에르마허는 스피노자, 라이프니츠, 칸트에게서 많은 것을 받아들였다. 경험상 우리는 통일과 영구성의 원리에 대한 다양하고 가변적인 것의 반립(antithesis)을 인식한다. 이 반립들로 인해 우리는 절대자, 영원자 하나님과 세계를 알게된다. 하나님이 존재하지 않는다면 만유가 혼란에 빠질 것이고, 세계가 존재하지 않는다면 만유가 공허할 것이다. 절대자는 모든 만유에 존재한다. 그러므로 하나님은 세계에 내재한다. 라이프니츠의 지적처럼, 인간은 그 자체로 우주를 반영하는 소우주(Microcosm)이다. 보편적, 절대적, 영원적인 것과는 대조적으로 그는 자신을 유한하고, 제한되고, 일시적인 것으로, 한 마디로 의존적인 것으로 느낀다. 이러한 의존의 느낌이 모든 종교의 기초이다.

슐라이에르마허는 종교의 기초가 되는 경건은 지식이나 행동이 아니라 감정 혹은 직접적인 자의식의 결정이라고 가르쳤다.[1] 보편성과 유한성 사이의 심연에 가교를 설치하는 것 즉 인간을 하나님과 조화시키는 것, 이것이 모든 종교의 목적이다. 모든 종교의 가치는 목적의 성취도에 따라 평가되어야 한다. 그러므로 종교는 참과 거짓으로 구분할 것이 아니라, 그 적합성의 상대적 정도에 따라 구분해야 한다. 역사상 종교의 모든 발전은 참된 의미의 계시이고, 내재하는 하나님이 인간 의식에 더욱 완전하게 드러나는 것이다. 지금까지 인간에게 알려진 모든 종교 중에서 기독교가 최고의 것이다. 왜냐하면 모든 종교의 목적을 가장 완전히 충족하기 때문이다. 기독교의 문제는 죄와 용서, 분리와 화해 등 모든 종교에게 해당되는 가장 근본적인 것이다. 기독교의 중심 요소는 그리스도의 인격이다. 그리스도 자신이 바로 유한과 보편, 시간과 영원의 화해 즉 하나님과 인간의 연합이다. 따라서 그리스도는 이 화해를 다른 사람들에게 중재하는 중보자이다. 그러므로 슐라이에르마허는 강하게 그리스도 중심적이다. 이리하여 시간과 영원, 즉 인간과 하나님을 연합하는 삶은 이제 불멸이다. 영원한 불멸 즉 영생은 큰 소망이다. 그러나 진정한 불멸이란 지속성의 문제이기보다는 오히려 삶의 질이다.

교리는 종교적 감정을 언어로 설명한 것으로 기본적 종교 경험에 대한 정의와 해석이다. 그러나 이러한 설명은 단지 상대적이고 부차적일 뿐이다. 교리는 변경되어 왔으며, 또 다시 변경될 것이다. 단순히 그것은 영속하는 진리가 때때로 자신을 표현하는 방식에 불과하다.

슐라이에르마허의 사상에 의하면, 도덕은 각 인간 존재가 가정, 사회, 국가, 세계 등의 일부인 것을 타당하게 이해한 결과이다. 인간이 이러한 관계에 참여하고 있다는 견해를 확장하면 이기심과 자기 중심성을 몰아낼 것이다. 도덕은 종교가 아니며, 종교가 도덕도 아니다. 그러나 종교는 없어서는 안될 도덕의 친구요 옹호자이다. 종교는 다음과 같이 끊임없이 질문한다. "그리스도인의 의식에 비추어, 무엇이 있어야 하는가?" (What ought to be, in the light of the Christian consciousness?) 당시 정통 신앙은 슐라이에르마허를 너무 급진적이라는 이유로, 합리주의자는 너무 공상적이라는 이유로 비난했다. 그러나 슐라이에르마허만큼 19세기 개신교 종교 사상에 깊이 또 다양하게 영향을 미친 인물은 없었다.

칸트의 체계에는 두 가지 명백한 난점이 있었다. 첫째는 사물 자체에 대한 지적 인식력을 부정한 것이고, 둘째는 모든 개인들의 정신적 과정이 필연적으로 동일한 이유를 밝히지 못한 것이었다. 철학은 이 두 난점을 해결하는 과정에서 낭만주의의 영향 아래, 피히테(Johann Gottlieb Fichte, 1762-1814), 쉘링(Friedrich Wilhelm Joseph von Schelling, 1775-1854) 그리고 특히 헤겔(George Wilhelm Friedrich Hegel, 1770-1830) 등에 의해 관념론(idealism)으로 발전하였다. 슈투트가르트(Stuttgart) 태생으로 튀빙겐(Tübingen)에서 교육받은 헤겔은 1801년에서 1807년까지 예나(Jena)에서 가르쳤지만 추종자들은 몇 명 없었다. 1808년에서 1816년까지 뉘른베르크의 김나지움(gymnasium) 교장으로 재직했다. 1818년 베를린의 교수로 임명받았다. 여기서 그는 당시 독일 최고 철학자의 명성을 얻었다. 그러나 명성과 활동이 정점에 이르렀을 때, 콜레라로 사망했다.

헤겔에게 있어서 우주는 절대자인 하나님이 분투와 노력을 통해 부단히 발전하는 것이었다. 절대자는 정신(Spirit)이고, 절대자의 발전은 절대 정신(Mind)이 논리적으로 자기 생각을 구체화한 법칙에 따라 발전한다. 일찍이 헤겔은 상반되는 것을 통합하여 더 높은 단계에서 화해시킬 방법을 계속 찾았던 변증법적 사상가였고, 자신이 다양하고 복잡한 방식으로 발전시킨 삼각 구도에 몰두한 철학자였다. 헤겔은 피히테 특유의 용어인 정립-반정립-종합(thesis-antithesis-synthesis)의 용어를 잠정적으로 사용했다. 어떤 주어진 운동인 정립은 자신의 반대나 한계인 반정립을 만날 때까지 한 방향으로 진행한다. 모순은 표면적으로 우연한 것처럼 보일 수도 있지만 필연적이다.[2] 변증법적 긴장은 정립과 반정립이 더 높은 통합 단계에서 종합으로 통일될 때 해소된다. 예를 들면 정립인 "관념"에 대해서 "자연"은 반정립이다. 그러나 그 둘은 "인간" 안에서 더 높은 종합으로 통일한다. 인간은 정신과 물질의 결합이다. 존재하는 것은 사고의 법칙에 따라 발전하는 절대자이므로, 사고의 법칙은 사물의 법칙이다. 그리고 우리의 사고는 절대자의 사고의 한 단편이므로, 그것이 참된 이상, 우리 정신의 외부에 있는 사물에 대한 참 지식을 제공한다. 그리고 우리의 사고는 유일한 절대자의 일부이기 때문에, 모든 인간들에게 동일하다. 우리는 의식으로 들어온 절대자의 일부들이므로, 유한한 인간 영혼의 첫째 의무는 자신과 절대자의 관계를 자각하는 것이며, 바로 그러한 자각이 종교이다.

종교는 진정 슐라이에르마허처럼 감정에서 시작할 수 있다. 그러나 사실은 종교는 진정한 지식(real knowledge)이 되어야 한다. 따라서 모든 종교는 하나님을 알기 위한 시도이다. 그 종교들 중에서 기독교가 가장 완전한 자각이다. 하나님은 항상 자신을 계시하려고 노력한다. 그러나 그 노력은 외적으로 항상 필연적인 세 발달 단계를 거쳐서 성취된다. 즉 성부는 신적 통일(정립)이다. 그분은 성자(반정립) 안에 자신을 구체화한다. 연합시키는 사랑은 성령(종합)이다. 전 과정은 삼위일체를 도출한다. 성육신도 마찬가지이다. 하나님은 정립이다. 그분은 유한한 인간(반정립)과 구별된다. 그 둘은 보다 높은 종합 즉 신인(God-man)안에서 통일한다. 헤겔의 변증법 체계로 인하여 옛 신성과 인성 사이의 예리한 구분은 그들의 근본적인 통일로 대치되었다. 이것이 19세기 개신교 신학의 일반적 경향이었다.

헤겔의 종합의 광대함, 힘, 정교성은 대인기를 끌었다. 헤겔의 체계는 당시 철학계에 가장 유력한 것이 되었으며, 사상계 전반에 거대한 영향을 미쳤다. 헤겔은 신학자가 아니라 종교철학자였지만, 그의 접근 방식은 신학에 깊은 영향을 주었다. 그의 사상은 곧 날카로운 도전을 받았으나, 19세기 후반 내내 특히 영국과 미국에서 성서 해석자들을 매료시켰다.

1826년부터 작고할 때까지 튀빙겐의 교수였으며 튀빙겐 신학파의 창설자인 바우르(Ferdinand Christian Baur, 1792-1860)는 헤겔의 발전 이론을 그의 신약 비평 작업에 깊이 적용하였다. 그는 그 작업을 확장해서, 교회사 및 역사 서술 그리고 역사-비평적 신학의 발전에 공헌했다. 그는 합리주의나 초자연주의 중 그 어느 하나에도 선택적 입장을 거부했으며, 대신 둘 사이의 반정립을 극복했다. 그의 성서 해석상의 본질적 특성은 1831년에 출판된, 고린도 교회 안의 파당들 설명에 잘 나타나 있다. 그리고 이후 일련의 뛰어난 연구로 성서 해석을 발전시켜 많은 제자를 얻었다. 그는 연구를 계속하면서 1835년까지는 헤겔의 업적 중 많은 것을 수용하였고, 정립, 반정립, 종합의 단계에 따라 역사적 진보를 해석했다. 제믈러(VII:11 참조)는 이미 초대 교회의 베드로파(유대화)와 바울파의 존재를 가르친 일이 있었다. 이것이 바우르에게 헤겔적 삼단계의 요소를 제공했다. 그의 가르침에 의하면 기독교는 본질적으로 메시야적 유대주의에서 시작했다. 이것은 베드로로 대표되는 모든 초대 교회 사도들의 입장이었다. 필연적인 반정립이 바울적 기독교의 형태로 발생했다. 베드로와 바울의 사상은 2세기로 돌입해서도 대립했다. 결국 베드로와 바울 모두를 숭상한 구 가톨릭 교회 안에서 불가피한 종합이 이루어졌다. 베드로와 바울이 심각한 대립 상태에 있었다는 것을 모르고서 말이다.

바우르가 헤겔 체계를 사용해서 초기 교회 역사 재구성 작업을 할 때, 가장 논란을 일으킨 것은 신약성서 연대 재편 부분이었다. 신약성서들은 발전 국면에 따라 다양한 것이 분명하다. 즉 신약성서들은 역사 발전 단계에 따라 어떤 "성향"을 보인다. 바우르는 이러한 기준을 적용해서 로마서, 갈라디아서, 고린도전후서만이 바울의 원저작이라는 것을 발견했다. 왜냐하면 이들만이 정립인 베드로적 기독교에 대한 대립 흔적이 보이기 때문이다. 그 이외의 신약성서들에서는 대립이 보이지 않으므로, 이전의 대립이 망각될 만한 시간이 경과한 후로 연대 결정을 해야 한다. 요한계시록은 초기의 유대화 경향의 작품이다. 1847년 바우르는 복음서에 동일한 방법을 적용하였다. 마태복음도 유대화 경향을 나타내므로 가장 오래된 것이다. 누가복음은 아마 마르키온의 복음(II:2 참조)을 재작업한 것 같다. 바우르는 마가복음은 대립을 은폐하므로 후기작이며, 요한복음은 평화적일 뿐만 아니라 2세기 후반의 논쟁들을 잘 알고 있음을 보여준다고 믿었다. 그러므로 마가복음과 요한복음을 제외한 신약성서의 대부분은 2세기에 저술되었다.

바우르의 주장은 옹호자와 반대자를 많이 만들었다. 특히 신약 연구에 결정적 영향을 준 것은 가장 큰 성과였다. 이러한 논쟁들로 인해 초기 교회 및 그 문헌들에 대한 지식이 엄청나게 증가했다. 그러한 논쟁의 결과들은 지금까지도 바우르의 이론에 대한 최선의 답이 되어 왔다. 그는 초기 교회 발달에서 그리스도의 중요성에 대해 적절한 개념이 없었다. 유대 기독교와 바울 기독교 사이에는 중요한 차이들이 있기는 하나, 초기 기독교의 지적 반응 내지 반작용을 이 차이들에게만 국한한다는 것은 너무 단순한 해결이다. 바우르가 생각한 것 이외에도 드러나지 않은 다른 요인이 많이 있었다. 지금은 2세기에 대한 지식의 증가와 당시에는 불가능했던 2세기 분위기에 대한 평가의 정확성 때문에 바우르가 2세기로 결정한 신약성서들의 연대설정은 수용이 불가능하게 되었다. 그들은 그 시대와 시대적 관점에 속하지 않는다.

바우르가 연구를 시작한 때와 그 다음 세대 때, 독일 신학자들은 합리주의, 신앙고백적 정통주의, 중재학파 등 세 주류로 나뉘었다. 한쪽 극단에는 18세기 말의 연속인 합리주의자들(rationalists)이 위치했다. 그 중 1789년부터 예나의 교수로 재직하였고, 그 뒤 1811년에서 1844년까지 장수를 누리며 하이델베르크의 교수로 봉직한 **파울루스**(Heinrich Eberhard Gottlob Paulus)만큼 유력한 인물은 없었다. 모든 초자연주의에 반대한 그의 저서 「예수의 생애」(*Life of Jesus*, 1828)는 전형적으로 당시 합리론의 "어색함"(woodenness)을 보여준다. 그는 그리스도가 물위를 걸은 것이 안개 속에서 물가를 보행하는 예수를 목격한 제자들의 오해에서 비롯되었다고 설명했다. 오병이어 사건은 먼저 예수가 소량의 음식을 내어놓자 군중 가운데 더 많은 음식물을 가진 자들이 이것에 관용심이 촉발되어 음식을 기꺼이 내놓은 것이라고 설명했다. 그리스도의 죽음은 실재 사건이 아니다. 그는 무덤에서 의식을 찾아, 지진의 충격으로 소생해서, 제자에게 돌아갔다.

신앙고백적 정통주의(confessional orthodoxy)는 가장 비타협적인 부류였고, 그 대표자는 1826년부터 작고할 때 까지 베를린의 교수로 재직한 **헹스텐베르크**(Ernst Wilhelm Hengstenberg, 1802-1869)였다. 그는 합리론에서 출발했다. 그 뒤 한때 경건주의 모임의 지도자가 된 일도 있었다. 그는 1840년부터 엄격한 루터파 정통주의를 열렬히 지지하면서 옛 성서적 영감론과 권위론을 강조했다. 신앙고백적 정통주의는 합리론과 관념론을 모두 배격하면서, 초기 루터교회 특유의 교리와 질서로 회복할 것을, 즉 "초기로 복귀할"(repristinate) 것을 주장했다. 그 복고 운동은 종종 정치적 보수주의와 제휴했으며, 이런 방면에서는 베를린의 법학 교수인 슈탈(Friedrich Julius Stahl, 1802-1861)이 강력한 영향력을 행사했다. 멕클렌부르크(Mecklenburg)에서는 클리포트(Theodor Kliefoth, 1810-1895)와 필리피(F. A. Philippi, 1809-1892)가 순수한 교리가 참 교회의 표적이며, 루터파 교회의 신앙고백에 온전한 진리가 있으므로 바로 루터파 교회가 참 교회라고 주장했다.

양 극단 사이에서, "중재학파"(mediating school)는 아마 슐라이에르마허의 그리스도인의 감정의 열정을 아마 더 강하게 공유하며, 그의 영향을 받아 인격적 그리스도에 대해 집중하고 헌신했다. 그리고 성서비평 결과 중에 특히 성서 영감과 설화에 관한 것을 많이 인정하는 경향이 있었다. 이들 "중재"신학자 중에 가장 탁월한 인물은 네안더(Johann August Wilhelm Neander, 1789-1850)였다. 부계가 히브리인이며, 다비드 멘델(David Mendel)이 본명이었으나, 1806년 그의 새로운 탄생을 의미하는 세례식때 개명했다. 할레에서 슐라이에르마허의 제자일 때, 바로 스승의 주선으로 1813년 베를린에서 교수직을 얻었고, 작고할 때까지 그 직위를 명성으로 채웠다. 네안더는 관심을 교회사로 전환, 일련의 뛰어난 논문을 남겼다.

1826년 여생을 바친 역작 「기독교와 교회의 역사」(*History of the Christian Religion and Church*) 제 일권을 출판했다. 그는 교회사 연구에서 완벽한 사료 이용 측면에서 뛰어났는데, 그의 교회사 개념은 하나님의 삶이 인간의 삶에 대해 통치를 확대하는 역사라는 것이었다. 하나님의 삶은 개인 안에서 구현된다. 그러므로 네안더의 작업은 일련의 뛰어난 인물에 대한 전기적 묘사였다. 그것의 약점은 개인의 영향력에 대한 과대 평가와 교회의 제도적 혹은 공동 생활에 대한 과소 평가였다. 그러나 네안더는 교회사에 새로운 장을 마련했다. 그의 저술과 마찬가지로 매우 중요한 것은 학생들에 대한 인격적 관심과, 순진무구한 기독교적 신앙이었다. 그가 빈번히 입에 올린 "마음(heart)이 신학자를 만든다"는 말은 그의 품성을 잘 표현해 준다. 네안더만큼 인격적으로 많은 도움을 주고, 많은 사랑을 받은 인물은 거의 없었다.

톨룩(Friedrich August Gottreu Tholuck, 1799-1877)도 네안더와 유사한 인격적 영향력을 행사했다. 그는 1823년 베를린에서 교수가 되었고, 그후 1826년부터 작고할 때까지 할레에서 강의했다. 경건주의에 공감했으나 여러 면에서 성서비평적 견해도 수용한 인물이었다. 그는 할레를 볼프 이래 득세했던 합리론에서, 19세기를 특징짓는 복음주의로 전환시켰다. 그는 설교가로서도 뛰어났다. 한편 외국인인 영국과 미국 학생들에게 배려를 아끼지 않았다. 신학적으로는 기독교 고유의 죄와 중생의 체험 그리고 타락과 원죄의 교리를 강조하기 위해 관념 철학의 영향에 강하게 반발했다.

중재학파의 세번째 주요 대표자는 신학적으로 가장 중요한 인물인 도르너(Issac August Dorner, 1809-1884)였다. 그는 1827년부터 1832년까지 튀빙겐에서 수학했고, 1834년에는 강사가 되었다. 그 밖의 많은 독일의 대학에서 일한 후, 1862년에서 작고할 때까지 베를린에서 교수로 생애를 보냈다. 도르너의 가장 중요한 조기 출판물은 「그리스도의 위격에 관한 교리」(*Doctrine of the Person of Christ*, 1839)였다. 그의 완성된 신학은 생애 말에 출판된 「신앙에 관한 교리 체계」(*System of the Doctrines of Faith*, 1879-1881)에서 충분히 언급했다. 신학과 철학은 진정 유사하다. 그러나 모두 점진적 역사 발전 과정에서 스스로를 구현한다는 점에서 동일하다. 그리스도인의 의식에서 기독교 신앙의 증거를 발견할 수 있다. 다시 그리스도인의 의식이 성서에 기록된 영적 경험의 타당성을 깨달으며, 기독교 역사 안에서 점진적으로 신앙을 명시화한다. 기독교 중심 교리는 성육신이다. 그리스도는 하나님의 본질(what God is)과 가능성의 인간(what humanity may become)의 계시이다. 또한 도르너는 영국과 미국에도 많은 영향을 미쳤다.

에를랑겐 신학(Erlangen theology)은 중재학파의 독특한 일례였다. 할레스(Adolf von Harless, 1806-1879)는 할레의 톨룩에게서 수학했고 회심을 깊이 체험했으나, 프랑코니아(Franconia)의 종교 부흥 배경과 톨룩의 신경건주의(Neopietism)에 반발해서, 1833년 에를랑겐의 교수진으로 옮겨갔다. 할레스의 가르침에는 체험, 성서, 신앙 고백의 세 요소가 복합되어 있었다. 그의 주장은 1845년 에를랑겐에서 그의 계승자인 호프만(Johann Christian Konrad von Hofman, 1810-1877)이 충분히 설명했다. 호프만은 부흥 신학(revival theology)과 슐라이에르마허의 경험주의를 온건 성서주의(biblicism) 및 고백주의(confessionalism)와 조화시키는 새로운 방식으로 진리를 설명하려 했다. "구속사"(salvation history, heilsgechichte)의 해석에서 신학 및 역사학 양면 접근 방식을 채택해서, 과거의 성서 해석상의 오류를 극복하려 노력했다. 그는 하나님과 인간 사이의 관계 회복자인 그리스도를 강조하기 위해, 대리 만족설(substitutionary satisfaction theory)을 거부하는 속죄 교리를 전개했다.[3] 중재신학자들은 열정적인 기독교적 신앙을 가졌으면서도, 비평적 주장의 일부를 조심스럽게 수용했기 때문에, 기독교계 추종자를 많이 확보할 수 있었다. 그러나 중재학파의 접근으로는 19세기의 지적 혁명들을 취급할 수 없었으며, 그리고 독일에서는 곧 다른 주장들이 득세했기 때문에, 그 주요 지도자들 당대를 지나서는 더 이상 전성기를 누리지 못했다.

신학 발전에 있어 가장 획기적인 책은 이러한 합리론, 신앙고백적 정통주의나 중재학파에서 배출한 것이 결코 아니었다. 바로 그런 책은 튀빙겐 대학의 27세의 젊은 학자인 **슈트라우스**(David Friedrich Strauss, 1808-1874)가 저술했다. 그는 헤겔 철학에 능통했다. 바우르의 초기 입장에 익숙했고 또한 역사가이며 정치가인 니브르(Barthold Georg Niebuhr, 1776-1831)의 로마 초기 설화에 대한 신화적 해석도 잘 알고 있었다. 그는 이러한 원리들을 이제 그리스도의 생애에 적용했다. 그는 예수의 지상 생애에 대해 많은 것을 알 수 있다는 사실을 결코 부인하지 않았으나, 그의 생애는 다른 역사상의 사건처럼 완전히 인간 영역에서 전개되었다고 생각해야 한다. 그는 복음서 자료 가운데 요한복음이 예수의 지상 사역 시기와 시간적으로 가장 떨어져 있었기 때문에 역사적 가치가 가장 적다고 생각했다. 이러한 견해는 예수의 생애 연구에서 요한복음을 가장 선호했던 직전의 연구들, 특히 슐라이에르마허의 연구와 큰 차이가 있었다. 슈트라우스는 첫째 자리를 마태복음에 부여했다. 그러나 어떤 복음서도 목격자가 직접 기술하지는 않았다. 기적들은 원래 불가능하다. 그러나 복음서들은 기적들로 가득차 있다. 통상적인 합리론적 해석은 파울루스의 경우처럼 우스꽝스럽다. 복음서들이 기만할 의도로 재기술(recount)되었다는, 라이마루스(VII:11 참조)와 같은 초합리론자(ultrarationalist)의 주장은 불가능하다.

오직 타당한 설명은, 단순하고 자연스러운 그리스도 생애의 사실이 "신화"로 뒤덮여 있다는 것이다. 슈트라우스는 이 "신화"라는 용어로써 역사적 설명 형식 안에 있는 이념의 표현을 의미했다. 구약 예언의 세부 사항은 신약 기자들에게 예수의 생애를 해석할 단서를 제공했다. 당시 유대인들은 이적을 행할 메시야를 기대하고 있었고, 구약 예언의 성취를 고대하고 있었으며 그리고 인류는 일부 신적이며 또 일부는 인간적이며, 하나님과 연합해서 죽음에서 부활한다는 등 위대하고 진실한 사상을 지니고 있었다. 그 사상은 바로 그리스도 안에 존재한다고 생각했다. 즉 그리스도 안에 구현되었다고 간주했다. 예수는 실제 존재했다. 그러나 신약의 그리스도의 모든 초인적 특성은 본래 신화가 만든 것이다.

슈트라우스의 책은 엄청난 반론을 일으켰다. 그는 전부터 정통주의, 모든 다양한 합리론자, 중재신학자들 등 동시대 독일의 모든 계파의 사상을 공격했다. 그는 무자비한 비난에 부딪쳤고, 모든 신학계에 발을 디딜 수 없었으므로, 비통한 상태로 생활했다. 그러나 그리스도의 생애 연구에 새로운 장을 열었으며, 이전 합리론자들에게 결론적 답변을 했고, 그가 개시한 토론은 종교 연구에 생산적 결과를 내었다. 그가 연구에 적용했던 두 가지 기본적 비평 방법은 현재도 유효한 것으로 입증되었다. 교회가 무의식적이나마 그리스도의 모습에서 중요한 것을 조작했거나, 아니면 그리스도가 교회의 근원이거나 두 가지 중 하나이다. 만일 슈트라우스와 그의 기본적 주장에 동조하는 사람들이 옳았다면, 전자의 결론이 옳을 것이다. 그러나 신중한 신학적 연구로 다른 견해가 월등히 바람직하다는 것이 발견되었다. 그리고 그리스도의 생애에 대한 순전히 인간적인 역사적 해석은 실제로 장기간 지지받을 수 있는 그럴듯한 상을 보여주지 못했다. 슈바이처(Albert Schweitzer, 1875-1965)는 그의 명저 「역사적 예수 연구」(*The Quest of the Historical Jesus*, 1910)에서 어떻게 하여 그러한 노력이 본질상 실패로 끝나는지를 보여주었다.

초기 교회의 신학과 역사 해석 분야에 있어서, 19세기 후반의 독일에서 가장 강력한 영향을 미친 인물은 리츨(Albrecht Ritschl, 1822-1889)이었다. 그는 자유주의의 개척자, 종교와 도덕의 가치 판단의 신학자, 그리고 근대적 루터 연구의 선구자였다. 헤겔에 대한 연구열이 식었을 때, 리츨은 기독교 신앙과, 과학과 역사 연구에서 제공된 새로운 지식 사이에 새로운 변증적 종합의 기틀을 마련했다. 바우르 학파의 첫 제자인 그는 1857년 「고대 가톨릭 교회의 기원」(*Origin of the Old Catholic Church*) 제2판을 발간하면서, 바우르 학파의 주요 논점과 결별했다. 그는 바우르가 헤겔의 체계를 적용한 베드로적 정립과 바울적 반정립은 초기 교회 성장에 대한 적절한 설명이 될 수 없다고 주장했다. 정도 차이는 있지만 모든 파당들은 예수의 주권을 인정하고 있다는 점에서 분리보다는 근본으로 통합을 이루고 있었다. 그리고 초기 교회에는 두 개의 날카롭게 구별되는 적대적 분파로 분리할 만한 견해 차이가 없었다. 그 두 파 뿐만이 아니라, 드러나지 않은 다른 많은 의견 집단들이 존재했다. 기독교는 공허한 세계로 들어온 것이 아니라, 종교와 철학과 제도적 사상들로 채워진 세계로 들어왔다. 단순하고 시원적인 기독교 진리는 사상들, 특히 이방인의 사상들에 접하면서 깊이 수정되었는데 그 결과 구 가톨릭 교회의 신학과 제도가 생겼다. 리츨은 원시 기독교 공동체와 역사적 예수를 이해하기 위해 역사 비평 기구의 충분한 사용을 옹호했다. 그는 예수의 중심성과 첫 1세기 교회의 본질을 강조하였는데, 유럽 뿐만 아니라 미국에서도 개신교 학자의 대규모 지지를 얻었다.

리츨은 1846년 본(Bonn)대학에서 가르치기 시작했다. 1864년에 괴팅겐의 교수가 되어 작고할 때까지 봉직했다. 그곳에서 주요 신학 저술인 「칭의와 화해의 기독교 교리」(*The Christian Doctrine of Justification and Reconciliation*, 3 vols., 1870-1874)를 출판했다. 리츨은 친밀한 제자는 없었으나, 저술을 통해 많은 영향력을 전파했다.

리츨은 실천적 확실성의 근거로서 도덕적 감정을 주장했으며 절대적 지적 지식을 부정한 칸트와 확신의 토대로서 종교적 의식을 확인한 슐라이에르마허 등의 영향을 크게 받았다. 그러나 리츨이 생각하기에 슐라이에르마허가 종교적 의식을 표준적 가치로 주장한 것은 너무 개인적인 것이었다. 진정한 의식은 개인적인 것이 아니라, 기독교적 공동체 즉 교회적인 것이다. 진정한 의식은 추상적이고 사변적인 지식의 출처가 아니다. 그것은 하나님과 종교 공동체, 죄와 구원의 관계처럼 월등하게 실제적이며 인격적 관계를 가져야 한다. 그러므로 "자연적" 혹은 사변적 철학적 신학은 무가치하다. 철학은 아리스토텔레스처럼, "제일 원인"(first cause)을 제공할 수는 있다. 그러나 그것은 결코 "사랑의 하나님 아버지"가 아니다. 그러한 실제적 인격적 계시는 오직 그리스도를 통해 우리에게 주어졌다. 그 계시는 초대 사도의 의식을 통해 우리에게 중개되었다. 그러므로 초대 사도들의 종교적 배경을 계시하는 구약과 특히 그리스도와 복음에 관한 초대 사도들의 인식에 대한 기록인 신약은 지고한 가치를 지닌다. 구약과 신약에 기록된 종교적 의식을 규명하기 위해서 어떠한 영감론도 불필요하다. 오직 정규적인 역사학적 연구만이 필요하다.

리츨은 기독교 진리의 보조로서의 형이상학을 거부했으나, 철학자 로체(Rudolf Hermann Lotze, 1817-1881)가 옹호한 인식론을 많이 사용했다. 로체는 칸트와 더불어, 존재 그 자체에 대한 인식이 불가능하다는 진리를 주장했으나, 리츨은 독자적으로 그 실재의 속성 혹은 활동 면에 대해 진정한 인식이 가능하다고 확언했다. 나는 벽돌 포장도로를 보행로로 인식한다. 진정으로 인식한다. 그러나 그 도로는 벽돌 틈에 솟은 모래 더미에 사는 개미에게는 집이 될 것이다. 추상적 관념적인 것 혹은 존재 그 자체에 대해, 나는 결코 인식할 방도가 없다. 반면 만일 그 속성에 대한 인식이 나의 행위에 영향을 미치고 있는 것이라면, 그것은 "가치 판단"(value judgement)이다. 그래서 리츨은 처음 기독교 공동체 안에서 그리스도와 접촉한 사람에게 있어서 그리스도는 진정 사랑의 하나님의 계시, 고통스런 사랑의 희생을 통해 죄 많은 인간을 하나님과 화해시킨 화해자, 세계에 대한 영적 지배권의 실례, 그리고 하나님 나라의 설립자였다고 주장했다. 그는 진정 그렇게 인식되고 있었다. 그러나 그가 선재했는지, 두 본성을 가졌는지, 아니면 삼위일체의 한 위격인지의 여부를 묻는 것은, 초기 교회의 경험으로는 답할 수 없는 것이고, 오직 형이상학만이 확인하거나 부정할 수 있는 것을 묻는 것이다. 현존하는 그리스도 및 그리스도가 상징하는 바에 대한 이러한 자각은 인간의 신앙, 즉 그리스도를 통해 하나님께로 향한 신뢰와 사랑을 불러일으킨다. 이러한 새로운 태도는, 인간과 하나님 사이의 장벽인 죄에 대한 사면과 제거 즉 칭의에 따라 얻게된다. 새로운 관계 즉 화해는 하나님께 대한 신뢰, 생의 시련 속에서 인내, 겸손, 기도로 발현된다. 하나님과의 새로운 관계는 또한 하나님의 뜻을 행하고 왕국의 생활을 영위하려는 소망으로도 표현된다. 기독교인의 생활은 본질적으로 사회적이다. 그러므로 구원자, 구원받은 사람, 그리고 구원받은 공동체 모두는 분리할 수 없는 개념들이다. 복음은 칭의 및 화해 그리고 하나님 왕국이라는 두 초점을 가진 타원이다. 리츨은 후기 교회 역사에서 이러한 구원 개념을 루터만큼 명료하게 설명한 이가 없었다고 믿었다.

헤르만(Wilhelm Herrmann, 1846-1922)과 **하르낙**(Adolf von Harnack, 1851-1930)은 탁월한 리츨 학파 신학자였다. 헤르만은 마르부르크 신학 교수로서 자유주의 신학의 주도적 인물 중의 하나였다. 교회 역사의 대가인 베를린의 하르낙은 자유주의에 지대한 영향을 미쳤다. 그의 명저 「교의의 역사」(*History of Dogma*)는 1894년에서 1899년에 걸쳐 7권의 영어판으로 간행되었다. 그의 「기독교란 무엇인가?」(*What is Christianity?*, 1901)는 진보적 자유주의 신학의 고전이다. 리츨 학파의 진지한 경건과 진리에 대한 헌신과 더불어 그 정신은 19세기 말과 20세기 초에 독일, 영국 그리고 미국에서 대인기를 얻었다.

1890년대에 리츨 학파의 접근 방식은 **"종교사 학파"**(history of religions school)의 노전을 받았다. 그 학파는 고대 근동의 다른 종교들의 맥락에서 기독교를 파악해서, 종교에 대한 역사학적 접근 방식을 일반화하려 했다. 한편 리츨은 기독교 교리 역사 연구를 매우 효과적으로 수행한 일이 있었는데, 바로 종교사 학파가 리츨의 뛰어난 접근 방식을 자신들의 기독교 기원 연구에도 적용했다. 그러나 리츨의 방법을 완전히 실행하지도 않고서 그가 지역적 편견(provincialism)을 가졌다고 비난했다. 종교사 학파의 가장 뛰어난 인물은 **트뢸취**(Ernst Troeltsch, 1865-1923)였다. 그의 역사적 업적은 그의 명저 「기독교 교회의 사회적 가르침」(*Social Teachings of the Christian Churches*, 1912)에서 특히 탁월했다. 그러나 종교사학파의 상대주의(relativism)는 자유주의 파국의 원인이 되었다.

13. 19세기 영국 개신교

19세기 초 복음주의적 부흥을 통한 영적 각성은 영국의 종교 생활을 지배했으며, 국교회에서 대규모 분리를 일으켰다(VII:7 참조). 국교회 내에서는 복음주의파가 부흥을 열망하였으며, 19세기에 접어들면서 재기한 "고교회"(high-church)에 반대하여 "저교회파"(low-church)를 형성했다. 복음주의파도 감리교처럼 실천 및 선교 활동 사역에 열심히 참여했다(VII:9 참조). 국교회 복음주의자들은 교회에서 유력하여졌다. 1815년 최초로 감독구를 얻게 되었으며, 19세기 중엽 평신도 사이에서 큰 세력을 확보해서 국교회의 주도파가 되었다. 한편 19세기에는 새로운 자유주의적 운동인 "광교회"(broad-church) 운동이 일어났고, 고교회적 전통도 소생했다.

광교회 운동은 특정 신학의 공식화에 대한 불만 때문에 일어났다. 19세기 초 영국 국교회의 분파 모두는 18세기의 편협한 논의를 지적 기초로 삼고 있었다. 신학은 지적 증명이나 권위적 계시 혹은 그 둘을 결합한 체계와 같은 동일한 합리주의적 유형 안에서 연구되었다. 그러나 새로운 지적 세력이 태동하고 있었다. 영국 시문학은 19세기 초 찬란히 개화했다. 영국의 낭만주의는 독일에서만큼 강력하게(VII:12 참조) 그전 세대와는 전혀 다른 지적 분위기를 형성했다. 스코트 경(Sir Walter Scott)의 소설들은 이런 신사조의 좋은 예였다. 주로 감리교의 부흥으로 인해 새로운 형태의 인도주의가 발전하였고, 개혁 운동으로 다양하게 표출되었다. 이 모든 경향은 당시의 신학적 사고와 종교 관념에 뚜렷한 영향을 미쳤다.

아마 19세기 초 종교 사상에 가장 큰 자극을 준 사람은 뛰어난 시인, 문학 평론가, 철학자인 **콜러리지**(Samuel Taylor Coleridge, 1772-1834)였을 것이다. 그의 초기 사상은 신플라톤주의였다. 1798년과 1799년에 독일에서 수학했으며, 이때 독일 문학 뿐만 아니라 칸트, 피히테, 셸링 등의 사상과 당시 영국에는 생소한 철학 사조에 익숙하게 되었다. 콜러리지는 결코 완성된 체계를 형성한 것이 아니었다. 대표작은 「사유에 대한 도움」(*Aids to Reflection*, 1825)이었다. 한편 팔리(Paley, VII:3 참조)의 합리론에 반대하여, "이성"(reason)과 "이해"(understanding)를 구별할 것을 주장했다. 콜러리지의 생각에 의하면, 이성은 직관적 지각력 혹은 내적 성찰이며, 이것을 통해 종교적 진리를 직접 지각한다. 이러한 "도덕적 이성"(moral reason)은 무조건적 명령인 "양심"(conscience)이라는 보조자를 가지며, 도덕법, 신적 입법자, 그리고 내세 등의 전제가 필요하다. 그리므로 종교적 확실성은 외적 입증이 아니라 종교적 의식에 근거한다. 그래서 그를 "영국의 슐라이에르마허"라고 부른다. 전반적으로 콜러리지는 광교회적 사고 방식의 선구자였다. 그러나 그는 교회가 "법에 의해 설립된" 그 어떤 것보다 고상하고 고귀한 신적 제도라고 강조해서 고교회파의 길을 예비했다.

콜러리지의 종교 분야 연구는 **아놀드**(Thomas Arnold, 1795-1842)가 계승했다. 그는 1828년 럭비(Rugby)에서 교장직을 시작했다. 심오하고도 단순한 기독교 신앙을 가졌으며, 학생들에게 많은 도움을 준 것으로 유명했다. 그의 사상은 헤르더(VII:12 참조)와 매우 비슷했다. 성서는 문학이므로 기술된 시대의 조명를 받아 이해해야 한다. 그러나 성서의 신적 진리는 우리에게 도달한다.

성서 비평은 1848년부터 런던 세인트 폴(St. Paul) 교회의 목사장이었던 밀만(Henry Hart Milman, 1791-1868)이 매우 온건한 방식으로 진전시켰다. 그는 「유대인의 역사」(*History of the Jews*, 1829)에서 비평 방법을 구약에 적용했다. 「라틴 기독교의 역사」(*History of Latin Christianity*, 1855)는 그가 지은 가장 가치있는 책이었다.

모리스(John Frederick Denison Maurice, 1805-1872)는 광교회 학파로 간주되는 것을 꺼려했지만 그 확산에 많은 공헌을 했다. 유니테리언 목사의 아들로서 국교회에 순응했고, 런던 가이스 병원(Guy's Hospital) 원목이었다. 1840년 킹스 대학(King's College)의 학장으로 임명되었으나, 1853년 그의 견해가 문제시되어 직위 해제되었다. 그뒤 노동자 대학(Working Men's College)을 설립했으며, 기독교 사회주의자 운동(Christian socialist movement) 창설에 일조하였다. 1866년 케임브리지의 교수로 임명되었다. 모리스의 생각으로는 그리스도가 온 인류의 머리이다. 누구도 하나님의 저주 아래에 있지 않다. 모두가 하나님의 사너로서, 하나님의 부권 인정이나 인식 이외에는 다른 화해가 필요없으며, 그러한 인식을 가지면 자연히 자식의 사랑과 봉사를 할 것이다. 아마도 결국 모두가 하나님에게 분명히 인식될 것이며, 아무도 영원히 버림 받지는 않는다.

로버트슨(Frederick William Robertson, 1816-1853)은 신학에서 모리스와 크게 다르지 않았다. 그러나 로버트슨은 위대한 설교가였다. 그는 복음주의파에게 교육받았다. 그뒤 한 때 광교회의 주장에 강한 의문을 제기하면서 시간을 보냈다. 1847년부터 요절할 때까지 브리튼의 목사였다. 지난 세기에도 로버트슨만큼 영어 설교로 영미 양편에 영향을 미쳤던 설교자는 없었다. 영적 진리는 지적으로 입증하는 것이 아니라 영적으로 판명해야 한다. 그리스도의 인성의 고귀함은 신성에 대한 진실성을 증명하며, 그리스도 신앙으로 인도한다.

에버슬리의 교구목사이며 소설가인 **킹슬리**(Charles Kingsley, 1819-1875)와,

「비망록」(*In Memoriam*, 1850)이라는 다분히 광교회적 시를 쓴 **테니슨**(Alfred Lord Tennyson, 1809-1892)은 광교회 사상 전파에 유력한 영향을 미쳤다. 웨스트민스터 수석 사제 스탠리(Arthur Penrhyn Stanley, 1815-1881)와 캔터베리의 수석 사제 파라르(Frederic William Farrar, 1831-1903)도 그 일파로 간주되었다. 1860년 일부 옥스퍼드 학자들이 동시대의 과학과 역사 비평의 조명을 받아 기독교의 방향을 제시하려는 내용이 담긴 「논문과 평론」(*Essays and Reviews*)과 1862년 나탈(Natal)의 주교 콜렌소(Bishop John William Colenso, 1814-1883)의 오경 비평의 시도로 인하여 대격동이 일어났다. 케임브리지의 세 학자 웨스트코트(Brooke Foss Westcott, 1825-1901), 라이트푸트(Joseph Barber Lightfoot, 1828-1889), 호트(Fenton John Anthony Hort, 1828-1892)는 성서 연구에 중요한 공헌을 했다. 거의 삼십 년에 걸친 학문적 노력의 결실로 1881년 웨스트코트와 호트의 헬라어 신약 비평본이 출판되었고, 그 역작은 신약의 표준판이 되었다. 광교회 운동은 엄격한 의미에서 한 당파를 이루지는 않았다. 그 수는 많지 않았지만, 영국의 종교 사상에 미친 영향은 광범위했다.

한편 영국 국교회 안에서는 매우 중요하고 진지하며 강렬한 자의식을 보인 **옥스퍼드 운동** 혹은 **소책자 운동**(Oxford, or Tractarian movement)이 전개되었다. 그 결과 앵글로 가톨릭파(Anglo-Catholic party)가 형성되었다. 그 운동은 다소 빈약해진 고교회 전통에 새로운 활기와 방향을 제공했다. 1830년 무렵 국교회의 절대 권위에 몇가지 심각한 균열이 생겼다. 1828년 선서 조례(Test Act, VI:16 참조)와 단체 조례(Corporation Act)가 폐지되었다. 1829년에는 로마 가톨릭 교인이라도 영국 하원을 비롯한 대부분의 공직에 임용될 수 있게 되었다. 1830년 프랑스 7월 혁명(July Revolution)으로 조장된 의회 대표제의 개혁 요구는 격론 끝에 1832년에 관철되었다. 그 결과 권력이 지주에서 중산 계층으로 이동되었고, 그에 따라 비국교파의 영향력이 증가했다. 보수적인 대다수의 교회 성직자들은 교회와 국가의 기강이 무너지고 있다고 생각했다. 그들은 교회 그 자체의 본질에 의문을 제기했다. 교회는 본질적으로 변경될 수 없는 신적 기관이 아닌가? 혁명 이래 정부 입법에 따라 그렇게 빈번히 바뀔 수도 있는가? 결국 고대와 중세에 관심을 돌려서 즉 낭만주의적 복고의 입장에서 답을 정했다.

이러한 논의가 계속되는 동안, 주로 옥스퍼드의 오리엘(Oriel) 대학 출신 몇몇 젊은 성직자들은 이른바 "옥스퍼드 운동"(Oxford movement)을 개시했다. **프라우드**(Richard Hurrell Froude, 1803-1836)는 비록 요절했기 때문에 단기간에 그쳤지만, 그 운동에서 가장 유력한 사람이었다. 그는 교회란 진리 뿐만 아니라 원래 주어졌지만 종교 개혁자들이 거절했던 진리에 필요한 요소들을 간직해야 한다고 생각했다. 따라서 금식, 성직의 독신, 성자 숭배 그리고 "가톨릭 관례"(Cathoilic usages) 등이 절대적이라고 생각했다. 뉴먼(John Henry Newman, 1801-1890)은 프라우드와 절친했으며, 위대한 설교가이며 학자였다. 그는 처음에는 복음주의적 교육을 받았으나 후에 프라우드의 정서에 동조했다. 오리엘 집단의 제 삼인자 케블(John Keble, 1792-1866)은 반선서파(Nonjuror) 가문 출신으로, 이미 19세기에 발간된 인기 최고의 종교 시집인 「기독교인의 해」(*The Christian Year*, 1827)를 출판한 바 있었다. 케임브리지의 학자로서 열렬히 참여한 로우즈(Hugh James Rose, 1795-1838)는 교회의 신적 권위와 근본적 불가변성에 대한 신념을 조장할 의도로 1832년 「영국 잡지」(British Magagine)를 창간했다. 위에 소개한 사람들은 모두 최근 정치적 사태의 경과가 위협적이라고 생각했다. 이 운동의 공식적 시작은 대개 1833년 7월 14일 옥스퍼드에서 케블이 "국가적 배교"(National Apostasy)라는 제목으로 행한 설교와 관련이 있다. 그해 9월 케블은 자신을 비롯한 동료들이 주창한 원칙을 발표했다: 성찬식에서 그리스도의 살과 피를 받아먹어야만 구원을 얻을 수 있다. 성찬식은 마땅히 사도적 계승자만이 집례할 수 있다. 성찬식은 교회의 보물이다. 전적으로 교회는 분열이 없던 초기 교회의 순수성을 회복해야 한다.

같은 달, 뉴먼은 그 유명한 「시대를 위한 소책자들」(*Tracts for the Times*)을 발행하기 시작했고, 이로써 그들은 "소책자 학파"(Tractarianism)라는 이름으로 불리었다. 1835년 그들은 퓨지(Edward Bouverie Pusey, 1800-1882)라는 기둥 같은 인물을 얻었다. 그는 뉴먼의 탈퇴로 뒤를 이어 지도자가 되었다. 매우 열성적이고 경건했기 때문에 결국 무난하게 일명 "퓨지주의"(Puseyism)인 앵글로-가톨릭 운동의 대표자가 되었다. 퓨지는 그 운동을 원시 기독교의 부활로 생각했다.

90편의 「소책자」가 발표되었다. 그 중 적어도 28편을 뉴먼이 저술 혹은 편집했다. 뉴먼을 이어 케블, 퓨지, 프라우드 및 그밖의 사람이 이에 공헌했다. 뉴먼은 영국 국교회가 개신교와 로마의 중간에 있는 "중용"이라고 생각했다. 그러나 일련의 소책자 발표가 진행되면서, 저자들은 분명히 고대적이긴 하지만, 일반적으로 로마 가톨릭과 동일한 것으로 생각할 수 있는 교리와 예배 의식을 점점 더 강조했다. 그런 맥락에서 퓨지는 세례의 중생적 성격과 주의 만찬의 희생제사적 의미를 교육했다. 고해성사를 권장했다. 성서 활용 및 종교적 진리 선포를 자제했다. 가장 큰 논란을 일으킨 것은 바로 1841년 뉴먼이 발간한 90번째 소책자였다. 뉴먼은 영국 국교회 39개 신조는 오직 고대 가톨릭 교회의 믿음만을 가르치기 위해 제정했던 것이며, 진정한 로마 가톨릭 주의, 심지어 트렌트 공의회의 형식과도 충돌하지 않는다고 주장했다. 분명히 옳게 보이지 않는 그런 해석을 수긍할 학자나 성직자는 거의 없었다. 그래서 옥스퍼드의 주교는 소책자 발행을 중단시켰다.

90호 소책자가 나왔을 때 뉴먼의 영향력은 최고에 달했다. 앵글로-가톨릭 운동은 성직자 사이에 많은 지지를 얻었다. 그러나 뉴먼은 국교회의 보편성(catholicity)을 의심했다. 결국 1845년 10월 9일 그는 로마 가톨릭으로 개종했다. 수 백의 성직자와 평신도가 그를 따라 로마 교회로 들어갔다. 그 중 가장 특징적인 인물은 매닝(Henry Edward Manning, 1808-1892)으로, 그는 1851년 로마 가톨릭에 들어가, 1875년 추기경이 되었다. 1850년 교황 피우스 9세(Pope Pius IX)는 종교개혁 이래 중단한 로마 가톨릭 영국 교구를 재조직했다. 이것은 큰 동요를 일으켰다. 매닝은 늘 온건한 뉴먼과는 달리, 교황의 주장을 적극 옹호하는 극단적 교황지상권주의자가 되었다. 뉴먼은 영국 로마 가톨릭에서 가장 뛰어난 인물이었지만, 1879년이 되어서야 비로소 추기경이 되었다. 이처럼 옥스퍼드 운동은 로마 가톨릭으로 전향하면서 결말이 났다. 그러나 그 운동에서 파생한 앵글로-가톨릭파는 퓨지의 유능한 지도로 곤란을 극복하고 급속히 국교회 안의 중요 구성원으로 성숙했다. 교리적 수정안이 받아들여지면서 점차 개신교가 폐기했던 규례를 도입해서 예배의식의 "질적 향상"(enrichment)에 주력했다. 이러한 변화 때문에 대중적, 법적 반대를 많이 받았다. 그러나 의식주의자들(ritualists)이 원하는 수정안은 거의 받아들여졌다. 앵글로-가톨릭 운동이 가진 깊은 종교적 열망을 이해하지 못한다면 그에 대한 평가는 잘못된 것일 것이다. 그 운동은 참신하게도 교회의 예배와 신학으로 강조점을 옮겼을 뿐 아니라, 빈민, 소외자, 비교인들을 위해 진정한 봉사를 했다. 하층민에 대한 교회의 지원을 얻어내기 위해 많은 노력을 했던 것이다. 1860년 고교회 신앙을 지지하고 실천하며 영국 국교회 안에서 그 중요한 각성 운동의 영향력을 확장하기 위해, 영국 교회 연합(the English Church Union)이 결성되었다.

한편 같은 아일랜드 개신교 국교회(Protestant state church of Ireland)는 1869년 국교제를 폐지하였다. 이것은 항상 소수파였음에도 불구하고 정부의 후원을 받은 점에서 예외적이었다. 그러나 그 방향성은 이러한 변화에 의해 많이 교란되지는 않았다.

복음주의 영향을 강하게 받은 비국교파에서 교세가 꾸준히 확장하고 증가한 것은 19세기의 특징이었다. 아마 세기 초에 실제 비국교도의 수가 예배 참가 국교도의 수를 능가했을 것이다. 예를 들면, 감리교는 국교회와 분열 과정에서 많은 소수파들이 누락되었으면서도, 1800년에서 1860년 사이에 교인수가 4배나 증가했다. 대규모로 성장한 또 다른 비국교도 분파는 회중교회와 침례교회였다. 반면에 퀘이커교와 유니테리언교는 소분파인 채로 남아있었고, 장로교는 주로 스코틀랜드 이민의 유입 때문에 다시 활기를 찾았다. 비국교도는 중산층에서 강세였다. 위대한 능력을 가진 설교자를 배출했으며 학자와 사회 사업가를 보유했으나, 학문 연구나 교회 밖 사람들을 위한 활동 면에서는 영국 국교회에 뒤졌다.

비국교도에 부과했던 자격박탈 법률 조항의 꾸준히 감소는 영국 교인의 생활에 매우 중요한 것이었다. 1813년 삼위일체 부인자에 대한 벌칙 철회로 인해 유니테리언파는 구제를 얻었다. 이미 언급한 것처럼 1828년 선서 조례와 단체 조례를 철회했다. 1836년 비국교파 예배 장소에서의 결혼을 허용했다. 1868년 비국교도에게 국교회를 위한 세금이 면제되었다. 1871년 옥스퍼드, 케임브리지, 더햄 대학에서는 신학과정을 제외한 전 분야에서 종교적 심사를 폐지했다. 1880년에는 교회 묘지에서 비국교도의 장례식이 허용되었다.

19세기 후반 이른바 "제 이차 복음주의 대각성 운동"(Second Great Evangelical Awakening)은 비국교도에게 유익한 결과를 가져왔다. 그 주요한 특징은 미국의 복음주의자 무디(Dwight L. Moody, 1837-1899)의 활동이었다. 국교회 복음주의자들에게도 이러한 후기 운동들이 유익했으며, 밀드메이(Mildmay)와 케직(Keswick)에 있는 그들의 중심지도 후기 운동의 활동 장소가 되었다. 비국교도는 19세기에 교세만 확장한 것이 아니라, 많은 새로운 분파들을 만들기도 했다. 다음 세 운동들이 특히 중요하다.

우선 어빙(Edward Irving, 1792)은 런던의 스코틀랜드 장로교의 목사로서, 뛰어난 언변을 지녔으며, 신비주의적 성향이 있었다. 1828년 그는 사도 시대의 "은사"가 믿음이 충분하다면 회복된다는 확신에 도달했다. 은사를 받았다고 주장한 사람 자체가 없었음에도 불구하고, 그는 1830년 어떤 다른 사람이 은사를 받았다고 믿었다. 1832년 그는 장로교 목사직을 박탈당했다. 그뒤 추종자들은 예언대로 그가 여섯 사도를 지명했다고 믿었고, 1835년에 그 수는 12로 채워졌다. 이 분파는 가톨릭 사도교회(Catholic Apostolic church)라고 이름을 붙였다. 1842년 정교한 의식을 채택했다. 사도들을 성령의 기관으로 간주했다. 그리스도의 급박한 재림을 오랫동안 기대했으나, 마지막 사도가 사망한 것은 1901년이었다. 그 교회는 독일과 미국으로 전파되었다.

두번째 운동은 "형제단"(Groups of Brethren) 운동이었다. 이 운동은 19세기 초 국교회의 영적 고갈에 대한 반동에서 성장했다. 그들은 믿음과 기독교적 사랑만이 그들의 결합력이라고 주장했으며, 아일랜드와 서부 영국에 집결했다. 그들은 전직 아일랜드의 영국 국교회 성직자인 다비(John Nelson Darby, 1800-1882)의 노력으로 크게 증가했다. 그는 1830년 경 플리머스(Plymouth) 근교에서 활동했으며, 그래서 그 추종자들을 일반적으로 "플리머스 형제단"이라는 별명으로 부른다. 그들은 모든 교인들이 제사장이므로, 공식적 성직자는 거부되어야 한다고 생각했다. 신조는 거부되어야 한다. 성령이 모든 참 신자를 인도하며, 사도들의 모범을 따라 신앙과 예배 안에서 그들을 연합한다. 형제단은 전역사가 일련의 — 보통은 일곱 — 세대들로 나뉜다고 주장하는 세대주의(dispensationalism)적 성서해석 체계에서 산출한 천년 왕국(millennium)을 확신했다. 세부 사항에는 차이가 있지만, 일반적으로 그리스도가 재림해서 다윗 왕조가 이스라엘로 회복할 때인, 임박한 마지막 세대를 천년왕국으로 이해했다. 형제단은 공공연하게 모든 교파주의를 거부했다. 그러나 곧 교육에 관한 단체조례에 따르지 않을 수 없음을 발견했고, 그에 대한 견해 차이로 최소 여섯 집단으로 분열했다. 다비는 정력적인 전도자였다. 그의 노력으로 형제단은 스위스, 프랑스, 독일, 미국 등지에 이식되었다. 두드러진 옹호자로는 조지 뮐러(George Müller, 1805-1898)와 트레겔스(Samuel Prideaux Tregelles, 1813-1875)가 있었다. 뮐러가 믿기에 브리스톨에 있는 그의 특출한 고아원은 주로 기도에 대한 직접적 응답으로 지원을 받아 운영되었다. 트레겔스는 신약의 헬라 원문에 대한 뛰어난 연구자였다.

이러한 새로운 조직 중 가장 중요한 것은 **구세군**(Salvation Army)이었다. 그 창시자 윌리엄 부스(William Booth, 1829-1912)는 신파 감리교(New Connection Methodist) 목사였으며, 카디프에서 성공리에 부흥 활동을 마친 후, 1864년 런던에서도 비슷한 일을 시작했다. 그 결과 1878년 군인처럼 복종하는 군대 형태의 조직이 발달했고, 1880년 그것에 구세군이라는 이름을 붙였다. 항상 노방 전도와 더불어 실천적 박애에 강력히 관여했기 때문에, 1890년 초 부스가 그의 「암흑의 영국과 그 출구」(*In Darkest England and the Way Out*)를 출판했을 때, 자선 사업은 대규모로 발전했다. 전제적 군대 형태에도 불구하고, 구세군은 많은 점에서 하나의 교회였다. 이따금 독단적이라고 비난받기도 하였지만, 구세군은 장애인과 범죄인을 위해 대규모 자선 사업을 벌여왔으며, 모든 영어 사용 국가 뿐만 아니라 프랑스, 독일, 스위스, 이탈리아, 스칸디나비아 국가들, 동양 등지로 확장되었다.

19세기 후반, 다양한 교파와 전통을 가진 영국 기독교인들은 점차 당시의 첨예한 사회 문제에 관심을 가지게 되었다. 복음주의파는 오랫동안 자선 활동과 개혁 운동에 참여했으며, 모리스나 킹슬리 같은 성직자는 19세기 중반에 기독교 사회주의를 개척했다. 그러나 세기 말에는 더욱 광범위하게 사회 정의에 관심을 기울였으며, 사회 문제점을 예민하게 감지했다. 국교회 권에서는 1889년 기독교 사회주의 연맹(Christian Social Union)이 웨스트코트 주교, 홀란드(Henry Scott Holland, 1847), 고어(Charles Gore, 1853-1932)의 지도 아래 창설되었다. 그것은 앵글로-가톨릭의 성격이 강했으므로, 기독교의 도덕적 진리를 사회 및 경제 난국에 적용하려고 노력했다. 비국교도권에서는 사회적 관심이 특히 자유주의 정치 활동에서 표출되었다. "비국교도의 양심"은 영국인의 생활에서 무시못할 세력이 되었다. 특출한 대변자로는 버밍햄의 회중교인 데일(Robert William Dale, 1829-1895)과 서부 런던의 감리교인 휴스(Hugh Price Hughes, 1847-1902)가 있었다.

영국과 마찬가지로 **스코틀랜드**에서도 19세기 기독교의 이야기는 영적 대각성으로 시작한다. 프랑스 혁명에 대한 반동, 낭만주의의 발흥 그리고 18세기 합리주의에 대한 전반적인 반감은 트위드(Tweed) 북방에 복음주의 부흥의 길을 예비했다. 각성 운동의 초기 지도자는 형제 로버트 할데인(Robert Haldane, 1764-1842)과 제임스 알렉산더 할데인(James Alexander Haldane, 1768-1851)이었다. 두 평신도 형제는 활동적인 복음 전파자가 되었으며, 부흥 운동을 더욱 촉진하기 위한 모임들을 조직했다. 찰머스(Thomas Chalmers, 1780-1847)는 글래스고에서 기념비적 목회를 시작한 1850년부터 복음주의파에서 가장 탁월한 인물로 부상했다. 그는 뛰어난 설교가, 사회 개혁가, 수학자, 신학 교수 및 교회 정치가였다. 그의 지도를 받아 변화된 시대 정신을 가지고 복음주의파는 세력이 급속히 성장했다. 증가하는 스코틀랜드 국민의 요구를 충족시키기 위해 대 역사에 착수했다. 그 결과 대중의 헌금으로 1841년까지 220개의 새 교회를 설립했다. 해묵은 파송권 문제는 계속 쟁점이 되었다. 1834년 성장하고 있는 복음주의파는 총회에서 "거부권"을 확보했다. 거부권이 확보됨에 따라, 회중의 대다수가 파송된 목사 후보의 취임에 반대할 때, 장로들의 취임 추진이 금지되었다. 거부권은 곧 법적 논란을 일으켰다. 법정에서는 총회가 월권이라고 선고했다. 의회(Parliament)에 구제 요청을 하였지만 거부되었다. 찰머스의 지도로 474명의 목사들이 공식적으로 국가교회에서 떨어져 나와서 스코틀랜드 자유 교회(the Free Church of Scotland)를 설립했다. 이 사건이 1843년의 "분열(Disruption)"이다. 그들은 교구와 봉급을 포기했다. 모든 것을 새로 조달해야만 했다. 그러나 새 조직의 열성과 희생으로 능히 충당했다. "분열" 사건은 전반적으로는 이미 상당히 변화되었지만 그래도 아직 보다 덜 열정적이고 영적인 "온건파"에서 복음주의적 일파가 이탈한 것이었다. 분열 당시 세번째 세력이긴 하지만 가장 활동적인 분파가 이탈한 것이었다. 그러나 그 탈퇴자의 방식은 궁극적으로 국가교회 자체 안에서 신앙의 열심을 내기 위해 활동하는 것이었다. 1874년에 분열의 근본 원인인 파송권이 법적으로 폐지되었다.

국교회나 비국교회 구분할 것 없이 19세기 전 영국의 복음주의의 활기는 개신교의 선교 열정으로 반영되었다. 영어 사용권의 복음주의파는 18세기 말의 개신교 선교의 주도권을 장악해서, 그 주도권을 개신교 선교 확장의 "위대한 세기"(Great Centruy)[1] 내내 유지했다. 19세기 해외 선교의 급속한 확장으로 인해 개신교는 지구상의 거의 모든 나라에 소개되었고, 그 범위에 있어서 진정 범세계적으로 되었다. 이러한 선교 공세를 주도한 나라는 대영제국이었고, 그 뒤를 미국이 바짝 따랐다. 18세기 말의 선교의 시작은 이미 살펴 보았다(VII:9 참조). 19세기 내내 개혁 운동들의 범위와 복잡성이 증가했고 여러 유형의 선교 지원 단체가 계속 결성되었다.

근대 선교의 선구자 윌리엄 케리(William Carey)를 모범삼아 많은 개척 선교사들이 선교 운동을 주도했다. 영국의 선교사들은 절대적인 것은 아니지만 특히 조국의 영토권이 있는 식민지 세계로 갔다. 인도에는 국교파 복음주의자 헨리 마틴(Henry Martyn, 1781-1812)이 젊은이다운 열정적 자세로 선교 활동에 헌신했다. 스코틀랜드 교회의 최초의 해외 선교사인 더프(Alexander Duff, 1816-1878)는 특히 교육 사업에 몰두했는데, 인도의 개화된 계층의 관심을 끌려고 노력했다. 마스덴(Samuel Marsden, 1764-1838)은 또 다른 국교회 복음주의자로 40년 이상이나 호주(Australia), 뉴질랜드(New Zealand), 태평양 제도(Pacific islands)에 기독교를 이식하기 위해 노력했다. 아프리카에서는 스코틀랜드인 모팻(Robert Moffat, 1795-1883)과 리빙스턴(David Livingstone, 1813-1873)이 런던선교회(London Missionary Society)에 소속되어 남아프리카에 복음을 전파했다. 또한 런던선교회는 1807년 모리슨(Robert Morrison)을 개신교 선교사로는 최초로 중국에 보냈다.

개척자들은 영웅이었지만 처음에는 많은 성과를 거둔 것처럼 보이지 않았다. 그들의 과업은 선교의 문을 열고, 학교와 선교 센터를 세우고, 무엇보다 성서를 번역하는 것이었다. 그러나 점차 그들이 주도한 곳에서는 많은 사람이 따르게 되었다. 시간이 지나면서 일본, 한국, 필리핀 등 다른 국가들도 개신교에 대해 개방적이 되었다. 선교사들은 이 모든 국가에 복음 뿐만 아니라 서구 문학과 교육 방법, 근대 의학 지식과 병원, 그리고 진보된 농업, 임업 기술 등을 전했다. 각 교파의 선교 단체들은 다양한 분야에 종사할, 다수의 선교사와 직원으로 구성된 거대한 선교 지부를 급속히 증가시켰다.

한편 1865년 허드슨 테일러(J. Hudson Taylor, 1832-1905)가 설립한 중국내지선교회(China Inland Mission)와 같이 비교파주의적 "신앙 선교 사역"(faith missions)도 있었다. 세기 말에는 보통 소규모지만 중요한 의미가 있는 개신교 소수파들이 개신교 처녀지였던 국가들에 들어가 잇달아 선교에 성공했다. 특히 인도와 중국에서 이러한 작은 개신교 교회들은 그곳 문화를 신속하게 변화시키는 중요한 기폭제 역할을 감당하였다. 선교적 노력은 세계 종교 지도를 변화시켰고, 영어 사용권에서 복음주의의 영향력을 엄청나게 크게 확장시켰다. 이러한 선교의 추진력 때문에 비기독교국가에서 토착 교회인 역사가 짧은 교회인 이른바 "신생 교회"(younger churches)가 창설되었다. 결국 이 교회들 가운데 일부는 다른 교파 배경을 가진 교회들과 혼합하여 연합 교회를 형성했다. 그 선구자는 남인도 연합교회(South India United Church, VII:18)였는데, 이것은 1908년 스코틀랜드 연합자유교회(United Free Church of Scotland), 런던선교회, 미국 개혁교회(Reformed Church of America), 그리고 미국 해외선교위원회(American Board of Commissioners for Foreign Missions) 등에 소속되어 있는 회중들에 의하여 창설되었다.

14. 19세기 유럽대륙의 개신교

이미 살펴본 대로 아마도 19세기 대륙의 개신교에서 가장 중요한 발전은 독일에서의 기독교 사상운동일 것이다. 그러나 또한 교회의 삶에서도 중요한 흐름들이 있었다. 왜냐하면 19세기에 상당한 정도로 교파와 민족의 경계를 초월하는 삶의 약동들이 유럽 대륙의 기독교 교회를 휩쓸었기 때문이었다. 이러한 19세기의 각성운동은 여러 가지 측면을 지니고 있었다. 19세기 초반에 특히 중요한 것은 복음주의적이며 경건주의적인 경향의 출현으로, 초기 각성운동을 회상시키는 신앙부흥운동이었다. 그러나 부흥운동은 이러한 복음주의적이며 경건주의적인 경향의 재기뿐 아니라 낭만적이고 성례전적이며 신앙고백적 요소들의 강조에 의해 두드러졌다. 19세기 각성운동의 다양한 측면들은 저교회(low-church), 광교회(broad-church), 고교회(high-church), 그리고 신앙고백주의(confessionalist)로 말해질 수 있을 것이다.

독일에서는 각성운동이 나폴레옹 점령기 동안 프러시아 국가 중심부에서 시작되었다. 베를린 삼위일체 교회의 목사인 신학자 슐라이에르마허는 사람들로 하여금 오랫동안 잊혀져 왔던 기독교 전통의 깊이를 발견할 수 있도록 인도하였다. 1820년대와 1830년대에는 헹스텐베르크의 「복음주의 교회신문」(*Evangelische Kirchenzeitung*)에 의해 이끌어진 더욱 경건주의적인 운동이 영향을 끼쳤다. 헹스텐베르크는 성서의 무오성과 독일 정치에서 기독교의 보수적 봉건적 정당과의 동맹을 강력하게 주장하였다. 각성운동에서의 또 다른 경향은 강력한 신앙고백주의였다. 이것은 프리드리히 빌헬름 3세(1797-1840)의 강요에 의해 루터교회와 개혁교회에서 이루어진 1817년의 프러시아 연합교회(Prussian Union)에 대한 반발에 그 기원이 있었다. 비슷한 연합체들이 다른 몇몇의 독일 지방에서 이루어졌다. 하지만 충실한 정통 루터주의자들은 칼빈주의자들에 대한 강한 적대감을 계속 가지면서 그러한 연합교회에 참여하는 것을 거부하였다. 이 "정통 루터주의자들"(Old Lutherans)은 상당한 박해를 받았으며 1840년대가 되어서야 이민이 허락되었다. 이때에 그 중의 많은 사람들은 미국으로 건너가서 버팔로나 미주리에서처럼 보수적인 노회들을 형성하였다. 물론 정통 루터주의자들 모두가 강한 신앙고백적 경향을 가지고 있는 것은 아니다. 헹스텐베르크는 1840년경에 경건주의와 관계를 끊고 엄격한 정통 루터주의자의 대표자가 되었다. 그리고 그와 비슷한 성향의 사람들도 많이 있었다. 이러한 신앙고백적 경향과 연결된 것이 고교회운동이었다. 이 운동의 주요인물은 바바리아의 빌헬름 뢰에(Wilhelm Loehe, 1808-1872)와 멕클렌베르크의 테오도르 클리포스(Theodor Kliefoth)이다. 이들 "새로운 루터주의자들"(New Lutherans)은 사람들과 제도들을 통해 객관적으로 구원하시는 하나님의 은혜의 전달을 강조하려고 노력하였고, 고대예배의 전통들을 되살리려고 애썼다.

이러한 각성운동의 흐름들을 통하여 생겨난 활력은 국내 선교로 표출되었는데, 이것은 초기 경건주의운동에서 할레의 활동들을 회상시키는 복음적이며 자애로운 구제의 노력들이었다. 경건주의적인 분위기에서 성장한 요한 하인리히 비헤른(J. H. Wichern, 1808-1881)은 1833년에 불쌍한 어린이들을 위한 집을 설립하였으며, 그의 조직적 기술에 힘입어 선원, 실업자, 범죄자, 소외된 어린이들을 위한 수백 개의 방대한 숙소들이 확산되었다. 특히 주일학교, 도시선교, 숙사, 그리고 문서의 보급을 통해서 대중에게 접근하려는 진지한 노력들을 시도하였다. 많은 평신도들이 이 운동에 참여하였으며 자선사업을 위한 여성들의 조직이 이루어졌다. 국내선교는 경건주의적인 특징을 강하게 지니고 있는데도 불구하고 다양한 형태의 각성운동의 영향을 받고 있는 여러 개신 교회들의 후원을 받았다. 특히 그것은 개혁교회전통이 강하게 남아 있던 남부독일이나 라인강 하류 지역에서 좋은 반응을 얻었다.

스칸디나비아의 개신교도 역시 각성운동의 영향을 받았다. 덴마크에서는 신앙부흥운동의 다양한 측면에 대한 반응으로 그 어느 때보다도 창조적인 시기를 맞게 되었다. 부흥운동의 국내선교가 표방하는 경건주의적인 요소의 강조는 기성의 루터교 교회들의 환영을 받았다. 낭만주의적 동기와 "광교회"와 아주 유사한 경향은 궁정 설교자이며 신학교수이고 덴마크 교회의 대주교인 민스터(J. P .Mynster, 1775-1854)에 의해 대표된다. 고교회적인 측면은 그룬트비히(N. F. Severin Grundtvig, 1783-1872)에 의해 대표되는데, 그는 사도신경을 자신의 토대로 생각했으며 현존하는 전통과 교회의 성례의식을 강조하였다. 이 창조적 시기의 사람들 중 한 사람인 키에르케고르(1813-1855)는 기독교에 대해 강하게 반발하였다. 그는 그리스도교 신앙의 역설적이고 실존적인 측면들을 강조하였다. 그렇지만 그 당시에는 별로 큰 인상을 주지 못했고 20세기에 이르러서야 그 참된 가치가 발견되었다.

노르웨이에서는 각성운동의 경건주의적 측면이 특히 강하게 느껴졌다. 평신도 복음주의자이며 순회설교자인 하우게(Hans Nielsen Hauge, 1771-1824)는 국가교회의 냉랭함을 맹렬히 공격하였는데, 그로 인해 거의 10년간을 감옥에서 지내야 했다. 그 후에는 그가 이끈 각성운동이 존슨(Gisle Johnson, 1822-1894)의 노력으로 국교인 루터교 교회와 가까운 관계를 이루게 되었다. 크리스티아나(오슬로의 옛 이름) 대학의 신학교수인 존슨은 그의 저술에서 신앙고백주의적인 것을 강조하는 동시에 성직체제적인 것도 강조하고 있다. 스웨덴에서도 마찬가지로 신앙부흥운동은 다양성을 지니고 있었는데, 특별히 룬트 지역의 목사였던 샤르타우(Henrik Schartau, 1757-1825)의 영향력이 중요했다. 그는 근본적으로 모라비안의 영향력 아래 있었는데 고교회를 발전시켰고 성례의식에 있어서는 교회전통의 고대유풍과 성찬에서의 실재적 임재를 강조하는 성향의 인물이었다.

19세기 개신교 각성운동은 유럽대륙의 개혁 교회들에게도 강한 영향을 미쳤다. 18세기말에 합리주의의 충격은 스위스, 프랑스, 그리고 네덜란드의 칼빈주의 단체들에게 매우 심각했다. 신앙 부흥운동의 출발은 일부분 스코틀랜드의 복음주의운동으로 거슬러 올라갈 수 있는데, 로버트 할데인(Robert Haldane)은 1816년 프랑스와 불어권 스위스에서의 각성운동을 자극하는 데 도움을 주었다. 대표적인 복음주의 순회설교자이며 많은 찬송가의 작사가였던 케사르 말란(H. A. Cesar Malan, 1787-1864)에 의해 각성운동은 새로운 중요성을 가지게 되었다.

네덜란드에서 신앙 부흥운동의 대표적인 인물은 회심한 유대인인 이삭 드 코스타(Isaac de Costa, 1798-1860)였다. 영국에서처럼 각성운동의 흐름은 복음전도와 선교와 구제의 과업을 수행할 자발적인 조직망을 만들어 냈다. 하지만 모든 유럽지역에서 신앙 부흥운동의 대표자들은 합리적인 경향을 지닌 기성교회의 지도자들에 의해 비판을 받았으며 유력한 지위를 확보하지 못했다. 네덜란드에서는 합리주의와 각성운동 사이의 긴장으로 분파가 나누어지게 되었다. 각성운동의 대표자는 젊은 목사였던 헨드릭 드 콕(Hendrik de Cock, 1801-1842)이었다. 그는 정통 칼빈주의에 서 있었으며 도르트회의의 결정 사항에 강하게 집착하는 인물이었다. 1834년 콕이 분리해 나갈 때 다수의 사람들이 기존의 네덜란드 개혁교회를 떠나서 기독교 개혁 교회를 설립하였다. 하지만 많은 복음주의자들은 여전히 국가교회 내에 머물렀다.

엄격한 칼빈주의 목사 아브라함 카이퍼(Abraham Kuyper, 1837-1920)에 의해 국가교회로부터의 또 다른 분리가 이루어졌다. 기존의 교회들을 도르트회의의 상태로 바꾸려는 노력들이 실패하였을 때 카이퍼는 일반적으로 자유개혁교회(1886)로 불리는 교단을 형성해 분리해 나갔다. 카이퍼는 대표적인 설교가요 다작의 문필가일 뿐 아니라 정부에서도 활동하는 정치가였다. 그는 한 때 수상직을 맡기도 했다(1901-1905). 그는 생애의 마지막 40년을 암스테르담 자유대학의 조직신학 교수로 보냈다.

스위스에서의 분립은 "프랑스 개신교의 슐라이에르마허"라고 불리는 알렉산더 비네(Alexander Vinet, 1797-1847)에 의해 이끌어졌다. 비네는 처음에는 신앙 부흥운동의 거친 면 때문에 반발하였지만 보다 온건한 복음주의적 요소와 낭만적 경향에 매력을 느끼게 되었다. 결국 비네는 복음주의자들을 억압하는 합리주의자들의 시도에 의분을 느껴서 자신은 신앙 부흥운동을 지지하게 되었으며 교회와 국가의 분리를 옹호하게 되었다. 1846년 그는 국가교회로부터 분리되어 나온 사람들을 — 그들 중에는 많은 목사들이 있었고 로잔의 신학교수들도 대부분 포함되어 있었다 — 모으는 데 중요한 역할을 하여 보드(Vaud) 자유교회를 세웠다.

각성운동의 흐름에 자극되어진 대륙의 교회들은 19세기 개신교의 선교운동에 크게 공헌하였다. 신앙 부흥운동에 의해 생긴 에너지들을 선교의 통로로 보내려는 많은 선교단체들이 조직되었다. 바젤 복음주의 선교단체는 1815년에, 덴마크 선교단체는 1821년에, 베를린과 파리의 단체는 1824년에, 라인강 지역 선교단체는 1828년에, 라이프치히 복음주의 루터교 선교단과 북독일 선교단은 1836년에 조직되었으며 이러한 단체들은 해외선교를 위해 수백 명의 선교사들을 파송하였다. 유럽 대륙의 개신교 선교운동은 극동 지역에서 기독교인들이 가장 집중해 있는 네덜란드령 동인도제도에서 가장 적극적이었다. 그 곳에는 1914년까지 50만 이상의 세례받은 교인들이 있었는데 이들은 토착교회의 성장에 튼튼한 기초가 되었다. 예를 들어 수마트라에서는 라인강 지역 선교단체 소속의 노멘젠(Ludwig I. Nommensen, 1834-1918)이 수마트라의 내지인 바탁지방에서 선교를 하였는데 1차대전 직전에 바탁교회는 약 16만 명을 가진 교회로 성장하였다. 사하라 사막의 남부 아프리카도 대륙선교의 기름진 토양이었는데 1914년경 교회는 150만 명이나 되는 공동체로 성장하였다. 원주민들이 이 선교운동의 확장을 위해 보충되어졌고 이로 인해 많은 수의 토착교회가 생겨나게 되었다.

19세기말에 와서는 일부 지역에서 기독교의 사회적 해석이 진지하게 진행되었다. 당시 세계에서 가장 큰 개신교 교회였던 프러시아 복음주의 연합교회는 국가의 이해관계 내에서 여러가지 면에서 보수적인 영향을 끼쳤으며, 국내 선교도 딱딱한 구제의 체계로 냉랭해져 갔다. 1874년 궁중설교자의 자격으로 베를린에 온 아돌프 슈퇴커(Adolf Stöcker, 1835-1909)는 독일 귀족들의 입장을 가지고 있었으며 자유주의적인 의회주의를 경멸하였다. 그러나 근로대중의 소외에 큰 관심을 가지고 있었고, 그 소외는 사회주의와 세속주의 때문이라고 생각하고 있었다. 그는 노동법과 사회보장 제도를 옹호하였지만, 불행하게도 그의 메시지에는 반유대적인 요소가 섞여 있었을 뿐 아니라 영적인 영역과 정치적인 영역의 분리를 주장하는 보수적인 루터주의자들에게는 그의 주장이 너무 지나치게 정치적이어서 그의 노력은 큰 실효를 거두지 못하였다. 프리드리히 나우만(Friedrich Naumann, 1860-1919)의 호소는 보다 자유주의적인 중산계급의 그리스도인들에게 부합했지만 그의 사회윤리의 정치적 결과들도 역시 보수주의적인 루터주의자들에게는 받아들이기 어려운 것이었기 때문에 나우만은 목사직에서 물러날 수밖에 없었다. 반면에 본질상 학문적인 "사회 복음"(Social Gospel)이 하르낙이나 헤르만 같은 자유주의 신학자들에 의해서 옹호되었다.

사회적 기독교의 토양은 개혁교회 쪽이 보다 기름졌다. 이 운동의 저명한 지도자로는 평화주의, 조합, 국민학교, 그리고 정착사업의 옹호자인 라가츠(Leonhard

Ragaz, 1868-1945)와 영국과 미국에서의 사회적 기독교의 발전에 영향을 끼쳤으며 사회주의의 신학적 해석으로 알려진 책 「행해야 합니다」(*They Must*, 1905)의 저자이기도 한 쿠터(Hermann Kutter, 1863-1931)를 들 수 있다. 비록 그들이 원하는 정도로까지 사회적 문제에 대한 기독교인 대중의 관심이 발전하지는 못했지만 사회문제에 대응하는 기독교의 방법에 중요한 변화를 가져왔으며 기독교가 협소한 개인적 구원만을 추구한다는 생각은 계속적으로 도전받게 되었다.

15. 19세기 미국의 개신교

19세기 영국과 유럽대륙의 개신교처럼 19세기 미국의 개신교 역사도 복음주의적인 각성운동으로부터 시작되었다. 미국의 교회생활에서는 경건주의적이고 복음적이며 저교회적인 경향의 신앙부흥운동이 대체로 지배적이었다. 그렇지만 그 운동은 영국이나 유럽대륙의 부흥운동과는 상이한 면들을 분명히 가지고 있었으며, 어떤 단체들은 미국 개신교에서 영혼구원에 특별한 관심을 가지고 있는 기독교신앙의 복음적 개념인 신앙부흥운동의 조류에 반대하기도 하였다. 경건주의와 복음주의적인 전통의 유산 아래 있던 지도자들의 영향 때문에 의식적이며 때로는 감정적인 회심의 경험이 진정한 그리스도의 삶으로 진입하는 일반적 방법이라고 넓게 받아들여졌다. 독립전쟁 기간 동안 교회의 생활이 상대적으로 쇠퇴기에 있었고 19세기 초엽에는 교인들이 전체인구의 10%도 되지 않았다는 등의 내적인 상황들이 각성운동의 필요성을 자극하였을 뿐 아니라, 반세기 동안 영토가 3배 가량 확장되고 인구가 약 5배 증가되었다는 외적인 상황들도 각성운동의 성공에 그리스도인의 관심을 집중시키는 데 중요한 역할을 하였다.

18세기 말 경부터 종교적 관점의 강력한 재각성운동이 대륙을 휩쓸었다. 때로는 "제2 대각성운동"으로 불려졌던 이 운동이 뉴잉글랜드에서는 1792년경에 첫 모습을 보였다. 1800년경에는 부흥운동이 절정에 달했다. 회중교회 지도자들은 초기 대각성운동을 실패로 돌아가게 했던 몇몇 난점들을 되풀이하지 않게 하기 위해 노력하였고, 따라서 새로운 부흥운동은 그들의 교회에서는 다소 억제되었으며 주로 평상시의 교회생활의 테두리 내에서 진행되었다. 예일대 총장이었던 티머시 드와이트(Timothy Dwight, 1752-1817)는 새로운 부흥운동의 신학을 형성하는 데 탁월한 능력을 발휘하였다. 활동적인 회중교회 설교자인 라이먼 비처(Lyman Beecher, 1775-1863)와 드와이트의 제자인 예일대 신학도 테일러(W. Taylor, 1786-1858)는 적극적으로 그러한 노력을 계속하였다. 각성운동은 결코 회중교회에만 국한된 것은 아니었다. 침례교도 각성운동의 분위기 속에서 번성하였으며, 뉴잉글랜드에서 안전한 근거지를 찾은 감리교도들도 부흥운동의 예배의식을 자유롭게 사용하였다.

각성운동은 중부 아틀란타, 남부 그리고 서부쪽으로도 확산되었다. 동부의 사람들은 부흥운동의 범위를 서쪽으로 확산시키는 역할을 하였다. 1801년 코네티컷의 회중교회 총회와 장로교 총회는 "연합계획"(Plan of Union)에 참여하여 서부에서 사실상의 교파통합을 이루었다. 곧 다른 지역의 회중교회도 여기에 참여해서 많은 "장로회중"(Presbygational)교회들이 세워졌는데 특히 뉴욕과 오하이오 지방에서 그러했다. 그러나 서부의 사람들은 동부의 엄격한 신앙생활에 염증을 느꼈고 교육받은 성직자들이 주는 압박감에 반감을 느꼈다. 이런 경향은 각성운동의 가장 감정적이고 극적인 표현들이 나타난 테네시나 켄터키 지방에서 두드러졌다. 1800년 경에 시작된 이 지역의 부흥회 "캠프집회"에서는, 특히 초기에는, 정서적 발작과 신체적 경련이 특징을 이루었다. 하지만 몇십 년 동안 성쇠를 거듭한 이 새로운 부흥운동은 대체적으로 18세기 각성운동이 위와 같은 과도한 흥분의 징후들에 의해 특징지어지던 것보다는 그 정도가 덜했다.

오랜 경력을 통하여 부흥운동의 출중한 대표자가 된 사람은 뉴욕 북부 지방의 젊은 변호사였던 **찰스 그랜디슨 피니**(Charles Grandison Finney, 1792-1875)였다. 1821년 회심한 그는 복음주의적인 여정을 시작하였으며 공식적인 신학교육도 별로 받지 않았음에도 불구하고 장로교의 목사가 되었다. 그의 열렬하고 강력한 설교는 큰 부흥을 일으켰다. 그는 부흥운동의 방법으로 "새로운 방법"(new measure)이라고 알려지게 된 양식들을 사용하였다. 예배의 순서를 갑자기 바꾸는 것, 예배를 연장하는 것, 거칠고 통속적인 말을 사용하는 것, 기도와 설교에서 개인의 이름을 거명하는 것, 예배시 설교단에서 가까운 사람에게 질문을 하는 것과 같은 방법들을 사용하였는데, 물론 이런 것들은 실제로는 전혀 새로운 것이 아니었다. 훨씬 고상한 결과를 낳기 위한 그의 의도가 이런 방법의 새로운 적용을 가져온 것이다. 이러한 시도의 효력은 뉴욕 로체스터 부흥운동(1830-1831)에서 극적으로 나타났다. 서부의 감정주의와 새로운 방법의 복음주의를 염려하는 사람들의 반대에도 불구하고 피니의 영향은 동부의 도시에까지 침투되었다. 그의 방법은 널리 받아들여졌고 곳곳에서 활용되었다. 부흥회의 강도와 횟수는 1840년대에 줄어드는 듯하다가 1857-1858년에 다시 새롭게 일어났는데 전국적으로 수천 개의 교회를 휩쓸었다. 종종 예기치 않은 시간에 갖기도한 매일의 기도 모임, 평신도의 교회 지도 등이 부흥회 운동사에 있어서 이 시대의 특징이었다.

다른 한편 19세기 시작부터 이 부흥에서 생성된 힘은 꾸준히 증가하는 자발적인 단체들을 통하여 복음주의 운동 속으로 흘러들어갔다. 이런 단체들은 처음에는 지방 단위에서 조직되었다가 점차로 주 단위로 묶여지고 다시 전국적인 조직으로까지 발전되었다. 이러한 자발적인 단체들의 관심이 국내 선교든지 국외 선교든지 간에 그것들은 교파적 경향을 가졌다. 그래서 사무엘 밀스(Samuel J. Mills, 1783-1818)의 지도 아래 있던 윌리엄스 대학의 학생들이 인도 선교사로서 회중교회의 이름으로 선교를 행하자 미국의 외국선교위원회가 1810년 급히 창설되었다. 이것은 기본적으로 회중교회의 조직이었지만 장로교와 개혁교회도 한동안 이 선교회를 후원하였다. 이 선교회에서 1812년 처음으로 5명의 선교사를 파송하였는데 인도로 가는 도중에 저드슨(Adoniram Judson, 1788-1850)과 라이스(Luther Rice, 1783-1836) 두 사람은 침례에 의한 신자의 세례가 성서적인 방법이라고 결론을 내리게 되었고, 그래서 이번에는 침례교의 외국선교를 위한 선교협회가 조직되었다. 장로교는 1817년에, 감리교는 1818년에, 감독교회는 1820년에 선교협회를 조직하였다.

자발적인 단체들은 또한 성서와 작은 책자의 배포, 교육적 관심과 주일학교의 증가, 직접적인 구제와 전도노력을 위해서 조직되었다. 전국적인 단체들은 보통 교파를 초월해 있었고 많은 후원을 받고 있었다. 예를 들어 미국교육협회(1815), 미국성서공회(1816), 주일학교연합회(1817-24), 미국소책자협회(1825) 등이 그런 것들이다. 이런 조직들은 영국의 전례에서 많은 영향을 받았다. 1830년대에 와서 이런 단체들이 급속히 생겨나기 시작했으며 그 영향력이나 효력도 크게 증가하였다. 이 단체들의 총회는 5월에 뉴욕에서 동시에 개최되었다. 따라서 회원이나 지도자들이 겹치게 되었고 소위 "자선제국"(benevolent empire)을 형성하였다. 이 단체들은 대개 부유한 평신도의 영향 아래서 통제되었는데 장로교나 회중교회에서 더욱 그러하였다. 아더 태펀(1786-1865)과 루이스 태펀(1788-1873) 형제가 그런 사람들 중의 주요 인물이다. 이 형제는 피니의 영향력을 깨닫고 그를 적극 도와주었고 그가 병 때문에 전도여행을 중단하게 되었을 때 뉴욕교회의 목사직을 맡게 하기도 하였다. 1834년과 1835년에 피니는 그의 저서 「종교의 부흥에 관한 강의」(*Lectures on Revivals of Religion*)를 출판하였는데 여기에서 그는 부흥을 일으키는 그의 방법들을 분명하게 설명하였다. 1835년 그는 새로 설립된 오하이오의 오벌린대학에 신학교수로 갔으며 나중에는 학장이 되었다. 피니는 미국 부흥운동에 있어서 가장 뛰어난 대표자였으며 중요한 이론가였다. 1846년에서 1847년에 초판된 그의 대작 「조직신학 강의」(*Lectures on Systematic Theology*)에서는 부흥운동의 신학을 제시하였는데, 모든 교회의 진실성 여부는 그것이 구원에 기여하느냐 못하느냐에 달려 있다고 역설하였다. 피니의 추종자 중 많은 사람들이 부흥운동에서 그의 방법을 적용하였다.

부흥운동에 의해서 고무된 활력은 곧바로 자발적인 단체들로 스며들어갔다. 단체의 지도자들은 선교의 정열을 감소시키지 않으면서도 거대한 도덕적, 인도주의적 운동을 수행하여 사회를 개량하기 위해 자발적 단체의 유형을 활용하고자 했다. 부도덕, 방탕, 청소년 범죄, 안식일을 지키지 않는 것 등이 없어지고 절제, 평화 그리고 노예제도의 폐지가 이루어지기를 원하였다. 예를 들면, 1811년 코네티컷과 매사추세츠의 장로교 총회와 회중교회 연합의 노력으로 절제운동이 일어났다. 또 1813년에 라이먼 비처가 음주를 반대하여 행한 설교가 큰 관심을 끌었다. 이것은 1827년에 책으로 출판되기도 하였다. 1826년에는 미국 절제촉진협회가 자발적 단체들의 모임에 추가되었다. 이런 활동의 결과로 공공연한 그리스도인들의 음주습관에 꾸준한 변화가 일어났다. 그 후에 절제를 위한 이런 노력은 교회에 다니지 않는 사람들에게도 확대되었다. 1840년 워싱턴에서의 운동은 음주자들을 개선시키는 효과를 나타내었고, 1846년 메인에서는 금주법이 제정되기도 하였다. 엄격한 그리스도인들에 의해서 지지된 금주법의 역사는 그 동안 많은 변화가 있었지만 20세기(1919-1933)에 와서 국가 전체가 금주법을 실행함으로써 그 절정에 이르렀다.

미국 평화협회는 1828년에 조직되었지만 가장 중요한 개혁운동은 노예제도 폐지운동이었다. 19세기 이전에도, 특히 퀘이커교도들 가운데서 노예소유에 반대하는 의견들이 존재하였다. 존 울먼(John Woolman, 1720-1772)의 노력이 특히 중요하다. 19세기 초기에는 노예제도에 대한 반감이 전국적으로 퍼져 있었다. 그러나 플랜테이션 체제를 위한 산업인력의 필요, 노예폭동에 대한 두려움 그리고 윌리엄 로이드 개리슨(William Lloyd Garrison, 1805-1875)과 같은 북부 노예제도 폐지론자들의 완고한 공격에 대한 깊은 반감 때문에 남부에서는 1830년 경에나 큰 변화가 일어났다. 하지만 북부에서는 노예폐지 운동이 일반적이지만 모호한 노예 해방의식을 예리하게 해주었다. 1833년 미국 노예제도 반대단체가 자발적 단체의 하나로 조직되었는데, 테오도르 드와이트 웰드(Theodore Dwight Weld, 1803-1895)가 복음주의자들 사이에서 노예제도 폐지 정서를 퍼뜨리는 데 가장 영향력 있는 인물이었다. 북부 기독교인들의 노예제도 폐지운동에 대한 관심이 점차 커져감에 따라서 북부와 남부 복음주의자들의 간격도 계속 벌어졌다.

이처럼 부흥운동이나 선교조직, 또 자발적 단체들을 통해서 19세기 미국에는 기독교 신앙의 복음적이며 경건적인 적용이 광범위하게 퍼졌다. 이 시기는 부흥운동을 가장 잘 흡수한 교파들이 크게 성장하여 전국적인 확장을 하는 시기였다. 감리교는 1784년 자립할 당시 1만5천 명에 불과했지만 1850년경에는 백만 명을 충분히 넘어 있었다. 침례교는 19세기 초기에는 10만 명 가량이었지만 중기에는 8배가 증가하였다. 19세기에 부흥운동이 비교적 일찍 일어났던 회중교회와 장로교도 역시 발전이 없었던 것은 아니지만 부흥회에 대한 찬반의 내부 알력 때문에 다른 교파에 비해 상대적으로 덜 발달한 인상이며 19세기 초기에 가졌던 유리한 위치에서 다소 후퇴하였다. 제2의 각성운동은 정통파로 자부하던 매사추세츠 회중교회들을 크게 강화시켰지만 자유주의자들은 각성운동에 매우 반대하였다.

1805년 자유주의자인 헨리 웨어(Henry Ware, 1764-1845)가 하버드의 신학교수로 부임하게 되었으며, 한편으로는 채닝(William Ellery Channing, 1780-1842)이 아리우스의 기독론을 강하게 주장하면서 보스턴에서 널리 인정받고 영향을 미치기 시작했다. 자유주위자들에 대한 정통파의 공격 때문에 점점 골이 깊어지더니 1815년 자유주의자들은 유니테리언(Unitarian)이라는 이름으로 자립하였다. 이들은 물론 삼위일체를 부인했으며 동시에 칼빈의 원죄와 예정론의 교리도 부인하면서 구원은 성품(character)에 따라 결정된다고 주장하였다. 1819년 볼티모어의 유니테리언 교회의 목사로 스팍스(Jared Sparks, 1789-1866)가 임명될 때 채닝이 한 설교는 자유주의자들의 권위있는 선언으로 받아들여져 그 후로는 채닝에게 초기 유니테리언 역사에서 비공식적인 대표의 위치를 부여하였다. 1825년에 미국 유니테리언 협의회가 결성되었는데, 가장 오래된 몇몇 회중교회들과 동부 매사추세츠의 뛰어난 인물의 헌신으로 새로운 교파가 세워진 것이다. 그러나 1826년 보스턴의 하노버가 교회의 목사가 된 활동적인 라이먼 비처에 의해 자극을 받은 정통교회가 부흥운동을 새롭게 일으키고 유니테리언의 발전을 막아 유니테리언을 뉴잉글랜드 동부에 국한시켰다.

코네티컷에서는 이런 공공연한 분열은 없었지만 보수적인 칼빈주의자들은 예일대학의 신학이 부흥운동을 지지하고 유니테리언의 반대에 맞서기 위해 칼빈주의를 너무 많이 수정했다고 염려하였다. 그래서 1833년에 새 정통 교직자 협의회를 세웠으며, 1834년에는 하트포드에 새로운 신학교를 설립하였다. 하지만 양쪽 모두 부흥회는 계속하였다. 뛰어난 목사였던 호레이스 부쉬넬(Horace Bushnell, 1802-1876)은 1847년 처음 출판된 그의 가장 영향력있는 저서 「기독교인의 양육」(*Christian Nurture*)에서 부흥회의 체계를 신중하게 비판하였다. 그는 이 책에서 하나님의 나라에 들어가는 정상적인 길은 경건주의나 감리교 전통에서 유일하게 정당한 경험이라고 생각하는 고통스러운 회심이 아니라 적절한 환경 속에서 조용하게 어린이를 그리스도인으로 양육하는 것이라고 역설하였다. 유능한 신학자였던 부쉬넬은 강조점을 지식으로 논증할 수 있는 정확한 교리로부터 사람의 마음을 움직이는 종교적인 정서로 옮겨놓았다. 이러한 생각들은 낭만주의로부터 영향을 받은 것이며, 그의 저서인 「그리스도 안에서의 하나님」(*God in Christ*, 1849)과 「자연과 초자연」(*Nature and the Supernatural*, 1857)과 같은 책에는 낭만주의자인 사무엘 테일러 콜러리지(Samuel Taylor Coleridge)의 영향을 보인다.

장로교도 역시 논쟁으로 분열되었다. 스코틀랜드-아일랜드 배경을 가진 장로교인들은 신앙고백적인 표준과 교육받은 성직자의 전통을 강하게 고집하였는데 이것이 교리적인 가치나 안수의 표준에 대해서는 다소 이완된 입장을 보이는 서부의 부흥사들과 마찰을 일으켰다. 그러한 것들을 줄이려고 노력하였지만 결국 분열이 일어나고 말았다. 1803년 스톤(Barton W. Stone, 1772-1844)이 켄터키대회로부터 복음주의적인 장로교인들을 이끌고 나왔는데 이들은 "새로운 빛"(New Lights)이라 하여 모든 분파적인 이름을 버리고 단지 그리스도인으로 알려지기를 원했다. 몇해 후에 컴벌랜드(켄터키) 장로교 부흥사들을 징계하려고 하자 분열이 일어나서 컴벌랜드 장로교회가 생겨났다. 보다 규모가 작은 장로교단들 중에서도 서로 분열을 경험하였다. 1807년에 미국으로 건너온 북아일랜드의 분리파 장로교 목사인 토머스 캠벨(Thomas Campbell, 1763-1854)은 서부 펜실베이니아에서 목회를 하였다. 모든 장로교인들을 성찬에 받아들이는 그의 자유스러움은 비판을 불러일으켰고 결국 그는 노회의 치리를 받았다. 캠벨은 이런 분파주의에 항의하는 것이 자신의 의무라고 생각했으며 오로지 성서만이 그리스도의 제자로서의 표준이라고 주장하였다. 그는 노회에서 탈퇴하였지만 "성서가 말하는 곳에서 우리는 말하고, 성서가 침묵하는 곳에서 우리도 침묵한다"는 원칙을 선언하면서 서부 펜실베이니아에서 목회를 계속하였다. 그는 새로운 교파를 구상한 것이 아니라 신조나 의식의 보탬이 없는 성서적인 근거 위에서 모든 그리스도인의 연합을 구상하였던 것이다. 1809년 8월에 캠벨은 워싱턴(펜실베이니아에 있는 지명) 기독교 협의회를 조직하고 "선언과 청원"(Declaration and Address)을 발표하였는데 이것은 후에 제자운동의 기본적인 문서로 여겨졌다. 같은 해에 캠벨의 아들인 알렉산더(1788-1866)가 미국으로 와서 아버지의 견해를 옹호하여 아버지보다 더욱 유명해졌다.

분파주의를 반대하면서도 캠벨 부자는 1811년 5월 펜실베이니아의 브러시 런(Brush Run)에 교회를 세우고 매주일마다 성찬식을 행하였다. 그러다가 유아세례에 대한 성서적 근거가 없음을 느꼈고, 1812년에는 캠벨 부자와 많은 교인들이 침례를 행하였다. 그리고 다음 해에 브러시 런 교회는 침례교의 레드스톤 협의회 회원이 되었다. 하지만 여기에서도 의견이 일치되지는 않았다. 캠벨 부자는 침례교의 엄격한 칼빈주의를 싫어했으며 구약을 신약보다 못한 것으로 보았다. 또 침례교에서는 세례를 이미 용서받은 죄인의 특권이라고 보았지만 캠벨 부자는 용서받기 위한 조건이라고 보았다. 게다가 캠벨 부자는 유니테리언은 아니지만 계몽주의의 사고에 영향을 받았고, 따라서 성서의 성부, 성자, 성령에 관한 표현 이외의 것을 거부하였다. 그래서 결국 침례교에서도 분리해 나와 스톤의 추종자들과 연합하여 1832년 그리스도의 제자 교단을 조직하였다. 조직 당시에는 2만5천 명에 불과했지만 세기말에는 100만이 넘게 되었다.

극단적인 부흥파들이 장로교 주류에서 분리되어 나갔지만 결코 그것으로 부흥운동을 둘러싼 긴장이 끝난 것은 아니었다. 뉴 헤이번 신학의 계열에 있는 "신파"(New School) 장로교인들은 자선사업에 전력하였고, 회중교회의 배경을 가진 사람들을 장로교로 많이 끌어들인 연합계획의 실시로 강화되었다. 1837년 "구파"(Old School) 장로교인들은 의심스러운 노회들을 교회에서 배제시켰기 때문에 교회는 거의 양분되었다. 교회의 직접적인 통제를 받지 않는 자발적 단체들에 대한 신학적 긴장과 논쟁이 분열의 주요한 문제였다.

퀘이커(The Society of Friends)도 분리되었다. 부흥운동의 중요성과 기술을 옹호하는 복음주의 운동은 영국의 거니(Joseph John Gurney, 1788-1846)에 의해 지도되었고, 자유주의의 반동은 롱아일랜드 퀘이커인 힉스(Elias Hicks, 1748-1830)가 중심인물이었다. 큰 분열이 1828-1829년에 일어났으며 정통파와 힉스파의 집회가 따로 생겨났다.

부흥운동의 부흥기는 루터교 안에서도 논쟁을 일으켰다. 19세기 전반의 루터교 지도자는 슈무커(Samuel Simon Schmucker, 1799-1873)였는데, 그는 부흥회의 의식들을 다소 받아들인 '미국적 루터교'(American Lutheranism)를 옹호하였다. 하지만 독일과 스칸디나비아에서 이민온 루터교인들은 미국교회가 참된 루터교의 전통을 떠났다고 생각하여서 슈무커의 영향이 큰 총회에서 불평을 하고 분열을 해나갔다. 이민이 늘어가는 대로 고백파들이 강해져 가고 슈무커의 영향력은 감소되었다. 1867년 총회에서 게티스버그에 있는 슈무커의 신학교(1826)와 펜실베이니아의 에어리산(Mt. Airy)에 있는 신학교(1864)가 경쟁하게 되었는데, 후자의 중심인물은 「보수적 종교개혁과 그 신학」(*The Conservative Reformation and its Theology*, 1871)의 저자인 크라우스(Charles Porterfield Krauth, 1823-1883)였다.

몇몇 교파에서는 부흥운동으로 인한 공공연한 분열은 없었지만 상당한 내적 긴장이 있었다. 독일 개혁교회에서는 부흥회 제도의 확산에 대해 맹렬히 저항하였는데 주로 신학자인 존 네빈(John W. Nevin, 1803-1886)과 머서즈버그(Mercersburg) 신학교의 교회사가인 필립 샤프(Philip Schaff, 1819-1893)로 대표되는 교리문답파가 주도하였다. 머서즈버그의 신학은 당시 직접적인 공헌은 거의 없었지만 20세기에는 중요성이 인정되었다. 미국 성공회는 부흥운동 그 자체의 영향은 적었으나 복음적인 저교회의 영향이 강했고 그 대표자는 동부 감독이었던 그리스월드(Alexander Viets Griswold, 1766-1843) 주교였다. 세기 초에는 호바르트(John Henry Hobart, 1775-1830) 감독의 지도하의 고교회가 부흥했고, 앵글로-가톨릭파가 강화되는 경향이 있었다. 당시 성공회는 적은 규모였으나 도시를 중심으로 19세기 동안 꾸준히 성장하였다.

19세기에 가장 광범위한 교회분열은 노예제도에 대한 논란과 관련해서 일어났다. 노예제도에 대한 반감이 커지면서 1843년 미국 웨슬리 감리교회가 노예를 소유한 교인을 제외한 조직체를 만들었다. 이 문제는 1844년 개최된 감리교 감독교회의 총회때 표면화되었고 노예를 소유한 감독의 문제로 즉각적인 논란이 일어났다. 남북의 생각은 분리되었으며 총회는 교회의 분리를 인정하는 헌장을 채택하였다. 그 결과로 1845년 남북의 감리교 감독교회가 설립되었다. 같은 때에 남북 침례교회도 유사한 분열을 겪었다. 앨라배마주 침례교 협의회가 1844년 노예를 소유한 사람도 외국 선교사로 파송해 달라는 요청을 외국선교부에 제출하였으나 선교부는 그럴 수 없다고 회신하였다. 그 결과 남부침례교 협의회가 조직되었으며 교회는 분열되었다. 남북전쟁(1861-1865)이 닥쳐오자 다른 교회들도 분열되었다. 장로교 신파는 1857년에, 구파는 1861년에 분열이 일어나서 남부의 두 파가 1864년 연합하여 미국 장로교회(PCUS)를 형성했으며, 북부의 두 파가 1869-1870년에 연합하여 아메리카 합중국 장로교회(PCUSA)를 형성하였다. 성공회는 남북전쟁 기간 동안 나뉘었다가 전쟁 후에 다시 합쳐졌다. 교회들은 전쟁기간 동안 각각의 지역들을 지지하였다. 전쟁 후에 대다수의 흑인 그리스도인들은 자신들의 자립적인 교회를 조직하였는데 대표적인 국민침례교 협의회와 아프리카 감리회 감독교회와 아프리카 감리회 감독 시온교회 등이 있었다. 몇몇 큰 백인 교파들에도 중요한 흑인교회들이 있었고, 대도시에는 흑인교단들이 상당히 많았다.

종교적 각성운동, 다양한 논쟁, 새로운 교파의 발생에 자극을 받아서 수많은 대학과 신학교들이 설립되었다. 19세기에 교역자 양성을 위한 수백 개의 교파대학들이 생겨났지만 대부분 오래가지 못하였다. 하지만 교역자 양성의 전문성은 점점 필요하였다. 1784년 네덜란드 개혁교회가 목회 훈련원을 설립하였는데 이것이 나중에 뉴저지에 뉴 브런즈윅 신학교로 성장하였다. 연합장로교회는 1794년 신학교를 오하이오의 크세니아에서 시작하였는데 나중에 피츠버그 신학교가 되었다. 루터교에서는 1797년 뉴욕 하트윅에 신학교를 세웠으며, 1807년에는 모라비안들이 펜실베이니아 나사렛에 신학교를 세웠는데 이것은 나중에 베들레헴으로 옮겨졌다. 1808년에는 당시로서 가장 시설이 좋은 획기적인 신학교가 회중교회에 의해 매사추세츠 앤드버에 세워졌다. 4년 후에는 장로교가 뉴저지의 프린스턴에 신학교를 설립하였고, 1814년 메인에서는 회중교회에서 뱅거신학교를 세웠다. 5년 후에는 유니테리언의 영향으로 하버드 대학 신학부가 발족되었으며 1820년에는 뉴욕 해밀턴에서 침례교 신학교가, 비슷한 시기에 뉴욕 오번에서는 장로교 신학교가 세워졌고, 1822년에는 회중교회의 영향으로 예일대 신학부가 설립되었다. 목회훈련을 위한 기관들이 매우 급속히 증가

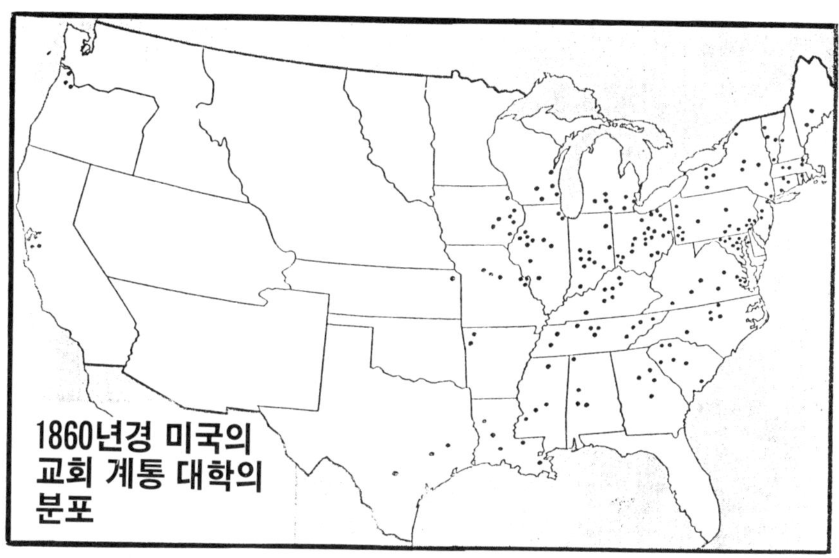
1860년경 미국의 교회 계통 대학의 분포

하여 1860년에는 신학교가 50개 정도로 늘어났다.

19세기 초반에 각성운동에 의해 고무된 감정적 분위기에서 복음주의적인 기독교의 중요한 이탈이나 왜곡으로 보여지는 몇몇 운동들이 나타났다. 뉴욕주의 로우 햄프톤의 침례교인 농부였던 밀러(William Miller, 1782-1849)의 재림파운동은 예언의 해석을 독특하게 전개시킨 것이었다. 1831년 이후 그는 다니엘서의 계산에 근거해서 재림과 그리스도의 천년왕국이 1843-1844년에 일어난다고 주장하여 수천 명의 추종자를 얻게 되었다. 그의 예언이 실패했음에도 불구하고 그의 제자들은 1845년 재림파 총회를 개최했고, 이들의 조직은 오늘날까지 계속되고 있다. 가장 뚜렷한 조직이 1863년에 조직된 제7일 안식교이다. 성령강림이나 완전자(perfectionist)의 강조와 결부되곤 하는 재림파의 신앙은 19세기 후반과 20세기 초반의 미국에서의 새로운 종파 형성에 중요한 역할을 하였다. 여호와의 증인으로 알려진 운동은 재림파에서 특수하게 파생된 것인데, 러셀(Charles Taze Russell, 1852-1916)의 지도로 1870년대 말에 시작되었다.

뉴욕 북부 지방의 부흥운동 분위기에서 자랐지만 곧 스스로 뚜렷한 방향을 가지고 나타난 것이 몰몬교이다. 몰몬교는 스미스(Joseph Smith, 1805-1844)에 의해 설립되었는데 그는 뉴욕의 맨체스터 근교에서 1827년 성서를 보충하는 금판의 몰몬경을 파냈다고 주장하고, 비밀문자로 씌어진 몰몬경을 신비한 안경으로 보고 번역해 놓고 나니 천사가 원본을 가져갔다고 하였다. 이 책에서는 스미스가 선지자라고 하였다. 최초의 몰몬교회는 1830년 뉴욕 파예트에 세워졌는데 나중에 오하이오의 키르트랜드 부근에서 대체로 새로운 회원을 받아들였다. 장차 몰몬교의 지도자가 될 브리검 영(Brigham Young, 1801-1877)도 여기에서 그 회원이 되었다. 1838년 몰몬교의 지도자들은 미조리로 옮겼고, 1840년에는 일리노이주 나우부로 옮겼다. 몰몬경에는 일부일처를 명했는데도 불구하고 스미스는 1843년에 일부다처의 계시를 받았다고 주장하였는데 대중의 미움을 사서 다음 해에 군중들에 의해 피살되고 만다. 따라서 그 교회는 영의 지도 아래 있게 되었는데 그는 유능한 조직가요 지도자였다. 영의 지도하에서 몰몬교도들은 유타주의 솔트 레이크(Salt Lake)로 이주하였고 그곳에서 풍성한 물질적 번영을 누리는 공동체를 출범시켰다. 정부의 압력으로 일부다처제는 1890년에 공식적으로 포기하게 되었다. 몰몬교도들의 지칠 줄 모르는 선교열로 인해 유럽에서 많은 회원을 확보하였으며 해외에서도 그들의 교회를 세웠다. 그들의 교인에 대한 경제적 사회적 통제제도도 특이한 것이었다. 그들의 독특한 신학체계는 계시의 세 가지 근원에 의존하고 있는데 그것은 성경, 몰몬경 그리고 스미스가 하나님으로부터 받았다고 주장하는 진보적인 직접 계시를 기록한 책들, 특히 「교리와 언약」(*Doctrines and Covenants*) 같은 것을 말하는 것이다. 유타의 솔트 레이크시에 본부를 둔 모교회인 말일성도 예수 그리스도 교회 외에도 미조리의 인디펜던스에 작은 그룹들이 많이 있었다.

남북전쟁과 1차 세계대전 사이의 기간에도 미국 개신교의 부흥운동 강조는 계속되었다. 평신도 복음주의자인 무디(Dwight L. Moody, 1837-1899)가 가장 뛰어난 대표자였다. 지칠 줄 모르는 조직가요 정력적인 설교자였던 무디는 개신교 역사에서 강력한 세력이었다. 그의 부흥 방법을 많은 사람들이 본받았고 그의 선교 열정은 외국선교사업의 계속적인 성장에 중요한 공헌을 하였다. 그러나 19세기 말 지적 분위기가 급변하자 보수적인 기독교가 소중히 여기던 생각들은 새로운 관점에 의해서 날카로운 도전을 받기에 이르렀다. 과학과 역사적 사고에서의 혁명적인 충격은 당시의 세계관과 역사관을 크게 바꾸어 놓았다. 창조에 있어서 전통적인 성서관에 길들어 있던 사람들은 지리학자들과 성서 비평가들의 새로운 사고에 동요되었다. 많은 기독교인들은 이에 대한 반동으로 성서의 무오성을 더욱 엄격하게 주장하였다. 자기들의 견해를 옹호하기 위해 중요한 성서회의들을 나이아가라, 비노나, 록키산 등에서 개최하였다. 근본주의 5개 조항은 그들의 견해를 잘 요약해 준 것인데 성경의 문자적 무오설, 예수의 신성, 동정녀 탄생, 대속적 속죄, 육체적 부활과 그리스도의 육체적 재림을 말한다. 이러한 보수적 경향은 예언적 회의들, 성서학원의 설립, 많은 순회 부흥사들의 활동에 의해 상화되었다.

19세기말과 20세기 초에 미국에서 새로운 교파를 발생시킨 신학적으로 보수적인 몇 가지 운동들이 일어나서 외국으로까지 뻗어나갔다. 감리교의 전통은 본래 완전한 성도의 삶의 가능성을 주장해 왔다. 하지만 19세기에 이러한 것의 강조가 퇴색되자 "성결"(Holiness)을 주장하는 사람들의 모임이 형성되어 도덕적 엄격성을 강조하고 자유주의적인 경향에 반대하였다. 1880년대에 많은 성결파 감리교인들이 다른 교파적인 배경을 가진 사람들과 함께 분리된 집단을 형성하였는데 여기에는 다양한 교파들이 참여하였다. 그 중에서도 나사렛 교회가 가장 많은 수를 차지하였다. 1880년에 영국에서 미국으로 건너온 구세군(VII:13 참조)은 또 하나의 뚜렷한 성결파 조직이었는데, 특히 빈민지역에 대한 전도에 열심이었다. 20세기의 성결파 교회에서 또 다른 새로운 운동인 오순절운동의 지도자들이 많이 나타났다. 성결운동과 오순절운동은 보수적 성경해석 방식, 전천년설, 엄격한 도덕성 그리고 믿음을 통한 치유라는 점에서는 유사하였지만 성령강림의 교리와 방언의 교리는 오순절파에만 있는 특징이어서 두 운동은 곧 분리되었다. 수에 있어서는 오순절파가 성결파 교회를 능가하였다.

오순절 운동이 세계적 현상으로 확대된 것은 흑인 복음부흥사인 세이모아(William J. Seymour)가 1906년 로스앤젤레스 아주사 거리에서 개최한 연속적인 부흥회 때문이었다. 많은 신실한 신자들이 칭의와 성화를 넘어선 "제3의 축복"(third blessing)인 성령의 세례를 받았다. 부흥회는 3년 동안 계속되면서 수백, 수천 명을 감동시켰다. 새 오순절 운동의 지도자가 된 많은 사람들이 그 곳에서 성령의 세례를 받았는데, 흑인과 백인이 다 포함되어 있었다. 이전의 많은 부흥운동이 그랬던 것처럼 이번에도 의견이 분분했고 논쟁이 심하였다. 어떤 사람들은 오순절 운동이 성령의 역사라고 믿은 반면 또 다른 사람들은 감정적 착오라고 생각했다. 아무튼 외국에서도 많은 사람들이 아주사 거리로 몰려왔고 오순절 운동은 아시아, 아프리카, 남미에까지 번진 세계적 운동이 되었다. 미국에서 막 시작한 초창기에는 오순절 운동이 명백히 나타나지 않았기 때문에 오순절 운동의 감격을 맛본 사람들도 처음에는 기존 교회에 여전히 소속되어 있었다.

하지만 얼마가지 않아서 오순절 교회가 교파로 형성되었고 세 가지 논쟁 — 두 가지는 신학적이고 한 가지는 근본적으로 인종적인 문제이지만 — 을 거치면서 오순절 교회도 나누어지게 되었다. 1910년 초에 많은 오순절주의자들은 제3의 축복 교리를 거부하면서 성화와 칭의는 나뉠 수 없으며 이 두 가지는 갈보리에서의 그리스도의 완성된 사역에 근거한 회심 행위의 한 부분이라고 가르쳤다. 따라서 성령의 세례는 제2의 축복이면서 마지막 축복이라는 것이다. 이러한 관점은 널리 퍼져서 1914년 하나님의 성회(the Assemblies of God)를 조직하게 되었는데 이것은 미국 오순절 조직에서 가장 큰 조직이 되었다. 두번째 신학적 문제는 몇몇 사람들이 회심자들에게 세례를 베풀 때는 오직 예수 이름으로만 한다는 것을 가르치면서 발생했는데 그들은 하나님 안에는 오직 한 인격, 예수 그리스도만이 있고 성부와 성령은 이름뿐이라고 말했다. 이로 인해 새로운 교파 분열이 있었는데 이들 오직 예수 혹은 예수 이름운동의 지지자들은 삼위일체를 믿는 하나님의 성회로부터 갈라져 나와서 세계오순절총회(the Pentecostal of the World)를 형성하였다. 세번째 논쟁은 근본적으로 인종문제였는데, 오순절 운동은 원래는 인종차별이 없는 운동이었으나 인종차별에 굴복해서 일어난 것이었다. 예를 들면 삼위일체를 믿는 오순절 조직인 하나님의 성회의 사람들 가운데 대부분 백인은 남고 반면에 흑인은 메이슨(Charles H. Mason, 1866-1961)의 지도로 그리스도 안에서 하나님의 교회(the Church of God in Christ)를 세워 흑인교회를 형성했다. 세계 오순절총회인 오직예수운동은 처음에는 인종차별을 하지 않았으나 1924년에 가서는 백인들이 탈퇴하여 다른 조직을 만들었다.

많은 기독교인들이 복음주의적인 방향을 유지하기 위하여 보수적인 종교의 형태를 고집한 반면, 어떤 사람들은 매우 다른 방법으로 반응하였다. 그들은 당시의 과학적이며 역사적인 사고에 일치하여 신앙을 조정하였다. 독일의 리츨파 운동과 영국의 광교회 운동으로부터 많은 사상적 도움을 받아서 진화론 사상과 성서비평연구의 수용을 위해 힘겨운 노력을 했다. 많은 신학교들이 자유주의적인 방법을 옹호하였다. 예를 들어 앤드버 신학교의 "진보적 정통주의"(progressive orthodoxy)도 자유주의로 이행하는 것이었을 뿐이다.

자유주의 신학의 출현으로 이단 재판들이 나타나기 시작했다. 특히 유명한 예가 1893년 장로교총회에서 뉴욕 유니온신학교의 브리그스(Charles A. Briggs, 1841-1913) 교수를 정직시킨 것이었다. 싸움 중에 유니온 신학교는 장로교와 관계를 끊고 자유주의 방법을 옹호하며 나섰다. 20세기 초에 자유주의자들은 많은 교단에서 요직들을 차지하였다. 그러자 호전적인 보수주의자들은 그들을 내쫓기 위해 결연히 나서서 근본주의자와 현대주의자들의 심한 논쟁이 벌어졌다. 자유주의자들을 내쫓는 데 실패하자 1930년경에는 보수주의자들은 독립교회로 분리되어 나가는 경향을 보였으며 다른 교파로 들어갔다. 근본주의자들을 위해서 힘쓴 사람은 장로교 교수인 그레샴 메첸(J. Gresham Machen, 1881-1937)이고, 반면 자유주의 사조를 대표한 사람은 침례교 목사였던 해리 에머슨 포스딕(Harry Emerson Fosdick, 1878-1969)이었다.

1865-1914년 기간 동안 개신교 교회들에서는 여성의 역할에 대한 인식이 확장되었다. 여자 외국선교부가 회중교회에서는 1868년에, 북감리교감독교회에서는 1869

년, 북장로교회에서는 1870년, 성공회에서는 1871년에 설립되었다. 국내나 국외 선교를 위한 비슷한 조직들이 미국 개신교에서는 거의 일반적인 것이 되었다. 침례교와 회중교회에서는 여자들이 벌써부터 대회의 대표 자격을 얻었고, 1900년에는 감리교에서도 여자들에게 총회대표의 권리를 주었다. 많은 교파들, 대표적으로 침례교, 회중교회, 제자단, 유니테리언, 만인구원교회(Universalists), 그리고 성결파와 오순절 교회에서도 여성들에게 안수를 주었다.

같은 기간에 교회들은 청년들에 대해 큰 관심을 가지고 있었다. 초교파적인 기독교 면려회(Christian Endeavor) 운동이 회중교회 목사인 클락 (Francis E. Clark, 1852-1927)에 의해 1881년에 시작되었으며, 교단들도 이러한 청년조직을 하기 시작해서 1889년에 감리교에서는 엡워드 청년회(Epworth League)를, 1891년에 침례교는 침례교 청년회(Baptist Young People's Union)를, 1895년에는 루터교는 루터교 청년회(Luther League)를 조직하였다.

남북 전쟁 후에 종교계의 중요한 특징 가운데 하나가 이전에는 교역자 훈련에 별 관심을 가지지 않았던 교회들에서 교육받은 교역자를 점차로 많이 요구하게 된 것이다. 이러한 요구는 기존의 신학교들이 교수를 늘리거나 교과과정을 확장함으로써 그들의 시설을 꾸준히 늘렸고 또 새로운 신학교가 많이 세워짐으로써 충족되었다. 1900년경에는 100개 이상의 개신교 신학교들이 교역자를 양성하고 있었다.

19세기 말경에는 소위 "신사고"(New Thought), "심령치료"(Mind-cure), 일치교(Harmonial) 운동들이 개신교회 내에서 상당한 영향을 미치면서 새로운 종교 조직들을 형성하였다.[1] 그런 것들 중에서 특색있는 것이 그리스도의 교회(Church of Christ) 혹은 크리스찬 사이언스이다. 설립자인 에디(Mary Baker Eddy, 1821-1910)는 질병으로 오랫동안 괴로움을 당하다가 1866년 얼음 위에 넘어진 후에 놀랍게도 치유되었으며 건강을 유지하는 법과 다른 사람을 고치는 방법을 발견했다고 주장했다. 1875년에 그녀는 「성경에 해답을 가진 과학과 건강」(*Science and Health with Key to the Scripture*) 초판을 출판했으며, 같은 해에 크리스찬 과학협회가 조직되었고 1879년에는 새로운 교회가 보스턴에 설립되었다. 그것은 다른 도시와 해외로 퍼져나가서 에디가 죽을 무렵에는 대략 10만 명의 규모를 이루었다. 비슷한 다른 운동도 있었는데, 그것들은 크리스찬 사이언스의 분파들이었다. 1889년에 필모아 형제(Charles and Myrtle Fillmore)에 의해 미조리 캔사스시에 기독교 일치학교(the Unity School of Christianity)가 세워졌다. 깊은 기도생활과 교회와 사회에서 기도의 치유 효과를 추구하던 일치학교는 처음에는 새로운 교회가 되는 것을 반대했지만 점차로 자립적인 교파를 이루게 되었다.

19세기말 많은 교회에서 깊은 사회적 관심을 보여주었다. 자유주의 목사인 워싱턴 글래든(Washington Gladden, 1836-1918)과 월터 라우쉔부쉬(Walter

Rauschenbusch, 1861-1918)와 같은 사람들의 지도 아래 "사회복음"(Social gospel) 운동이 진보해 나갔다. 그것은 미국에서의 진보적인 사회사상뿐 아니라 영국과 유럽에서의 사회적 기독교를 견인해 내었다. 19세기 초기의 개신교는 자선이나 도덕적 개혁 같은 개인적인 측면에 관심을 표명하였지만 사회복음 운동은 현대생활에서의 공동체적 측면과 사회정의의 실현에 관심을 집중시켰다. 자본가와 노동자의 관계에 대해 큰 관심을 가졌으며 노동시간의 단축에도 영향을 미쳤다. 하나님의 나라를 이 땅에 실현시키려고 염원한 이 운동은 특히 장로교, 침례교, 북감리교, 회중교회 그리고 성공회의 활동 속에서 두드러졌다. 신학교 교과목에 사회윤리가 첨가되고 교단 사회부가 조직된 것도 이러한 사회복음의 영향이다. 개신교의 후원으로 소외된 지역에 많은 정착촌이 생겨났으며 도시 대중들에게 사회적 봉사를 하기 위해 교회에 많은 기구가 설립되고, 농촌, 의료, 교육으로까지 선교영역이 확대되었다.

16. 근대의 로마 가톨릭교회

17세기 중엽에 이르러 스페인의 세력과 예수회의 열정에 의해 강화되어 왔던 반동 종교개혁 운동이 그 활력을 상실하였다. 왜냐하면 스페인은 30년 전쟁으로 인해 그 힘을 상실하였고, 예수회도 비록 로마 가톨릭 교회의 단체중에서는 여전히 영향력이 있었지만 초기의 영적인 열심은 잃어버렸고 많이 세속화되었기 때문이었다. 또 17-18세기의 교황들 중에는 통솔력이 있는 인물이 없었다. 이노센트 11세(1676-1689), 이노센트 12세(1691-1700), 베네딕트 14세(1740-1758)같은 몇 명은 훌륭한 인격과 의도를 가진 사람들이었지만 강력한 통치력을 가진 사람들은 못 되었다. 따라서 가톨릭 국가들의 늘어나는 요구에 대해서 가톨릭 교회의 방침은 너무도 허약하였다. 당시 유력한 가톨릭 국가였던 프랑스를 제외하고는 더 이상 개신교에 대해 효과적으로 대치할 수가 없었다. 17세기 프랑스에서는 고도의 경건운동으로 가톨릭 교회의 위치가 강화되었다. 1611년 베륄레(Pierre de Berulle, 1575-1629)는 영적 감화를 위해 프랑스수도회를 결성하였다. 베륄레의 노력은 새로운 수도원의 설립자며 영적인 경건서적들의 저자인 살레(Saint Francis de Sales, 1567-1622)나 성 바울(Saint Vincent de Paul, 1576?-1660) 같은 사람들에게 영향을 미쳤다.

루이 14세(1643-1715) 치하에서 프랑스 군주제는 왕권 절대주의에 의거해 정책을 수행하였다. 따라서 교황의 주장에 반대해서 주교가 없는 궐석교구의 모든 수입은 왕의 소유라고 주장했고, 1682년 프랑스 성직자들이 발표한 '갈리아 자유조항' (Gallican liberties)을 지지하였다. 갈리아 자유조항에 따르면 세속사에 대해서는 왕이 절대권위를 가지며, 총공의회가 교황보다 권위 면에서 우세하며, 프랑스교회의 관습에 대해 교황이 간섭할 수 없으며, 교황은 무오하지 않다는 것이다. 뒤따른 논쟁은 1693년에 왕이 궐석교구에 대한 수입은 차지하지만 갈리아 자유조항의 주장들을 고집하지는 않는다는 선에서 타협이 이루어졌다.

루이 14세의 국가정책은 민족통일의 측면에서 결정되었는데, 1684년 맹트농(Madame de Maintenon)과의 결혼 후에는 예수회의 영향도 많이 받았다. 1685년에 그는 낭트칙령을 취소하고 개신교를 불법화하여 심한 벌을 가하였다. 그것의 궁극적 결과는 프랑스에게 큰 손실이었다. 개신교에 속한 수천 명의 근면한 시민들이 영국, 네덜란드, 독일 그리고 미국으로 이민을 떠났으며, 이전에 맺었던 개신교 세력과의 동맹도 깨어져서 루이 14세의 통치 후반에 군사적 실패를 초래했다.

예수회의 영향력 때문에 왕과 교황은 얀센주의(Jansenism)에 대해서도 극히 반대하였다. 진실한 가톨릭인이며 이프레의 주교였던 얀센(Cornelius Jansen, 1585-1638)은 철저한 어거스틴 추종자로서 죄와 은혜에 대한 예수회의 반펠라기우스(Semi-Pelagian)적인 해석에 대해서는 싸워야 한다고 확신하였다. 그의 주요저서인 「아우구스티누스」(*Augustinus*)가 그의 사후인 1640년에 출판되었다. 이 책은 1642년 교황 우르바노 8세(1623-1644)에 의해서 정죄되었지만 프랑스의 신이있는 가톨릭인들 사이에서는, 특히 파리 근교의 포르 르와이얄(Port Royal) 수녀원에서 크게 지지받았다. 예수회에 대한 반대자로 가장 유력한 사람은 파스칼(Blaise Pascal, 1623-1662)이었는데 「지방 감독들의 편지」(*Lettres Provinciales*, 1656-1657)라는 반박편지에 잘 나타나 있다. 루이 14세는 얀센주의에 반대하는 예수회를 후원해 얀센 추종자들을 박해하고 1710년에는 포르 르와이얄 수녀원을 폐쇄하였다. 얀센주의는 네덜란드로 피신해 있던 케스넬(Pasquier Quesnel, 1634-1719)에 의해 새롭게 지도되었다. 그의 신앙적 주석인 「신약성경에 대한 도덕적 고찰」(*Moral Reflections on the New Testament*, 1687-1692)은 예수회의 반감을 사서 1713년 교황 클레멘트 11세(1700-1721)의 대칙서(*Unigenitus*)에 의해 101구절이 정죄받았는데 그 중에는 어거스틴에게서 직접 인용된 것도 있었다. 파리 대주교인 노아이유(Louis Antoine de Noailles, 1651-1729)가 항의하여 총회에 호소했지만 소용이 없었고 프랑스왕에 의해 지원을 받은 예수회가 결국 승리했다.

이 얀센주의자들과의 논쟁과, 예수회와 기존 성직자 사이의 불화로 인해서 1723년 네덜란드의 위트레흐트에서 분열이 일어났는데 소위 얀센파 가톨릭교회라는 작은 독립된 조직이 생겨나서 오늘까지 계속되는데 여기에는 위트레흐트의 대주교와 하르렘과 데벤터의 주교도 참여하였다.

위그노 교도의 축출과 예수회의 승리는 프랑스에 큰 불운이었다. 영국, 독일, 네덜란드에서는 기독교 범위 안에서 다양한 종교적 해석이 가능했으나 18세기 프랑스에서는 협소한 예수회 타입의 가톨릭주의나 급격히 유행하는 볼테르파의 새로운 이성주의 중에서 하나를 선택할 수밖에 없었다. 많은 사람들이 오히려 이성주의를 선택했고 이것은 프랑스 혁명 기간 동안 교회에 치명적 결과를 가져왔음이 분명하다.

18세기 유럽의 다른 가톨릭 지역에도 프랑스에서 유포된 갈리아 자유사상이 퍼지고 있었다. 독일에서는 조정된 형태로 나타났는데 트리에르의 부감독인 혼타임(Nicholas Von Hontheim, 1701-1790)의 잘 알려진 필명인 '유스티니우스 페브로니우스'에서 따온 '페브로니아니즘'(Febronianism)으로 알려졌다. 오스트리아에서는 군주제적인 형태를 보였는데 황제 요셉 2세(1765-1790)의 교회정책에 따라 '요셉주의'(Josephism)라 불렸다.

18세기 후반에 예수회는 최대의 몰락을 경험했다. 예수회는 그 회의 규약에 금지되어 있음에도 불구하고 식민지 무역에 깊이 관여하였고 정치간섭으로 악명이 높았기때문에 당시 급진적 합리주의의 반감을 샀다. 합리주의는 예수회에게 가장 난처한 적이었다. 포르투갈의 요셉왕의 총리인 폼발(Pombal, 1699-1782) 후작은 합리주의의 동조자였는데, 예수회가 파라과이에서의 자신의 정책을 반대하는 데 격분해서 예수회의 자유무역적인 태도를 거부하고 1759년에는 포르투칼 영토에서 모든 예수회 소속 사람들을 무자비하게 추방시켜 버렸다. 프랑스에서도 예수회에 대한 반감이 점점 커졌다. 프랑스 정부에서 주도권을 가지고 있던 슈아죌(Choiseul, 1719-1785) 공은 계몽주의의 동조자였는데 루이 15세(1715-1774)의 왕후인 퐁파두르(Madame de Pompadour)의 도움을 받아서 1764년 예수회를 압박하였다. 또한 대부분의 프랑스 성직자들도 예수회에 대해 적대적이었다. 1767년에는 스페인과 나폴리에서도 예수회가 축출되었다. 이들 나라의 통치자들은 교황 클레멘트 14세(1769-1774)에게 압력을 가하여 1773년 7월에 예수회를 해산시키는 데 성공했다. 이 사건은 교황권 약화를 보여주는 것이었다. 하지만 예수회는 로마의 손이 닿지 않는 러시아와 개신교 프러시아에 남아 있었다.

프랑스 혁명의 무서운 폭풍이 일어나자 교회, 귀족, 왕 그리고 유사한 구시대의 제도들을 쓸어 버렸다. 혁명의 지도자들은 이성적 사상으로 무장되어 있어서 교회를 종교클럽으로 생각했다. 따라서 1789년 교회령은 국가의 소유로 선포되었고, 1790년에 수도원들이 철폐되었으며 같은 해에 성직의 시민법은 과거의 교회 구분들을 철폐시키고 공동체의 법적 투표에 의해 모든 성직자를 선출하였다.

1791년의 헌법으로 종교의 자유가 허락되었으나 1793년 가톨릭인들과 왕당파가 방데에서 폭동을 일으켰기 때문에 그 보복으로 쟈코뱅 지도자들은 기독교를 박멸시키려 했으며 그 와중에 수백 명의 성직자들이 참수당하였다. 그 공포의 기간이 지나간 뒤 1795년에 종교의 자유가 다시 선포되었으나 국교라는 것은 없어졌다. 본질상 그것은 오히려 반기독교적인 것이었다. 프랑스가 네덜란드와 북이탈리아 그리고 스위스를 정복함으로 이러한 상황은 더욱 확대되었으며 1798년에는 로마가 프랑스의 군대에 의해 공화국으로 변했고 교황 피우스 6세(1775-1799)는 포로로 프랑스에 잡혀가 그 곳에서 죽었다.

1800년의 군사적 사건은 피우스 7세(1800-1823)의 선출과 교회영지의 회복을 가져왔다. 나폴레옹이 정권을 잡자 그 자신은 종교심이 없었으나 프랑스 국민의 다수가 가톨릭 교인이고 교회가 자신에게 유리하리라고 생각하여서 1801년에는 교황청과 협약(Concordat)을 맺었고, 1802년에는 기본조약(Organic Articles)을 체결하였다. 협약에 따르면 아직 정부가 몰수하지 못한 모든 토지는 교회가 자발적으로 정부에 바치고, 주교와 대주교의 임명은 국가의 추천에 따라 교황이 하도록 하고 하위 성직은 주교가 임명하지만 국가가 반대할 수 있으며, 성직자들에게는 국고에서 사례를 하도록 되어 있었다. 기본조약에 따르면 정부의 허락없이 프랑스회의를 소집하거나 교황이 칙령을 발표할 수 없었고, 동시에 개신교에게도 완전히 종교의 자유를 주고, 국가에서 성직자의 사례를 하고 교회의 일들을 통제할 수 있게 되어 있었다. 1804년 나폴레옹이 황제의 관을 쓰자 얼마 되지 않아서 피우스 7세와 불화하였고 따라서 1809년 교회의 영지는 합병되었으며 교황은 1814년까지 감옥에 갇히고 말았다. 나폴레옹의 협약은 이후 1세기 이상을 프랑스와 교황청의 관계에서 지배적이었다. 나폴레옹의 의도는 프랑스 가톨릭 교회를 국가 밑에 두려는 것이었는데 이것은 오히려 프랑스 성직자들로 하여금 국가의 강압에 대한 유일한 도움으로서 교황을 바라보게 만드는 결과를 초래했다. 옛 지방의 권리들이 무시됨으로써 부분적인 자유를 옹호하던 갈리아 자유도 사실상 폐지되었으며 19세기 프랑스 가톨릭의 특징인 교황권지상주의(Ultramontanism)가 문을 열었다.

공화국 시기와 나폴레옹 통치 기간의 전쟁들은 독일에까지 변화를 일으켜서 1803년에는 세속 국가들이 옛 교회의 영토들을 다 분할해 차지했기 때문에 교회의 영지는 더 이상 없었다. 1806년에는 이미 오스트리아의 황제직을 차지하고 있었던 프란시스 2세(1792-1835)가 신성로마제국의 황제직을 사임하였는데, 이것은 오래 지속되었으나 이름뿐이었으며 교회와 국가의 관계에 대한 중세적 기억으로만 남아 있던 신성로마제국이라는 유서깊은 제도의 소멸을 뜻하는 것이었다.

1815년 나폴레옹의 몰락으로 전반적 반동이 뒤따랐다. 과거의 것은 그 오래된 사실만으로 가치있는 것으로 간주되었다. 이 반동은 낭만주의의 흥기에 의해 도움을 받았는데, 낭만주의는 중세시대에 대해 새로운 진가를 인정하였고 혁명이 지배적이던 18세기의 정신에 대해서는 반대하였다. 샤토브리앙(Francois Rene de Chateaubriand, 1768-1848)은 그의 저서 「기독교의 정수」(*Gene du Christianisme*, 1802)를 통해서 가톨릭이 낭만주의 사조로부터 어떻게 도움을 받았는가를 보여주었고 가톨릭의 부흥에 공헌하였다. 교황청은 이러한 여러 가지 충동들에 힘입어서 과거 100년 동안에는 보지못했던 큰 세력을 형성하였다. 1814년 8월에 피우스 7세에 의해 예수회가 복권된 것은 교황청의 새로운 위상을 특징적으로 잘 보여주는 것이었다. 예수회는 교황청 회의에서 옛날 그들이 가졌던 지배권을 되찾았으며 그들의 활동의 범위도 크게 확장되었다. 하지만 이전처럼 정치적 세력은 아니었다. 그들은 교황권을 증진시키기 위해 선두에 섰고 경건의 부흥으로 로마 가톨릭 교회의 세력을 회복시키려고 노력하였다.

19세기 로마 가톨릭은 교황의 우위를 주장하는 교황권지상주의(ultramontanism)의 방향으로 발전하였는데 이것은 '산을 건너가는'이라는 뜻인데, 북서 유럽에서 산을 건너가면 교황청이 이탈리아에 있기 때문에 최후의 충성을 이 교황청에 바친다는 뜻이다. 이 교황권지상주의의 입장은 '세 명의 전통주의 예언자들'인 메스트르(Joseph Mari de Maistre, 1754-1821), 보날(Louis Gabriel Ambroise de Bonald, 1754-1840), 라므네(Hugues Flicite Robert de Lamennais, 1782-1854)의 글들에 의해 강화되었다. 모든 국가나 지역의 교회보다 교황청을 높이는 이러한 경향에서는 예수회의 공헌이 컸다. 피우스 7세의 계승자인 레오 12세(1823-1829)는 선임자들처럼 보수적인 사람이어서 성서공회의 사업을 정죄하였고, 그레고리 16세(1831-1846)는 학문을 후원하는 사람이었지만 근대의 사회적이며 정치적인 사상들에 대해서는 반동적이었다. 이러한 본질적으로 중세적인 전망과 근대세계와 화해를 거부하는 사상으로 인해서 19세기 전반에 가톨릭 국가들에서는 교직파와 반교직파가 만들어져서 나라의 정치를 좌우하였다. 가톨릭이 소수인 지역에서 가톨릭과 자유주의의 동맹을 결성하려던 라므네의 시도는 그레고리에 의한 정죄만을 초래했을 뿐이었다.

교황권지상주의 경향의 현저한 예는 피우스 9세(1846-1878) 때에 나타났다. 국가들에서 교직파들이 주요한 요직들을 차지했기 때문에 교회령(the States of the Church)들이 반란을 일으키려 할 때 임기를 시작한 그는 처음에는 정치적인 개혁자를 자처했으나 그 일이 그에게 너무 벅찼기 때문에 외국군의 지원을 요청하는 반동적인 정치적 입장을 취하게 되어서 많은 사람들을 실망시켰다. 종교 면에서도 그는 교황제도가 근대세계의 복잡한 종교적 문제들에 대해 결정을 내려줄 수 있는 하나님이 세운 제도라고 확신하였다. 이 신념을 밝히기 위해서 1854년 12월에 가톨릭교회 주교들과 협의한 후 처녀의 무흠잉태설 곧 마리아에게서는 원죄의 흔적을 찾을 수 없다는 교설을 발표하였다. 이 문제는 중세시대 이후로 계속 논란이 되어 왔던 문제인데 이 교서로 인해 19세기 가톨릭의 입장이 무흠잉태 쪽으로 기울어졌다. 교황은 이것을 교리의 차원으로 높였다.

1864년에는 교황의 후원하에 준비된 오류목록(Syllabus of Errors)을 발표해 많은 가톨릭인들이 반대하는 것들을 정죄하였는데, 동시에 근대국가의 기초가 되는 정교의 분리, 비교파적 학교, 종교에서의 다양성 인정과 같은 것들도 거부하고 '로마 교황이 진보, 자유주의, 문명과 같은 것들과 타협하고 동의하게 될 것이다'는 주장을 명백히 반대하면서 결론을 맺었다.

피우스 9세의 임기 중 최대의 업적이 있다면 제1차 바티칸 공의회일 것이다. 전세계 가톨릭 국가들에서 참석하여 1869년 12월 8일에 시작한 이 회의에서 가장 중요한 결정은 1870년 7월 18일 533대 2의 숫자로 교황 무오류설을 가결한 것이었다. 그것은 모든 교황의 말이 무오하다는 것은 아니다. 무오류를 주장하려면 교황은 그의 공적인 위치에서 '계시나 사도들을 통해 주어진 믿음의 유산'을 해석해야만 한다. "로마 교황이 교황의 권위로(*ex cathedra*) 말할 때, 즉 모든 그리스도인의 목자와 교사로서의 공직에서 최고의 사도적 권위로 말할 때, 베드로가 받은 축복 속에서 그에게 약속되어진 하나님의 도움으로 온 교회가 믿는 믿음과 도덕의 교리에 대해서 설명할 때, 그것은 오류가 없다는 것이다"라고 규정하였다. 이로써 공의회는 교황권지상주의의 승리를 확증했다. 교황의 권력은 승리했지만 15세기 이후 논의되었던 공의회의 수위권에 대한 이론은 패배하였다.

여러 세기에 걸친 교황권 발전의 당연한 논리적 귀결이기는 하지만 이러한 교리적 결정에 대해서 상당한 반발도 일어났는데 특히 독일에서 그랬다. 가장 대표적인 반대자가 뮌헨의 역사가인 될링거(Johann Joseph Ignaz von Döllinger, 1799-1890)였는데 그는 파문당했지만 분파를 만드는 것은 거절했다. 그가 거절했지만 다른 사람들이 분파를 형성해 구 가톨릭파(Old Catholics)가 조직되어서 위트레흐트의 얀센파 교회에서 안수를 받았다. 이들은 주로 독일, 스위스, 오스트리아로 퍼졌지만 영어권에서도 역시 만날 수 있다.

한편, 이탈리아 민족통일운동이 한창 일어났다. 오스트리아에 대항해서 빅토르 엠마누엘 2세(1849-1878)의 사르디니아와 나폴레옹 3세의 프랑스가 연합하여 싸우는데, 가리발디(Giuseppe Garibaldi, 1807-1882)의 이탈리아 애국단도 도와서 1861년 엠마누엘 때에 과거 교회령의 대부분을 포함한 이탈리아 왕국을 세웠다. 로마와 그 근방은 나폴레옹 3세의 교황권지상주의 정책에 따라 교황을 위해 보존했다.

하지만 1870년 독불전쟁이 발발하자 프랑스군이 철수했고, 따라서 1870년 9월 20일 엠마누엘이 로마를 점령했고 그 곳 주민들의 투표결과 133,000 대 1,500표로 이탈리아에 합병하였다. 이탈리아 정부는 교황에게 자치의 특권과 바티칸, 라테란, 카스텔 간돌포의 절대적 소유를 보장해 주었다. 이로써 유럽에서 가장 오래 계속된 교회의 세속적 권한이었던 교회령이라는 것이 없어졌다. 피우스 9세는 자신을 '바티칸의 포로'라 선언하면서 항의했고 엠마누엘을 파문하였다.

1929년 무솔리니와 '로마문제' 협약까지 약 반세기 동안 교황청은 교회의 세속적 재산의 손실에 불응했는데 이것이 오히려 교황에 대한 동정을 불러일으켜서 가톨릭 세계로부터 손실 이상의 헌금이 들어왔다. 이로써 교황청은 말썽스러운 속권을 버리고 본래적인 영적 기능을 발휘하여 도덕적 권위를 증가시켰다. 하지만 이러한 이점들이 즉각적으로 나타나지는 않았다. 수년간 교회는 근대세계의 세력 앞에서 후퇴하여 내부적인 활동에만 치중하는 것처럼 보였다. 예를 들면 이탈리아에서는 피우스 9세가 이탈리아 가톨릭인들이 이탈리아 정부의 정치활동에 참여하는 것을 금지시켰는데 이러한 정책은 대체로 급진주의자들과 사회주의자들의 영향력만 강화시켰다. 독일에서는 가톨릭 교회가 비스마르크 정부에 대항해서 1870년대에 문화투쟁을 전개하였는데 이 투쟁으로 가톨릭 교회는 이전의 관계나 지원을 잃어버려서 특수한 방법으로 자신들의 이익을 강화시켜야만 했다.

피우스 9세의 계승자는 정치감각을 가진 레오 13세(1878-1903)였다. 그는 독일제국과 교황청 사이의 갈등을 종결지었다. 그는 또 프랑스 가톨릭교회도 공화국에 협조할 것을 권했지만 이러한 그의 노력은 드레퓌스 사건의 결과 때문에 수포가 되었으며, 프랑스에서 교회와 국가의 투쟁은 그의 후임자 때에 극치에 달했다.

이탈리아에서는 레오가 교회령의 회복을 시도해서 교회와 국가의 긴장이 계속되었다. 그러나 그는 장차 중요한 의미를 가지게 될 정책을 실현시켰다. 그는 자본가와 노동자의 관계에서 노동자에게 큰 관심을 가졌다. 1891년 유명한 교황 회칙「노동자들의 현실」(*Rerum novarum*)로 사회정의 문제에 대한 가톨릭의 관심을 불러일으켰다. 레오는 교직자들에 의해 지도되는 사회, 구제, 경제, 정치적 목적을 가진 가톨릭 협의회를 구성할 것을 요청했다. 이러한 '가톨릭 활동'(Catholic Action)은 20세기에 와서도 커다란 공헌을 하였다. 그는 학구적 인물이어서 성서 연구를 장려했고 아퀴나스 신학을 로마 가톨릭 교훈의 표준으로 삼았다. 그는 바티칸의 보고를 역사학도들에게 개방했으며 비록 1896년 영국의 성공회를 무효라 선언했지만 동서방교회의 연합에 관심을 가졌다. 그는 교회사의 어려운 시기에 유능하고 열의있는 교황이었다.

비록 가톨릭이 몇 년 늦게 시작했고 개신교처럼 그렇게 폭발적이지는 못했지만 19세기는 개신교 선교에서뿐 아니라 로마 가톨릭 선교에서도 위대한 세기였다. 가톨릭 선교의 주요한 토대는 프랑스였고 선교사는 주로 수도사와 성직자였는데 선교사로 봉사하는 수도사의 수가 늘어남에 따라 선교가 강화되었다. 선교운동에 동참하기 위해서 많은 회와 단체들이 새롭게 생겨났는데 재건된 예수회가 선교의 중요한 역할을 맡았고 도미니쿠스회, 프란체스코회, 카푸친회, 마리스타 수사회, 라자리스트회, Holy Spirit Fathers, White Fathers 등의 여러 단체가 도왔다.

1822년 리용에서 발족된 신앙전파협회(Society for the Propagation of the Faith)와 같은 선교후원운동이 평신도들에게 선교에 대한 새로운 이해를 불러일으켰다. 평신도들은 선교를 위해 매일 기도하고 일주일에 1페니 이상을 헌금하도록 요청받았다. 1914년 경에는 평신도의 선교후원을 간청하기 위한 조직이 거의 200개에 달하였다. 19세기 가톨릭 선교에서 중요한 발전은 여자, 특히 수녀들의 역할이 크게 증가했다는 것이다. 1870년대 말에 대략 60,000명의 가톨릭 선교사들 중 반 이상이 여성이었으며, 19세기 말에는 전체 70,000명 중에 53,000명 정도가 여자였다.

교황권지상주의의 부흥에서 힘을 얻은 선교운동은 인도에서 소수 가톨릭인들이 되살아나게 했는데 1870년에는 백만 명 이상의 사람이 21명의 주교와 900명의 사제들에 의해 인도되었다. 인도차이나에서는 박해에도 불구하고 가톨릭 교인들이 1800년경 약 30만에서 1차 세계대전 무렵에는 인구의 약 5퍼센트인 100만 명으로 증가하였다. 사하라의 남부 아프리카에서는 원래 정령신앙적인 부족들이 기독교로 많이 들어와서 1914년경 중앙아프리카의 가톨릭 교인이 100만 명을 넘었다.

레오 13세의 계승자인 피우스 10세(1903-1914)는 여러 면에서 레오와 대조적이었다. 레오가 귀족 출신인 반면에 피우스는 빈민 출신이었고, 레오가 훌륭한 외교능력과 넓은 비전을 가졌던 반면에 피우스는 충실한 교구의 목회자로 교구를 부흥시킨 인물이었다. 그에게는 매우 어려운 두 가지 문제가 있었다.

첫째 문제는 교회와 국가의 관계에 대한 것이었다. 레오 13세의 노력에도 불구하고 프랑스 가톨릭의 대다수는 공화국에 대해서 미온적으로 대했고 관계는 계속 긴장되었다. 1901년 국가의 통제 밖에 있는 종교단체들의 교육사업이 금지되었는데 몇몇 단체들이 이에 불복했고 따라서 1903년 많은 수도원과 수녀원이 폐쇄되고 재산은 몰수당했다. 1904년 프랑스 대통령 루베가 이탈리아왕을 방문하려고 로마에 왔을 때 피우스 10세는 로마를 불법적으로 소유하고 있는 이탈리아의 통치에 대해 항의하였다. 그러자 프랑스는 대사를 교황청으로부터 철수시키고 모든 외교 관계를 단절시켰다. 1905년 12월 프랑스 정부는 교회와 국가의 분리를 선언하고 가톨릭과 개신교에 해주던 모든 정부의 원조를 중지하였다. 모든 교회와 교회 재산을 국가소유로 선언한 후 연고자들과 국가에 책임지는 단체들에게 예배용으로 대여한다고 했다. 다수의 프랑스 주교들이 이런 단체들을 조직하려 했으나 교황이 그것을 금하였다. 교착상태에 빠진 교회는 자발적인 지원에 의존했고, 1920년까지 프랑스 교회는 법적 기반이 없었다.

두번째 문제는 근대주의자들의 성장에 의해 야기된 것이었다. 교황권지상주의의 성장에도 불구하고 근대역사비평, 성서연구, 발전을 통한 성장의 과학적 관념들이 미세하지만 로마 가톨릭 안으로도 침투되었다. 몇몇 진지하고 사려깊은 사람들은 근대 지식세계의 관점에서 가톨릭을 재해석해야 할 필요를 느꼈다. 그런 사람들이 독일의 쉘(Hermann Schell, 1850-1906), 프랑스의 루아지(Alfred Loisy, 1857-1940), 영국의 티렐(George Tyrrell, 1861-1909) 등이며 이탈리아에도 있었다. 근대주의는 어느 한 지역에 국한된 것이 아니었다.

피우스 10세는 여기에 정면으로 맞서 1907년 교령(敎令) 「애통」(*Lamentabili*)과 회칙 「목양」(*Pascendi*)을 통해 근대주의를 정죄하고 그 탄압에 전력을 기울였으며 루아지와 티렐을 출교시켰다. 이것은 가톨릭이 근대세계로부터 역행하는 것이 점점 심해진다는 인상을 남겼다.

베네딕트 15세(1914-1922)가 교황으로 있던 제 1차 세계대전 기간의 가톨릭 교회의 기운은 점점 호전을 보였다. 가톨릭의 구제기관들은 고통 속에 있는 사람들에게 많은 도움을 주어서 교황청의 도덕적이며 정신적인 권위도 높아졌다. 로마 가톨릭이 19세기 문화발전에 대항하였었는데 전쟁과 그 후의 위기상황 때문에 교회의 입장이 그렇게 시대착오적인 것으로 보이지는 않았다. 또한 '가톨릭 활동'의 조직들은 다원적 사회에서 로마 가톨릭이 성장하고 존속하는 데 효과적 도구가 되어주었다.

유능하고 학식있는 피우스 11세(1922-1939)의 재임 때에 가톨릭의 부흥은 뚜렷했다. 신학적 관심의 재기, 중요한 예전운동, 그리고 계속적인 선교관심 등이 나타났다. '로마 문제'가 1929년 라테란 조약으로 해결되어 교황은 과거 교회령의 상실을 받아들였고 그 대가로 거액과 바티칸시를 그의 영토로 받았다. 교회는 이것을 명확히 하기 위해 파시스트 이탈리아와 나치 독일을 포함한 유럽 여러 나라들과 협약을 체결했다. 그 나라들이 약속을 깨뜨리자 교황은 그의 엄격한 회칙 「불필요」(*Non abbiamo bisogno*, 1931)와 「불타는 슬픔으로」(*Mit brennender Sorge*, 1939)로 항의하였다. 그는 '가톨릭 활동'의 대표자였고 후에 '평신도 교황'이라고 다시 정의되었다.

미국에서의 로마 가톨릭은 미국으로 이민오는 수백만의 교인들로 인해서 19세기와 20세기 초반 내내 꾸준히 성장하였다. 19세기 전반에 중요한 내부 문제 중의 하나가 평신도들이 목회자의 임명과 해임의 감독권을 가지려고 평신도 이사 제도(trusteeism)를 요구한 것이었는데 여러 해 동안 이것을 둘러싼 분쟁이 계속되었지만 결국은 주교들이 완전한 지배권을 확보하는 데 성공했다. 중요한 외부문제는 1840년대에 호전적인 아일랜드 가톨릭의 유입으로 인해 고조된 반가톨릭적 감정의 재연문제였다. 그러는 동안에 교구학교, 구제기관, 문서운동의 발전으로 이민온 외국인들의 충성심을 붙잡는 데 최선의 노력을 다했다.

19세기 후반은 가톨릭 교회의 이식과 미국화 기간이었다. 1852년 볼티모아에 소집된 1차 총회의는 가톨릭의 통일을 얻고 국민생활에서 중요한 위치를 확보하기 위한 걸음이었다. 당시 가톨릭인은 거의 2백만 명 가량으로 미국에서 가장 큰 단일 종교조직이었다. 이 시기의 중심인물은 제임스 기본스(James Gibbons, 1834-1921)였는데 그는 1868년 주교가 되고 1877년 대주교, 1878년에는 추기경이 되었다. 그는 가톨릭의 미국화를 돕고 반가톨릭 감정완화에 힘썼다. 그는 종교와 정치의 분리가 미국에 가장 적합하다고 믿어서 그것을 주장했다. 남부 유럽의 가톨릭적 배경을 가진 다수의 이민자들이 도시로 집중될 때 기본스는 노동자의 권리를 옹호하였다. 미국에서의 로마 가톨릭 교회가 기본스의 때에 너무 미국화되는 것을 염려한 사람들이 있었는데 1899년 교황의 편지 「*Testem benevolentiae*」에서 그런 위험을 경고하였다.

20세기 초에 가톨릭은 미국에서 성숙하였다. 1908년 미국 교회는 외국 선교부인 신앙의 전파를 위한 성회(Sacred Congregation for the Propagation of the Faith)의 관할을 떠나 선교지 신세를 면했다. 1차 세계대전에의 가톨릭 참여는 그들의 '미국화'(Americanism)를 확증했으며 민족적 긴장도 완화시키는 역할을 했다. 그뿐 아니라 전국 가톨릭 전쟁위원회(National Catholic War Council, 1917)가 교회의 통합과 진보에 효과적인 기관임을 보여주었고 후에는 전국 가톨릭 복지위원회(National Catholic Welfare Council)로 바뀌어서 미국내 '가톨릭 활동'의 강력한 중심기구가 되었다. 미국에서 가톨릭 교회의 성장은 개신교와 다른 미국인들의 저항을 증가시키기도 했다.

17. 근대의 동방교회[1)]

근대 동방 교회사가 큰 사건없는 평온한 역사였다는 서방측의 인상은 서방교회가 동방교회사의 연구에 소홀했다는 사실을 반영해 줄 뿐이다. 사실상 동방교회사는 긴장과 갈등의 역사였는데 특히 정치적인 압력으로 인한 갈등이 많았다. "피렌체 연합"(Florentine Union)(V:14 참조)은 대부분의 동방교회들에게 거절당했다. 동방 대감독이었던 키에프의 이시도루스가 모스크바에서 피렌체 연합을 주장했다가 쫓겨났고, 1448년 이후로 러시아교회는 완전히 자립적이었다. 콘스탄티노플에서는 그 연합이 1453년 터키족에게 도시가 멸망될 때까지 계속되다가 1472년 회의에서 분명히 거부되었다. 터키제국은 계속 확장되어 16세기 중엽에는 대부분의 발칸반도, 헝가리, 흑해, 아시아 일부, 아르메니아, 그루지아, 유프라테스 계곡, 시리아, 팔레스타인, 이집트, 아프리카의 북쪽 해안까지 영토를 넓혔다. 정치적이고 군사적인 강제를 포함한 다양한 이유 때문에 많은 그리스도인들이 이슬람으로 개종했다. 터키 황제(술탄)의 신하로서 정통교회들은 반자치적인 공동체로 조직되었으며, 대주교들은 기독교인 황제 밑에 있을 때보다 신자들에 대해 더 많은 권위를 행사했고 때로는 그 권력을 남용하기도 하였다. 그들은 터키로부터 과중한 강요와 탄압을 받으면서 1603년 이스탄불 파나르 지역의 성 조지 교회에 안착하기까지 옛 교회들을 다수 잃어 버렸다. 다른 지역의 정통교회 성직자들은 총대주교에게 의존하였는데, 세르비아나 불가리아 교회들은 그들의 총대주교가 1766-1767년 자치를 금지할 때까지는 자치적으로 움직였다. 1461년부터 이스탄불의 아르메니아 총대주교는 단성론자의 시민 대표와 비슷한 지위를 가졌었다.

1453년 이후 모스크바 공국은 정통교회 국가였던 비잔틴 제국을 계승하였다. 어떤 성직자들은, 옛 로마는 이단에 빠졌고 새 로마(콘스탄티노플)는 이교도에게 점령당했기 때문에 정통교회의 영원한 세번째 로마는 모스크바라는 이론을 전개시켰다. 14세기에 세르기우스(St. Sergius)가 세운 삼위일체 수도원(Troitsky Lavra) 같은 수도원들이 경건, 학문, 교회생활의 중심이었다. 15세기말의 흥미로운 수도원 논쟁은 소르스키(Nil Sorssky)가 지도한 "없는 자들"(non-possessioners), 곧 금욕적이며 종교적인 수도원적 경건과 기도생활을 강조한 무리들과 요셉(Joseph of Volokolamsk)이 지도한 "가진 자들"(possessioners), 곧 사회적이며 정치적인 책임을 수행하기 위한 수단으로 재물을 인정한 무리들 사이의 논쟁이었다. 대도시의 주교들에게 대주교의 지위를 주는 것은 가장 큰 땅을 가진 군주가 짜르의 이름을 가지는 것처럼 단지 현상황을 공식적으로 인정해 주는 것이었다.

16세기와 17세기에 동방교회들은 서방의 가톨릭과 개신교의 영향을 받기 시작했다. 루터와 다른 개혁자들은 비로마 가톨릭적인 동방교회를 옹호하였다. 하지만 튀빙겐의 신학자들이 대주교 예레미야 2세(1574-1584)와 교섭을 시작하자 그는 루터교회와 동방교회는 권위, 신앙, 은총 그리고 성례의 가르침에 있어서 분명히 차이가 난다고 대답하였다. 모호한 상황에서 1620년에서 1638년 사이에 다섯 차례나 대주교를 지낸 루카(Cyril Lucar)의 개혁교회적 성격을 강하게 지닌 신앙고백이 문제가 되기도 하였다. 우크라이나의 교회를 흔히 Uniat(러시아말 uniya에서 왔다)라고 불렀는데, 다소 부적절하지만 다른 동방식 가톨릭교회에도 이 용어가 흔히 사용되었다. 1632년 대감독이 된 모길라(Peter Mogila) 때에 키에프가 정교회로 돌아왔다. 그의 「고백」(*Confession*)과 「교리문답」(*Catechism*)은 중요한 논쟁문서인데, 이 논쟁은 1672년 예루살렘의 대주교 도시테우스(Dositheus)의 주도로 개최된 베들레헴회의(Synod of Bethlehem)의 결정으로 끝이 났다. 모길라의 책들은 내용은 정교회의 내용이지만 그 형식에서는 서방의 영향을 엿볼 수 있다. 키에프에 있던 모길라의 신학교에서도 서방의 방법들을 사용했으며 언어도 그리스어나 슬라브어가 아닌 라틴어를 사용하였다. 18세기 러시아 신학교들도 키에프의 방식을 따라 조직되었다.

가톨릭 세력(먼저 포르투갈, 나중에는 폴란드, 오스트리아, 프랑스)의 영향력 내에서 다른 "Uniat" 교회(가톨릭의 영향을 받은 동방교회)들이 세워졌다. 에티오피아는 1624-1632년에 로마 가톨릭과 공식적으로 연합했으며, 인도에서는 말라바의 시리아 그리스도인들이 대주교 메네제스(Menezes)와 예수회 선교사들의 영향으로 많이 라틴화되었다(1599년의 디암퍼회의). 1653년에는 다수가 로마교회와 인연을 끊고 네스토리우스와 관계를 맺고 있던 시리아 야곱파(Syrian Jacobites)로부터 안수를 받았다. 네스토리우스의 일파가 16세기에 가톨릭과 합해져 "갈대아인"(Chaldeans)이라 불리고 시리아 정통교회의 일파가 18세기에 가톨릭에 들어가 "멜카이트"(Melkite)라 불렀다. 이집트, 시리아, 아르메니아에서도 다른 소수의 "Uniat" 집단들이 나타났다.

러시아에서 교회는 고대 루릭왕조 멸망 후의 어려운 공백기(1598-1613)의 전쟁시기에 국가적 충성의 중심이었다. 1612년 폴란드의 침입에 대항해서 삼위일체 수도원을 보호한 것은 그 기간의 전환점의 하나였다. 1613년 로마노프에 의해 새로운 왕조가 시작되었는데 그의 아버지는 전쟁 기간 중에 수도원에 서약을 했던 대주교 필라렐로서, 그의 아들과 함께 러시아를 다스렸다. 대주교 니콘(Nikon, 1652-1666)은 동방에서 수정된 예식서를 들여오는 등 실제적인 개혁을 강력하게 주도하였다. 다른 대주교들의 동의에 의해 니콘은 자리에서 물러났지만 개혁의 역할은 계속되어서 반대자들은 "옛 신앙인"(Old Believers) 혹은 "옛 의식자들"(Old Ritualists) 또는 분리주의자들(Raskolniki)이라는 이름으로 분열해 나갔다. 정교회 신앙에서 의식의 중요성은 옛 신앙인들을 엄격한 러시아 정교회의 부분적 의식들에 집착하게 만들었다. 게다가 피터 대제의 서방적인 개혁은 어려움을 더욱 가중시켜서 러시아교회는 3개의 집단으로 나뉘었다.

첫째 집단은 옛 신앙인들인데 그들 가운데는 기존 교회들로부터 온 신부를 인정하는 사람들이 있는 반면에, 배교로 교회의 질서가 무너졌다고 보고 신부를 거부하며 평신도가 거룩한 포도주와 기름으로 성례를 집행하는 사람들도 있었다. 전자를 포포브치(popovtai)라 부르며 후자를 베쯔포포브치(bezpopovtsi)라 부른다. 둘째 집단은 극단적이며 과격한 집단들로서 고대의 이단이나 이교의 재흥인 것도 있었는데, 가장 잘 알려진 것은 캐나다로 건너간 평화주의 영적 투사들(Dukhobors)이다. 세 번째 집단은 19세기 이후에 여러 가지 경로로 러시아에 유입된 개신교 그룹들이다.

피터 대제는 정부 부서의 하나로 교회 행정부를 조직하려는 계획으로 1700년 이후 대주교직을 임명하지 않고 있다가 1721년에 "신정회의"(Holy Governing Synod)로서 대주교의 자리를 대신하였다. 이것은 몇 명의 주교와 왕이 임명한 다른 성직자들로 구성되어 있었는데 왕은 또한 그 조직의 "평신도 행정관"(ober-procuror)을 임명하였다. 영국에서는 그를 "행정 대리인"(procurator)이라는 이교적인 이름으로 불렀는데 이것은 그 제도의 혁명적인 성격을 표현해 주는 것이다. 황제의 라이벌처럼 생각되던 대주교는 황제에게 분명히 종속된 행정부서로 대체되었다. 기성교회에도 경건, 학문, 자선 그리고 선교열의 뚜렷한 예가 없는 것은 아니지만 깊은 헌신은 비공식적인 통로에서 흘러나왔다.

18세기에 올바른 경건과 영적인 지도의 옛 수도원적 전통이 되살아났는데 아토스산(Mount Athos)의 수도사들 중 한 사람인 벨리히코프스키(Paisi Velichkovsky, 1722-1794)가 이후에 러시아 국경 부근의 몰다비아 수도원장이 되어 러시아 교회에 이러한 전통을 되살렸다. 제도적 개신교에 대항한 경건주의의 반동과 비슷한 수도원 부흥의 경향을 대표하는 러시아 교회의 두 사람의 성자는 짜돈스키(Tikhon Zadonsky, 1724-1784) 주교와 북방삼림 속의 은둔자인 사로프(Seraphim Sarov, ?-1835)였다. 모스크바 부근 옵티나 수도원의 장로(startsi) 중 한 사람인 조지마 신부는 도스토예프스키의 「카라마조프의 형제들」(*Brothers Karamazov*)에 묘사되어 있다.

민족주의와 근대의 지적이며 정신적인 운동의 발흥으로 동방교회들은 새로운 상황에 직면하게 되었다. 그리스 혁명이 메가스펠라이온의 펠로폰네시안 수도원에서 시작되었다. 대주교 그레고리 5세는 그 반란에 반대하였음에도 불구하고 주모자로 몰려 1821년 파나라의 관저 앞에서 교수형을 당했다. 정치적 자유를 얻자 그리스교회들이 지적인 생활을 새롭게 하고 교회의 자치를 주장하자 콘스탄티노플의 대주교가 1851년 이를 인정하였다. 비슷한 현상들이 세르비아, 루마니아, 불가리아에서 발생하였다. 1870년 불가리아 감독이 모든 곳에 있는 불가리아인들의 관할권을 주장하였다. 이것은 "초 민족주의(philetism), 우리 시대의 이단"으로 정죄되었으며 1872년부터 1945년까지 그리스와 불가리아 사이의 분열을 가져왔다. 불가리아 사람들의 교회생활은 민족적 갈등에 연관되어서 계속 순탄하지 못하였다.

시리아에서는 아랍 그리스도인들이 동방의 교권에 대해 반항하였다. 1898년 이래로 다마스쿠스에 시리아 안디옥 대주교가 있었지만 예루살렘의 대주교직은 거의 그리스인인 성묘회(Brotherhood of the Holy Sepulcher)에 의해 통제되고 있었다. 선교운동이 근동에 신교육을 제공한 대신 교회분열을 더하였다. 동방 가톨릭 활동은 라틴 선교사들에 의해 더 확장되었고 소수 선교그룹들이 그리스, 아르메니아, 시리아에 생겼고 더 큰 복음교회가 콥트족(the Copts) 속에 생겼다. 인도에서는 영국교회 선교부가 시리아 그리스도인들 사이에서 일했는데 그들로 인해 복음주의파가 마르토마 교회(Mar Thoma Church)로 분리되었다.

종교적이든지 반종교적이든지 서방화에 대한 반응은 더욱 강력하고 현대적인 형태의 전통 정교회의 출현으로 나타났다. 서방화와 엄격한 정교회의 경향은 발칸반도의 신학교와 러시아의 기독교 사상가들 사이에서 서로 경쟁하였다. 19세기 후반에 동방교회는 극단적인 정통교회 평신도 신학자인 마크라키스(Apostolos Makrakis)에 의해 자극되어서 그 후로 자발적인 조직들이 전도, 종교교육, 교회의 사회활동을 고무시켰는데 그 중에 가장 잘 알려진 것이 신학교를 졸업한 평신도와 성직자들의 독신단체인 "조에 형제단"(Zoë Brotherhood)이다.

러시아에서는 슬라브 사랑(Slavophile) 운동가들이 지루하고 억압적인 기존교회(니콜라스 1세, 1825-1855 때가 최악이었을 것이다)와 개혁자들의 세속적 경향과 혁명에 대해서 반대하면서 정통교회의 집합적이고 영적인 전통들에 의지하기 시작했다. 평신도 코미아코프(Alexei Khomyakov, 1804-1860)가 이 운동의 초기 지도자였다. 종교적인 관심은 컸지만 덜 교회적인 사람들로는 소설가 도스토예프스키(1821-1881)와 철학자 솔로비예프(Vladimir Soloviev, 1853-1900) 같은 사람들이 있었다. 특히 솔로비예프는 영적인 통일성을 갈망하면서 고대 정교회를 포기하지 않고서 로마 가톨릭교회로 들어갈 수 있는 권리를 주장하였다. 그는 러시아 정교회가 이상적으로 표현한 소보르노스트(sobornost, 보편성)는 하나님의 사랑으로부터 유래된 자유와 통일성을 연결시키는 개념이라 믿었다. 한때 신비가요 철학자요 신학자며 예언자, 도덕주의자였던 그는 기독교 신앙을 그런 방법으로 해석하려고 시도함으로써 인간을 새롭게 하시고 세상을 변화시키시는 그리스도의 승리에 대한 희망을 주었다.

러시아교회의 반관(半官)적인(semiofficial) 선교활동은 제국의 통합을 가져다주고 그 영향력을 넓혀준다는 효과 때문에 장려되었다. 따라서 제국 팔레스타인협회(Imperial Palestine Society)나 아토스산의 러시아 수도원 같은 것들을 후원하였다. 그러나 정치와 관련이 없는 알래스카에서의 선교사역이나 일본 정교회의 창설자인 니콜라이 주교하의 동경 선교사역(1860-1912)도 있었다.

20세기의 전쟁들과 혁명들로 인해 더 많은 변화가 왔다. 발칸전쟁 후에 대부분의 새로운 그리스의 감독구들이 사실상 콘스탄티노플의 관할권에서 아테네의 관할로 넘어갔다. 조금 후에는 알바니아 교회가 자치를 하였다. 1차 세계대전 후에 오스트리아-헝가리의 분리된 관할 밑에 있던 세르비아와 루마니아가 자기의 조직과 교회를 회복하였다. 세계 총대주교의 직접 관할은 1923년 그리스와 터키 사이의 민족교환으로 인해 이스탄불 근교로 줄어들었으나 유럽과 미국의 동방교구들은 그의 관할 밑에 있었다. 1920년대에 그리스, 시리아, 루마니아가 고정적인 축제를 위해 그레고리 역법을 채택함으로써 상당한 물의와 분열을 일으켰다. 하지만 부활절의 통일을 위하여 모든 정교회들이 부활절 계산에는 율리우스력을 사용한다.

러시아가 동방정교회 제국에서 공산주의 국가로 바뀐 것은 모슬렘의 침공으로 받았던 정도의 충격을 교회에 가져다 주었다. 1917년 모스크바에서 교회회의가 소집되어 대주교직을 부활시키고 교회의 자유를 위한 여러 조치를 계획했으나 얼마 안가 볼셰비키 치하에서 박해를 받았다. 헌법에는 "종교의 자유와 반종교선전의 자유"를 규정하고 있지만 소비에트 정부는 후자는 적극 권장하였으나 전자는 거의 인정하지 않았다. 많은 주교들과 신부들이 감옥으로 가거나 추방당했으며 수도원들은 폐쇄당하고 대부분의 교회는 문을 닫았다. 흔히 "산 교회"(Living Church)라고 불리는 과격파들이 정부의 후원을 얻어서 활동했는데 어용적 성격을 띠었다. 그러나 교회는 신도들의 마음 속에 살아 있었고 교회 지도자들은 교회의 형태를 보존하려고 노력하였다.

1923년 총대주교 티콘(Tikhon)이 국가에 대한 충성을 서약하고 1925년 그가 죽을 때까지 약간의 자유를 얻기도 했다. 그 이후에는 대주교 세르기우스(Sergius)가 총대주교 자리를 지켰다. 다소 평온한 시기와 종교적 핍박의 시기가 번갈아가면서 나타나다가 2차대전 때에 러시아 정교회원들이 보여준 국가에 대한 충성심으로 인해 정부와의 관계가 다소 안정되었다. 1943년에는 대주교 선출이 허락되어 세르기우스와 그의 후계자들인 알렉시스(1944-1970) 대주교, 피멘(1971-) 대주교들에 의해서 러시아 교회는 거의 정상적으로 기능할 수 있었다. 종교적인 영역 안에서의 활동을 위한 예배당과 교육시설들이 제공되었으며 소수의 수도원과 수녀원이 다시 재기되었으며 삼위일체 신학교를 비롯해서 레닌그라드와 키에프에도 신학교가 세워졌다. 교회와 교회 지도자들은 정부에 대한 충성을 표현하고 싶어했으며 마르크스주의 지도자들도 종교는 때가 오면 저절로 없어질 것이라고 생각하면서 전면적인 공격을 중지했다.

조지아 교회는 1801년 합병 후 러시아 교회에 흡수되었다가 1917년 자체적인 가톨릭 대주교 하에서 자치권을 얻게 되었고 1944년 러시아교회에 의해 자치가 인정되었다. 소련 내의 다른 교회들, 곧 옛 신앙인들(포포브치), 러시아 침례교, 발틱공화국의 루터교회들도 정교회와 비슷한 상황에 있었다. 1920년대에, 이전에는 러시아의 영토에 있다가 독립한 정교회들은 세계 총대주교에게서 자치적인 지위를 인정받았다. 이러한 지위는 에스토니아와 라트비아에서는 없어졌지만 폴란드와 핀란드에는 아직도 남아 있다. 우크라이나에서는 혁명기의 독립기간 동안 독립교회(autocephalous church)가 세워졌으나 현재는 미국과 캐나다의 우크라이나인들 사이에서만 지속된다.

러시아 밖의 러시아 정교회는 대개 3개의 그룹으로 나누어졌다. 하나는 교회문제에 있어서 모스크바의 총대주교에게 충성하는 사람들이며, 다른 하나는 키에프의 대주교 안토니에 의해 지도된 망명주교들을 따르는 사람들로서, 그들은 티콘과 그 후계자들을 소비에트 정부의 앞잡이라고 공박하고 러시아 밖에 있는 정교회가 정교회의 유산을 상속한 참교회라고 주장했다. 그들은 본부를 유고슬라비아의 카를로비치에 세웠는데 2차대전 후에 뮌헨을 거쳐 미국으로 옮겼다. 세번째 그룹은 행정과 교권 문제에 있어서 자율성을 주장하면서 정치에 관여하지 않으려는 사람들인데 현재까지 러시아 정교회의 전통에 충실하다. 미국의 중요한 러시아정교회인 러시아 정통희랍가톨릭교회(Russian Orthodox Greek Catholic Church)가 이 세번째 집단에 속한다. 유럽에서 이 그룹에 속하는 단체는 유럽 러시아정교회(Russian Church in Western Europe)인데 여기에는 1925년 파리에 세워져서 신학과 교회생활의 중심역할을 맡고 있는 세르기우스 학원이 속해 있다. 이 학원은 저명한 신학자인 세르기우스 불가코프(Sergius Bulgakob, 1871-1944)에 의해 여러 해 동안 지도되었다.

최근의 상황과 문제들을 간단히 살펴봄으로써 이 부분을 결론지으려 한다. 19세기에 페르시아 지역의 서북쪽 산들에 있던 네스토리우스 혹은 앗시리아 교회는 두 차례의 세계대전으로 크게 손실을 입고 주로 시리아로 피난하였다. 세습직인 대주교 가문은 추방되었고, 감독인 마르 시문 23세(Mar Shimun)가 캘리포니아에 그 본부를 세웠다. 말라바의 시리아 그리스도인들은 1910년 또다른 분열을 겪었는데 시리아의 관할을 받아들이려는 대주교파와 완전한 자치를 요구하는 감독파로 나뉘었다.

단성론적인(Monophysite) 야곱파의 교회들 중에서 에티오피아 교회는 콥틱(Coptic) 교회로부터 독립해서 국교로서의 책임과 교육을 감당하기 위해 준비하였고, 아르메니아 교회도 1915-1916년의 학살과 추방의 충격으로부터 완전히 회복되었다. 한 때 코렌 1세였던 칠리시아의 수장, 그들의 두번째 대주교는 터키에 있다가 레바논에 가서 교회를 설립했지만 소련과의 정치적인 문제들 때문에 교회의 생활이 크게 영향을 받았다.

기능을 발휘하고 있는 동방정교회로는 옛 총대주교구의 콘스탄티노플, 알렉산드리아(그리스인들과 시리아인들이 이집트에 정착함으로써 최근에 교인이 증가하였다), 안디옥, 예루살렘 등이 있고, 후대의 총대주교구로는 러시아, 세르비아, 루마니아,

불가리아, 조지아가 있다. 또 독립교회들로는 키프로스(에베소 회의 이후 알려졌으며 그리스와의 연합을 위한 민족운동에서 이 교회 주교들의 지도력으로 최근에 잘 알려졌다), 그리스, 폴란드, 핀란드, 알바니아, 체코슬로바키아가 있다. 또 독립 수도원으로 시내산 수도원이 있다.

러시아 주교구는 1872년 알래스카에서 샌프란시스코로, 1905년에는 다시 뉴욕으로 옮겼는데 이것은 미국의 유일한 정교회로서 그리스를 제외한 다른 민족 정교회들까지 돌보고 있다(그리스는 1922년 콘스탄티노플 직할 대주교구로 되었다). 1920년 이후 시리아, 세르비아, 루마니아, 불가리아, 알바니아 교회들도 미국에 주교 관구를 설치했다. 평신도와 성직자들 중에서 미국에서 태어난 젊은 세대들은 미국 내 정교회의 동화를 특징으로 하고 있다. 교육과 예배의식에서 점점 영어가 사용되고 있어서 때가 되면 국가적 성격의 대다수 그룹들이 미국 동방정교회로 결속될 것으로 보인다. 미국에는 아르메니아, 앗시리아, 시리아 야곱파 교회들도 있다.

미국 교회협의회(American National Councils of Churches)와 세계에서 정교회의 가장 뛰어난 대표자는 신학자요 역사가인 플로로프스키(Georges Florovsky, 1893-1970)이다. 그는 러시아에서 태어나서 20년 이상을 파리의 정교회 신학교에서 가르치다가 1948년 미국에 와서 블라디미르 정교회신학교, 뉴욕 유니온 신학교, 하버드, 콜럼비아, 프린스턴 신학교에서 가르쳤다. 다작의 저술가이며 교수였던 그는 다른 사람들에게 정교회의 전통을 소개하는 중요한 역할을 하였다.

최근까지 최대의 동방 가톨릭은 갈리시아(1918년 이후 폴란드 영토)의 브레스트 연합교회와 카파도-러시아 교회(전에는 헝가리, 1918년 이후 체코)였다. 러시아령 폴란드의 Uniat 관구는 1840년과 1875년에 러시아 교회에 합병되었다. 갈리시아 우크라이나 교회의 유명한 지도자는 르포프의 대감독인 스쩨프티키(Andrew Szepticky, 1900-1944)였는데, 그는 동방 가톨릭 교인의 한 사람으로 교황에게 순종하는 한도 내에서 동방 기독교의 경건정신을 형성시키려고 노력하였다. 1946년 소련의 점령으로 우크라이나 교회와 카파도-러시아 교회가 모스크바의 총대주교 밑에서 통합되었다. 또한 우크라이나 "Unia" 교회는 미국과 캐나다에서 갈리시아와 카파도-러시아 이민자들로 말미암아 "사도적 주교구"로 잔존하고 있다.

동방교회 그리스도인들은 자신들의 전통이 참된 것이라고 확신하면서도 논쟁이나 개종의 문제가 얽혀 있지 않는 한 다른 교파들과 우호적인 관계를 계속하였다. 17세기 이후로 다른 교회들과 계속적으로 친교를 가져왔는데, 특히 영국 성공회와 그러했고 1870년 이후에는 로마 가톨릭과도 친교하였다. 동방교회는 1925년과 1927년의 스톡홀름과 로잔 회의 이래로 에큐메니칼 운동에도 동참하였다. 러시아 교회는 불행히도 1920년대와 1930년대에 이러한 모임에 참석하지 못하였다. 하지만 이들의 관심은 모스크바 자주독립 500주년 기념에 따른 1948년의 모스크바 회의에서 나타났는데, 대부분의 비동방 정교회들도 여기에 참여하였다. 모스크바 회의의 중요한 결정들이 바티칸 정책에 대한 비난, 세계교회협의회에 대한 반대, 영국 성공회 판단 보류 등이어서 부정적으로 여겨지기는 하지만 관심은 충분히 보여준 것이었다. 성공회는 1922년과 1935년 사이에 총대주교구와 여러 정교회들에 의해 조건적으로 인정되었었다. 1961년에는 러시아정교회도 세계교회협의회의 회원이 되었으며 그에 따라서 대부분의 중요한 독립국가 정교회들도 세계교회협의회의 회원이 되었다.

18. 에큐메니칼 운동의 성장

기독교 교회의 역사는 항상 확장과 통합이라는 두 가지 주요한 동력에 의해 움직여 왔다. 19세기는 특별히 개신교가 그러했지만, 팽창의 시대였다. 반면 20세기는 통합과 연합 운동이 두드러진 시대였다. 기독교 세계 재통합의 관심은 여러 가지 방법으로 나타났다. "에큐메니칼 운동"이란 단어는 재연합을 향한 운동과 경향 전체를 가리키는 총칭적 용어이다. 이들 전부가 전적으로 서로 일치하는 것은 아니지만 말이다. 개신교 입장에서 아주 중요한 것은 대부분의 동방 정통교회가 에큐메니칼 운동에 참여했다는 것이었다. 로마 가톨릭 교회는 오랫동안 에큐메니칼 토론과 행동에 공식적으로 참여하지 않았다. 「진실한 종교 일치의 증진」(*Mortalium Animos*, 1928)이라는 교황회칙은, 기독교의 일치를 이룰 수 있는 유일한 길은 "하나의 참된 그리스도의 교회에서 떨어져 나간 이들이 교회로 돌아오도록 하는 것"이고, 또한 "그들이 우리 주님의 성육신을 믿는 것과 동일한 신앙으로, 에큐메니칼 교황청 공의회(Ecumenical Vatican Council)의 의미에서의 로마 교황이 무오류하다"는 것을 믿어야 한다고 선언하였다. 이러한 비타협적 태도로 인하여 교황 요한 23세 때의 대반전이 있기까지, 가톨릭은 에큐메니칼 운동에 참여하는 문이 봉쇄되어 있었다.

에큐메니칼 운동이 활발해진 것은 20세기였으나, 사실 그 역사적 뿌리는 깊어 16세기까지 소급된다. 그러나 개신교의 삶과 사고의 여섯 영역에서 특별한 운동이 시

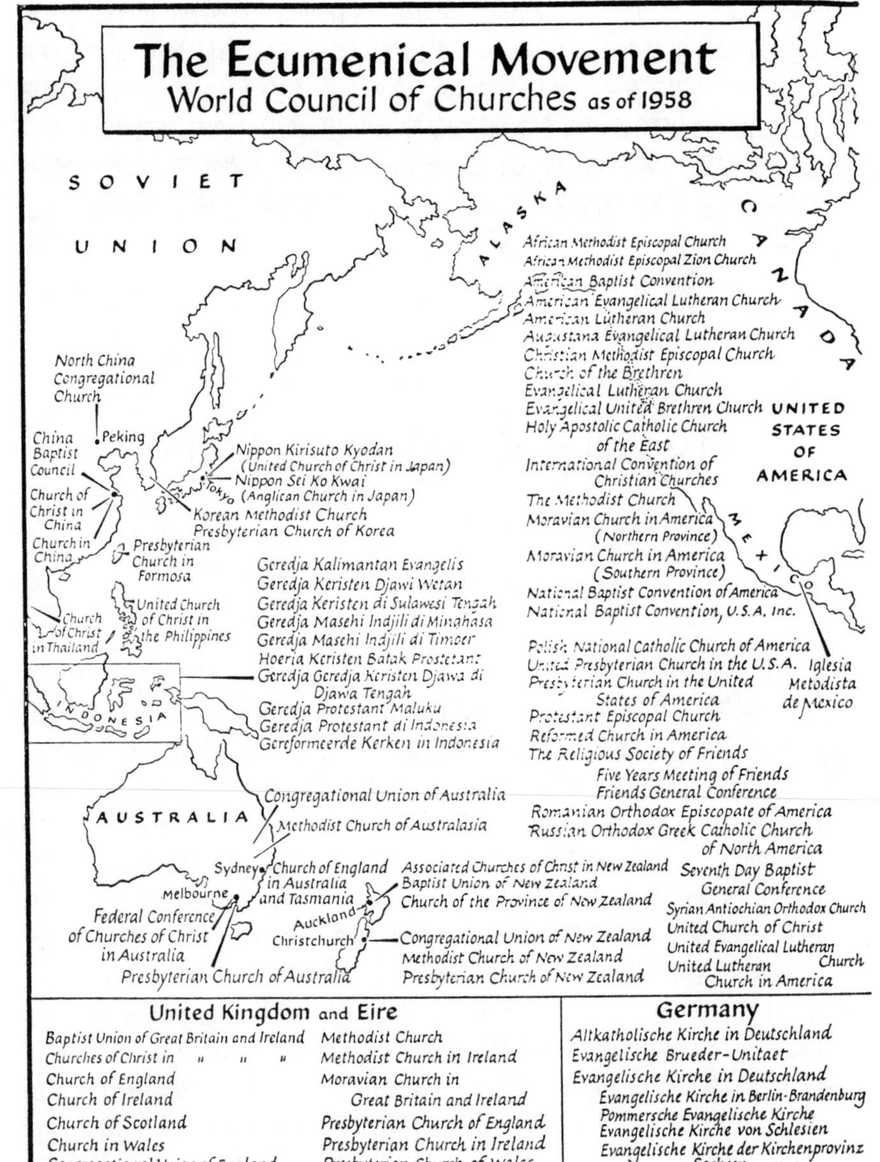
The Ecumenical Movement
World Council of Churches as of 1958
SOVIET
UNION
ALASKA
CANADA
UNITED STATES OF AMERICA
MEXICO
North China Congregational Church
Peking
China Baptist Council
Church of Christ in China
Church in China
Presbyterian Church in Formosa
Church of Christ in Thailand
United Church of Christ in the Philippines
Nippon Kirisuto Kyodan
(United Church of Christ in Japan)
Nippon Sei Ko Kwai
(Anglican Church in Japan)
Tokyo
Korean Methodist Church
Presbyterian Church of Korea
INDONESIA
Geredja Kalimantan Evangelis
Geredja Keristen Djawi Wetan
Geredja Keristen di Sulawesi Tengah
Geredja Masehi Indjili di Minahasa
Geredja Masehi Indjili di Timoer
Hoeria Keristen Batak Protestant
Geredja Geredja Keristen Djawa di Djawa Tengah
Geredja Protestant Maluku
Geredja Protestant di Indonesia
Gereformeerde Kerken in Indonesia
AUSTRALIA
Congregational Union of Australia
Methodist Church of Australasia
Sydney
Church of England in Australia and Tasmania
Melbourne
Federal Conference of Churches of Christ in Australia
Presbyterian Church of Australia
Auckland
Christchurch
Associated Churches of Christ in New Zealand
Baptist Union of New Zealand
Church of the Province of New Zealand
Congregational Union of New Zealand
Methodist Church of New Zealand
Presbyterian Church of New Zealand
African Methodist Episcopal Church
African Methodist Episcopal Zion Church
American Baptist Convention
American Evangelical Lutheran Church
American Lutheran Church
Augustana Evangelical Lutheran Church
Christian Methodist Episcopal Church
Church of the Brethren
Evangelical Lutheran Church
Evangelical United Brethren Church
Holy Apostolic Catholic Church of the East
International Convention of Christian Churches
The Methodist Church
Moravian Church in America (Northern Province)
Moravian Church in America (Southern Province)
National Baptist Convention of America
National Baptist Convention, U.S.A. Inc.
Polish National Catholic Church of America
United Presbyterian Church in the U.S.A.
Presbyterian Church in the United States of America
Protestant Episcopal Church
Reformed Church in America
The Religious Society of Friends
Five Years Meeting of Friends
Friends General Conference
Romanian Orthodox Episcopate of America
Russian Orthodox Greek Catholic Church of North America
Seventh Day Baptist General Conference
Syrian Antiochian Orthodox Church
United Church of Christ
United Evangelical Lutheran Church
United Lutheran Church in America
Iglesia Metodista de Mexico
United Kingdom and Eire
Baptist Union of Great Britain and Ireland
Churches of Christ in " " "
Church of England
Church of Ireland
Church of Scotland
Church in Wales
Congregational Union of England and Wales
Congregational Union of Scotland
Episcopal Church in Scotland
Methodist Church
Methodist Church in Ireland
Moravian Church in Great Britain and Ireland
Presbyterian Church of England
Presbyterian Church in Ireland
Presbyterian Church of Wales
Salvation Army
United Free Church of Scotland
Germany
Altkatholische Kirche in Deutschland
Evangelische Brueder-Unitaet
Evangelische Kirche in Deutschland
Evangelische Kirche in Berlin-Brandenburg
Pommersche Evangelische Kirche
Evangelische Kirche von Schlesien
Evangelische Kirche der Kirchenprovinz Sachsen
Evangelische Kirche von Westfalen
Evangelische Kirche in Rheinland
Evangelisch-Lutherische Landeskirche Sachsens

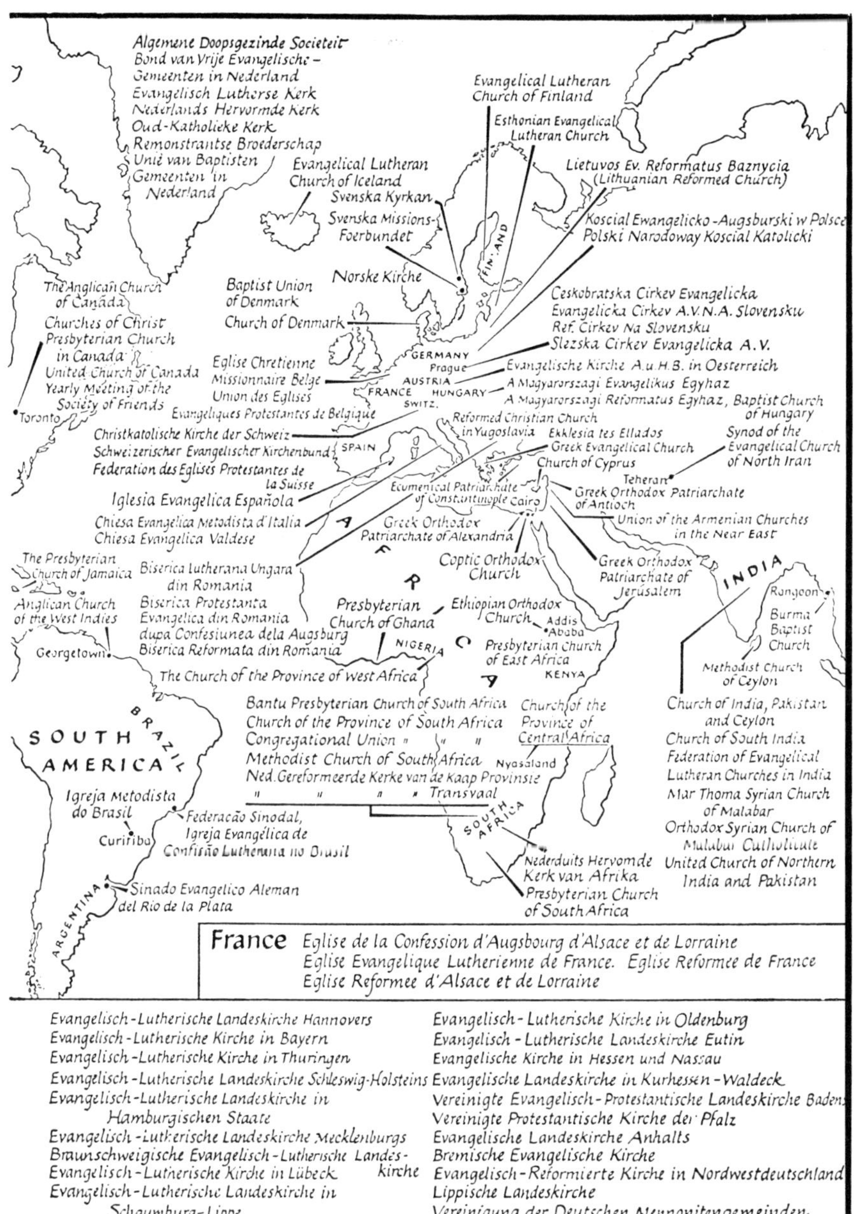

Algemene Doopsgezinde Societeit
Bond van Vrije Evangelische-Gemeenten in Nederland
Evangelisch Lutherse Kerk
Nederlands Hervormde Kerk
Oud-Katholieke Kerk
Remonstrantse Broederschap
Unie van Baptisten Gemeenten in Nederland
Evangelical Lutheran Church of Finland
Esthonian Evangelical Lutheran Church
Evangelical Lutheran Church of Iceland
Svenska Kyrkan
Svenska Missions-Foerbundet
Lietuvos Ev. Reformatus Baznycia (Lithuanian Reformed Church)
Koscial Ewangelicko-Augsburski w Polsce
Polski Narodoway Koscial Katolicki
FINLAND
Norske Kirche
The Anglican Church of Canada
Churches of Christ
Presbyterian Church in Canada
United Church of Canada
Yearly Meeting of the Society of Friends
Toronto
Baptist Union of Denmark
Church of Denmark
Ceskobratska Cirkev Evangelicka
Evangelicka Cirkev A.V.N.A. Slovensku
Ref. Cirkev Na Slovensku
Slezska Cirkev Evangelicka A.V.
Eglise Chretienne Missionnaire Belge
Union des Eglises Evangeliques Protestantes de Belgique
GERMANY
Prague
AUSTRIA
FRANCE
HUNGARY
SWITZ.
Evangelische Kirche A.u.H.B. in Oesterreich
A Magyarorszagi Evangelikus Egyhaz
A Magyarorszagi Reformatus Egyhaz, Baptist Church of Hungary
Christkatolische Kirche der Schweiz
Schweizerischer Evangelischer Kirchenbund
Federation des Eglises Protestantes de la Suisse
SPAIN
Reformed Christian Church in Yugoslavia
Ekklesia tes Ellados
Greek Evangelical Church
Church of Cyprus
Synod of the Evangelical Church of North Iran
Teheran
Iglesia Evangelica Española
Ecumenical Patriarchate of Constantinople
Cairo
Greek Orthodox Patriarchate of Antioch
Chiesa Evangelica Metodista d'Italia
Chiesa Evangelica Valdese
Greek Orthodox Patriarchate of Alexandria
Union of the Armenian Churches in the Near East
The Presbyterian Church of Jamaica
Anglican Church of the West Indies
Georgetown
Biserica lutherana Ungara din Romania
Biserica Protestanta
Evangelica din Romania dupa Confesiunea dela Augsburg
Biserica Reformata din Romania
A F R I C A
Coptic Orthodox Church
Greek Orthodox Patriarchate of Jerusalem
INDIA
Rangoon
Burma Baptist Church
Presbyterian Church of Ghana
Ethiopian Orthodox Church
Addis Ababa
NIGERIA
Presbyterian Church of East Africa
KENYA
Methodist Church of Ceylon
The Church of the Province of West Africa
Bantu Presbyterian Church of South Africa
Church of the Province of South Africa
Congregational Union " "
Methodist Church of South Africa
Ned. Gereformeerde Kerke van de Kaap Provinsie
" " " Transvaal
Church of the Province of Central Africa
Nyasaland
Church of India, Pakistan and Ceylon
Church of South India
Federation of Evangelical Lutheran Churches in India
Mar Thoma Syrian Church of Malabar
Orthodox Syrian Church of Malabar Catholicate
United Church of Northern India and Pakistan
SOUTH AMERICA
BRAZIL
Igreja Metodista do Brasil
Curitiba
Federacão Sinodal, Igreja Evangélica de Confisão Lutherana no Brasil
SOUTH AFRICA
Nederduits Hervomde Kerk van Afrika
Presbyterian Church of South Africa
ARGENTINA
Sinado Evangelico Aleman del Rio de la Plata
France Eglise de la Confession d'Augsbourg d'Alsace et de Lorraine
Eglise Evangelique Lutherienne de France. Eglise Reformee de France
Eglise Reformee d'Alsace et de Lorraine
Evangelisch-Lutherische Landeskirche Hannovers
Evangelisch-Lutherische Kirche in Bayern
Evangelisch-Lutherische Kirche in Thuringen
Evangelisch-Lutherische Landeskirche Schleswig-Holsteins
Evangelisch-Lutherische Landeskirche in Hamburgischen Staate
Evangelisch-Lutherische Landeskirche Mecklenburgs
Braunschweigische Evangelisch-Lutherische Landeskirche
Evangelisch-Lutherische Kirche in Lübeck
Evangelisch-Lutherische Landeskirche in Schaumburg-Lippe
Evangelische Landeskirche in Württemberg
Evangelisch-Lutherische Kirche in Oldenburg
Evangelisch-Lutherische Landeskirche Eutin
Evangelische Kirche in Hessen und Nassau
Evangelische Landeskirche in Kurhessen-Waldeck
Vereinigte Evangelisch-Protestantische Landeskirche Badens
Vereinigte Protestantische Kirche der Pfalz
Evangelische Landeskirche Anhalts
Bremische Evangelische Kirche
Evangelisch-Reformierte Kirche in Nordwestdeutschland
Lippische Landeskirche
Vereinigung der Deutschen Mennonitengemeinden

작된 것은 19세기였다. 이것이 20세기에 들어와서 범세계적 초교파적 기구로 꽃피고, 많은 교회의 유기체적 연합을 자극했던 것이다.

이 중 최초의 가장 중요한 영역은 **선교 사역**이었다. 선교 현장에서 교파간 경쟁의 해악과 상호 협조의 필요가 아주 분명해졌다. 19세기의 선교 운동은 초기부터 초교파적 특색을 보였다. 많은 선교회들이 초교파적 재정 지원에 의존하였기 때문이다. 일찍이 선교 현장에서는 교제와 토론을 위한 선교사 회의가 발전했다. 1854년 뉴욕과 런던에서 최초로 범세계적 선교사 대회가 열렸다. 그 후 비정규적으로 다른 모임들이 뒤따랐다. 1910년 에딘버러 세계선교대회(World Missionary Conference)는 이러한 대회 중 제8차 대회였다. 그러나 이 대회는 참석자 대부분이 개인적 관심에서 뿐만 아니라 각 선교회의 공식 대표로 참여하였다는 점에서 앞의 회의들과 차이가 있었다. 이 대회의 특징은 세밀하게 준비된 토의 자료를 사전에 배포한 것을 포함하여 완벽한 준비 조치를 했다는 것이다. 선교사와 신생교회의 대표들이 참석하여 자기들의 역할을 잘 감당했고, 20세기 여러 영역에서 큰 역할을 수행할 많은 거장들이 이 에딘버러에서 영감과 방향성을 얻었다.

이 회의는 에큐메니칼 역사의 큰 전환점이었다. 에딘버러의 성과를 보존하기 위해 상임위원회가 설립되었고, 다시 이것이 성장하여 1921년 국제선교협의회(International Missionary Council)로 발전하였다. 초대 의장은 에딘버러 대회를 주재했던, 미국 감리교 평신도인 **존 모트**(John R. Mott, 1865-1955)였다. 국제선교협의회의 회원들은 독일개신교선교위원회(Committee of the German Evangelical Missions, 1885), 북미외국선교회의(Foreign Missionary Conference of North America, 1893), 대영제국과 아일랜드의 선교회협의회(Conference of Missionary Societies of Great Britain and Ireland, 1912) 같은 주로 민족별 지역별 초교파 선교 기구들이었다. 이것은 신생교회 국가들 특히 인도, 중국, 일본, 콩고, 근동에서 국가별 기독교협의회의 발달을 격려했다. 이렇게 선교의 협력이 증진되었던 시기는 또한 선교 사역이 급속하게 전개된 시기였다. 그래서 20세기 중반까지는 선교지의 국민들이 개신교 선교 현장 사역자의 90%를 차지하게 되었다. 신생교회의 점증하는 중요성은 1928년 국제선교협의회(I. M. C.) 예루살렘 대회와 1938년 마드라스 대회에 반영되었다. 전자에서는 신생교회 지도자들이 전체 대표의 1/4을 차지했고, 후자에서는 반을 웃돌았다.

점증하는 에큐메니칼 활동의 두번째 영역은 **청년 사역과 기독교 교육**이었다. 상당한 에큐메니칼적 의미가 있는 선구자격의 비교파적 기구는 1844년 조지 윌리엄스(George Williams, 1821-1905)에 의해 런던에 설립된 기독청년협회(Young Men's Christian Association)였는데, 그 이후 전 세계로 퍼졌다. 1855년 Y. M. C. A.의 세계 연맹이 결성되었다. 같은 해 여성기독청년협회(Young Women's

Christian Association)가 런던에서 설립되었고, Y.W.C.A.의 세계연맹이 1894년에 설립되었다. 청년들 사이의 또 다른 중요한 운동은 외국 선교를 위한 학생 자원 운동(Student Volunteer Movement)였는데, 이것은 1886년 매사추세츠 헬몬 산의 드와이트 무디의 여름 수양회에 그 기원을 두고 있다. 존 모트는 그 조직위원으로 봉사했고 수년동안 의장으로 활동했다. 그의 지도력 아래 세계학생기독교연맹(World's Student Christian Federation)이 1895년 스웨덴에서 창설되었다. 여러 나라의 학생 기독교 운동은 예언자적 선구자적 관점의 특징을 보였다. 이 운동은 후에 여러 영역의 에큐메니칼 활동에서 뛰어난 활약을 보일, 남녀 인물들의 훈련장이 되었다. 이 학생들의 범세계적인 교제는 성격상 압도적으로 평신도 운동이었다. 세계기독교교육(World Christian Education) 운동은 1889년에서 시작하여 정규적으로 모였다. 1907년 세계주일학교협회(World's Sunday School Association)가 창설되었다. 그것은 1924년 국가별 초교파적 기독교 교육 기구가 되었고, 그 후 기독교교육과 주일학교협회 세계협의회(World Council on Christian Education and Sunday School Association)로 개칭되었다(1947, 1950).

에큐메니칼 운동의 발전의 세번째 영역은 기독교 봉사와 공동의 윤리적 행동을 위한 연합, 소위 "생활과 사업"(Life and Work)이었다. 이러한 접근 방식의 개척자는 사무엘 슈무커(VII:15 참조)였다. 그는 1838년 「미국 교회에 대한 형제적 호소: 사도적 원칙에 근거한 보편적 연합 계획」(*Fraternal Appeal to the American Churches: With a Plan for Catholic Union on Apostolic Principles*)을 출판하였다. 그의 구상은 기존 교파가 사실상 그대로 유지된 상태로 사도적 개신교회의 가지가 되는 연합 계획이었다. 그러한 계획의 진지한 토론을 위한 때가 아직 무르익지는 않았지만, 이것은 좀 더 완전한 일치를 갈망하게 하는 데 기여하였다. 이 영역의 초기 기구는 비록 완전히 개인적 관심에서 구성된 것이지만, 1846년 런던에 설립된 복음주의연맹(Evangelical Alliance)이었다. 그것은 세계협의회의 재정을 지원했고, 복음주의적 의견의 신문고 역할을 했다. 그것은 특히 종교의 자유를 옹호하는 데 적극적이었고, 이 분야에서 상당히 성공을 거두었다. 그러나 이것은 교회와의 공식적 관계가 없었고, 시간이 흐를수록 이러한 공식적 관계가 바람직하게 보였다. 1867년 설립된 복음주의연맹 미국 지부의 마지막 탁월한 총무는 조시아 스트롱(Josiah Strong, 1847-1916)이었다. 그러나 그는 1898년 사임하고 미국그리스도교회 연방협의회(Federal Council of the Churches of Christ in America)의 조직에 참여하였다. 그것은 결국 1908년 창설되었고, 전부는 아니더라도 많은 주요 교단을 포함하여 약 30개의 미국 교파들을 회원으로 하였다. 이 협의회가 발표한 목적을 보면, 첫째 기독교 교회의 교제와 보편적 일치를 표현하는 것, 둘째 미국의 기독교 교파들을 그리스도와 세상을 위해 일치된 봉사로 이끄는 것, 셋째 교회의 영적 생활과 신앙 활동에 관한 헌신적 교제와 상호 권면을 장려하는 것, 넷째 인간 삶의 모든 관계 영역에 그리스도의 법을 적용하는 것을 촉진하기 위하여, 사람들의 도덕적 사회적 상태에 영향을 미치는 모든 문제에서 그리스도의 교회를 위한 보다 큰 결집된 영향력을 확보하는 것, 다섯째 각 지역에서 이 목적을 달성하기 위하여 협의회 지역 지부의 조직을 원조하는 것 등이었다. 1950년 그것은 국내외 선교, 선교사 교육과 종교 교육, 고등교육, 청지기, 여성 활동 등에 관심 있는, 미국 내 많은 다른 초교파적 기구와 병합하여 미국그리스도교회 국가협의회(National Council of the Churches of Christ in the U.S.A.)를 결성하였다. 1905년 프랑스, 1920년 스위스, 1942년 영국, 1944년 카나다 등 다른 나라에서도 비슷한 조직이 결성되었다.

세계적 차원에서 연합 운동의 가장 탁월한 주창자는 나단 죄더블롬(Nathan Söderblom, 1866-1931)이었다. 그는 스웨덴의 루터교 목사와 학자였고, 후에 웁살라 대주교가 되었다. 그는 학생기독교운동의 베테랑으로서 교회가 심한 교리적 차이에도 불구하고 공동의 윤리적 행동에서 함께 봉사할 수 있다고 확신했다. 그의 추진력 덕분에 최초의 "생활과 사업"에 관한 보편적 기독교회의(Universal Christian Conference on Life and Work)가 1925년 스톡홀름에서 열렸다. 이 회의는 세계의 사회적 필요들을 빠르게 개관하였고, 기독교 세계의 양심에 호소하였으며, 나아갈 길 중에 가능성 있는 것을 제시했다. 상임위원회는 1930년 "생활과 사업"에 관한 보편적 기독교협의회(Universal Christian Council on Life and Work)로 성장하였다. 그것은 1937년 옥스퍼드에서 두번째 회의인 교회, 공동체, 국가에 관한 회의(Conference on Church, Community, and State)가 개최되었다. 여기서 스톡홀름에서 "간과되었던" 윤리적 행동의 신학적 기초가 신중하게 모색되었고, 세상에서 교회가 가지는 특별한 역할에 관심을 가졌다.

에큐메니칼 활동의 네번째 영역은 여러 면에서 가장 예민한 것이었는데, 왜냐하면 그것은 다른 영역에서는 보통 직접 대면할 필요가 없는, 가장 결정적인 교리적 차이와 솔직하게 부딪치는 것을 포함하였기 때문이다. 원래 16세기의 개신교의 에큐메니칼 토론은 **"신앙과 직제"**(faith and order)와 같은 문제로 인해 무산되었고, 그리하여 이 문제를 다시 제기하는 데 있어서 주저할 수밖에 없었다. 그러나 어떤 완전한 의미에서의 기독교 일치를 위한 특별한 제안들은 이 문제를 회피할 수 없었다. 예를 들어 미국감독교회 윌리엄 리드 헌팅톤(William Reed Huntington, 1838-1918)이 재연합의 토론의 기초로서 영국 성공회의 최소한의 "본질적인 것"을 서술하려고 하였을 때, 그는 4가지를 언급했다. 첫째 하나님의 말씀으로서의 성서, 둘째 신앙의 규칙으로서 고대 신조, 셋째 그리스도 자신에 의해 직접 제정된 성례들, 넷째 교회 정치구조의 일치를 위한 시금서으로서 역사적 주교 제도 등이었다. 이 "시카고-램버드 4개 조항"(Chicago-Lambeth Quadrilateral)은 1880년대 약간의 수정을 거쳐 미국감독교회 주교회의와 영국성공회 램버드회의의 승인을 받았는데, 일치 논의에 있어 "신앙과 직제" 문제가 얼마나 중심적 문제인지 잘 보여 주었다.

미국감독교회 선교사 주교 찰스 브렌트(Charles H. Brent, 1862-1929)는 1910년 에딘버러에서 새로운 환상, 즉 통일된 교회의 환상을 포착했으나, 그것은 에딘버러에서 생략한 교리 문제의 토론을 통해서만 가능한 것이었다. 그는 자기 교단에게 "신앙과 직제" 영역을 주도하자고 호소했다. 몇 년 동안 준비한 후, 최초의 "신앙과 직제"에 관한 세계회의(World Conference on Faith and Order)가 1927년 로잔에서 열렸다. 100개 교파, 400명의 대표들이 참석했다. 교단 사이의 가장 뿌리깊은 몇몇 문제들이 충분히 토의되었고, 놀랍게도 많은 영역에서 서로 동의했고, 우호적 정신이 넘쳤다. 상임위원회가 이 운동의 맥을 이었고, 1937년 에딘버러에서 다음 회의를 소집했다. 이 모임에서 "우리 주 예수 그리스도의 은혜"(The Grace of Our Lord Jesus Christ)라는 놀라운 문서가 작성되었다. 이 문서의 서문에서 "이 주제와 관련해서는 교회 사이에 분열을 유지할 근거가 없다"고 판단하고 있다. 그러나 교역과 성례에 관하여는 매우 깊은 차이가 드러났고, 이 문제에 관하여 더 많은 조명이 필요하다고 하였다. 그러나 전반적으로 교리의 영역에 있어서 교회 사이에 기초적인 교리의 거의 85%가 일치된 것으로 인정되었다.

"생활과 사업"과 "신앙과 직제"를 세계협의회로 통합하려는 구상이 많은 진전을 보았다. 1937년 양 회의를 나란히 개최하기로 구상되었다. 양 회의는 통합을 결의하였고, 1938년 위트레흐트에서 세계협의회의 잠정적 구조를 마련하였다. 협의회를 위해 채택된 "헌장"(Basis)은 "세계교회협의회(World Council of Churches)는 우리 주 예수 그리스도를 하나님과 구주로 받아들이는 교회들의 교제이다"였다. 이 운동을 주도한 이는 당시 요크 대주교였다가 후에 캔터베리 대주교가 된 윌리엄 템플(William Temple, 1881-1944)이었다. 템플은 철학자와 신학자로서 학생기독교운동, 국제선교협의회, 생활과 사업, 신앙과 직제 등에서 중요한 역할을 수행하였다. 이제 그는 "형성기"의 세계교회협의회 임시위원회의 의장이 되었다. 제2차세계대전(1939-1945)의 어려운 몇 년 동안 위원회는 제네바의 본부를 통하여 고아 선교, 전쟁포로 보호, 난민 구제 등 활발한 활동을 벌였다. 그것은 히틀러 통치 동안 독일의 기독교 교회와 다른 나라의 교회를 연결시키는 역할을 하였다.

1933년 나치가 독일에서 권력을 장악하자마자 교회들은 제3제국(the Third Reich)의 군국주의적 반유대적 방향에 순응하도록 강요되었다. 이것의 진정한 모습이 더욱 분명해진 후에도 교회의 대항은 미온적이었고, 적극적 투쟁파와 소극적 저항파로 분열되었다. 양파는 고백교회 운동에 참여하였다. 이것은 독일 개신교 교회의 약 1/10의 지지를 얻었고, 1934년의 바르멘 선언에서 나치에 대한 신학적 반대를 표명하였다. 이 성명은 교회 프로그램에 대한 제한과 박해를 초래하였다. 1937년 평신도 지도자와 지도적 성직자에 대한 대대적인 체포가 있었다. 이 안에는 제1차세계대전 당시 잠수함의 지휘관이었던, 유명한 루터교 목사 마르틴 니묄러(Martin Niemoller, 1892-1984)가 포함되어 있었다. 1939년 제2차세계대전이 발발했을 때, 히틀러가 모든 반대 세력의 척결을 시도함에 따라, 제한 조치와 박해가 증가했다. 고백교회를 지지하는 목사의 대부분이 군대로 징집되었다. 세계교회협의회 임시위원회는 이러한 사태의 추이를 자세히 지켜보았고, 이 고립된 교회에 할 수 있는 모든 도움을 제공했다. 그것은 전쟁 기간 내내 독일에서 교회 투쟁에 참여하고 있는 이들과 다른 나라 사람들 사이에 유대의 끈을 견고하게 하였다.[1]

나치에 대한 용감한 지하 저항 운동가들이 서로를 신뢰하게 되고 함께 일하는 법을 배우게 됨에 따라, 개신교와 가톨릭 사이의 후기 에큐메니칼 협력의 씨가 배양되었다. 압도적인 공동의 위협에 직면하여 이러한 전통들 사이의 역사적 적대관계는 덜 중요하게 보였다.

전쟁에 의하여 방해받았던 것은 결국 1948년 암스테르담에서 완성되었다. 이 때 44개국 145교회가 헌장을 승인하고 세계협의회의 조직에 참여하였다. 협의회가 지교회에 대하여 헌법적 권위를 가질 수 없다는 것이 자명해졌다. 유럽과 영국 제도의 주요 개신교의 대부분과 미국과 호주의 개신교 다수파와 몇몇 정교회가 회원이 되었다. 아시아와 아프리카의 많은 신생교회들도 가담하였다. 세계협의회는 Y.M.C.A.와 Y.W.C.A. 세계연맹, 세계학생기독교연맹과 밀접한 유대관계를 유지했다. 세계기독학생연합(WSCF) — 1939년 암스테르담, 1947년 오슬로, 1952년 트라방코어(Travancore)에서 열렸던 — 은 이러한 세계 기구들과 함께 처음부터 참여했다.

1954년 일리노이 주 에반스톤에서 열린 세계교회협의회 제2차 총회에서 161개의 교회 대표들이 "함께 성장하기로"(grow together) 결정하였다. 비록 기독교의 희망의 본성에 대한 분명한 신학적 차이들이 충돌했지만 말이다. 1961년 인도의 뉴델리에서 모인 제3차 총회는 많은 새로운 교회를 입회시켜, 그 수가 198개 교회에 달하였다. 추가된 교회 가운데는 러시아 정교회와 또 다른 슬라브 정교회가 있었고, 두 개의 오순절 교단을 포함하여 "3세계"의 많은 교회도 있었다. 이 모임의 또 다른 중요한 진전은 국제선교협의회(I.M.C.)가 세계협의회에 합세한 것이다.

에큐메니칼 관심의 다섯번째 영역은 **유기체적 교회 일치**(organic church union)의 영역이었다. 몇몇 특별한 일치는 교단 내 같은 교단 사이의 일치였다. 이러한 성취 중 두드러지는 것은 스코틀랜드의 장로교의 재통합이었다. 연합분리교회(United Secession)와 구조교회(Relief churches)가(VII:7 참조) 1847년 연합장로교회(United Presbyterian church)로 통일되었다. 1900년 이것은 다시

1843년 대분열의 산물인 스코틀랜드 자유교회 다수파와 결합하여 스코틀랜드 연합자유교회를 형성하였다. 옛 자유교회(the "Wee Frees") 소수파는 이 통합에 들어가는 것을 거부하였다. 1874년 분열의 원초적 원인이었던 파송권이 법적으로 폐지되었다. 그러나 더 큰 일치의 길을 열기 위해서는 몇 년간의 토론이 필요했다. 1921년 국회는 교회가 국가의 간섭을 받지 않고 교리와 관습의 모든 문제에 있어서 스스로 입법할 수 있게 허락하는 법안을 통과시켰다. 그러나 또한 하나님에게 경의를 표하고 그의 나라를 촉진시키기 위해 노력하는 것이 국가의 의무라고 선언하였다. 1929년 통일이 완성되었고, 국내 장로교의 90%가 — 아마도 국민의 2/3 이상일 것이다 — 스코틀랜드 국가교회의 일원이 되었다.

미국에서도 많은 교파의 재연합이 있었다. 1918년 루터교총대회와 총협의회가 남부연합대회와 연합하여 연합루터교회(United Lutheran Church)를 형성했다. 1930년 버팔로, 아이오와, 오하이오 대회들이 미국루터교회(American Lutheran Church)로 연합하였다. 1960년대 초기 일련의 통합으로 인하여 미국의 모든 루터교회는 세 교파, 즉 연합교회와 아우구스타나교회를 포함한 미국의 루터교회(Lutheran Church in America), 루터교회-미주리대회(Lutheran Church-Missouri Synod), 미국자유교회와 복음주의자유교회와 루터교자유교회를 포함한 미국루터교회(American Lutheran Church)로 정리되었다.

북장로교회는 1906년 컴벌랜드장로교회의 주요 교회와 연합하였고, 1958년 다시 연합장로교회와 통합하여 아메리카미국 연합장로교회(United Presbyterian Church in the United States of America)가 되었다. 1983년 이 교회는 남부의 미국 장로교회와 연합하여 (미국)장로교회〔Presbyterian Church(U.S.A.)〕를 형성하였다.

감리교회(Methodist Church)는 1939년 감리교감독교회와 남감리교감독교회와 감리교개신교회의 통일의 열매였다. (이들은 한 세기 전 감리교 본체에서 분리되어 나왔었다.) 7년 후 독일 감리교 배경의 두 교회가 연합하여 복음주의연합형제교회(Evangelical United Brethren Church)가 되었다. 다시 이 교회는 1968년 감리교회와 연합하여 연합감리교회(United Methodist Church)를 형성했다. 유니테리언 교회와 만인구원교회는 함께 합하여 1961년 유니테리언 만인구원연합(Unitarian Universalist Association)으로 되었다.

교파 너머 교파간 교회 연합도 일어났다. 캐나다에서 다양하게 시작된 개신교는 그 조직이 너무 복잡하였다. 19세기는 교파 통합의 시대였다. 장로교에서 9개의 연합이 있었는데, 1875년 4교단이 통합하여 캐나다장로교회를 형성한 때가 그 절정이었다. 감리교에서도 8번의 통합이 있었는데, 다시 4교단이 캐나다감리교회를 결성한 1884년이 절정기였다. 많은 군소 회중교회도 1906년과 1907년 세 부류가 함께 하여 일치를 보았다. 그러나 땅은 넓고 인구밀도는 적고 하여 개신교의 보다 긴밀한 일치가 요구되었고, 세기의 전환기에 연합교회 운동이 시작되었다. "연합 헌장"은 장로교 표준과 감리교 25개 신조를 기초로 하였고, 교회 정치구조는 여러 전통들의 특징을 결합하여 구상하였다. 곧 영국성공회와 침례교회가 포함될 수 없다는 것과 대개의 군소 장로교회가 통합에 반대하는 것이 드러났다. 몇 년간의 작업과 많은 격렬한 협의 끝에 1925년 캐나다연합교회(United Church of Canada)가 탄생했다. 오직 장로교의 1/3만이 불참했다.

여러 신생교회 나라에서 회중교회, 장로교회, 감독교회 정치구조를 포함하는, 가장 중요한 연합 중의 하나가 일어났다. 1908년 남인도연합교회(VII:13 참조)는 장로교와 회중교회 선교와 협력하였다. 그러나 이것은 시작이었고, 곧 이어 감리교와 영국성공회가 연합 협의에 가담하였고, 이 협상은 몇 년 동안 계속되었다. 더 큰 연합으로 나아가는 길을 놓은 기본적 일치는 연합 당시의 모든 교역자가 동등한 권리와 지위를 인정받는다는 약속이었다. 비록 회중들이 원치 않는 교역자들을 강제로 받지 않을 권리를 갖지만 말이다. 다음 30년 동안 모든 안수는 주교들이 장로의 도움을 받아 하기로 하였다. 1947년 남인도교회가 출범하였다. 5명의 영국성공회 주교가 재선되었고 9명의 새 주교들이 선출되어 성별되었다. 100만의 인도 그리스도인들이 단일 독립 토착 교회를 이룬 것이다.[2]

미국에서 1957년 연합그리스도교회(United Church of Christ)는 4개의 다른 교파가 연합한 것이었다. 회중교회들과 기독교교회(이것은 19세기 초 국경의 개척지역의 부흥운동에서 기원했다)는 1931년 연합하였다. 3년 후 독일개혁교회와 복음주의연합(이것은 루터교와 개혁교회 배경의 경건주의적 독일어 사용 이민자들이 1840년대에 협력하여 만든 것이었다)이 복음주의개혁교회(Evangelical and Reformed Church)로 통합되었다. 이렇게 최근에 연합된 두 교파를 연합그리스도교회에 다시 통합시키려는 노력은 소수파의 강한 반발을 일으켰으나, 1961년, 1957년의 연합이 양 파의 압도적 다수에 의해 비준되었다. 곧 이어 더 큰 연합 교회가 발전할 수 있었다. 1962년 교회연합심의회(Consultation on Church Union)가 활동을 시작했다. 60년대 말 9개의 교단이 참여하였는데, 회중교회, 장로교회, 감독교회 정치구조를 가진 교단을 포함하였고, 감리교 배경의 세 흑인 교회도 가담하였다.

에큐메니칼 활동의 여섯번째 영역은 **교파의 세계적 연합 혹은 친교기구의 형성**이었다. 때때로 이 기구의 활동들은 다른 영역의 에큐메니칼적 관심과 충돌하는 것 같았으나, 전반적으로는 세계교회협의회 같은 기구들이 지교회의 회원들보다 더 강하지 않다는 원칙 위에서 활동을 계속하였다. 어떤 면에서는 영국성공회 램버드 주교회의(1867)가 최초의 교파의 세계 기구였다. 비록 이것이 주교들의 회의로서 1889

년의 고대 가톨릭 주교회의(Conference of the Old Catholic Bishops)를 제외하고는 다른 교파 기구와 아주 달랐지만 말이다. 1875년 후일 세계개혁교회연맹(World Alliance of Reformed Churches)이 될 기구가 형성되었고, 다음 1881년 세계감리교협의회(World Methodist Council), 1891년 국제회중교회협의회(International Congregational Council), 1905년 세계침례교연맹(Baptist World Alliance), 1923년 세계루터교연합(Lutheran World Federation), 1930년 세계그리스도교회대회(World Convention of the Churches of Christ), 1930년 자유주의기독교와 종교의 자유를 위한 국제연합(International Association for Liberal Christianity and Religious Freedom), 1937년 세계퀘이커심의위원회(Friends' World Committee for Consultation)가 조직되었다. 이 기구들은 대부분 세계교회협의회와 협의하는 관계에 있었고, "기독교세계교제"(Christian world fellowship)라고 불리게 되었다.

개신교 세계는 20세기에 이르러 에큐메니칼 운동에 의해서 뿐만 아니라 신학적 부흥에 의해서도 영향받았다. 20세기 초기 신학적 이슈에 대한 관심은 전반적으로 미약했다. 그러나 제1차세계대전 후 유럽에서는 성서신학과 조직신학에 대한 새로운 관심이 일어났다. 새로운 "변증법적" 혹은 "위기" 신학의 가장 강력한 대변자는 에밀 브루너(H. Emil Brunner, 1889-1966)와 특별히 칼 바르트(Karl Barth, 1886-1968)였다. 바르트는 개혁교회 목사와 신학자로서, 큰 영향을 미친 「교회 교의학」(*Church Dogmatics*, 13 vols. 1932-1967)의 저자였다. 그는 슐라이에르마허와 리츨의 신학을 주관주의와 상대주의라고 비판하면서 하나님의 타자성, 계시의 중심적 위치, 인간의 죄성 등을 강조했다. 그의 많은 작품들은 큰 논쟁을 불러 일으켰으나, 신학적 질문들에 대한 광범위하고 진지한 논의에 공헌하였다. 신학의 르네상스는 나치의 전체주의에 대한 교회의 저항에 의해서 더욱더 자극되었다. 1934년 독일의 바르멘 선언은 예수 그리스도가 인간이 듣고 신뢰하고 순종해야 할, 유일한 하나님의 말씀이라고 주장했다.

미국의 신학적 분위기의 변화는 1930년대에 시작되었다. "기독교현실주의"가, 스스로의 판단에, 많은 미국 신학의 이상주의적 가정과 유토피아적 환상을 비판하였고, 새로운 신학 사조를 미국 전역에 퍼뜨렸다. 이러한 발전의 중심 인물은 니버 형제와 폴 틸리히였다. 사회 윤리를 위한 건전한 신학적 기초를 찾으려는 집요한 노력 끝에 라인홀드 니버(Reinhold Niebuhr, 1892-1971)는 「인간의 본성과 운명」(*The Nature and Destiny of Man*, 1941-1943)을 비롯하여 많은 역작을 발표하였다. 리처드 니버(H. Richard Niebuhr, 1894-1962)는 신학적, 사회학적, 윤리적 분석을 그의 평생의 창조적 작품 안에 결합하였다. 이것이 바로 아주 특징적인 「그리스도와 문화」(*Christ and Culture*, 1951)였다. 폴 틸리히(Paul Tillich,

1886-1965)는 히틀러 통치의 독일에서 미국으로 피난해 와서, 신학계와 지성계에 중요한 영향력을 행사했다. 그의 성숙한 사상은 3권으로 된 「조직신학」(*Systematic Theology*, 1951-1963) 안에 제시되어 있다.

에큐메니칼 운동은 특별히 세계교회협의회를 중심으로 할 때, 이들 뿐만 아니라 다른 성서적으로 사고하는 신학자들의 신학적 기여를 반영하였고, 다시 이것을 전파하였다. 개신교 세계에서는 또한 예배의식의 부흥도 일어나서, 예배의 이해와 실제를 의미있게 변화시켰다. 많은 교파들이 그들의 예배의식을 개정하였고, 자유교회들은 예배의식의 일부 요소들을 그들의 예배 안에 도입하였다. 많은 가톨릭과 개신교 학자들의 성서 연구와 예배의식의 개혁에 대한 관심으로 인하여 1960년대에는 놀라운 에큐메니칼적 혁신을 위한 길이 열리게 되었다.

19. 세상 안의 교회

제 2차 세계대전 직후 세상의 여러 영역에서, 기독교 교회는 특별히 서구에서 제도적으로 매우 안정된 듯이 보였다. 국제연합(United Nations, 1945)의 창설은 국제 사회의 긴장을 다루고 평화를 유지하기 위한 국제적 대화의 광장을 제공해 주었다. 곧 이어 공산주의와 서구 열강 사이의 "냉전"에 의해 평화가 위협받았을지라도, 교회는 계속적인 진보를 기대하였다.

유게뇨 파첼리(Eugenio Pacelli), 즉 교황 피우스 12세(Pius XII, 1939-1958) 지도하의 로마 가톨릭 교회는 외적으로 중앙집중적 보수적 태도를 유지했다. 피우스 12세는 본질상 피우스 9세가 19세기에 취했던 입장을 계속 이어나갔다. 교회는 요새 안에 남아 있으면서, 혼란된 세상에 진리를 선포하고 적대적 세력에 맞서 분열을 피하기 위해 노력해야 한다. 피우스 12세는 전쟁 기간에 평화를 위해 일하였다. 그는 부담을 느낀 나머지 유럽의 수 백만의 유대인을 파멸시킨 독일의 대학살(Holocaust)을 공개적으로 비난하지 못하였는데, 이것은 유대인과 가톨릭 신자들의 사정을 더 악화시킬까 우려했기 때문이었다. 그는 "마르크스주의 무신론"에 반대하여 공산주의 국가와의 어떤 접촉도 거부하였고, 가톨릭 신자가 그러한 정부와 협력하는 것도 금지시켰다. 그는 에큐메니칼 운동에 전혀 흥미를 느끼지 못하였고, 가톨릭 신자들이 세계교회협의회에 참여하는 것도 허락하지 않았다. 그는 자연법과 도덕성의 문제에 있어서 가톨릭 교회의 교도권(teaching authority)을 확신하였기 때문에, 다양한 여러 주제에 대하여 말과 글로 자신의 의견을 발표했다. 그는 단호하고 고독한 지도자로서 근대 의사 전달의 수단들을 효과적으로 사용하여, 당대의 교회 안팎에서 유명 인사가 되었다. 1950년 성모 승천 교리의 공표는 교회 안의 19세기의 지배적 정신과 일치하였다. 반면에 「가르침의 오류에 대한 경고」(*Humani generis*, 1950) 교서는 철학 혹은 신학의 사고에서 일어난, 주요한 이탈에 대하여 경고하였다.

여러 나라의 개신교와 정교회 교회들은 제도적으로 탄력이 있었다. 북미에서는 예기치 않게 전후에 종교의 부흥이 있었고, 반면에 독일에서는 놀라웁게 평신도 운동이 다시 일어났다. 후자는 특히 평신도들이 일상 직업에서 그리스도인으로서 증거하기 위한 전략을 구상하는 복음주의 연구소와 매년 한 주 동안 연구와 갱신을 위해 큰 모임을 갖는 교회의 날(Kirchentag)을 통해서 이루어졌다.

중국 본토에서 선교 사역이 막히고 현지 교회가 고립된 것은 세계 기독교의 심각한 손실이었으나, 세계의 다른 지역에서는 대부분의 교회들이 토착적 자율 교회로 변화하는 데 성공한 듯이 보였다. 세계교회협의회는 네덜란드 출신 초대 총무 빌렘 피서트 후프트(Willem A. Visser't Hooft, 1900-)의 지도 아래 회원 수가 꾸준히 증가하였다. 여러 신학 사조가 에큐메니칼 세계를 관류하였지만, 계시적이고 그리스도 중심적인 성서 신학이 1950년대 내내 두루 영향을 미쳤다.

그러나 다음 몇 십년 동안 서구 교회를 비롯하여 교회에서는 세속화(secularization) 경향에 대한 관심이 증가하였다. 전 세계에서 민족주의의 승가는 흔히 종교 생활이 점점 더 사적 영역으로 옮겨지는 것을 의미했다. 이것은 공산주의 나라에서는 현저하게, "기독교 세계"였던 곳에서는 보다 덜 분명하기는 하지만 그래도 가시적으로 이루어졌다. 기독교의 일반 문화에 대한 영향력이 감소하는 듯이 보임에 따라, "기독교 이후"(post-Christianity) 사회에 대한 언급이 많았다. 미국에서는 전쟁 이후에 교회가 부흥하더니, 1960년대와 1970년대에는 침체에 빠졌는데, 이 기간에 역사가 오랜 많은 주요 개신교 교단들이 성장을 멈추거나, 어떤 경우에는 신자들을 잃어버렸다. 보다 보수적 경향의 전통을 가진 교회들이 숫적으로 계속 증가했다. 그러나 세계 전체를 보면 점증하는 종교 다원주의가 세속주의의 부식 효과와 맞물리면서, 교회의 공적 영향력이 약해지는 경향이었다.

따라서 기독교 교회의 여러 부분에서 깊은 우려가 나타났다. 아시아와 아프리카의 국가들이 연속적으로 독립하고 식민주의의 굴레를 벗어버리자, 흔히 이들 나라의 교회에서는 서구식으로 하나님을 예배하고, 교회를 조직하고, 신학을 정리하는 것을 회의하기 시작했다. 자본주의든 공산주의든 유럽과 북미의 부유한 나라들, 특히 미국과 소련은 점점 더 부유해지는 반면 가난한 나라들은 상대적으로 더 가난해지는 것 아니냐는 "제3세계"의 확신이 점점 더 뚜렷해졌다. 많은 서구 교회가 제도적 자기중심성과 자기 만족적 태도로 인해 서구 교회 안팎으로부터 심한 공격을 받았다. 교회는 점점 더 흑색, 갈색, 황색의 유색 인종들이 다수를 차지하고 있는, 세계의 가난하고 힘 없는 사람들의 곤경에 대해 보다 많은 관심을 보여야 한다고 확신했다.

군사력의 사용에 격분하고 세계의 부정의와 불균형에 대해 점점 더 예민해지자, 가톨릭과 정교회와 개신교 그리스도인 사이의 제도적 장벽에 대하여 거센 비판이 제기되었다. 왜냐하면 이 장벽들이 인류의 선을 위한 효과적인 협력을 방해하기 때문이었다. 1930년대 전체주의에 맞서 싸울 당시,가톨릭 신자와 개신교 신자 사이의 협력은 잊을 수 없는 선례를 제공했다. 전후의 종교적 부흥보다 더 깊은 차원의 갱신과 개혁에 대한 갈망이 자주 표출되었다. 전통적 경건 유형과 교회 조직에 대한 불만이 싹텄다. 평신도 특히 청년층은 암묵적으로 뿐만 아니라 상당히 공개적으로 비판을 제기하였다.

그러나 로마 가톨릭 교회의 갱신과 개혁의 동력은 뜻하지 않게 위로부터 왔다. 론칼리(Angelo Giuseppe Roncalli)가 1958년 요한 23세(John XXIII, 1958-1963)[1]라는 이름으로 교황에 선출되었을 때, 많은 사람들은 그의 교황직이 "과도"(caretaker) 정부 같은 것일 것이라고 생각했다. 그러나 그는 여러 종류의 사회 정치 운동에 경험이 많은 교회의 외교가였다. 그는 불가리아, 터키, 프랑스, 독일에 근무하면서 동방 정교회와 비가톨릭 세계와 접촉하였고, 다양한 유형의 정치 단체들과 만났다. 그는 교황으로서 그의 교회를 인도할 때, 세상의 필요에 맞춰 신앙과 삶의 유형을 다시 고려하려 하였고, 다른 기독교 교회들과 진정한 에큐메니칼적 관계를 모색하려 하였다. 1959년, 그는 전 세계의 로마 가톨릭 주교들이 모이는, 제 21차 에큐메니칼 공의회(Vatican II)의 소집을 공표했다. 1960년 그는 교황 직속기관으로 추기경 아우구스틴 베아(Augustin Cardinal Bea, 1881-1968)를 책임자로 하여 기독교일치촉진위원회(Secretariat for Promoting Christian Unity)를 설치함으로써, 다른 교회와 효과적으로 대화할 수 있는 통로를 제공했다. 교황은 세계교회협의회 제3차 총회에 5명의 공식 옵서버를 파견하였고, 제2차 바티칸 공의회에 개신교와 정교회의 옵서버를 초청했다.

인간의 필요와 세상의 문제에 대한 요한 23세의 관심은 두 가지 주목할 만한 교서에 반영되었다. 「그리스도 정신과 사회진보」(*Materet magistra*, 1961)는 「노동자들의 현실」(*Rerum novarum*)과 「사회질서의 쇄신」(*Quadragesimo anno*)의 전통에 서서 가톨릭 사회 교리를 현대화한 것이다. 이 교서는 「노동자들의 현실」의

70주년, 「사회질서의 쇄신」의 30주년 기념으로 발표된 것이다. 「지구의 평안」(*Pacem in terris*, 1963)은 진리, 정의, 자선, 자유 안에 있는 보편적 평화로 인도할 수 있는 조건들을 마련하려 하였다. 이것은 "모든 인류가 자연적 존엄성에서 동등하다"고 선언하였고, 군비 경쟁의 종식을 요청하였고, 국제 경제의 점증적 상호 의존을 강조하였고, 가톨릭 신자들에게 공동 선을 위해 다른 신앙을 가진 사람들과 협력하도록 가르쳤다.

3년 이상 준비한 후, 제2차 바티칸 공의회가 1962년 10월 11일 로마의 성 베드로 대성당에서 열렸다. 얼마 지나지 않아 그토록 열망해온 교회의 "현대화"(updating, aggiornamento)가 쉽지 않다는 것이 드러났다. 200여명의 주교들 중, 진보와 반동적 세력이 여러 안건에서 부딪쳤기 때문이었다. 첫 회기 동안 개혁과 에큐메니즘의 정신이 지배하였다. 비록 공의회가 가시적 성과 없이 12월 8일 휴회되었지만 말이다.

요한 23세는 다음 해 6월 사망하였다. 그의 후계자 몬티니(Giovanni Battista Montini), 바울 6세(Paul VI, 1963-1978)는 3년 동안 매년 가을에 모여 공의회를 완수하기로 작정하였다. 교황 바울은 그의 전임자와 같은 카리스마적 인물은 아니었으나, 화해에 관심이 많아서 1964년 성지를 방문하였는데, 이 기간에 콘스탄티노플 총대주교(patriarch)를 만났다. 그 결과 1965년 12월 7일 로마와 콘스탄티노플의 공동 문서가 나왔는데, 그것은 1054년 비극적인 분열을 가져온, 양쪽의 공격적 언사와 감정을 상하게 한 행적들을 유감으로 여기고, 파문 선고를 폐지하는 내용이었다.

제2차 바티칸 공의회의 첫 작품은 거룩한 전례에 대한 헌장(Constitution on the Sacred Liturgy)이었다.[2] 이것은 예전 운동의 작업을 토대로 하여 미사 의식을 개정하였고, 보다 많은 공동체적 성찬식을 집행하게 했다. 16개의 다른 문서들도 공의회의 교부들에 의해 채택되었다. 이들은 1,000 단어 약간 넘는 분량의 '비기독교 종교에 대한 교회의 관계에 대한 선언'(Declaration on the Relationship of the Church to Non-Christian Religions)으로부터 23,000 단어가 넘는 '현대 세계 안의 교회에 대한 사목헌장'(Pastoral Constitution on the Church in the Modern World)에 이르기까지 그 길이에 있어서 다양했다. 전자는 우선 민감한 문제인 유대인과 그리스도인의 관계를 언급했고, 부분적으로는 미약하고 약간은 난해하다는 비판을 받았다. 그것은 모든 형태의 반셈족주의와 인종, 색깔, 삶의 조건, 종교로 인한 모든 차별이나 학대를 통탄하였고, 비기독교 종교인들과의 대화와 공동 선을 위한 협력을 장려하였다. 사목헌장은 신자 뿐만 아니라 "인류 전체"를 대상으로 한 것이었고, 의식적으로 교회로 하여금 인류 가족의 봉사로 향하도록 하였다. 그것은 기술 사회의 비인간화 측면에도 불구하고, 보다 인간적이고 인도적인 사회가 올 수 있도록 성직자와 평신도에게 봉사의 교역에 협력할 것을 가르쳤다. 요한 23세의 "사회적 교서들"의 분위기가 본문 안에 스며 있었다.

제1차 바티칸 공의회의 미완의 과제 중의 하나는 교회 헌장(Constitution on the Church)의 완성이었다. 그 때 공의회가 갑자기 끝나 교황에 관한 부분만 규정되었던 것이다. 그 동안 교회에 대한 중요한 선언이 있었는데, 특히 피우스 12세의 「신비체」(*Mystici corporis Christi*, 1943) 교서가 중요했다. 이러한 많은 준비의 연속선 상에서 제2차 바티칸 공의회의 '교회에 대한 교리 헌장'(Dogmatic Constitution on the Church)이 나왔다. 회기 동안 초안이 여러번 개정되었다. 이 문서는 공의회의 걸작품으로 인정되었는데, 수직적 계층질서와 사법권의 강조로부터 보다 성서적, 역사적, 역동적인 태도로 그 강조점이 이동하였다. 연대성(collegiality)에 대한 강조가 가장 중요했다. 이것은 교황과 함께 집단적으로 교회를 인도할 책임이 있는 "동료단"(college)을 구성하는 주교들의 역할에 관한 것이었다. 또한 성모 마리아에 대한 마지막 장을 이 본문 안에 있게 하여, 마리아론이 다른 신학적 교회적 문제들과 분리되지 않게 하였다. '교회에 대한 헌장'은 교회가 마리아에게 부여한 여러 가지 칭호들을 확인하면서, "그것들이 유일한 중보자로서 그리스도의 권위와 효력에 빼거나 더하는 것이 아니다" 라고 선언했다(III, 62).[3)]

이 헌장은 목회적이고 에큐메니칼적이어서 정교회, 영국성공회, 개신교 신학자들과의 알찬 대화의 길을 열었다. 헌장의 일부 정신은 신속히 시행되어, 공의회 마지막 회기 초기에 바울 6세는 전 세계 주교직의 대표자들이 로마에서 정규적으로 모이는, 주교회의(Synod of Bishops)를 설립했다.

제2차 바티칸 공의회는 '하나님의 계시에 대한 교리 헌장'(Dogmatic Constitution on Divine Revelation)이라는 또 다른 기본적인 신학 문서를 내었다. 이 문서는 계시와 계시의 전승이라는 일반적인 에큐메니칼 연구의 영향을 받아, 성서와 전승을 "계시의 원천"으로 보는 이전의 태도에서 벗어났다. 그것은 피우스 12세의 선견적 교서 「성경 연구」(*Divino afflante Spiritu*, 1943)와 같은 맥락에서 근대적인 성서 해석 방법을 진지하게 고려했다. 그것은 계시를 인류에게 공적으로 주어진, 하나님 자신과 그분의 뜻과 의도의 현현으로 보았다. 성서는 기록된 말씀의 형태 안에 계시를 "포함"하고 있다. 이 안에는 계시의 효력과 계시에 대한 인간의 응답이 함께 있다. 성서의 작품들은 성령에 의해 인도되는 교도권(magisterium)의 지도 아래 계속 이해와 설명이 이어지는 전통 안에 있는, 살아있는 교회 공동체 안에서 읽고 해석되어야 한다. 마지막으로 이 문서는 적당하고 정확한 번역으로 모든 신자가 성서에 쉽게 접근하는 것이 중요하다는 것을 강조하였다. "그리고 만일 기회와 교회 권위의 승인이 주어져서, 이들 번역들이 분리된 형제들(separated brethren)과 함께 협력하여 이루어지면, 모든 그리스도인들이 그것들을 사용할 수 있을 것이다. "(VI, 22) 그 결과의 하나로, 가톨릭 신자들이 개신교 학자들이 작업한, 성서의 개정 표준판(Revised Standard Version of the Bible)을 사용하는 것이 승인되었다.

비가톨릭 세계가 특별한 관심을 가진 것은 '에큐메니즘 교령'(Decree on Ecumenism)이었다. 요한 23세 때까지 가톨릭 에큐메니즘은 주로 모든 그리스도인이 로마 가톨릭 교회로 돌아오는 것을 의미했고, 가톨릭은 에큐메니칼 운동의 여러 분야에 공식적으로 참여하지 않았다. '에큐메니즘 교령'은 공식적 전환점을 표시하는 것이었고, 로마 가톨릭 교회로 하여금 정식으로 에큐메니칼 운동을 향하게 하였고, 신자들에게 에큐메니즘 활동에 적극적으로 참여하라고 당부했다. 이 문서는 그리스도인 사이의 분열은 양쪽 모두의 죄의 결과라고 시인한 후, 로마 가톨릭 교회 바깥의 교회를 "분리된 교회와 공동체들"(separated Churches and Communities)이라고 하면서, 이들은 교리, 훈련, 구조 등에서 어떤 부족함(defects)으로 인해 힘들기는 하지만 그래도 "구원의 신비에 있어서 그 의미와 중요성이 결코 없는 것이 아니다"(I, 3)라고 하였다. 특히 사회적 기술적 발전과 신앙 문제에 대한 대화가 일어나야 하는 분야에서 이들과 가톨릭 신자들이 서로 협력해야 한다. 특정 상황에서는 공동 기도가 바람직하다고 생각되었다. 이 문서에 대한 개신교의 평가는 전반적으로 호의적이었다. 비록 이것의 진정한 에큐메니칼 정신과 로마 가톨릭이 유일한 참된 교회라는 주장 사이의, 계속되는 갈등에 관하여 약간의 불편함이 있었지만 말이다.

본래 '에큐메니즘 교령'의 초안의 일부는 '종교의 자유에 대한 선언'(Declaration on Religious Freedom) 부분이었다. 이것은 공의회에서 집중적이고, 강력하고, 흔히 감정적인 논쟁을 처리한 것이었다. 왜냐하면 그것은 오류 목록(Syllabus of Errors) 같은 문서에서 거부되었던 종교의 자유에 대한 입장을 확인해야 했기 때문이다. 이 선언은 명백하게 "모든 사람은 개인, 사회 단체, 모든 인간의 권력으로부터 강제받지 않을 권리가 있고, 이러한 맥락에서 종교의 문제에서도 자신의 믿음에 어긋나는 방법으로 강제되어서는 안된다"(I, 2)고 선언하고 있다. 종교의 자유는 역사적 경험을 통한 인간의 이성과 계시 양자에 의해 알려질 수 있는, 인간의 존엄성에 그 기초를 두고 있다고 하였다. 이 문서는 다른 교회들과 세속적 일에 대한 가톨릭 교회의 관계를 새롭게 정립하는 데 크게 공헌하였다. 그러나 계속적인 관심 주제인 그리스도인의 자유의 신학적 의미를 논의하기 시작할 때, 조만간 이 교령은 예기치 않은 결과를 드러낼 수도 있었다.

다른 공의회의 문서들은 대부분 주로 주교직, 사제 양성, 신앙 생활의 갱신, 사제의 교역과 삶, 선교, 교육 등과 같은 교회의 삶의 실천적인 문제들을 다루는 교령이었다. 1965년 12월 8일 공의회는 공식적으로 폐막되었다. 예언적으로 공의회의 마지막 메시지는 "유사 이래 가장 엄청난 변화를 겪을 시대에" 살아야 하는, 세상의 청년들을 향한 것이었다. 그들은 세계의 차원에 마음을 열고, 형제를 섬기는 데 힘을 쏟고, 열정을 가지고 앞 세대보다 더 나은 세상을 건설하라고 권면받았다.

제2차 바티칸 공의회는 언론으로부터 많은 관심을 받았다. 그것은 교회사에서처럼 세속사에서도 중요한 사건이었다. 그것의 영향은 가톨릭 울타리 안과 에큐메니칼 운동에서 곧장 체험되기 시작했다. 예전 의식의 개혁은 신속하게 이루어져서, 미사에서 모국어가 대대적으로 사용되었다. 국가의 수직적 계층질서는 여러 단계에서 재조직되었다. 예를 들어 1966년 미국에서 전국가톨릭주교회의(National Conference of Catholic Bishops)가 조직되었고, 이것은 전국복지회의(National Welfare Conference)의 연장인 미국가톨릭회의(United States Catholic Conference)를 책임지게 되었다.

보다 극적인 것은 가톨릭 신자와 다른 그리스도인 사이에 에큐메니칼적 접근이 신속하게 확산된 것이었다. 1965년 기독교일치촉진위원회와 세계교회협의회의 공동 "연구 그룹"이 설치되었다. '세계교회협의회 신앙과 직제 위원회'에 가톨릭 공식 대표가 참석하기 시작했고, 협의회에 로마 가톨릭이 정식으로 가입할 가능성이 공개적으로 토의되었다.

여러 나라에서 이러한 상황을 따라 비슷한 현상이 전개되었다. 미국에서는 '미국교회협의회'(NCC)와 '에큐메니칼과 종교간 문제를 위한 주교 위원회'가 함께 공동 연구 그룹을 만들었다. 이 주교 위원회의 노력에 힘입어 가톨릭과 다른 전통들, 예를 들어 침례교, 제자교회, 감독교회, 루터교, 감리교, 개혁교회, 장로교, 정교회 사이에 대화가 많이 시작되었다. 여러 가톨릭 교구와 주교구들이 지역 교회협의회들과 협력하기 시작했고, 이들은 때때로 새로운 필요를 채우기 위해 재조직되었다. 지역적 차원에서 가톨릭 평신도와 다른 그리스도인 평신도 사이의 대화가 인상적으로 발전하였다.

가톨릭의 획기적 변화는 일부 중대한 문제를 일으켰다. 많은 신자들이 이러한 변화에 당황하고, 과거 풍습의 쇠퇴로 인해 고통을 당했다. 새로운 소생과 자유에 대한 희망이 너무 높아서, 제시된 관료정치적 개혁이 너무 느리고 독재적으로 보이는 사람들도 많았다. 이들 중 일부는 "자유"(free) 교회나 "지하"(underground) 교회로 빠져나갔고, 반면에 신앙을 포기하는 이들도 있었다.

교황 바울은 교서 「산아제한」(*Humanae vitae*, 1968)에서 산아제한에 대한 교회의 전통적인 입장을 재확인했다. 자문을 위한 특별 위원회의 다수 의견이 변화를 주장했음에도 불구하고 여기서는 모든 형태의 인공 산아제한이 절대적으로 배척되었다. 많은 가톨릭 신학자와 평신도들이 이 교서에 이의를 제기하였는데, 이것이 현대 세계 안의 교회에 대한 사목헌장에 의한 기대와 어긋났기 때문이었다. 교회 안에 새로운 자유가 표출되었다. 최고 권위에서 나온 문서들도 비판적으로 읽혀졌다. 또한 성직자 독신의 규칙을 둘러싸고 긴장이 드러났다. 어떤 사람들은 오래된 이 규칙이 이완되기를 희망했다. 수천 명의 사람들이 사제직과 종단을 떠났다.

교회가 어느 정도까지 얼마나 빨리 갱신되어야 하는지에 대해서 의견이 분분했지만, 제2차 바티칸 공의회는 옵서버들이 거의 되돌릴 수 없다고 판단한, 의미심장한 새로운 조치가 취해진 것을 의미했다. 복잡한 현대 사회의 문제들에 관심을 집중하기로 결정했다는 것은 필연적으로 많은 새로운 긴장이 조성된 것을 의미했다. 세계가 혼란한 시대에 이러한 대대적인 개혁 프로그램을 시행하는 것은 어려운 일이라는 것이 드러났다. 이 혼란기에 어떤 사람들은 익숙하고 항구적인 것을 안전하게 지키기를 원했고, 어떤 사람들은 혁명적인 것을 실험해보기를 갈망했던 것이다. 놀랄 정도로 변화하는 60년대 말에, 교회는 교회사의 그 어느 때보다 더 어려운 시험기에 있음을 자각했다.

격동의 1960년대 동안 개신교와 정교회의 흐름을 요약하는 것은 어떤 면에서 아주 어렵다. 이들은 여러 교파를 포함하는 하나의 중심이 없이, 세계적으로 아주 다른 전통과 다른 유형의 교파들이 자율적 국가적 구조를 가지고 발전하였다. 이 기간에 세상에 대한 관심이 깊어지고, 곤경에 처해 있고 자기 이익을 대변할 수 없는 사람들을 위해 봉사하는 경향이 두드러졌다. 세속 세계에 참여하려는 움직임이 다양하게 전개되었는데, 대부분 논쟁을 불러 일으켰다. 에큐메니칼 회의에서 세상과 세상의 문제에 대한 것이 점점 더 관심을 끌었다. 그러나 이것이 신학과 성직자의 문제가 무시되었다는 의미는 아니었다.

세계교회협의회는 항상 "생활과 사업"과 "신앙과 직제"의 관심을 창조적 균형 가운데 유지하려 했다. 첫 12년 동안 회원 교회가 제기한, 역사적 의미가 있는, 많은 오해들이 극복되어야 했고, 신학과 교회의 문제를 상당히 강조할 필요가 있었다. 1960년대에도 이러한 문제에 계속 많은 관심을 기울였지만, 세상에 대한 교역과 봉사의 요구가 더 지배적이었다. 이러한 변화는 60년대 초기에 감지되었다. 뉴델리 제3차 총회에서 교회의 본성과 교회 일치의 실현에 대한 잘 알려진 신학적 문제들이 많이 토론되었다. 총회의 주요 세 분과 중의 하나는 "증거"에 대한 것이었고, 그 보고서의 중요 제목은 "증거하는 공동체를 재형성하는 것"(Reshaping the Witnessing Community)이었다. "일치" 분과는 다음과 같은 "뉴델리 성명"(New Dehli Statement)로 알려진 유명한 문구를 승인했다:

> 우리는 하나님의 뜻이며 동시에 그의 교회에 대한 그의 선물인 일치가 다음과 같을 때 가시화되고 있다고 믿는다. 즉 예수 그리스도 안으로 세례를 받고 그를 주와 구주로 고백하는, 각 지역의 모든 사람들이 성령에 의해 이끌리어 완전하게 헌신된 하나의 교제 안으로

들어와서, 하나의 사도적 신앙을 고백하고, 하나의 복음을 설교하고, 하나의 빵을 떼고, 공동 기도에 참여하고, 모든 사람에게 증거하고 봉사하는 공동체 생활을 할 때이다. 또한 모든 장소와 시대를 포함하는 그리스도인의 교제 전체와 동시에 연합된 사람들이 성령에 의해 이끌리어 교역자와 구성원들이 모두에 의해서 용납되고, 하나님이 그의 백성을 부르신 과제가 요구할 때마다 모든 사람이 함께 행동하고 말할 수 있는 방식으로 행동할 때 그 가시적 일치가 드러나는 것이다.

초창기 세계교회협의회의 많은 신학적 관심들이 이 구절 안에 반영되어 있다. 이것에 대한 분과의 논평은 교회론에 대한 지난 날의 토론을 많이 참고하였다.

제3차 총회가 인도에서 열렸다는 사실은 세계 여러 곳의 기아와 가난의 문제를 극적으로 표현하는 데 도움이 되었다. "봉사"의 분과는 과거 기독교적 박애와 봉사의 많은 형태가 구태의연해서, 현 시대에 거의 도움이 되지 않는다고 주장했다. 현대 세계에서 섬기는 교회의 순종을 표현할, 새로운 방법이 발견되어야 했다.

세계교회협의회와 그 회원 교회 안에서 "세상적 기독교"(worldly Christianity)를 향한 자극과 신학적 영감을 준 것은 주로 디트리히 본회퍼(Dietrich Bonhoeffer, 1906-1945)의 미완의 작품이었다. 이 젊은 독일 신학자는 제2차 세계대전이 끝나가는 몇 달 동안 투옥되었다가 순교하였다. 일부 "세속적 에큐메니즘"(secular ecumenism)을 주장하는 이들, 특히 젊은 교회 지도자들은 구식의 "신앙과 직제"의 토론을 인내하지 못했다. 이것은 그러나 더 넓고 다양한 근거 위에서 계속 논의되었다. 1963년 몬트리올에서 제4차 신앙과 직제 세계회의(World Conference on Faith and Order)가 열렸다. 정교회 신학자들은 완전한 자격으로 참여했고, 가톨릭은 옵서버 자격으로 출석했고, 보수적 복음주의자들도 토론에 가담하여 공헌했다.

60년대가 계속되면서 에큐메니칼 운동의 강조점이 세상에 대한 봉사 쪽으로 이동하였다. 1966년 교회협의회의 교회와 사회(Church and Society) 분과는 "우리 시대의 기술과 사회 혁명 안에 있는 그리스도인"(Christians in the Technical and Social Revolutions of Our Time)이라는 주제의 제네바 회의를 후원했다. 이것은 독특하게도 이전의 어떤 회의보다 더 많이 아프리카, 아시아, 라틴 아메리카 사람들이 참석한 대회였다. 그것은 또한 참석자 다수가 평신도인 최초의 비중있는 에큐메니칼 회의였다. 로마 가톨릭의 에큐메니칼에 대한 새로운 태도가 공식적인 옵서버와 몇몇 주요 연사들을 통해 드러났다. 교회협의회 회원이 아닌 다른 교단들도 대표를 파견했다. 소련과 미국이 전 세계에 걸쳐 결정적 힘을 행사한다고 하며, 힘의 불균형을 비판하는, "제3세계"의 관점이 강하게 제시되었다. 부유한 국가와 가난한 국가, 선진국과 개발도상국 사이의 큰 격차가 여러가지 방법으로 극적으로 표현되었다. 특별히 모든 사람의 필요를 충분히 공급할 공학기술적 수단이 이제 눈 앞에 있기 때문에, 이러한 상황은 더 이상 계속되어서는 안된다고 하였다.

복음의 혁명적 본성과 현 시대의 사회 혁명 사이의 관계가 많이 토론되었다. 어떤 사람들은 필요한 경우에는 폭력을 포함하여, 그리스도인이 혁명적 활동에 참여해야 한다고 주장했다. 분과 보고서는 소수의 엘리트가 다수의 복지를 희생하며 통치하는 경우, 그리스도인들은 정의로운 사회 질서를 가능한 한 빨리 성취하려고 시도하는 정치적 운동에 참여해야 한다고 하였다. 그런 경우 그리스도인들은 선험적으로 혁명적 방법의 사용을 배제할 필요는 없다고 하였다. 왜냐하면 "폭력적 방법을 사용하는 것이 기존 질서가 포함하고 있는 광범위한 제도적 폭력의 계속적 연장을 모면하고자 하는 사람들이 유일하게 의존할 수 있는 수단인 것이 당연할 수가 있기 때문이다."[4]

전반적으로 이 회의는 사회적 불의에 대항하여 사회 혁명의 편에 서야 한다고 동의하였다. 비록 혁명에서 폭력의 적당한 사용에 관하여는 의견이 분분했지만 말이다. 그리스도인과 교회의 역할은 세속 질서 안에서 인류를 위해 이것을 인간화하고 사회를 개혁하는 것이라는 것이 강조되었다. 그들은 인간사에 대한 하나님의 판단에 민감한 상태로, 항상 그리스도인의 관점에서 일해야 한다. 신학과 사회 윤리에 관한 연구 그룹은 다음과 같이 말하였다. "복잡한 정치적 경제적 변화 한 가운데서 무엇이 옳고 그른지, 무엇이 인간적이고 비인간적인 것인지 분별하는 그리스도인들의 판단은 성서의 자료들, 역사와 현재를 통한 교회의 지성, 최고 수준의 사회과학적 분석의 통찰력 등과 끊임없이 대화하는 훈련에 의한 것이다. 그러나 이것은 진리의 이론적 체계가 아니라 인간 사회에서 행동할 것을 목적으로 하는 훈련이다. 그 목적은 세상을 단순히 이해하는 것이 아니라, 세상을 다시 창조하신 하나님의 능력에 응답하는 것이다."[5]

세계교회협의회가 후원한 이 회의의 연구 결과는 본성상 바티칸 공의회의 그것과 아주 달랐다. 서로 비교해 보면, 회의 기간도 아주 짧아서 제네바 회의는 2주간 계속되었고, 교회 공식 대표들은 소수만 참여했다. 따라서 그러한 모임은 세계협의회나 그 회원 교회를 대변하여 말할 수 없었다. 그러나 그들"에게" 말할 때, 제네바 회의는 당시의 심각한 사회, 경제, 정치 문제를 위해 교회 안에서 강하게 부각된 관심을 잘 보여 주었다.

인종 문제에 있어서는, 모든 형태의 분리와 차별에 반대하는, 이전 교회협의회 총회의 분명한 선언이 재확인되었다. 교회는 종족의 우월성의 신화가 법과 사회 구조에서 뿐만 아니라 사회 생활과 인간의 행동들 안에서 표현되는 것을 발견할 때, 공개적으로 적극적으로 반대해야 한다.

회의의 정점은 미국의 유명한 민권 운동의 비폭력 지도자, 마틴 루터 킹(Martin Luther King, Jr., 1929-1968)의 설교였다. 킹은 남부기독교지도자회의

(Southern Christian Leadership Conference)의 창설자로서 교회와 에큐메니칼 운동으로 하여금 아메리카의 흑인 공동체의 정의 추구를 지지하게 하는 데 중요한 역할을 담당했다. 시카고 폭동으로 인해 제네바 회의에 참여할 수 없게 되자, 킹의 설교는 녹음된 상태로 제네바로 우송되어 예배 때 선포되었는데, 그 내용은 분별없는 폭력을 거부하고, 자유의 원칙 위에 세워진 국가가 계속하여 인권을 위해 투쟁해야 하는 아이러니를 지적하는 것이었다. 현대 기독교 순교자, 킹은 2년도 못되어 암살자의 손에 의해 쓰러졌다.

세상 안에 있는 교회에 대한 가톨릭과 개신교와 정교회의 중요한 관심이 수렴된 것은 1968년의 베이루트 세계개발협력회의(Beirut Conference on World Cooperation for Development)였다. 로마 가톨릭 교회와 세계교회협의회에 의해 공동으로 계획되어 열린 이 회의는 세계 경제, 정치 문제의 전문가들을 한 데 모아, 신학적 원리와 일치하는 "개발 전략"을 모색하였다. 토론의 기초는 제네바 보고서와 제3세계의 발전과 원조에 관한 바울 6세의 교서, 「민족들의 발전」(*Populorum progressio*, 1967)이었다. 이 교서의 주장에 의하면 "평화의 새로운 말이 발전이다." 회의의 연구 결과 그리스도인들은 에큐메니칼적 기초 위에서 각 지역의 상황에 맞는 방법을 택해, 정치적으로 적극 활동하도록 촉구되었다. 이 때 로비, 행진, 모임 그리고 미개발국에 대한 정부의 책임에 관심을 집중시키기 위한 모든 압력 수단을 사용하라고 하였다. 1년 전 창설된, 로마 가톨릭과 세계교회협의회의 사회와 개발과 평화 연구위원회(Exploratory Committee on Society, Development and Peace, SODEPAX)는 계속 유지하기로 하였다.

1968년 스웨덴 웁살라의 세계교회협의회의 제4차 총회는 이러한 경향의 사고와 행동을 계속 이어 나갔다. 이제 교회협의회는 개신교와 정교회의 다수 주요 교파와 소교파를 회원으로 하고, 로마 가톨릭과 협력을 증진시켜서, 교회의 다양한 경향과 긴장들을 반영하는 장을 만들었다. 웁살라 총회는 1966년 제네바 대회의 보고서를 승인했고, 최근에 끝난 베이루트 대회의 제안에 우호적으로 반응했다. 이 총회는 독특하게 신학적 관심과 세계 안에서의 행동과 봉사의 관심 사이에 창조적 균형을 유지하면서, 후자에 더 많은 시간과 힘을 쏟았다. 전쟁과 평화, 인권, 완전한 여성 참여, 양심에 따른 선별적 전쟁 반대, 인종주의, 난민, 경제 정의, 민족주의와 지역주의, 국제 구조와 조세 제도, 세계의 기아, 세계 발전 등과 같은 문제들이 토론되었고, 이에 대한 제안을 문서로 작성하였다.

총회에 의해 채택된 성명서에서, 한 분과는 "세상의 필요를 향해 자기만족 태도로 있는 것은 실제 이단의 죄를 범하는 것이다"라고 선언했다.[6] 세계교회협의회의 회원 교회는 인류의 복지를 위해 비회원 교회, 교회 밖 단체, 타종교의 대표, 모든 곳의 선의의 사람들과 함께 모든 영역에서 활발하게 협력하고, 인류의 발전을 위해 희생적으로 봉사하라고 촉구되었다. 미국의 베트남 군사 개입은 다른 나라 사람들 뿐만 아니라 미국의 전쟁 반대자들에 의해서도 날카롭게 비판되었다. 웁살라에 참석한 청년들은 대표들에게, 보고서는 요란하지만 행동이 따르지 않는 것을 참기 힘들고, 세계의 많은 사람들이 당하고 있는 부정의와 비인간적인 대우에 대해 소극적이고 "일상적 업무" 처리하듯 하는 태도에 실망했다고 핵심을 찔러 지적했다.

제4차 총회는 흥미있고, 많은 사람들로 붐볐으며, 약간 거센 분위기였다. 이전의 총회들도 극적인 요소가 없는 것은 아니었지만, 솔직한 주장과 갈등이 표출된 이번 총회에 비하면 오히려 평온한 편이었다. 적극적 방법으로 세상의 필요에 봉사하려는 노력으로 인해, 세상의 격렬한 혼란이 교회의 삶 안으로 들어오게 되었다.

이러한 회의들은 전 세계 기독교 교회의 많은 긴급한 관심과 주도적 방향들을 반영했다. 물론 많은 영역에서 기독교 교회는 그들의 고유한 문제와 씨름하고 있었기 때문에 세계 총회에서 말해진 것에 의해 거의 영향을 받지 않은 채 독자적인 길을 갔다. 유럽과 아메리카의 많은 교회들은 세상의 필요나 심지어 이웃의 문제도 거의 인식하지 못하고, 오리혀 내부의 제도에 관심을 기울였는데, 이것은 흔히 옛날의 평온하던 시절에 대한 향수와 결합되어 있었다. 공산주의 지배 아래 있는 여러 나라에서는 기성 종교가 쇠퇴하기 시작했으나, 보통은 보다 덜 전통적인 형태로 끈질긴 생명력을 이어 나갔다.

한편 특정 지역의 교회 관계를 다루기 위한 지역 에큐메니칼 연합이 발전했다. 1958년 동아시아기독교회의(East Asia Christian Conference), 같은 해 태평양교회회의(Pacific Church's Conference), 1963년 범아프리카교회협의회(All-Africa Conference of Churches), 다음 해 유럽교회회의(Conference of European Church)가 각각 창설되었다. 아프리카에서는 예언적 성격의 독립 운동이 계속 확산되었는데, 일부는 기독교 운동이었고, 일부는 비기독교 운동이었다. 1960년대 말 사하라 남쪽의 아프리카에서는 100만의 신자를 가진, 2,000개 이상의 독립교회들이 있었다. 그러나 다른 지역과 마찬가지로, 아프리카의 많은 교회들은 토착적 형태의 기독교 예배와 조직을 발전시키려 하면서, 에큐메니칼 운동과 관계를 증진시켰다. 1960년대에는 많은 새로운 신학 사조들이 있었다. 특히 과격한 "사신(死神)" 신학은 짧은 기간에 상당한 관심을 끌었다. 희망의 신학과 해방신학은 더 많은 지지자를 갖고 있었다. 이것들은 성서적 신학적 숙고의 오랜 역사로부터 자료를 얻고, 교회와 근대 세계가 만난 가혹한 시련 속에서 형성되어, 교회사의 창조적 시기의 한 흐름이 되었다.

1970년대의 주요 흐름은 전통적으로 성서와 선교와 복음전도를 강조하는 보수적 복음주의적 개신교가 부흥한 것이었다. 이것은 이미 몇 십년 전부터 발전되어온 것이었다. 탁월한 지도자는 미국의 신학자요 1956년 정기 간행물 「오늘의 기독교」

(*Christianity Today*)를 창간하고 편집한 칼 헨리(Carl F. H. Henry, 1912-)였다. 그는 10년후 100개가 넘는 국가로부터 1,200명이 참석한, 베를린 세계복음전도대회(World Congress on Evangelism)를 주재했다. 다음 1974년 7월 16일부터 25일까지 세계복음화국제대회(International Congress on World Evangelization)가 스위스 로잔에서 열렸다. 150개국 135 개신교 교파로부터 두 배의 사람들이 참여하였는데, 이 중의 절반은 제3세계 출신이었다. 탁월한 미국 복음 전도자 빌리 그래함(William F. (Billy) Greham, 1918-)은 "세상으로 하여금 그의 목소리를 듣게 하라"라는 대회 주제로 개막 연설을 하였고, 대회를 마치면서 대회 기간 중 완성된, "로잔협약"에 만족한다고 선언했다. 이것은 "성서가 증언하는 모든 점에 있어서 오류가 없는 유일한 기록된 하나님의 말씀으로서 그리고 신앙과 실천의 유일무오한 규칙으로서, 구약과 신약성서 전체의 신적 영감, 신실성, 권위"를 선언했다. 로잔협약은 과거 선교 과제를 수행할 때의 승리주의와 비타협적 태도 그리고 사회 문제를 외면한 것에 대해서 회개하면서, "복음전도와 사회적-정치적 참여는 둘 다 우리 그리스도인의 의무의 양면이다"라고 선언했다. 그것은 새로운 선교의 시기가 동텄다고 인식하고, 구원은 예수 그리스도에 대한 믿음을 통해서만 얻을수 있다고 재확인했다.[7]

보수적 회귀는 오순절 교파 특히 아메리카와 아프리카의 오순절 교단의 계속되는 성장에 의해 더 잘 설명되었다. 북미 오순절 교회들에 대한 표준적 연구에 의하면 1970년대 말 하나님의 성회(VII:15 참조)는 130만 신자를 가진 주요 교단으로 성장했고, 오순절 교단은 대부분 매우 작기는 하지만 130개에 달하였다.[8]

신오순절 운동 혹은 은사 운동 또한 역사가 오랜 미국 교회들 특히 감독교회, 루터교, 감리교, 장로교, 로마 가톨릭 안에서 발전하였다.

보수적 복음주의의 부활로 인하여 에큐메니칼 운동권 안에서 선교와 복음전도의 이해와 실천 방법에 대한 토론이 많이 진행되었다.[9] 베를린과 로잔에 참여한 많은 교회들은 또한 폭넓은 선교와 신학의 스펙트럼을 가지고 있는 세계교회협의회의 회원이기도 했다. 로잔 대회 다음 해 세계교회협의회가 열렸을 때, 보수적 복음주의자들과 타종교와 해방신학과 해방 운동과의 대화를 강조하는 이들이 서로 만났다.

세계교회협의회 제5차 총회는 1975년 11월 23일부터 12월 10일까지 케냐의 나이로비에서 열렸다. 271 회원 교회로부터 676명의 투표권 있는 대표들이 참석했는데, 절반 이상이 제3세계 출신이었고, 이보다 많은 수의 고문과 직원과 기자와 옵서버들이 참여했다. 교회 안팎의 가난한 자, 억눌린 자, 여성을 포함하여 충분히 의사 표현을 할 수 없는 자들을 위해 관심을 갖는 해방신학에 많은 관심이 쏠렸다. 특별히 웁살라의 결정으로 발전된, 인종주의와 싸우기 위한 세계교회협의회의 프로그램(World Council's Program to Combat Racism)에 대해서 격렬한 토론이 있었다. 인종주의에 저항하고 있는 여러 기구들에게 많은 재정적 지원이 행해졌고, 인도주의적 목적으로 폭력에 종사하는 단체에 약간의 보조금이 지원된 바 있었다. 일부 자금이(그것도 이 목적을 위해 설정된 자금이) 세계교회협의회를 통하여 이 프로그램으로 유출되었고, 또한 이 프로그램은 교회협의회의 275 직원 중 오직 4명에 의해서 시행되는 것임에도 불구하고, 이것은 대단히 중요한 상징적 이슈가 되었다. 총회 안에서 특별 기금을 제한하려는 시도는 결정적으로 좌절되었다. 여기에는 다양한 관점을 가진 사람들이 참여하고 있었기 때문이다. 일부에 의해 너무 정치적이라고 생각된, 해방과 인간화의 관심을 수행하는 방법 때문에, 교회협의회는 몇몇 회원교회를 상실하였다. 그러나 그 회원교회들의 수는 총회 후 계속 증가하여, 브리티쉬 콜롬비아의 뱅쿠버 제6차 총회가 열린 1983년까지는 300개가 넘었다.

나이로비에서는 많은 다른 문제들이 고려되었다. 예를 들어 보다 큰 그리스도인의 일치를 위한 역사적 에큐메니칼적 관심이 강력하게 표현되었다. 그리고 "하나의 교회는 스스로 진정으로 연합되어 있는 지역교회의 협의체적 교제(conciliar fellowship)로 계획되어야 한다"[10]는 개념이 많이 토론되었다. 보수적 복음주의자들의 참여는 총회의 한 분과 보고서 "오늘 그리스도를 고백하는 것"(Confessing Christ Today)에 잘 드러나 있는데, 이것의 최종 형태가 총회에 의하여 만장일치로 채택되었다. 나이로비 회의는 또한 타종교 대표자들과 대화를 계속할 것을 승인했다. 예를 들어 유대인과 이루어진 대화에서는 수 세기 동안 십자군, 종교재판, 유대인 대학살(Holocaust) 등과 같은 유대인과 그리스도인 사이의 비극적인 역사가 논의되었다.

1970년대 바티칸과 세계교회협의회 사이에 협조하는 관계가 계속 유지되었으나, 로마 가톨릭이 세계교회협의회의 회원이 될 가능성은 줄어들었다. 과도한 에큐메니칼 열정과 신학적 변화로 보이는 것에 대한 교회 내의 반작용은 교황 바울 6세와 아조르나멘토(*aggiornamento*:개혁과 쇄신을 가리키는 이탈리아어. 2차 바티칸 공의회의 정신을 대변해 주는 말 — 역자주)의 탁월한 지도자들에 의해 주도되었다. 이 흐름은 옛 전통주의가 아니라 오히려 권위의 중앙집중화 경향으로서 1978년 바울 6세 사후에도 계속되었다. 베니스의 주교 알비노 루치아니(Albino Luciani)가 요한 바오로(John Paul)의 이름으로 교황에 선출되었다. 그러나 그는 직위에 오른지 단 몇 주만에 사망하였다. 그의 뒤를 계승한 이는 400여년만에 비이탈리아계로서 최초로 교황이 된 폴란드인, 크라스코프의 대주교 카롤 보이티야(Karol Wojtyla)였는데, 1978년 10월 요한 바오로 2세(John Paul II)의 이름으로 교황에 선출되었다.

곧 새 교황은 강력한 지도자로서 로마 가톨릭에 새로운 삶과 분명한 방향을 도입하기로 작정하였다. 요한 바오로 2세는 화려하고 사교적이고 유능한 인물로서 한때 철학과 언어에 정통한 지성인이요 신자들을 공산주의 통치 안에서 잘 지도한 행정가였다. 그는 이제 다른 사람을 위해 깊은 관심을 보이면서 그의 교회를 활력있게 하는데 그의 재능을 바쳤다. 그의 멕시코, 브라질, 폴란드, 아일랜드, 미국, 캐나다, 영국, 인도, 여러 아프리카와 라틴 아메리카 국가로의 일련의 여행은 큰 관심을 불러 일으켰다. 그의 카리스마적 인격은 가톨릭 신자 사이에 열정을 일으켰고, 다른 신앙을 가진 사람들로부터도 많은 존경을 받았다. 그러나 그의 널리 흩어진 양떼 사이에 질서 회복을 강력히 추구하였고, 교리와 훈련의 분명한 기준을 요구하고, 성직자의 독신을 확인하고, 여성 안수를 거부하였다. 또한 여러 성모 마리아 유적지를 방문하여, 이전 몇 십년 동안 대중 사이에 퇴색했던 경건 유형에 다시 관심을 불러 일으켰다. 그의 에큐메니칼 운동에 대한 접근은 진지하나 조심스러워서, 가톨릭 교리를 타협하지 않은 채 완전한 일치의 회복에 관심을 표현하였고, 동방 정통 교회와의 밀접한 관계에 특별한 흥미를 보였다.

기독교 교회의 긴 이야기는 빛과 어두움, 성취와 실패, 정복과 분열의 파노라마이다. 그것은 여러 사람들의 삶을 놀랍게 변혁시킨 신적 삶을 보여 주었다. 그것은 또한 인간 본성이 보일 수 있는 정욕과 약점들을 노출시켰다. 그것의 과제는 모든 시대에서 거의 극복할 수 없는 것처럼 보였다. 삶에 대한 물질주의적 해석에 직면해 있고, 핵 전쟁이 문명의 모든 구조를 위협하는 시대인 현재만큼 교회의 과제가 더 막중한 적은 없었다. 그러나 어떤 그리스도인도 교회가 미래에 대한 신뢰 없이 사역한 것을 찾아볼 수가 없다. 교회가 많이 변화하고, 격렬하게 투쟁할 수는 있으나, 지금까지 교회를 인도하신 하나님의 위대한 손길은 주님의 왕국 확장에 한층 더 유용하게, 주님이 승천하시면서 만인을 그에게로 이끌겠다 하신 예언의 성취를 목표로 교회를 인도할 것이다.

주

제1기

2장

1) 눅 1:68
2) 솔로몬의 지혜서 7:17-21.
3) 솔로몬의 지혜서 7:25.

3장

1) 참조. 행 19:1-4.
2) 마 4:12.
3) 막 1:22.
4) 막 15:34.
5) 고전 15:5.
6) 고전 14:2-19.
7) 행 2:13
8) 행 3:21.

4장

1) 갈 2:10.
2) 롬 15:25.
3) 행 2:46.
4) 참조. 막 8:29.
5) 롬 10:9.
6) 갈 2:9. 그리고 참조 1:18-19.
7) 행 6:1.
8) 행 6:3.
9) 행 6:12.
10) 행 8:1.
11) Ibid.
12) 행 6:13.
13) 행 8:5, 25.
14) 행 8:4.
15) 행 11:19-20.
16) 행 12:1-3.
17) 행 21:18.

5장

1) 행 22:3.
2) 갈 1:14.
3) 갈 2:20.
4) 고후 11:32.
5) 갈 1:18.
6) 행 11:25.
7) 행 15:1.
8) 갈 2:9-10.
9) 행 15:20.
10) 갈 2:11-13.
11) 갈 2:11-12.
12) 갈 2:16.
13) 행 15:39-40.
14) 롬 15:24.
15) 롬 15:18.
16) 갈 4:13.
17) 행 19:8-10.
18) 롬 1:14.
19) 고전 15:3.
20) 갈 1:12
21) Ibid.
22) 갈 1:4.
23) 롬 6:4.
24) 고전 15:49.
25) 롬 6:4.
26) 롬 6:6.
27) 롬 6:8.
28) 롬 6:11.
29) 고전 6:11.
30) 고전 6:17.
31) 고전 12:27-14:1.
32) 롬 1:16.
33) 갈 5:4.
34) 갈 2:16.
35) 갈 3:6; 롬 4:3; 참조. 창 15:6.

36) 롬 6:23.
37) 롬 11:32; 참조. 갈 3:22.
38) 롬 7:14.
39) 갈 3:24.
40) 갈 3:19; 롬 7:7.
41) 롬 3:21.
42) 갈 2:21.
43) 롬 4:24-25.

6장

1) 롬 15:20.
2) *Annals* 15:38.
3) *Annals* 15:44.
4) *Ecclesiastical History* 3.5.3.

7장

1) 행 2:32-33; 요 20:22.
2) 참조. 행 13:48.
3) 고전 15:23.
4) 행 3:20-21, 10:42.
5) 롬 1:3-4.
6) 살전 1:10.
7) 참조. 막 14:62.
8) 단 7:18, 22.
9) 행 2:36.
10) 고전 16:22; 참조. 계 22:30.
11) 요일 2:24.
12) Ibid.
13) 히 2:6-8; 참조. 시 8:4-6.
14) 히 2:11.
15) 롬 6:3 이하.
16) 갈 2:20.
17) 골 3:3.
18) 롬 12:5.
19) 고전 12;12.
20) 고전 15:47.
21) 고전 15:49.
22) 행 2;23.
23) 갈 4:4.
24) 롬 3:25.
25) 고전 15:3.
26) 막 1:3.
27) 고전 1:24.
28) 고전 1:23.
29) 고전 1:30.
30) I:2을 보라.
31) 마 11:19.
32) 히 1:2-3.
33) 골 1:15-17.
34) 요 1:1.
35) 요 1:3.
36) 요 1:9.
37) 요 1:14.
38) Ibid.
39) 요 8:58.
40) 요 1:14.
41) 이 문헌에 대해서는 I:8을 보라.
42) *Ephesians* 7.2.
43) *Smyrnaeans* 1-2.
44) *Ephesians* 7.2.
45) *I Clement* 36
46) *I Clement* 16.2.
47) *I Clement* 32.3.
48) *Similitudes* 5.6.

8장

1) Clement of Alexandria, *Stromata* 4.12.81; Origen, *Homilies on Luke* 1.2.
2) 벧전 2:9.
3) Hermas, *The Shepherd* ("Similitudes" 1.1).
4) *Smyrnaeans* 8.2.
5) *Trallians* 7.1.
6) *Didache* 8.
7) *2 Clement* 16.
8) *Smyrnaeans* 6.2.
9) *1 Clement* 55.2.

9장

1) 고전 5:3-5; 6:1-2; 마 18:15-18을 보라.
2) Eusebius, *Ecclesiastical History* 3. 11.
3) 행 14:23.
4) 고전 12:5.
5) 고전 12:28.
6) 고전 1:1.
7) 예. 고전 4:17; 16:10의 디모데.
8) *1 Clement* 42.4.
9) *1 Clement* 44.3.
10) *1 Clement* 44.1-2.
11) *Didache* 11.8-12.
12) *Didache* 15.1.
13) 딛 1:5-7.
14) 딤전 3:3.
15) 딤전 3:2, 5:17.
16) 딤후 1:13.
17) 딛 1:9.
18) 딤후 1:12; 참조. 행 20:28-31.
19) *Ephesians* 11.2.
20) *Ephesians* 3.2.
21) *Ephesians* 5.1-3.
22) R. H. Connolly, ed., *Didascalia Apostolorum* (Oxford, 1929), p. 28.
23) *1 Clement* 42.1-4.
24) *1 Clement* 44.2.

10장

1) Suetonius, *Life of Claudius* 25.
2) 빌 3:20.
3) Pliny, *Epistle* 10.96.
4) Ibid.
5) J. Stevenson, *A New Eusebius* (New York, 1957), p. 17.
6) Eusebius, *Ecclesiastical History* V.1. 8.
7) Ibid., V.1.42. 또한 벧전 4:1을 보라.
8) 롬 13:1-7.
9) 벧전 4:12, 2:13-14.

11장

1) *Dialogue* 2.6.
2) Ibid.
3) *Dialogue* 3.1.
4) Ibid., 7.1.
5) Ibid., 7.3.
6) Ibid., 1.3.
7) *2 Apol.* 1. 2. 사람들은 저스틴의 「변증」을 보통 두 책으로 인용한다. 물론 '두번째'것은 실제로 첫번째 것의 부록이지만 말이다.
8) *1 Apol.* 46.2.
9) Ibid., 33.6.
10) Ibid., 60.1.
11) Ibid., 46.3.
12) Ibid., 46.5.
13) *1 Apol.* 61.1.

제2기

1장

1) 영어 번역을 살피려면, J. M. Roginson et al., *The Nag Hammadi Library in English* (San Francisco, 1977)을 보라.
2) Clement of Alexandria, *Excerpts from Theodotus* 78.2.
3) Ptolemy, *Letter to Flora.*
4) Clement of Alexandria, *Excerpts from Theodotus* 31.1.

2장

1) Irenaeus, *Against Heresies* I. 25.1.

3장

1) Stevenson, *A New Eusebius*, p. 113.
2) Ibid.
3) *Against Praxeas*, 1.

4장

1) 고전 15:3 이하.
2) *1 Apol.* 42.4.
3) 요일 4:2.
4) 빌 2:5 이하; 골 1:15 이하.
5) 마 28:19.
6) 벧후 3:15-16.
7) 고전 2:6.
8) Iranaeus, *Against Heresies* 3.4.1.

5장

1) 로마서.
2) Eusebius, *Ecclesiastical History* 4.23.10.
3) Eusebius, *Ecclesiastical History* 5.24.16-17.

6장

1) *Against Heresies* 2.1.1.
2) Ibid., 2.1.2.
3) Ibid., 5.6.1.
4) 참조. 롬 5:14.
5) *Against Heresies* 5; 서문.

7장

1) *Apology* 39:3.
2) *Apology* 39:4.
3) *On Shows* 28.
4) *On Penitence* 6.
5) 참조. 히 10:26; 요일 5:16-17.
6) 골 1:12.
7) *Epistle* 73.21.
8) *On the Unity of the Church* 6.
9) Cyprian, *Epistle* 55(51).6.
10) *Epistle* 43(39).5.
11) *Epistle* 68(66). 8.

8장

1) *Dialogue with Trypho* 5.6.
2) Ibid., 56.4.
3) Ibid., 128.4.
4) Ibid., 61.2.
5) Eusebius, *Ecclesiastical History* 5.28.6; Stevenson, *A New Eusevius*, p. 157.
6) Hippolytus, *Against Noetus I*; Stevenson, *A New Eusebius*, p. 159.
7) Hippolytus, *Refutation ofAll Heresies* 9.11.13;Stevenson, *A New Eusebius*, p. 164.

9장

1) Eusebius, *Ecclesiatical History* 5.11.2.
2) *Stromata* 7.15.90 (Stevenson, *A New Eusebius*, p. 200).
3) *Instructor* 1.7.55.
4) *Stromata* 1.5.28.
5) *Stromata* 7.10.55.
6) *Stromata* 7.10.57.
7) Eusebius, *Ecclesiastical History* 6.19.7.
8) 삿 9:7-15.
9) 고후 3:6; 갈 4:21-27.
10) *On First Principles*, preface.

11장

1) *I Clement* 44.4.
2) R. H. Connolly, ed., *Didascalia Apostolorum* (Oxford, 1929), pp. 147f.

12장

1) 행 20:7; 고전 16:2.
2) 계 1:10.
3) 요 20:26 참고.
4) 「바나바의 서신」(*Epistle of Barnabas*) 15:8.
5) 고전 11:26.
6) 고전 11:17-22.

7) 「제1변증」(*I Apol.*), 67 그리고 65-66 참고.
8) 「제1변증」, 65.
9) 「제1변증」, 67.
10) 「디다케」(*Didache*), 9.5.
11) 「여인들의 의복에 관하여」(*On the Apparel of Women*), 2.II.2.
12) 고전 5:7.
13) 요 19:14, 31.

13장

1) 막 1:7-8.
2) 고전 1:17.
3) 고전 6:11.
4) 롬 10:9-10.
5) 갈 3:27.
6) 롬 6:4.
7) 롬 6:11.
8) 고전 12:13.
9) 고전 3:16.
10) 요 3:3,5.
11) 벧전 3:20-21.
12) 헤르마스(Hermas), 「목자」(*The Shepherd*), ("환상"〈Vision〉 3.3.5).
13) 「제1변증」, 61.3, 10.
14) 「제1변증」, 61.10.
15) 「디다케」, 7.2-3.
16) 행 22:16.
17) 행 8:37.
18) 행 2:37.
19) 행 8:12-17.
20) 행 10:44-48.
21) 행 19:6.
22) 「사도적 전통」(*Apostolic Tradition*), 20-22.
23) 「세례에 관하여」(*On Baptism*), 20.
24) 「사도적 전통」, 23.14.
25) 「세례에 관하여」, 18.
26) 「세례에 관하여」, 17.

14장

1) 눅 24:35; 행 2:46.
2) 「에베소에 보낸 편지」(*Ephesians*), 20.
3) 「겸손에 관하여」, 9.
4) 「마르키온 논박」(*Against Marcion*), 3.19.4.
5) 「마르키온 논박」, 1. 14. 3.
6) *I Clement*, 44.4.을 보라.
7) 「사도적 전통」, 4.11.
8) 「이단 논박」, 5.2.2. 참고.
9) 히 7:26-27.
10) 「서신 63」(*Epistle* 63) (62). 13-14.
11) 고전 10:16; 17절 참조.
12) 「서신 63」(62). 13.

15장

1) 헤르마스, 「목자」(비유〈Similitude〉 9.26.2.)
2) 헤르마스, 「목자」, 9.23.2.
3) 헤르마스, 「목자」, 9.21.1.
4) 헤르마스, 「목자」, 9.20.1.
5) 헤르마스, 「목자」(환상〈Vision〉, 2.2.4-5.)
6) 히 10:26.
7) 요일 1:9.
8) 요일 5:16.
9) 「기도에 관하여」(*On Prayer*), 28.8-9.
10) 「겸손에 관하여」, 2.12.
11) 「겸손에 관하여」, 9.9.
12) 고전 5:1-5.
13) 마 18:18, 16:18-19.
14) 「회개에 관하여」, 9.4.
15) 「겸손에 관하여」, 1.6.
16) 마 13:30.
17) 히폴리투스, *Philosophumena*, 9.12.

16장

1) 갈 6:14.
2) 벧후 1:7.
3) 행 2:44.
4) 빌 4:11.

5) 행 24:25.
6) 벧후 3:11 이하.
7) 벧후 1:4.
8) 고전 7:28.
9) 마 22:30.
10) Hennecke-Schneemelcher ed., 「신약성경 외경」(*New Testament Apocrypha*), vol. 2.
11) 딤전 4:3.
12) 막 10:22.
13) 약 2:1-7, 5:1-6.
14) 딤전 6:10.
15) 헨네케-쉬네멜케르 편, 「신약성경 외경」, 2: 451이하.
16) 딤전 6:8.
17) 약 1:27.

19장

1) 락탄티우스(Lactantius), 「박해자들의 죽음에 관하여」(*On the Deaths of the Persecutors*), 34.
2) 락탄티우스, 「박해자들의 죽음에 관하여」, 44.

제3기

1장

1) Eusebius, *Ecclesiastical History*, 10.1.

2장

1) J. Stevenson, ed., *A New Eusebius* (New York, 1957), p. 355.
2) H.-G. Opitz, *Urkunden zur Geschichte des arianischen Streites* (*Athanasius Werke* 3.1, Berlin, 1934), p. 46.

3장

1) J.N.D. Kelly, *Early Christian Creeds*, 3rd ed. (New York, 1972), pp. 285f.
2) *Orations against the Arians*, 3.36.

4장

1) Ammianus Marcellinus, *Rerum Gestarum Libri* 12.5.4.
2) *Tomus ad Antiocenos* 5-6.
3) Ibid., 3.
4) J. Stevenson, *Creeds, Councils, and Controversies* (New York, 1966), p. 160.

6장

1) Innocent, *Epistle* 37.1.
2) Innocent, *Epistle* 2.25.
3) Leo, *Epistle* II, in Stevenson, *Creeds*, p. 304.
4) Stevenson, *Creeds*, p. 359.

7장

1) 마 19:21.
2) 행 2:44.

8장

1) *Sermon Against Auxentius*, 36.
2) 참조. 삼하 11-12장.

9장

1) 살전 5:23
2) Fragment 25, in R.A. Norris, Jr., ed. and transl., *The Christological Controversy* (Philadelphia, 1980), p. 108.
3) *De Unione* 4 in Norris, ed., *The Christological Controversy*, p. 104.
4) *De Unione* 5 (ibid., p. 104).
5) Apollinarius, Fragment 111, in Lietzmann, H., *Apollinaris von Laodicea und seine Schule* (Tübingen, 1904).

6) *De Unione* 17 (Ibid., p. 107).
7) *Fragment* 74 (ibid., p. 108).
8) Letter 101, in E. R. Hardy & C.C. Richardson, *The Christology of the Later Fathers* (Philadelphia, 1954), p. 218.
9) "First Sermon Against the Theotokos," in Norris, *Christological Controversy*, p. 130.
10) Letter 2 to Nestorius, in Norris, *Christological Controversy*, p. 135.
11) Norris, *Christological Controversy*, p. 142.
12) Tome 1, ibid., p. 145.
13) Tome 3, ibid., p. 148.
14) Tome 4, ibid., p. 150.
15) Ibid., p. 159.

11장

1) J. C. Ayer, ed., *A Source Book for Ancient Church History*, New York, 1913, p. 669.

12장

1) 님선 3.2.

13장

1) 요 2:11.
2) 참조. 시 119:64.
3) 시 119:62.
4) 가이사랴의 바질(Basil of Caesarea), 「성령에 관하여」(*On the Holy Spirit*) 47.

16장

1) 「참회록」(*Confessions*) 5.14.
2) 「참회록」 7.9.
3) 요 1:9.
4) 「참회록」 7.9
5) 롬 13:13-14.
6) 「참회록」 1.1.

17장

1) 아이어(Ayer), 「자료집」(*Source Book*), p. 461.
2) 롬 5:5과 「영과 의문에 관하여」, 5를 비교하라.

18장

1) *Collationes* 13.
2) Ibid., 12.
3) Ibid.
4) Ayer, *Source Book*, p. 471.
5) Ayer, *Source Book*, pp. 472-474.

제4기

1장

1) 마 16:18.

2장

1) J. M. Wallace-Hadrill, *The Barbarian West, 400-1000* (London, 1912), pp. 95-96.

4장

1) 그 이야기에 대한 한 가시 인용은 Gregory of Tours의 「*History of the Franks*」(2.31)을 참조하라.
2) H. Bettenson, ed., *Document of the Christian Church*, 2nd ed. (London, 1963), p. 138.
3) Ibid., p. 139.

10장

1) 참조. 행 8:18.

11장

1) B. Tierney, ed., *The Crisis of Church and State, 1050-1300* (Englewood Cliffs,

N.J., 1964), p. 40.
2) Ibid., p. 44.

12장

1) Tierney, *Crisis of Church and State*, pp. 49f.
2) Ibid,, pp. 59f.
3) 참조. 시편 45:8.

제5기

3장

1) 마 5-7장.
2) 마 19:21.
3) 마 10:5-23.
4) 행 5:29.
5) 눅 10:1-16.

4장

1) 「성 프란체스코의 유언」(*Testament of St. Francis*), 로잘린드 브룩크(Rosalind Brooke) 편, 「수사들의 출현」(*The Coming of the Friars*) (런던과 뉴욕, 1975), pp. 117-119. 프란체스코가 죽기 6개월 전인 1226년 4월에 작성된 이 문서는 프란체스코의 참된 이상에 관한 후대의 논쟁들을 불러 일으킨 출발점이었다.
2) 마 10:7-14.
3) 브루크, 「수사들의 출현」, p. 117.
4) 계 14:6.
5) 계 7:2.
6) 계 17:1-14.

7장

1) 출 3:14.
2) *Expositio super librum De Causis*, lectio 6.

9장

1) 참조. 요 15:14-15과 약 2:23.

11장

1) H. Bettenson, ed., *Documents of the Christian Church*, 2nd ed. (London, 1963), p. 163.

13장

1) 참조. 마 7:16.

14장

1) Bettenson, *Documents*, p. 192.

제6기

1장

1) 롬 1:17, 4:5
2) J. Pelikan and H.T.Lehmann, eds., *Luther 's Works*, 55 vols. (St. Louis and Philadelphia, 1955-1976), 31:31 (thesis 62). 이후 이 작품은 Luther 's Works라고 할 것이다.
3) B.J. Kidd, ed., *Documents Illustrative of the Continental Reformation* (Oxford, 1911; reprint, 1970), pp. 31-32.
4) Luther's Works, 44:23-24.
5) Ibid., 36:124.
6) Ibid., p. 86.
7) Ibid., 31:344.
8) Ibid., 32:112.
9) Ibid., 35:394.

2장

1) *Luther's Works*, 46:20.
2) Kidd, *Continental Reformation*, p. 185.

5장

1) *Luther's Works*, 38:88.

7장

1) *Institutes*, 3.16.1(edition of 1559). (Cf. J.T. McNeil, ed., and F.L. Battles, trans. *Calvin:Institutes of the Christian Religion*, 2 vols. [Philadelphia, 1960].)
2) Ibid., 4.1.2.
3) Ibid., 4.1.7.
4) Ibid., 4.2.1.
5) Ibid., 4.17.32.

9장

1) H. Bettenson, ed., *Document of the Christian Church*, 2nd ed.(London, 1963), p.322.

16장

1) H.Gee and W.J. Hardy, eds., *Documents Illustrative of English Church History* (London, 1896), pp. 467-475.
2) *Institutes*, 4:3, 8.
3) Gee and Hardy, *English Church History*, pp. 481-484.
4) Ibid., pp. 492-498.
5) P. Schaff, ed., *Creeds of Christendom*, 6th ed., 3 vols.(New York, 1919), 3:523.
6) C.L. Manschreck, ed., *A History of Christianity: Readings in the History of the Church form the Reformation to the Present* (Grand Rapids, MI, 1981), pp. 197-198.
7) Gee and Hardy, *English Church History*, pp. 518-520.
8) Ibid., pp. 521-527.
9) 이 시기를 보여주는 주요문헌은 ibid., pp. 537-585.
10) J.H. Leith, ed., *Creeds of the Churches:A Reader in Christian Doctrine from the Bible to the Present* (Garden City, N.Y., 1963), pp. 192-229.
11) Schaff, *Creeds of Christiendom*, 3:676-703; selections also in Manschreck, *History of Christianity*. pp. 200-203.
12) Gee and Hardy, *English Church History*, pp. 574-585.
13) Ibid., pp. 585-588.
14) Ibid., pp. 588-594.
15) Ibid., pp. 600-619.
16) Ibid., pp. 620-623; Bettenson, *Documents of the Christian Church*, pp. 404-407.
17) Gee and Hardy, *English Church History*, pp. 623-632.
18) Ibid., pp. 632-640.
19) Ibid., pp. 641-644.
20) Ibid., pp. 654-664.

제7기

1장

1) James Hastings Nichols는 30년 전쟁을 종결시킨 베스트팔리아 평화협정이 정치에서 새로운 국면으로 접어든 것을 나타내는 가장 정확한 시점이라고 추상했다. 왜냐하면 바로 그 때에 민족과 왕조의 이해관계가 신학과 신앙고백의 고려들을 밀어냈기 때문이었다. *History of Christianity 1650-1950: Secularization of the West* (NY. 1956), p. 6.

10장

1) Nehemiah Curnock, ed., *The Journal of the Rev. John Wesley*, M.A. (London, n.d.), VII, 16.

12장

1) Claude Welch, *Protestant Thought in the Nineteenth Century, vol. I, 1799-*

1870 (New Haven, 1972), pp. 64-68.
2) Ibid., pp. 88-91
3) Ibid., pp. 218-225.

13장

1) 이 용어는 선교 역사의 대가 라투렛(Kenneth Scott Latourette)에 의해 대중화된 것이었다. 그의 7권으로 된 「기독교 확장의 역사」, (*A History of the Expansion of Christianity*)(New York, 1935-45)에서 1815년까지 3권을 할애했고, 1815년에서 1914년까지의 기간 즉 "위대한 세기"에도 3권을 할애했다.

15장

1) 참조. Sydney E. Ahlstrom, *A Religious History of the American People* (2 vols., Garden City, NY, 1975), vol. 2, chap. 60, pp. 528-548.

18장

1) Ruth Rouse and Stephen C. Neil, eds., *A History of the Ecumenical Movement, 1517-1948*, 2d ed. (Philadelphia, 1967), pp. 708-719.
2) 1910년과 1952년 사이, 이미 완성되었거나 전망이 있는 것을 포함하여, 많은 교회 일치와 통합 구상의 개관을 보려면, 앞의 책을 보라. Ibid., pp. 496-505.

19장

1) 1415년 이래로 어떤 교황도 요한이란 이름을 사용하지 않았다. 당시 대분열의 마지막에 3명의 라이벌 교황 중의 하나인 옛날의 요한 23세가 이 이름을 욕되게 하고 콘스탄스 공의회(V: 14 참조)에서 퇴위된 바 있었다. 교황 요한은 이 이름을 선택함으로써 기독교 역사에서 큰 사랑을 받아왔고, 교황들이 가장 많이 취했던 이름을 교황의 이름에 다시 회복시켰다.
2) 공의회에 의해 채택된 영역판으로는 다음 작품을 보라. Austin Flannery, ed., *Vatican Concil II: The Conciliar and Post-Conciliar Documents* (Wilmington, DE, 1975).
3) 본문 인용문 다음에 있는 괄호 안의 참고 표시는 인용문이 온 문서의 장(chapter)과 부분(section)을 나타낸다.
4) Paul R. Albrecht and M.M. Thomas, eds, *The World Conference on Church and Society* (Geneva, 1967), p. 143.
5) Ibid., p. 201.
6) Norman Goodall, ed., *The Uppsala Report*, 1968 (Geneva, 1968), p. 51.
7) James D. Douglas, ed., *Let the Earth Hear His Voice* (Minneapolis, 1975), pp. 3-9.
8) Arthur Carl Piepkorn, *Profiles in Belief: The Religious Bodies of the United States and Canada*, vol. 3 (San Francisco, 1979), p. 113.
9) Donald McGavran, ed., *The Conciliar-Evangelical Debate: The Crucial Document, 1964-1976* (South Pasadena, CA, 1977); C. Rene Padilla, ed., *The New Face of Evangelism: An International Symposium* on the Lausanne Covenant (London, 1976).
10) David M. Paton, ed., *Breaking Barriers: Nairobi, 1975* (London, 1976), p. 60.

참고문헌

1. 교회사에 대한 일반적 문헌

A. 배경과 참고서적

BEN-SASSON, H. H., ed. *A History of the Jewish People*. Cambridge, MA, 1976.

BETTENSON, H., ed. *Documents of the Christian Church*. 2nd ed. London, 1963.

BRAUER, J. C., ed. *The Westminster Dictionary of Church History*. Philadelphia, 1971.

CROSS, F. L., and LIVINGSTONE, E. L., eds. *The Oxford Dictionary of the Christian Church*. 2nd ed. Oxford, 1974.

DOWLEY, T., ed. *Eerdman's Handbook to the History of Christianity*. Grand Rapids, MI, 1977.

HASTINGS, J., ed. *Encyclopaedia of Religion and Ethics*. 13 vols. New York, 1908–1926.

KIDD, B. J., ed. *Documents Illustrative of the History of the Church*. 3 vols. London, 1920–1941.

LITTELL, F. H. *The Macmillan Atlas of the History of Christianity*. New York, 1976.

LOETSCHER, L. A., ed. *Twentieth-Century Encyclopedia of Religious Knowledge*. 2 vols. Grand Rapids, MI, 1955.

MACQUARRIE, J., ed. *Dictionary of Christian Ethics*. Philadelphia, 1967.

New Catholic Encyclopedia, The. 15 vols. Washington, DC, 1967.

New Schaff-Herzog Encyclopedia of Religious Knowledge, The. 3rd ed. 13 vols. New York, 1908–1912. Reprint. Grand Rapids, MI, 1951–1954.

RICHARDSON, A., ed. *A Dictionary of Christian Theology*. Philadelphia, 1969.

SMITH, W., and WACE, H., eds. *Dictionary of Christian Biography*. 4 vols. London, 1877–1878.

B. 개요

ATIYA, A. S. *History of Eastern Christianity*. Notre Dame, IN, 1968.

ATTWATER, D. *The Christian Churches of the East*. 2 vols. Milwaukee, 1947, 1948.

JEDIN, H., and DOLAN, J., eds. *History of the Church*. 10 vols. New York, 1965–1981.

LATOURETTE, K. S. *A History of Christianity*. 2 vols. New York, 1975.

———. *A History of the Expansion of Christianity*. 7 vols. New York, 1937–1945.

MEYENDORFF, J. *The Orthodox Church: Its Past and Its Role in the World Today*. 3rd ed. Trans. J. Chapin. Crestwood, NY, 1981.

SCHAFF, P. *A History of the Christian Church*. 3rd rev. ed. 7 vols. in 8. New York, 1910.

C. 사상과 신학

COPLESTONE, F. *A History of Philosophy*. Rev. ed. 9 vols. London, 1951–1975.

CUNLIFFE-JONES, H., and DREWERY, B., eds. *A History of Christian Doctrine*. Philadelphia, 1980.

DENZINGER, H. J. D., ed. *The Sources of Catholic Dogma*. Trans. R. J. Deferrari. St. Louis, 1957.

GONZALEZ, J. L. *A History of Christian Thought*. 3 vols. Nashville, TN, 1970–1975.

HARNACK, A. VON. *History of Dogma*. Trans. N. Buchanan. 7 vols. Boston, 1895–1903.

LEITH, J. H., ed. *Creeds of the Churches: A Reader in Christian Doctrine from the Bible to the Present*. Garden City, NY, 1963.

LOHSE, B. *A Short History of Christian Doctrine*. Trans. F. E. Stoeffler. Philadelphia, 1966.

MCGIFFERT, A. C. *A History of Christian Thought*. 2 vols. New York, 1931.

PELIKAN, J. *The Christian Tradition*. 4 vols. Chicago, 1971–1984.

REUTHER, R. R., ed. *Religion and Sexism: Images of Women in the Jewish and Christian Traditions*. New York, 1974.

SCHAFF, P., ed. *The Creeds of Christendom*. 6th ed. 3 vols. New York, 1919.

SEEBERG, R. *A Textbook of the History of Doctrines*. Trans. C. E. Hay. 2 vols. in 1. Grand Rapids, MI, 1964.

D. 제도 : 교역, 교회 정치, 예배

ACKROYD, P. R., et al., eds. *The Cambridge History of the Bible*. 3 vols. Cambridge, 1976.

JONES, C., WAINWRIGHT, G., and YARNOLD, E., eds. *The Study of Liturgy*. New York, 1978.

MARGULL, H. J., ed. *The Councils of the Church: History and Analysis*. Trans. W. F. Bense. Philadelphia, 1966.

NEILL, S. C., and WEBER, H.-R. *The Layman in Christian History*. Philadelphia, 1963.

NIEBUHR, H. R., and WILLIAMS, D. D., eds. *The Ministry in Historical Perspective*. New York, 1956.

REUTHER, R., and MCLAUGHLIN, E., eds. *Women of Spirit: Female Leadership in the Jewish and Christian Traditions*. New York, 1979.

E. 영성, 수도원주의, 수도회

BOUYER, L., et al. *A History of Christian Spirituality*. 3 vols. New York, 1963–1969.

KNOWLES, D. *Christian Monasticism*. New York and Toronto, 1969.

LOSSKY, V. *The Mystical Theology of the Eastern Church*. London, 1957.

OPSAHL, P. D. *The Holy Spirit in the Life of the Church*. Minneapolis, 1978.

POURRAT, P. *Christian Spirituality*. Trans. W. H. Mitchell and S. P. Jacques. 3 vols. London, 1922–1927.

WORKMAN, H. B. *The Evolution of Christian Monasticism*. London, 1913.

F. 교회와 사회

EHLER, S. Z., and MORRALL, J. B., eds. *Church and State through the Centuries*. London, 1954.

FORELL, G. W. *History of Christian Ethics*. Vol. 1. Minneapolis, 1979.

NIEBUHR, H. R. *Christ and Culture*. New York, 1951.

PARKER, T. M. *Christianity and the State in the Light of History*. London, 1955.

TROELTSCH, E. *The Social Teachings of the Christian Churches*. Trans. O. Wyon. 2 vols. New York, 1931.

2. 제1기~제3기: 1-600

A. 배경과 참고서적

Bury, J. B. *History of the Later Roman Empire.* 2nd ed. 2 vols. London, 1923. Reprint. New York, 1958.

Dill, S. *Roman Society in the Last Century of the Western Empire.* 2nd rev. ed. London, 1899. Reprint. New York, 1958.

Duckett, E. S. *Latin Writers of the Fifth Century.* New York, 1930.

Festugiere, A.-J. *Personal Religion among the Greeks.* Berkeley, 1954.

Fustel de Coulanges, N. D. *The Ancient City.* Trans. W. Small. Paris, 1864. Reprint. Garden City, NY, n.d.

Goodspeed, E. J., and Grant, R. M. *A History of Early Christian Literature.* Chicago, 1966.

Grant, M. *History of Rome.* 2nd rev. ed. London, 1979.

Jones, A. H. M. *The Later Roman Empire.* 3 vols. Oxford, 1964.

Marrou, H.-I. *A History of Education in Antiquity.* Trans. G. Lamb. New York, 1956.

Mohrmann, C., and van der Meer, F. *Atlas of the Early Christian World.* Trans. and ed. M. Hedlund and H. H. Rowley. London, 1958.

Nilsson, M. P. *Greek Piety.* Trans. H. J. Rose. Oxford, 1948.

Nock, A. D. *Conversion: The Old and the New in Religion from Alexander the Great to Augustine of Hippo.* Oxford, 1933.

Ogilvie, R. M. *The Romans and Their Gods.* London, 1969.

Peters, F. E. *The Harvest of Hellenism: A History of the Near East from Alexander the Great to the Triumph of Christianity.* New York, 1970.

Quasten, J. *Patrology.* 3 vols. Westminster, MD, 1950–1960.

Rostovtzeff, M. *Social and Economic History of the Roman Empire.* 2nd ed. 2 vols. Oxford, 1957.

Rusch, W. G. *The Later Latin Fathers.* London, 1977.

Schürer, E.; Vermes, G.; and Millar, F. *The History of the Jewish People in the Age of Jesus Christ.* 2 vols. Edinburgh, 1973–1979.

Simon, M. *Verus Israel: Étude sure les relations entre chrétiens et juifs dans l'empire romain.* 2nd ed. Paris, 1964.

Smallwood, E. M. *The Jews under Roman Rule.* Leiden, 1976.

Stewardson, J. L. *A Bibliography of Bibliographies on Patristics.* Evanston, IL, 1967.

Young, F. *From Nicaea to Chalcedon: A Guide to the Literature and Its Background.* London and Philadelphia, 1983.

B. 원전과 문서들

Ayer, J. C., ed. *A Source Book for Ancient Church History.* New York, 1913.

Baillie, J.; McNeill, J. T.; and Van Dusen, H. P., eds. *The Library of Christian Classics.* 26 vols. Philadelphia, 1953–1969. (Volumes 1–8 contain works from the period of the early church.)

Bettenson, H., ed. *The Early Christian Fathers: A Selection from the Writings of the Fathers from St. Clement of Rome to St. Athanasius*. New York, 1956.

Deferrari, R. J., et al., eds. *The Fathers of the Church: A New Translation*. 70 vols. New York, 1947–1984.

Norris, R. A., Jr., trans. and ed. *The Christological Controversy*. Philadelphia, 1980.

Quasten, J., et al. *Ancient Christian Writers*. 42 vols. New York, 1946–1984.

Roberts, A., and Donaldson, J., eds. *The Ante-Nicene Fathers*. 10 vols. Buffalo, 1884–1886.

Schaff, P., and Wace, H., eds. *The Nicene and Post-Nicene Fathers*. Series 1 and 2. 26 vols. New York, 1886–1895.

Stevenson, J., ed. *Creeds, Councils and Controversies*. New York, 1966.

———, ed. *A New Eusebius*. New York, 1957.

Wiles, M., and Santer, M., eds. *Documents in Early Christian Thought*. Cambridge, 1975.

C. 개요

Chadwick, H. *The Early Church*. Baltimore, 1967.

Conzelmann, H. *History of Primitive Christianity*. Trans. J. E. Steely. Nashville, TN, 1973.

Danielou, J., and Marrou, H.-I. *The First Six Hundred Years*. Vol. 1 of J. L. Rogier et al., eds., *The Christian Centuries*. Trans. V. Cronin, London, 1964.

Frend, W. H. C. *The Early Church*. Philadelphia, 1982.

Lebreton, J., and Zeiller, J. *The History of the Primitive Church*. Trans. E. C. Messenger. 2 vols. New York, 1949.

Lietzmann, H. *The Beginnings of the Christian Church*. Trans. B. Woolf. New York, 1938.

———. *The Founding of the Church Universal*. Trans. B. Woolf. New York, 1938.

———. *From Constantine to Julian*. Trans. B. Woolf. New York, 1950.

———. *The Era of the Church Fathers*. Trans. B. Woolf. New York, 1951.

Palanque, J. R., et al. *The Church in the Christian Roman Empire*. Trans. E. C. Messenger. 2 vols. London, 1949–1952.

Zernov, N. *Eastern Christendom: A Study of the Origin and Development of the Eastern Orthodox Church*. New York, 1961.

D. 사상과 신학

Armstrong, A. H. *An Introduction to Ancient Philosophy*. London, 1947.

———, ed. *The Cambridge History of Later Greek and Early Medieval Philosophy*. Cambridge, 1967.

Chadwick, H. *Early Christian Thought and the Classical Tradition*. New York, 1966.

Cochrane, C. N. *Christianity and Classical Culture*. New York, 1944.

Danielou, J. *A History of Early Christian Doctrine before the Council of Nicaea*. Trans. J. A. Baker. Vol. 1, *The Theology of Jewish Christianity*, Chicago, 1964. Vol. 2, *Gospel Message and Hellenistic Culture*, Philadelphia, 1973. Vol. 3, *The Origins of Latin Christianity*, Philadelphia, 1977.

Evans, R. F. *One and Holy: The Church in Latin Patristic Thought*. London, 1972.

GRAEF, H. *Mary: A History of Doctrine and Devotion*. London, 1963.

GREENSLADE, S. L. *Schism in the Early Church*. London, 1953.

GRILLMEIER, A. *Christ in Christian Tradition*. 2nd ed. Trans. J. Bowden. London, 1975.

KELLY, J. N. D. *Early Christian Doctrines*. Rev. ed. New York, 1960.

LADNER, G. B. *The Idea of Reform: Its Impact on Christian Thought and Action in the Age of the Fathers*. Rev. ed. New York, 1967.

PELIKAN, J. *The Emergence of the Catholic Tradition*. Chicago, 1971.

PRESTIGE, G. *God in Patristic Thought*. London, 1952.

MEYENDORFF, J. *Christ in Eastern Christian Thought*. Washington, DC, and Cleveland, 1969.

STEAD, C. *Divine Substance*. Oxford, 1977.

TAVARD, G. *Women in Christian Tradition*. Notre Dame, IN, 1973.

E. 특별한 운동과 시기

BLACKMAN, E. C. *Marcion and His Influence*. London, 1948.

CHADWICK, H. *Priscillian of Avila: The Occult and the Charismatic in the Early Church*. Oxford, 1976.

FREND, W. H. C. *The Donatist Church*. Oxford, 1952.

———. *The Rise of the Monophysite Movement*. Cambridge, 1972.

Grant, R. M. *Gnosticism and Early Christianity*. Rev. ed. New York, 1966.

JONAS, H. *The Gnostic Religion*. 2nd rev. ed. Boston, 1963.

KOPOCEK, T. A. *A History of Neo-Arianism*. 2 vols. Cambridge, MA, 1979.

RUDOLPH, K. *Gnosis: The Nature and History of Gnosticism*. Trans. R. M. Wilson. San Francisco, 1983.

WALLACE-HADRILL, D. S. *Christian Antioch: A Study of Early Christian Thought in the East*. Cambridge, 1982.

F. 제도 : 교역, 교회 정치, 예배

BRADSHAW, P. F. *Daily Prayer in the Early Church*. New York, 1982.

CAMPENHAUSEN, H. VON. *Ecclesiastical Authority and Spiritual Power in the Church of the First Three Centuries*. Trans. J. A. Baker. London, 1969.

———. *The Formation of the Christian Bible*. Trans. J. A. Baker. London, 1972.

GILES, E., ed. *Documents Illustrating Papal Authority, A.D. 96–454*. London, 1952.

GRABAR, A. *Christian Iconography: A Study of Its Origins*. Princeton, NJ, 1968.

Hertling, L. *Communio: Church and Papacy in Early Christianity*. Trans. J. Wicks. Chicago, 1972.

JUNGMANN, J. A. *The Early Liturgy to the Time of Gregory the Great*. Trans. F. Brunner. Notre Dame, IN, 1959.

KELLY, J. N. D. *Early Christian Creeds*. 3rd ed. New York, 1972.

KRAUTHEIMER, R. *Early Christian and Byzantine Architecture*. Baltimore, 1965.

G. 영성, 수도원주의, 수도회

AMAND, D. *L'Ascèse monastique de saint Basile*. Maredsous, 1949.

CHADWICK, H. *The Sentences of Sextus*. Cambridge, 1959.

CHITTY, D. J. *The Desert a City: An Introduction to the Study of Egyptian and Palestinian Monasticism under the Christian Empire.* Crestwood, NY, 1966.

FRY, T., et al., eds. *The Rule of St. Benedict in Latin and English, with Notes.* Collegeville, MN, 1981.

LOUTH, A. *The Origins of the Christian Mystical Tradition.* Oxford, 1981.

MORISON, E. F. *St. Basil and His Rule: A Study in Early Monasticism.* New York, 1912.

WARD, B., trans. *The Sayings of the Desert Fathers.* London, 1981.

H. 교회와 사회

CADOUX, C. J. *The Early Church and the World.* Edinburgh, 1925. Reprint. Edinburgh and New York, 1955.

COLEMAN-NORTON, P. R. *Roman State and Christian Church.* London, 1966.

DVORNIK, F. *Early Christian and Byzantine Political Philosophy.* 2 vols. Washington, DC, 1966.

FREND, W. H. C. *Martyrdom and Persecution in the Early Church.* Oxford, 1965.

GIET, S. *Les idées et l'action sociales de saint Basile.* Paris, 1941.

GRANT, R. M. *Early Christianity and Society.* San Francisco, 1977.

———. *The Sword and the Cross.* New York, 1955.

GREENSLADE, S. L. *Church and State from Constantine to Theodosius.* London, 1954.

MARKUS, R. A. *Saeculum: History and Society in the Theology of St. Augustine.* Cambridge, 1970.

OSBORN, E. F. *Ethical Patterns in Early Christian Thought.* Cambridge, 1976.

I. 전기 연구

BAUR, C. *John Chrysostom and His Time.* Trans. M. Gonzaga. 2 vols. London, 1959–1960.

BROWN, P. *Augustine of Hippo: A Biography.* Berkeley, 1969.

BROWNING, R. *The Emperor Julian.* Berkeley, 1976.

CAMPENHAUSEN, H. VON. *The Fathers of the Greek Church.* Trans. S. Godman. New York, 1959.

———. *Men Who Shaped the Western Church.* Trans. M. Hoffman. New York, 1964.

CHADWICK, O. *John Cassian.* Cambridge, 1950.

DÖRRIES, H. *Constantine the Great.* Trans. R. H. Bainton. New York, 1972.

HOMES-DUDDEN, F. *The Life and Times of St. Ambrose.* 2 vols. Oxford, 1935.

JONES, A. H. M. *Constantine and the Conversion of Europe.* Rev. ed. New York, 1962.

KELLY, J. N. D. *Jerome.* New York, 1975.

TRIGG, J. W. *Origen: The Bible and Philosophy in the Third-century Church.* Atlanta, GA, 1983.

3. 제4기~제5기 : 중세시대

A. 배경과 참고서적

BLOCH, M. *Feudal Society*. Trans. L. A. Manyon. London, 1961.

CARLYLE, R. W., and CARLYLE, A. J. *A History of Mediaeval Political Theory in the West*. 6 vols. Edinburgh, 1903–1936.

COULTON, G. G. *Five Centuries of Religion*. 4 vols. Cambridge, 1923–1950.

DAWSON, C. *Religion and the Rise of Western Culture*. New York, 1958.

———. *The Making of Europe*. Cleveland and New York, 1956.

FERGUSON, W. K. *Europe in Transition, 1300–1520*. Boston, 1962.

GILMORE, M. *The World of Humanism, 1453–1517*. New York, 1952.

HALE, J. R. *Renaissance Europe: Individual and Society, 1480–1520*. New York, 1973.

HAY, D., and POTTER, G. R., eds. *The New Cambridge Modern History*. Vol. 1, *The Renaissance, 1493–1520*. Cambridge, 1957.

HUIZINGA, J. *The Waning of the Middle Ages*. Trans. F. Hopman. London, 1924.

MANGO, C. *Byzantium: The Empire of New Rome*. New York, 1980.

OSTROGORSKY, G. *History of the Byzantine State*. 2nd ed. Trans. J. Hussey. Oxford, 1968.

SOUTHERN, R. W. *The Making of the Middle Ages*. New Haven, CT, 1953.

WALLACE-HADRILL, J. M. *The Barbarian West, 400–1000*. London, 1952.

B. 원전과 문서들

BAILLIE, J.; MCNEILL, J. T.; and VAN DUSEN, H. P., eds. *The Library of Christian Classics*. 26 vols. Philadelphia, 1953–1969. (Vols. 9–14 contain works from the early Middle Ages to the Reformation.)

BALDWIN, M. B., ed. *Christianity through the Thirteenth Century*. New York, 1970.

BROOKE, R. B., ed. *The Coming of the Friars*. London and New York, 1975.

CASSIRER, E.; KRISTELLER, P. O.; and RANDALL, J. H., eds. *The Renaissance Philosophy of Man*. Chicago, 1948.

FARRAR, C. P., and EVANS, A. P. *Bibliography of English Translations from Medieval Sources*. New York, 1946.

FERGUSON, M. A. H. *Bibliography of English Translations from Medieval Sources, 1943–1967*. New York, 1974.

OBERMAN, H. A., ed., and Nyhus, P. L., trans. *Forerunners of the Reformation: The Shape of Later Medieval Thought, Illustrated by Key Documents*. Philadelphia, 1981.

PETRY, R. C., ed. *A History of Christianity: Readings in the History of the Early and Medieval Church*. Englewood Cliffs, NJ, 1962.

WAKEFIELD, W. L., and EVANS, A. P., trans. and eds. *Heresies of the High Middle Ages: Selected Sources*. New York and London, 1969.

C. 개요

BECK, H.-G., et al. *From the High Middle Ages to the Eve of the Reformation*. Trans. A. Briggs. Vol. 4 of H. Jedin and J. Dolan, *History of the Church*. New York, 1965.

Knowles, D., and Obolensky, D. *The Middle Ages*. Vol. 2 of J. L. Rogier et al., eds., *The Christian Centuries*. London, 1968.

McNeill, J. T. *The Celtic Churches: A History, A.D. 200 to 1200*. Chicago, 1974.

Oakley, F. *The Western Church in the Later Middle Ages*. Ithaca, NY, 1979.

Southern, R. W. *Western Society and the Church in the Later Middle Ages*. Baltimore, 1968.

Spinka, M. *A History of Christianity in the Balkans*. Hamden, CT, 1968.

D. 사상과 신학

Beck, H.-G. *Kirche und theologische Literatur im byzantinischen Reich*. Munich, 1963.

Chenu, M.-D. *Nature Man and Society in the Twelfth Century*. Trans. J. Taylor and L. K. Little. Chicago, 1968.

Geanakoplos, D. J. *Byzantine East and Latin West: Two Worlds of Christendom in Middle Ages and Renaissance*. New York, 1966.

Gilson, E. *A History of Christian Philosophy in the Middle Ages*. New York, 1955.

———. *Reason and Revelation in the Middle Ages*. New York, 1938.

Grabmann, M. *Die Geschichte der scholastischen Methode*. 2 vols. Freiburg-im-Br., 1909, 1911. Reprint. Graz, 1957.

Haskins, C. H. *The Renaissance of the Twelfth Century*. Cambridge, MA, 1927.

———. *The Rise of Universities*. Ithaca, NY, 1957.

Hussey, J. M. *Church and Learning in the Byzantine Empire, 867–1185*. Oxford, 1937.

Klibansky, R. *The Continuity of the Platonic Tradition during the Middle Ages*. London, 1939.

Kristeller, P. O. *Renaissance Thought and Its Sources*. New York, 1979.

Leff, G. *The Dissolution of the Medieval Outlook: An Essay on Intellectual and Spiritual Change in the Fourteenth Century*. New York, 1976.

———. *Medieval Thought: St. Augustine to Ockham*. Baltimore, 1958.

Oberman, H. A. *The Harvest of Medieval Theology: Gabriel Biel and Late Medieval Nominalism*. Cambridge, MA, 1963.

Ozment, S. *The Age of Reform, 1250–1550: An Intellectual and Religious History of Late Medieval and Reformation Europe*. New Haven, CT, 1980.

Pelikan, J. *Reformation of Church and Dogma (1300–1700)*. Vol. 4 of *The Christian Tradition*. Chicago, 1984.

———. *The Growth of Mediaeval Theology (600–1300)*. Vol. 3 of *The Christian Tradition*. Chicago, 1978.

———. *The Spirit of Eastern Christendom (600–1700)*. Vol. 2 of *The Christian Tradition*. Chicago, 1974.

Rashdall, H. *The Universities of Europe in the Middle Ages*. 2nd ed. rev. by F. M. Powicke and A. B. Emden. 3 vols. Oxford, 1936.

Reeves, M. *The Influence of Prophecy in the Later Middle Ages: A Study in Joachimism*. Oxford, 1969.

Steenberghen, F. van. *Aristotle and the West*. Trans. L. Johnson. Louvain, 1955.

Taylor, H. O. *The Medieval Mind*. 4th ed. 2 vols. Cambridge, MA, 1949.

Trinkaus, C. *In Our Image and Likeness: Humanity and Divinity in Italian Humanist Thought*. 2 vols. Chicago, 1970.

E. 중세 이단, 분열적 운동과 종교재판

BORST, A. *Die Katharer*. Stuttgart, 1953.

GEBHARDT, E. *Mystics and Heretics in Italy*. Trans. E. M. Hulme. London, 1922.

LAMBERT, M. D. *Medieval Heresy: Popular Movements from Bogomil to Hus*. London, 1977.

LEFF, G. *Heresy in the Late Middle Ages: The Relation of Heterodoxy to Dissent, c. 1250–c. 1450*. 2 vols. Manchester and New York, 1967.

LERNER, R. E. *The Heresy of the Free Spirit in the Later Middle Ages*. Berkeley and Los Angeles, 1972.

LOOS, M. *Dualist Heresy in the Middle Ages*. Prague, 1974.

MCDONNELL, E. W. *The Beguines and Beghards in Medieval Culture*. New Brunswick, NJ, 1954.

RUSSELL, J. B. *Dissent and Reform in the Early Middle Ages*. Berkeley and Los Angeles, 1965.

———. *Witchcraft in the Middle Ages*. Ithaca, NY, 1972.

THOMSON, J. A. F. *The Later Lollards, 1414–1520*. Oxford, 1965.

TURBERVILLE, A. S. *Medieval Heresy and the Inquisition*. London, 1920.

WAKEFIELD, W. L. *Heresy, Crusade, and Inquisition in Southern France, 1100–1250*. London, 1974.

F. 제도 : 교역, 교회 정치, 예배

BARRACLOUGH, G. *The Medieval Papacy*. London, 1968.

DVORNIK, F. *Byzantium and the Roman Primacy*. New York, 1966.

———. *The Photian Schism: History and Legend*. Cambridge, 1948.

GILL, J. *The Council of Florence*. Cambridge, 1959.

JUNGMANN, J. A. *The Mass of the Roman Rite: Its Origin and Development*. Trans. F. A. Brunner. 2 vols. New York, 1951, 1955

KUTTNER, S. *Harmony from Dissonance: An Interpretation of Medieval Canon Law*. Latrobe, PA, 1960.

MALE, E. *The Gothic Image: Religious Art in France of the Thirteenth Century*. Trans. D. Nussey. New York, 1958.

MANN, H. K. *The Lives of the Popes in the Middle Ages*. 18 vols. London, 1906–1932.

MOLLAT, G. *The Popes at Avignon (1305–1378)*. Trans. J. Love. New York, 1963.

ROGERS, E. F. *Peter Lombard and the Sacramental System*. New York, 1917.

RUNCIMAN, S. *The Eastern Schism: A Study of the Papacy and the Eastern Churches during the XIth and XIIth Centuries*. Oxford, 1955.

SIMPSON, O. VON. *The Gothic Cathedral: Origins of Gothic Architecture and the Medieval Concept of Order*. New York, 1956.

TENTLER, T. N. *Sin and Confession on the Eve of the Reformation*. Princeton, NJ, 1977.

TIERNEY, B. *Foundations of Conciliar Theory*. Cambridge, 1955.

ULLMANN, W. *The Origins of the Great Schism*. London, 1949.

———. *A Short History of the Papacy in the Middle Ages*. London, 1974.

G. 영성, 수도원주의, 수도회

BROOKE, C., and SWAAN, W. *The Monastic World*. London and New York, 1974.

BROOKE, R., and BROOKE, C. *Popular Religion in the Middle Ages: Western Europe 1000–1300*. London and New York, 1984.

BUTLER, C. *Benedictine Monachism*. 2nd ed. Cambridge, 1961.

CONSTABLE, G. *Medieval Monasticism: A Select Bibliography*. Toronto, 1976.

DUCKETT, E. S. *The Gateway to the Middle Ages: Monasticism*. Ann Arbor, 1938.

GRUNDMANN, H. *Religiöse Bewegungen im Mittelalter*. 2nd ed. Hildesheim, 1961.

HINNEBUSCH, W. A. *A History of the Dominican Order: Origins and Growth to 1550*. Vol. 1. New York, 1965.

KNOWLES, D. *The English Mystical Tradition*. London, 1961.

———. *The Religious Orders in England*. 3 vols. Cambridge, 1948–1959.

LECLERCQ, J. *The Love of Learning and the Desire for God: A Study of Monastic Culture*. 2nd rev. ed. Trans. C. Mishrahi. New York, 1974.

LECLERCQ, J.; VANDENBROUCKE, F.; and BOUYER, L. *The Spirituality of the Middle Ages*. London, 1968.

MANSELLI, R. *La religion populaire au moyen age*. Montreal and Paris, 1975.

MOORMAN, J. R. H. *A History of the Franciscan Order*. Oxford, 1968.

NIGG, W. *The Great Religious Orders and their Founders*. Trans. M. Ilford. New York, 1972.

POST, R. R. *The Modern Devotion: Confrontation with Reformation and Humanism*. Leiden, 1968.

POWER, E. *Medieval Nunneries*. Rev. ed. Cambridge, 1940.

RYAN, J. *Irish Monasticism*. Dublin, 1931.

SMALLEY, B. *The Study of the Bible in the Middle Ages*. Notre Dame, IN, 1964.

SUMPTION, J. *Pilgrimage: An Image of Medieval Religion*. Totowa, NJ, 1975.

TRINKAUS, C., and OBERMAN, H. A., eds. *The Pursuit of Holiness in Late Medieval and Renaissance Religion*. Leiden, 1974.

H. 교회와 사회

HERLIHY, D. *Women in Medieval Society*. Houston, 1971.

KANTOROWICZ, E. H. *The King's Two Bodies: A Study in Medieval Political Theology*. Princeton, NJ, 1957.

NICOL, D. M. *Church and Society in the Last Centuries of Byzantium*. Cambridge, 1979.

POWER, E. *Medieval Women*. Ed. M. M. Postan. New York, 1975.

RUNCIMAN, S. *A History of the Crusades*. 3 vols. Cambridge, 1951–1954.

SCHARF, A. *Byzantine Jewry from Justinian to the Fourth Crusade*. London, 1971.

SETTON, K. M. *A History of the Crusades*. 5 vols. to date. Philadelphia, 1958–.

SOUTHERN, R. W. *Western Views of Islam in the Middle Ages*. Cambridge, MA, 1962.

SYNAN, E. A. *The Popes and the Jews in the Middle Ages*. New York, 1965.

TELLENBACH, G. *Church, State, and Christian Society at the Time of the Investiture Contest*. Trans. R. F. Bennett. New York, 1970.

TIERNEY, B., ed. *The Crisis of Church and State, 1050–1300*. Englewood Cliffs, NJ, 1964.

I. 진기 연구

Bettoni, E. *Duns Scotus: The Basic Principles of His Philosophy.* Trans. B. Bonansea. Washington, DC, 1961.

Boase, T. S. R. *Boniface VIII.* London, 1933.

Chenu, M.-D. *Toward Understanding St. Thomas.* Chicago, 1964.

Clayton, J. *Pope Innocent III and His Times.* Milwaukee, 1940.

Father Cuthbert [Hess]. *Life of St. Francis of Assisi.* London, 1912.

Gilson, E. *The Christian Philosophy of St. Thomas Aquinas.* Trans. L. K. Shook. New York, 1956.

———. *The Mystical Theology of St. Bernard.* Trans. A. H. C. Downes. New York, 1940.

———. *The Philosophy of St. Bonaventure.* Trans. I. Trethowan and F. J. Sheed. Paterson, NJ, 1965.

Grane, L. *Peter Abelard: Philosophy and Christianity in the Middle Ages.* New York, 1970.

Hopkins, J. *A Companion to the Study of St. Anselm.* Minneapolis, 1972.

Leff, G. *William of Ockham: The Metamorphosis of Scholastic Discourse.* Manchester, 1975.

Lonergan, B. *Verbum: Word and Idea in Aquinas.* Notre Dame, IN, 1967.

McFarlane, K. B. *John Wycliffe and the Beginnings of English Nonconformity.* London, 1952.

Mandonnet, P. *Saint Dominic and His Work.* Trans. M. B. Larking. London and St. Louis, 1964.

Sabatier, P. *Life of St. Francis of Assisi.* Trans. L. S. Houghton. London, 1894.

Spinka, M. *John Hus: A Biography.* Princeton, NJ, 1968.

Vicaire, M. H. *Saint Dominic and His Times.* New York, 1965.

Weisheipl, J. A. *Friar Thomas D'Aquino: His Life, Thought, and Work.* Oxford, 1975.

West, D. C., ed. *Joachim of Fiore in Christian Thought: Essays on the Influence of the Calabrian Prophet.* New York, 1975.

Workman, H. B. *John Wycliffe: A Study of the English Medieval Church.* 2 vols. Oxford, 1926.

4. 제6기 : 종교개혁

A. 배경과 참고서적

Bainton, R. H., and Gritsch, E. W. *Bibliography of the Continental Reformation: Materials Available in English.* 2nd ed. Hamden, CT, 1972.

Braudel, F. *The Mediterranean and the Mediterranean World in the Age of Philip II.* 2 vols. Trans. S. Reynolds. New York, 1972, 1973.

Buck, L. P., and Zophy, J. W., eds. *The Social History of the Reformation.* Columbus, OH, 1972.

DeMolen, R. L., ed. *The Meaning of the Renaissance and Reformation.* Boston, 1974.

Elton, G. R., ed. *The New Cambridge Modern History*. Vol. 2, *The Reformation, 1520–1559*. Cambridge, 1958.

Hurstfield, J., ed. *The Reformation Crisis*. New York, 1966.

Kingdon, R. M., ed. *Transition and Revolution: Problems and Issues of European Renaissance and Reformation History*. Minneapolis, 1974.

Oberman, H. A., ed. *Luther and the Dawn of the Modern Era*. Leiden, 1974.

Ozment, S., ed. *Reformation Europe: A Guide to Research*. St. Louis, 1982.

———, ed. *The Reformation in Medieval Perspective*. Chicago, 1971.

Spitz, L. W., ed. *The Reformation: Basic Interpretations*. 2nd ed. Lexington, MA, 1972.

Strauss, G., ed. *Pre-Reformation Germany*. New York, 1972.

Wernham, R. B., ed. *The New Cambridge Modern History*. Vol. 3, *The Counter-Reformation and the Price Revolution, 1959–1610*. Cambridge, 1968.

B. 원전과 문서들

Baillie, J.; McNeill, J. T.; and Van Dusen, H. P., eds. *The Library of Christian Classics*. Philadelphia, 1953–1969. (Vols. 15–26 contain works of the Reformation era.)

Elton, G. R., ed. *Renaissance and Reformation, 1300–1648*. New York, 1963.

Gee, H., and Hardy, W. J., eds. *Documents Illustrative of English Church History*. London, 1896.

Hillerbrand, H. J., ed. *The Reformation: A Narrative History Related by Contemporary Observers and Participants*. New York, 1964.

Kidd, B. J., ed. *Documents Illustrative of the Continental Reformation*. Oxford, 1911. Reprint. Oxford, 1967.

Olin, J. C., ed. *The Catholic Reformation: Savonarola to Ignatius Loyola*. New York, 1969.

Pelikan, J., and Lehmann, H. T., eds. *Luther's Works*. 55 vols. St. Louis and Philadelphia, 1955–1976.

Spiritual Exercises of St. Ignatius, The. Trans. L. D. Puhl. Westminster, MD, 1951.

Strauss, G., ed. *Manifestations of Discontent in Germany on the Eve of the Reformation*. Bloomington, IN, 1971.

C. 개요 : 일반적

Bainton, R. H. *The Reformation of the Sixteenth Century*. Boston, 1952.

Chadwick, O. *The Reformation*. Baltimore, 1968.

Dickens, A. G. *Reformation and Society in Sixteenth-Century Europe*. New York, 1966.

———. *The Age of Humanism and Reformation*. Englewood Cliffs, NJ, 1972.

Elliott, J. H. *Europe Divided, 1559–1598*. New York, 1959.

Elton, G. R. *Reformation Europe, 1517–1559*. New York, 1966.

Green, V. H. H. *Renaissance and Reformation: A Survey of European History between 1450 and 1660*. 2nd ed. London, 1964.

Grimm, H. J. *The Reformation Era, 1500–1650*. 2nd ed. New York, 1973.

Hillerbrand, H. J. *The World of the Reformation*. New York, 1973.

Iserloh, E.; Glazik, J.; and Jedin, H. *Reformation and Counter-Reformation*. Vol. 5 of H. Jedin and J. Dolan, eds., *History of the Church*. New York, 1968.

Koenigsberger, H. G., and Mosse, G. L. *Europe in the Sixteenth Century*. New York, 1968.

Spitz, L. W. *The Renaissance and Reformation Movements*. Chicago, 1971.

D. 개요 : 지역별, 주제별

Bergendorff, C. *Olavus Petri and the Ecclesiastical Transformation of Sweden, 1520–1552*. Philadelphia, 1965.

Clasen, C-P. *Anabaptism: A Social History, 1525–1618*. Ithaca, NY, 1972.

Collinson, P. *The Elizabethan Puritan Movement*. London, 1967.

Dickens, A. G. *The Counter-Reformation*. New York, 1963.

———. *The English Reformation*. New York, 1964.

Donaldson, G. *The Scottish Reformation*. Cambridge, 1960.

Dunckley, E. H. *The Reformation in Denmark*. London, 1948.

Dunn, R. S. *The Age of Religious Wars, 1959–1689*. New York, 1970.

Elton, G. R. *Reform and Reformation: England, 1509–1558*. Cambridge, MA, 1977.

Geyl, P. *The Revolt of the Netherlands, 1555–1609*. 2nd ed. London, 1962.

Kingdon, R. N. *Geneva and the Coming of the Wars of Religion in France, 1555–1563*. Geneva, 1956.

———. *Geneva and the Consolidation of the French Protestant Movement, 1564–1572*. Madison, WI, 1967.

Lau, F., and Bizer, E. *A History of the Reformation in Germany to 1555*. Trans. B. A. Hardy. London, 1969.

Lortz, J. *The Reformation in Germany*. Trans. R. Walls. 2 vols. New York, 1968.

Moeller, B. *Imperial Cities and the Reformation*. Trans. H. C. E. Midelfort and M. U. Edwards. Philadelphia, 1972.

O'Connell, M. R. *The Counter Reformation, 1559–1610*. New York, 1974.

Ozment, S. *The Reformation in the Cities*. New Haven, CT, 1975.

Wedgwood, C. V. *The Thirty Years' War*. London, 1938.

Wilbur, E. M. *A History of Unitarianism*. 2 vols. Cambridge, MA, 1945, 1952.

Williams, G. H. *The Radical Reformation*. Philadelphia, 1962.

E. 사상과 신학

Bremond, H. A. *A Literary History of Religious Thought in France*. Trans. K. L. Montgomery. 2 vols. New York, 1929, 1930.

Delumeau, J. *Catholicism between Luther and Voltaire: A New View of the Counter-Reformation*. Trans. J. Moiser. Philadelphia, 1977.

Elert, W. *The Structure of Lutheranism*. Vol. 1. Trans. W. A. Hansen. St. Louis, 1962.

Evennet, H. O. *The Spirit of the Counter-Reformation*. Ed. J. Bossy. Notre Dame, IN, 1970.

Harbison, E. H. *The Christian Scholar in the Age of the Reformation*. New York, 1950.

Heppe, H. *Reformed Dogmatics*. Ed. and rev. E. Bizer. London, 1950.

Hughes, P. E. *The Theology of the English Reformers*. London, 1965.

Jedin, H. *A History of the Council of Trent*. Trans. E. Graf. 2 vols. New York, 1957, 1961.

KRAHN, C. *Dutch Anabaptism: Origins, Spread, Life and Thought (1450–1600)*. The Hague, 1968.

LITTELL, F. H. *The Origins of Sectarian Protestantism: A Study of the Anabaptist View of the Church*. New York, 1964.

MCNEILL J. T. *The History and Character of Calvinism*. New York, 1954.

OZMENT, S. *The Age of Reform, 1250–1550: An Intellectual and Religious History of Late Medieval and Reformation Europe*. New Haven, CT, 1980.

———. *Mysticism and Dissent: Religious Ideology and Social Protest in the Sixteenth Century*. New Haven, CT, 1973.

PAUCK, W. *The Heritage of the Reformation*. 2nd ed. Glencoe, IL, 1961.

PREUS, R. D. *The Theology of Post-Reformation Lutheranism*. 2 vols. St. Louis, 1970, 1972.

REARDON, B. M. G. *Religious Thought in the Reformation*. New York, 1981.

RUPP, G. *Patterns of Reformation*. Philadelphia, 1969.

SCHWARZ, W. *Principles and Problems of Biblical Translation: Some Reformation Controversies and Their Background*. New York, 1955.

SPITZ, L. W. *The Religious Renaissance of the German Humanists*. Cambridge, MA, 1963.

F. 제도 : 교역, 교회 정치, 예배

ARMOUR, R. *Anabaptist Baptism: A Representative Study*. Scottdale, PA, 1966.

COCHRANE, A. C., ed. *Reformed Confessions of the Sixteenth Century*. Philadelphia, 1966.

CREIGHTON, M. *A History of the Papacy during the Reformation*. 5 vols. London, 1887–1894.

DUGMORE, C. W. *The Mass and the English Reformers*. New York, 1958.

KIDD, B. J., ed. *The Thirty-Nine Articles*. 2 vols. Oxford, 1899.

MCDONNELL, J. *John Calvin, the Church and the Eucharist*. Princeton, NJ, 1967.

O'DONOHOE, J. A. *Tridentine Seminary Legislation: Its Sources and Its Formation*. Louvain, 1957.

PASTOR, L. *The History of the Popes from the Close of the Middle Ages*. London, 1891–1953.

RICHARDSON, C. C. *Zwingli and Cranmer on the Eucharist*. Evanston, IL, 1949.

SASSE, H. *This Is My Body: Luther's Contention for the Real Presence in the Sacrament of the Altar*. Minneapolis, 1959.

SCHROEDER, H. J., ed. *Canons and Decrees of the Council of Trent*. St. Louis, 1941.

TAPPERT, T. G., ed. *The Book of Concord: The Confessions of the Evangelical Lutheran Church*. Philadelphia, 1959.

G. 영성, 수도원주의, 수도회

BRODRICK, J. *The Origins of the Jesuits*. London, 1940.

———. *The Progress of the Jesuits*. London, 1947.

COGNET, L. *Post-Reformation Spirituality*. London, 1959.

KNOWLES, D. *The Religious Orders in England*. 3 vols. Cambridge, 1948–1959.

MARTZ, L. L. *The Poetry of Meditation: A Study in English Religious Literature of the Seventeenth Century*. 2nd ed. New Haven, CT, 1962.

PEERS, E. A. *Studies of the Spanish Mystics*. 2nd ed. rev. 3 vols. London, 1951–1960.

H. 교회와 사회

Bainton, H. *The Travail of Religious Liberty.* New York, 1958.

Blickle, P. *The Revolution of 1525: The German Peasants' War from a New Perspective.* Trans. T. A. Brady and H. C. E. Midelfort. Baltimore, 1981.

Cranz, F. E. *An Essay on the Development of Luther's Thought on Justice, Law, and Society.* Cambridge, MA, 1959.

Fischer-Galati, S. A. *Ottoman Imperialism and German Protestantism, 1521–1555.* Cambridge, MA, 1959.

Graham, W. F. *The Constructive Revolutionary: John Calvin and His Socio-Economic Impact.* Richmond, VA, 1971.

Greaves, R. L. *Society and Religion in Elizabethan England.* Minneapolis, 1981.

Green, R. W., ed. *Protestantism, Capitalism, and Social Science: The Weber Thesis Controversy.* Lexington, MA, 1973.

Kamen, H. *The Spanish Inquisition.* London, 1965.

Klassen, P. *The Economics of Anabaptism.* The Hague, 1964.

Lecler, J. *Toleration and the Reformation.* Trans. T. L. Weston. 2 vols., New York, 1960.

Stayer, J. M. *Anabaptists and the Sword.* Lawrence, KS, 1972.

Tonkin, J. *The Church and the Secular Order in Reformation Thought.* New York, 1971.

Trevor-Roper, H. R. *Religion, the Reformation and Social Change.* London, 1967.

Walton, R. C. *Zwingli's Theocracy.* Toronto, 1967.

I. 전기 연구 : 생애와 사상

Aland, K. *Four Reformers: Luther, Melanchthon, Zwingli, Calvin.* Minneapolis, 1980.

Althaus, P. *The Ethics of Martin Luther.* Trans. R. C. Schultz. Philadelphia, 1972.

———. *The Theology of Martin Luther.* Trans. R. C. Schultz. Philadelphia, 1966.

Bainton, R. H. *Erasmus of Christendom.* New York, 1969.

———. *Here I Stand. A Life of Martin Luther.* Nashville, TN, 1950.

Bangs, C. D. *Arminius: A Study in the utch Reformation.* Nashville, TN, 1971.

Bender, H. *Conrad Grebel: The Founder of the Swiss Brethren.* Goshen, IN, 1950.

Brandi, K. *The Emperor Charles V.* Trans. C. V. Wedgewood. New York, 1939.

Dudon, P. *St. Ignatius of Loyola.* Trans. W. J. Young. Milwaukee, 1949.

Dyck, C. J., ed. *A Legacy of Faith: The Heritage of Menno Simons.* Newton, KN, 1962.

Ebeling, G. *Luther: An Introduction to His Thought.* Trans. R. A. Wilson. Philadelphia, 1970.

Eells, H. *Martin Bucer.* New Haven, CT, 1931.

Gerrish, B. A., ed. *Reformers in Profile: Advocates of Reform, 1300–1600.* Philadelphia, 1969.

Gritsch, E. *Reformer without a Church: Thomas Muentzer.* Philadelphia, 1967.

Manschreck, C. *Melanchthon: The Quiet Reformer.* New York, 1958.

Parker, T. H. L. *John Calvin: A Biography.*

Potter, G. R. *Zwingli.* Cambridge, 1976.

Rahner, H. *Ignatius the Theologian.* New York, 1968.

RIDLEY, J. *John Knox*. London, 1968.

———. *Thomas Cranmer*. Oxford, 1962.

SCARISBRICK, J. J. *Henry VIII*. London, 1968.

STEINMETZ, D. C. *Reformers in the Wings*. Philadelphia, 1971.

WENDEL, F. *Calvin: The Origins and Development of His Religious Thought*. Trans. P. Mairet. New York, 1963.

5. 제7기 : 근대 기독교

A. 배경과 참고서적

BARRETT, D. B., ed. *World Christian Encyclopedia: A Comparative Study of Churches and Religion in the Modern World, A.D. 1900–2000*. Nairobi, 1982.

BURR, N. H. *A Critical Bibliography of Religion in America*. Princeton, NJ, 1961.

ELLIS, J. T., and TRISCO, R., eds. *A Guide to American Catholic History*. 2nd ed. Santa Barbara, CA, 1982.

GAUSTAD, E. S., ed. *Historical Atlas of Religion in America*. Rev. ed. New York, 1976.

MELTON, J. G. *The Encyclopedia of American Religions*. 2 vols. Wilmington, NC, 1978.

WILLIAMS, E. L., and BROWN, C. *The Howard University Bibliography of African and Afro-American Religious Studies*. Rev. ed. Wilmington, DE, 1977.

B. 원전과 문서들

BELL, G. K. A., ed. *Documents on Christian Unity*. 4 vols. Oxford, 1929–1958.

ELLIS, J. T., ed. *Documents of American Catholic History*. Milwaukee, 1956.

FLANNERY, A., ed. *Vatican Council II: The Conciliar and Post-Conciliar Documents*. Wilmington, DE, 1975.

GAUSTAD, E. S., ed. *A Documentary History of Religion in America*. 2 vols. Grand Rapids, MI, 1982, 1983.

GEE, H., and HARDY, W. J., eds. *Documents Illustrative of English Church History*. London, 1896.

MANSCHRECK, C. L., ed. *A History of Christianity: Readings in the History of the Church from the Reformation to the Present*. Englewood Cliffs, NJ, 1964. Reprint. Grand Rapids, MI, 1981.

REARDON, B. M. G. *Religious Thought in the Nineteenth Century, Illustrated from the Writers of the Period*. Cambridge, 1966.

RUETHER, R. R., and KELLER, R. S., eds. *Women and Religion in America: A Documentary History*. 2 vols. San Francisco, 1981, 1983.

SMITH, H. S.; HANDY, R. T.; and LOETSCHER, L. A. *American Christianity: An Historical Interpretation with Representative Documents*. 2 vols. New York, 1960–1963.

VISCHER, L., ed. *A Documentary History of the Faith and Order Movement, 1927–1963*. St. Louis, 1963.

C. 개요 : 일반적

Fey, H. E., ed. *The Ecumenical Advance: A History of the Ecumenical Movement.* Vol. 2, *1948–1968.* Philadelphia, 1970.

Nichols, J. H. *History of Christianity, 1650–1950: Secularization of the West.* New York, 1956.

Noll, M. A., et al., eds. *Eerdmans' Handbook to Christianity in America.* Grand Rapids, MI, 1983.

Norwood, F. A. *The Development of Modern Christianity since 1500.* New York, 1956.

Rouse, R., and Neill, S. C., eds. *A History of the Ecumenical Movement, 1517–1548.* 2nd ed. Philadelphia, 1967.

Vidler, A. R. *The Church in an Age of Revolution: 1789 to the Present Day.* Grand Rapids, MI, 1961.

D. 개요 : 지역별, 주제별

Ahlstrom, S. E. *A Religious History of the American People.* 2 vols. Garden City, NY, 1975.

Albanese, C. L. *America: Religions and Religion.* Belmont, CA, 1981.

Billington, R. A. *The Protestant Crusade, 1800–1860.* New York, 1968.

Bolshakoff, S. *Russian Nonconformity: The Story of "Unofficial" Religion in Russia.* Philadelphia, 1950.

Chadwick, O. *The Popes and European Revolution.* Oxford, 1981.

Cragg, G. R. *From Puritanism to the Age of Reason.* Cambridge, 1965.

Davies, H. *The English Free Churches.* 2nd ed. New York, 1963.

Dillenberger, J., and Welch, C. *Protestant Christianity Interpreted through Its Development.* New York, 1954.

Dussell, E. D. *A History of the Church in Latin America: Colonialism to Liberation, 1492–1979.* Trans. A. Neely. Grand Rapids, MI, 1981.

Frazier, E. F., and Lincoln, C. E. *The Negro Church in America: The Black Church since Frazier.* 2 vols. in 1. New York, 1974.

Handy, R. T. *A History of the Churches in the United States and Canada.* New York, 1977.

Hennesey, J. *American Catholics: A History of the Roman Catholic Community in the United States.* New York, 1981.

Hogg, W. R. *Ecumenical Foundations: A History of the International Missionary Council and Its Nineteenth-Century Background.* New York, 1952.

Holmes, J. D. *The Papacy in the Modern World.* New York, 1981.

Hudson, W. S. *Religion in America.* 3rd ed. New York, 1981.

James, J. W., ed. *Women in American Religion.* Philadelphia, 1980.

Latourette, K. S. *Christianity in a Revolutionary Age: A History of Christianity in the Nineteenth and Twentieth Centuries.* 5 vols. New York, 1958–1962.

Lindt, G. *Moravianism in Two Worlds: A Study of Changing Communities.* New York, 1967.

McNeill, J. T. *The History and Character of Calvinism.* New York, 1954.

Marty, M. E. *Righteous Empire: The Protestant Experience in America.* New York, 1970.

PAYNE, E. A. *The Free Church Tradition in the Life of England*. Rev. ed. London, 1951.

PHILLIPS, C. S. *The Church in France*. 2 vols. London, 1929, 1936.

RUSSELL, E. *The History of Quakerism*. New York, 1942.

E. 사상과 신학

AHLSTROM, S. E., ed. *Theology in America: The Major Voices from Puritanism to Neo-Orthodoxy*. Indianapolis, 1967.

BARTH, K. *Protestant Theology in the Nineteenth Century: Its Background and History*. London, 1972.

BAUMER, F. L. *Modern European Thought: Continuity and Change in Ideas, 1600–1950*. New York, 1977.

CAUTHEN, K. *The Impact of American Religious Liberalism*, 2nd ed. Washington, DC, 1983.

ELLIOTT-BINNS, L. E. *The Development of English Theology in the Later Nineteenth Century*. London, 1952.

GAY, P. *The Enlightenment, An Interpretation: The Rise of Modern Paganism*. New York, 1966.

GROFF, W. E., and MILLER, D. E. *The Shaping of Modern Christian Thought*. Cleveland, 1968.

HEIMERT, A. *Religion and the American Mind: From the Great Awakening to the Revolution*. Cambridge, MA, 1966.

HOOYKASS, R. *Religion and the Rise of Modern Science*. Edinburgh, 1972.

HOUGHTON, W. E. *The Victorian Frame of Mind, 1830–1870*. New Haven, CT, 1957.

HUTCHISON, W R. *The Modernist Impulse in American Protestantism*. Cambridge, MA, 1976.

LANGFORD, T. A. *In Search of Foundations: English Theology, 1900–1920*. Nashville, TN, 1969.

LOTZ, D. W. *Ritschl and Luther*. Nashville, TN, 1974.

MACQUARRIE, J. *Twentieth-Century Religious Thought*. New York, 1963.

MANUEL, F. E. *The Eighteenth Century Confronts the Gods*. Cambridge, MA, 1958.

MARSDEN, G. M. *Fundamentalism and American Culture*. New York, 1980.

MAY, H. F. *The Enlightenment in America*. New York, 1976.

MILLER, P. *The New England Mind*. 2 vols. Cambridge, MA, 1939, 1953.

MILLER, P., and JOHNSON, T. H. *The Puritans*. New York, 1938.

MOORE, J. R. *The Post-Darwinian Controversies: A Study of the Protestant Struggle to Come to Terms with Darwin in Great Britain and America, 1870–1900*. Cambridge, 1979.

NICHOLS, J. H. *Romanticism in American Theology: Nevin and Schaff at Mercersburg*. Chicago, 1961.

NIEBUHR, H. R. *The Kingdom of God in America*. New York, 1937.

PFLEIDERER, O. *The Development of Theology in Germany since Kant, and Its Progress in Great Britain since 1825*. London, 1890.

PIEPKORN, A. C. *Profiles in Belief: The Religious Bodies of the United States and Canada*. 4 vols. New York, 1977–1979.

RANDALL, J. H., JR. *The Making of the Modern Mind*. Rev. ed., Boston, 1940.

REARDON, B. M. G. *From Coleridge to Gore: A History of Nineteenth-Century Religious Thought in Britain*. London, 1971.

SANDEEN, E. R. *The Roots of Fundamentalism: British and American Millenarianism, 1800–1930*. Chicago, 1970.

SOMERVELL, D. C. *English Thought in the Nineteenth Century*. London, 1929.

TILLICH, P. *Perspectives on 19th and 20th Century Protestant Theology*. Ed. C. E. Braaten. New York, 1967.

WELCH, C. *Protestant Thought in the Nineteenth Century*. Vol. 1, *1799–1870*. New Haven, CT, 1972.

WESTFALL, R. S. *Science and Religion in Seventeenth-Century England*. New Haven, CT, 1958.

WILLEY, B. *The Seventeenth-Century Background*. London, 1942.

———. *The Eighteenth-Century Background*. London, 1941.

———. *Nineteenth-Century Studies: Coleridge to Matthew Arnold*. London, 1949.

———. *More Nineteenth-Century Studies: A Group of Honest Doubters*. New York, 1956.

WILMORE, G. S., and CONE, J. H., eds. *Black Theology: A Documentary History, 1966–1979*. Maryknoll, NY, 1979.

F. 제도 : 교역, 교회 정치, 예배

ADAMS, D. *Meeting House to Camp Meeting: Towards a History of American Free Church Worship from 1620 to 1824*. North Aurora, IL, 1983.

DAVIES, H. *Worship and Theology in England*. 5 vols. Princeton, NJ, 1961–1975.

KOENKER, E. B. *The Liturgical Renaissance in the Roman Catholic Church*. 2nd ed. St. Louis, 1966.

SCHERER, R. P. *American Denominational Organization: A Sociological View*. Pasadena, CA, 1980.

SCOTT, D. M. *From Office to Profession: The New England Ministry, 1750–1850*. Philadelphia, 1978.

STEVICK, D. B. *Canon Law: A Handbook*. New York, 1965.

ZOLLMANN, C. F. G. *American Church Law*. St. Paul, MN, 1933.

G. 영성, 종교적 운동, 수도회

BANGERT, W. V. *A History of the Society of Jesus*. St. Louis, 1972.

BREMOND, H. *Histoire littéraire du sentiment religieuse en France*. 9 vols. Paris, 1916–1932.

CARWARDINE, R. *Transatlantic Revivalism: Popular Evangelicalism in Britain and America, 1790–1865*. Westport, CT, 1978.

CHADWICK, O., ed. *The Mind of the Oxford Movement*. London, 1960.

CROSS, W. R. *The Burned-over District: The Social and Intellectual History of Enthusiastic Religion in Western New York, 1800–1850*. Ithaca, NY, 1950.

ELLIOTT-BINNS, L. E. *The Early Evangelicals: A Religious and Social Study*. Greenwich, CT, 1953.

FAIRWEATHER, E. R., ed. *The Oxford Movement*. New York, 1964.

FEDOTOV, G. P., ed. *A Treasury of Russian Spirituality*. New York, 1948.

HEIMERT, A., and MILLER, P., eds. *The Great Awakening: Documents Illustrating the Crisis and Its Consequences*. Indianapolis, 1967.

KNOX, R. A. *Enthusiasm*. Oxford, 1951.

McLoughlin, W. G. *Modern Revivalism: Charles Grandison Finney to Billy Graham.* New York, 1959.

Stoeffler, F. E. *The Rise of Evangelical Pietism.* Leiden, 1965.

H. 교회와 사회

Blau, J. L., ed. *Cornerstones of Religious Liberty in America.* Rev. ed. New York, 1964.

Curtiss, J. S. *Church and State in Russia, 1900–1917.* New York, 1940.

———. *The Russian Church and the Soviet State.* Boston, 1953.

Helmreich, E. C. *The German Churches under Hitler: Background, Struggle, Epilogue.* Detroit, 1979.

Howe, M. D. *The Garden and the Wilderness.* Chicago, 1965.

Howse, E. M. F. *Saints in Politics: The "Clapham Sect" and the Growth of Freedom.* Toronto, 1952.

Jordan, W. K. *The Development of Religious Toleration in England.* 4 vols. London, 1932–1940.

Lincoln, C. E., ed. *The Black Experience in Religion.* New York, 1974.

McLoughlin, W. G. *New England Dissent: The Baptists and the Separation of Church and State, 1630–1833.* 2 vols. Cambridge, MA, 1971.

McManners, J. *The French Revolution and the Church.* London, 1969.

Mathews, D. G. *Religion in the Old South.* Chicago, 1977.

Mead, S. E. *The Lively Experiment: The Shaping of Christianity in America.* New York, 1963.

Pfeffer, L. *Church, State, and Freedom.* Rev. ed. Boston, 1967.

Raboteau, A. J. *Slave Religion: The "Invisible Institution" in the Antebellum South.* New York, 1978.

Sanders, T. G. *Protestant Concepts of Church and State.* New York, 1964.

Smith, E. A. *Religious Liberty in the United States.* Philadelphia, 1972.

Smith, H. S. *In His Image, But . . . : Racism in Southern Religion, 1780–1910.* Durham, 1972.

Smith, T. L. *Revivalism and Social Reform in Mid-Nineteenth Century America.* New York, 1957.

Stokes, A. P. *Church and State in the United States.* 3 vols. New York, 1950.

Stromberg, R. N. *Religious Liberty in Eighteenth-Century England.* London, 1954.

Walzer, M. *The Revolution of the Saints: A Study in the Origins of Radical Politics.* Cambridge, MA, 1965.

White, R. C., and Hopkins, C. H. *The Social Gospel: Religion and Reform in Changing America.* Philadelphia, 1976.

Wilson, J. F., ed. *Church and State in American History.* Boston, 1965.

Woodhouse, A. S. P. *Puritanism and Liberty.* 2nd ed. Chicago, 1951.

I. 전기 연구

Baker, F., ed. *The Works of John Wesley.* 26 vols. Oxford, 1975–1982.

Chadwick, O. *From Bossuet to Newman: The Idea of Doctrinal Development.* Cambridge, 1957.

Curnock, N., ed. *The Journal of John Wesley.* 8 vols. New York, 1909–1916.

Dallimore, A. A. *George Whitefield: The Life and Times of the Great Evangelist of the 18th Century Revival*. 2 vols. Westchester, IL, 1980.

Ellis, J. T. *The Life of James Cardinal Gibbons, Archbishop of Baltimore, 1834–1921*. 2 vols. Milwaukee, 1952.

Henry, S. C. *Unvanquished Puritan: A Portrait of Lyman Beecher*. Grand Rapids, MI, 1973.

Kegley, C. W., and Bretall, R. W., eds. *Reinhold Niebuhr: His Religious, Social, and Political Thought*. Rev. ed. New York, 1982.

Kurtz, J. W. *John Frederic Oberlin*. Boulder, CO, 1976.

Levin, D. *Cotton Mather: The Young Life of the Lord's Remembrancer, 1663–1703*. Cambridge, MA, 1976.

Lowrie, W. *A Short Life of Kierkegaard*. Princeton, 1942.

Martin, B. *John Henry Newman: His Life and Work*. London, 1982.

Miller, P., and Smith, J. E., eds. *The Works of Jonathan Edwards*. New Haven, CT, 1957–.

Miller, P. *Jonathan Edwards*. New York, 1949.

Morgan, E. S. *The Puritan Dilemma: The Story of John Winthrop*. Boston, 1958.

Nelson, R. J. *Pascal: Adversary and Advocate*. Cambridge, MA, 1981.

Outler, A. C., ed. *John Wesley*. New York, 1964.

Pauck, W., and Pauck, M. *Paul Tillich: His Life and Thought*. New York, 1976.

Redeker, M. *Schleiermacher: Life and Thought*. Trans. J. Wallhaussen. Philadelphia, 1973.

Schmidt, M. *John Wesley: A Theological Biography*. Trans. N. P. Goldhawk. 2 vols. London, 1962, 1973.

기독교회사

초판 발행 1993년 3월 25일
중판 발행 2003년 2월 25일

발행처 크리스챤 다이제스트

발행인 박명곤

주소 경기도 고양시 일산구 일산동 1193-2

전화 031-911-9864, **팩스** 911-9824

등록 제 98-75호

총판 (주) 기독교출판유통
전화 031-906-9191~4
팩스 080-456-2580

· 값은 표지에 씌어 있습니다.

ISBN 89-447-0276-4